새 교육과정

필수개념으로 꽉 채운 **개념기본서**

# 낯선개념

## 수학 Ⅰ

KB060230

동아출판

# 날선개념

## 날카롭게 선별한 개념기본서

고등 수학, 겁먹을 필요 없다!
특별한 사람만 수학을 잘하는 것은 아니다.

날카롭게 설명하고 엄선한 문제로
수학의 기본을 다지면,
누구나 수학을 잘할 수 있다.

고등 수학의 편안한 출발
**날선개념으로 시작하자!**

---

## ⊘ 날선 가이드

**나는 어떤 스타일인가요? 문항을 읽고 체크해 보세요.**

☐ 수학 I 을 처음 공부해요.

☐ 수학 개념이 문제에 어떻게 적용되는지 알고 싶어요.

☐ 능률을 생각하지 않고 무조건 열심히 공부해요.

☐ 수학 문제를 봐도 무슨 말인지 모르겠어요.

☐ 선생님이 설명해 주시면 알겠는데, 다시 풀려면 막막해요.

---

위 문항 중 한 개 이상 체크했다면 **날선개념**으로 꼭 공부해야 합니다!
수학 I 을 미리 공부하고 싶을 때
또는 수학 개념을 내 것으로 만들고 싶을 때 **날선개념**으로 공부하세요.
대표Q의 [날선 Guide]로 스스로 생각하는 힘을 키우면
공부 능률도 오르고 수학에 자신감이 생깁니다.

| | |
|---|---|
| **집필진** | 이창형 ┃ 서울대학교 수학과 및 동 대학원 |
| | 김창훈 ┃ 서울대학교 수학교육과 |
| | 이창무 ┃ 서울대학교 수학과, 현 대성마이맥 강사 |
| **인쇄일** | 2019년 7월 31일 |
| **발행일** | 2019년 8월 10일 |
| **펴낸이** | 이욱상 |
| **펴낸데** | 동아출판㈜ |
| **신고번호** | 제300-1951-4호(1951. 9. 19) |
| **편집팀장** | 이상민 |
| **책임편집** | 박지나, 장수경, 김성일, 김경숙, 김형순, 김성희, 김윤미 |
| **디자인팀장** | 목진성 |
| **책임디자인** | 강혜빈 |

* 이 책은 저작권법에 의하여 보호받는 저작물이므로 무단 복제, 복사 및 전송을 할 수 없습니다.

필수개념으로 꽉 채운 개념기본서

# 날선개념

수학 I

 선생님이 자신 있게 추천하는 날선개념 추천사를 확인해 보세요.

#날선개념　#고등수학　#개념서　#기본서　#동아출판

# 날선개념
## 이런 점이 좋아요!

### 1. 학습 플랜 관리

날선개념 학습 Note에 목표와 학습 계획을
세우고 기록하면서 규칙적인 학습 습관을
기를 수 있어요.

### 2. 주제별 개념 학습

수학 개념을 주제별로 모아
간단하고 명확하게 설명하고 있어
이해하기 쉬워요.

### 3. 대표Q & 날선Q 문제로 생각하는 힘을 향상

유형별로 풀이를 외우는 학습은
진짜 수학 공부가 아니에요.
날선 Guide를 통해 어떤 개념이 사용되는지
생각하는 힘을 길러 보세요.

### 4. 복습과 오답 Note로 완벽 이해

날선개념 학습 Note를 이용하여
문제를 풀이하고 오답 Note를 만들어
개념을 완벽히 내 것으로 만들어 보세요.

수학은
공식을 외우는 것이 아니라
생각하는 힘을 키우는
즐거운 습관입니다.

# ✔ 이 책의 구성과 특징

## 1 개념 완결 학습

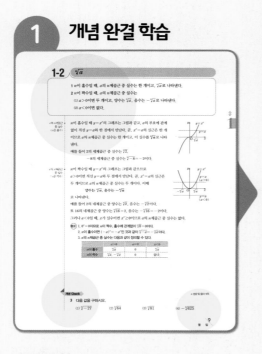

**필수개념** — 개념을 주제별로 나눠 필수개념을 한눈에 보고, 예시를 통해 원리를 쉽게 이해할 수 있습니다.

**개념 Check** — 개념에 따른 확인 문제를 바로 풀어 봄으로써 개념과 원리를 확실히 익힐 수 있습니다.

**공부한 날** — 공부한 날짜를 쓰면서 스스로 진도를 확인할 수 있습니다.

## 2 대표 문제와 유제

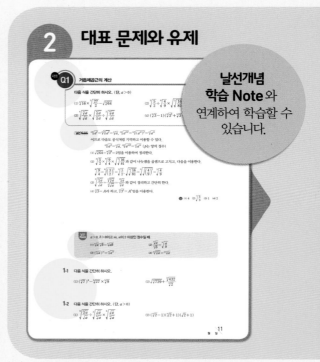

> **날선개념 학습 Note**와 연계하여 학습할 수 있습니다.

**대표Q** — 개념 이해를 돕고 최신 출제 경향을 반영한 대표 문제를 제시하였습니다.

**날선 Guide** — 문제를 푸는 원리와 접근 방법을 제시하여 스스로 생각하고 문제를 해결할 수 있습니다.

**날선 Point** — 문제를 해결하는 데 핵심이 되는 내용을 정리하였습니다.

**유제** — 대표Q와 유사한 문제 및 발전 문제로 구성하여 대표 문제를 충분히 연습할 수 있습니다.

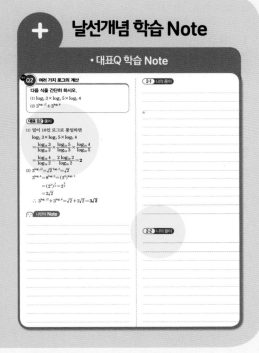

## + 날선개념 학습 Note

### • 대표Q 학습 Note

## 3 연습과 실전

연습과 실전    1 지수

**Step 1 연습**

01 다음을 만족시키는 유리수 $k$의 값을 구하시오.

(1) $\sqrt[3]{3^2}\sqrt{3}=3^k$    (2) $\sqrt[3]{4\sqrt{2}\sqrt[3]{8}}=2^k$

**Step 2 실전**

07 다음 중 옳은 것을 모두 고르면?

① 8의 세제곱근은 2이다.
② $-5$의 세제곱근 중 실수는 $-\sqrt[3]{5}$이다.
③ $\sqrt[4]{-16}$은 $-16$의 네제곱근 중 양수이다.
④ $a$가 실수일 때, $n$이 짝수이면 $a$의 $n$제곱근 중 실수는 $\sqrt[n]{a}$, $-\sqrt[n]{a}$이다
⑤ $a$가 실수일 때, $n$이 홀수이면 $a$의 $n$제곱근 중 실수는 1개이다.

08 $a+b+c=0$일 때, $2^{a\left(\frac{1}{b}+\frac{1}{c}\right)}\times 2^{b\left(\frac{1}{c}+\frac{1}{a}\right)}\times 2^{c\left(\frac{1}{a}+\frac{1}{b}\right)}$의 값을 구하시오.

---

**대표Q 풀이**   대표Q 문제를 해결한 후 자세한 풀이를 확인할 수 있습니다.

**나의 풀이**   유제 풀이를 Note에 써 보면서 실력을 점검할 수 있습니다.

**연습과 실전**   단원 마무리 문제를 2단계로 나누어 단계적으로 학습할 수 있습니다.

**Step 1**   기본이 되는 문제를 Step1에서 연습할 수 있습니다.

**Step 2**   학교 시험, 교육청, 평가원, 수능 기출 문제를 엄선하여 Step2에서 실전에 대비할 수 있습니다.

# 수학 Ⅰ

# Contents

Where there is a will,
there is a way.

중학교에서 같은 수 또는 같은 문자의 곱을 거듭제곱의 꼴로 나타내고, $a$의 제곱근은 제곱하여 $a$가 되는 수, 곧 $x^2=a$를 만족시키는 $x$라는 것을 배웠다.

이 단원에서는 곱셈이 같은 수를 여러 번 더하는 번거로움을 덜어 주는 것과 같이 거듭제곱은 같은 수를 여러 번 곱하는 번거로움을 덜어 주는 것임을 알게 될 것이다. 또한 제곱근을 확장하여 세제곱근, 네제곱근 등 일반적인 거듭제곱근의 뜻과 성질에 대해 알아보고, 지수법칙에서 지수의 범위가 자연수로 한정되어 있던 것을 정수, 유리수, 실수까지 확장하여도 성립한다는 것을 알아보자.

# 지수

# 1

# 1-1 거듭제곱근

개념

**1** $a$가 실수이고 $n$이 2 이상인 정수일 때,
$$x^n = a$$
를 만족시키는 $x$를 $a$의 $n$제곱근이라 한다.

**2** $a$의 제곱근, 세제곱근, $\cdots$, $n$제곱근, $\cdots$을 통틀어 $a$의 **거듭제곱근**이라 한다.

**3** $a \neq 0$일 때, $a$의 $n$제곱근은 복소수 범위에서 $n$개이다.

---

**$a$의 $n$제곱근**

$a$를 $n$번 곱한 것을 $a^n$으로 나타내고 $a$의 $n$제곱이라 한다.
$$a^n = \underbrace{a \times a \times a \times \cdots \times a}_{n번}$$

역으로 어떤 수를 $n(n \geq 2)$번 곱하여 $a$가 되는 수를 $a$의 $n$제곱근이라 한다.

따라서 방정식
$$x^n = a$$
의 해가 $a$의 $n$제곱근이다.

**$a$의 거듭제곱근**

$a$, $a$의 제곱, $a$의 세제곱, $\cdots$, $a$의 $n$제곱, $\cdots$, 곧

$a$, $a^2$, $a^3$, $\cdots$, $a^n$, $\cdots$을 통틀어 $a$의 거듭제곱이라 한다.

또 $a$의 제곱근, 세제곱근, $\cdots$, $n$제곱근, $\cdots$을 통틀어 $a$의 거듭제곱근이라 한다.

**$n$제곱근의 개수**

예를 들어 16의 네제곱근을 $x$라 하면

$x^4 = 16$에서 $(x^2 - 4)(x^2 + 4) = 0$

$\therefore x = \pm 2$ 또는 $x = \pm 2i$

따라서 16의 네제곱근은 $\pm 2$, $\pm 2i$이고, 4개이다.

이와 같이 실수 $a$의 $n$제곱근은 복소수 범위에서 $n$개이다.

---

**개념 Check**

◆ 정답 및 풀이 1쪽

**1** 다음을 구하시오.

   (1) 8의 세제곱근             (2) 8의 세제곱근 중 실수

**2** 다음을 구하시오.

   (1) 1의 네제곱근 중 실수      (2) 1의 세제곱근 중 실수

   (3) $-1$의 세제곱근 중 실수

## 1-2 $\sqrt[n]{a}$

> **1** $n$이 홀수일 때, $a$의 $n$제곱근 중 실수는 한 개이고, $\sqrt[n]{a}$로 나타낸다.
> **2** $n$이 짝수일 때, $a$의 $n$제곱근 중 실수는
> (1) $a>0$이면 두 개이고, 양수는 $\sqrt[n]{a}$, 음수는 $-\sqrt[n]{a}$로 나타낸다.
> (2) $a<0$이면 없다.

**$a$의 $n$제곱근 중 실수 ($n$은 홀수)**

$n$이 홀수일 때 $y=x^n$의 그래프는 그림과 같고, $a$의 부호에 관계 없이 직선 $y=a$와 한 점에서 만난다. 곧, $x^n=a$의 실근은 한 개 이므로 $a$의 $n$제곱근 중 실수는 한 개이고, 이 실수를 $\sqrt[n]{a}$로 나타 낸다.

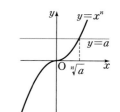

예를 들어 2의 세제곱근 중 실수는 $\sqrt[3]{2}$,
$$-8의 세제곱근 중 실수는 \sqrt[3]{-8}=-2이다.$$

**$a$의 $n$제곱근 중 실수 ($n$은 짝수)**

$n$이 짝수일 때 $y=x^n$의 그래프는 그림과 같으므로
$a>0$이면 직선 $y=a$와 두 점에서 만난다. 곧, $x^n=a$의 실근은
두 개이므로 $a$의 $n$제곱근 중 실수는 두 개이다. 이때
$$양수는 \sqrt[n]{a}, 음수는 -\sqrt[n]{a}$$
로 나타낸다.

예를 들어 2의 네제곱근 중 양수는 $\sqrt[4]{2}$, 음수는 $-\sqrt[4]{2}$이다.
또 16의 네제곱근 중 양수는 $\sqrt[4]{16}=2$, 음수는 $-\sqrt[4]{16}=-2$이다.
그러나 $a<0$일 때, $x$가 실수이면 $x^n \geq 0$이므로 $a$의 $n$제곱근 중 실수는 없다.

**참고** 1. $0^n=0$이므로 $n$이 짝수, 홀수에 관계없이 $\sqrt[n]{0}=0$이다.
2. $n$이 홀수이면 $(-a)^n=-a^n$인 것과 같이 $\sqrt[n]{-a}=-\sqrt[n]{a}$이다.
3. $a$의 $n$제곱근 중 실수는 다음과 같이 정리할 수 있다.

|  | $a>0$ | $a=0$ | $a<0$ |
|---|---|---|---|
| $n$이 홀수 | $\sqrt[n]{a}$ | $0$ | $\sqrt[n]{a}$ |
| $n$이 짝수 | $\sqrt[n]{a},\ -\sqrt[n]{a}$ | $0$ | 없다. |

 **개념 Check**

◆ 정답 및 풀이 1쪽

**3** 다음 값을 구하시오.

(1) $\sqrt[3]{-27}$　　　(2) $\sqrt[3]{64}$　　　(3) $\sqrt[4]{81}$　　　(4) $-\sqrt[4]{625}$

$a>0$, $b>0$이고 $m$, $n$이 2 이상인 정수일 때

(1) $\sqrt[n]{a}\,\sqrt[n]{b}=\sqrt[n]{ab}$

(2) $\dfrac{\sqrt[n]{a}}{\sqrt[n]{b}}=\sqrt[n]{\dfrac{a}{b}}$

(3) $(\sqrt[n]{a})^m=\sqrt[n]{a^m}$

(4) $\sqrt[m]{\sqrt[n]{a}}=\sqrt[mn]{a}$

**거듭제곱근의 성질**

$m$, $n$이 자연수일 때 다음 거듭제곱의 성질은 이미 중학교에서 공부하였다.

$$a^n b^n=(ab)^n,\quad \frac{a^n}{b^n}=\left(\frac{a}{b}\right)^n,\quad (a^n)^m=(a^m)^n=a^{nm}$$

거듭제곱근에서도 이와 같은 성질이 성립한다.

**증명** (1) $(\sqrt[n]{a}\,\sqrt[n]{b})^n=(\sqrt[n]{a})^n(\sqrt[n]{b})^n=ab$

이므로 $\sqrt[n]{a}\,\sqrt[n]{b}$는 $ab$의 $n$제곱근이고 양수이다.

그런데 $ab$의 $n$제곱근 중 양수는 하나이므로 $\sqrt[n]{a}\,\sqrt[n]{b}=\sqrt[n]{ab}$이다.

(2) $\left(\dfrac{\sqrt[n]{a}}{\sqrt[n]{b}}\right)^n=\dfrac{(\sqrt[n]{a})^n}{(\sqrt[n]{b})^n}=\dfrac{a}{b}$

이므로 $\dfrac{\sqrt[n]{a}}{\sqrt[n]{b}}$는 $\dfrac{a}{b}$의 $n$제곱근이고 양수이다.

그런데 $\dfrac{a}{b}$의 $n$제곱근 중 양수는 하나이므로 $\dfrac{\sqrt[n]{a}}{\sqrt[n]{b}}=\sqrt[n]{\dfrac{a}{b}}$이다.

(3) $\{(\sqrt[n]{a})^m\}^n=\{(\sqrt[n]{a})^n\}^m=a^m$

이므로 $(\sqrt[n]{a})^m>0$

따라서 $(\sqrt[n]{a})^m$은 $a^m$의 $n$제곱근 중 양수이다.　　∴ $(\sqrt[n]{a})^m=\sqrt[n]{a^m}$

(4) $(\sqrt[m]{\sqrt[n]{a}})^{mn}=\{(\sqrt[m]{\sqrt[n]{a}})^m\}^n=(\sqrt[n]{a})^n=a$

이므로 $\sqrt[m]{\sqrt[n]{a}}$는 $a$의 $mn$제곱근이다.　　∴ $\sqrt[m]{\sqrt[n]{a}}=\sqrt[mn]{a}$

**거듭제곱근의 계산**

예를 들어

$$\sqrt[3]{2}\times\sqrt[3]{4}=\sqrt[3]{2\times4}=\sqrt[3]{2^3}=2,\qquad \sqrt[6]{2^2}=\sqrt[3]{\sqrt{2^2}}=\sqrt[3]{2},\qquad \sqrt[3]{\sqrt{8}}=\sqrt[3]{\sqrt{2^3}}=\sqrt{2}$$

$n$이 홀수이면 $a<0$일 때에도 $\sqrt[n]{a}$를 정의한다. 그러나 거듭제곱근의 성질을 이용할 때에는 $\sqrt[3]{-2}=-\sqrt[3]{2}$와 같이 근호 안을 양수로 고쳐야 한다.

**개념 Check** ◆ 정답 및 풀이 1쪽

**4** 다음 식을 간단히 하시오.

(1) $\sqrt[4]{5}\times\sqrt[4]{125}$

(2) $\dfrac{\sqrt[3]{81}}{\sqrt[3]{3}}$

(3) $(\sqrt[6]{4})^3$

(4) $\sqrt{\sqrt[4]{256}}$

다음 식을 간단히 하시오. (단, $a>0$)

(1) $\sqrt[3]{16} \times \sqrt[3]{\dfrac{27}{2}} - \sqrt{\sqrt[3]{64}}$

(2) $\sqrt[3]{\dfrac{5}{2}} \div \sqrt[6]{\dfrac{4}{9}} \times \sqrt{\sqrt[3]{\dfrac{16}{81}}}$

(3) $\sqrt[4]{\dfrac{\sqrt[3]{a}}{\sqrt{a}}} \times \sqrt{\dfrac{\sqrt[4]{a}}{\sqrt[3]{a}}} \div \sqrt[3]{\dfrac{\sqrt[4]{a}}{\sqrt{a}}}$

(4) $(\sqrt[3]{3}-1)(\sqrt[3]{3^2}+\sqrt[3]{3}+1)$

**날선 Guide** $\sqrt[np]{a^p}=\sqrt[n]{\sqrt[p]{a^p}}=\sqrt[n]{a}$, $\sqrt[np]{a^{mp}}=\sqrt[np]{(a^m)^p}=\sqrt[n]{a^m}$

이므로 다음도 공식처럼 기억하고 이용할 수 있다.

$$\sqrt[np]{a^p}=\sqrt[n]{a}, \ \sqrt[np]{a^{mp}}=\sqrt[n]{a^m} \ (p\text{는 양의 정수})$$

(1) $\sqrt{\sqrt[3]{64}}=\sqrt[6]{2^6}=2$임을 이용하여 정리한다.

(2) $\sqrt[3]{\dfrac{5}{2}} \times \sqrt[6]{\dfrac{9}{4}} \times \sqrt{\sqrt[3]{\dfrac{16}{81}}}$ 과 같이 나눗셈을 곱셈으로 고치고, 다음을 이용한다.

$$\sqrt[6]{\dfrac{9}{4}}=\sqrt[6]{\left(\dfrac{3}{2}\right)^2}=\sqrt[3]{\dfrac{3}{2}}, \ \sqrt{\sqrt[3]{\dfrac{16}{81}}}=\sqrt[3]{\sqrt{\left(\dfrac{4}{9}\right)^2}}=\sqrt[3]{\dfrac{4}{9}}$$

(3) $\sqrt[4]{\dfrac{\sqrt[3]{a}}{\sqrt{a}}}=\dfrac{\sqrt[4]{\sqrt[3]{a}}}{\sqrt[4]{\sqrt{a}}}=\dfrac{\sqrt[12]{a}}{\sqrt[8]{a}}$ 와 같이 정리하고 간단히 한다.

(4) $\sqrt[3]{3}=A$라 하고, $\sqrt[3]{3^2}=A^2$임을 이용한다.

 (1) 4 (2) $\sqrt[3]{\dfrac{5}{3}}$ (3) 1 (4) 2

---

**날선 Point** $a>0, \ b>0$이고 $m, n$이 2 이상인 정수일 때

(1) $\sqrt[n]{a}\,\sqrt[n]{b}=\sqrt[n]{ab}$

(2) $\dfrac{\sqrt[n]{a}}{\sqrt[n]{b}}=\sqrt[n]{\dfrac{a}{b}}$

(3) $(\sqrt[n]{a})^m=\sqrt[n]{a^m}$

(4) $\sqrt[m]{\sqrt[n]{a}}=\sqrt[mn]{a}$

---

**1-1** 다음 식을 간단히 하시오.

(1) $(\sqrt[4]{7})^8-\sqrt[5]{27}\times\sqrt[5]{9}$

(2) $\sqrt{\sqrt[3]{\sqrt[3]{729}}}+\dfrac{\sqrt[3]{432}}{\sqrt[3]{2}}$

---

**1-2** 다음 식을 간단히 하시오. (단, $a>0$)

(1) $\sqrt[5]{\dfrac{\sqrt[3]{a}}{\sqrt{a}}} \div \sqrt[3]{\dfrac{\sqrt{a}}{\sqrt[5]{a}}} \times \sqrt[5]{\dfrac{\sqrt{a}}{\sqrt[4]{a}}}$

(2) $(\sqrt[4]{2}-1)(\sqrt[4]{2}+1)(\sqrt{2}+1)$

**1** $a \neq 0$인 실수이고 $n$이 자연수일 때

$$a^{-n} = \frac{1}{a^n}, \; a^0 = 1$$

**2** $a \neq 0$, $b \neq 0$이고 $m$, $n$이 정수일 때

(1) $a^m a^n = a^{m+n}$　　　　　　　(2) $a^m \div a^n = a^{m-n}$

(3) $(a^m)^n = a^{mn}$　　　　　　　(4) $(ab)^m = a^m b^m$

---

**지수법칙에서 지수가 양의 정수인 경우**

$a$, $b$가 실수이고 $m$, $n$이 양의 정수일 때 다음 지수법칙은 이미 공부하였다.

(1) $a^m a^n = a^{m+n}$　　　　(2) $a^m \div a^n = \begin{cases} a^{m-n} & (m > n) \\ \dfrac{1}{a^{n-m}} & (m < n) \\ 1 & (m = n) \end{cases}$

(3) $(a^m)^n = a^{mn}$　　　　(4) $(ab)^m = a^m b^m$, $\left( \dfrac{a}{b} \right)^n = \dfrac{a^n}{b^n}$

이때 (2)에서 $a^0 = 1$, $m < n$일 때 $\dfrac{1}{a^{n-m}} = a^{m-n}$으로 약속하면

$m = n$일 때에나 $m < n$일 때에도 $a^m \div a^n = a^{m-n}$이 성립한다.

따라서 $a \neq 0$이고 $n$이 양의 정수일 때, 다음과 같이 약속한다.

$$a^0 = 1, \; a^{-n} = \frac{1}{a^n}$$

예를 들어 $2^0 = 1$, $2^{-3} = \dfrac{1}{2^3} = \dfrac{1}{8}$이다.

**지수법칙에서 지수가 음의 정수인 경우**

$a \neq 0$이고 $m$, $n$이 음의 정수이면 $-m$, $-n$은 자연수이므로

$$a^m a^n = \frac{1}{a^{-m}} \times \frac{1}{a^{-n}} = \frac{1}{a^{-m} \times a^{-n}} = \frac{1}{a^{-(m+n)}} = a^{m+n}$$

따라서 $m$ 또는 $n$만 음의 정수인 경우도 같은 방법으로 하면

$m$, $n$이 정수일 때 $a^m a^n = a^{m+n}$이 성립함을 알 수 있다.

또 나머지 지수법칙도 같은 방법으로 지수가 정수일 때 성립함을 설명할 수 있다.

---

**개념 Check**　　　　　　　　　　　　　　　　　　　◆ 정답 및 풀이 2쪽

**5** 다음 값을 구하시오.

(1) $(-2)^0$　　　　　　(2) $3^{-4}$　　　　　　(3) $\left( \dfrac{3}{2} \right)^{-2}$

**6** 다음 식을 간단히 하시오. (단, $a > 0$, $b > 0$)

(1) $3^3 \times 3^{-4}$　　　　(2) $(2^2)^{-3} \div 2^{-4}$　　　　(3) $(a^2 b^{-1})^2 \times (a^{-3} b^2)^{-2}$

## 1-5 지수가 유리수일 때 지수법칙

**1** $a>0$이고 $p$, $q\,(q\geq2)$는 정수일 때

$$a^{\frac{1}{q}}=\sqrt[q]{a},\ a^{\frac{p}{q}}=\sqrt[q]{a^p}$$

**2** $a>0$, $b>0$이고 $m$, $n$이 유리수일 때

  (1) $a^m a^n = a^{m+n}$            (2) $a^m \div a^n = a^{m-n}$

  (3) $(a^m)^n = a^{mn}$            (4) $(ab)^m = a^m b^m$

**지수가 유리수인 경우**      $m$, $n$이 정수일 때

$$(2^m)^n = 2^{mn} \quad \cdots \text{㉠}$$

이다. $m$, $n$이 유리수일 때에도 이 식이 성립하도록 지수를 정의하는 방법을 알아보자.

(1) $m=\dfrac{1}{3}$, $n=3$일 때에도 ㉠이 성립하려면 $(2^{\frac{1}{3}})^3 = 2^{\frac{1}{3}\times3} = 2$

$2^{\frac{1}{3}}$은 2의 세제곱근이므로 $2^{\frac{1}{3}}=\sqrt[3]{2}$로 약속하면 된다.

(2) $m=\dfrac{5}{3}$, $n=3$일 때에도 ㉠이 성립하려면 $(2^{\frac{5}{3}})^3 = 2^{\frac{5}{3}\times3} = 2^5$

$2^{\frac{5}{3}}$은 $2^5$의 세제곱근이므로 $2^{\frac{5}{3}}=\sqrt[3]{2^5}$으로 약속하면 된다.

이와 같은 이유로 지수가 유리수인 경우 다음과 같이 정의한다.

    **$a>0$, $p$는 정수, $q$는 2 이상인 정수일 때**

$$a^{\frac{1}{q}}=\sqrt[q]{a},\ a^{\frac{p}{q}}=\sqrt[q]{a^p}$$

예를 들어 $\sqrt[3]{2^2}$, $\dfrac{1}{\sqrt[4]{2}}$ 을 지수로 나타내면 $\sqrt[3]{2^2}=2^{\frac{2}{3}}$, $\dfrac{1}{\sqrt[4]{2}}=\dfrac{1}{2^{\frac{1}{4}}}=2^{-\frac{1}{4}}$

**지수법칙에서 밑의 조건**      $\{(-2)^2\}^{\frac{1}{2}}=(2^2)^{\frac{1}{2}}=2$, $(-2)^{2\times\frac{1}{2}}=-2$이므로 $\{(-2)^2\}^{\frac{1}{2}}\neq(-2)^{2\times\frac{1}{2}}$, 곧 지수가 정수가 아닌 유리수일 때, 밑이 음수이면 지수법칙이 성립하지 않는다.

따라서 지수를 유리수까지 생각하는 경우 밑은 양수라 생각한다.

**개념 Check**                    ◆ 정답 및 풀이 **2**쪽

**7** 다음을 지수를 사용하여 나타내시오. (단, $a>0$)

  (1) $\sqrt{8}$          (2) $\dfrac{1}{\sqrt[3]{81}}$          (3) $\sqrt[4]{a^2}$          (4) $\sqrt[n]{\dfrac{1}{a^m}}$

**8** 다음 값을 구하시오.

  (1) $49^{0.5}$          (2) $32^{-\frac{1}{5}}$          (3) $81^{\frac{3}{4}}$

$a>0$, $b>0$이고 $m=\dfrac{p}{q}$, $n=\dfrac{r}{s}$ ($p$, $q$, $r$, $s$는 정수, $q\geq 2$, $s\geq 2$)라 하면

(1) $a^m a^n = a^{\frac{p}{q}} a^{\frac{r}{s}} = \sqrt[q]{a^p}\sqrt[s]{a^r} = \sqrt[qs]{a^{ps}}\sqrt[qs]{a^{qr}}$

$\qquad = \sqrt[qs]{a^{ps+qr}} = a^{\frac{ps+qr}{qs}} = a^{\frac{p}{q}+\frac{r}{s}} = a^{m+n}$

(2) $a^m \div a^n = a^{\frac{p}{q}} \div a^{\frac{r}{s}} = \dfrac{\sqrt[q]{a^p}}{\sqrt[s]{a^r}} = \dfrac{\sqrt[qs]{a^{ps}}}{\sqrt[qs]{a^{qr}}}$

$\qquad = \sqrt[qs]{a^{ps-qr}} = a^{\frac{ps-qr}{qs}} = a^{\frac{p}{q}-\frac{r}{s}} = a^{m-n}$

(3) $(a^m)^n = (a^{\frac{p}{q}})^{\frac{r}{s}} = \sqrt[s]{(\sqrt[q]{a^p})^r} = \sqrt[sq]{a^{pr}} = a^{\frac{pr}{sq}} = a^{mn}$

(4) $(ab)^m = (ab)^{\frac{p}{q}} = \sqrt[q]{(ab)^p} = \sqrt[q]{a^p b^p} = \sqrt[q]{a^p}\sqrt[q]{b^p} = a^{\frac{p}{q}}b^{\frac{p}{q}} = a^m b^m$

이와 같이 다음이 성립함을 알 수 있다.

$a>0$, $b>0$이고 $m$, $n$이 유리수일 때

(1) $a^m a^n = a^{m+n}$      (2) $a^m \div a^n = a^{m-n}$

(3) $(a^m)^n = a^{mn}$      (4) $(ab)^m = a^m b^m$

예를 들어

$$2^{\frac{1}{4}} \times 2^{\frac{7}{4}} = 2^{\frac{1}{4}+\frac{7}{4}} = 2^{\frac{8}{4}} = 2^2, \quad 2^{\frac{1}{4}} \div 2^{\frac{7}{4}} = 2^{\frac{1}{4}-\frac{7}{4}} = 2^{-\frac{3}{2}}$$

$\sqrt{2} = 1.41421\cdots$이므로

$$1, \ 1.4, \ 1.41, \ 1.414, \ 1.4142, \ \cdots$$

와 같이 나열하면 이는 $\sqrt{2}$에 가까워진다. 이때

$$2^1, \ 2^{1.4}, \ 2^{1.41}, \ 2^{1.414}, \ 2^{1.4142}, \ \cdots$$

은 어떤 일정한 값에 가까워진다. 이 값을 $2^{\sqrt{2}}$으로 약속한다.

이와 같은 방법으로 $a>0$이고 $x$가 무리수일 때 $a^x$을 정의할 수

있다. 그리고 지수가 실수일 때에도 지수법칙이 성립한다는 것이 알려져 있다.

| $x$ | $2^x$ |
|-----|-------|
| 1 | 2 |
| 1.4 | 2.6390$\cdots$ |
| 1.41 | 2.6573$\cdots$ |
| 1.414 | 2.6647$\cdots$ |
| 1.4142 | 2.6651$\cdots$ |
| $\vdots$ | $\vdots$ |

$a>0$, $b>0$이고 $m$, $n$이 실수일 때

(1) $a^m a^n = a^{m+n}$      (2) $a^m \div a^n = a^{m-n}$

(3) $(a^m)^n = a^{mn}$      (4) $(ab)^m = a^m b^m$

**개념 Check**      ◆ 정답 및 풀이 **2**쪽

**9** 다음 식을 간단히 하시오.

(1) $4^{\frac{5}{12}} \times 4^{\frac{1}{12}}$      (2) $2^{\frac{5}{2}} \div (2^3)^{\frac{7}{6}}$      (3) $(16^{\frac{1}{3}})^{\frac{9}{4}} \times (27^{\frac{1}{2}})^{\frac{4}{3}}$

**10** 다음 식을 간단히 하시오.

(1) $2^{\sqrt{2}} \div 2^{2+\sqrt{2}}$      (2) $(3^{\sqrt{2}})^{\sqrt{2}}$

다음 식을 간단히 하시오. (단, $a>0$, $b>0$)

(1) $16^{\frac{1}{6}} \times 18^{-\frac{2}{3}} \div 24^{-\frac{1}{3}}$

(2) $\left\{ \left( \dfrac{27}{64} \right)^{-\frac{1}{2}} \right\}^{\frac{1}{3}} \times \left\{ \left( \dfrac{81}{4} \right)^{\frac{5}{3}} \right\}^{\frac{3}{10}}$

(3) $(2^{\sqrt{3}} \div 2)^{\frac{\sqrt{3}}{2}} \times (\sqrt{2})^{\sqrt{3}}$

(4) $\sqrt{\dfrac{a^2}{b}} \div \sqrt[3]{ab^3} \times \sqrt[6]{\dfrac{b^3}{a^3}}$

**날선 Guide** (1) $(2^4)^{\frac{1}{6}} \times (2 \times 3^2)^{-\frac{2}{3}} \div (2^3 \times 3)^{-\frac{1}{3}}$

과 같이 16, 18, 24를 소인수분해한 다음, 지수법칙을 이용하여 정리한다.

(2) $(a^m)^n = a^{mn}$을 이용하면 $\left( \dfrac{27}{64} \right)^{-\frac{1}{6}} \times \left( \dfrac{81}{4} \right)^{\frac{1}{2}}$

그리고 $\dfrac{27}{64}$과 $\dfrac{81}{4}$의 분모, 분자를 소인수분해하여 정리한다.

(3) 지수가 실수인 경우도 지수법칙을 이용하여 정리한다.

특히 $(\sqrt{2})^{\sqrt{3}} = (2^{\frac{1}{2}})^{\sqrt{3}} = 2^{\frac{\sqrt{3}}{2}}$임에 주의한다.

(4) $\left( \dfrac{a^2}{b} \right)^{\frac{1}{2}} \div (ab^3)^{\frac{1}{3}} \times \left( \dfrac{b^3}{a^3} \right)^{\frac{1}{6}}$과 같이 거듭제곱근을 지수로 고쳐 계산하는 것이 쉽다.

**답** (1) $\dfrac{2}{3}$  (2) $3^{\frac{3}{2}}$  (3) $2^{\frac{3}{2}}$  (4) $a^{\frac{1}{6}} b^{-1}$

**날선 Point** $a>0$, $b>0$이고 $m$, $n$이 실수일 때

(1) $a^m a^n = a^{m+n}$    (2) $a^m \div a^n = a^{m-n}$

(3) $(a^m)^n = a^{mn}$    (4) $(ab)^m = a^m b^m$

**2-1** 다음 식을 간단히 하시오. (단, $a>0$, $b>0$)

(1) $15^{\frac{3}{2}} \div 27^{\frac{5}{6}} \times 45^{-\frac{1}{2}}$

(2) $\left\{ \left( \dfrac{1}{8} \right)^{\frac{4}{9}} \right\}^{0.75} \times \left\{ \left( \dfrac{25}{16} \right)^{\frac{5}{4}} \right\}^{-\frac{2}{5}}$

(3) $4^{\sqrt{6}} \times (5^{\sqrt{2}} \div 2^{2\sqrt{3}})^{\sqrt{2}}$

(4) $\sqrt[8]{a^4 b^5} \div \sqrt[3]{a^2 b} \times \sqrt[4]{\dfrac{a}{b}}$

**2-2** $a = (3^{\sqrt{3}})^{2-\sqrt{3}}$, $b = (3^{2+\sqrt{3}})^{\sqrt{3}}$일 때, $\dfrac{81a}{b}$의 값을 구하시오.

$x > 0$일 때, 다음 물음에 답하시오.

(1) $x^{\frac{1}{2}} + x^{-\frac{1}{2}} = 3$일 때, $x + x^{-1}$과 $x^{\frac{3}{2}} + x^{-\frac{3}{2}}$의 값을 구하시오.

(2) $x^{2a} = 3$일 때, $\dfrac{x^a + x^{-a}}{x^a - x^{-a}}$과 $\dfrac{x^{3a} - x^{-3a}}{x^a + x^{-a}}$의 값을 구하시오.

---

**날선 Guide** (1) $(x^{\frac{1}{2}})^2 = x$, $(x^{\frac{1}{2}})^3 = x^{\frac{3}{2}}$, $x^{\frac{1}{2}} \times x^{-\frac{1}{2}} = x^0 = 1$이므로 다음을 이용한다.

$$(x^{\frac{1}{2}} + x^{-\frac{1}{2}})^2 = x + 2 + x^{-1}$$
$$(x^{\frac{1}{2}} + x^{-\frac{1}{2}})^3 = x^{\frac{3}{2}} + 3(x^{\frac{1}{2}} + x^{-\frac{1}{2}}) + x^{-\frac{3}{2}}$$

(2) $(x^{2a})^{\frac{1}{2}} = 3^{\frac{1}{2}}$이므로 $x^a = \sqrt{3}$, $x^{3a} = (\sqrt{3})^3$을 대입하면 된다.

**참고** $x^{4a} = (x^{2a})^2$, $x^{-2a} = \dfrac{1}{x^{2a}}$이므로 분모, 분자에 $x^a$을 곱하면 $x^{2a}$에 대한 식이 되는 것을 이용할 수도 있다.

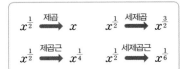

**답** (1) $x + x^{-1} = 7$, $x^{\frac{3}{2}} + x^{-\frac{3}{2}} = 18$ (2) $\dfrac{x^a + x^{-a}}{x^a - x^{-a}} = 2$, $\dfrac{x^{3a} - x^{-3a}}{x^a + x^{-a}} = \dfrac{13}{6}$

---

- $x^a + x^{-a}$ 꼴의 계산에서 주어진 조건식을 곱셈 공식을 이용하여 구하는 식의 꼴로 변형한다.
- $x^{2a}$의 값을 이용하여 $x^a$, $x^{3a}$의 값을 구한 다음, 주어진 식에 대입한다.

---

**3-1** 다음 식을 간단히 하시오. (단, $a > 0$, $b > 0$)

(1) $(a^{\frac{1}{4}} - b^{\frac{1}{4}})(a^{\frac{1}{4}} + b^{\frac{1}{4}})(a^{\frac{1}{2}} + b^{\frac{1}{2}})$

(2) $(a + b) \div (a^{\frac{2}{3}} - a^{\frac{1}{3}}b^{\frac{1}{3}} + b^{\frac{2}{3}})$

**3-2** $x^{\frac{1}{2}} - x^{-\frac{1}{2}} = 2$일 때, 다음 식의 값을 구하시오. (단, $x > 0$)

(1) $x + x^{-1}$

(2) $x^{\frac{3}{2}} - x^{-\frac{3}{2}}$

(3) $x^{\frac{1}{2}} + x^{-\frac{1}{2}}$

**3-3** $a^{4x} = 4$일 때, 다음 식의 값을 구하시오. (단, $a > 0$)

(1) $\dfrac{a^x + a^{-x}}{a^x - a^{-x}}$

(2) $\dfrac{a^{5x} + a^{-5x}}{a^x + a^{-x}}$

다음 물음에 답하시오.

(1) $3^6=a$, $4^2=b$일 때, $18^7$을 $a$, $b$로 나타내시오.

(2) $24^x=4$, $3^y=8$일 때, $\dfrac{2}{x}-\dfrac{3}{y}$의 값을 구하시오.

**날선 Guide** (1) $3^6=a$에서 $(3^6)^{\frac{1}{6}}=a^{\frac{1}{6}}$ $\therefore 3=a^{\frac{1}{6}}$

$$a^x=m \Rightarrow a=m^{\frac{1}{x}}$$

$4^2=b$에서 $(2^2)^2=b$, $2^4=b$ $\therefore 2=b^{\frac{1}{4}}$

따라서 $18=2\times3^2$과 같이 소인수분해하고 위의 결과를 대입한다.

이때에는 $3^6=a$에서 $3=a^{-6}$과 같이 계산하지 않도록 주의한다.

(2) $x$, $y$의 값을 따로 구할 수는 없다.

$24^x=2^2$에서 $(24^x)^{\frac{1}{x}}=(2^2)^{\frac{1}{x}}$ $\therefore 24=2^{\frac{2}{x}}$

$3^y=2^3$에서 $(3^y)^{\frac{1}{y}}=(2^3)^{\frac{1}{y}}$ $\therefore 3=2^{\frac{3}{y}}$

따라서 $2^{\frac{2}{x}}\div2^{\frac{3}{y}}=2^{\frac{2}{x}-\frac{3}{y}}$임을 이용한다.

**답** (1) $a^{\frac{7}{3}}b^{\frac{7}{4}}$ (2) 3

**날선 Point**
• 지수 문제 ➡ 소인수분해하고 지수를 정리한다.
• 밑이 같은 지수는 곱하거나 나누어 정리한다.

**4-1** $a=\sqrt{2}$, $b=\sqrt[3]{3}$일 때, $\sqrt[6]{6}$을 $a$, $b$로 나타낸 것은?

① $a^{\frac{1}{3}}b^{\frac{1}{2}}$ ② $a^{\frac{1}{2}}b^{\frac{1}{3}}$ ③ $a^{\frac{1}{2}}b^{\frac{1}{6}}$

④ $a^{\frac{1}{6}}b^{\frac{1}{3}}$ ⑤ $a^{\frac{1}{6}}b^{\frac{1}{6}}$

**4-2** $a$, $b$, $c$가 양수이고 $a^x=b^{2y}=c^{3z}=7$, $abc=49$일 때, $\dfrac{6}{x}+\dfrac{3}{y}+\dfrac{2}{z}$의 값을 구하시오.

**01** 다음을 만족시키는 유리수 $k$의 값을 구하시오.

(1) $\sqrt[3]{3^2\sqrt{3}} = 3^k$

(2) $\sqrt[5]{4\sqrt{2\sqrt[4]{8}}} = 2^k$

**02** $a > 0$일 때, 다음 식을 간단히 하시오.

(1) $\sqrt[3]{a\sqrt[4]{a}} \times \sqrt{a^3} \div \sqrt[4]{a^3}$

(2) $\sqrt{\dfrac{\sqrt{a^5}}{\sqrt[4]{a^2}} \div \sqrt[5]{a^4}} \times \sqrt{\dfrac{\sqrt[5]{a^3}}{\sqrt[10]{a^4}}}$

**03** 다음 식을 간단히 하시오.

(1) $2^{\frac{3}{4}} \times 3^{-\frac{2}{3}} \times \left(2^{-\frac{1}{2}} \times 3^{\frac{2}{3}}\right)^{-\frac{1}{2}}$

(2) $\sqrt{3\sqrt{27^2}} \times 243^{-\frac{1}{5}} \div 9^{-\frac{1}{4}}$

**04** $a > 0$, $b > 0$일 때, $\sqrt{a^2 b} \div \sqrt[4]{a^3 b^5} \times \sqrt[6]{ab^8} = a^x b^y$을 만족시키는 유리수 $x$, $y$에 대하여 $x+y$의 값을 구하시오.

**05** $x$가 1보다 큰 실수이고 $x^2 + x^{-2} = 6$일 때, $x - x^{-1}$의 값을 구하시오.

**06** $17^x = 9$, $153^y = \dfrac{1}{81}$일 때, $\dfrac{2}{x} + \dfrac{4}{y}$의 값을 구하시오.

**07** 다음 중 옳은 것을 모두 고르면?

① 8의 세제곱근은 2이다.

② $-5$의 세제곱근 중 실수는 $-\sqrt[3]{5}$이다.

③ $\sqrt[4]{-16}$은 $-16$의 네제곱근 중 양수이다.

④ $a$가 실수일 때, $n$이 짝수이면 $a$의 $n$제곱근 중 실수는 $\sqrt[n]{a}$, $-\sqrt[n]{a}$이다.

⑤ $a$가 실수일 때, $n$이 홀수이면 $a$의 $n$제곱근 중 실수는 1개이다.

**08** $a+b+c=0$일 때, $2^{a\left(\frac{1}{b}+\frac{1}{c}\right)}\times 2^{b\left(\frac{1}{c}+\frac{1}{a}\right)}\times 2^{c\left(\frac{1}{a}+\frac{1}{b}\right)}$의 값을 구하시오.

🔍 **평가원 기출**

**09** 두 실수 $a$, $b$에 대하여 $2^a+2^b=2$, $2^{-a}+2^{-b}=\dfrac{9}{4}$일 때, $2^{a+b}$의 값을 구하시오.

🔍 **평가원 기출**

**10** 두 실수 $a$, $b$가 $3^{a+b}=4$, $2^{a-b}=5$를 만족시킬 때, $3^{a^2-b^2}$의 값을 구하시오.

**11** $a>0$일 때, 다음 식을 간단히 하시오.

(1) $\left(a^{\frac{2}{3}}+a^{-\frac{1}{3}}\right)^3+\left(a^{\frac{2}{3}}-a^{-\frac{1}{3}}\right)^3$

(2) $\left(a^{\frac{1}{3}}+a^{-\frac{1}{3}}+1\right)\left(a^{\frac{1}{6}}-a^{-\frac{1}{6}}\right)\left(a^{\frac{1}{2}}+a^{-\frac{1}{2}}\right)$

**12** $x=3^{\frac{1}{4}}-3^{-\frac{1}{4}}$일 때, $\sqrt{x^2+4}+x$의 값은?

① $3^{\frac{1}{4}}$      ② $2\times3^{\frac{1}{4}}$      ③ $3^{\frac{1}{4}}+3^{-\frac{1}{4}}$      ④ $3^{\frac{1}{2}}$      ⑤ $2\times3^{\frac{1}{2}}$

**13** $a>0$이고 $\dfrac{a^x-a^{-x}}{a^x+a^{-x}}=\dfrac{1}{2}$일 때, $\dfrac{a^{2x}-a^{-2x}}{a^{2x}+a^{-2x}}$의 값을 구하시오.

**14** $a, b, c$는 양수이고 $\dfrac{ab}{c}=9$, $a^x=b^y=c^z=27$일 때, $\dfrac{1}{x}+\dfrac{1}{y}-\dfrac{1}{z}$의 값을 구하시오.

**교육청 기출**

**15** 두 자연수 $a, b$에 대하여 $\sqrt{\dfrac{2^a\times5^b}{2}}$이 자연수, $\sqrt[3]{\dfrac{3^b}{2^{a+1}}}$이 유리수일 때, $a+b$의 최솟값은?

① 11      ② 13      ③ 15      ④ 17      ⑤ 19

**교육청 기출**

**16** 어느 필름의 사진농도를 $P$, 입사하는 빛의 세기를 $Q$, 투과하는 빛의 세기를 $R$라 하면 다음과 같은 관계식이 성립한다고 한다.

$$R=Q\times10^{-P}$$

두 필름 A, B에 입사하는 빛의 세기가 서로 같고, 두 필름 A, B의 사진농도가 각각 $p$, $p+2$일 때, 투과하는 빛의 세기를 각각 $R_A$, $R_B$라 하자. $\dfrac{R_A}{R_B}$의 값을 구하시오. (단, $p>0$)

정답 개수: /16    오답 번호 **Check**:

1614년 영국의 수학자 네이피어(Napier, J., 1550~1617)가 처음 발견한 로그는 큰 수의 계산을 간단하게 만들기 위해 창안되었으며, 로그의 기호 log는 1858년에 잉글랜드의 수학자 토드헌터(Todhunter, I., 1820~1884)의 책에서 처음으로 사용된 것으로 알려져 있다.

로그는 별의 밝기, 지진의 진폭과 발생하는 에너지, 용액의 산성도 등 일상 생활에서 여러 분야에 유용하게 활용되고 있다.

이 단원에서는 로그와 상용로그의 뜻을 이해하고 성질을 이용하여 여러 가지 문제를 해결할 수 있다.

로그

## 로그

$a$가 1이 아닌 양수이고 $N$이 양수일 때,
$a^x = N$인 $x$를 $\log_a N$으로 쓰고, 밑이 $a$인 $N$의 로그라 하고 $N$을 진수라 한다.

$$a^x = N \iff x = \log_a N \;(a > 0,\; a \neq 1,\; N > 0)$$

**로그**

$2^x = 8$을 만족시키는 실수 $x$는 $x = 3$이다.

그러나 $2^x = 3$을 만족시키는 실수 $x$는 지금까지 알고 있는 수로 나타
낼 수 없다. 그래서 기호 log를 이용하여 $x = \log_2 3$으로 나타내고,
$x$를 밑이 2인 3의 로그라 한다. 이때 3을 진수라 한다.

$$2^x = 8 \implies x = 3$$
$$2^x = 3 \implies ?$$

**지수와 로그의 관계**

$a > 0,\; a \neq 1,\; N > 0$일 때
$$a^x = N \iff x = \log_a N$$

특별한 말이 없으면 $\log_a N$에서
$$a > 0,\; a \neq 1,\; N > 0$$
으로 생각한다.

$$a^x = N \implies x = \log_a N$$
진수 / 밑

**로그의 값**

예를 들어 $\log_2 16$의 값은
$$\log_2 16 = x \implies 2^x = 16 \implies x = 4$$
와 같이 지수로 고쳐 구한다.

**$\log_a N$의 값**

$\log_2 3$은 무리수이지만, $\log_2 16$은 유리수이다. 곧, $\log_a N$은 유리수일 수도 있고, 무리수일
수도 있다.

---

**개념 Check** ◆정답 및 풀이 **7**쪽

**1** 다음 등식을 로그를 사용하여 나타내시오.

(1) $3^0 = 1$ 　　　　(2) $81^{\frac{1}{4}} = 3$ 　　　　(3) $(\sqrt{5})^2 = 5$

**2** 다음 등식을 $a^x = N$ 꼴로 나타내시오.

(1) $\log_{10} 100 = 2$ 　　　　(2) $\log_5 \sqrt{5} = \dfrac{1}{2}$

**3** 다음 등식을 만족시키는 실수 $x$의 값을 구하시오.

(1) $\log_6 6 = x$ 　　(2) $\log_3 \dfrac{1}{9} = x$ 　　(3) $\log_2 x = 6$

(4) $\log_{10} x = -2$ 　　(5) $\log_x 4 = 2$ 　　(6) $\log_x 8 = -3$

## 2-2 로그의 성질과 공식

**1** $a>0$, $a\neq1$, $b>0$일 때

(1) $\log_a 1=0$, $\log_a a=1$     (2) $a^{\log_a b}=b$

**2** $a>0$, $a\neq1$, $M>0$, $N>0$일 때

(1) $\log_a MN=\log_a M+\log_a N$     (2) $\log_a \dfrac{M}{N}=\log_a M-\log_a N$

(3) $\log_a M^k=k\log_a M$ ($k$는 실수)

**로그의 성질** ● (1) $a>0$, $a\neq1$일 때, $a^0=1$, $a^1=a$를 로그로 나타내면

$$a^0=1 \Rightarrow \log_a 1=0,\ a^1=a \Rightarrow \log_a a=1$$

(2) $a>0$, $a\neq1$, $b>0$일 때, $a^{\square}=b$를 만족시키는 $\boxed{\phantom{xx}}$가 $\log_a b$이므로

$$a^{\log_a b}=b$$

**로그 공식** ● 다음 지수법칙에서 지수의 관계를 로그를 사용하여 나타내어 보자.

(1) $a^m a^n=a^{m+n}$     (2) $\dfrac{a^m}{a^n}=a^{m-n}$     (3) $(a^m)^k=a^{mk}$

$a^m=M$, $a^n=N$이라 하면

$\log_a M=m$, $\log_a N=n$    $\cdots$ ㉠

(1)에서 $MN=a^{m+n}$    $\therefore \log_a MN=m+n$

㉠을 대입하면 $\log_a MN=\log_a M+\log_a N$

(2)에서 $\dfrac{M}{N}=a^{m-n}$    $\therefore \log_a \dfrac{M}{N}=m-n$

㉠을 대입하면 $\log_a \dfrac{M}{N}=\log_a M-\log_a N$

(3)에서 $M^k=a^{mk}$    $\therefore \log_a M^k=mk$

㉠을 대입하면 $\log_a M^k=k\log_a M$

**로그의 계산** ● 예를 들어 $\log_2 10=\log_2 (2\times5)=\log_2 2+\log_2 5=1+\log_2 5$

$$\log_2 5=\log_2 \frac{10}{2}=\log_2 10-\log_2 2=\log_2 10-1$$

$$\log_2 8=\log_2 2^3=3\log_2 2=3$$

**개념 Check**                         ◆ 정답 및 풀이 **7**쪽

**4** 다음 식을 간단히 하시오.

(1) $\log_{10} 2+\log_{10} 5$     (2) $\log_{12} 16+\log_{12} 9$     (3) $\log_3 6-\log_3 2$

(4) $\log_2 36-\log_2 9$     (5) $\log_3 \sqrt{27}$     (6) $\log_2 \dfrac{1}{\sqrt[3]{2}}$

# 2-3 밑의 변환 공식

> **1 밑의 변환 공식**
>
> $a>0$, $a \neq 1$, $b>0$, $b \neq 1$, $c>0$, $c \neq 1$일 때
>
> (1) $\log_a b = \dfrac{\log_c b}{\log_c a}$  (2) $\log_a b = \dfrac{1}{\log_b a}$
>
> **2 밑의 변환 공식에서** $\log_{a^m} b^n = \dfrac{n}{m} \log_a b$

밑의 변환 공식 ●

(1) $\dfrac{\log_c b}{\log_c a}$와 같이 분모, 분자의 밑이 같은 경우 간단히 할 수 있다.

$\log_c b = x$, $\log_c a = y$라 하면 $b = c^x$, $a = c^y$

$c = a^{\frac{1}{y}}$이므로 $b = (a^{\frac{1}{y}})^x = a^{\frac{x}{y}}$

로그로 나타내면 $\log_a b = \dfrac{x}{y}$  $\therefore \log_a b = \dfrac{\log_c b}{\log_c a}$  $\cdots$ ㉠

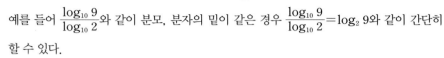

예를 들어 $\dfrac{\log_{10} 9}{\log_{10} 2}$와 같이 분모, 분자의 밑이 같은 경우 $\dfrac{\log_{10} 9}{\log_{10} 2} = \log_2 9$와 같이 간단히 할 수 있다.

또 $\log_3 5$를 밑이 2인 로그로 나타내려면 $\log_3 5 = \dfrac{\log_2 5}{\log_2 3}$이다.

(2) ㉠에서 $c = b$이면 $\log_c b = 1$이므로 $\log_a b = \dfrac{1}{\log_b a}$

예를 들어 $\log_2 10 = \dfrac{1}{\log_{10} 2}$

밑의 변환에 ●
대한 성질

밑의 변환 공식에서

$$\log_{a^m} b = \frac{\log_c b}{\log_c a^m} = \frac{\log_c b}{m \log_c a} = \frac{1}{m} \log_a b$$

$\therefore \log_{a^m} b^n = \dfrac{n}{m} \log_a b$

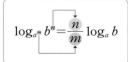

▶▶ **개념 Check**

◆ 정답 및 풀이 **8**쪽

**5** 다음을 밑이 10인 로그로 나타내시오.

(1) $\log_2 3$  (2) $\log_2 10$

**6** 다음 값을 구하시오.

(1) $\log_9 27$  (2) $\log_{\frac{1}{4}} 32$

다음 식을 간단히 하시오.

(1) $\log_{10} 9 + \dfrac{1}{2} \log_{10} 16 - 2 \log_{10} \dfrac{3}{5}$

(2) $\dfrac{2 \log_5 \sqrt{3} + \log_5 \dfrac{4}{9}}{\log_5 9 - 2 \log_5 4}$

(3) $\log_3 12 + \log_{\sqrt{3}} \dfrac{3}{2}$

(4) $\log_2 \sqrt{3} - \dfrac{1}{2} \log_2 18 + \log_4 \dfrac{3}{8}$

 **Guide** (1) $k \log_a M = \log_a M^k$을 이용하여 정리하면

$$\log_{10} 9 + \log_{10} 16^{\frac{1}{2}} - \log_{10} \left(\dfrac{3}{5}\right)^2$$

이때 세 수는 모두 밑이 10인 로그이므로 다음을 이용하여 정리한다.

$$\log_a M + \log_a N = \log_a MN, \quad \log_a M - \log_a N = \log_a \dfrac{M}{N}$$

(2) 분모, 분자를 (1)과 같이 정리하면 간단히 할 수 있다.

(3) $\sqrt{3} = 3^{\frac{1}{2}}$이므로 다음과 같이 밑을 3으로 통일한다.

$$\log_{\sqrt{3}} \dfrac{3}{2} = \log_{3^{\frac{1}{2}}} \dfrac{3}{2} = 2 \log_3 \dfrac{3}{2}$$

(4) $\log_4 \dfrac{3}{8}$은 다음과 같이 밑을 2로 바꾼다.

$$\log_4 \dfrac{3}{8} = \log_{2^2} \dfrac{3}{8} = \dfrac{1}{2} \log_2 \dfrac{3}{8} = \log_2 \left(\dfrac{3}{8}\right)^{\frac{1}{2}}$$

**답** (1) 2  (2) $-\dfrac{1}{2}$  (3) 3  (4) $-2$

**Point**

- $\log_a M + \log_a N = \log_a MN, \quad \log_a M - \log_a N = \log_a \dfrac{M}{N}$

- $\log_a b^n = n \log_a b, \quad \log_{a^m} b = \dfrac{1}{m} \log_a b$

**1-1** 다음 식을 간단히 하시오.

(1) $\log_5 3 - 2 \log_5 75 + \log_5 15$

(2) $\log_2 0.08 + \log_2 32 + 2 \log_2 \dfrac{5}{4}$

**1-2** 다음 식을 간단히 하시오.

(1) $4 \log_5 \sqrt{3} + 2 \log_{25} \dfrac{8}{3} - \log_5 12$

(2) $\dfrac{2 \log_3 5 + \log_3 2 - 2 \log_3 \sqrt{18}}{\log_3 \sqrt{5} - \log_9 3}$

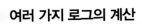
다음 식을 간단히 하시오.

(1) $\log_2 3 \times \log_3 5 \times \log_5 4$

(2) $3^{\log_3 \sqrt{2}} + 3^{\log_9 8}$

**날선 Guide** (1) 밑이 2, 3, 5로 모두 다르다.

이런 경우 밑의 변환 공식을 이용하여

$$\frac{\log_{10} 3}{\log_{10} 2} \times \frac{\log_{10} 5}{\log_{10} 3} \times \frac{\log_{10} 4}{\log_{10} 5}$$

와 같이 밑을 10으로 통일한 다음 정리한다.

**참고** $\dfrac{1}{\log_3 2} \times \log_3 5 \times \dfrac{\log_3 4}{\log_3 5}$ 와 같이 밑을 2나 3, 5 중 하나로 변형한 다음 정리한다.

(2) 지수에 로그를 포함한 꼴이다.

$a^x = b$를 만족시키는 $x$가 $\log_a b$이므로 $a^{\log_a b} = b$를 이용하여 정리한다.

또

$$a^{\log_c b} = a^{\frac{\log_a b}{\log_a c}} = (a^{\log_a b})^{\frac{1}{\log_a c}} = b^{\log_c a}$$

이므로 $a$와 $b$의 위치를 바꿀 수 있음을 이용하여 정리할 수도 있다.

**답** (1) 2  (2) $3\sqrt{2}$

**날선 Point**
- $\log_a b = \dfrac{\log_c b}{\log_c a}$, $\log_a b = \dfrac{1}{\log_b a}$
- $a^{\log_a b} = b$, $a^{\log_c b} = b^{\log_c a}$

**2-1** 다음 식을 간단히 하시오.

(1) $\log_2 9 \times \log_3 \sqrt{5} \times \log_{25} 2$

(2) $\log_2 \dfrac{1}{3} \times \log_3 \dfrac{1}{4} \times \log_4 \dfrac{1}{5} \times \log_5 \dfrac{1}{6}$

**2-2** 다음 식을 간단히 하시오.

(1) $2^{2\log_2 \sqrt{10} + \log_2 6}$

(2) $2^{\log_8 5}$

## 대표 Q3  주어진 로그를 이용하여 정리하는 꼴

◆ 정답 및 풀이 **9**쪽

다음 물음에 답하시오.

(1) $\log_{10} 2 = a$, $\log_{10} 3 = b$라 할 때, $\log_{10} 1.08$을 $a$, $b$를 사용하여 나타내시오.

(2) $\log_2 3 = a$, $\log_2 7 = b$라 할 때, $\log_{42} 56$을 $a$, $b$를 사용하여 나타내시오.

(3) $\log_2 10 = a$라 할 때, $\log_5 50$을 $a$를 사용하여 나타내시오.

**날선 Guide** (1) $1.08 = \dfrac{108}{100} = \dfrac{2^2 \times 3^3}{10^2}$ 이므로

$$\log_{10} 1.08 = \log_{10} \frac{2^2 \times 3^3}{10^2} = \log_{10} 2^2 + \log_{10} 3^3 - \log_{10} 10^2$$

이 식을 $a$, $b$를 사용하여 나타낸다.

(2) $a$, $b$가 밑이 2인 로그로 표현된 꼴이다. 따라서 $\log_{42} 56$을

$$\log_{42} 56 = \frac{\log_2 56}{\log_2 42}$$

과 같이 밑이 2인 로그로 변형한 다음 (1)과 같은 방법으로 정리한다.

(3) $a$가 밑이 2인 로그로 표현된 꼴이므로 이 문제도 다음과 같이 변형한 다음 정리한다.

$$\log_5 50 = \frac{\log_2 50}{\log_2 5}$$

그리고 $10 = 2 \times 5$이므로 $\log_2 10 = \log_2 2 + \log_2 5$임도 이용한다.

**답** (1) $2a + 3b - 2$　(2) $\dfrac{3+b}{1+a+b}$　(3) $\dfrac{2a-1}{a-1}$

**날선 Point**

- $\log_a MN = \log_a M + \log_a N$
- $\log_a \dfrac{M}{N} = \log_a M - \log_a N$

**3-1** $\log_{10} 2 = a$, $\log_{10} 3 = b$라 할 때, 다음을 $a$, $b$를 사용하여 나타내시오.

(1) $\log_{10} 54$　　　　　　(2) $\log_{10} 3.6$　　　　　　(3) $\log_{10} \sqrt{24}$

**3-2** $\log_2 3 = a$, $\log_3 7 = b$라 할 때, 다음을 $a$, $b$를 사용하여 나타내시오.

(1) $\log_3 2$　　　　　　(2) $\log_2 7$　　　　　　(3) $\log_3 42$

**3-3** $\log_2 10 = a$라 할 때, 다음을 $a$를 사용하여 나타내시오.

(1) $\log_5 10$　　　　　　　　　　(2) $\log_{50} 2$

**27**
월　일

## 대표 Q4  조건이 지수로 주어진 로그 문제

다음 물음에 답하시오.

(1) $10^x=a$, $10^y=b$, $10^z=c$라 할 때, $\log_{a^2} bc$를 $x$, $y$, $z$를 사용하여 나타내시오.

(2) $40^x=16$, $320^y=32$라 할 때, $\dfrac{4}{x}-\dfrac{5}{y}$의 값을 구하시오.

**날선 Guide** (1) $x=\log_{10} a$, $y=\log_{10} b$, $z=\log_{10} c$이므로

$$\log_{a^2} bc=\frac{\log_{10} bc}{\log_{10} a^2}$$

와 같이 밑이 10인 로그로 바꾼 다음, 분모와 분자를 $x$, $y$, $z$로 나타낸다.

**참고** $\log_{a^2} bc$의 $a$, $b$, $c$에 $10^x$, $10^y$, $10^z$를 대입한 다음, 로그의 성질을 써서 정리해도 된다.

(2) 조건식에서 $x=\log_{40} 2^4$, $y=\log_{320} 2^5$이다.

이 식을 $\dfrac{4}{x}-\dfrac{5}{y}$에 대입한 다음 정리한다.

**참고** $40^x=2^4$, $320^y=2^5$이므로

$$40=(2^4)^{\frac{1}{x}}=2^{\frac{4}{x}}, \quad 320=(2^5)^{\frac{1}{y}}=2^{\frac{5}{y}}$$

이다. 이 두 식에서 $\dfrac{4}{x}-\dfrac{5}{y}$의 값을 구할 수도 있다.

**17**쪽 대표 **Q4** (2)와 같은 형태의 문제이다.

**답** (1) $\dfrac{y+z}{2x}$  (2) $-3$

 **날선 Point**  지수에 대한 조건 ➡ 바로 대입하기 어려우면 로그로 바꾸어 대입한다.

**4-1** $2^x=a$, $2^y=b$, $2^z=c$라 할 때, 다음을 $x$, $y$, $z$를 사용하여 나타내시오.

(1) $\log_{4c} ab$          (2) $\log_{ab} b^2 c^3$

**4-2** $3.15^x=100$, $0.00315^y=100$이라 할 때, $\dfrac{1}{x}-\dfrac{1}{y}$의 값을 구하시오.

**1** 밑이 10인 로그, 곧 $\log_{10} N$ 꼴의 로그를 상용로그라 한다.

상용로그의 밑 10은 생략하고 **log N**으로 나타낸다.

**2** $a$가 1.00에서 9.99까지의 값일 때, $\log a$의 값을 적어 놓은 표를 상용로그표라 한다.

**상용로그**

$\log_{10} 2$, $\log_{10} 3$과 같이 밑이 10인 로그를 상용로그라 한다.

상용로그의 밑 10은 생략하고 $\log 2$, $\log 3$과 같이 나타낸다.

밑이 10이므로

$$\log 10 = 1, \ \log 10^2 = 2, \ \cdots$$

$$\log \frac{1}{10} = \log 10^{-1} = -1, \ \log \frac{1}{100} = \log 10^{-2} = -2, \ \cdots$$

또 $\log 1 = 0$이므로 $1 < a < 10$이면 $0 < \log a < 1$이다.

**상용로그표**

$a$가 1.00에서 9.99까지의 $\log a$의 값을 그림과 같이 나타낸 표를 상용로그표라 한다.

예를 들어 $\log 4.56$의 값은 4.5의 가로줄과 6의 세로줄이 만나는 칸에 적힌 값인 0.6590이다.

| 수 | 0 | 1 | $\cdots$ | 6 | 7 | 8 | 9 |
|----|------|------|----------|------|------|------|------|
| 1.0 | .0000 | .0043 | $\cdots$ | .0253 | .0294 | .0334 | .0374 |
| 1.1 | .0414 | .0453 | $\cdots$ | .0645 | .0682 | .0719 | .0755 |
| $\vdots$ | $\vdots$ | $\vdots$ | $\cdots$ | $\vdots$ | $\vdots$ | $\vdots$ | $\vdots$ |
| 4.4 | .6435 | .6444 | $\cdots$ | .6493 | .6503 | .6513 | .6522 |
| 4.5 | .6532 | .6542 | $\cdots$ | .6590 | .6599 | .6609 | .6618 |
| $\vdots$ | $\vdots$ | $\vdots$ | $\cdots$ | $\vdots$ | $\vdots$ | $\vdots$ | $\vdots$ |

▶ 전체 표는 226쪽에 있다.

**상용로그의 값**

로그의 성질과 상용로그표를 이용하면 $\log 456$, $\log 0.456$의 값도 구할 수 있다.

$456 = 4.56 \times 10^2$이고 $\log 4.56 = 0.6590$이므로

> 1.00에서 9.99까지의 범위를 벗어난 수의 상용로그의 값

$$\log 456 = \log (4.56 \times 10^2) = \log 4.56 + \log 10^2 = 0.6590 + 2 = 2.6590$$

0.456과 같이 1보다 작은 경우도 $0.456 = 4.56 \times 10^{-1}$이므로

$$\log 0.456 = \log (4.56 \times 10^{-1}) = \log 4.56 + \log 10^{-1} = 0.6590 - 1 = -0.3410$$

일반적으로 $n$이 정수일 때 $4.56 \times 10^n$의 상용로그의 값은

$$\log (4.56 \times 10^n) = \log 4.56 + \log 10^n = n + 0.6590$$

**개념 Check**

◆ 정답 및 풀이 **11**쪽

**7** 위의 상용로그표를 이용하여 다음 값을 구하시오.

(1) $\log 4.48$      (2) $\log 4480$

(3) $\log 0.0448$      (4) $\log 0.000448$

> $\log N = n + \alpha$ ($n$은 정수, $0 \leq \alpha < 1$)일 때,
>
> (1) $n > 0$이면 $N$의 정수 부분은 $n+1$자리 수이다.
>
> (2) $n < 0$이면 $N$은 소수점 아래 $-n$째 자리에서 처음으로 0이 아닌 숫자가 나온다.

**상용로그의 정수 부분과 소수 부분**

상용로그의 값을 $n + \alpha$ ($n$은 정수, $0 \leq \alpha < 1$) 꼴로 나타낼 때

$n$은 정수 부분, $\alpha$는 소수 부분이라 한다.

예를 들어 $\log N = 3.21$이면 $3 + 0.21$에서 정수 부분은 3, 소수 부분은 0.21이다.

또 $\log M = -3.21$이면 $-3 - 0.21 = -4 + (1 - 0.21) = -4 + 0.79$에서

정수 부분은 $-4$, 소수 부분은 0.79이다.

상용로그에서 소수 부분은 양수를 뜻하므로 $-0.21$이라 하면 안 된다는 것에 주의한다.

**상용로그의 정수 부분과 소수 부분의 성질**

4.56과 숫자 배열이 같고 소수점의 위치가 다른 45.6, 4560, 0.456, 0.0456의 상용로그를

구하면 $\log 4.56 = 0.6590$이므로

(1) $\log 45.6 = \log(4.56 \times 10) = \log 4.56 + \log 10 = 1 + 0.6590$

(2) $\log 4560 = \log(4.56 \times 10^3) = \log 4.56 + \log 10^3 = 3 + 0.6590$

(3) $\log 0.456 = \log(4.56 \times 10^{-1}) = \log 4.56 + \log 10^{-1} = -1 + 0.6590$

(4) $\log 0.0456 = \log(4.56 \times 10^{-2}) = \log 4.56 + \log 10^{-2} = -2 + 0.6590$

따라서 다음 사실을 알 수 있다.

(1) 숫자 배열이 456인 수의 상용로그는 소수 부분이 $\log 4.56$으로 모두 같다.

(2) 상용로그의 정수 부분이 1 ➡ 정수 부분이 2자리 수 ⟶ $4.56 \times 10$

3 ➡ 정수 부분이 4자리 수 ⟶ $4.56 \times 10^3$

$n$ ➡ 정수 부분이 $n+1$자리 수 ⟶ $4.56 \times 10^n$

(3) 상용로그의 정수 부분이 $-1$ ➡ 소수점 아래 첫째 자리에서 처음으로 0이 아닌 숫자 ⟶ $4.56 \times 10^{-1}$

$-2$ ➡ 소수점 아래 둘째 자리에서 처음으로 0이 아닌 숫자 ⟶ $4.56 \times 10^{-2}$

$-n$ ➡ 소수점 아래 $n$째 자리에서 처음으로 0이 아닌 숫자 ⟶ $4.56 \times 10^{-n}$

**개념 Check**

◆ 정답 및 풀이 **11**쪽

**8** $\log A = 3.56$일 때, $A$의 정수 부분은 몇 자리인지 구하시오.

**9** 다음 $B$는 소수점 아래 몇째 자리에서 처음으로 0이 아닌 숫자가 나오는지 구하시오.

(1) $\log B = -2 + 0.32$          (2) $\log B = -3.5$

상용로그표를 이용하여 다음을 만족시키는 $x$의 값을 구하시오.

(1) $x = \log 37100$

(2) $x = \log 0.0371$

(3) $\log x = 5.5832$

(4) $\log x = -1.4168$

| 수 | 0 | 1 | 2 | 3 | 4 |
|---|---|---|---|---|---|
| 3.5 | .5441 | .5453 | .5465 | .5478 | .5490 |
| 3.6 | .5563 | .5575 | .5587 | .5599 | .5611 |
| 3.7 | .5682 | .5694 | .5705 | .5717 | .5729 |
| 3.8 | .5798 | .5809 | .5821 | .5832 | .5843 |
| 3.9 | .5911 | .5922 | .5933 | .5944 | .5955 |

**날선 Guide**

(1) $37100 = 3.71 \times 10^4$에서

$\log 37100 = \log 3.71 + 4$이므로 주어진 표에서 $\log 3.71$의 값을 찾는다.

(2) $0.0371 = 3.71 \times 10^{-2}$이므로

$\log 0.0371 = \log 3.71 - 2$를 계산한다.

(3) 소수 부분이 $0.5832$이므로 표에서

$\log a = 0.5832$인 $a$의 값을 찾고 다음을 이용한다.

$$\log (a \times 10^5) = \log a + 5 = 0.5832 + 5$$

(4) $-1.4168 = -2 + (1 - 0.4168) = -2 + 0.5832$이므로 다음을 이용한다.

$$\log (a \times 10^{-2}) = \log a - 2 = 0.5832 - 2$$

이때 $-1.4168$의 소수 부분은 $-2 + 0.5832$에서 $0.5832$이다.

| 수 | 0 | 1 | 2 | 3 | 4 |
|---|---|---|---|---|---|
| 3.5 | .5441 | .5453 | .5465 | .5478 | .5490 |
| 3.6 | .5563 | .5575 | .5587 | .5599 | .5611 |
| 3.7 | .5682 | .5694 | .5705 | .5717 | .5729 |
| 3.8 | .5798 | .5809 | .5821 | .5832 | .5843 |
| 3.9 | .5911 | .5922 | .5933 | .5944 | .5955 |

 (1) $4.5694$ (2) $-1.4306$ (3) $383000$ (4) $0.0383$

**날선 Point**

• $1 \le A < 10$, $0 \le \alpha < 1$, $n$은 정수일 때, $\log (A \times 10^n) = n + \alpha$

• 이때 $A$나 $\alpha$의 값은 상용로그표를 이용하여 구한다.

**5-1** 상용로그표를 이용하여 다음 값을 구하시오.

(1) $\log 427$

(2) $\log \sqrt{42700}$

(3) $\log 0.00427$

| 수 | 4 | 5 | 6 | 7 | 8 |
|---|---|---|---|---|---|
| 4.1 | .6170 | .6180 | .6191 | .6201 | .6212 |
| 4.2 | .6274 | .6284 | .6294 | .6304 | .6314 |
| 4.3 | .6375 | .6385 | .6395 | .6405 | .6415 |
| 4.4 | .6474 | .6484 | .6493 | .6503 | .6513 |

**5-2** **5-1**의 상용로그표를 이용하여 다음을 만족시키는 $x$의 값을 구하시오.

(1) $\log x = 3.6484$

(2) $\log x = -4.3516$

대표

지반의 상대밀도를 구하기 위해 지반에 시험기를 넣어 조사하는 방법이 있다. 지반의 유효수직
응력을 $S$, 시험기가 지반에 들어가면서 받는 저항력을 $R$라 할 때, 지반의 상대밀도 $D(\%)$는
다음과 같이 구할 수 있다.

$$D = -98 + 66 \log \frac{R}{\sqrt{S}} \ (S, R\text{의 단위는 } \mathrm{ton/m^2})$$

지반 A의 유효수직응력은 지반 B의 유효수직응력의 1.44배이고, 시험기가 지반 A에 들어가
면서 받는 저항력은 시험기가 지반 B에 들어가면서 받는 저항력의 1.5배이다. 지반 B의 상대밀
도가 65(%)일 때, 지반 A의 상대밀도 $D(\%)$를 구하시오. (단, $\log 2 = 0.3$으로 계산한다.)

**날선 Guide** 문제 해결에 필요한 요소는 지반 A와 B에서
유효수직응력, 저항력, 상대밀도
이다.
표와 같이 문자로 나타내면 주어진 조건은

$$S_A = 1.44 S_B, \ R_A = 1.5 R_B, \ D_B = 65 \quad \cdots \ \bigcirc$$

또 $D_A$와 $D_B$는 다음과 같이 나타낼 수 있다.

$$D_A = -98 + 66 \log \frac{R_A}{\sqrt{S_A}},$$

$$D_B = -98 + 66 \log \frac{R_B}{\sqrt{S_B}}$$

$\bigcirc$을 이 두 식에 대입한 다음 정리하면 된다.

|  | 지반 A | 지반 B |
|---|---|---|
| 유효수직응력 | $S_A$ | $S_B$ |
| 저항력 | $R_A$ | $R_B$ |
| 상대밀도 | $D_A$ | $D_B$ |

**답** 71.6 %

**날선 Point**　조건을 문자를 이용하여 식으로 나타낸다.

**6-1** 고속철도의 최고소음도 $L(\mathrm{dB})$을 예측하는 모형에 따르면 한 지점에서 가장 가까운 선로 중앙
지점까지의 거리를 $d(\mathrm{m})$, 열차가 가장 가까운 선로 중앙 지점을 통과할 때의 속력을 $v(\mathrm{km/h})$
라 할 때, 다음 관계가 성립한다고 한다.

$$L = 80 + 28 \log \frac{v}{100} - 14 \log \frac{d}{25}$$

가장 가까운 선로 중앙 지점 P까지의 거리가 75 m인 한 지점에서 속력이 서로 다른 두 열차 A,
B의 최고소음도를 예측하려고 한다. 열차 A가 지점 P를 통과할 때의 속력이 열차 B가 지점 P
를 통과할 때 속력의 0.9배일 때, 두 열차 A, B의 최고소음도의 차를 구하시오.
(단, $\log 3 = 0.48$로 계산한다.)

**대표 Q7  자릿수 문제**

$\log 2 = 0.301$, $\log 3 = 0.477$일 때, 다음 물음에 답하시오.

(1) $6^{20}$은 몇 자리 자연수인지 구하시오.

(2) $\left(\dfrac{1}{12}\right)^{10}$은 소수점 아래 몇째 자리에서 처음으로 0이 아닌 숫자가 나오는지 구하시오.

**날선 Guide** (1) $\log 6^{20}$의 정수 부분이 $n$이면

$$\log 6^{20} = n + \alpha \ (0 \le \alpha < 1)$$

이므로

$$6^{20} = a \times 10^n \ (1 \le a < 10) \quad \longrightarrow \log a = \alpha$$

꼴이라 생각할 수 있다. 따라서 $6^{20}$은 $n+1$자리 수이다.

$\log 2 = 0.301$, $\log 3 = 0.477$을 이용하여 $\log 6^{20}$의 정수 부분을 찾는다.

(2) $\log \left(\dfrac{1}{12}\right)^{10}$의 정수 부분이 $-n$이면

$$\log \left(\dfrac{1}{12}\right)^{10} = -n + \alpha \ (0 \le \alpha < 1)$$

이므로

$$\left(\dfrac{1}{12}\right)^{10} = a \times 10^{-n} \ (1 \le a < 10)$$

꼴이라 생각할 수 있다. 따라서 $\log \left(\dfrac{1}{12}\right)^{10}$의 정수 부분부터 구한다.

이때 소수 부분은 $0 \le \alpha < 1$임에 주의한다.

**답** (1) 16자리 자연수   (2) 소수점 아래 11째 자리

**날선 Point**
- $\log A$의 정수 부분이 $n$이면 $A$의 정수 부분은 $n+1$자리 수이다.
- $\log A$의 정수 부분이 $-n$이면 $A$는 소수점 아래 $n$째 자리에서 처음으로 0이 아닌 숫자가 나온다.

**7-1** $\log 2 = 0.301$, $\log 3 = 0.477$일 때, 다음 수는 몇 자리 자연수인지 구하시오.

(1) $2^{64}$ (2) $12^{30}$

**7-2** $\log 2 = 0.301$, $\log 3 = 0.477$일 때, 다음은 소수점 아래 몇째 자리에서 처음으로 0이 아닌 숫자가 나오는지 구하시오.

(1) $0.25^{10}$ (2) $\left(\dfrac{1}{18}\right)^{30}$

**대표 Q8**

다음 물음에 답하시오.

(1) $\log 2 = 0.301$, $\log 3 = 0.477$일 때, $5^{12}$의 최고 자리 숫자를 구하시오.

(2) $10 < x < 100$이고 $\log \sqrt{x}$와 $\log x^2$의 소수 부분이 같을 때, $x$의 값을 구하시오.

(날선 **Guide**) (1) 예를 들어 $\log A = 5.42$이면 정수 부분이 5, 소수 부분이 0.42이므로

$$A = a \times 10^5 \ (1 \leq a < 10), \ \log a = 0.42$$

그런데 $\log 2 = 0.301$, $\log 3 = 0.477$이므로

$$2 < a < 3$$

곧, $a = 2.\times\times\times$ 꼴이므로 $A$의 최고 자리 숫자는 2이다.

이와 같이 $\log 5^{12} = n + \alpha$의 최고 자리 숫자를 구할 때에는

$\log 5^{12}$의 소수 부분 $\alpha \ (0 \leq \alpha < 1)$를 찾고,

$\log a = \alpha$인 $a$의 범위를 생각한다.

(2) $\log 10 = 1$, $\log 100 = \log 10^2 = 2$이므로 $1 < \log x < 2$이다.

또 $\log \sqrt{x}$와 $\log x^2$의 소수 부분이 같으므로 차가 정수이다.

이를 이용하여 $\log x^2 - \log \sqrt{x}$의 값부터 구한다.

(답) (1) 2   (2) $10^{\frac{4}{3}}$

---

(날선 **Point**) • 숫자 배열이나 최고 자리 숫자 ➡ 상용로그의 소수 부분을 조사한다.

• 상용로그의 소수 부분이 같은 두 수 ➡ 두 수의 숫자 배열이 같다.

**8-1** $\log 2 = 0.301$, $\log 3 = 0.477$일 때, $15^9$의 최고 자리 숫자를 구하시오.

**8-2** $100 < x < 1000$이고 $\log x$와 $\log \dfrac{1}{x}$의 소수 부분이 같을 때, $x$의 값을 구하시오.

**2 로그**

**01** 다음 값이 정의되기 위한 실수 $x$값의 범위를 구하시오.

(1) $\log_2 (-x^2 + 5x - 6)$

(2) $\log_{6-x} (x+1)$

**02** $a = \log_2 (2+\sqrt{3})$일 때, $4^a + \dfrac{4}{2^a}$의 값은?

① $12 - 4\sqrt{3}$　② $7 + 4\sqrt{3}$　③ $8 + 4\sqrt{3}$　④ $15$　⑤ $12 + 4\sqrt{3}$

**03** 다음 식을 간단히 하시오.

(1) $\log_3 4 - 8\log_9 6 + \dfrac{5}{\log_6 3}$

(2) $\log_{16} \dfrac{1}{32} \times \log_{\sqrt{5}} 25 \times 9^{\log_3 5}$

(3) $\left(\log_{\sqrt{3}} 25 - \log_3 5\right)\left(\log_5 9 - \log_{\frac{1}{5}} \sqrt[3]{3}\right)$

**04** $\log_2 \dfrac{1}{2} + \log_2 \dfrac{2}{3} + \log_2 \dfrac{3}{4} + \cdots + \log_2 \dfrac{15}{16}$의 값을 구하시오.

**05** $a$, $b$, $c$가 1이 아닌 양수일 때, 다음 중 옳지 <u>않은</u> 것은?

① $\log_a bc = \log_a b + \log_a c$

② $\log_a abc = 1 + \log_a bc$

③ $\log_a b^c = c \log_a b$

④ $\log_a b \times \log_b c = \log_a c$

⑤ $\dfrac{\log_a c}{\log_a b} = \log_a c - \log_a b$

**06** 실수 $x$, $y$에 대하여 $27^x=5$, $125^y=9$일 때, $xy$의 값을 구하시오.

**07** 방정식 $x^2-5x+2=0$의 두 근이 $\log \alpha$, $\log \beta$일 때, $\log_\alpha \beta + \log_\beta \alpha$의 값을 구하시오.

**08** $\log 5 = a$, $\log 7 = b$일 때, 다음을 $a$, $b$를 사용하여 나타내시오.

(1) $\log \dfrac{7}{2}$

(2) $\log \sqrt[3]{14}$

**09** 상용로그표를 이용하여 다음 물음에 답하시오.

(1) $\log \sqrt[3]{0.554}$ 의 값을 구하시오.

(2) $\log x = 2.7657$을 만족시키는 $x$의 값을 구하시오.

| 수 | 0 | 1 | 2 | 3 | 4 | 5 |
|---|---|---|---|---|---|---|
| ⋮ | ⋮ | ⋮ | ⋮ | ⋮ | ⋮ | ⋮ |
| 5.5 | .7404 | .7412 | .7419 | .7427 | .7435 | .7443 |
| 5.6 | .7482 | .7490 | .7497 | .7505 | .7513 | .7520 |
| 5.7 | .7559 | .7566 | .7574 | .7582 | .7589 | .7597 |
| 5.8 | .7634 | .7642 | .7649 | .7657 | .7664 | .7672 |
| 5.9 | .7709 | .7716 | .7723 | .7731 | .7738 | .7745 |
| ⋮ | ⋮ | ⋮ | ⋮ | ⋮ | ⋮ | ⋮ |

(3) $\log y = -1.2441$을 만족시키는 $y$의 값을 구하시오.

**10** $\log 67.2 = 1.8274$임을 이용하여 다음 값을 구하시오.

(1) $\log 672$

(2) $\log 0.672$

(3) $\log \sqrt{6.72}$

**11** 2 이상의 자연수 $n$에 대하여 $5\log_n 2$의 값이 자연수가 되도록 하는 모든 $n$값의 합은?

① 34      ② 38      ③ 42      ④ 46      ⑤ 50

**12** 1보다 큰 두 실수 $a$, $b$에 대하여 $\log_{\sqrt{3}} a = \log_9 ab$가 성립할 때, $\log_a b$의 값은?

① 1      ② 2      ③ 3      ④ 4      ⑤ 5

**13** $c$는 1이 아닌 양수이고 $\log_a c : \log_b c = 2 : 1$일 때, $\log_a b + \log_b a$의 값을 구하시오.

**14** $\log_2 7 = a$, $\log_7 9 = b$일 때, $\log_{24} 7$을 $a$, $b$를 사용하여 나타내면?

① $\dfrac{a}{ab+3}$    ② $\dfrac{b}{ab+3}$    ③ $\dfrac{2a}{ab+6}$    ④ $\dfrac{2b}{ab+6}$    ⑤ $\dfrac{a+b}{ab+1}$

**15** $w$는 1이 아닌 양수이고 $\log_x w = 12$, $\log_y w = 8$, $\log_{xyz} w = 4$일 때, $\log_z w$의 값을 구하시오.

**수능 기출**

**16** 어느 물탱크에 서식하는 박테리아를 제거하기 위하여 약품을 투여하려고 한다. 물탱크에 있는 물 1 mL 당 초기 박테리아 수를 $C_0$, 약품을 투여한 지 $t$시간이 지나는 순간 물 1 mL 당 박테리아 수를 $C$라 할 때, 다음이 성립한다.

$$\log \frac{C}{C_0} = -kt \ (k는 \ 양의 \ 상수)$$

물 1 mL 당 초기 박테리아 수가 $8 \times 10^5$이고 약품을 투여한 지 3시간이 지나는 순간 물 1 mL 당 박테리아 수가 $2 \times 10^5$일 때, 물 1 mL 당 박테리아 수가 처음으로 $8 \times 10^3$이 되는 것은 이 약품을 투여한 지 몇 시간 후인지 구하시오. (단, $\log 2 = 0.3$으로 계산한다.)

**17** $\log n$의 정수 부분이 1인 자연수 $n$의 개수를 $a$, $\log \dfrac{1}{m}$의 정수 부분이 $-1$인 자연수 $m$의 개수를 $b$라 할 때, $a+b$의 값은?

① 98  ② 99  ③ 109  ④ 199  ⑤ 999

**18** $4^m$이 8자리 정수일 때, 가능한 자연수 $m$의 값을 모두 구하시오. (단, $\log 2 = 0.301$, $\log 3 = 0.477$로 계산한다.)

**19** $1 < x < 10$이고 $\log x$의 소수 부분과 $\log x^2$의 소수 부분의 합이 1일 때, 모든 $x$값의 곱을 구하시오.

**20** 양의 실수 $x$에 대하여 $f(x) = \log x - [\log x]$라 정의할 때, 다음 중 $f(x)$의 값이 가장 큰 $x$의 값은? (단, $[x]$는 $x$보다 크지 않은 최대 정수이다.)

① 0.012  ② 0.824  ③ 1.96  ④ 56  ⑤ 470

정답 개수:　／20　　오답 번호 **Check** :

앞서 다항함수, 유리함수, 무리함수 등 여러 가지 함수에 대하여 공부하고, 함수가 일대일대응일 때, 그 역함수가 존재한다는 사실에 대하여 배웠다.

이 단원에서는 지수함수, 로그함수와 그 그래프에 대하여 알아보자.

# 지수함수와 로그함수

# 3-1 지수함수

개념

**1** 함수 $y=a^x\,(a>0,\ a\neq1)$을 밑이 $a$인 **지수함수**라 한다.

**2** 지수함수 $y=a^x$의 성질

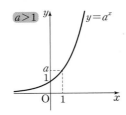 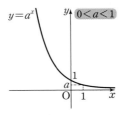

(1) 정의역은 $\{x\,|\,x$는 실수$\}$이고, 치역은 $\{y\,|\,y>0\}$이다.

(2) 그래프는 점 $(0,\ 1)$을 지나고, $x$축이 점근선이다.

(3) $a>1$일 때, $x$의 값이 증가하면 $y$의 값도 증가한다.

　$0<a<1$일 때, $x$의 값이 증가하면 $y$의 값은 감소한다.

---

지수함수 ● $a>0$이고 $a\neq1$일 때 $x$의 값에 대응하는 $a^x$의 값은 하나이므로

$y=a^x$은 실수 전체의 집합에서 정의된 함수이다. 이 함수를 밑이 $a$인 지수함수라 한다.

예를 들어 $y=2^x$은 밑이 $2$인 지수함수, $y=\left(\dfrac{1}{2}\right)^x$은 밑이 $\dfrac{1}{2}$인 지수함수이다.

$a=1$이면 $y=a^x$은 $y=1$인 상수함수이므로 지수함수라 하지 않는다.

$y=a^x\,(a>1)$
의 그래프
　함수 $y=2^x$의 그래프를 그리기 위하여 $x$의 값 몇 개와 대응하는

$y$의 값을 조사하면

| $x$ | $-2$ | $-1$ | $0$ | $1$ | $2$ |
|-----|------|------|-----|-----|-----|
| $y$ | $\dfrac{1}{4}$ | $\dfrac{1}{2}$ | $1$ | $2$ | $4$ |

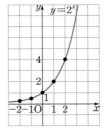

이렇게 구한 $x$, $y$의 순서쌍을 좌표평면에 나타낸 다음,

매끄러운 곡선으로 나타내면 그림과 같다.

$y=a^x\,(a>1)$
의 성질
　같은 방법으로 $y=3^x$의 그래프를 그리면 그림과 같다.

이와 같이 $a>1$일 때 함수 $y=a^x$의 성질은 다음과 같다.

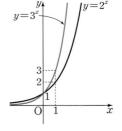

(1) 정의역은 $\{x\,|\,x$는 실수$\}$이고, 치역은 $\{y\,|\,y>0\}$이다.

(2) 그래프는 점 $(0,\ 1)$, $(1,\ a)$를 지나고, $x$축이 점근선이다.

(3) 그래프는 오른쪽 위로 향하는 곡선이다. ──→ 증가함수

**참고** $y=2^x$, $y=3^x$의 그래프를 비교해 보면

함수 $y=a^x\,(a>1)$의 그래프는 $x>0$일 때 $a$의 값이 커질수록 $y$축에 더 가까워지고,

$x<0$일 때 $a$의 값이 커질수록 $x$축에 더 가까워짐을 알 수 있다.

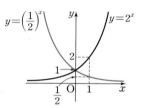

$y=a^x$
$(0<a<1)$
의 그래프

$y=\left(\dfrac{1}{2}\right)^x$은 $y=2^{-x}$이므로 $y=2^x$에 $-x$를 대입한 꼴이다.

따라서 그래프는 그림과 같이 $y=2^x$의 그래프와 $y$축에 대칭이다.

$y=a^x$
$(0<a<1)$
의 성질

이와 같이 $0<a<1$일 때 함수 $y=a^x$의 성질은 다음과 같다.

(1) 정의역은 $\{x\,|\,x$는 실수$\}$이고, 치역은 $\{y\,|\,y>0\}$이다.

(2) 그래프는 점 $(0,\,1)$, $(1,\,a)$를 지나고, $x$축이 점근선이다.

(3) 그래프는 오른쪽 아래로 향하는 곡선이다. ──→ 감소함수

$y=a^{x-m}+n$
의 그래프

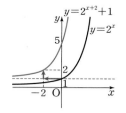

예를 들어 $y=4\times2^x+1$의 그래프는
$$y=2^2\times2^x+1=2^{x+2}+1$$
이므로 $y=2^x$의 그래프를 $x$축 방향으로 $-2$만큼, $y$축 방향으로 1만큼 평행이동한 그래프이다. 그리고 점근선은 직선 $y=1$이다.

$y=a^{x-m}+n$의 그래프는 $y=a^x$의 그래프를 $x$축 방향으로 $m$만큼, $y$축 방향으로 $n$만큼 평행이동하여 그린다.

대칭이동

함수 $y=a^x$ $(a>0,\ a\neq1)$의 그래프를 대칭이동하면

(1) $x$축에 대칭이동 : $y=-a^x$

(2) $y$축에 대칭이동 : $y=a^{-x}=\left(\dfrac{1}{a}\right)^x$

(3) 원점에 대칭이동 : $y=-a^{-x}=-\left(\dfrac{1}{a}\right)^x$

**개념 Check**

◆ 정답 및 풀이 **18**쪽

**1** 좌표평면에 함수 $y=2^x$의 그래프를 그리고, 이 그래프를 이용하여 다음 함수의 그래프를 그리시오.

(1) $y=-2^x$        (2) $y=2^{-x}$

(3) $y=2^{x-1}$        (4) $y=2^{x+1}-2$

**2** 좌표평면에 함수 $y=\left(\dfrac{1}{2}\right)^x$의 그래프를 그리고, 이 그래프를 이용하여 다음 함수의 그래프를 그리시오.

(1) $y=-\left(\dfrac{1}{2}\right)^x$        (2) $y=\left(\dfrac{1}{2}\right)^{-x}$

(3) $y=\left(\dfrac{1}{2}\right)^{x-2}+1$        (4) $y=2^{-x}-2$

3

지수함수와 로그함수

다음 함수의 그래프를 그리고, 함수의 치역과 그래프의 점근선의 방정식을 구하시오.

(1) $y=4\times 2^{x+1}$　　　　　　(2) $y=2^{-x+2}+3$　　　　　　(3) $y=-\left(\dfrac{1}{3}\right)^{x-1}-2$

**날선 Guide**　(1) $y=2^2\times 2^{x+1}=2^{x+3}$이므로

　　　$y=2^x$의 그래프를 $x$축 방향으로 $-3$만큼 평행이동한다.

　(2) $y=2^{-(x-2)}+3$이므로

　　　$y=2^{-x}$의 그래프를 $x$축 방향으로 2, $y$축 방향으로 3만큼 평행이동한다.

　　　이때 $y=2^{-x}$의 그래프는 $y=2^x$의 그래프를 $y$축에 대칭이동한 꼴이라 생각해도 되고,

　　　$y=\left(\dfrac{1}{2}\right)^x$의 그래프라 생각해도 된다.

　(3) $y=-\left(\dfrac{1}{3}\right)^x$의 그래프를 $x$축 방향으로 1만큼, $y$축 방향으로 $-2$만큼 평행이동한다.

　　　이때 $y=-\left(\dfrac{1}{3}\right)^x$의 그래프는 $y=\left(\dfrac{1}{3}\right)^x$의 그래프를 $x$축에 대칭이동한 꼴이다.

　　　**답** (1) 치역 : $\{y\,|\,y>0\}$, 점근선 : $y=0$
　　　　　(2) 치역 : $\{y\,|\,y>3\}$, 점근선 : $y=3$
　　　　　(3) 치역 : $\{y\,|\,y<-2\}$, 점근선 : $y=-2$

**날선 Point** **지수함수의 그래프**

함수 $y=a^x$의 그래프를 평행이동, 대칭이동하여 그린다.

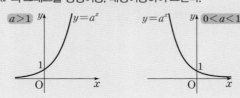

**1-1** 다음 함수의 그래프를 그리고, 함수의 치역과 그래프의 점근선의 방정식을 구하시오.

(1) $y=3^{2x-4}+2$　　　　　　(2) $y=3\times\left(\dfrac{1}{5}\right)^x-1$　　　　　　(3) $y=-4^{-2x+2}$

**1-2** 함수 $y=3^x$의 그래프를 $x$축 방향으로 $-2$만큼, $y$축 방향으로 3만큼 평행이동한 그래프의 식은 $y=a\times 3^x+b$이다. 상수 $a$, $b$의 값을 구하시오.

**1-3** 함수 $y=\left(\dfrac{1}{9}\right)^x$의 그래프를 $x$축 방향으로 3만큼 평행이동한 다음, $y$축에 대칭이동한 그래프의 식은 $y=3^{ax+b}$이다. 상수 $a$, $b$의 값을 구하시오.

주어진 범위에서 다음 함수의 최댓값과 최솟값을 구하시오.

(1) $y=2^{-x}\times 3^x \ (-1\le x\le 2)$  (2) $y=3^{2-x} \ (1\le x\le 3)$

(3) $y=1+2^{x+2}-4^x \ (-1\le x\le 2)$

**날선 Guide**

(1) $y=\left(\dfrac{3}{2}\right)^x$ 에서 밑이 $1$보다 큰 함수이므로

$x$가 커질수록 $y$도 커진다.

따라서 $x=2$일 때 최대이고, $x=-1$일 때 최소이다.

이와 같이 그래프를 생각하면 최댓값과 최솟값을 찾을

수 있다.

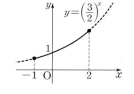

(2) $y=3^{-(x-2)}=\left(\dfrac{1}{3}\right)^{x-2}$ 에서 밑이 $1$보다 작은 함수이므로

$x$가 커질수록 $y$는 작아진다.

따라서 $x=1$일 때 최대이고, $x=3$일 때 최소이다.

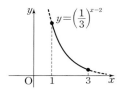

(3) $2^{x+2}=2^x\times 2^2=4\times 2^x, \ 4^x=(2^2)^x=2^{2x}=(2^x)^2$

이므로 $2^x=t$로 놓으면 $y=1+4t-t^2$

$-1\le x\le 2$에서 $t$값의 범위를 찾은 다음, 최댓값과 최솟값을 구한다.

**답** (1) 최댓값 : $\dfrac{9}{4}$, 최솟값 : $\dfrac{2}{3}$  (2) 최댓값 : $3$, 최솟값 : $\dfrac{1}{3}$  (3) 최댓값 : $5$, 최솟값 : $1$

**날선 Point**

**지수함수 $y=a^x$의 최대, 최소**

• $a>1$이면 $x$가 커질수록 $y$도 커지고, $0<a<1$이면 $x$가 커질수록 $y$는 작아진다.

• $a^x=t$로 치환할 때에는 $t$값의 범위에 주의한다.

**2-1** 주어진 범위에서 다음 함수의 최댓값과 최솟값을 구하시오.

(1) $y=\left(\dfrac{1}{2}\right)^{1-2x}+1 \ (-1\le x\le 1)$  (2) $y=3^{x-2}\times 5^{-x} \ (1\le x\le 3)$

(3) $y=3^{x^2+2x-1} \ (-2\le x\le 1)$

**2-2** $-1\le x\le 1$일 때, 다음 함수의 최댓값과 최솟값을 구하시오.

(1) $y=3\times 4^{x-1}-2$  (2) $y=4^{x-1}+2^{x+1}-1$

함수 $f(x)=3^{-x}$에 대하여

$$a_1=f(2),\ a_2=f(a_1),\ a_3=f(a_2),\ a_4=f(a_3)$$

이라 하자. 그래프를 이용하여 $a_2$, $a_3$, $a_4$의 크기를 비교하시오.

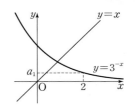

**날선 Guide** 직선 $y=x$를 이용하면 그림과 같이 $x$축 위에 $a_1$을 나타낼 수 있다.

따라서 $a_2=f(a_1)$을 $y$축 위에 나타낼 수 있다.

다시 $a_2$를 $x$축에 나타내고, 함숫값 $a_3$을 $y$축 위에 나타내는 과정을 반복하면 된다.

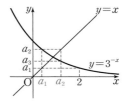

**답** $a_3<a_4<a_2$

**날선 Point** 직선 $y=x$를 이용하여 함숫값을 나타낸다.

**3-1**  함수 $y=\left(\dfrac{1}{2}\right)^x$의 그래프가 그림과 같다. $pq=8$일 때, $a+b$의 값을 구하시오.

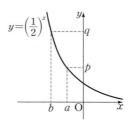

**3-2** 함수 $y=2^x$의 그래프와 직선 $y=x$가 그림과 같을 때, 상수 $a$, $b$, $c$의 값을 구하시오.

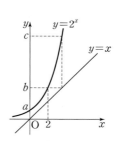

**Q4** 그래프와 길이, 넓이

◆ 정답 및 풀이 **21**쪽

그림과 같이 함수 $y=3^{x+1}$의 그래프 위에 점 A, 함수 $y=3^{x-2}$의 그래프 위에 두 점 B, C가 있다. 직선 AB는 $y$축, 직선 AC는 $x$축에 평행하고 $\overline{AB}=\overline{AC}$일 때, 점 A의 $y$좌표를 구하시오.

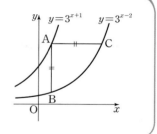

**날선 Guide** $y=3^{x-2}$은 $y=3^{x+1}$의 $x$에 $x-3$을 대입한 꼴이므로
$y=3^{x-2}$의 그래프는 $y=3^{x+1}$의 그래프를 $x$축 방향으로
3만큼 평행이동한 것이다.
따라서 점 A의 $x$좌표를 $a$라 하면 점 B, C의 좌표를 $a$로
나타낼 수 있다.

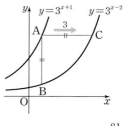

**답** $\dfrac{81}{26}$

**날선 Point**
- 밑이 같은 지수함수의 그래프
  ➡ 평행이동, 대칭이동을 생각한다.
- 한 점의 $x$좌표를 $a$라 하고, 나머지 좌표를 $a$로 나타낸다.

**4-1** 그림은 함수 $y=2^x$과 $y=2^{x-2}$의 그래프이다. $x$축에 평행한 두 선분 AB, CD와 두 곡선으로 둘러싸인 부분의 넓이를 구하시오. (단, 선분 BC는 $y$축에 평행하다.)

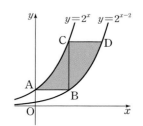

**4-2** 그림과 같이 두 함수 $y=a^x$, $y=a^{-x}$ $(a>1)$의 그래프 위에 점 A, B, C, D, E, F, G, H가 있다. $\overline{EH}=\dfrac{1}{2}\overline{AD}$이고, 직사각형 EFGH의 넓이는 직사각형 ABCD의 넓이의 $\dfrac{1}{8}$이다. 점 C에서 $x$축에 내린 수선의 발을 I라 할 때, $\overline{ID}+\overline{IC}$의 값을 구하시오. (단, 직사각형의 각 변은 좌표축에 평행하다.)

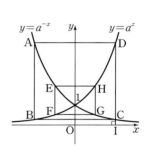

**1** 함수 $y=\log_a x \,(a>0,\ a\neq1)$를 밑이 $a$인 **로그함수**라 한다.

**2** 로그함수 $y=\log_a x$와 지수함수 $y=a^x$은 서로 역함수이다.

따라서 $y=\log_a x$의 그래프는 $y=a^x$의 그래프와 직선 $y=x$에 대칭이다.

**3** 로그함수 $y=\log_a x$의 **성질**

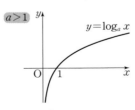 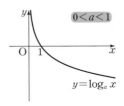

(1) 정의역은 $\{x\,|\,x>0\}$이고, 치역은 $\{y\,|\,y$는 실수$\}$이다.

(2) 그래프는 점 $(1,\ 0)$을 지나고, $y$축이 점근선이다.

(3) $a>1$일 때, $x$의 값이 증가하면 $y$의 값도 증가한다.

$0<a<1$일 때, $x$의 값이 증가하면 $y$의 값은 감소한다.

로그함수 ● $a>0$이고 $a\neq1$일 때 양수 $x$의 값에 대응하는 $\log_a x$의 값은 하나이므로

$y=\log_a x$는 양의 실수 전체의 집합에서 정의된 함수이다. 이 함수를 밑이 $a$인 로그함수라 한다.

예를 들어 $y=\log_2 x$는 밑이 2인 로그함수, $y=\log_{\frac{1}{2}} x$는 밑이 $\dfrac{1}{2}$인 로그함수이다.

로그함수와 ● $y=a^x$에서 $x=\log_a y$, $x$와 $y$를 바꾸면 $y=\log_a x$
지수함수의
관계 따라서 로그함수 $y=\log_a x$는 지수함수 $y=a^x$의 역함수이고, $y=\log_a x$의 그래프는 $y=a^x$

의 그래프와 직선 $y=x$에 대칭이다.

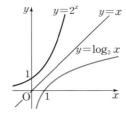 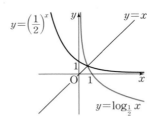

로그함수의 ● 함수 $y=\log_a x\,(a>0,\ a\neq1)$의 성질은 다음과 같다.
성질
(1) 정의역은 $\{x\,|\,x>0\}$이고, 치역은 $\{y\,|\,y$는 실수$\}$이다.

(2) 그래프는 점 $(1,\ 0)$, $(a,\ 1)$을 지나고, $y$축이 점근선이다.

(3) $a>1$일 때, 오른쪽 위로 향하는 곡선이고 $\longrightarrow$ 증가함수

$0<a<1$일 때, 오른쪽 아래로 향하는 곡선이다. $\longrightarrow$ 감소함수

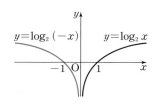

$y = \log_a x$와
$y$축에 대칭인
그래프

$y = \log_2 (-x)$는 $-x > 0$, 곧 $x < 0$에서 정의된 함수이다.

그리고 $y = \log_2 x$의 $x$에 $-x$를 대입한 꼴이므로

$y = \log_2 (-x)$와 $y = \log_2 x$의 그래프는 $y$축에 대칭이다.

$$y = \log_a (-x)\text{의 정의역은 } \{x \mid x < 0\}$$

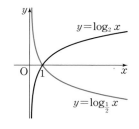

$y = \log_a x$와
$x$축에 대칭인
그래프

$\log_{\frac{1}{2}} x = \log_{2^{-1}} x = -\log_2 x$이므로

$y = \log_{\frac{1}{2}} x$는 $y = \log_2 x$의 $y$에 $-y$를 대입한 꼴이다.

따라서 $y = \log_{\frac{1}{2}} x$와 $y = \log_2 x$의 그래프는 $x$축에 대칭이다.

같은 이유로 $y = \log_{\frac{1}{a}} x$와 $y = \log_a x$의 그래프는 $x$축에 대칭

이다.

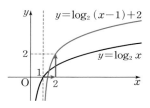

$y = \log_a (x-m)+n$
의 그래프

예를 들어 $y = \log_2 4(x-1)$의 그래프는

$$y = \log_2 4 + \log_2 (x-1) = \log_2 (x-1) + 2$$

이므로 $y = \log_2 x$의 그래프를 $x$축 방향으로 1만큼, $y$축 방

향으로 2만큼 평행이동한 그래프이다. 그리고 점근선은 직선

$x = 1$이다.

$y = \log_a (x-m)+n$의 그래프는 $y = \log_a x$의 그래프를 $x$축 방향으로 $m$만큼, $y$축 방향으

로 $n$만큼 평행이동하여 그린다.

**개념 Check**

◆ 정답 및 풀이 **22**쪽

**3** 좌표평면에 함수 $y = \log_2 x$의 그래프를 그리고, 이 그래프를 이용하여 다음 함수의 그래
프를 그리시오.

(1) $y = -\log_2 x$        (2) $y = \log_2 (-x)$

(3) $y = \log_2 (x-1)$        (4) $y = \log_2 x + 2$

**4** 좌표평면에 함수 $y = \log_{\frac{1}{2}} x$의 그래프를 그리고, 이 그래프를 이용하여 다음 함수의 그래
프를 그리시오.

(1) $y = -\log_{\frac{1}{2}} x$        (2) $y = \log_{\frac{1}{2}} (-x)$

(3) $y = \log_{\frac{1}{2}} (x+2)$        (4) $y = \log_{\frac{1}{2}} x - 1$

## 대표 Q5 로그함수의 그래프

다음 함수의 그래프를 그리고, 함수의 정의역과 그래프의 점근선의 방정식을 구하시오.

(1) $y = \log_3 9(x+1)$

(2) $y = \log_2 \left( \dfrac{-x}{2} \right)$

(3) $y = \log_{\frac{1}{3}} (-x+2) + 1$

(4) $y = -\log_{0.5} (x+2) + 2$

**날선 Guide**
(1) $y = \log_3 (x+1) + \log_3 9 = \log_3 (x+1) + 2$이므로
$y = \log_3 x$의 그래프를 $x$축 방향으로 $-1$, $y$축 방향으로 $2$만큼 평행이동한다.

(2) $y = \log_2 (-x) - \log_2 2 = \log_2 (-x) - 1$이므로
$y = \log_2 (-x)$의 그래프를 $y$축 방향으로 $-1$만큼 평행이동한다.

(3) $y = \log_{\frac{1}{3}} \{-(x-2)\} + 1$이므로
$y = \log_{\frac{1}{3}} (-x)$의 그래프를 $x$축 방향으로 $2$, $y$축 방향으로 $1$만큼 평행이동한다.

(4) $y = -\log_{0.5} x$의 그래프를 평행이동한 꼴이다. $y = -\log_{0.5} x$의 그래프는
$y = \log_{0.5} x$의 그래프를 $x$축에 대칭이동한다.

**답** (1) 정의역 : $\{x \,|\, x > -1\}$, 점근선 : $x = -1$
(2) 정의역 : $\{x \,|\, x < 0\}$, 점근선 : $x = 0$
(3) 정의역 : $\{x \,|\, x < 2\}$, 점근선 : $x = 2$
(4) 정의역 : $\{x \,|\, x > -2\}$, 점근선 : $x = -2$

---

### 날선 Point 로그함수의 그래프

함수 $y = \log_a x$의 그래프를 그린 후 평행이동, 대칭이동하여 그린다.

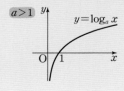

---

**5-1** 다음 함수의 그래프를 그리고, 함수의 정의역과 그래프의 점근선의 방정식을 구하시오.

(1) $y = \log_{\frac{1}{3}} (3x+1) - 1$

(2) $y = \log_2 \dfrac{2}{x-1}$

**5-2** 함수 $y = \log_2 x$의 그래프를 $x$축 방향으로 $-2$만큼, $y$축 방향으로 $3$만큼 평행이동한 그래프의
식은 $y = \log_2 (ax+b)$이다. $a$, $b$의 값을 구하시오.

**up 5-3** 함수 $y = \log_2 x^2$의 정의역을 구하고, 그래프를 그리시오.

대표 **Q6** 로그함수의 최대와 최소 ◆ 정답 및 풀이 **24**쪽

주어진 범위에서 다음 함수의 최댓값과 최솟값을 구하시오.

(1) $y=\log_3 (x-2)$ $(3 \le x \le 11)$      (2) $y=\log_{\frac{1}{3}} (x+2)-2$ $(1 \le x \le 7)$

(3) $y=\log_2 x^2 \times \log_2 \dfrac{4}{x}$ $\left(\dfrac{1}{4} \le x \le 4\right)$

낱선 **Guide** (1) $y=\log_3 (x-2)$에서 밑이 1보다 큰 함수이므로

$x$가 커질수록 $y$도 커진다.

따라서 $x=11$일 때 최대이고, $x=3$일 때 최소이다.

이와 같이 로그함수도 그래프를 생각하면 최댓값과 최솟

값을 찾을 수 있다.

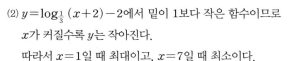

(2) $y=\log_{\frac{1}{3}} (x+2)-2$에서 밑이 1보다 작은 함수이므로

$x$가 커질수록 $y$는 작아진다.

따라서 $x=1$일 때 최대이고, $x=7$일 때 최소이다.

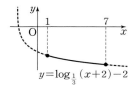

(3) $\log_2 x^2 = 2\log_2 x$

$\log_2 \dfrac{4}{x} = \log_2 4 - \log_2 x = 2 - \log_2 x$

이므로 $\log_2 x = t$로 놓으면 $y=2t(2-t)$

$\dfrac{1}{4} \le x \le 4$에서 $t$값의 범위를 찾은 다음, 최댓값과 최솟값을 구한다.

답 (1) 최댓값 : 2, 최솟값 : 0    (2) 최댓값 : $-3$, 최솟값 : $-4$    (3) 최댓값 : 2, 최솟값 : $-16$

---

낱선 **Point** **로그함수 $y=\log_a x$의 최대, 최소**

• $a>1$이면 $x$가 커질수록 $y$도 커진다.

   $0<a<1$이면 $x$가 커질수록 $y$는 작아진다.

• $\log_a x = t$로 치환할 때에는 $t$값의 범위에 주의한다.

---

**6-1** 주어진 범위에서 다음 함수의 최댓값과 최솟값을 구하시오.

(1) $y=-\log_2 (x-1)$ $(5 \le x \le 9)$      (2) $y=\log_2 (x^2+2x+3)$ $(-2 \le x \le 2)$

**6-2** $1 \le x \le 81$일 때, 다음 함수의 최댓값과 최솟값을 구하시오.

(1) $y=\log_3 x \times \log_3 \dfrac{x^2}{9}$      (2) $y=(\log_3 x)(\log_{\frac{1}{3}} x)+2\log_3 x+1$

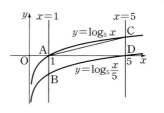

## 대표 Q7 그래프와 넓이

◆ 정답 및 풀이 **25쪽**

그림에서 곡선 $y=\log_5 x$와 직선 $x=5$, $x$축으로 둘러싸인 도형의 넓이를 $S$, 곡선 $y=\log_5 \dfrac{x}{5}$와 직선 $x=1$, $x=5$, 선분 AC로 둘러싸인 도형의 넓이를 $T$라 하자. $S+T$의 값을 구하시오.

**날선 Guide** $S$와 $T$는 두 그림에서 색칠한 부분의 넓이이다.

또 $y=\log_5 \dfrac{x}{5}=\log_5 x-\log_5 5=\log_5 x-1$

이므로 $y=\log_5 \dfrac{x}{5}$의 그래프는 $y=\log_5 x$의 그래프를 $y$축 방향으로 $-1$만큼 평행이동한 것이다.

따라서 $\overline{\text{AB}}=\overline{\text{CD}}=1$이고, 그림에서 빗금 친 두 부분의 넓이는 같다.

이를 이용하여 $S+T$의 값을 구한다.

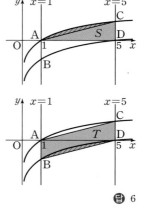

**답** 6

**날선 Point** 밑이 같은 로그함수의 그래프 ➡ 평행이동, 대칭이동을 생각한다.

**7-1** 그림과 같이 두 함수 $y=\log_3 x$, $y=\log_3 (x+3)$의 그래프와 두 직선 $y=1$, $y=a$로 둘러싸인 부분의 넓이가 6일 때, $a$의 값을 구하시오. (단, $a<1$)

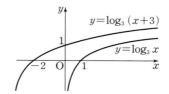

**7-2** 그림과 같이 함수 $y=\log_2 x$의 그래프 위의 두 점 A, B에서 $x$축에 내린 수선의 발을 각각 C$(p, 0)$, D$(2p, 0)$이라 하자. 삼각형 BCD와 삼각형 ACB의 넓이의 차가 8일 때, $p$의 값을 구하시오. (단, $p>1$)

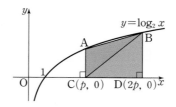

다음 함수의 역함수를 구하시오.

(1) $y=3^{x-2}+4$   (2) $y=\log_2{(x-1)}+2$

**날선 Guide** 지수함수 $y=a^x$과 로그함수 $y=\log_a x$는 서로 역함수 관계에 있다. 따라서

지수함수의 역함수는 로그함수

로그함수의 역함수는 지수함수

의 꼴로 나타낼 수 있다.

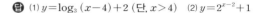

(1) $y=3^{x-2}+4$에서

$$x-2=\log_3{(y-4)}$$

와 같이 로그로 나타내면 역함수를 구할 수 있다.

(2) $y=\log_2{(x-1)}+2$에서

$$x-1=2^{y-2}$$

와 같이 지수로 나타내면 역함수를 구할 수 있다.

**답** (1) $y=\log_3{(x-4)}+2$ (단, $x>4$)   (2) $y=2^{x-2}+1$

**참고** **역함수를 구하는 방법**

❶ $y=f(x)$를 $x=g(y)$ 꼴로 나타낸다.

❷ $x$를 $y$로, $y$를 $x$로 바꾼다. 이때 $y=f(x)$의 치역을 역함수의 정의역으로 한다.

**날선 Point**
- 지수함수의 역함수 ➡ 로그함수
- 로그함수의 역함수 ➡ 지수함수

**8-1** 다음 함수의 역함수를 구하시오.

(1) $y=3\times2^{x-1}$   (2) $y=\log_3{(x+2)}-4$

**8-2** 함수 $y=\dfrac{a}{100}\log x$의 역함수가 $y=10^{ax}$일 때, 양수 $a$의 값을 구하시오.

**8-3** 함수 $f(x)=2^{-x+a}+1$이 있다. 함수 $g(x)$가 모든 실수 $x$에 대하여 $g(f(x))=x$를 만족시킨다. $g(9)=-2$일 때, $g(17)$의 값을 구하시오.

그림과 같이 곡선 $y=a^x$과 $y=\log_a x$는 두 점 P, Q에서 만난다. 사각형 OAPB와 PCQD는 합동이고, 사각형의 각 변은 좌표축에 평행하거나 좌표축 위에 있다. $a$의 값을 구하시오. (단, O는 원점이다.)

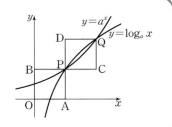

**날선 Guide** $y=a^x$과 $y=\log_a x$는 서로 역함수이므로

두 곡선은 직선 $y=x$에 대칭이다.

따라서 점 P, Q는 직선 $y=x$ 위의 점이다.

또 두 사각형이 합동이므로 점 P$(k, k)$로 놓으면

점 Q$(2k, 2k)$이다.

이때 두 점 P, Q가 곡선 $y=a^x$ 위의 점임을 이용하여

$k$의 값을 구할 수 있다.

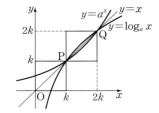

**답** $\sqrt{2}$

**날선 Point**
- $y=a^x$, $y=\log_a x$의 그래프가 주어진 문제
  ➡ 역함수를 이용할 수 있는지 확인한다.
- 역함수이면 그래프는 직선 $y=x$에 대칭임을 이용한다.

**9-1** 함수 $y=\log_4 (x+p)+q$, $y=\log_{\frac{1}{2}} (x+p)+q$의 역함수를 각각 $h(x)$, $k(x)$라 하자. 함수 $y=h(x)$, $y=k(x)$의 그래프가 점 $(1, 4)$에서 만날 때, 상수 $p$, $q$의 값을 구하시오.

**9-2** 직선 $y=-x+5a$가 두 곡선 $y=2^x$, $y=\log_2 x$와 만나는 점을 각각 A, B라 하고, $x$축과 만나는 점을 C라 하자. $\overline{AB} : \overline{BC} = 3 : 1$일 때, $\dfrac{2^a}{a}$의 값을 구하시오.

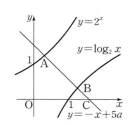

**Q10** 지수함수, 로그함수와 산술평균, 기하평균 ◆ 정답 및 풀이 **27**쪽

다음 물음에 답하시오.

(1) 함수 $y=2^x+2^{-x}$의 최솟값을 구하시오.

(2) $x>1$일 때, $\log_5 x+\log_x 125$의 최솟값을 구하시오.

(3) $\dfrac{1}{2}<x<3$일 때, $\log_6 2x \times \log_6 \dfrac{3}{x}$의 최댓값을 구하시오.

**날선 Guide** (1) $2^x>0$이고 $2^{-x}=\dfrac{1}{2^x}$이므로 $2^x$과 $2^{-x}$의 곱이 일정하다.

따라서 산술평균과 기하평균의 관계

$$2^x+2^{-x} \geq 2\sqrt{2^x \times 2^{-x}}$$

을 이용할 수 있다.

$y=2^x+2^{-x}$의 그래프는 그림과 같다.

(2) $x>1$이므로 $\log_5 x>0$이고

$$\log_x 125 = \log_x 5^3 = 3\log_x 5$$

이므로 $\log_5 x$와 $\log_x 125$의 곱이 일정하다.

따라서 산술평균과 기하평균의 관계를 이용한다.

(3) $\dfrac{1}{2}<x<3$일 때 $\log_6 2x>0$, $\log_6 \dfrac{3}{x}>0$이고

$$\log_6 2x + \log_6 \dfrac{3}{x} = \log_6 \left(2x \times \dfrac{3}{x}\right) = \log_6 6 = 1$$

이므로 합이 일정하다.

따라서 산술평균과 기하평균의 관계를 이용한다.

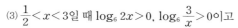

**답** (1) 2 (2) $2\sqrt{3}$ (3) $\dfrac{1}{4}$

 양수이고 합이나 곱이 일정하면 산술평균, 기하평균의 관계를 이용한다.

$a>0$, $b>0$일 때 $\dfrac{a+b}{2} \geq \sqrt{ab}$ (단, 등호는 $a=b$일 때 성립한다.)

**10-1** 다음 물음에 답하시오.

(1) 함수 $y=3^x+\left(\dfrac{1}{3}\right)^x$의 최솟값을 구하시오.

(2) $x>1$일 때, $\log_4 x+\log_x \sqrt{2}$의 최솟값을 구하시오.

(3) $x>1$, $y>1$일 때, $\log_x y^2+\log_y x^2$의 최솟값을 구하시오.

**01** 함수 $y=(p^2-p+1)^x$은 $x$의 값이 증가할 때, $y$의 값은 감소한다. 실수 $p$값의 범위를 구하시오.

**02** 다음 함수 중 그래프를 평행이동하거나 대칭이동하여 함수 $y=2^x$의 그래프와 겹칠 수 <u>없는</u> 것을 모두 고르면?

① $y=\dfrac{1}{2^x}$          ② $y=\sqrt{2}\times 2^x$          ③ $y=(\sqrt{2})^x$

④ $y=-2^x$          ⑤ $y=2^{2x}$

**03** 함수 $y=\left(\dfrac{1}{7}\right)^{x-1}+k$의 그래프가 제1사분면을 지나지 않을 때, 실수 $k$의 최댓값을 구하시오.

**04** 함수 $f(x)=2^x$에 대하여 다음 중 옳지 <u>않은</u> 것을 모두 고르면?

① $f(2x)=\{f(x)\}^2$      ② $f(x^3)=f(3x)$      ③ $f(x+y)=f(x)f(y)$

④ $f(xy)=f(x)+f(y)$    ⑤ $f(-x)=\dfrac{1}{f(x)}$

**05** 다음 중 함수 $f(x)=\log_a(x-1)$에 대한 설명으로 옳지 <u>않은</u> 것은?

(단, $a>0$, $a\neq 1$)

① 정의역은 $\{x|x>1\}$이다.

② $y=f(x)$의 그래프의 점근선은 직선 $x=1$이다.

③ $y=f(x)$의 그래프는 점 $(2, 0)$을 지난다.

④ $0<a<1$일 때, $y=f(x)$는 $x$의 값이 증가하면 $y$의 값은 감소한다.

⑤ $y=f(x)$의 그래프는 $y=\log_{\frac{1}{a}}(x-1)$의 그래프와 $y$축에 대칭이다.

**06** 함수 $y=2^{x^2}\times\left(\dfrac{1}{2}\right)^{2x-3}$ 의 최솟값을 구하시오.

**07** $1\leq x\leq 81$에서 함수 $y=5^{\log_3 x-2}$의 최댓값과 최솟값의 곱은?

① $\dfrac{1}{25}$ ② $\dfrac{1}{5}$ ③ 1 ④ 5 ⑤ 25

**08** 두 함수 $y=3^x$, $y=9\times 3^x$의 그래프와 두 직선 $y=1$, $y=9$로 둘러싸인 도형의 넓이를 구하시오.

**09** 다음 함수 중 그래프를 평행이동하거나 대칭이동하여 함수 $y=\log_2 x$의 그래프와 겹칠 수 <u>없는</u> 것을 모두 고르면?

① $y=\log_2 \dfrac{2}{x}$ ② $y=\log_{\frac{1}{2}} x$ ③ $y=\log_4 x$

④ $y=\log_4 x^2$ ⑤ $y=2^{-x}$

**10** 함수 $f(x)=\left(\dfrac{1}{2}\right)^{x-1}+3$의 역함수를 $g(x)$라 하자. $g(a)=1$, $g(7)=b$일 때, $a$, $b$의 값을 구하시오.

**11** $a>1$, $b>1$일 때, $\log_{a^3} b^2 + \log_{b^4} a^3$의 최솟값을 구하시오.

**12** 함수 $y=2 \times 3^x + 1$의 그래프는 함수 $y=3^x$의 그래프를 $x$축 방향으로 $a$만큼, $y$축 방향으로 $b$만큼 평행이동한 것이다. $3^a \times 3^b$의 값을 구하시오.

**13** 함수 $y=f(x)$의 그래프가 그림과 같을 때, 다음 중 함수 $y=2^{f(x)}$의 그래프의 개형으로 옳은 것은?

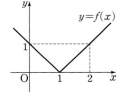

① 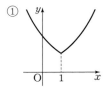  ②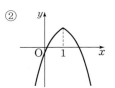

③ 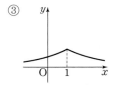  ④ 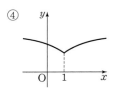  ⑤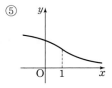

**14** 그림과 같이 함수 $y=2^x$의 그래프 위의 점 P에 대하여 함수 $y=\left(\dfrac{1}{4}\right)^x$의 그래프가 선분 OP를 $1:3$으로 내분할 때, 점 P의 $x$좌표를 구하시오.
(단, O는 원점이다.)

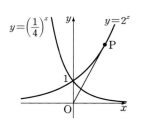

**15** 그림과 같이 곡선 $y = k \times 3^x \, (0 < k < 1)$이 두 곡선 $y = 3^{-x}$, $y = -4 \times 3^x + 8$과 만나는 점을 각각 P, Q 라 하자. P와 Q의 $x$좌표의 비가 $1 : 2$일 때, 상수 $k$ 의 값을 구하시오.

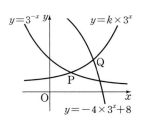

**16** 그림은 두 함수 $y = \log_3 x$, $y = x$의 그래프이다. 다음 중 $\left(\dfrac{1}{3}\right)^{a-c}$과 값이 같은 것은?

(단, 점선은 좌표축에 평행하다.)

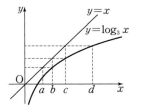

① $\dfrac{c}{a}$ ② $\dfrac{d}{b}$ ③ $\dfrac{a}{c}$ ④ $\dfrac{b}{d}$ ⑤ $\dfrac{c}{d}$

**수능 기출**

**17** 함수 $y = 2^x + 2$의 그래프를 $x$축 방향으로 $m$만큼 평행이동한 그래프가 함수 $y = \log_2 8x$의 그래프를 $x$축 방향으로 2만큼 평행이동한 그래프와 직선 $y = x$ 에 대하여 대칭일 때, 상수 $m$의 값은?

① 1 ② 2 ③ 3 ④ 4 ⑤ 5

**18** $a > 0$이고 $1 \le x \le 4$일 때, 함수 $y = a^{x^2 - 4x + 2}$의 최댓값이 4이다. 최솟값을 구하 시오.

**19** 함수 $y = 4^x + 4^{-x} - 6(2^x + 2^{-x}) + 4$의 최댓값과 최솟값을 구하시오.

**20** 함수 $y=\log_{a-3}(x^2-2x+65)$의 최솟값이 2일 때, 실수 $a$의 값을 구하시오.

**21** $\dfrac{1}{4} \le x \le 4$에서 함수 $y=2\left(\log_{\frac{1}{2}} x\right)^2 + \log_{\frac{1}{2}} x^4$의 최댓값과 최솟값을 구하시오.

**22** $a>0$이고 $a\ne 1$일 때, 함수 $f(x)=\begin{cases} a^x & (x<0) \\ -x+1 & (0 \le x < 1) \\ \log_a x & (x \ge 1) \end{cases}$ 의 역함수가 존재한

다. $f(a)=\dfrac{2}{3}$일 때, $f(9)$의 값을 구하시오.

**고1 교육청 기출**

**23** 그림과 같이 두 곡선 $y=\log_2 x$, $y=\log_{\frac{1}{2}} x$가 만나는 점을 A라 하고, 직선 $x=k\,(k>1)$가 두 곡선과 만나는 점을 각각 B, C라 하자. 삼각형 ACB의 무게중심의 좌표가 $(3, 0)$일 때, 삼각형 ACB의 넓이를 구하시오.

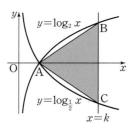

**24** $x>0$, $y>0$일 때, $\log_3\left(x+\dfrac{1}{y}\right)+\log_3\left(y+\dfrac{4}{x}\right)$의 최솟값을 구하시오.

앞 단원에서 지수함수, 지수함수의 역함수인 로그함수와 그 그래프에 대하여 배웠다.

이 단원에서는 지수함수와 로그함수의 성질을 이용하여 구체적인 자연 현상이나 사회 현상을 지수함수와 로그함수로 표현하고, 이 과정에서 나타나는 지수에 미지수가 있는 방정식과 부등식, 로그의 진수에 미지수가 있는 방정식과 부등식 등을 풀어 보고, 실생활에서 지수함수와 로그함수가 어떻게 활용되는지 알아보자.

# 지수함수와 로그함수의 방정식과 부등식

4

## 지수방정식의 해법

**1** 항이 두 개일 때,

  (1) $a^x=b\,(a>0,\ a\neq1)$ ➡ $x=\log_a b$

  (2) $a^{f(x)}=a^{g(x)}\,(a>0,\ a\neq1)$와 같이 밑이 같은 꼴 ➡ $f(x)=g(x)$를 푼다.

  (3) $a^{f(x)}=b^{g(x)}$와 같이 밑이 다른 꼴

    ➡ $f(x)\log a=g(x)\log b$와 같이 로그를 생각한다.

**2** 항이 세 개 이상일 때, $a^x=t\,(t>0)$로 치환할 수 있는지 확인한다.

---

지수방정식의
풀이

그림과 같이 함수 $y=a^x\,(a>0,\ a\neq1)$은 일대일함수이므로

$a^{x_1}=a^{x_2}$이면 $x_1=x_2$이다.

지수에 미지수가 있는 방정식은 이 성질을 이용하여 푼다.

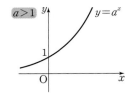

항이 2개인
지수방정식의
풀이

항이 두 개인 방정식을 푸는 방법은 다음과 같다.

(1) $2^{x+1}=3$과 같이 상수인 항이 있는 경우 로그의 정의를 이용하면

$$x+1=\log_2 3 \qquad \therefore\ x=\log_2 3-1$$

(2) $2^{2x}=2^{x+2}$과 같이 두 항의 밑이 같은 경우 지수가 같으므로

$$2x=x+2 \qquad \therefore\ x=2$$

(3) $2^{x+1}=3^x$과 같이 두 항의 밑이 다른 경우 로그를 생각하면

$$\log 2^{x+1}=\log 3^x,\ (x+1)\log 2=x\log 3$$

$$(\log 3-\log 2)x=\log 2 \qquad \therefore\ x=\frac{\log 2}{\log 3-\log 2}$$

항이 3개 이상인
지수방정식의
풀이

$2^{2x}-3\times 2^x+2=0$과 같이 항이 세 개 이상인 경우

$2^{2x}=(2^x)^2$이므로 $2^x=t$라 하면

$$t^2-3t+2=0,\ (t-1)(t-2)=0 \qquad \therefore\ t=1\ \text{또는}\ t=2$$

( i ) $t=1$일 때 $2^x=1$이므로 $x=0$

(ii) $t=2$일 때 $2^x=2$이므로 $x=1$

$2^x=t$로 치환할 때에는 $t>0$임에 주의한다.

---

개념 Check ◆ 정답 및 풀이 **33**쪽

**1** 다음 방정식을 푸시오.

  (1) $3^x=3^{-x+4}$     (2) $3^{x-2}=2$     (3) $3^{2x}-4\times 3^x+3=0$

**1** 항이 두 개일 때,

(1) $\log_a f(x) = b$ ➡ $f(x) = a^b$을 푼다.

(2) $\log_a f(x) = \log_a g(x)$와 같이 밑이 같은 꼴

➡ $f(x) = g(x)$를 푼다. 진수의 조건에서 $f(x) > 0$, $g(x) > 0$인 경우만 해이다.

(3) 밑이 다르면 밑의 변환 공식을 이용하여 밑을 같게 고친다.

**2** 항이 세 개 이상일 때, $\log_a x = t$로 치환할 수 있는지 확인한다.

---

**로그방정식의 풀이**

그림과 같이 함수 $y = \log_a x \, (a > 0, \, a \neq 1)$는 일대일함수이므로
$\log_a x_1 = \log_a x_2$이면 $x_1 = x_2$이다.

로그의 밑 또는 진수에 미지수가 있는 방정식은 이 성질을
이용하여 푼다.

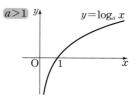

**항이 2개인 로그방정식의 풀이**

항이 두 개인 방정식을 푸는 방법은 다음과 같다.

(1) $\log_2 (x+1) = 3$과 같이 상수인 항이 있는 경우 로그의 정의에서

$$x + 1 = 2^3 \qquad \therefore \; x = 7$$

(2) $\log_2 (x^2 - 4) = \log_2 3x$와 같이 두 항의 밑이 같은 경우 진수가 같으므로

$$x^2 - 4 = 3x, \; (x-4)(x+1) = 0 \qquad \therefore \; x = 4 \; 또는 \; x = -1$$

$x = 4$를 대입하면 $\log_2 (4^2 - 4) = \log_2 (3 \times 4)$이므로 성립한다.

$x = -1$을 대입하면 진수 $x^2 - 4 < 0$, $3x < 0$이므로 모순이다.

따라서 $x = 4$는 해이고, $x = -1$은 해가 아니다.

이와 같이 로그의 진수에 대한 방정식을 풀 때에는 진수의 조건을 확인한다.

**항이 3개 이상인 로그방정식의 풀이**

$(\log_2 x)^2 - 3\log_2 x + 2 = 0$과 같이 항이 세 개 이상인 경우, $\log_2 x = t$라 하면

$$t^2 - 3t + 2 = 0, \; (t-1)(t-2) = 0 \qquad \therefore \; t = 1 \; 또는 \; t = 2 \quad \longrightarrow \substack{\log_2 x = t \text{로 치환할 때는} \\ t \text{의 범위를 신경쓰지 않아도 된다.}}$$

(i) $t = 1$일 때 $\log_2 x = 1 \qquad \therefore \; x = 2$

(ii) $t = 2$일 때 $\log_2 x = 2 \qquad \therefore \; x = 2^2 = 4$

---

▶ 개념 Check

◆ 정답 및 풀이 **33**쪽

**2** 다음 방정식을 푸시오.

(1) $\log_5 (x+1) = -1$

(2) $\log_3 (x-1)^2 = 4$

(3) $\log_3 2(x-1) = \log_3 (-x+4)$

(4) $\log_5 (-3x-2) = \log_5 (x^2 + x + 2)$

다음 방정식을 푸시오.

(1) $25^{x+1}=5^{x^2-1}$

(2) $2^{x+2}=3^x$

(3) $9^{x+1}-10\times3^x+1=0$

(4) $2^x-3\times2^{-x}=2$

**날선 Guide** (1) $25^x=(5^2)^x=5^{2x}$이므로 양변의 밑이 5로 같다.

따라서 지수가 같을 조건을 찾는다.

(2) 밑이 다르다. 이런 경우 상용로그를 생각하면

$$\log 2^{x+2}=\log 3^x,\ \text{곧}\ (x+2)\log 2=x\log 3$$

이 식을 $x$에 대하여 정리하면 풀 수 있다.

(3) $9^{x+1}=9\times(3^2)^x=9\times(3^x)^2$이므로 $3^x=t$로 치환하면 $9t^2-10t+1=0$

이 방정식을 풀어 $t$의 값부터 구한다.

이때 $3^x>0$이므로 $t>0$인 경우만 생각하면 된다.

(4) $2^x=t$라 하면 $2^{-x}=t^{-1}=\dfrac{1}{t}$이므로 $t-\dfrac{3}{t}=2$

양변에 $t$를 곱하면 $t^2-3=2t$

이 방정식을 풀어 $t$의 값부터 구한다. 이때에도 $t>0$임에 주의한다.

**답** (1) $x=-1$ 또는 $x=3$  (2) $x=\dfrac{2\log 2}{\log 3-\log 2}$

(3) $x=-2$ 또는 $x=0$  (4) $x=\log_2 3$

---

**날선 Point**
- 항이 두 개일 때,
  (1) $a^{f(x)}=a^{g(x)}$ 꼴 ➡ $f(x)=g(x)$를 푼다.
  (2) $a^{f(x)}=b^{g(x)}$ 꼴 ➡ $f(x)\log a=g(x)\log b$를 푼다.
- 항이 세 개 이상일 때, $a^x=t\,(t>0)$로 치환할 수 있는지 확인한다.

---

**1-1** 다음 방정식을 푸시오.

(1) $6^{x+1}=\left(\dfrac{1}{36}\right)^{2x-3}$

(2) $\left(\dfrac{3}{2}\right)^{2x+1}=\left(\dfrac{2}{3}\right)^x$

(3) $5^x=3^{2x-1}$

**1-2** 다음 방정식을 푸시오.

(1) $\left(\dfrac{1}{4}\right)^x+\left(\dfrac{1}{2}\right)^{x-1}-8=0$

(2) $6-3^{-x}=3^{x+2}$

## 대표 Q2 로그방정식

다음 방정식을 푸시오.

(1) $\log(3x-4)=1-\log(2x+1)$

(2) $\log_3(x+2)=\log_9(x^2+8)$

(3) $(\log_5 x)^2+\log_5 x^3-10=0$

(4) $\log x+1=2\log_x 10$

**날선 Guide**

(1) $\log(3x-4)+\log(2x+1)=1$에서 $\log(3x-4)(2x+1)=1$을 푼다.

이때 진수의 조건은 주어진 방정식에서 $3x-4>0$, $2x+1>0$임에 주의한다.

(2) $\log_9(x^2+8)=\log_{3^2}(x^2+8)=\dfrac{1}{2}\log_3(x^2+8)$이므로

$2\log_3(x+2)=\log_3(x^2+8)$, $\log_3(x+2)^2=\log_3(x^2+8)$

밑이 같으므로 진수만 비교한다.

이때에도 진수의 조건 $x+2>0$, $x^2+8>0$을 확인한다.

(3) $\log_5 x^3=3\log_5 x$이므로 $\log_5 x=t$로 놓으면 $t^2+3t-10=0$

이 방정식에서 $t$의 값부터 구한다.

(4) $\log_x 10=\dfrac{1}{\log x}$이므로 $\log x=t$로 놓으면 $t+1=\dfrac{2}{t}$

양변에 $t$를 곱하고 $t$의 값부터 구한다.

**답** (1) $x=2$ (2) $x=1$ (3) $x=\dfrac{1}{5^5}$ 또는 $x=25$ (4) $x=\dfrac{1}{100}$ 또는 $x=10$

**날선 Point**

• 항이 두 개일 때,

(1) $\log_a f(x)=\log_a g(x)$ 꼴 ➡ $f(x)=g(x)$이고 $f(x)>0$, $g(x)>0$

(2) 밑이 다를 때, 밑의 변환 공식을 이용하여 밑을 같게 고친다.

• 항이 세 개 이상일 때, $\log_a x=t$로 치환할 수 있는지 확인한다.

**2-1** 다음 방정식을 푸시오.

(1) $\log_5 x+\log_5(x-20)=3$

(2) $\log_3(x-4)=\log_9(5x+4)$

**2-2** 다음 방정식을 푸시오.

(1) $(\log_3 x)^2-6\log_3 \sqrt{x}+2=0$

(2) $\log_2 x=4\log_x \dfrac{1}{2}+5$

**대표 Q3** 밑과 지수에 모두 미지수가 있는 꼴

◆ 정답 및 풀이 **35**쪽

$x > 0$일 때, 다음 방정식을 푸시오.

(1) $(x^x)^2 = x^{x^2}$

(2) $x^{\log_3 x} = 27x^2$

**날선 Guide** (1) 밑에도 미지수가 있는 경우이다.

$$x^{2x} = x^{x^2}$$

에서 $x=1$이면

$$(좌변) = 1^2 = 1, \ (우변) = 1^{1^2} = 1$$

이므로 밑이 1로 같으면 지수가 달라도 등식이 성립한다는 것에 주의한다.

$\boxed{1^x = 1 \\ x^0 = 1 \ (x \neq 0)}$

**참고** $x^{2x} = x^{x^2}$에서 $x > 0$이므로 상용로그를 생각하면

$$\log x^{2x} = \log x^{x^2}, \ 2x \times \log x = x^2 \times \log x$$

$$(x^2 - 2x) \log x = 0$$

$$x > 0이므로 \ x = 2 \ 또는 \ x = 1$$

(2) 좌변, 우변이 모두 단항식이고 지수가 복잡하다.

지수에 밑이 3인 로그 꼴이 있으므로 양변에 밑이 3인 로그를 생각하면

$$\log_3 x^{\log_3 x} = \log_3 27 x^2$$

$$(\log_3 x)(\log_3 x) = \log_3 3^3 + \log_3 x^2$$

따라서 $\log_3 x = t$로 놓고 풀면 된다.

**답** (1) $x = 1$ 또는 $x = 2$ (2) $x = \dfrac{1}{3}$ 또는 $x = 27$

---

**날선 Point** 밑과 지수에 모두 미지수가 있는 방정식

• 밑이 같을 때 ➡ 지수가 같거나 밑이 1

• 지수가 같을 때 ➡ 밑이 같거나 지수가 0

• 지수에 로그가 있을 때 ➡ 양변에 로그를 잡는다.

---

**3-1** $x > 0$일 때, 다음 방정식을 푸시오.

(1) $(2x+1)^{x-1} = (x+3)^{x-1}$

(2) $(x^2)^{x+1} = x^{x^2+x-4}$

**3-2** 다음 방정식을 푸시오.

(1) $x^{2\log_4 x} = 16x^3$

(2) $x^{\log_2 x} - 8x^2 = 0$

**다음 물음에 답하시오.**

(1) 방정식 $9^x - 3^{x+3} + 9 = 0$의 두 실근의 합을 구하시오.

(2) 방정식 $(\log x)^2 + \log x^4 - 4 = 0$의 두 실근의 곱을 구하시오.

 **날선 Guide**

(1) 주어진 방정식은 $(3^x)^2 - 3^3 \times 3^x + 9 = 0$

이 방정식의 한 근을 $\alpha$라 하면 $(3^\alpha)^2 - 3^3 \times 3^\alpha + 9 = 0$

이므로 $3^\alpha$는 방정식 $t^2 - 27t + 9 = 0$의 해이다.

따라서 이 방정식의 해를 $3^\alpha$, $3^\beta$라 하고 근과 계수의 관계를 이용하여 $\alpha + \beta$의 값을 구한다.

(2) 주어진 방정식은 $(\log x)^2 + 4\log x - 4 = 0$

이 방정식의 한 근을 $\alpha$라 하면 $(\log \alpha)^2 + 4\log \alpha - 4 = 0$

이므로 $\log \alpha$는 방정식 $t^2 + 4t - 4 = 0$의 해이다.

따라서 이 방정식의 해를 $\log \alpha$, $\log \beta$라 하고 근과 계수의 관계를 이용하여 $\alpha\beta$의 값을 구한다.

**답** (1) 2 (2) $\dfrac{1}{10000}$

**날선 Point**

- $(a^x)^2 + pa^x + q = 0$의 해가 $\alpha$, $\beta$이면
  ➡ $t^2 + pt + q = 0$의 해는 $a^\alpha$, $a^\beta$이다.
- $(\log_a x)^2 + p\log_a x + q = 0$의 해가 $\alpha$, $\beta$이면
  ➡ $t^2 + pt + q = 0$의 해는 $\log_a \alpha$, $\log_a \beta$이다.

**4-1** 방정식 $6 - 2^x = 2^{3-x}$의 두 실근의 합을 구하시오.

**4-2** 방정식 $\left(\log_3 \dfrac{x}{3}\right)^2 - 20\log_9 x + 26 = 0$의 두 근의 곱을 구하시오.

**4-3** 방정식 $4^x - a \times 2^{x+1} + a + 6 = 0$의 해가 서로 다른 두 실수일 때, 실수 $a$값의 범위를 구하시오.

두 함수 $y=2^x$, $y=-\left(\dfrac{1}{2}\right)^x+k$의 그래프가 두 점 A, B에서 만난다. 선분 AB의 중점의 좌표가 $\left(a, \dfrac{5}{4}\right)$일 때, $a$와 $k$의 값을 구하시오.

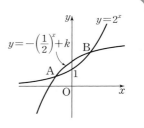

**날선 Guide** 두 함수 $y=2^x$, $y=-\left(\dfrac{1}{2}\right)^x+k$에서 $y$를 소거한 방정식

$$2^x=-\left(\dfrac{1}{2}\right)^x+k \quad \cdots \text{㉠}$$

의 실근을 $\alpha$, $\beta$라 하면 $\alpha$, $\beta$는 두 함수의 그래프가 만나는 점의 $x$좌표이다.

A, B가 곡선 $y=2^x$ 위의 점이므로 A$(\alpha,\ 2^\alpha)$, B$(\beta,\ 2^\beta)$으로 놓고 근과 계수의 관계를 이용한다.

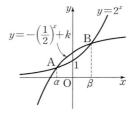

**답** $a=0,\ k=\dfrac{5}{2}$

**날선 Point** 두 곡선 $y=f(x)$, $y=g(x)$의 교점의 $x$좌표

➡ 방정식 $f(x)=g(x)$의 실근

**5-1** 두 곡선 $y=2^x$, $y=-2^x+6$이 $y$축과 만나는 점을 각각 A, B라 하고, 두 곡선이 만나는 점을 C라 하자. 삼각형 ABC의 넓이를 구하시오.

**5-2** 그림과 같이 곡선 $y=\log_a x$ 위의 점 A$(2, \log_a 2)$를 지나고 $x$축에 평행한 직선이 곡선 $y=\log_b x$와 만나는 점을 B, 점 B를 지나고 $y$축에 평행한 직선이 곡선 $y=\log_a x$와 만나는 점을 C라 하자. $\overline{AB}=\overline{BC}=2$일 때, $a$, $b$의 값을 구하시오.
(단, $a$, $b$는 $1<a<b$인 실수이다.)

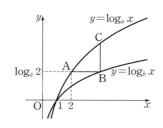

# 4-3 지수부등식의 해법

**1** 항이 두 개일 때, 밑이 1보다 클 때와 작을 때로 나눈다.

　(1) $a^x > b$ ➡ $a > 1$일 때 $x > \log_a b$, 　$0 < a < 1$일 때 $x < \log_a b$

　(2) $a^{f(x)} > a^{g(x)}$ ➡ 　$a > 1$일 때 $f(x) > g(x)$, 　$0 < a < 1$일 때 $f(x) < g(x)$

**2** 항이 세 개 이상일 때, $a^x = t\,(t > 0)$로 놓고 $t$값의 범위부터 구한다.

---

**지수부등식의 풀이**

지수함수 $y = a^x$의 그래프는 $a > 1$일 때와 $0 < a < 1$일 때 그림과 같다. 따라서 지수에 미지수가 있는 부등식은 다음 성질을 이용하여 푼다.

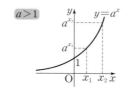
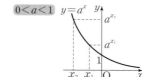

$\quad\quad\boldsymbol{a > 1}$일 때, $a^{x_1} < a^{x_2}$이면 $x_1 < x_2$

$\quad\quad\boldsymbol{0 < a < 1}$일 때, $a^{x_1} < a^{x_2}$이면 $x_1 > x_2$

**항이 2개인 지수부등식의 풀이**

항이 두 개인 부등식을 푸는 방법은 다음과 같다.

(1) $2^x > 3$은 밑이 2이므로 $x > \log_2 3$ ⟶ (밑) > 1이면 부등호 방향이 그대로이다.

　$\left(\dfrac{1}{2}\right)^x > 3$은 밑이 $\dfrac{1}{2}$이므로 부등호 방향을 바꾸어 $x < \log_{\frac{1}{2}} 3$ ⟶ $0 <$(밑)$< 1$이면 부등호 방향이 바뀐다.

(2) $2^{2x} > 2^{x+2}$과 같이 밑이 1보다 큰 경우

　　$2x > x + 2$ 　　∴ $x > 2$

　$\left(\dfrac{1}{2}\right)^{2x} > \left(\dfrac{1}{2}\right)^{x+2}$과 같이 밑이 1보다 작은 경우 부등호 방향을 바꾸어

　　$2x < x + 2$ 　　∴ $x < 2$

　또는 $2^{-2x} > 2^{-(x+2)}$을 풀어도 된다.

**항이 3개 이상인 지수부등식의 풀이**

$2^{2x} - 3 \times 2^x + 2 < 0$과 같이 항이 세 개 이상인 경우

$2^{2x} = (2^x)^2$이므로 $2^x = t$라 하면 $t^2 - 3t + 2 < 0$, $(t-1)(t-2) < 0$ 　∴ $1 < t < 2$

곧, $1 < 2^x < 2$이고 밑이 1보다 크므로 $0 < x < 1$

$2^x = t$로 치환할 때에는 $t > 0$임에 주의한다.

---

**개념 Check**

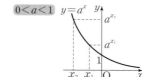

◆ 정답 및 풀이 **37**쪽

**3** 다음 부등식을 푸시오.

　(1) $5^{-x} \geq 5^{2x+3}$ 　　　　　　　(2) $3^{x^2} < 3^{-x+6}$

　(3) $\left(\dfrac{1}{3}\right)^{3x} \leq \left(\dfrac{1}{3}\right)^{x+2}$ 　　　　(4) $\left(\dfrac{1}{5}\right)^{x^2+1} > \left(\dfrac{1}{5}\right)^{3x+5}$

지수함수와 로그함수의 방정식과 부등식

# 4-4 로그부등식의 해법

**1** 항이 두 개일 때,

(1) $\log_a f(x) > b$ ➡ $a > 1$일 때 $f(x) > a^b$, $0 < a < 1$일 때 $f(x) < a^b$

(2) $\log_a f(x) > \log_a g(x)$와 같이 밑이 같은 꼴
➡ $a > 1$일 때 $f(x) > g(x)$, $0 < a < 1$일 때 $f(x) < g(x)$

(3) 밑이 다르면 밑의 변환 공식을 이용하여 밑을 같게 고친다.

**2** 항이 세 개 이상일 때, $\log_a x = t$로 치환할 수 있는지 확인한다.

**로그부등식의 풀이**

로그함수 $y = \log_a x$의 그래프는 그림과 같다. 따라서 진수에 미지수가 있는 부등식은 다음 성질을 이용하여 푼다.

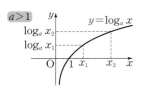
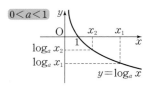

> $a > 1$일 때, $\log_a x_1 < \log_a x_2$이면 $x_1 < x_2$
>
> $0 < a < 1$일 때, $\log_a x_1 < \log_a x_2$이면 $x_1 > x_2$

**항이 2개인 로그부등식의 풀이**

항이 두 개인 부등식을 푸는 방법은 다음과 같다.

(1) $\log_2 x > 3$은 밑이 2이므로 $x > 2^3$  ∴ $x > 8$ ── (밑) > 1이면 부등호 방향이 그대로이다.

$\log_{\frac{1}{2}} x > 3$은 밑이 $\frac{1}{2}$이므로 부등호 방향을 바꾸어 $x < \left(\frac{1}{2}\right)^3$ ── $0 <$ (밑) $< 1$이면 부등호 방향이 바뀐다.

그런데 진수의 조건에서 $x > 0$이므로 부등식의 해는 $0 < x < \frac{1}{8}$

(2) $\log_2 3x > \log_2 (x^2 - 4)$와 같이 밑이 1보다 큰 경우

$3x > x^2 - 4$, $(x+1)(x-4) < 0$  ∴ $-1 < x < 4$

그런데 진수의 조건에서 $3x > 0$, $x^2 - 4 > 0$이므로 $x > 2$, 곧 부등식의 해는 $2 < x < 4$

$\log_{0.5} 3x > \log_{0.5} (x^2 - 4)$와 같이 밑이 1보다 작은 경우 부등호 방향을 바꾸어

$3x < x^2 - 4$, $(x+1)(x-4) > 0$  ∴ $x < -1$ 또는 $x > 4$

그런데 진수의 조건에서 $x > 2$이므로 부등식의 해는 $x > 4$

**항이 3개 이상인 로그부등식의 풀이**

$(\log_2 x)^2 - 3\log_2 x + 2 > 0$과 같이 항이 세 개 이상인 경우 $\log_2 x = t$라 하고 $t$값의 범위부터 구한다.

▶ **개념 Check**

◆ 정답 및 풀이 **37**쪽

**4** 다음 부등식을 푸시오.

(1) $\log_5 (4x+3) > \log_5 (2x+5)$

(2) $\log_{\frac{1}{3}} (3x+1) \leq \log_{\frac{1}{3}} (2x+2)$

다음 부등식을 푸시오.

(1) $\left(\dfrac{3}{2}\right)^{2x+3} > \left(\dfrac{4}{9}\right)^{x}$

(2) $\left(\dfrac{1}{2}\right)^{x-1} \geq \dfrac{1}{\sqrt[3]{32}}$

(3) $\dfrac{1}{243} < 3^{-x^2-1} < 9^{x-2}$

(4) $4^x - 5 \times 2^{x+1} + 16 > 0$

**날선 Guide** (1) $\dfrac{4}{9} = \left(\dfrac{3}{2}\right)^{-2}$ 이므로 $\left(\dfrac{3}{2}\right)^{2x+3} > \left(\dfrac{3}{2}\right)^{-2x}$ 이다.

밑이 같고 1보다 크므로 $2x+3 > -2x$ 를 푼다.

(2) $\dfrac{1}{\sqrt[3]{32}} = \dfrac{1}{2^{\frac{5}{3}}} = \left(\dfrac{1}{2}\right)^{\frac{5}{3}}$ 이므로 $\left(\dfrac{1}{2}\right)^{x-1} \geq \left(\dfrac{1}{2}\right)^{\frac{5}{3}}$ 이다.

밑이 같고 1보다 작으므로 $x-1 \leq \dfrac{5}{3}$ 를 푼다.

**참고** $\dfrac{1}{2} = 2^{-1}$ 이므로 $2^{-(x-1)} \geq 2^{-\frac{5}{3}}$ 으로 고쳐 풀어도 된다.

(3) 연립부등식 $\dfrac{1}{243} < 3^{-x^2-1}$, $3^{-x^2-1} < 9^{x-2}$ 을 푼다.

이때 $243 = 3^5$, $9^{x-2} = (3^2)^{x-2} = 3^{2x-4}$ 로 고치면 편하다.

(4) $4^x = (2^2)^x = (2^x)^2$, $2^{x+1} = 2 \times 2^x$ 이므로 $2^x = t\,(t>0)$ 로 놓으면 $t^2 - 10t + 16 > 0$

이 부등식을 풀어 $t$값의 범위부터 구한다.

**답** (1) $x > -\dfrac{3}{4}$  (2) $x \leq \dfrac{8}{3}$  (3) $1 < x < 2$  (4) $x < 1$ 또는 $x > 3$

**날선 Point**
- $a^{f(x)} > a^{g(x)} \Rightarrow a > 1$ 이면 $f(x) > g(x)$
   $0 < a < 1$ 이면 $f(x) < g(x)$
- 항이 세 개 이상이면 $a^x = t\,(t>0)$ 로 치환할 수 있는지 확인한다.

**6-1** 다음 부등식을 푸시오.

(1) $\left(\dfrac{1}{5}\right)^{1-2x} \leq 5^{x+4}$

(2) $\left(\dfrac{1}{2}\right)^{x-4} > \sqrt{\sqrt[3]{64}}$

(3) $\left(\dfrac{1}{2}\right)^{x-4} < 4\sqrt{2} < \left(\dfrac{1}{4}\right)^{x^2-3x}$

**6-2** 다음 부등식을 푸시오.

(1) $9^x - 3^{x+2} + 18 < 0$

(2) $2^x + 2^{1-x} \geq 3$

다음 부등식을 푸시오.

(1) $\log_{\frac{1}{2}}(x^2-3x)<-2$

(2) $\log_3(2x-7)\geq 2-\log_3 x$

(3) $\log_4(x^2+9)\leq \log_2(x+1)$

(4) $(\log_{\frac{1}{3}}x)^2+\log_{\frac{1}{3}}\dfrac{x^2}{9}-10>0$

**낯선 Guide**  (1) 진수의 조건에서 $x^2-3x>0$ $\qquad\qquad\qquad\qquad\cdots$ ㉠

$\log_{\frac{1}{2}}(x^2-3x)<\log_{\frac{1}{2}}\left(\dfrac{1}{2}\right)^{-2}$ 에서 밑이 1보다 작으므로 $x^2-3x>4$ $\qquad\cdots$ ㉡

㉠, ㉡을 풀어 공통부분을 구한다.

(2) 진수의 조건에서 $2x-7>0,\ x>0$ $\qquad\cdots$ ㉠

또 $\log_3(2x-7)+\log_3 x\geq 2$, 곧 $\log_3 x(2x-7)\geq \log_3 3^2$

밑이 1보다 크므로 $x(2x-7)\geq 9$ $\qquad\cdots$ ㉡

㉠, ㉡을 풀어 공통부분을 구한다.

(3) $\log_4(x^2+9)=\log_{2^2}(x^2+9)=\dfrac{1}{2}\log_2(x^2+9)$로 고치거나

$\log_2(x+1)=\log_{2^2}(x+1)^2$으로 고치고, 진수를 비교한다.

이때에도 진수의 조건 $x^2+9>0,\ x+1>0$을 확인한다.

(4) $\log_{\frac{1}{3}}\dfrac{x^2}{9}=\log_{\frac{1}{3}}\dfrac{1}{9}+\log_{\frac{1}{3}}x^2=2+2\log_{\frac{1}{3}}x$이므로

$\log_{\frac{1}{3}}x=t$로 치환한 다음 $t$값의 범위부터 구한다.

**답** (1) $x<-1$ 또는 $x>4$  (2) $x\geq\dfrac{9}{2}$  (3) $x\geq 4$  (4) $0<x<\dfrac{1}{9}$ 또는 $x>81$

**낯선 Point**
• $\log_a f(x)>\log_a g(x)$ ➡ $a>1$이면 $f(x)>g(x)$이고 $f(x)>0,\ g(x)>0$

$\qquad\qquad\qquad\qquad\quad$ $0<a<1$이면 $f(x)<g(x)$이고 $f(x)>0,\ g(x)>0$

• 항이 세 개 이상이면 $\log_a x=t$로 치환할 수 있는지 확인한다.

**7-1**  다음 부등식을 푸시오.

(1) $\log_{\frac{1}{3}}(x^2-2x-15)>\log_{\frac{1}{3}}(3x-9)$

(2) $\log_2 x+\log_2(6-x)\leq 3$

(3) $(\log x)^2-\log x^5+6<0$

(4) $(\log_3 x)(\log_3 3x)\geq 20$

**up 7-2**  $f(x)=\log_2 x$일 때, $f(f(x))\leq 3$을 푸시오.

총인구에서 65세 이상 인구가 차지하는 비율이 20 % 이상인 사회를 초고령화 사회라고 한다. 어느 나라의 2020년 총인구는 1000만 명이고 65세 이상 인구는 50만 명이다. 총인구는 매년 전년도보다 0.3 %씩 증가하고 65세 이상 인구는 매년 전년도보다 4 %씩 증가한다고 가정할 때, 처음으로 초고령화 사회에 진입할 것으로 예측되는 시기는?

(단, $\log 1.003 = 0.0013$, $\log 1.04 = 0.0170$, $\log 2 = 0.3010$으로 계산한다.)

① 2028년~2030년     ② 2038년~2040년     ③ 2048년~2050년

④ 2058년~2060년     ⑤ 2068년~2070년

**날선 Guide**   현재 총인구가 $a$명이고 매년 $r$ %씩 증가한다고 하자.

$$1년\ 후 \Rightarrow a_1 = a + a \times \frac{r}{100} = a\left(1 + \frac{r}{100}\right)$$

$$2년\ 후 \Rightarrow a_2 = a_1 + a_1 \times \frac{r}{100} = a_1\left(1 + \frac{r}{100}\right) = a\left(1 + \frac{r}{100}\right)^2$$

$$3년\ 후 \Rightarrow a_3 = a_2 + a_2 \times \frac{r}{100} = a_2\left(1 + \frac{r}{100}\right) = a\left(1 + \frac{r}{100}\right)^3$$

$$\vdots$$

$$n년\ 후 \Rightarrow a_n = a\left(1 + \frac{r}{100}\right)^n$$

이 결과를 이용하여 $n$년 후 총인구와 65세 이상 인구를 $n$으로 나타낸 다음 조건을 만족시키는 부등식을 세운다.

**답** ④

**날선 Point**   $a$가 매년 $r$ %씩 증가하면 $n$년 후는 $a\left(1 + \dfrac{r}{100}\right)^n$

**8-1**   어느 김치 회사는 2020년도 일본과 중국에 김치를 각각 110톤, 13톤 수출하였다. 이후로 일본과 중국에 대한 수출량을 매년 각각 10 %, 30 %씩 늘려 간다고 할 때, 중국에 대한 수출량이 일본에 대한 수출량보다 많아지는 것은 약 몇 년도부터인지 구하시오.

(단, $\log 1.1 = 0.0414$, $\log 1.3 = 0.1139$로 계산한다.)

**8-2**   바닷속으로 내려갈수록 빛의 세기가 줄어들어 점점 어두워진다. 빛이 바닷속을 지날 때 일정한 비율로 세기가 줄어들어 바닷속을 0.45 m 통과할 때마다 빛의 세기가 10 %씩 감소한다고 하자. 빛의 세기가 바다 표면에서 빛의 세기의 10 %가 되는 바닷속의 깊이를 구하시오.

(단, $\log 3 = 0.48$로 계산한다.)

**대표 Q9** 지수, 로그의 대소

다음 세 수의 대소를 비교하시오.

(1) $\sqrt{5}$, $\sqrt[3]{11}$, $\sqrt[6]{120}$　　　　　　　　(2) $2^{40}$, $3^{30}$, $5^{20}$

(3) $-3$, $\log_{\frac{1}{2}} 9$, $\log_{\frac{1}{4}} \sqrt{10}$

---

**낼선 Guide** (1) $\sqrt{\phantom{a}}$, $\sqrt[3]{\phantom{a}}$, $\sqrt[6]{\phantom{a}}$ 이므로

$$\sqrt[n]{\sqrt[m]{a}} = \sqrt[nm]{a}$$

를 이용하여 $\sqrt[6]{\phantom{a}}$ 꼴로 고치고 근호 안의 대소를 비교한다.

이때 6은 2, 3, 6의 최소공배수이다.

**참고** 지수로 고치면 $5^{\frac{1}{2}}$, $11^{\frac{1}{3}}$, $120^{\frac{1}{6}}$

각 수를 여섯제곱한 다음, 대소를 비교해도 된다.

(2) 지수가 40, 30, 20이므로

$$(a^n)^m = a^{nm}$$

을 이용하여 지수를 120인 꼴로 고치고 밑을 비교한다.

이때 120은 40, 30, 20의 최소공배수이다.

(3) $\dfrac{1}{4} = \left(\dfrac{1}{2}\right)^2$ 이므로 밑이 $\dfrac{1}{2}$ 인 로그로 고치고 진수의 대소를 비교한다.

이때 밑이 1보다 작으므로 부등호 방향에 주의한다.

**참고** $a > 1$일 때, $x_1 > x_2 \iff \log_a x_1 > \log_a x_2$

$0 < a < 1$일 때, $x_1 > x_2 \iff \log_a x_1 < \log_a x_2$

**답** (1) $\sqrt[6]{120} < \sqrt[3]{11} < \sqrt{5}$　(2) $2^{40} < 5^{20} < 3^{30}$　(3) $\log_{\frac{1}{2}} 9 < -3 < \log_{\frac{1}{4}} \sqrt{10}$

---

**낼선 Point** 지수, 로그의 대소

• 지수의 대소 ➡ 지수를 같은 꼴로 고치고 밑을 비교한다.

• 로그의 대소 ➡ 밑을 같게 고치고, 진수의 대소를 비교한다.

---

**9-1** 세 수 $\sqrt{2\sqrt[3]{6}}$, $\sqrt[3]{2\sqrt{6}}$, $\sqrt[3]{\sqrt{12}}$ 의 대소를 비교하시오.

**9-2** $0 < a < b < 1$일 때, 네 수 $a^a$, $a^b$, $b^a$, $b^b$ 중 가장 작은 수와 가장 큰 수를 구하시오.

$n$이 자연수일 때, 보기에서 항상 성립하는 부등식을 있는 대로 고른 것은?

┤ 보기 ├

ㄱ. $\log_2(n+3) > \log_2(n+2)$   ㄴ. $\log_2(n+2) > \log_3(n+2)$

ㄷ. $\log_2(n+2) > \log_3(n+3)$

① ㄱ   ② ㄱ, ㄴ   ③ ㄱ, ㄷ   ④ ㄴ, ㄷ   ⑤ ㄱ, ㄴ, ㄷ

**날선 Guide**

ㄱ. 밑이 같은 두 로그의 대소이다.

$y = \log_a x$의 그래프를 그리고
$1 < x_1 < x_2$를 $x$축에 나타내면
$a > 1$일 때, $\log_a x_1 < \log_a x_2$
$0 < a < 1$일 때, $\log_a x_1 > \log_a x_2$

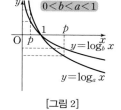

ㄴ. 진수가 같은 두 로그의 대소이다.

$y = \log_a x$,
$y = \log_b x (1 < b < a)$의 그래프
는 [그림 1]과 같으므로
$p > 1$일 때, $\log_a p < \log_b p$
$0 < p < 1$일 때, $\log_a p > \log_b p$

$0 < b < a < 1$일 때, [그림 2]와 같이 그래프를 그리고 생각한다.

[그림 1]　　[그림 2]

ㄷ. 두 로그는 밑도, 진수도 다르다.

$y = \log_2(x+2)$, $y = \log_3(x+3)$의 그래프를
그리고 $x = n$에서 함숫값을 비교한다. 이때 두
함수의 그래프는 $x = 0$일 때, $y = 1$임을 이용하
여 그린다.

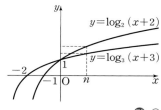

**답** ⑤

**날선 Point**  **로그의 대소**

❶ 그래프에서 생각한다.

❷ $0 < (밑) < 1$, $(밑) > 1$일 때로 나누어 함숫값을 비교한다.

**10-1** 함수 $f(x) = \log_a x$, $g(x) = \log_b x$가 있다. $0 < x < 1$에서 $f(x) > g(x)$가 성립하기 위한 조
건으로 **보기**에서 옳은 것을 있는 대로 고르시오.

┤ 보기 ├

ㄱ. $1 < b < a$   ㄴ. $0 < a < b < 1$   ㄷ. $0 < a < 1 < b$

**01** 다음 방정식을 푸시오.

(1) $2^{3x^2-4x-9}=\dfrac{1}{4}$

(2) $4^{-x}-5\times 2^{-x+1}+16=0$

(3) $5^{x+1}-5^{-x}=4$

**02** 다음 방정식을 푸시오.

(1) $\log_2(4+x)+\log_2(4-x)=3$

(2) $(1-\log_9 x)\log_3 x=\log_9 3$

(3) $2^{\log x}+2^{2-\log x}=5$

**03** 다음 부등식을 푸시오.

(1) $\dfrac{27}{9^x}\geq 3^{x-9}$

(2) $4^{-x^2}>\left(\dfrac{1}{2}\right)^{4x}$

(3) $\dfrac{1}{4^x}-\dfrac{1}{2^{x-1}}-8\leq 0$

**04** 다음 부등식을 푸시오.

(1) $\log_{\frac{1}{2}}(x-2)>-3$

(2) $2\log_2|x-1|\leq 1-\log_2\dfrac{1}{2}$

(3) $(\log_{\frac{1}{5}}x)^2<\log_{\frac{1}{5}}x^3+4$

**05** 방정식 $\log_{\frac{1}{3}} x^2 + (\log_3 x)^2 - 15 = 0$의 두 실근을 $\alpha$, $\beta$라 할 때, $\log_\alpha \beta + \log_\beta \alpha$의 값을 구하시오.

**06** 부등식 $10 < 3^{2x-1} + 1 \leq 3^{x-2} + 3^{x+1}$의 해는?

① $-1 \leq x \leq 2$　　　② $-1 < x \leq 2$　　　③ $-1 < x < 2$

④ $-1 \leq x < \dfrac{3}{2}$　　　⑤ $\dfrac{3}{2} < x \leq 2$

**07** 부등식 $(\log_5 x)^2 + a \log_5 x + b < 0$의 해가 $\dfrac{1}{25} < x < 5$일 때, $a - b$의 값은?

① 2　　　② 3　　　③ 4　　　④ 5　　　⑤ 6

**08** 두 곡선 $y = 2^x$, $y = -4^{x-2}$이 $y$축과 평행한 한 직선과 만나는 서로 다른 두 점을 각각 A, B라 하자. $\overline{\text{OA}} = \overline{\text{OB}}$일 때, 삼각형 AOB의 넓이를 구하시오. (단, O는 원점이다.)

**09** 다음 세 수 $A = 0.5^{\frac{1}{2}}$, $B = \sqrt[3]{4}$, $C = (\sqrt{2})^3$의 대소 관계로 옳은 것은?

① $A < B < C$　　　② $A < C < B$　　　③ $C < B < A$

④ $B < C < A$　　　⑤ $C < A < B$

**10** 함수 $f(x)=a^x\,(a>0,\ a\neq 1)$이 등식 $f(x+3)-3f(x+1)=2f(x+2)$를 만족시킬 때, $f(2)$의 값은?

① 3　　　　② 5　　　　③ 7　　　　④ 9　　　　⑤ 11

**11** 방정식 $\log_{x+2}(x-3)=\log_{x^2-5x+7}(x-3)$의 해는?

① $x=3$　　　　② $x=5$　　　　③ $x=1$ 또는 $x=5$

④ $x=3$ 또는 $x=5$　　　⑤ $x=4$ 또는 $x=5$

**12** 다음 연립방정식을 푸시오.

(1) $\begin{cases} 3\times 2^x-2\times 3^y=6 \\ 2^{x-2}-3^{y-1}=-1 \end{cases}$　　　　(2) $\begin{cases} xy=100 \\ \log x\times\log y=-3 \end{cases}$

**13** 방정식 $5^{2x}-5^{x+1}+k=0$의 해가 서로 다른 두 양수일 때, 실수 $k$값의 범위를 구하시오.

**14** 모든 실수 $x$에 대하여 부등식
$$(3-\log_3 a)x^2-2(3-\log_3 a)x+2\log_3 a>0$$
이 성립할 때, 실수 $a$값의 범위를 구하시오.

**15** $x>0$일 때, 다음 부등식을 푸시오.

(1) $x^{2x^2+2}>x^{5x}$ 　　　　　　　　(2) $x^{\log x}\geq 100x$

**16** 그림은 두 함수 $y=2^{x-3}$, $y=2\log_2 x$의 그래프이다. $\overline{AB}=2$, $\overline{BC}=2$일 때, 사각형 ABDC의 넓이는? (단, 점선은 $x$축 또는 $y$축에 평행하다.)

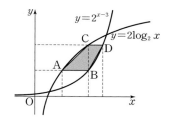

① 1　　　　② 2　　　　③ 3

④ 4　　　　⑤ 5

**17** 그림과 같이 좌표평면 위에 점 $A(2^n, 0)$ ($n$은 자연수)과 두 곡선 $y=2^x$, $y=\log_2 x$가 있다. A를 지나고 $x$축에 수직인 직선이 곡선 $y=\log_2 x$와 만나는 점을 B, 선분 AB를 2 : 3으로

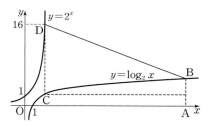

내분하는 점을 지나고 $x$축에 평행한 직선이 곡선 $y=\log_2 x$와 만나는 점을 C, C를 지나고 $y$축에 평행한 직선이 곡선 $y=2^x$과 만나는 점을 D라 하자. D의 $y$좌표가 16일 때, 직선 BD의 기울기를 구하시오.

🔍 **평가원 기출**

**18** 일차함수 $y=f(x)$의 그래프가 그림과 같고 $f(-5)=0$이다. 부등식 $2^{f(x)}\leq 8$의 해가 $x\leq -4$일 때, $f(0)$의 값을 구하시오.

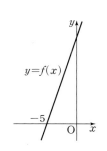

**수능 기출**

**19** 이차함수 $y=f(x)$의 그래프와 일차함수 $y=g(x)$
의 그래프가 그림과 같을 때, 부등식

$$\left(\frac{1}{2}\right)^{f(x)g(x)} \ge \left(\frac{1}{8}\right)^{g(x)}$$

을 만족시키는 모든 자연수 $x$값의 합을 구하시오.

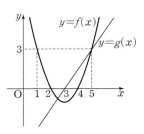

**20** 어느 제과점에서 다음과 같은 방법으로 빵의 가격을 실질적으로 인상한다.

'빵의 개당 가격은 그대로 유지하고 무게를 10 % 줄인다.'

이 방법을 $n$번 시행하면 빵의 단위 무게당 가격이 처음의 1.5배 이상이 된다.
$n$의 최솟값을 구하시오. (단, $\log 2=0.301$, $\log 3=0.477$로 계산한다.)

**교육청 기출**

**21** $1<a<b$인 두 실수 $a$, $b$에 대하여 **보기**에서 옳은 것만을 있는 대로 고른 것은?

┌ **보기** ├─

ㄱ. $\log_b a<\log_a b$          ㄴ. $\dfrac{1}{a}\log a<\dfrac{1}{b}\log b$

ㄷ. $2\log(a+b)<\log 2(a^2+b^2)$

① ㄱ      ② ㄱ, ㄴ      ③ ㄱ, ㄷ      ④ ㄴ, ㄷ      ⑤ ㄱ, ㄴ, ㄷ

**수능 기출**

**22** 직선 $y=2-x$가 두 로그함수 $y=\log_2 x$, $y=\log_3 x$의 그래프와 만나는 점을
각각 $(x_1, y_1)$, $(x_2, y_2)$라 할 때, **보기**에서 옳은 것만을 있는 대로 고른 것은?

┌ **보기** ├─

ㄱ. $x_1>y_2$          ㄴ. $x_2-x_1=y_1-y_2$          ㄷ. $x_1 y_1>x_2 y_2$

① ㄱ      ② ㄷ      ③ ㄱ, ㄴ      ④ ㄴ, ㄷ      ⑤ ㄱ, ㄴ, ㄷ

중학교 때 직각삼각형에서 두 변의 길이의 비인 삼각비의 의미와 간단한 삼각비의 값을 구하는 방법을 배웠다. 또 삼각비를 활용하여 여러 가지 문제를 해결해 보았다.

이 단원에서는 각의 크기의 뜻을 새롭게 정의하는 일반각과 그 크기를 나타내는 방법인 호도법에 대하여 알아보자.

또 중학교 때 배운 직각삼각형의 크기가 달라져도 각의 크기가 같으면 삼각비의 값이 같다는 개념을 확장하여 각에 대한 삼각함수를 정의하고 삼각함수의 성질에 대하여 알아보자.

# 삼각함수

# 5-1 일반각

개념

**1** ∠XOP의 크기는 반직선 OP가 고정된 반직선 OX의 위치에서 점 O를 중심으로 회전한 양이라 생각한다. 이때 반직선 OX를 **시초선**, 반직선 OP를 **동경**이라 한다.

**2** 동경 OP가 시계 반대 방향으로 회전할 때, 양의 방향으로 회전했다고 하고 '+'를 사용하여 나타낸다. 또 동경 OP가 시계 방향으로 회전할 때, 음의 방향으로 회전했다고 하고 '−'를 사용하여 나타낸다.

**3** 시초선 OX와 동경 OP가 나타내는 한 각의 크기를 $\alpha°$라 할 때, ∠XOP의 크기는

$$360° \times n + \alpha° \ (n\text{은 정수})$$

와 같이 나타낼 수 있다. 이것을 동경 OP가 나타내는 **일반각**이라 한다.

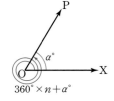

**4** 좌표평면의 원점 O에서 $x$축의 양의 부분을 시초선으로 잡을 때, 그림과 같이 동경 OP의 위치에 따라 각각 제1사분면의 각, 제2사분면의 각, 제3사분면의 각, 제4사분면의 각이라 한다. 이때 동경 OP가 좌표축 위에 있을 때에는 어느 사분면에도 속하지 않는다.

---

**시초선과 동경** •
그림과 같이 두 반직선 OX, OP가 만드는 도형을 각 XOP 또는 각 POX라 한다. 그리고 반직선 OP가 반직선 OX에서 점 O를 중심으로 회전한 양을 각 XOP의 크기라 생각하고 ∠XOP로 나타낸다.

이때 반직선 OX는 시작하는 선이므로 시초선, 반직선 OP는 움직이는 선이므로 동경이라 한다.

**각의 방향과 크기** •
그림에서 동경 OP가 시초선 OX에서 시계 반대 방향으로 60°만큼 회전했다고 하면 양의 방향으로 60°만큼 회전했다고 하고 ∠XOP=60° 또는 ∠XOP=+60°로 나타낸다.

또 동경 OP가 시초선 OX에서 시계 방향으로 300°만큼 회전했다고 생각할 수도 있다. 이 경우 동경 OP가 음의 방향으로 300°만큼 회전했다고 하고 ∠XOP=−300°로 나타낸다.

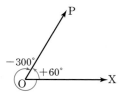

시계 반대 방향 ➡ +          시계 방향 ➡ −

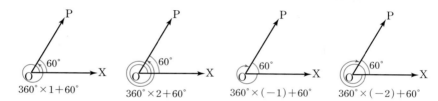

회전한 양과 방향은 다르지만 동경 OP가 나타내는 각의 크기가 60°일 때, 동경의 위치가 같은 각 XOP의 크기를 몇 개 구하면 위의 그림과 같다. 이와 같이 동경 OP가 나타내는 각의 크기가 60°일 때, 동경의 위치가 같은 각 XOP의 크기는

$$360° \times n + 60° \,(n은 정수)$$

꼴로 나타낼 수 있다. 이것을 동경 OP가 나타내는 일반각이라 한다.

일반적으로 시초선 OX와 동경 OP가 나타내는 한 각의 크기를 $\alpha°$라 할 때, ∠XOP가 나타내는 일반각은 다음과 같이 나타낸다.

$$360° \times n + \alpha° \,(n은 정수)$$

이때 $n$은 동경이 회전한 횟수와 방향을 나타낸다. 또 $\alpha°$는 동경이 나타내는 어떤 각이어도 되지만 $0° \le \alpha° < 360°$ 또는 $-180° < \alpha° \le 180°$ 중 하나로 쓰는 것이 보통이다.

두 각 $\alpha$, $\beta$를 나타내는 두 동경이 일치한다고 하자.

이때 단순히 $\alpha$, $\beta$의 크기가 같으므로 $\alpha - \beta = 0$이라 하면 안 된다.

일반각으로 생각하면 두 각의 회전수가 다를 수 있으므로

$$\alpha - \beta = 360° \times n \,(n은 정수)$$

이라 해야 한다. 이와 같이 두 각 $\alpha$, $\beta$를 나타내는 두 동경의 위치 관계를 조사하는 경우 일반각을 이용하여 나타내야 한다.

(ⅰ) 일치      (ⅱ) 반대 방향으로 일직선      (ⅲ) $x$축에 대칭      (ⅳ) $y$축에 대칭

$\alpha - \beta = 360° \times n$    $\alpha - \beta = 360° \times n + 180°$    $\alpha + \beta = 360° \times n$    $\alpha + \beta = 360° \times n + 180°$

**개념 Check**

◆ 정답 및 풀이 **48**쪽

**1** 다음 각을 $360° \times n + \alpha°$ ($n$은 정수, $0° \le \alpha° < 360°$) 꼴로 나타내고, 제몇 사분면의 각인지 구하시오.

  (1) $1280°$            (2) $680°$            (3) $-2000°$

## 5-2 호도법

1 반지름의 길이가 호의 길이와 같은 중심각의 크기를 1라디안(radian)이라 하고, 라디안을 단위로 하여 각의 크기를 나타내는 방법을 호도법이라 한다.

**2 육십분법과 호도법의 관계**

$$1라디안 = \frac{180°}{\pi}, \quad 1° = \frac{\pi}{180} 라디안$$

**3 호도법과 부채꼴의 호의 길이, 넓이**

부채꼴의 반지름의 길이를 $r$, 중심각의 크기를 $\theta$(라디안), 호의 길이를 $l$, 넓이를 $S$라 할 때,

$$l = r\theta, \quad S = \frac{1}{2}r^2\theta, \quad S = \frac{1}{2}rl$$

호도법 ●

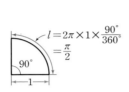

$$l = 2\pi \times 1 \times \frac{90°}{360°} = \frac{\pi}{2}$$

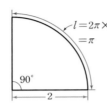

$$l = 2\pi \times 2 \times \frac{90°}{360°} = \pi$$

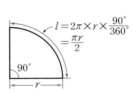

$$l = 2\pi \times r \times \frac{90°}{360°} = \frac{\pi r}{2}$$

그림은 중심각의 크기가 90°이고 반지름의 길이가 다른 부채꼴이다. 호의 길이 $l$은 다르지만 $l$을 반지름의 길이로 나눈 값은 $\frac{\pi}{2}$로 같다. 따라서 호의 길이 $l$을 반지름의 길이 $r$로 나눈 값을 중심각의 크기로 사용할 수 있다.

이렇게 호의 길이를 반지름의 길이로 나누어 중심각의 크기를 나타내는 방법을 알아보자. 그림과 같이 반지름의 길이가 $r$인 부채꼴에서 호의 길이가 $r$인 중심각의 크기를 1라디안이라 한다. 그리고 라디안을 단위로 하여 각의 크기를 나타내는 방법을 호도법이라 한다.

예를 들어 반지름의 길이가 $r$일 때, 호의 길이가 $2r$인 부채꼴의 중심각의 크기는 호도법으로 2라디안, 호의 길이가 $\frac{1}{2}r$인 부채꼴의 중심각의 크기는 $\frac{1}{2}$라디안이다.

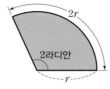

일반적으로 호의 길이가 $l$이고 반지름의 길이가 $r$인 부채꼴의 중심각의 크기는 $\frac{l}{r}$라디안이다. 또 각의 크기를 호도법으로 나타낼 때에는 단위인 라디안을 생략하고 쓴다.

육십분법과
호도법의 관계

특히 반지름의 길이가 1인 경우 호의 길이가 중심
각의 크기이다. 그런데 반지름의 길이가 1인 호의
길이는 $2\pi$이므로 $360° = 2\pi$(라디안)이다.
또 반원을 생각하면 $180° = \pi$(라디안)이다. 따라서

$$1\text{라디안} = \frac{180°}{\pi}, \quad 1° = \frac{\pi}{180}\text{라디안}$$

예를 들어 $60°$를 호도법으로 나타내면 $1° = \dfrac{\pi}{180}$ 라디안에서 $60° = 60 \times \dfrac{\pi}{180} = \dfrac{\pi}{3}$

또 $\dfrac{\pi}{4}$ 라디안을 육십분법으로 나타내면 $1\text{라디안} = \dfrac{180°}{\pi}$ 에서 $\dfrac{\pi}{4} = \dfrac{\pi}{4} \times \dfrac{180°}{\pi} = 45°$

참고 1. 육십분법은 원의 둘레를 360등분하여 각 호의 중심각의 크기를 1도($°$), 1도의 $\dfrac{1}{60}$ 을 1분($'$),

　　　 1분의 $\dfrac{1}{60}$ 을 1초($''$)로 각의 크기를 나타내는 방법이다.

　　2. 일반적으로 $a° = x$(라디안)라 하면 호의 길이는 중심각의 크기에 정비례하므로

　　　　$a° : 360° = x : 2\pi$

　　　 이다. 따라서 육십분법과 호도법 사이의 관계를 구할 때에는 이 비례식을 이용할 수도 있다.

부채꼴의
호의 길이와
넓이

부채꼴의 반지름의 길이를 $r$, 중심각의 크기를 $\theta$(라디안)라 하자.

호의 길이를 $l$이라 하면 $\theta = \dfrac{l}{r}$ 이므로 $l = r\theta$

넓이를 $S$라 하면 넓이는 중심각의 크기에 정비례하므로

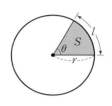

$$S : \pi r^2 = \theta : 2\pi, \quad 2\pi \times S = \pi r^2 \times \theta$$

$$\therefore S = \frac{1}{2}r^2\theta$$

또 $\theta = \dfrac{l}{r}$ 이므로 $S = \dfrac{1}{2}r^2 \times \dfrac{l}{r} = \dfrac{1}{2}rl$

**개념 Check**

◆ 정답 및 풀이 **48**쪽

**2** 육십분법으로 나타낸 각을 호도법으로 나타내시오.

(1)
| 육십분법 | 30° | 45° | 60° |
|---|---|---|---|
| 호도법 | | | |

(2)
| 육십분법 | 90° | 180° | 270° | 360° |
|---|---|---|---|---|
| 호도법 | | | | |

**3** 반지름의 길이가 3이고 중심각의 크기가 2라디안인 부채꼴에서
호의 길이 $l$과 넓이 $S$를 구하시오.

## 호도법

◆ 정답 및 풀이 **48**쪽

**다음 물음에 답하시오.**

(1) $\dfrac{12}{5}\pi$는 제몇 사분면의 각인지 구하시오.

(2) $-\dfrac{10}{3}\pi$는 제몇 사분면의 각인지 구하시오.

(3) $780°$를 호도법으로 나타내고, 제몇 사분면의 각인지 구하시오.

**낯선 Guide** (1) $360°=2\pi$이므로 $\dfrac{12}{5}\pi$를

$$2n\pi+\alpha \ (n \text{은 정수}, \ 0\le\alpha<2\pi)$$

꼴로 나타내면 제몇 사분면의 각인지 알기 쉽다.

(2) $-\dfrac{10}{3}\pi$에 '$-$'가 있으므로 $2n\pi+\alpha$에서 $n$은 음수이다.

이때 $0\le\alpha<2\pi$임에 주의한다.

(3) $1°=\dfrac{\pi}{180}$ 라디안을 이용하여 $780°$를 먼저 호도법으로 나타낸다.

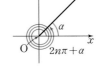

**답** (1) 제1사분면 (2) 제2사분면 (3) $\dfrac{13}{3}\pi$, 제1사분면

**낯선 Point**
- 각 $\alpha$를 나타내는 동경과 일반각 $2n\pi+\alpha$ ($n$은 정수)를 나타내는 동경은 일치한다.
- 1라디안$=\dfrac{180°}{\pi}$, $1°=\dfrac{\pi}{180}$ 라디안

**1-1** 다음 각은 제몇 사분면의 각인지 구하시오.

(1) $\dfrac{17}{6}\pi$        (2) $\dfrac{20}{3}\pi$        (3) $-\dfrac{23}{4}\pi$

**1-2** 다음 표를 완성하시오.

(1)

| 육십분법 | | $120°$ | $240°$ | |
|---|---|---|---|---|
| 호도법 | $\dfrac{\pi}{3}$ | | | $\dfrac{5}{3}\pi$ |

(2)

| 육십분법 | | $150°$ | $210°$ | |
|---|---|---|---|---|
| 호도법 | $\dfrac{\pi}{6}$ | | | $\dfrac{11}{6}\pi$ |

(3)

| 육십분법 | | | $225°$ | $315°$ |
|---|---|---|---|---|
| 호도법 | $\dfrac{\pi}{4}$ | $\dfrac{3}{4}\pi$ | | |

다음 물음에 답하시오.

(1) $\theta$가 제2사분면의 각일 때, 각 $\dfrac{\theta}{2}$를 나타내는 동경이 존재하는 사분면을 모두 구하시오.

(2) $0 \leq \theta < 2\pi$이고 두 각 $\theta$, $4\theta$를 나타내는 두 동경이 반대 방향으로 일직선을 이룰 때, $\theta$의 값을 모두 구하시오.

**날선 Guide** (1) $\theta$가 제2사분면의 각이라는 것은 각 $\theta$를 나타내는 동경이 제2사분면에 있다는 뜻이므로

$$2n\pi + \frac{\pi}{2} < \theta < 2n\pi + \pi \,(n은 \text{ 정수}) \qquad \therefore \ n\pi + \frac{\pi}{4} < \frac{\theta}{2} < n\pi + \frac{\pi}{2}$$

이때 두 각 $n\pi + \dfrac{\pi}{4}$, $n\pi + \dfrac{\pi}{2}$를 나타내는 두 동경의 위치를 생각해야 한다.

$\theta$가 제2사분면의 각이라고 $\dfrac{\pi}{2} < \theta < \pi$라 해서는 안 된다는 것에 주의한다.

**참고** $n\pi + \dfrac{\pi}{4}$에서 $n = 2k$, $n = 2k + 1$ ($k$는 정수)일 때로 나누면 각각

$$2k\pi + \frac{\pi}{4}, \ 2k\pi + \pi + \frac{\pi}{4}$$

이므로 동경의 위치를 알 수 있다. 이와 같이 $2\pi \times$ (정수) 꼴이 되어야 한다는 것에 착안하여 $n$의 경우를 나눈다.

(2) 두 각 $\theta$, $4\theta$를 나타내는 두 동경이 반대 방향으로 일직선을 이루면 반대 방향으로 일치하므로 두 각의 차는 $\pi$ (또는 $180°$)이다. 그리고 일반각에서는 회전한 양 $2n\pi$를 잊지 않고 써야 한다. 곧,

$$4\theta - \theta = 2n\pi + \pi \,(n은 \text{ 정수})$$

이므로 $0 \leq \theta < 2\pi$에서 $\theta$의 값을 구한다.

$\alpha - \beta = 2n\pi + \pi$

**답** (1) 제1, 3사분면 (2) $\dfrac{\pi}{3}$, $\pi$, $\dfrac{5}{3}\pi$

 **날선 Point** 일반각에 대한 문제 ➡ $2n\pi + \alpha$ 또는 $360° \times n + \alpha$ ($n$은 정수)를 이용한다.

**2-1** $\theta$가 제1사분면의 각일 때, 각 $\dfrac{\theta}{3}$를 나타내는 동경이 존재하는 사분면을 모두 구하시오.

**2-2** $0 \leq \theta < 2\pi$이고 두 각 $\theta$, $3\theta$를 나타내는 두 동경이 다음과 같은 관계에 있을 때, $\theta$의 값을 모두 구하시오.

(1) 일치한다.                               (2) $x$축에 대칭이다.

## <sup>대표</sup>Q3 부채꼴의 호의 길이와 넓이

다음 물음에 답하시오.

(1) 중심각의 크기가 $\dfrac{4}{3}\pi$, 호의 길이가 $2\pi$인 부채꼴의 넓이를 구하시오.

(2) 둘레의 길이가 12인 부채꼴의 넓이의 최댓값을 구하시오.

**날선 Guide** (1) 부채꼴의 반지름의 길이가 $r$, 중심각의 크기가 $\theta$일 때, 호의 길이 $l$과 넓이 $S$는

$$l=r\theta, \ S=\frac{1}{2}r^2\theta \quad \cdots \ \bigcirc$$

이다. 따라서 $l=r\theta$에서 $r$를 구한 다음 넓이를 구할 수 있다.

**참고** $\bigcirc$에서 $\theta$를 소거하면 $S=\dfrac{1}{2}rl$이다. 이 식을 이용할 수도 있다.

(2) 부채꼴의 반지름의 길이를 $r$, 호의 길이를 $l$이라 하면

주어진 조건은 $2r+l=12$

이를 이용하여 넓이 $S$의 최댓값을 구하는 문제이다.

역시 $S=\dfrac{1}{2}r^2\theta$ 또는 $S=\dfrac{1}{2}rl$을 이용해 보자.

**답** (1) $\dfrac{3}{2}\pi$ (2) 9

> **날선 Point** 부채꼴의 반지름의 길이가 $r$, 중심각의 크기가 $\theta$일 때,
> 호의 길이를 $l$, 넓이를 $S$라 하면
> $$l=r\theta, \ S=\frac{1}{2}r^2\theta, \ S=\frac{1}{2}rl$$

**3-1** 다음 물음에 답하시오.

(1) 중심각의 크기가 $\dfrac{\pi}{4}$, 호의 길이가 $\dfrac{3}{4}\pi$인 부채꼴의 반지름의 길이를 구하시오.

(2) 중심각의 크기가 $\dfrac{5}{3}\pi$, 넓이가 $30\pi$인 부채꼴의 호의 길이를 구하시오.

(3) 호의 길이가 $2\pi$, 넓이가 $12\pi$인 부채꼴의 반지름의 길이를 구하시오.

**3-2** 둘레의 길이가 20인 부채꼴 중에서 넓이가 최대인 부채꼴의 반지름의 길이를 구하시오.

∠C=90°, ∠A=θ인 직각삼각형 ABC에서

$$\sin\theta=\frac{a}{c}, \quad \cos\theta=\frac{b}{c}, \quad \tan\theta=\frac{a}{b}$$

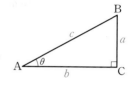

삼각비 •

∠C=90°, ∠A=θ인 직각삼각형 ABC에서 삼각비는

$$\sin\theta=\frac{a}{c}, \quad \cos\theta=\frac{b}{c}, \quad \tan\theta=\frac{a}{b}$$

와 같이 정의한다는 것은 중학교에서 공부하였다.

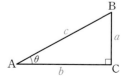

$30°=\dfrac{\pi}{6}$, $45°=\dfrac{\pi}{4}$, $60°=\dfrac{\pi}{3}$이므로 정삼각형과 직각이등변삼각형을 생각하면

$\dfrac{\pi}{3}$, $\dfrac{\pi}{6}$, $\dfrac{\pi}{4}$에 대한 삼각비는 다음과 같다.

$$\sin\frac{\pi}{3}=\frac{\sqrt{3}}{2}, \cos\frac{\pi}{3}=\frac{1}{2}, \tan\frac{\pi}{3}=\sqrt{3}$$

$$\sin\frac{\pi}{6}=\frac{1}{2}, \cos\frac{\pi}{6}=\frac{\sqrt{3}}{2}, \tan\frac{\pi}{6}=\frac{1}{\sqrt{3}}$$

$$\sin\frac{\pi}{4}=\frac{1}{\sqrt{2}}, \cos\frac{\pi}{4}=\frac{1}{\sqrt{2}}, \tan\frac{\pi}{4}=1$$

좌표평면과 • 삼각비

그림과 같이 좌표평면에서 중심이 원점 O이고 반지름의 길이가 2인 원과 각 $\dfrac{\pi}{6}$를 나타내는 동경이 만나는 점을 P라 하면 $P(\sqrt{3}, 1)$이 므로

$$\sin\frac{\pi}{6}=\frac{1}{2}, \cos\frac{\pi}{6}=\frac{\sqrt{3}}{2}, \tan\frac{\pi}{6}=\frac{1}{\sqrt{3}}$$

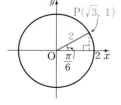

이와 같이 좌표평면에서 중심이 원점 O이고 반지름의 길이가 $r$인 원과 각 $\theta$를 나타내는 동경이 만나는 점을 $P(x, y)$라 하면 다음이 성립한다.

$$\sin\theta=\frac{y}{r}, \cos\theta=\frac{x}{r}, \tan\theta=\frac{y}{x} \ (x\ne0)$$

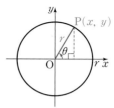

특히 $r=1$이면

$$\sin\theta=y, \cos\theta=x, \tan\theta=\frac{y}{x} \ (x\ne0)$$

지금부터는 이 개념을 이용하여 일반각 $\theta$에 대한 삼각비 $\sin\theta$, $\cos\theta$, $\tan\theta$를 정의하는 방법과 삼각비의 성질을 알아보자.

좌표평면에서 중심이 원점 O이고 반지름의 길이가 $r$인 원과 각 $\theta$를 나타내는 동경이 만나는 점을 $P(x, y)$라 하면

$$\sin\theta=\frac{y}{r}, \cos\theta=\frac{x}{r}, \tan\theta=\frac{y}{x} (x\neq 0)$$

로 약속한다. 또 각각을 사인함수, 코사인함수, 탄젠트함수라 하고, 세 함수를 통틀어 $\theta$에 대한 삼각함수라 한다.

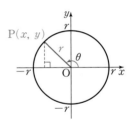

**삼각함수** •
좌표평면에서 중심이 원점 O이고 반지름의 길이가 2인 원과 각 $\frac{5}{6}\pi$를 나타내는 동경이 만나는 점은 $P(-\sqrt{3}, 1)$이다.

따라서 동경이 제1사분면에 있는 경우의 삼각비를 확장하여

$$\sin\frac{5}{6}\pi=\frac{1}{2}, \cos\frac{5}{6}\pi=-\frac{\sqrt{3}}{2}, \tan\frac{5}{6}\pi=-\frac{1}{\sqrt{3}}$$

과 같이 약속할 수 있다.

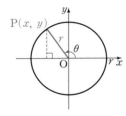

좌표평면에서 중심이 원점 O이고 반지름의 길이가 $r$인 원과 각 $\theta$를 나타내는 동경이 만나는 점을 $P(x, y)$라 하자. 이때

$$\boldsymbol{\sin\theta=\frac{y}{r}, \cos\theta=\frac{x}{r}, \tan\theta=\frac{y}{x} (x\neq 0)}$$

로 약속하면 각각은 $\theta$에 $\frac{y}{r}, \frac{x}{r}, \frac{y}{x}$를 대응시키는 함수로 생각할 수 있다. 따라서 각각을 사인함수, 코사인함수, 탄젠트함수라 하고, 세 함수를 통틀어 $\theta$에 대한 삼각함수라 한다. 단, $x=0$인 경우, 예를 들어 $\theta=\frac{\pi}{2}$이면 $\tan\theta$는 생각하지 않는다.

**단위원에서의** •
**삼각함수**
반지름의 길이가 1인 원을 단위원이라 한다. 단위원에서 생각하면

$$\boldsymbol{\sin\theta=y, \cos\theta=x, \tan\theta=\frac{y}{x} (x\neq 0)}$$

▶ **개념 Check**

◆ 정답 및 풀이 **50**쪽

**4** 그림과 같이 중심이 원점 O이고 반지름의 길이가 5인 원과 각 $\alpha$를 나타내는 동경이 만나는 점이 $P(-4, -3)$일 때, $\sin\alpha, \cos\alpha, \tan\alpha$의 값을 구하시오.

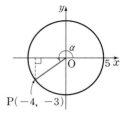

**5** 원점 O와 점 $Q(\sqrt{2}, -1)$에 대하여 동경 OQ가 나타내는 각의 크기를 $\beta$라 할 때, $\sin\beta, \cos\beta, \tan\beta$의 값을 구하시오.

# 5-5 삼각함수의 성질(1)

**1 삼각함수 값의 부호**

(1) 제1사분면의 각이면 sin, cos, tan 모두 $+$

(2) 제2사분면의 각이면 sin만 $+$

(3) 제3사분면의 각이면 tan만 $+$

(4) 제4사분면의 각이면 cos만 $+$

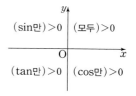

**2 삼각함수 사이의 관계**

$$\sin^2\theta + \cos^2\theta = 1, \ \tan\theta = \frac{\sin\theta}{\cos\theta}$$

삼각함수 값의 부호

좌표평면에서 중심이 원점 O인 단위원과 각 $\theta$를 나타내는 동경이 만나는 점을 $P(x, y)$라 하자.

예를 들어 $\theta$가 제2사분면의 각이면 $x<0$, $y>0$이므로

$$\sin\theta = y > 0, \ \cos\theta = x < 0, \ \tan\theta = \frac{y}{x} < 0$$

이와 같이 동경의 위치에 따라 $x$, $y$의 부호를 생각하면 삼각함수 값의 부호를 알 수 있다.

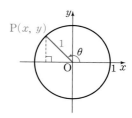

삼각함수 사이의 관계

점 $P(x, y)$가 중심이 원점 O인 단위원 위의 점이면 $x^2+y^2=1$이다.

따라서 $x=\cos\theta$, $y=\sin\theta$를 대입하면　　**$\sin^2\theta + \cos^2\theta = 1$**

또 $\tan\theta = \frac{y}{x}$에 $x=\cos\theta$, $y=\sin\theta$를 대입하면　　**$\tan\theta = \frac{\sin\theta}{\cos\theta}$**

예를 들어 $\cos\theta = \frac{1}{2}$이면

$$\sin^2\theta + \left(\frac{1}{2}\right)^2 = 1 \qquad \therefore \ \sin\theta = \pm\frac{\sqrt{3}}{2}$$

$\sin\theta = \frac{\sqrt{3}}{2}$일 때 $\tan\theta = \sqrt{3}$, $\sin\theta = -\frac{\sqrt{3}}{2}$일 때 $\tan\theta = -\sqrt{3}$

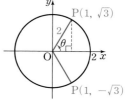

**참고** $(\sin\theta)^2$, $(\cos\theta)^2$, $(\tan\theta)^2$을 간단히 $\sin^2\theta$, $\cos^2\theta$, $\tan^2\theta$로 쓴다.

**개념 Check**　　　　　　　　　　　　　　　　　　　　　　◆ 정답 및 풀이 **50**쪽

**6** 다음을 만족시키는 $\theta$는 제몇 사분면의 각인지 구하시오.

　(1) $\cos\theta > 0$, $\sin\theta < 0$　　　　　　(2) $\sin\theta < 0$, $\tan\theta > 0$

**7** $\theta$가 제3사분면의 각이고 $\sin\theta = -\frac{1}{3}$일 때, 다음 값을 구하시오.

　(1) $\cos\theta$　　　　　　　　　　　　(2) $\tan\theta$

각 $\theta$의 크기가 다음과 같을 때, $\sin\theta$, $\cos\theta$, $\tan\theta$의 값을 구하시오.

(1) $120°$

(2) $\dfrac{5}{4}\pi$

(3) $750°$

(4) $-\dfrac{13}{4}\pi$

**날선 Guide** (1) 그림과 같이 중심이 원점 O인 단위원과 $120°$를 나타내는 동경이 만나는 점 $P(x,\ y)$의 좌표를 구한 다음

$$\sin 120° = y,\ \cos 120° = x,\ \tan 120° = \frac{y}{x}$$

를 이용한다.

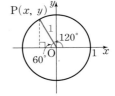

이때 오른쪽 그림과 같이 빗변의 길이가 1인 직각삼각형을 생각하면 좌표를 쉽게 구할 수 있다.

(2), (3), (4)도 $\dfrac{5}{4}\pi$, $750°$, $-\dfrac{13}{4}\pi$를 나타내는 동경이 단위원과 만나는 점의 좌표부터 구한다. 각을

육십분법 ➡ $360° \times n + \alpha°$ ($n$은 정수)

호도법 ➡ $2n\pi + \alpha$ ($n$은 정수)

꼴로 고치면 동경을 표시하기 편하다.

🅐 풀이 참조

---

**날선 Point** 각 $\theta$를 나타내는 동경이 중심이 원점 O인 단위원과 만나는 점의 좌표가 $(x, y)$일 때,

$$\sin\theta = y,\ \cos\theta = x,\ \tan\theta = \frac{y}{x}$$

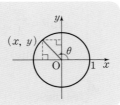

---

**4-1** 각 $\theta$의 크기가 다음과 같을 때, $\sin\theta$, $\cos\theta$, $\tan\theta$의 값을 구하시오.

(1) $\dfrac{3}{4}\pi$

(2) $\dfrac{11}{6}\pi$

(3) $-\dfrac{2}{3}\pi$

(4) $\dfrac{35}{6}\pi$

(5) $840°$

(6) $-675°$

다음 물음에 답하시오.

(1) $\sin\theta = \dfrac{5}{13}$이고 $\dfrac{\pi}{2} < \theta < \dfrac{3}{2}\pi$일 때, $\cos\theta$, $\tan\theta$의 값을 구하시오.

(2) $\tan\theta = -3$일 때, $\sin\theta + \cos\theta$의 값을 모두 구하시오.

**낱선 Guide** (1) $\sin^2\theta + \cos^2\theta = 1$에서 $\cos\theta$의 값을 구하고,

$\tan\theta = \dfrac{\sin\theta}{\cos\theta}$를 이용하여 $\tan\theta$의 값을 구한다.

이때 $\dfrac{\pi}{2} < \theta < \dfrac{3}{2}\pi$이므로 $\cos\theta < 0$임에 주의한다.

**참고** $\sin\theta = \dfrac{5}{13}$이고 $\dfrac{\pi}{2} < \theta < \dfrac{3}{2}\pi$이므로

제2사분면에서 그림과 같이 빗변의 길이가 13인
직각삼각형을 생각할 수 있다. 이때 $P(-12, 5)$임
을 이용하여 $\cos\theta$, $\tan\theta$의 값을 구할 수도 있다.

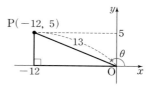

(2) $\tan\theta = -3$에서 $\dfrac{\sin\theta}{\cos\theta} = -3$, 곧 $\sin\theta = -3\cos\theta$이다.

이 식과 $\sin^2\theta + \cos^2\theta = 1$을 연립하여 푼다.

이때 $\sin\theta$와 $\cos\theta$의 값이 두 개 나올 수 있음에 주의한다.

**탑** (1) $\cos\theta = -\dfrac{12}{13}$, $\tan\theta = -\dfrac{5}{12}$ (2) $\pm\dfrac{\sqrt{10}}{5}$

---

**낱선 Point** 삼각함수의 한 값이 주어진 경우 다음을 이용한다.

$$\sin^2\theta + \cos^2\theta = 1,\ \tan\theta = \frac{\sin\theta}{\cos\theta}$$

**5-1** $\cos\theta = -\dfrac{1}{4}$이고 $\pi < \theta < 2\pi$일 때, $\sin\theta$, $\tan\theta$의 값을 구하시오.

**5-2** $\tan\theta = 2$일 때, $\sin\theta - \cos\theta$의 값을 모두 구하시오.

## $\sin\theta+\cos\theta$ 또는 $\sin\theta\cos\theta$가 주어진 문제

◆ 정답 및 풀이 **53**쪽

다음 물음에 답하시오.

(1) $\theta$가 제1사분면의 각이고 $\sin\theta\cos\theta=\dfrac{1}{2}$일 때, $\sin^3\theta+\cos^3\theta$의 값을 구하시오.

(2) 이차방정식 $x^2-x+a=0$의 두 근이 $\sin\theta$, $\cos\theta$일 때, 상수 $a$의 값을 구하시오.

**낱선 Guide** (1) $\sin^2\theta+\cos^2\theta=1$이므로 $\sin\theta=x$, $\cos\theta=y$로 생각하면

$$xy=\frac{1}{2},\ x^2+y^2=1$$일 때 $x^3+y^3$의 값을 구하는 것과 같다.

$$(\sin\theta+\cos\theta)^2=\sin^2\theta+\cos^2\theta+2\sin\theta\cos\theta$$
$$=1+2\sin\theta\cos\theta$$

임을 이용하여 $\sin\theta+\cos\theta$의 값부터 구한다.

(2) 근과 계수의 관계에서

$$\sin\theta+\cos\theta=1,\ \sin\theta\cos\theta=a$$

이다. $\sin^2\theta+\cos^2\theta=1$을 이용하여 $a$의 값을 구한다.

**답** (1) $\dfrac{\sqrt{2}}{2}$ (2) 0

**낱선 Point** $\sin\theta+\cos\theta$ 또는 $\sin\theta\cos\theta$가 주어진 문제

➡ $\sin^2\theta+\cos^2\theta=1$을 이용하여 나머지 값부터 구한다.

**6-1** $\sin\theta+\cos\theta=\dfrac{1}{2}$일 때, 다음 값을 구하시오.

(1) $\sin\theta\cos\theta$

(2) $\dfrac{1}{\sin\theta}+\dfrac{1}{\cos\theta}$

(3) $\sin^3\theta+\cos^3\theta$

(4) $\sin^4\theta+\cos^4\theta$

**6-2** 이차방정식 $4x^2-2\sqrt{2}x+1=0$의 두 근이 $\sin\theta$, $\cos\theta$일 때, 두 근이 $\tan\theta$, $\dfrac{1}{\tan\theta}$인 이차방정식은 $x^2+ax+1=0$이다. 상수 $a$의 값을 구하시오.

◆ 정답 및 풀이 **54**쪽

다음 등식이 성립함을 보이시오.

(1) $\tan^2\theta - \sin^2\theta = \tan^2\theta \sin^2\theta$

(2) $\dfrac{1}{1+\sin\theta} + \dfrac{1}{1-\sin\theta} = 2(1+\tan^2\theta)$

 **Guide** (1) 좌변에 $\tan\theta = \dfrac{\sin\theta}{\cos\theta}$를 대입하면

$$\tan^2\theta - \sin^2\theta = \frac{\sin^2\theta}{\cos^2\theta} - \sin^2\theta$$

$$= \frac{\sin^2\theta - \sin^2\theta\cos^2\theta}{\cos^2\theta}$$

그리고 $\sin^2\theta + \cos^2\theta = 1$을 이용하여 이 식이 우변 꼴이 됨을 보인다.

(2) 좌변을 통분하면 $\dfrac{1-\sin\theta + 1 + \sin\theta}{(1+\sin\theta)(1-\sin\theta)}$

우변에 $\tan\theta = \dfrac{\sin\theta}{\cos\theta}$를 대입하면 $2\left(1+\dfrac{\sin^2\theta}{\cos^2\theta}\right) = 2 \times \dfrac{\cos^2\theta + \sin^2\theta}{\cos^2\theta}$

그리고 $\sin^2\theta + \cos^2\theta = 1$을 이용하여 (좌변)＝(우변)임을 보인다.

답 풀이 참조

**날선 Point** 삼각함수로 주어진 식을 정리하는 문제

➡ $\sin^2\theta + \cos^2\theta = 1$, $\tan\theta = \dfrac{\sin\theta}{\cos\theta}$를 이용한다.

**7-1** 다음 등식이 성립함을 보이시오.

(1) $\sin^4\theta - \cos^4\theta = 1 - 2\cos^2\theta$

(2) $\tan^2\theta + \cos^2\theta(1-\tan^4\theta) = 1$

**7-2** 다음 물음에 답하시오.

(1) $1 + \tan^2\theta = \dfrac{1}{\cos^2\theta}$이 성립함을 보이시오.

(2) (1)의 등식을 이용하여 $\dfrac{1}{1+\sin\theta} + \dfrac{1}{1-\sin\theta} = 3$일 때, $\tan\theta$의 값을 모두 구하시오.

## 5-6 삼각함수의 성질 (2)

> **1** $\sin(2n\pi+\theta)=\sin\theta$, $\cos(2n\pi+\theta)=\cos\theta$, $\tan(2n\pi+\theta)=\tan\theta$ ($n$은 정수)
>
> **2** $\sin(-\theta)=-\sin\theta$, $\cos(-\theta)=\cos\theta$, $\tan(-\theta)=-\tan\theta$
>
> **3** $\sin(\pi+\theta)=-\sin\theta$, $\cos(\pi+\theta)=-\cos\theta$, $\tan(\pi+\theta)=\tan\theta$
>
> **4** $\sin\left(\dfrac{\pi}{2}-\theta\right)=\cos\theta$, $\cos\left(\dfrac{\pi}{2}-\theta\right)=\sin\theta$, $\tan\left(\dfrac{\pi}{2}-\theta\right)=\dfrac{1}{\tan\theta}$

*$2n\pi+\theta$의 삼각함수*

두 각 $2n\pi+\theta$, $\theta$를 나타내는 두 동경은 일치하므로 삼각함수의 값도 같다. 곧,

$$\sin(2n\pi+\theta)=\sin\theta$$
$$\cos(2n\pi+\theta)=\cos\theta$$
$$\tan(2n\pi+\theta)=\tan\theta$$

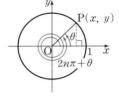

예를 들어 $\sin\dfrac{13}{3}\pi=\sin\left(4\pi+\dfrac{\pi}{3}\right)=\sin\dfrac{\pi}{3}=\dfrac{\sqrt{3}}{2}$

*$-\theta$의 삼각함수*

각 $\theta$를 나타내는 동경이 중심이 원점 O인 단위원과 만나는 점을 $P(x,\ y)$라 하자.

두 각 $-\theta$, $\theta$를 나타내는 두 동경은 $x$축에 대칭이므로 $-\theta$를 나타내는 동경이 단위원과 만나는 점은 $Q(x,\ -y)$이다.

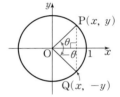

$$\sin(-\theta)=-y=-\sin\theta$$
$$\cos(-\theta)=x=\cos\theta \quad \longrightarrow \cos \text{ 부호만 바뀌지 않는다.}$$
$$\tan(-\theta)=\dfrac{-y}{x}=-\tan\theta$$

예를 들어 $\sin\left(-\dfrac{\pi}{3}\right)=-\sin\dfrac{\pi}{3}=-\dfrac{\sqrt{3}}{2}$

*$\pi\pm\theta$의 삼각함수*

두 각 $\pi+\theta$, $\theta$를 나타내는 두 동경은 원점에 대칭이므로 $\pi+\theta$를 나타내는 동경이 단위원과 만나는 점은 $Q(-x,\ -y)$이다.

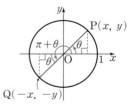

$$\sin(\pi+\theta)=-y=-\sin\theta$$
$$\cos(\pi+\theta)=-x=-\cos\theta$$
$$\tan(\pi+\theta)=\dfrac{-y}{-x}=\tan\theta \quad \longrightarrow \tan \text{ 부호만 바뀌지 않는다.}$$

예를 들어 $\sin\left(\pi+\dfrac{\pi}{3}\right)=-\sin\dfrac{\pi}{3}=-\dfrac{\sqrt{3}}{2}$

$\pi-\theta$ 꼴의 삼각함수는 두 각 $\pi-\theta$, $\theta$를 나타내는 두 동경이 $y$축에 대칭임을 이용하여 구하거나 다음과 같이 구할 수 있다.

$$\sin(\pi-\theta)=\sin\{\pi+(-\theta)\}=-\sin(-\theta)=\sin\theta$$

$$\cos(\pi-\theta)=\cos\{\pi+(-\theta)\}=-\cos(-\theta)=-\cos\theta$$

$$\tan(\pi-\theta)=\tan\{\pi+(-\theta)\}=\tan(-\theta)=-\tan\theta$$

$\dfrac{\pi}{2}\pm\theta$의
삼각함수

두 각 $\dfrac{\pi}{2}-\theta$, $\theta$를 나타내는 두 동경은 직선 $y=x$에 대칭이므로

$\dfrac{\pi}{2}-\theta$를 나타내는 동경이 단위원과 만나는 점은 $Q(y,\ x)$이다.

$$\sin\left(\dfrac{\pi}{2}-\theta\right)=x=\cos\theta \qquad \longrightarrow \sin\text{은 }\cos\text{으로 바뀐다.}$$

$$\cos\left(\dfrac{\pi}{2}-\theta\right)=y=\sin\theta \qquad \longrightarrow \cos\text{은 }\sin\text{으로 바뀐다.}$$

$$\tan\left(\dfrac{\pi}{2}-\theta\right)=\dfrac{x}{y}=\dfrac{1}{\tan\theta} \qquad \longrightarrow \tan\text{는 }\dfrac{1}{\tan}\text{로 바뀐다.}$$

예를 들어 $\sin\left(\dfrac{\pi}{2}-\dfrac{\pi}{3}\right)=\cos\dfrac{\pi}{3}=\dfrac{1}{2}$

$\dfrac{\pi}{2}+\theta$ 꼴의 삼각함수는 다음과 같이 구할 수 있다.

$$\sin\left(\dfrac{\pi}{2}+\theta\right)=\sin\left\{\dfrac{\pi}{2}-(-\theta)\right\}=\cos(-\theta)=\cos\theta$$

$$\cos\left(\dfrac{\pi}{2}+\theta\right)=\cos\left\{\dfrac{\pi}{2}-(-\theta)\right\}=\sin(-\theta)=-\sin\theta$$

$$\tan\left(\dfrac{\pi}{2}+\theta\right)=\tan\left\{\dfrac{\pi}{2}-(-\theta)\right\}=\dfrac{1}{\tan(-\theta)}=-\dfrac{1}{\tan\theta}$$

개념 Check

◆ 정답 및 풀이 **55**쪽

**8** 다음 삼각함수의 값을 구하시오.

(1) $\sin\dfrac{7}{3}\pi$ 　　　　　(2) $\cos\dfrac{17}{4}\pi$ 　　　　　(3) $\tan\dfrac{13}{6}\pi$

**9** 다음 삼각함수의 값을 구하시오.

(1) $\sin\left(-\dfrac{\pi}{6}\right)$ 　　　　　(2) $\cos\left(-\dfrac{\pi}{6}\right)$ 　　　　　(3) $\tan\left(-\dfrac{\pi}{4}\right)$

**10** $\dfrac{7}{6}\pi=\pi+\dfrac{\pi}{6}$ 를 이용하여 다음 삼각함수의 값을 구하시오.

(1) $\sin\dfrac{7}{6}\pi$ 　　　　　(2) $\cos\dfrac{7}{6}\pi$ 　　　　　(3) $\tan\dfrac{7}{6}\pi$

# 5-7 $n\pi\pm\theta,\ \dfrac{n}{2}\pi\pm\theta$ 꼴의 삼각함수

**1** $n\pi\pm\theta$ ($n$은 정수) 꼴의 삼각함수

sin, cos, tan는 그대로 두고, 부호는 아래 설명과 같이 정한다.

**2** $\dfrac{n}{2}\pi\pm\theta$ ($n$은 홀수) 꼴의 삼각함수

sin은 cos, cos은 sin, tan는 $\dfrac{1}{\tan}$로 바꾸고 부호는 아래 설명과 같이 정한다.

---

앞선 공식을 이용하면 삼각함수를 간단히 정리할 수 있지만 공식을 일일이 다 기억하는 것이 쉽지 않다. 보통은 다음과 같은 방법으로 간단히 한다.

• $n\pi\pm\theta$ 꼴의 삼각함수

$$\sin(2n\pi+\theta)=\sin\theta,\ \cos(2n\pi+\theta)=\cos\theta,\ \tan(2n\pi+\theta)=\tan\theta$$
$$\sin(\pi+\theta)=-\sin\theta,\ \cos(\pi+\theta)=-\cos\theta,\ \tan(\pi+\theta)=\tan\theta$$

이므로 $n\pi\pm\theta$ 꼴의 삼각함수는

$$\sin(n\pi\pm\theta)=(+-?)\sin\theta,\quad \cos(n\pi\pm\theta)=(+-?)\cos\theta$$
$$\tan(n\pi\pm\theta)=(+-?)\tan\theta$$

꼴임을 알 수 있다. 이때 부호는 $\theta$가 제1사분면의 각이라 생각할 때

$\sin(n\pi\pm\theta),\ \cos(n\pi\pm\theta),\ \tan(n\pi\pm\theta)$의 $+,\ -$와 같다. → $n\pi\pm\theta$가 속한 사분면에서 원래 삼각함수의 부호와 같다.

예를 들어 $0<\theta<\dfrac{\pi}{2}$라 하면 $5\pi+\theta$는 제3사분면의 각이므로 $\sin(5\pi+\theta)$의 값은 음이다.

$$\therefore\ \sin(5\pi+\theta)=-\sin\theta$$

또 $5\pi-\theta$는 제2사분면의 각이므로 $\sin(5\pi-\theta)$의 값은 양이다.

$$\therefore\ \sin(5\pi-\theta)=+\sin\theta$$

• $\dfrac{n}{2}\pi\pm\theta$ 꼴의 삼각함수

$$\sin\left(\dfrac{\pi}{2}-\theta\right)=\cos\theta,\ \cos\left(\dfrac{\pi}{2}-\theta\right)=\sin\theta,\ \tan\left(\dfrac{\pi}{2}-\theta\right)=\dfrac{1}{\tan\theta}$$

이므로 $\dfrac{n}{2}\pi\pm\theta$ 꼴의 삼각함수는

$$\sin\left(\dfrac{n}{2}\pi\pm\theta\right)=(+-?)\cos\theta,\quad \cos\left(\dfrac{n}{2}\pi\pm\theta\right)=(+-?)\sin\theta$$
$$\tan\left(\dfrac{n}{2}\pi\pm\theta\right)=(+-?)\dfrac{1}{\tan\theta}$$

꼴임을 알 수 있다. 이때 부호는 $\theta$가 제1사분면의 각이라 생각할 때

$\sin\left(\dfrac{n}{2}\pi\pm\theta\right),\ \cos\left(\dfrac{n}{2}\pi\pm\theta\right),\ \tan\left(\dfrac{n}{2}\pi\pm\theta\right)$의 $+,\ -$와 같다. → $\dfrac{n}{2}\pi\pm\theta$가 속한 사분면에서 원래 삼각함수의 부호와 같다.

예를 들어 $0<\theta<\dfrac{\pi}{2}$라 하면 $\dfrac{7}{2}\pi+\theta$는 제4사분면의 각이므로 $\sin\left(\dfrac{7}{2}\pi+\theta\right)$의 값은 음이다.

$$\therefore\ \sin\left(\dfrac{7}{2}\pi+\theta\right)=-\cos\theta$$

다음 삼각함수의 값을 구하시오.

(1) $\sin\dfrac{19}{6}\pi$　　　　(2) $\cos\left(-\dfrac{10}{3}\pi\right)$　　　　(3) $\tan\dfrac{19}{4}\pi$

**날선 Guide** 각을 $n\pi\pm\theta$ 또는 $\dfrac{n}{2}\pi\pm\theta$ 꼴로 고치고, 다음 변형을 이용한다.

$$\sin(n\pi\pm\theta)=(+-?)\sin\theta,\quad \sin\left(\dfrac{n}{2}\pi\pm\theta\right)=(+-?)\cos\theta$$

$$\cos(n\pi\pm\theta)=(+-?)\cos\theta,\quad \cos\left(\dfrac{n}{2}\pi\pm\theta\right)=(+-?)\sin\theta$$

$$\tan(n\pi\pm\theta)=(+-?)\tan\theta,\quad \tan\left(\dfrac{n}{2}\pi\pm\theta\right)=(+-?)\dfrac{1}{\tan\theta}$$

이때 부호는 원래 삼각함수의 $+$, $-$와 같다.

$n\pi\pm\theta$ 또는 $\dfrac{n}{2}\pi\pm\theta$ 꼴로 고칠 때에는

$$\sin(-\theta)=-\sin\theta,\ \cos(-\theta)=\cos\theta,\ \tan(-\theta)=-\tan\theta$$

를 이용하여 각을 양수로 먼저 고치면 편하다.

**참고** 각을 나타내는 동경을 그리고 단위원과 만나는 점의 좌표를 구해도 된다.

**답** (1) $-\dfrac{1}{2}$　(2) $-\dfrac{1}{2}$　(3) $-1$

**날선 Point** 삼각함수의 값을 구하는 문제 ➡ 각을 $n\pi\pm\theta$ 또는 $\dfrac{n}{2}\pi\pm\theta$ ($n$은 정수) 꼴로 정리하여 구한다.

**8-1** 다음 삼각함수의 값을 구하시오.

(1) $\sin\left(-\dfrac{9}{4}\pi\right)$　　　　(2) $\cos\dfrac{17}{3}\pi$　　　　(3) $\tan\dfrac{11}{3}\pi$

**8-2** 다음 식의 값을 구하시오.

$$\sin310°+\cos140°+2\sin(-230°)+\tan(-405°)$$

## $n\pi\pm\theta, \dfrac{n}{2}\pi\pm\theta\,(n$은 정수$)$ 꼴의 식을 정리하는 문제

◆ 정답 및 풀이 **56**쪽

다음 식을 간단히 하시오.

(1) $\dfrac{1}{\cos(\pi-\theta)\,\sin\left(\dfrac{\pi}{2}+\theta\right)}+\dfrac{\sin(3\pi+\theta)\,\tan(2\pi-\theta)}{\cos\left(-\dfrac{\pi}{2}+\theta\right)\,\tan\left(\dfrac{3}{2}\pi-\theta\right)}$

(2) $\cos^2\left(\dfrac{\pi}{3}-\theta\right)+\cos^2\left(\dfrac{\pi}{6}+\theta\right)$

**날선 Guide** (1) 각이 $n\pi\pm\theta\,(n$은 정수$)$, $\dfrac{n}{2}\pi\pm\theta\,(n$은 홀수$)$ 꼴이다.

앞에서 공부한 공식을 이용하거나 다음 변형을 이용한다.

$$\sin(n\pi\pm\theta)=(+-?)\sin\theta,\quad \sin\left(\dfrac{n}{2}\pi\pm\theta\right)=(+-?)\cos\theta$$

$$\cos(n\pi\pm\theta)=(+-?)\cos\theta,\quad \cos\left(\dfrac{n}{2}\pi\pm\theta\right)=(+-?)\sin\theta$$

$$\tan(n\pi\pm\theta)=(+-?)\tan\theta,\quad \tan\left(\dfrac{n}{2}\pi\pm\theta\right)=(+-?)\dfrac{1}{\tan\theta}$$

이때 $+,\,-$는 $0<\theta<\dfrac{\pi}{2}$라 생각할 때, 원래 삼각함수의 부호와 같다.

(2) $\left(\dfrac{\pi}{3}-\theta\right)+\left(\dfrac{\pi}{6}+\theta\right)=\dfrac{\pi}{2}$이므로 $\dfrac{\pi}{3}-\theta=\theta'$으로 놓고 다음을 이용한다.

$$\cos\left(\dfrac{\pi}{2}-\theta'\right)=\sin\theta' \text{ 또는 } \sin\left(\dfrac{\pi}{2}-\theta'\right)=\cos\theta'$$

🅐 (1) $-1$  (2) $1$

**날선 Point**

## $n\pi\pm\theta, \dfrac{n}{2}\pi\pm\theta\,(n$은 정수$)$ 꼴의 식을 정리하는 문제

- 각을 $n\pi\pm\theta$ 또는 $\dfrac{n}{2}\pi\pm\theta\,(n$은 정수$)$ 꼴로 정리하여 간단히 한다.

- $\sin\left(\dfrac{\pi}{2}-\theta\right)=\cos\theta$, $\cos\left(\dfrac{\pi}{2}-\theta\right)=\sin\theta$, $\tan\left(\dfrac{\pi}{2}-\theta\right)=\dfrac{1}{\tan\theta}$ 과

$\sin^2\theta+\cos^2\theta=1$, $\tan\theta=\dfrac{\sin\theta}{\cos\theta}$ 를 이용한다.

**9-1** 다음 식을 간단히 하시오.

$$\dfrac{\cos\theta\,\cos\left(\dfrac{\pi}{2}+\theta\right)}{\tan(\pi+\theta)}+\sin\theta\,\tan(\pi-\theta)\,\sin\left(\dfrac{\pi}{2}-\theta\right)$$

**9-2** $\sin^2 20°+\sin^2 70°+\tan 20°\tan 70°$의 값을 구하시오.

**5 삼각함수**

**01** 다음 중 옳은 것은?

① $42° = \dfrac{\pi}{5}$

② $\dfrac{7}{9}\pi = 139°$

③ $102° = \dfrac{17}{30}\pi$

④ $\dfrac{7}{10}\pi = 152°$

⑤ $168° = \dfrac{11}{12}\pi$

**02** 다음 중 제3사분면의 각은 모두 몇 개인가?

$$910°, \quad -220°, \quad -1195°, \quad \dfrac{32}{15}\pi, \quad 5\pi, \quad -\dfrac{11}{4}\pi$$

① 1개    ② 2개    ③ 3개    ④ 4개    ⑤ 5개

**03** 반지름의 길이가 2인 원의 넓이와 반지름의 길이가 8인 부채꼴의 넓이가 같을 때, 이 부채꼴의 둘레의 길이는?

① $4+\pi$    ② $8+\pi$    ③ $12+\pi$    ④ $16+\pi$    ⑤ $18+\pi$

**04** 호의 길이가 $4\pi$이고 넓이가 $12\pi$인 부채꼴의 중심각의 크기는?

① $\dfrac{\pi}{6}$    ② $\dfrac{\pi}{4}$    ③ $\dfrac{\pi}{3}$    ④ $\dfrac{\pi}{2}$    ⑤ $\dfrac{2}{3}\pi$

**05** 다음 식의 값을 구하시오.

(1) $2\sin\dfrac{5}{3}\pi + \cos\left(-\dfrac{3}{2}\pi\right) + \tan\dfrac{5}{4}\pi$

(2) $\log_2 \sin 1560° + \log_2 \tan 30° - \log_2 \cos 45°$

**06** $\tan\theta = 3$일 때, $\dfrac{\sin\theta}{1-\cos\theta} - \dfrac{\sin\theta}{1+\cos\theta}$의 값은?

① 0        ② $\dfrac{1}{3}$        ③ $\dfrac{1}{2}$        ④ $\dfrac{2}{3}$        ⑤ 1

**07** $\sin\theta\cos\theta = \dfrac{1}{4}$일 때, 다음 식의 값을 모두 구하시오.

(1) $\sin\theta - \cos\theta$             (2) $\sin^3\theta - \cos^3\theta$

**08** 이차방정식 $3x^2 + ax + 6 = 0$의 두 근이 $\dfrac{1}{\sin\theta}$, $\dfrac{1}{\cos\theta}$일 때, 양수 $a$의 값을 구하시오.

**09** $\theta$가 제3사분면의 각일 때, $\sqrt{\sin^2\theta + 2\sin\theta\cos\theta + \cos^2\theta} - |\cos\theta|$를 간단히 하면?

① $\sin\theta$        ② $\cos\theta$        ③ $-\sin\theta$

④ $2\sin\theta + \cos\theta$        ⑤ $\sin\theta + 2\cos\theta$

**10** 다음 식의 값을 구하시오.

(1) $\sin\dfrac{11}{3}\pi + \cos\left(-\dfrac{13}{6}\pi\right) + \tan\dfrac{11}{4}\pi$

(2) $\dfrac{\sin\dfrac{7}{3}\pi \times \tan\dfrac{9}{4}\pi}{\cos\left(-\dfrac{7}{6}\pi\right) + \tan\left(-\dfrac{\pi}{4}\right)}$

**11** $\dfrac{\pi}{2}<\theta<\pi$이고 두 각 $\theta$, $4\theta$를 나타내는 두 동경이 이루는 각의 크기가 $\dfrac{\pi}{3}$일 때, $\theta$의 값을 구하시오.

**12** $0<\theta<\pi$이고 두 각 $\theta$, $7\theta$를 나타내는 두 동경이 $y$축에 대칭일 때, $\theta$ 중에서 가장 큰 각의 크기를 구하면 $\dfrac{q}{p}\pi$이다. $p+q$의 값은?
(단, $p$와 $q$는 서로소인 자연수이다.)

① 11      ② 13      ③ 15      ④ 17      ⑤ 19

**13** 그림과 같은 원뿔의 옆넓이가 밑넓이의 2배일 때, 각 $\theta$의 크기는?

① $\dfrac{\pi}{12}$      ② $\dfrac{\pi}{6}$      ③ $\dfrac{\pi}{5}$

④ $\dfrac{\pi}{4}$      ⑤ $\dfrac{\pi}{3}$

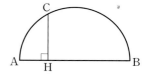

**14** 그림과 같이 길이가 12인 선분 AB를 지름으로 하는 반원이 있다. 반원 위에서 호 BC의 길이가 $4\pi$인 점 C를 잡고 점 C에서 선분 AB에 내린 수선의 발을 H라 하자. $\overline{\text{CH}}^2$의 값을 구하시오.

**15** 세 수 $\sin 1$, $\cos 1$, $\tan 1$의 대소 관계를 옳게 나타낸 것은?

① $\sin 1<\cos 1<\tan 1$      ② $\sin 1<\tan 1<\cos 1$

③ $\cos 1<\sin 1<\tan 1$      ④ $\cos 1<\tan 1<\sin 1$

⑤ $\tan 1<\sin 1<\cos 1$

**16** $\cos\theta\tan\theta<0$, $\sin\theta\cos\theta<0$, $5\sin\theta=\dfrac{1}{\sin\theta}$ 일 때, $\sin\theta+\cos\theta$의 값을 구하시오.

**17** 보기 중 옳은 것만을 있는 대로 고른 것은?

┌─ 보기 ├────────────────────────────────────────────┐

ㄱ. $\dfrac{\sin\theta}{1+\cos\theta}+\dfrac{1}{\tan\theta}=\dfrac{1}{\cos\theta}$    ㄴ. $\dfrac{\tan\theta}{\cos\theta}+\dfrac{1}{\cos^2\theta}=\dfrac{1}{1-\sin\theta}$

ㄷ. $\dfrac{\cos^2\theta-\sin^2\theta}{1+2\sin\theta\cos\theta}=\dfrac{1-\tan\theta}{1+\tan\theta}$

└───────────────────────────────────────────────────┘

① ㄱ        ② ㄴ        ③ ㄱ, ㄴ        ④ ㄴ, ㄷ        ⑤ ㄱ, ㄴ, ㄷ

**18** 다음 등식이 성립할 때, $\cos\theta$의 값을 모두 구하시오.

$$\sin(-\pi+\theta)\tan\left(\dfrac{\pi}{2}+\theta\right)-\cos\left(\dfrac{3}{2}\pi+\theta\right)\tan(\pi-\theta)=4\cos\theta$$

**19** 다음 식의 값을 구하시오.

(1) $\sin1°\cos1°\tan1°+\sin89°\cos89°\tan89°$

(2) $\cos^2 1°+\cos^2 3°+\cos^2 5°+\cdots+\cos^2 87°+\cos^2 89°$

**20** 그림과 같이 원점 O가 중심이고 반지름의 길이가 1인 원을 10등분하는 점을 차례로 $P_1$, $P_2$, $P_3$, $\cdots$, $P_{10}$이라 하자. $P_1(1,\,0)$이고, $\angle P_1OP_2=\theta$일 때, $\cos\theta+\cos2\theta+\cos3\theta+\cdots+\cos9\theta$의 값을 구하시오.

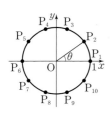

정답 개수 : ＿＿/20        오답 번호 **Check** : ＿＿＿＿＿＿

각 $\theta$의 값에 대응하는 삼각함수의 값을 좌표평면에 나타내면 삼각함수의 그래프를 그릴 수 있다.
이때 사인함수, 코사인함수, 탄젠트함수의 그래프는 일정한 간격으로 같은 모양이 반복된다.

이 단원에서는 삼각함수의 그래프와 그래프의 성질에 대해 배우고, 삼각함수의 그래프를 평행이동, 대칭이동한 그래프, 삼각함수의 최대·최소에 대해 알아보자.

# 삼각함수의 그래프

# 6-1 사인함수 $f(x)=\sin x$의 성질과 그래프

**개념**

**1** 정의역은 실수 전체의 집합이고,
치역은 $\{y\,|-1\leq y\leq 1\}$이다.
**2** 모든 $x$에 대하여 $f(x+2\pi)=f(x)$
**3** 그래프가 원점에 대칭이다.

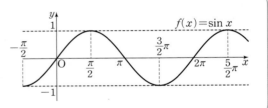

사인함수의
그래프

사인함수 $y=\sin\theta$에서 $\dfrac{\sqrt{3}}{2}=\sin\dfrac{\pi}{3}$이므로

그래프는 점 $\left(\dfrac{\pi}{3},\ \dfrac{\sqrt{3}}{2}\right)$을 지난다.

일반적으로 각 $\theta$를 나타내는 동경이 단위원과
만나는 점을 $\mathrm{P}(a,\ b)$라 하면 $b=\sin\theta$이다.
따라서 함수 $y=\sin\theta$의 그래프는 점 $(\theta,\ b)$를 지난다.
이때 $\theta$의 크기는 단위원에서 빨간색 부분의 길이이다.
이와 같이 $\theta$의 값을 가로축에, $\sin\theta$의 값을 세로축에 나타내어 $y=\sin\theta$의 그래프를 그리면
다음과 같다.

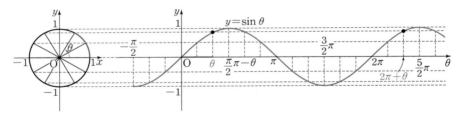

이때 $\sin(2n\pi+\theta)=\sin\theta$이므로

$$\cdots,\ -2\pi\leq\theta<0,\ 2\pi\leq\theta<4\pi,\ 4\pi\leq\theta<6\pi,\ \cdots$$

에서는 $0\leq\theta<2\pi$에서의 그래프가 반복된다고 생각할 수 있다.

보통 함수는 $y=f(x)$ 꼴로 표현하므로 앞으로 $y=\sin x$로 쓰기로 하자. 곧, 각의 크기를 $\theta$
가 아닌 $x$로 나타낸다고 생각하면 그래프의 가로축은 $x$축이다.

사인함수의
성질

이때 사인함수 $f(x)=\sin x$의 성질은 다음과 같다.

(1) 정의역은 실수 전체의 집합이고, 치역은 $\{y\,|-1\leq y\leq 1\}$이다.

(2) $f(x+2\pi)=f(x)$이고, $0\leq x<2\pi$에서의 그래프가 반복된다.

(3) $\sin(-x)=-\sin x$이므로 $f(-x)=-f(x)$이다.

또 $y=\sin x$의 $x$에 $-x$를, $y$에 $-y$를 대입해도 식이 변하지 않으므로 $y=\sin x$의 그래
프는 원점에 대칭이다.

## 코사인함수 $f(x)=\cos x$의 성질과 그래프

**1** 정의역은 실수 전체의 집합이고,
치역은 $\{y|-1\leq y\leq 1\}$이다.

**2** 모든 $x$에 대하여 $f(x+2\pi)=f(x)$

**3** 그래프가 $y$축에 대칭이다.

**4** $f(x)=\sin x$의 그래프를 $x$축 방향으로 $-\dfrac{\pi}{2}$만큼 평행이동한 그래프이다.

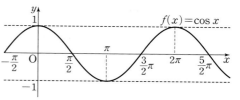

코사인함수의
그래프

각 $\theta$를 나타내는 동경이 단위원과 만나는 점을 P$(a,\ b)$라 하면 $a=\cos\theta$이다. 따라서 함수 $y=\cos\theta$의 그래프는 점 $(\theta,\ a)$를 지난다. 이때 $\theta$의 크기는 단위원에서 빨간색 부분의 길이이다. $y=\cos\theta$의 그래프를 그리면 다음과 같다.

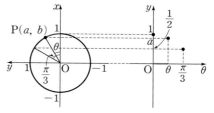

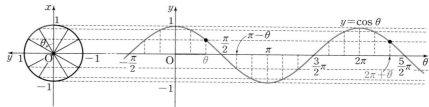

이때 $\cos(2n\pi+\theta)=\cos\theta$이므로

$$\cdots,\ -2\pi\leq\theta<0,\ 2\pi\leq\theta<4\pi,\ 4\pi\leq\theta<6\pi,\ \cdots$$

에서는 $0\leq\theta<2\pi$에서의 그래프가 반복된다고 생각할 수 있다.

코사인함수의
성질

$\theta$ 대신 $x$로 나타낼 때 코사인함수 $f(x)=\cos x$의 성질은 다음과 같다.

(1) 정의역은 실수 전체의 집합이고, 치역은 $\{y|-1\leq y\leq 1\}$이다.

(2) $f(x+2\pi)=f(x)$이고, $0\leq x<2\pi$에서의 그래프가 반복된다.

(3) $\cos(-x)=\cos x$이므로 $f(-x)=f(x)$이다.

또 $y=\cos x$의 $x$에 $-x$를 대입해도 식이 변하지 않으므로 $y=\cos x$의 그래프는 $y$축에 대칭이다.

(4) $y=\cos x$의 그래프는 $y=\sin x$의 그래프를 $x$축 방향으로 $-\dfrac{\pi}{2}$만큼 평행이동한 것과 같다.

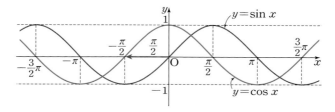

## 6-3 탄젠트함수 $f(x)=\tan x$의 성질과 그래프

**1** 정의역은 $x \neq n\pi \pm \dfrac{\pi}{2}$ ($n$은 정수)인 실수 의 집합이고, 치역은 실수 전체의 집합이 다. 또 그래프의 점근선은 직선 $x = n\pi \pm \dfrac{\pi}{2}$이다.

**2** 모든 $x$에 대하여 $f(x+\pi) = f(x)$

**3** 그래프가 원점에 대칭이다.

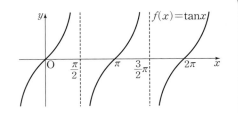

탄젠트함수의 그래프

$-\dfrac{\pi}{2} < \theta < \dfrac{\pi}{2}$일 때, 각 $\theta$를 나타내는 동경이 직선 $x=1$과 만나는 점을 $T(1, t)$라 하면 $t = \tan\theta$ 이므로 함수 $y = \tan\theta$의 그래프는 점 $(\theta, t)$를 지 난다. $y = \tan\theta$의 그래프를 그리면 다음과 같다.

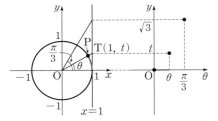

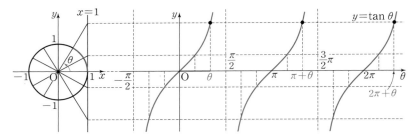

이때 $\tan(n\pi + \theta) = \tan\theta$이므로

$$\cdots, \ -\frac{3}{2}\pi < \theta < -\frac{\pi}{2}, \ \frac{\pi}{2} < \theta < \frac{3}{2}\pi, \ \frac{3}{2}\pi < \theta < \frac{5}{2}\pi, \ \cdots$$

에서는 $-\dfrac{\pi}{2} < \theta < \dfrac{\pi}{2}$에서의 그래프가 반복된다고 생각할 수 있다.

탄젠트함수의 성질

$\theta$ 대신 $x$로 나타낼 때 탄젠트함수 $f(x) = \tan x$의 성질은 다음과 같다.

(1) 정의역은 $x \neq n\pi \pm \dfrac{\pi}{2}$ ($n$은 정수)인 실수의 집합이고, 치역은 실수 전체의 집합이다.

　또 직선 $x = n\pi \pm \dfrac{\pi}{2}$가 그래프의 점근선이다.

(2) $f(x+\pi) = f(x)$이고, $-\dfrac{\pi}{2} < x < \dfrac{\pi}{2}$에서의 그래프가 반복된다.

(3) $\tan(-x) = -\tan x$이므로 $f(-x) = -f(x)$이다.

　또 $y = \tan x$의 $x$에 $-x$를, $y$에 $-y$를 대입해도 식이 변하지 않으므로 $y = \tan x$의 그래 프는 원점에 대칭이다. $\longrightarrow$ $-y = \tan(-x)$에서 $y = \tan x$

# 6-4 주기함수

**1** 함수 $f(x)$가 모든 $x$에 대하여 $f(x)=f(x+p)$를 만족시키는 0이 아닌 상수 $p$가 있을 때, 함수 $f(x)$를 **주기함수**라 하고, 상수 $p$ 중 가장 작은 양수를 **주기**라 한다.

**2** 함수 $f(x)$의 주기가 $p$일 때, 함수 $f(ax)$ $(a\neq0)$의 주기는 $\dfrac{p}{|a|}$이다.

**3** 함수 $y=\sin x$, $y=\cos x$의 주기는 $2\pi$, 함수 $y=\tan x$의 주기는 $\pi$이다.

주기함수 • $f(x)=\sin x$라 하면 모든 $x$에 대하여 $f(x)=f(x+2\pi)$이다. 이와 같이 함수 $f(x)$가 모든 $x$

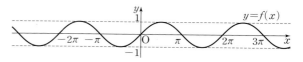

에 대하여 $f(x)=f(x+p)$를 만족시키는 0이 아닌 상수 $p$가 있을 때, 함수 $f(x)$를 주기함수라 하고, 상수 $p$ 중 가장 작은 양수를 주기라 한다.

따라서 주기가 $p$이면 그래프는 $0\leq x<p$에서의 그래프가 반복된다.

$f(x)=\sin x$일 때 $f(x)=f(x+p)$를 만족시키는 양수 $p$의 최솟값이 $2\pi$이므로 $y=\sin x$의 주기는 $2\pi$이다. 마찬가지로 $\cos(x+2\pi)=\cos x$에서 $y=\cos x$의 주기는 $2\pi$이고, $\tan(x+\pi)=\tan x$에서 $y=\tan x$의 주기는 $\pi$이다.

주기함수의 • $f(x)$의 주기가 $p$이면 $f(x)=f(x+p)$
성질
$f(x)=f(x+p)$의 $x$에 $x-p$를 대입하면 $f(x-p)=f(x)$

또 $f(x+2p)=f((x+p)+p)=f(x+p)=f(x)$

$\qquad f(x+3p)=f((x+2p)+p)=f(x+2p)=f(x), \cdots$

따라서 $n$이 자연수일 때, $f(x+np)=f(x)$이다.

또 $f\left(a\left(x+\dfrac{p}{a}\right)\right)=f(ax+p)=f(ax)$

따라서 $a>0$일 때 $f(ax)$의 주기는 $\dfrac{p}{a}$이고, $a<0$일 때 $f(ax)$의 주기는 $\dfrac{p}{-a}$이다. ──▶ 주기는 양수이다.

예를 들어 $y=\sin 2x$의 주기는 $\dfrac{2\pi}{2}=\pi$이고 $y=\sin\dfrac{x}{2}$의 주기는 $\dfrac{2\pi}{\dfrac{1}{2}}=4\pi$이다.

◆ **개념 Check**

◆ 정답 및 풀이 **61**쪽

**1** 다음 함수의 주기를 구하시오.

　(1) $y=\sin 3x$　　　　　　　　　(2) $y=\cos \pi x$

**2** $-1\leq x<1$에서 $f(x)=|x|$이고 $f(x)$의 주기가 2일 때, $y=f(x)$의 그래프를 그리시오.

# 6-5  $y = a \sin px,\ y = a \cos px,\ y = a \tan px$의 그래프

**1** 함수 $y = a \sin px$, $y = a \cos px$의

　주기는 $\dfrac{2\pi}{|p|}$이고, 최댓값은 $|a|$, 최솟값은 $-|a|$이다.

**2** 함수 $y = a \tan px$의 주기는 $\dfrac{\pi}{|p|}$이고, 최댓값과 최솟값은 없다.

$y = \sin px$의 ●
그래프

함수 $y = \sin x$의 주기가 $2\pi$이므로 $y = \sin px$의 주기는 $\dfrac{2\pi}{|p|}$이다.

예를 들어 $y = \sin 2x$의 주기는 $\dfrac{2\pi}{2} = \pi$, $y = \sin \dfrac{x}{2}$의 주기는 $\dfrac{2\pi}{\frac{1}{2}} = 4\pi$이다.

또 $y = \sin 2x$와 $y = \sin \dfrac{x}{2}$의 그래프는 다음과 같다.

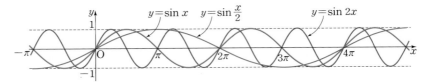

$y = a \sin x$의 ●
그래프

$y = a \sin x$의 그래프는 $y = \sin x$의 그래프를 $y$축 방향으로 $a$배한 그래프이므로

최댓값은 $|a|$, 최솟값은 $-|a|$이다.

예를 들어 $y = 2 \sin x$의 최댓값은 2, 최솟값은 $-2$이고,

$y = \dfrac{1}{2} \sin x$의 최댓값은 $\dfrac{1}{2}$, 최솟값은 $-\dfrac{1}{2}$이다.

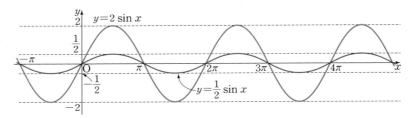

$y = \cos px$의 ●
그래프

함수 $y = \cos x$의 주기도 $2\pi$이므로 $y = \cos px$의 주기는 $\dfrac{2\pi}{|p|}$이다.

예를 들어 $y = \cos 2x$의 주기는 $\dfrac{2\pi}{2} = \pi$, $y = \cos \dfrac{x}{2}$의 주기는 $\dfrac{2\pi}{\frac{1}{2}} = 4\pi$이다.

또 $y = \cos 2x$와 $y = \cos \dfrac{x}{2}$의 그래프는 다음과 같다.

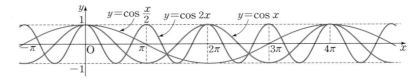

$y=a\cos x$의
그래프

$y=a\cos x$의 그래프는 $y=\cos x$의 그래프를 $y$축 방향으로 $a$배한 그래프이므로
최댓값은 $|a|$, 최솟값은 $-|a|$이다.

예를 들어 $y=2\cos x$의 최댓값은 2, 최솟값은 $-2$이고,

$y=\dfrac{1}{2}\cos x$의 최댓값은 $\dfrac{1}{2}$, 최솟값은 $-\dfrac{1}{2}$이다.

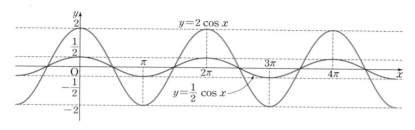

$y=\tan px$의
그래프

함수 $y=\tan x$의 주기가 $\pi$이므로 $y=\tan px$의 주기는 $\dfrac{\pi}{|p|}$이다.

예를 들어 $y=\tan 2x$의 주기는 $\dfrac{\pi}{2}$, $y=\tan\dfrac{x}{2}$의 주기는 $\dfrac{\pi}{\frac{1}{2}}=2\pi$이다.

또 $y=\tan 2x$와 $y=\tan\dfrac{x}{2}$의 그래프는 다음과 같다.

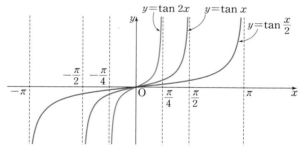

또 $y=\tan x$의 최댓값과 최솟값은 없으므로 $y=\tan px$의 최댓값과 최솟값도 없다.

**개념 Check**

◆ 정답 및 풀이 **61**쪽

**3** 다음 함수의 주기, 최댓값, 최솟값을 구하시오.

(1) $y=-\sin\dfrac{x}{2}$        (2) $y=2\cos 3x$        (3) $y=\tan \pi x$

**4** 함수 $y=a\sin px$의 그래프가 그림과
같을 때, 양수 $a$, $p$의 값을 구하시오.

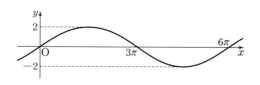

다음 함수의 주기와 최댓값, 최솟값을 구하고, 그래프를 그리시오.

(1) $y = 2\sin\dfrac{x}{2} + 1$　　　　(2) $y = \sin 2\left(x - \dfrac{\pi}{4}\right)$　　　　(3) $y = |\sin x|$

**날선 Guide**　(1) $y = 2\sin\dfrac{x}{2}$의 주기는 $4\pi$이므로

$0 \le x \le 4\pi$에서 그래프는 그림과

같다.

이 그래프를 $y$축 방향으로 $1$만큼

평행이동한다.

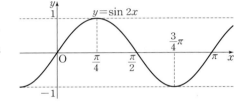

(2) $y = \sin 2x$의 주기는 $\pi$이므로

$0 \le x \le \pi$에서 그래프는 그림과 같다.

이 그래프를 $x$축 방향으로 $\dfrac{\pi}{4}$만큼

평행이동한다.

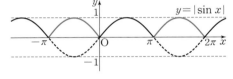

(3) $y = \sin x$의 그래프를 그리고 그래

프에서 $x$축 아랫부분을 $x$축 위로

꺾어 올린다.

사인함수는 절댓값 기호가 있는 경

우 그래프를 그리고, 주기와 최댓값, 최솟값을 확인한다.

**답** (1) 주기 : $4\pi$, 최댓값 : $3$, 최솟값 : $-1$

(2) 주기 : $\pi$, 최댓값 : $1$, 최솟값 : $-1$

(3) 주기 : $\pi$, 최댓값 : $1$, 최솟값 : $0$

---

**날선 Point**

• 함수 $y = a\sin px$ ➡ 주기는 $\dfrac{2\pi}{|p|}$, 최댓값은 $|a|$, 최솟값은 $-|a|$

• 주기함수의 그래프 ➡ 한 주기의 그래프가 반복된다.

---

**1-1**　다음 함수의 주기와 최댓값, 최솟값을 구하시오.

(1) $y = \sin \pi x + 3$　　　　　　　　(2) $y = -\dfrac{1}{2}\sin\left(3x + \dfrac{\pi}{2}\right)$

**1-2**　함수 $y = \sin|x|$의 그래프를 그리고, 주기함수인지 판별하시오.

## 대표 Q2 코사인함수의 그래프

◆ 정답 및 풀이 63쪽

다음 함수의 주기와 최댓값, 최솟값을 구하고, 그래프를 그리시오.

(1) $y=-\cos 3x-1$　　　(2) $y=2\cos\dfrac{1}{2}\left(x-\dfrac{\pi}{6}\right)$　　　(3) $y=|\cos x|$

**날선 Guide**　(1) $y=\cos 3x$의 주기는 $\dfrac{2}{3}\pi$이므로

　$0\leq x\leq\dfrac{2}{3}\pi$에서 그래프는 그림과 같다.

　이 그래프를 $x$축에 대칭이동한 다음
　$y$축 방향으로 $-1$만큼 평행이동한다.

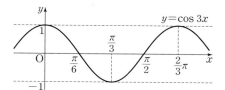

(2) $y=2\cos\dfrac{x}{2}$의 주기는 $4\pi$이므로

　$0\leq x\leq 4\pi$에서 그래프는 그림과 같다.

　이 그래프를 $x$축 방향으로 $\dfrac{\pi}{6}$만큼 평
　행이동한다.

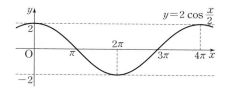

(3) $y=\cos x$의 그래프를 그리고 그래프
　에서 $x$축 아랫부분을 $x$축 위로 꺾어
　올린다.

　코사인함수도 절댓값 기호가 있는 경
　우 그래프를 그리고, 주기와 최댓값, 최솟값을 확인한다.

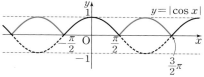

**답**　(1) 주기 : $\dfrac{2}{3}\pi$, 최댓값 : $0$, 최솟값 : $-2$

(2) 주기 : $4\pi$, 최댓값 : $2$, 최솟값 : $-2$

(3) 주기 : $\pi$, 최댓값 : $1$, 최솟값 : $0$

**날선 Point**　함수 $y=a\cos px$ ➡ 주기는 $\dfrac{2\pi}{|p|}$, 최댓값은 $|a|$, 최솟값은 $-|a|$

**2-1**　다음 함수의 주기와 최댓값, 최솟값을 구하시오.

(1) $y=-\dfrac{1}{3}\cos 2x+1$　　　　　(2) $y=2\cos\left(\dfrac{x}{2}-\pi\right)$

**2-2**　함수 $y=\cos x+|\cos x|$의 그래프를 그리고, 주기와 최댓값, 최솟값을 구하시오.

다음 함수의 주기를 구하고, 그래프를 그리시오.

(1) $y=\tan 2x+1$  (2) $y=\tan \dfrac{1}{2}\left(x-\dfrac{\pi}{4}\right)$  (3) $y=|\tan x|$

**날선 Guide** (1) $y=\tan 2x$의 주기는 $\dfrac{\pi}{2}$이므로

$0\le x\le \dfrac{\pi}{2}$에서 그래프는 그림과 같다.

이 그래프를 $y$축 방향으로 1만큼 평행이동한다.

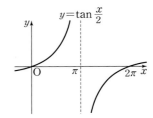

**참고** $y=\tan x$의 주기가 $\pi$이므로 $0\le x\le \pi$ 또는

$-\dfrac{\pi}{2}\le x\le \dfrac{\pi}{2}$에서의 그래프를 이용하면 된다.

예를 들어 $y=\tan 2x$의 그래프는 $0\le x\le \dfrac{\pi}{2}$ 또는 $-\dfrac{\pi}{4}\le x\le \dfrac{\pi}{4}$에서 생각한다.

(2) $y=\tan \dfrac{x}{2}$의 주기는 $2\pi$이므로

$0\le x\le 2\pi$에서 그래프는 그림과 같다.

이 그래프를 $x$축 방향으로 $\dfrac{\pi}{4}$만큼 평행이동한다.

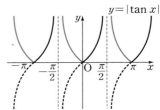

(3) $y=\tan x$의 그래프를 그리고 $x$축 아랫부분을

$x$축 위로 꺾어 올린다.

탄젠트함수도 절댓값 기호가 있는 경우 그래프를 그리고, 주기를 확인한다.

**답** (1) 주기 : $\dfrac{\pi}{2}$  (2) 주기 : $2\pi$  (3) 주기 : $\pi$

**날선 Point** 함수 $y=a\tan px$ ➡ 주기는 $\dfrac{\pi}{|p|}$이고, 최댓값과 최솟값은 없다.

**3-1** 다음 함수의 주기를 구하고, 그래프를 그리시오.

(1) $y=-\tan \dfrac{x}{2}$  (2) $y=\tan \pi x+2$

함수 $f(x)=a\cos(px-q)+b$일 때, $y=f(x)$의 그래프가 그림과 같다. $a$, $b$, $p$, $q$의 값과 $f(0)$의 값을 구하시오. (단, $a>0$, $p>0$, $0\le q<2\pi$)

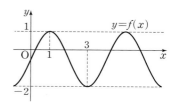

**날선 Guide** (ⅰ) $x=1$에서 최대, $x=3$에서 최소이므로 주기가 4임을 알 수 있다.

함수 $y=\cos px$의 주기가 4이면 $p>0$이므로

$$\frac{2\pi}{p}=4 \qquad \therefore\ p=\frac{\pi}{2}$$

따라서 $f(x)=a\cos\dfrac{\pi}{2}(x-m)+b$ 꼴임을 알 수 있다.

(ⅱ) 이때 $a>0$이므로 최댓값은 $a+b$, 최솟값은 $-a+b$이다.

(ⅲ) 또 $x=1$에서 최대이므로 $x$축 방향으로 1만큼 평행이동한 꼴이라는 것도 알 수 있다.

이를 이용하여 $a$, $b$, $p$, $q$의 값을 구한다.

**참고** $y=\sin x$나 $y=\cos x$의 그래프를 $x$축 방향으로 $2n\pi+k$ ($n$은 정수)만큼 평행이동한 그래프는 $x$축 방향으로 $k$만큼 평행이동한 그래프와 같다.

따라서 문제에 $q$값의 범위가 주어지지 않으면 가능한 $q$의 값은 무수히 많다.

**답** $a=\dfrac{3}{2}$, $b=-\dfrac{1}{2}$, $p=\dfrac{\pi}{2}$, $q=\dfrac{\pi}{2}$, $f(0)=-\dfrac{1}{2}$

---

**날선 Point** $y=a\sin px$, $y=a\cos px$의 미정계수 구하기

• 주기를 이용하여 $p$의 값을 찾는다.

• 최댓값, 최솟값을 이용하여 $a$의 값을 찾는다.

---

**4-1** 함수 $f(x)=a\sin(px+q)+b$의 주기가 $3\pi$, 최댓값이 4, 최솟값이 0이다. $f(0)=0$일 때, $a$, $b$, $p$, $q$의 값을 구하시오. (단, $a<0$, $p>0$, $0\le q<2\pi$)

**4-2** 함수 $f(x)=a\sin(px-q)+b$일 때, $y=f(x)$의 그래프가 그림과 같다. $a$, $b$, $p$, $q$의 값과 $f\left(\dfrac{\pi}{2}\right)$의 값을 구하시오. (단, $a>0$, $p>0$, $0\le q<2\pi$)

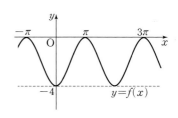

**삼각함수의 최댓값과 최솟값**

◆ 정답 및 풀이 65쪽

주어진 범위에서 다음 함수의 최댓값과 최솟값을 구하시오.

(1) $y=|2\sin x-1|+3 \ (0\le x\le\pi)$　　　(2) $y=\sin^2 x-\cos x+1 \ (0\le x\le\pi)$

(3) $y=\tan^2 x+\tan x-1 \left(-\dfrac{\pi}{4}\le x\le\dfrac{\pi}{3}\right)$

**날선 Guide** (1) $\sin x=t$로 놓으면

$$y=|2t-1|+3 \quad\cdots\text{㉠}$$

그런데 $0\le x\le\pi$이면 $0\le\sin x\le1$이므로

$0\le t\le1$에서 ㉠의 최댓값, 최솟값을 구한다.

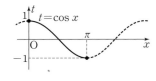

(2) $\sin^2 x+\cos^2 x=1$이므로

$$y=(1-\cos^2 x)-\cos x+1$$

$\cos x=t$로 놓으면 $y=1-t^2-t+1 \quad\cdots\text{㉡}$

따라서 $0\le x\le\pi$에서 $\cos x$의 범위를 찾고 ㉡의 최

댓값, 최솟값을 구한다.

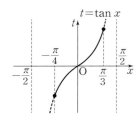

(3) $\tan x=t$로 놓으면 $y=t^2+t-1 \quad\cdots\text{㉢}$

따라서 $t=\tan x$의 그래프를 이용하여 $t$의 범위를 찾

고 ㉢의 최댓값, 최솟값을 구한다.

**답** (1) 최댓값 : $4$, 최솟값 : $3$　(2) 최댓값 : $\dfrac{9}{4}$, 최솟값 : $0$

(3) 최댓값 : $2+\sqrt{3}$, 최솟값 : $-\dfrac{5}{4}$

---

**날선 Point** **삼각함수의 최댓값과 최솟값**

• 치환할 때에는 범위에 주의한다.

• $\sin^2 x+\cos^2 x=1$, $\tan x=\dfrac{\sin x}{\cos x}$ 를 이용하여 식을 정리한다.

---

**5-1**  $-\dfrac{\pi}{2}\le x\le\dfrac{\pi}{2}$일 때, 다음 함수의 최댓값과 최솟값을 구하시오.

(1) $y=-|\cos x+2|+5$　　　　　　(2) $y=3\cos x^2+2\cos x-1$

(3) $y=\sin^2 x+3\cos^2 x-4\sin x$

**5-2** $0\le x\le\dfrac{\pi}{4}$일 때, $y=\dfrac{2\tan x+1}{\tan x+2}$의 최댓값과 최솟값을 구하시오.

## 6 삼각함수의 그래프

**01** 함수 $f(x)=\sin x$, $g(x)=\cos x$에 대하여 다음 중 옳지 <u>않은</u> 것을 모두 고르면?

① 두 함수의 주기는 같다.

② $0\le x\le\pi$에서 $x$의 값이 증가하면 $f(x)$의 값도 증가한다.

③ 모든 실수 $x$에 대하여 $f(x)=-f(-x)$

④ 모든 실수 $x$에 대하여 $g(|x|)=g(x)$

⑤ $f\left(x-\dfrac{\pi}{2}\right)=g(x)$

**02** 함수 $y=\tan x$에 대한 다음 설명 중 옳은 것은?

① 정의역은 $x\ne\dfrac{n}{2}\pi$ ($n$은 정수)인 실수의 집합이다.

② $0\le x\le\pi$에서 최솟값은 0, 최댓값은 없다.

③ 그래프는 $y$축에 대칭이다.

④ 주기는 $2\pi$이다.

⑤ 점근선의 방정식은 $x=n\pi+\dfrac{\pi}{2}$ ($n$은 정수)이다.

**03** 함수 $y=\sin ax$의 그래프가 그림과 같을 때, 상수 $a$의 값을 구하시오.

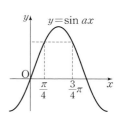

**04** 함수 $y=\cos\dfrac{\pi}{2}x$의 그래프를 $x$축 방향으로 $\dfrac{1}{2}$만큼 평행이동하면 점 $\left(\dfrac{5}{6},\ a\right)$를 지난다. 실수 $a$의 값을 구하시오.

**05** 함수 $y = a\sin\dfrac{\pi}{2b}x$의 최댓값은 2이고 주기는 2이다. 두 양수 $a$, $b$의 합 $a+b$의 값을 구하시오.

**06** 함수 $y = 2\cos\left(\pi x - \dfrac{\pi}{2}\right) + 1$의 최댓값을 $M$, 최솟값을 $m$, 주기를 $p$라 할 때, $M + m + p$의 값은?

① 1          ② 2          ③ 3          ④ 4          ⑤ 5

**07** 다음 함수 중 모든 실수 $x$에 대하여 $f(x) = f(x + \sqrt{3})$을 만족시키는 것은?

① $f(x) = \cos\dfrac{\sqrt{3}}{3}x$          ② $f(x) = \cos\sqrt{3}x$          ③ $f(x) = \sin\dfrac{\sqrt{3}}{3}\pi x$

④ $f(x) = \sin\dfrac{\sqrt{3}}{2}\pi x$          ⑤ $f(x) = \tan\dfrac{\sqrt{3}}{3}\pi x$

**08** 함수 $y = 2\cos\dfrac{\pi}{2}x$의 그래프가 그림과 같을 때, 색칠한 부분의 넓이를 구하시오.

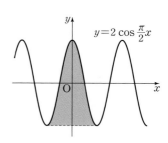

**09** 함수 $y = \sin^2 x + 4\cos x + a$의 최댓값이 3일 때, 상수 $a$의 값을 구하시오.

**10** 다음 중 함수 $y=f(x)$의 그래프가 그림과 같은 것은?

① $f(x)=\cos\left(2x-\dfrac{\pi}{6}\right)+1$

② $f(x)=\sin\left(2x-\dfrac{\pi}{3}\right)+1$

③ $f(x)=-\cos\left(2x-\dfrac{\pi}{3}\right)+1$

④ $f(x)=\cos\left(3x+\dfrac{\pi}{6}\right)+1$

⑤ $f(x)=\sin\left(3x-\dfrac{\pi}{3}\right)+1$

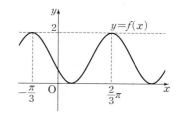

**11** 함수 $y=a\sin(bx+c)+d$의 그래프가 그림과 같을 때, $abcd$의 값은?
$\left(단,\ a>0,\ b>0,\ 0<c<\dfrac{\pi}{2}\right)$

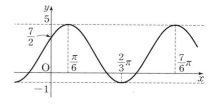

① $-2\pi$ ② $2\pi$ ③ $4\pi$ ④ $6\pi$ ⑤ $8\pi$

**12** 함수 $f(x)=a\sin bx+c\,(a>0,\ b>0)$의 최댓값은 4, 최솟값은 $-2$이다. 모든 실수 $x$에 대하여 $f(x+p)=f(x)$를 만족시키는 양수 $p$의 최솟값이 $\pi$일 때, $f\left(\dfrac{\pi}{4}\right)$의 값을 구하시오.

**13** 함수 $f(x)=a\tan(px-q)$에 대하여 $f\left(\dfrac{\pi}{4}\right)=3$이고, $y=f(x)$의 그래프의 점근선이 직선 $x=\dfrac{n}{3}\pi$ ($n$은 정수)일 때, 상수 $a,\ p,\ q$의 값을 구하시오.
(단, $p>0,\ 0<q<\pi$)

**교육청 기출**

**14** 좌표평면에서 곡선 $y = 4\sin\left(\dfrac{\pi}{2}x\right)(0 \le x \le 2)$ 위의 점 중 $y$좌표가 정수인 점의 개수를 구하시오.

**15** 다음 함수 중 주기함수가 <u>아닌</u> 것은?

① $y = |\sin x|$        ② $y = |\cos x|$        ③ $y = |\tan x|$

④ $y = \sin|x|$        ⑤ $y = \cos|x|$

**16** $0 \le x \le \dfrac{\pi}{2}$ 일 때, 함수 $y = \dfrac{\sin x - 1}{\sin x + 1}$ 의 최댓값과 최솟값의 합을 구하시오.

**평가원 기출**

**17** 실수 $k$에 대하여 함수 $f(x) = \cos^2\left(x - \dfrac{3}{4}\pi\right) - \cos\left(x - \dfrac{\pi}{4}\right) + k$의 최댓값은 3, 최솟값은 $m$이다. $k + m$의 값은?

① 2      ② $\dfrac{9}{4}$      ③ $\dfrac{5}{2}$      ④ $\dfrac{11}{4}$      ⑤ 3

**교육청 기출**

**18** 하루 중 해수면의 높이가 가장 높아졌을 때를 만조, 가장 낮아졌을 때를 간조라 하고, 만조와 간조 때의 해수면 높이의 차를 조차라 한다. 어느 날 A 지점에서 시각 $x$(시)와 해수면의 높이 $y$(m) 사이에는 다음과 같은 식이 성립한다고 한다.

| | 시각 |
|---|---|
| 만조 | 04시 30분<br>17시 00분 |
| 간조 | 10시 45분<br>23시 15분 |

$$y = a\cos b\pi(x - c) + 4.5 \,(0 \le x < 24)$$

이 날 A 지점의 조차가 8 m이고, 만조와 간조 시각이 표와 같다. 이때 $a + 100b + 10c$의 값을 구하시오. (단, $a > 0$, $b > 0$, $0 < c < 6$)

함수 $f(x)$에 대하여 방정식 $f(x)=0$의 해는 $y=f(x)$의 그래프와 직선 $y=0$의 교점의 $x$좌표로 생각할 수 있다.

마찬가지 방법으로 $\sin x=\dfrac{1}{2}$과 같이 각의 크기가 미지수인 삼각함수를 포함한 방정식의 해는 $y=\sin x$의 그래프와 직선 $y=\dfrac{1}{2}$의 교점을 구하면 알 수 있다.

이 단원에서는 전 단원에서 배운 삼각함수의 그래프를 이용하여 삼각함수를 포함한 방정식과 부등식을 풀어 보자.

# 삼각함수를 포함한 방정식과 부등식

7

# 7-1

**개념**

## 방정식 $\sin x = a$의 해

**1** $y = \sin x$의 그래프와 직선 $y = a$가 만나는 점의 $x$좌표를 구한다.

**2** 좌표평면에서 단위원과 직선 $y = a$가 만나는 점을 지나는 동경이 이루는 각의 크기를 구한다.

$\sin x = \frac{1}{2}$의 해

**방법 1** 그래프를 이용한 풀이

방정식 $\sin x = \frac{1}{2}$의 해는 $y = \sin x$의 그래프와

직선 $y = \frac{1}{2}$이 만나는 점의 $x$좌표이다.

따라서 $0 \leq x \leq 2\pi$에서 $\sin x = \frac{1}{2}$의 해는

$$x = \frac{\pi}{6} \text{ 또는 } x = \frac{5}{6}\pi$$

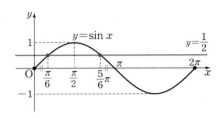

**참고** $\sin x = \frac{1}{2}$에서 $x$의 범위가 주어지지 않으면

$y = \sin x$의 주기가 $2\pi$이므로 $x = 2n\pi + \frac{\pi}{6}, \ 2n\pi + \frac{5}{6}\pi$ ($n$은 정수)는 모두 해이다.

보통은 $x$의 범위가 주어지므로 주어진 범위에서 그래프를 그리고 해를 구한다.

**방법 2** 단위원을 이용한 풀이

그림과 같이 좌표평면에서 단위원과 직선 $y = \frac{1}{2}$이 만나는 점을

P, Q라 하면 동경 OP, OQ가 나타내는 각의 크기가 해이다.

따라서 $0 \leq x \leq 2\pi$에서 $\sin x = \frac{1}{2}$의 해는

$$x = \frac{\pi}{6} \text{ 또는 } x = \frac{5}{6}\pi$$

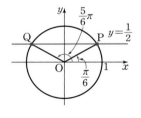

$\sin x = a$의 해

다음을 기억하면 $\sin x = a$ 꼴의 방정식을 보다 쉽게 풀 수 있다.

$$\sin \frac{\square}{6}\pi = \pm \frac{1}{2} \ (\square \text{는 6과 서로소}), \ \sin \frac{\square}{3}\pi = \pm \frac{\sqrt{3}}{2} \ (\square \text{는 3과 서로소})$$

$$\sin \frac{\square}{4}\pi = \pm \frac{\sqrt{2}}{2} \ (\square \text{는 4와 서로소})$$

**개념 Check**

◆ 정답 및 풀이 **71**쪽

**1** $0 \leq x \leq 2\pi$일 때, 다음 방정식의 해를 구하시오.

(1) $\sin x = \frac{\sqrt{3}}{2}$          (2) $\sin x = -\frac{1}{2}$          (3) $\sin x = 1$

# 7-2 방정식 $\cos x = a$의 해

**1** $y=\cos x$의 그래프와 직선 $y=a$가 만나는 점의 $x$좌표를 구한다.

**2** 좌표평면에서 단위원과 직선 $x=a$가 만나는 점을 지나는 동경이 이루는 각의 크기를 구한다.

$\cos x = \dfrac{1}{2}$의 해 •

**방법 1** 그래프를 이용한 풀이

방정식 $\cos x = \dfrac{1}{2}$의 해는 $y=\cos x$의 그래프

와 직선 $y=\dfrac{1}{2}$이 만나는 점의 $x$좌표이다.

따라서 $0 \le x \le 2\pi$에서 $\cos x = \dfrac{1}{2}$의 해는

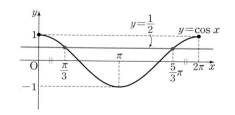

$$x = \frac{\pi}{3} \ \text{또는} \ x = \frac{5}{3}\pi$$

**참고** $\cos x = \dfrac{1}{2}$에서 $x$의 범위가 주어지지 않으면

$y=\cos x$의 주기가 $2\pi$이므로 $x = 2n\pi + \dfrac{\pi}{3}$, $2n\pi + \dfrac{5}{3}\pi$ ($n$은 정수)는 모두 해이다.

보통은 $x$의 범위가 주어지므로 주어진 범위에서 그래프를 그리고 해를 구한다.

**방법 2** 단위원을 이용한 풀이

그림과 같이 좌표평면에서 단위원과 직선 $x=\dfrac{1}{2}$이 만나는 점을

P, Q라 하면 동경 OP, OQ가 나타내는 각의 크기가 해이다.

따라서 $0 \le x \le 2\pi$에서 $\cos x = \dfrac{1}{2}$의 해는

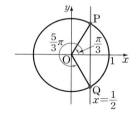

$$x = \frac{\pi}{3} \ \text{또는} \ x = \frac{5}{3}\pi$$

$\cos x = a$의 해 •

다음을 기억하면 $\cos x = a$ 꼴의 방정식을 보다 쉽게 풀 수 있다.

$$\cos \frac{\square}{6}\pi = \pm\frac{\sqrt{3}}{2} \ (\square\text{는 6과 서로소}), \ \cos \frac{\square}{3}\pi = \pm\frac{1}{2} \ (\square\text{는 3과 서로소})$$

$$\cos \frac{\square}{4}\pi = \pm\frac{\sqrt{2}}{2} \ (\square\text{는 4와 서로소})$$

▶ **개념 Check**

◆ 정답 및 풀이 **71**쪽

**2** $0 \le x \le 2\pi$일 때, 다음 방정식의 해를 구하시오.

(1) $\cos x = \dfrac{\sqrt{3}}{2}$      (2) $\cos x = -\dfrac{\sqrt{2}}{2}$      (3) $\cos x = -1$

# 7-3 방정식 $\tan x = a$의 해

**1** $y = \tan x$의 그래프와 직선 $y = a$가 만나는 점의 $x$좌표를 구한다.

**2** 좌표평면에서 점 $(1, a)$와 점 $(-1, -a)$를 지나는 동경이 나타내는 각의 크기를 구한다.

$\tan x = -\sqrt{3}$의 해

**방법 1** 그래프를 이용한 풀이

방정식 $\tan x = -\sqrt{3}$의 해는 $y = \tan x$의 그래프와 직선 $y = -\sqrt{3}$이 만나는 점의 $x$좌표이다.

따라서 $0 \leq x \leq 2\pi$에서 $\tan x = -\sqrt{3}$의 해는

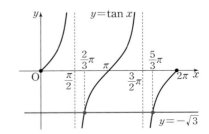

$$x = \frac{2}{3}\pi \text{ 또는 } x = \frac{5}{3}\pi$$

$0 \leq x \leq \pi$에서 교점의 $x$좌표는 $x = \frac{2}{3}\pi$이고,

$y = \tan x$의 주기가 $\pi$이므로 $0 \leq x \leq 2\pi$에서 $\tan x = -\sqrt{3}$의 해는

$$x = \frac{2}{3}\pi \text{ 또는 } x = \pi + \frac{2}{3}\pi = \frac{5}{3}\pi$$

임을 알 수 있다.

**참고** $\tan x = -\sqrt{3}$에서 $x$의 범위가 주어지지 않으면

$y = \tan x$의 주기가 $\pi$이므로 실수 전체의 집합에서 해는 $x = n\pi + \frac{2}{3}\pi$ ($n$은 정수)이다.

보통은 $x$의 범위가 주어지므로 주어진 범위에서 그래프를 그리고 해를 구한다.

**방법 2** 단위원을 이용한 풀이

그림과 같이 좌표평면에서 점 $(-1, \sqrt{3})$과 점 $(1, -\sqrt{3})$을 지나는 동경이 나타내는 각의 크기가 방정식의 해이므로

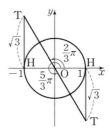

$$x = \frac{2}{3}\pi \text{ 또는 } x = \frac{5}{3}\pi$$

마찬가지로 $\tan x = a$의 해는 점 $(1, a)$와 점 $(-1, -a)$를 지나는 동경이 나타내는 각의 크기이다.

$\tan x = a$의 해

다음을 기억하면 $\tan x = a$ 꼴의 방정식을 보다 쉽게 풀 수 있다.

$$\tan \frac{\square}{6}\pi = \pm \frac{\sqrt{3}}{3} \text{ (}\square\text{는 6과 서로소)}, \quad \tan \frac{\square}{3}\pi = \pm\sqrt{3} \text{ (}\square\text{는 3과 서로소)}$$

$$\tan \frac{\square}{4}\pi = \pm 1 \text{ (}\square\text{는 4와 서로소)}$$

$\sin x = a$, $\cos x = a$, $\tan x = a$와 같이 삼각함수를 포함한 방정식을 삼각방정식이라 한다.

**3** $0 \le x \le 2\pi$일 때, 다음 방정식의 해를 구하시오.

(1) $\tan x = \sqrt{3}$        (2) $\tan x = -\dfrac{\sqrt{3}}{3}$        (3) $\tan x = 1$

**4** 다음은 함수 $y = \sin x$, $y = \cos x$, $y = \tan x$의 그래프이다. 빈칸에 알맞은 수를 써넣으시오.

(1)

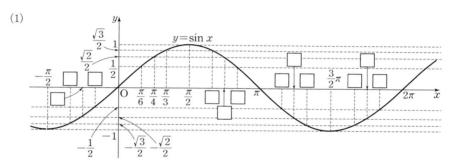

(2)

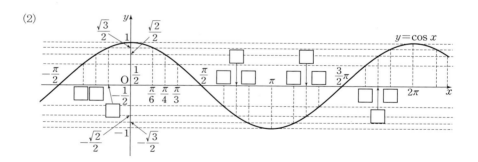

(3)

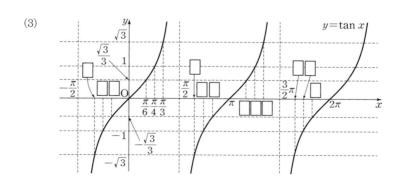

## $\sin ax = k$ 꼴의 방정식

◆ 정답 및 풀이 **71**쪽

$0 \le x \le 2\pi$일 때, 다음 방정식의 해를 구하시오.

(1) $2\sin 2x = -\sqrt{2}$      (2) $2\cos\dfrac{x}{2} - 1 = 0$      (3) $\tan x = \dfrac{3}{\tan x}$

**날선 Guide** (1) $2x = t$로 놓으면 $\sin t = -\dfrac{\sqrt{2}}{2}$

$0 \le t \le 4\pi$이므로 이 범위에서
$y = \sin t$의 그래프와 직선
$y = -\dfrac{\sqrt{2}}{2}$의 교점을 찾는다.

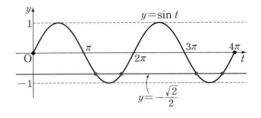

이때 $t = \dfrac{\square}{4}\pi$ 꼴이다.

**참고** $y = \sin 2x$의 그래프와 직선 $y = -\dfrac{\sqrt{2}}{2}$의 교점을 찾아도 된다.

(2) $\dfrac{x}{2} = t$로 놓으면 $\cos t = \dfrac{1}{2}$

$0 \le t \le \pi$이므로 이 범위에서 $y = \cos t$의 그래프
와 직선 $y = \dfrac{1}{2}$의 교점을 찾는다.

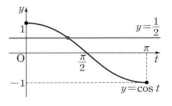

이때 $t = \dfrac{\square}{3}\pi$ 꼴이다.

(3) $\tan^2 x = 3$에서 $\tan x = \pm\sqrt{3}$

$0 \le x \le 2\pi$에서 $y = \tan x$의 그래프와 직선
$y = \pm\sqrt{3}$의 교점을 찾는다.

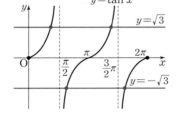

이때 $x = \dfrac{\square}{3}\pi$ 꼴이다.

**답** (1) $x = \dfrac{5}{8}\pi, \dfrac{7}{8}\pi, \dfrac{13}{8}\pi, \dfrac{15}{8}\pi$   (2) $x = \dfrac{2}{3}\pi$   (3) $x = \dfrac{\pi}{3}, \dfrac{2}{3}\pi, \dfrac{4}{3}\pi, \dfrac{5}{3}\pi$

**날선 Point** 삼각방정식 ➡ 그래프를 이용한다.

**1-1** $0 \le x \le 2\pi$일 때, 다음 방정식의 해를 구하시오.

(1) $2\sin\dfrac{x}{2} - 1 = 0$      (2) $2\cos 2x = \sqrt{3}$      (3) $\left|\tan\dfrac{x}{2}\right| = 1$

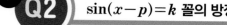

## 대표 Q2  $\sin(x-p)=k$ 꼴의 방정식

◆ 정답 및 풀이 **73**쪽

$0\leq x\leq 2\pi$일 때, 다음 방정식의 해를 구하시오.

(1) $2\sin\left(x-\dfrac{\pi}{3}\right)=\sqrt{3}$  (2) $\cos\left(2x+\dfrac{\pi}{4}\right)=0$  (3) $\tan\left(\dfrac{x}{2}-\dfrac{\pi}{3}\right)=-1$

**낱선 Guide** (1) $x-\dfrac{\pi}{3}=t$로 놓으면 $\sin t=\dfrac{\sqrt{3}}{2}$

$-\dfrac{\pi}{3}\leq t\leq\dfrac{5}{3}\pi$이므로 이 범위

에서 $y=\sin t$의 그래프와

직선 $y=\dfrac{\sqrt{3}}{2}$의 교점을 찾는다.

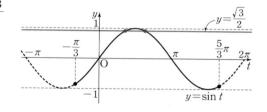

(2) $2x+\dfrac{\pi}{4}=t$로 놓으면 $\cos t=0$

$\dfrac{\pi}{4}\leq t\leq\dfrac{17}{4}\pi$이므로 이 범위에

서 $y=\cos t$의 그래프와 $t$축의

교점을 찾는다.

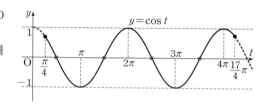

(3) $\dfrac{x}{2}-\dfrac{\pi}{3}=t$로 놓으면 $\tan t=-1$

$-\dfrac{\pi}{3}\leq t\leq\dfrac{2}{3}\pi$이므로 이 범위에서

$y=\tan t$의 그래프와 직선 $y=-1$의 교점

을 찾는다.

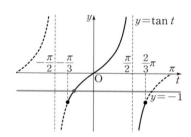

🅐 (1) $x=\dfrac{2}{3}\pi,\ \pi$  (2) $x=\dfrac{\pi}{8},\dfrac{5}{8}\pi,\dfrac{9}{8}\pi,\dfrac{13}{8}\pi$  (3) $x=\dfrac{\pi}{6}$

**낱선 Point**

• $\sin x=\pm\dfrac{1}{2},\ \cos x=\pm\dfrac{\sqrt{3}}{2},\ \tan x=\pm\dfrac{1}{\sqrt{3}}\Rightarrow x=\dfrac{\square}{6}\pi$ 꼴

• $\sin x=\pm\dfrac{\sqrt{3}}{2},\ \cos x=\pm\dfrac{1}{2},\ \tan x=\pm\sqrt{3}\Rightarrow x=\dfrac{\square}{3}\pi$ 꼴

• $\sin x=\pm\dfrac{\sqrt{2}}{2},\ \cos x=\pm\dfrac{\sqrt{2}}{2},\ \tan x=\pm1\Rightarrow x=\dfrac{\square}{4}\pi$ 꼴

**2-1** $0\leq x\leq 2\pi$일 때, 다음 방정식의 해를 구하시오.

(1) $2\sin\left(\dfrac{x}{2}-\dfrac{\pi}{6}\right)=1$  (2) $2\cos\left(2x+\dfrac{\pi}{3}\right)=-1$  (3) $\sqrt{3}\tan\left(x+\dfrac{\pi}{4}\right)=1$

$0 \leq x \leq 2\pi$일 때, 다음 방정식의 해를 구하시오.

(1) $2\cos^2 x - 5\cos x + 2 = 0$       (2) $2\cos^2 x - \sin x = 1$

(3) $\sin x + \cos x = 1$

**날선 Guide** (1) $\cos x = t$로 놓으면 $2t^2 - 5t + 2 = 0$

이 방정식을 풀어 $t$의 값부터 구한다.

이때 $-1 \leq \cos x \leq 1$이므로 $-1 \leq t \leq 1$인 값만 구하면 된다.

(2) $\sin x$와 $\cos x$가 있으므로 $\sin^2 x + \cos^2 x = 1$을 이용한다.

따라서 주어진 방정식은 $2(1 - \sin^2 x) - \sin x = 1$

$\sin x = t$로 놓으면 $2(1 - t^2) - t = 1$

이 방정식을 풀어 $t$의 값부터 구한다.

(3) 역시 $\sin^2 x + \cos^2 x = 1$을 이용한다.

$\sin x = X$, $\cos x = Y$라 하면 $X^2 + Y^2 = 1$    ⋯ ㉠

주어진 식에서          $X + Y = 1$    ⋯ ㉡

㉠, ㉡을 연립하여 $X$, $Y$의 값부터 구한다.

**답** (1) $x = \dfrac{\pi}{3}, \dfrac{5}{3}\pi$    (2) $x = \dfrac{\pi}{6}, \dfrac{5}{6}\pi, \dfrac{3}{2}\pi$    (3) $x = 0, \dfrac{\pi}{2}, 2\pi$

**날선 Point**
- $\sin x$, $\cos x$, $\tan x$를 치환할 수 있는지 확인한다.
- $\sin^2 x + \cos^2 x = 1$, $\tan x = \dfrac{\sin x}{\cos x}$ 를 이용한다.

**3-1** $0 \leq x \leq 2\pi$일 때, 다음 방정식의 해를 구하시오.

(1) $2\sin^2 x - \sin x - 1 = 0$       (2) $2\sin^2 x - 3\cos x = 0$

**3-2** $0 \leq x \leq 2\pi$일 때, 방정식 $\sin x - \cos x = 1$의 해를 구하시오.

**삼각함수의 그래프와 방정식**

◆ 정답 및 풀이 **76**쪽

$f(x)=\sin kx$일 때, 그림과 같이 $y=f(x)$의 그래프의 일부분과 직선 $y=\dfrac{3}{4}$이 만나는 점의 $x$좌표를 $\alpha$, $\beta$, $\gamma$ $(\alpha<\beta<\gamma)$라 하자. $f(\alpha+\beta+\gamma)$의 값을 구하시오.

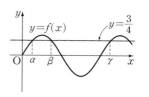

**날선 Guide** $f(x)$의 주기가 $\dfrac{2\pi}{|k|}$이므로 $y=f(x)$의 그래프가

$x\geq0$에서 $x$축과 만나는 점의 $x$좌표는

$0$, $\dfrac{\pi}{|k|}$, $\dfrac{2\pi}{|k|}$, $\cdots$이다.

따라서 $\alpha$, $\beta$는 직선 $x=\dfrac{\pi}{2|k|}$에 대칭이고,

$$\dfrac{\alpha+\beta}{2}=\dfrac{\pi}{2|k|}, \ \ 곧 \ \alpha+\beta=\dfrac{\pi}{|k|}$$

이를 이용하여 $\alpha+\beta+\gamma$와 $f(\alpha+\beta+\gamma)$의 값을 구한다.

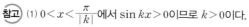

**참고** (1) $0<x<\dfrac{\pi}{|k|}$에서 $\sin kx>0$이므로 $k>0$이다.

(2) 그림에서 빨간색 선분의 길이가 모두 $\alpha$이므로

$$\beta=\dfrac{\pi}{k}-\alpha, \ \gamma=\dfrac{2\pi}{k}+\alpha$$

따라서 $\alpha+\beta+\gamma=\alpha+\dfrac{3\pi}{k}$임을 이용해도 된다.

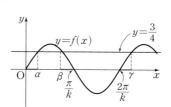

**답** $-\dfrac{3}{4}$

**날선 Point** 삼각함수의 그래프와 직선의 교점 ➡ 대칭을 이용한다.

**4-1**  그림과 같이 $y=a\cos bx$의 그래프의 일부분과 $x$축에 평행한 직선 $l$이 만나는 점의 $x$좌표가 $1$, $5$이다. 세 직선 $l$, $x=1$, $x=5$ 및 $x$축으로 둘러싸인 도형의 넓이가 $20$일 때, 상수 $a$, $b$의 값을 구하시오.

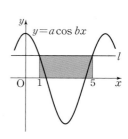

## 7-4 부등식 $\sin x > a$의 해

> **1** $y = \sin x$의 그래프가 직선 $y = a$보다 위쪽에 있는 $x$값의 범위를 구한다.
>
> **2** 부등식 $\cos x > a$, $\tan x > a$도 각각 $y = \cos x$, $y = \tan x$의 그래프가 직선 $y = a$ 보다 위쪽에 있는 $x$값의 범위를 구한다.
>
> **3** $\tan x$는 $x = n\pi + \dfrac{\pi}{2}$ ($n$은 정수)에서 정의되지 않는다는 것에 주의한다.

$\sin x > \dfrac{1}{2}$의 해 •

부등식 $\sin x > \dfrac{1}{2}$의 해는 $y = \sin x$의 그래프가

직선 $y = \dfrac{1}{2}$보다 위쪽에 있는 $x$값의 범위이다.

따라서 $0 \le x \le 2\pi$에서 $\sin x > \dfrac{1}{2}$의 해는

$$\dfrac{\pi}{6} < x < \dfrac{5}{6}\pi$$

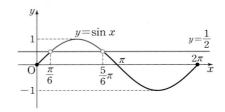

$\cos x > \dfrac{1}{2}$의 해 •

부등식 $\cos x > \dfrac{1}{2}$의 해는 $y = \cos x$의 그래프가

직선 $y = \dfrac{1}{2}$보다 위쪽에 있는 $x$값의 범위이다.

따라서 $0 \le x \le 2\pi$에서 $\cos x > \dfrac{1}{2}$의 해는

$$0 \le x < \dfrac{\pi}{3} \text{ 또는 } \dfrac{5}{3}\pi < x \le 2\pi$$

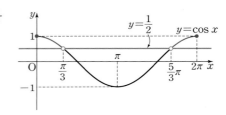

$\tan x > \sqrt{3}$의 해 •

부등식 $\tan x > \sqrt{3}$의 해는 $y = \tan x$의 그래프가

직선 $y = \sqrt{3}$보다 위쪽에 있는 $x$값의 범위이다.

따라서 $0 \le x \le 2\pi$에서 $\tan x > \sqrt{3}$의 해는

$$\dfrac{\pi}{3} < x < \dfrac{\pi}{2} \text{ 또는 } \dfrac{4}{3}\pi < x < \dfrac{3}{2}\pi$$

이때 $\tan x$는 $x = \dfrac{\pi}{2}, \dfrac{3}{2}\pi$에서 정의되지 않음에

주의한다.

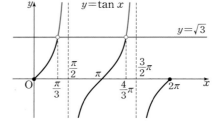

$\sin x > \dfrac{1}{2}$, $\cos x > \dfrac{1}{2}$, $\tan x > \sqrt{3}$과 같이 삼각함수를 포함한 부등식을 삼각부등식이라 한다.

◀ 개념 Check ▶

◆ 정답 및 풀이 **76**쪽

**5** $0 \le x \le 2\pi$일 때, 다음 부등식의 해를 구하시오.

(1) $\sin x \le -\dfrac{1}{2}$  (2) $\cos x \le 0$  (3) $\tan x \le 1$

## 삼각함수를 포함한 부등식

◆ 정답 및 풀이 **77쪽**

$0 \leq x \leq 2\pi$일 때, 다음 부등식의 해를 구하시오.

(1) $-1 < \sin x < -\dfrac{1}{2}$　　　(2) $|2\cos x| \leq \sqrt{2}$　　　(3) $-1 < \tan x \leq \sqrt{3}$

**날선 Guide**　(1) $y = \sin x$의 그래프와 직선

$y = -1$, $y = -\dfrac{1}{2}$의 교점의

$x$좌표를 찾으면 해를 구할 수 있다.

$y = -1$인 경우는 해가 아니라는 것에

주의한다.

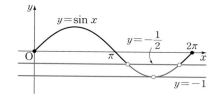

(2) $-\sqrt{2} \leq 2\cos x \leq \sqrt{2}$에서

$-\dfrac{\sqrt{2}}{2} \leq \cos x \leq \dfrac{\sqrt{2}}{2}$

따라서 $y = \cos x$의 그래프와

직선 $y = \pm\dfrac{\sqrt{2}}{2}$의 교점의

$x$좌표를 찾으면 해를 구할 수 있다.

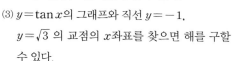

(3) $y = \tan x$의 그래프와 직선 $y = -1$,

$y = \sqrt{3}$ 의 교점의 $x$좌표를 찾으면 해를 구할

수 있다.

$\tan x$는 $x = \dfrac{\pi}{2}, \dfrac{3}{2}\pi$에서 정의되지

않음에 주의한다.

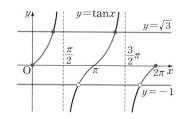

**답** (1) $\dfrac{7}{6}\pi < x < \dfrac{3}{2}\pi$ 또는 $\dfrac{3}{2}\pi < x < \dfrac{11}{6}\pi$　(2) $\dfrac{\pi}{4} \leq x \leq \dfrac{3}{4}\pi$ 또는 $\dfrac{5}{4}\pi \leq x \leq \dfrac{7}{4}\pi$

(3) $0 \leq x \leq \dfrac{\pi}{3}$ 또는 $\dfrac{3}{4}\pi < x \leq \dfrac{4}{3}\pi$ 또는 $\dfrac{7}{4}\pi < x \leq 2\pi$

**날선 Point**　삼각부등식 ➡ 그래프에서 교점을 먼저 구한다.

**5-1**　$0 \leq x \leq 2\pi$일 때, 다음 부등식의 해를 구하시오.

(1) $0 \leq \sin\left(x - \dfrac{\pi}{4}\right) \leq \dfrac{1}{2}$　　　(2) $2\cos\left(\dfrac{x}{2} + \dfrac{\pi}{4}\right) < -\sqrt{3}$　　(3) $|\tan x| > \sqrt{3}$

$0 \leq x \leq 2\pi$일 때, 다음 부등식의 해를 구하시오.

(1) $2\sin^2 x + 5\sin x + 2 \geq 0$  (2) $2\sin^2 x - \cos x \leq 2$

(3) $\sin x > \cos x$

**날선 Guide** (1) $\sin x = t$로 놓으면 $2t^2 + 5t + 2 \geq 0$

이 부등식을 풀어 $t$값의 범위부터 구한다.

이때 $-1 \leq \sin x \leq 1$이므로 $-1 \leq t \leq 1$인 범위에서 해를 구한다.

(2) $\sin^2 x + \cos^2 x = 1$이므로 주어진 부등식은 $2(1-\cos^2 x) - \cos x \leq 2$

$\cos x = t$로 놓으면 $2(1-t^2) - t \leq 2$

이 부등식을 풀어 $t$값의 범위부터 구한다.

(3) 부등식의 경우 $\cos x$의 부호를 모르므로 양변을 $\cos x$로 나눌 수 없다.

그러나 $y = \sin x$와 $y = \cos x$의 그래프를 그리고, 두 그래프가 $x = \dfrac{\pi}{4}$, $x = \dfrac{5}{4}\pi$에서

만난다는 것을 이용하면 부등식을 풀 수 있다.

**참고** $0 \leq x \leq 2\pi$에서

$\sin x = \cos x$이면 $\tan x = 1$이므로 $x = \dfrac{\pi}{4}$ 또는 $x = \dfrac{5}{4}\pi$

$\sin x = -\cos x$이면 $\tan x = -1$이므로 $x = \dfrac{3}{4}\pi$ 또는 $x = \dfrac{7}{4}\pi$

**답** (1) $0 \leq x \leq \dfrac{7}{6}\pi$ 또는 $\dfrac{11}{6}\pi \leq x \leq 2\pi$

(2) $0 \leq x \leq \dfrac{\pi}{2}$ 또는 $\dfrac{2}{3}\pi \leq x \leq \dfrac{4}{3}\pi$ 또는 $\dfrac{3}{2}\pi \leq x \leq 2\pi$  (3) $\dfrac{\pi}{4} < x < \dfrac{5}{4}\pi$

**날선 Point**  **부등식에 여러 가지 삼각함수가 섞여 있을 때**

• $\sin x$, $\cos x$, $\tan x$를 치환할 수 있는지 확인한다.

• $\sin^2 x + \cos^2 x = 1$, $\tan x = \dfrac{\sin x}{\cos x}$를 이용한다.

**6-1** $0 \leq x \leq 2\pi$일 때, 다음 부등식의 해를 구하시오.

(1) $4\sin^2 x + 2(\sqrt{3}-1)\sin x - \sqrt{3} \leq 0$

(2) $2\cos^2 x + \sin x - 1 > 0$

(3) $\tan^2 x - (\sqrt{3}-1)\tan x - \sqrt{3} \leq 0$

## 대표 Q7 삼각함수를 포함한 부등식의 활용

◆ 정답 및 풀이 **79**쪽

다음 물음에 답하시오.

(1) 모든 실수 $x$에 대하여 $x^2-2x\sin\theta+\cos\theta+1>0$이 성립할 때, $\theta$값의 범위를 구하시오. (단, $0\leq\theta\leq2\pi$)

(2) 모든 $\theta$에 대하여 $\cos^2\theta+\sin\theta+a\geq0$이 성립할 때, 실수 $a$값의 범위를 구하시오.

**낱선 Guide** (1) $x^2-2x\sin\theta+\cos\theta+1>0$은 $x$에 대한 이차부등식이므로

모든 실수 $x$에 대하여 성립하면

$x^2$의 계수가 양수이고 $D<0$ 또는 $\dfrac{D}{4}<0$이다.

(2) 주어진 부등식은 $1-\sin^2\theta+\sin\theta+a\geq0$

따라서 $\sin\theta=t$로 놓으면

$1-t^2+t+a\geq0$, 곧 $t^2-t-a-1\leq0$ $\cdots$㉠

그런데 $-1\leq\sin\theta\leq1$이므로 ㉠이 $-1\leq t\leq1$에서

성립할 조건을 찾으면 된다.

$f(t)=t^2-t-a-1$로 놓고 $y=f(t)$의 그래프를 생각한다.

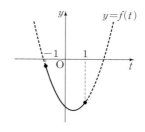

**답** (1) $0\leq\theta<\dfrac{\pi}{2}$ 또는 $\dfrac{3}{2}\pi<\theta\leq2\pi$ (2) $a\geq1$

**낱선 Point** 삼각함수를 치환할 때에는 범위에 주의한다.

**7-1** 방정식 $\sin^2x-\sin x=1-a$가 실근을 가질 때, 실수 $a$값의 범위를 구하시오.

**7-2** 모든 실수 $x$에 대하여 $x^2-2\sqrt{2}x\cos\theta+3\sin\theta>0$이 성립할 때, $\theta$값의 범위를 구하시오. (단, $0\leq\theta\leq2\pi$)

**7-3** $0\leq\theta\leq\pi$일 때, 부등식 $\sin^2\theta-3\sin\theta-a+9\geq0$이 항상 성립한다. 실수 $a$값의 범위를 구하시오.

**01** $0 \leq x \leq 2\pi$일 때, 다음 방정식의 해를 구하시오.

(1) $\sqrt{2}\sin^2 x - \sin x = 0$

(2) $2\cos x - \cos^2 x = \sin^2 x$

**02** $0 \leq x \leq \pi$일 때, 다음 방정식의 해를 구하시오.

(1) $\sin x - \cos x = 0$

(2) $\sin x + \cos x = 0$

**03** $0 \leq x \leq 2\pi$일 때, 다음 부등식의 해를 구하시오.

(1) $\sin x > \dfrac{\sqrt{3}}{2}$

(2) $-\dfrac{1}{2} \leq \cos x \leq \dfrac{1}{2}$

(3) $\tan x \leq -\dfrac{\sqrt{3}}{3}$

**04** $0 < x < 2\pi$일 때, 다음 부등식의 해를 구하시오.

(1) $\cos\left(x - \dfrac{\pi}{6}\right) \leq -\dfrac{1}{2}$

(2) $-\dfrac{\sqrt{3}}{3} < \tan\left(\dfrac{x}{3} - \dfrac{\pi}{2}\right) \leq \sqrt{3}$

**05** $0 \leq x \leq 2\pi$일 때, 방정식 $\sin 2x = \cos 4x$의 서로 다른 실근의 개수는?

① 5　　　　② 6　　　　③ 7　　　　④ 8　　　　⑤ 9

**06** $0 < x < 2\pi$에서 부등식 $2\cos^2 x - 3\sin x < 0$의 해가 $\alpha < x < \beta$일 때, $\cos(\alpha + \beta)$의 값을 구하시오.

**07** $0 < x < \pi$에서 두 부등식 $\sqrt{3}\tan x - 1 < 0$, $2\sin x \geq \sqrt{2}$를 동시에 만족시키는 $x$ 값의 범위가 $\alpha < x \leq \beta$일 때, $\sin\alpha + \tan\beta$의 값을 구하시오.

**08** $0 \leq x \leq 2\pi$일 때, 방정식 $\tan x + \dfrac{\sqrt{3}}{\tan x} - 1 - \sqrt{3} = 0$의 해의 합은?

① $\dfrac{11}{6}\pi$  ② $2\pi$  ③ $\dfrac{5}{2}\pi$  ④ $\dfrac{17}{6}\pi$  ⑤ $\dfrac{19}{6}\pi$

**09** $0 \leq x \leq 2\pi$일 때, 다음 방정식의 해를 구하시오.

(1) $\sin(\pi\cos x) = 0$

(2) $\sin\left(\dfrac{\pi}{2} - x\right) + \sin(\pi - x) = \sin\left(\dfrac{3}{2}\pi - x\right) + \sin(2\pi - x)$

**교육청 기출**

**10** 그림과 같이 함수 $f(x) = \sin\pi x\,(x \geq 0)$ 그래프의 일부와 직선 $y = \dfrac{2}{3}$가 만나는 점의 $x$좌표를 작은 것부터 차례대로 $\alpha$, $\beta$, $\gamma$라 할 때, $f(\alpha + \beta + \gamma + 1) + f\left(\alpha + \beta + \dfrac{1}{2}\right)$ 의 값은?

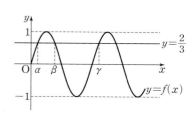

① $-\dfrac{2}{3}$  ② $-\dfrac{1}{3}$  ③ $0$  ④ $\dfrac{1}{3}$  ⑤ $\dfrac{2}{3}$

**11** 방정식 $\cos \pi x = \dfrac{2}{9}x$의 서로 다른 실근의 개수를 구하시오.

**12** $0 \leq x < 2\pi$에서 연립부등식 $\begin{cases} \sin x \leq \cos x \\ 2\sin^2 x - 5\cos x + 1 \geq 0 \end{cases}$의 해를 $\alpha \leq x \leq \beta$라 할 때, $\alpha + \beta$의 값을 구하시오.

교육청 기출

**13** $0 < x < \pi$에서 부등식 $(2^x - 8)\left(\cos x - \dfrac{1}{2}\right) < 0$의 해가 $a < x < b$ 또는 $c < x < d$일 때, $(b-a) + (d-c)$의 값은? (단, $b < c$)

① $\pi - 3$   ② $\dfrac{7}{6}\pi - 3$   ③ $\dfrac{4}{3}\pi - 3$   ④ $3 - \dfrac{\pi}{3}$   ⑤ $3 - \dfrac{\pi}{6}$

수능 기출

**14** $0 \leq \theta < 2\pi$일 때, $x$에 대한 이차방정식 $6x^2 + (4\cos\theta)x + \sin\theta = 0$이 실근을 갖지 않도록 하는 모든 $\theta$값의 범위는 $\alpha < \theta < \beta$이다. $3\alpha + \beta$의 값을 구하시오.

**15** 방정식 $\sin^2 x + 2\cos\left(x + \dfrac{\pi}{2}\right) + k = 0$이 실근을 가질 때, 실수 $k$값의 범위를 구하시오.

고대 바빌로니아에서 토지 측량을 위해 고안된 삼각함수는 삼각형과 매우 밀접한 관계가 있다. 하나의 삼각형을 이루는 세 개의 변과 세 개의 각 사이에는 여러 가지 관계가 있는데 그중 대표적인 것이 사인법칙과 코사인법칙이다.

이 단원에서는 삼각형의 변과 각 사이에 성립하는 사인법칙과 코사인법칙에 대하여 알아보고, 이를 이용하여 삼각형에 대한 여러 가지 문제를 풀어 보자. 또 삼각함수를 이용하여 삼각형과 사각형의 넓이를 구하는 방법에 대해서도 알아보자.

# 삼각함수의 활용

삼각형 ABC의 외접원의 반지름의 길이를 $R$라 하면

$$\frac{a}{\sin A} = \frac{b}{\sin B} = \frac{c}{\sin C} = 2R$$

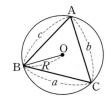

삼각형의 표현 •

그림과 같이 삼각형 ABC에서

　　∠A, ∠B, ∠C의 크기를 각각 $A$, $B$, $C$

　　∠A, ∠B, ∠C의 대변의 길이를 각각 $a$, $b$, $c$

로 나타낸다.

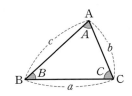

사인법칙 •

삼각형 ABC의 외접원의 중심을 O, 반지름의 길이를 $R$라 하자.

(i) 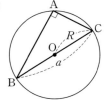　　(ii) 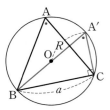　　(iii)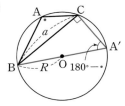

(i) $A=90°$일 때, 변 BC는 원의 지름이므로 $a=2R$

　　$\sin A=1$이므로 $\sin A=\dfrac{a}{2R}$　　∴ $2R=\dfrac{a}{\sin A}$

(ii) $A<90°$일 때, 지름 BA′을 그으면 ∠A′CB$=90°$이므로 $\sin A'=\dfrac{a}{2R}$

　　$A=A'$이므로 $\sin A=\dfrac{a}{2R}$　　∴ $2R=\dfrac{a}{\sin A}$

(iii) $A>90°$일 때, 지름 BA′을 그으면 ∠A′CB$=90°$이므로 $\sin A'=\dfrac{a}{2R}$

　　$A'=180°-A$이므로 $\sin A'=\sin(180°-A)=\sin A$

　　　　∴ $\sin A=\dfrac{a}{2R}$, $2R=\dfrac{a}{\sin A}$

(i), (ii), (iii)에서 $A$의 크기에 관계없이 $2R=\dfrac{a}{\sin A}$이다.

$B$, $b$나 $C$, $c$에 대해서도 같은 방법으로 하면 $2R=\dfrac{b}{\sin B}$, $2R=\dfrac{c}{\sin C}$가 성립한다.

따라서 정리하면

$$\frac{a}{\sin A} = \frac{b}{\sin B} = \frac{c}{\sin C} = 2R \qquad \cdots ㉠$$

가 성립한다. 이것을 사인법칙이라 한다.

예를 들어 $a=3$이고 $A=120°$인 삼각형 ABC에서

$$2R=\frac{a}{\sin A}=\frac{3}{\sin 120°}=\frac{3}{\frac{\sqrt{3}}{2}}=2\sqrt{3}$$

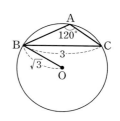

이므로 삼각형 ABC의 외접원의 반지름의 길이는 $R=\sqrt{3}$이다.

사인법칙의 ● ㉠에서
변형

$$a=2R\sin A,\ b=2R\sin B,\ c=2R\sin C$$

또

$$\sin A=\frac{a}{2R},\ \sin B=\frac{b}{2R},\ \sin C=\frac{c}{2R}$$

가 성립한다. 따라서 사인법칙과 외접원의 반지름의 길이를 이용하면 각을 변으로, 변을 각으로 나타낼 수 있다.

**참고** 사인법칙을 증명할 때에는 원주각에 대한 다음 성질을 이용한다.

  (1) 한 원에서 길이가 같은 호에 대한 원주각의 크기는 같다.

  (2) 원에 내접하는 사각형에서 대각의 크기의 합은 $180°$이다.

**개념 Check**

◆ 정답 및 풀이 **87**쪽

**1** 삼각형 ABC의 외접원의 반지름의 길이를 $R$라 할 때, 다음 물음에 답하시오.

  (1) $A=30°$, $a=2$일 때, $R$의 값을 구하시오.

  (2) $A=45°$, $R=10$일 때, $a$의 값을 구하시오.

  (3) $a=5\sqrt{3}$, $R=5$일 때, $A$의 값을 구하시오. (단, $A$는 예각)

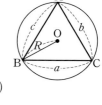

**2** 삼각형 ABC에서 $A=60°$, $B=45°$, $a=6$일 때, $b$의 값을 구하시오.

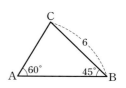

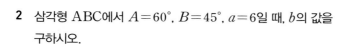

# 8-2 코사인법칙

**1** 삼각형 ABC에서

$$a^2 = b^2 + c^2 - 2bc \cos A$$
$$b^2 = c^2 + a^2 - 2ca \cos B$$
$$c^2 = a^2 + b^2 - 2ab \cos C$$

**2** $\cos A = \dfrac{b^2+c^2-a^2}{2bc}$, $\cos B = \dfrac{c^2+a^2-b^2}{2ca}$, $\cos C = \dfrac{a^2+b^2-c^2}{2ab}$

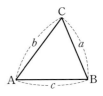

**코사인법칙** ● 삼각형 ABC에서 두 변의 길이 $b$, $c$와 끼인각 $\angle A$의 크기를 알 때, 나머지 한 변의 길이 $a$ 를 구할 수 있다.

점 C에서 변 AB 또는 그 연장선에 내린 수선의 발을 H라 하자.

(ⅰ) $A < 90°$일 때,

$$\overline{\mathrm{CH}} = b \sin A, \quad \overline{\mathrm{AH}} = b \cos A, \quad \overline{\mathrm{BH}} = c - b \cos A$$

이므로 직각삼각형 BCH에서

$$a^2 = \overline{\mathrm{BH}}^2 + \overline{\mathrm{CH}}^2 = (c - b \cos A)^2 + b^2 \sin^2 A$$
$$= c^2 - 2bc \cos A + b^2 (\underbrace{\sin^2 A + \cos^2 A}_{1})$$
$$= b^2 + c^2 - 2bc \cos A$$

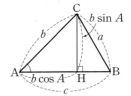

(ⅱ) $A > 90°$일 때,

$$\overline{\mathrm{CH}} = b \sin(180° - A)$$
$$\overline{\mathrm{AH}} = b \cos(180° - A)$$

이고

$$\sin(180° - A) = \sin A, \quad \cos(180° - A) = -\cos A \text{이므로}$$

$$\overline{\mathrm{CH}} = b \sin A, \quad \overline{\mathrm{AH}} = -b \cos A, \quad \overline{\mathrm{BH}} = \underbrace{c - b \cos A}_{\overline{\mathrm{AB}} + \overline{\mathrm{AH}}}$$

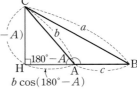

따라서 직각삼각형 BCH에서

$$a^2 = \overline{\mathrm{BH}}^2 + \overline{\mathrm{CH}}^2 = (c - b \cos A)^2 + b^2 \sin^2 A$$
$$= c^2 - 2bc \cos A + b^2 (\underbrace{\cos^2 A + \sin^2 A}_{1})$$
$$= b^2 + c^2 - 2bc \cos A$$

(ⅲ) $A = 90°$일 때, $a^2 = b^2 + c^2$이고 $\cos A = 0$이므로

$$a^2 = b^2 + c^2 - 2bc \cos A$$

라 할 수 있다.

(ⅰ), (ⅱ), (ⅲ)에서 $A$의 크기에 관계없이 다음이 성립한다.

$$\boldsymbol{a^2 = b^2 + c^2 - 2bc \cos A}$$

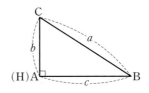

이것을 코사인법칙이라 한다.

같은 방법으로 하면 다음이 성립한다는 것도 알 수 있다.

$$b^2 = c^2 + a^2 - 2ca\cos B$$

$$c^2 = a^2 + b^2 - 2ab\cos C$$

예를 들어 삼각형 ABC에서 $b=4$, $c=3$, $A=60°$일 때,

$$a^2 = 4^2 + 3^2 - 2 \times 4 \times 3 \times \cos 60° = 13$$

이고 $a > 0$이므로 $a = \sqrt{13}$

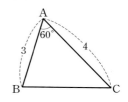

코사인법칙의
변형

$a^2 = b^2 + c^2 - 2bc\cos A$에서 $2bc\cos A = b^2 + c^2 - a^2$

$$\therefore \cos A = \frac{b^2 + c^2 - a^2}{2bc}$$

같은 방법으로 하면 다음이 성립한다는 것도 알 수 있다.

$b^2 = c^2 + a^2 - 2ca\cos B$에서 $\cos B = \dfrac{c^2 + a^2 - b^2}{2ca}$

$c^2 = a^2 + b^2 - 2ab\cos C$에서 $\cos C = \dfrac{a^2 + b^2 - c^2}{2ab}$

따라서 세 변의 길이를 알면 각의 $\cos$ 값을 구할 수 있다.

예를 들어 삼각형 ABC에서 $a=5$, $b=3$, $c=7$일 때,

$$\cos A = \frac{3^2 + 7^2 - 5^2}{2 \times 3 \times 7} = \frac{11}{14}$$

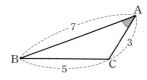

**참고** 코사인법칙은 좌표평면에서 증명할 수도 있다.

꼭짓점 A가 원점이고, 선분 AB가 $x$축인 좌표평면을 생각하자.

$\overline{AB} = c$이므로 B$(c, 0)$

$\overline{AC} = b$이므로 C$(b\cos A, b\sin A)$

$$\begin{aligned}
\therefore a^2 &= \overline{BC}^2 = (c - b\cos A)^2 + (b\sin A)^2 \\
&= b^2(\cos^2 A + \sin^2 A) + c^2 - 2bc\cos A \\
&= b^2 + c^2 - 2bc\cos A
\end{aligned}$$

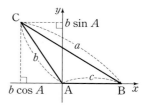

**개념 Check**

◆ 정답 및 풀이 **87**쪽

**3** 삼각형 ABC에서 다음 물음에 답하시오.

(1) $A = 60°$, $b = 4$, $c = 6$일 때, $a$의 값을 구하시오.

(2) $B = 120°$, $a = 5$, $c = 10$일 때, $b$의 값을 구하시오.

**4** 삼각형 ABC에서 $a = 4$, $b = 5$, $c = 6$일 때, $\cos A$의 값을 구하시오.

**Q1** 삼각형 구하기 – 사인법칙

◆ 정답 및 풀이 **87**쪽

삼각형 ABC에서 각의 크기와 변의 길이가 다음과 같을 때, 나머지 각의 크기와 변의 길이를 구하시오. $\left(\text{단, } \sin 75° = \dfrac{\sqrt{6}+\sqrt{2}}{4}\right)$

(1) $A=45°$, $B=75°$, $c=\sqrt{3}$      (2) $A=30°$, $a=4$, $b=4\sqrt{3}$

**날선 Guide** (1) 한 변의 길이와 양 끝 각의 크기를 아는 경우이다.

삼각형의 세 내각의 크기의 합이 $180°$이므로 $C$의 크기를
구할 수 있다. 그리고 사인법칙

$$\frac{a}{\sin 45°}=\frac{b}{\sin 75°}=\frac{\sqrt{3}}{\sin C}$$

을 이용하여 $a$, $b$의 값을 구한다.

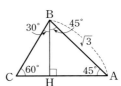

**참고** $\sin 75°$의 값을 모르는 경우 그림과 같이 점 B에서 변
AC에 내린 수선의 발을 H라 할 때, 직각이등변삼각형
BHA와 직각삼각형 BCH에서 $\overline{AH}$, $\overline{BH}$, $\overline{CH}$, $\overline{CB}$
의 길이를 차례로 구할 수 있다.

(2) $a$, $b$의 값과 $A$의 크기를 알고 있으므로 사인법칙

$$\frac{a}{\sin A}=\frac{b}{\sin B}$$

에서 $B$의 값을 구할 수 있다.

이때 $A$는 길이가 주어진 두 변의 끼인각이 아니므로
코사인법칙을 이용할 수 없다는 것과 두 개 이상의 삼각형이 가능하다는 것에 주의한다.

**답** (1) $C=60°$, $a=\sqrt{2}$, $b=\dfrac{\sqrt{6}+\sqrt{2}}{2}$   (2) $B=60°$, $C=90°$, $c=8$ 또는 $B=120°$, $C=30°$, $c=4$

**날선 Point** **사인법칙을 이용할 수 있는 경우**
- 각의 크기를 두 개 이상 알 때
- 각의 크기와 대변의 길이를 알 때

**1-1** 삼각형 ABC에서 각의 크기와 변의 길이가 다음과 같을 때, 나머지 각의 크기와 변의 길이를 구
하시오. $\left(\text{단, } \sin 75° = \dfrac{\sqrt{6}+\sqrt{2}}{4}\right)$

(1) $A=105°$, $B=45°$, $c=\sqrt{2}$      (2) $A=45°$, $a=\sqrt{2}$, $b=1$

**8** 삼각함수의 활용

## 대표 Q2 삼각형 구하기 - 코사인법칙

◆ 정답 및 풀이 **88**쪽

삼각형 ABC에서 각의 크기와 변의 길이가 다음과 같을 때, 나머지 각의 크기와 변의 길이를 구하시오.

(1) $A=60°$, $b=4$, $c=2\sqrt{3}+2$　　　　(2) $a=2$, $b=\sqrt{6}$, $c=\sqrt{3}+1$

**낯선 Guide** (1) 두 변의 길이와 끼인각의 크기가 주어진 경우이다.

코사인법칙

$$a^2=b^2+c^2-2bc\cos A$$

를 이용하여 $a$의 값부터 구한다.

나머지 $B$, $C$의 값은 코사인법칙이나 사인법칙을 이용하여 구한다.

(2) 세 변의 길이가 주어진 경우이다.

코사인법칙을 변형한

$$\cos A=\frac{b^2+c^2-a^2}{2bc}$$

을 이용하여 $A$의 값부터 구한다.

$\cos A$가 간단하지 않은 경우 $\cos B$나 $\cos C$의 값을 구한다.

그리고 나머지 각은 코사인법칙이나 사인법칙을 이용하여 구한다.

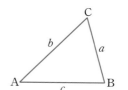

**답** (1) $B=45°$, $C=75°$, $a=2\sqrt{6}$　(2) $A=45°$, $B=60°$, $C=75°$

**낯선 Point** 코사인법칙을 이용할 수 있는 경우

• 두 변의 길이와 끼인각의 크기를 알 때

• 세 변의 길이를 알 때

---

**2-1** 삼각형 ABC에서 $A=45°$, $b=6$, $c=3\sqrt{2}-\sqrt{6}$일 때, 나머지 각의 크기와 변의 길이를 구하시오.

**2-2** 삼각형 ABC에서 $A=30°$, $a=\sqrt{7}$, $c=\sqrt{3}$일 때, $b$의 값을 구하시오.

**2-3** 삼각형 ABC에서 $a=13$, $b=8$, $c=7$일 때, 가장 큰 각의 크기를 구하시오.

삼각형 $ABC$에서 다음 물음에 답하시오. $\left(\text{단, } \sin 75° = \dfrac{\sqrt{6}+\sqrt{2}}{4}\right)$

(1) $a : b : c = 3 : 4 : 6$일 때, $\sin A : \sin B : \sin C$를 구하시오.

(2) $A : B : C = 3 : 4 : 5$일 때, $a : b : c$를 구하시오.

**낱선 Guide** (1) 사인법칙

$$\frac{a}{\sin A} = \frac{b}{\sin B} = \frac{c}{\sin C} = 2R \quad \cdots \ \text{㉠}$$

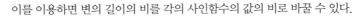

에서

$$\sin A = \frac{a}{2R}, \ \sin B = \frac{b}{2R}, \ \sin C = \frac{c}{2R}$$

이를 이용하면 변의 길이의 비를 각의 사인함수의 값의 비로 바꿀 수 있다.

**참고** $a = 3k$, $b = 4k$, $c = 6k$로 놓고

$\cos A = \dfrac{b^2 + c^2 - a^2}{2bc}$에 대입하면 $\cos A$ 또는 $A$의 값을 구할 수 있다.

이와 같이 길이의 비가 주어진 경우 각의 크기를 구할 때에는 코사인법칙을 이용한다.

(2) $A + B + C = 180°$를 이용하여 $A$, $B$, $C$의 값부터 구한다.

그리고 ㉠에서

$$a = 2R \sin A, \ b = 2R \sin B, \ c = 2R \sin C$$

를 이용하면 된다.

**답** (1) $3 : 4 : 6$  (2) $\sqrt{2} : \sqrt{3} : \dfrac{\sqrt{6}+\sqrt{2}}{2}$

**낱선 Point** 변의 비를 각의 비로, 각의 비를 변의 비로 바꿀 때 ➡ 사인법칙을 이용한다.

**3-1** 삼각형 $ABC$에서 다음 물음에 답하시오.

(1) $C = 90°$일 때, $\sin^2 A$, $\sin^2 B$, $\sin^2 C$ 사이의 관계식을 구하시오.

(2) $\sin A : \sin B : \sin C = 6 : 4 : 5$일 때, $a^2 : b^2 : c^2$을 구하시오.

**3-2** 삼각형 $ABC$에서 $3 \sin A = 4 \sin B = 6 \sin C$일 때, 다음을 구하시오.

(1) $a : b : c$　　　　　　　　　　　(2) $\cos C$

# 대표 Q4 삼각형의 판별

◆ 정답 및 풀이 **90**쪽

다음 등식이 성립할 때, 삼각형 ABC는 어떤 삼각형인지 구하시오.

(1) $a\cos A = b\cos B$

(2) $2\sin A\cos B = \cos\dfrac{A+B-C}{2}$

**날선 Guide** (1) 삼각형이 어떤 삼각형인지 알기 위해서는 각에 대한 식을 아는 것이 편하다.

코사인법칙에 의해

$$a\times\frac{b^2+c^2-a^2}{2bc}=b\times\frac{c^2+a^2-b^2}{2ca}$$

이 식을 정리하여 $a$, $b$, $c$ 사이의 관계식을 구한다.

이때 $a$, $b$, $c$가 삼각형의 변의 길이임에 주의한다.

(2) $A$, $B$, $C$가 삼각형의 세 내각의 크기이므로 $A+B+C=\pi$이다. 곧,

$$\cos\frac{A+B-C}{2}=\cos\frac{\pi-2C}{2}=\cos\left(\frac{\pi}{2}-C\right)=\sin C$$

이므로 주어진 식은 $2\sin A\cos B=\sin C$

이 식에 $\sin A=\dfrac{a}{2R}$, $\sin C=\dfrac{c}{2R}$를 대입하고 정리한다.

**답** (1) $a=b$인 이등변삼각형 또는 $C=90°$인 직각삼각형
(2) $a=b$인 이등변삼각형

---

**날선 Point** 각을 변에 대한 식으로 바꿀 때

➡ $\sin A=\dfrac{a}{2R}$, $\cos A=\dfrac{b^2+c^2-a^2}{2bc}$ 을 대입한다.

---

**4-1** 다음 등식이 성립할 때, 삼각형 ABC는 어떤 삼각형인지 구하시오.

(1) $a\sin A=b\sin B+c\sin C$

(2) $\sin^2 A+\sin^2 B=2\sin A\sin(A+C)$

**4-2** 삼각형 ABC에 대하여 이차방정식

$$(\sin C+\cos A)x^2+(2\cos B)x-(\sin C-\cos A)=0$$

이 중근을 가질 때, 삼각형 ABC는 어떤 삼각형인지 구하시오.

**Q5** 삼각함수의 활용 (1)

◆ 정답 및 풀이 **91**쪽

그림과 같이 A 지점 바로 위에 열기구가 떠 있다. B 지점에서 열기구를 올려본각의 크기는 45°이고, 선분 AB와 60°의 각을 이루면서 B 지점으로부터 1 km 떨어진 C 지점에서 열기구를 올려본각의 크기는 30°이다. 세 지점 A, B, C가 한 평면 위의 점일 때, A 지점에서 열기구까지의 높이는 몇 m인지 구하시오.

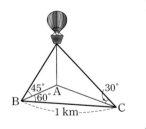

**날선 Guide** 열기구의 위치를 그림과 같이 점 P라 하자.

열기구가 A 지점 바로 위에 있고, B 지점에서 열기구를 올려본각의 크기가 45°이므로

$$\angle PAB=90°, \angle PBA=45°$$

또 C 지점에서 열기구를 올려본각의 크기가 30°이므로

$$\angle PAC=90°, \angle PCA=30°$$

C 지점은 B 지점으로부터 1 km 떨어져 있으므로

$$\angle ABC=60°, \overline{BC}=1\,(km)$$

따라서 $\overline{PA}=x\,(km)$로 놓고, 나머지 변의 길이를 $x$로 나타낸 다음 피타고라스 정리, 사인법칙, 코사인법칙을 이용한다.

**답** 500 m

**날선 Point** 길이에 대한 문제 ➡ 피타고라스 정리, 사인법칙, 코사인법칙을 이용한다.

 **5-1** 그림과 같이 산의 정상 C 지점의 정남향에 있는 A 지점에서 C 지점을 올려본각의 크기는 45°이고, C 지점의 정동향에 있는 B 지점에서 C 지점을 올려본각의 크기는 60°이다. 두 지점 A, B 사이의 거리가 500 m일 때, 산의 높이 $\overline{CH}$를 구하시오. (단, 단위는 m이고, 세 지점 A, B, H는 해발 0 m에 있다.)

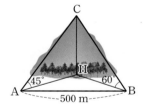

**대표 Q6** **삼각함수의 활용 ⑵** ◆ 정답 및 풀이 **91**쪽

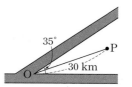

그림과 같이 $35°$의 각을 이루며 만나는 두 직선 도로 사이의 P 지점에 새로운 공장을 지으려고 한다. 또한 각 직선 도로 위에 두 지점 A, B를 잡아 세 지점 P, A, B를 연결하는 삼각형 모양의 도로도 새로 만들려고 한다. $\overline{\mathrm{OP}}=30\ \mathrm{km}$일 때, 새로 만드는 도로의 길이의 최솟값을 $l\ \mathrm{km}$라 하자. $l^2$의 값을 구하시오.

(단, O는 두 직선 도로가 만나는 지점이고 도로의 폭은 무시하며 $\sin 20°=0.34$로 계산한다.)

**낱선 Guide** 그림과 같이 P 지점과 두 직선 도로에 대칭인 지점을 각각 P′, P″이라 하자. 이때 선분 P′P″이 두 직선 도로와 만나는 점을 각각 A, B라 하면 $\overline{\mathrm{PA}}+\overline{\mathrm{AB}}+\overline{\mathrm{PB}}$가 최소이고, 이 값은 선분 P′P″의 길이이다.

여기에서는 삼각형 P′OP″을 생각하고, 주어진 조건을 이용하여 선분 P′P″의 길이를 구하면 된다.

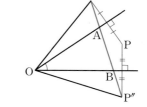

**참고** 각 도로의 두 지점 A′, B′에 대하여
$$\overline{\mathrm{PA}}=\overline{\mathrm{P'A}},\ \overline{\mathrm{PB}}=\overline{\mathrm{P''B}},\ \overline{\mathrm{PA'}}=\overline{\mathrm{P'A'}},\ \overline{\mathrm{PB'}}=\overline{\mathrm{P''B'}}$$
이므로
$$\overline{\mathrm{PA}}+\overline{\mathrm{AB}}+\overline{\mathrm{PB}}=\overline{\mathrm{P'A}}+\overline{\mathrm{AB}}+\overline{\mathrm{P''B}}(=\overline{\mathrm{P'P''}})$$
$$\leq\overline{\mathrm{P'A'}}+\overline{\mathrm{A'B'}}+\overline{\mathrm{P''B'}}$$
$$=\overline{\mathrm{PA'}}+\overline{\mathrm{A'B'}}+\overline{\mathrm{PB'}}$$
따라서 $\overline{\mathrm{PA}}+\overline{\mathrm{AB}}+\overline{\mathrm{PB}}$가 최소이고, 선분 P′P″의 길이와 같다.

**답** 1188

**낱선 Point** 거리 합의 최솟값 ➡ 대칭을 이용한다.

**6-1** 그림과 같이 밑면이 정삼각형이고, $\overline{\mathrm{OA}}=\overline{\mathrm{OB}}=\overline{\mathrm{OC}}=10$, $\angle\mathrm{AOB}=\angle\mathrm{BOC}=\angle\mathrm{COA}=40°$인 정삼각뿔 O−ABC가 있다. 꼭짓점 A에서 모서리 OB 위의 한 점과 모서리 OC 위의 한 점을 차례로 거쳐 모서리 OA의 중점 P에 이르는 최단 거리를 구하시오.

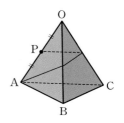

삼각형 ABC의 넓이를 $S$라 하면

$$S = \frac{1}{2}bc\sin A$$

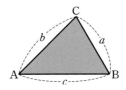

삼각형의 넓이 ● 삼각형 ABC에서 두 변의 길이와 끼인각의 크기를 알 때, 넓이 $S$를 구할 수 있다.
꼭짓점 C에서 변 AB 또는 그 연장선에 내린 수선의 발을 H, $\overline{CH}=h$라 하자.

(i)      (ii)      (iii)

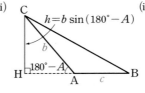 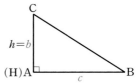

(i) $A < 90°$일 때, $h = b\sin A$이므로

$$S = \frac{1}{2}ch = \frac{1}{2}bc\sin A$$

(ii) $A > 90°$일 때, $h = b\sin(180° - A) = b\sin A$이므로

$$S = \frac{1}{2}ch = \frac{1}{2}bc\sin A$$

(iii) $A = 90°$일 때, $h = b$

그런데 $\sin A = 1$이므로 $S = \frac{1}{2}bc\sin A$라 할 수 있다.

(i), (ii), (iii)에서 $A$의 크기에 관계없이 다음이 성립한다.

$$S = \frac{1}{2}ch = \boldsymbol{\frac{1}{2}bc\sin A} \qquad \longrightarrow \text{밑변의 길이가 } c \text{이고 높이가 } h \text{인 삼각형의 넓이 } S \text{는 } S = \frac{1}{2}ch$$

같은 이유로 다음도 성립한다.

$$S = \frac{1}{2}ab\sin C, \ S = \frac{1}{2}ca\sin B$$

◆ 정답 및 풀이 **92**쪽

**개념 Check**

**5** 다음 그림과 같은 삼각형 ABC의 넓이를 구하시오.

(1)      (2)

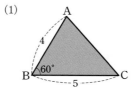 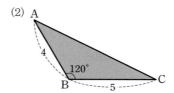

# 8-4 사각형의 넓이

1 이웃하는 두 변의 길이가 $a$, $b$이고 끼인각의 크기가 $\theta$인
평행사변형의 넓이를 $S$라 하면
$$S = ab\sin\theta$$

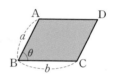

2 두 대각선의 길이가 $a$, $b$이고 두 대각선이 이루는
한 각의 크기가 $\theta$인 사각형의 넓이를 $S$라 하면
$$S = \frac{1}{2}ab\sin\theta$$

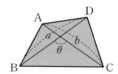

**평행사변형의 넓이**

평행사변형 ABCD에서 $\overline{AB}=a$, $\overline{BC}=b$, $\angle B=\theta$라 하자.
$\triangle ABC \equiv \triangle CDA$이므로 평행사변형 ABCD의 넓이를 $S$라 하면
$$S = 2 \times (\triangle ABC) = 2 \times \frac{1}{2}ab\sin\theta$$
$$= ab\sin\theta$$

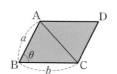

일반적으로 사각형은 이와 같이 대각선을 긋고, 두 삼각형의 넓이의 합을 구한다.

**사각형의 넓이**

사각형 ABCD에서 두 대각선 BD, AC의 길이를 각각
$a$, $b$, 두 대각선이 이루는 한 각의 크기를 $\theta$라 하자.
그림과 같이 각 꼭짓점 A, B, C, D를 지나고 두 대각선
AC, BD에 평행선을 그어 만든 평행사변형 A′B′C′D′
을 생각하자.

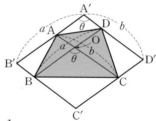

사각형 ABCD의 넓이 $S$는 평행사변형 A′B′C′D′의 넓이의 $\frac{1}{2}$이므로

$$S = \frac{1}{2}ab\sin\theta$$

이때 $\sin(\pi-\theta)=\sin\theta$이므로 $\angle AOB=\theta$인 경우도 성립한다.

**개념 Check**

◆ 정답 및 풀이 **92**쪽

**6** 이웃하는 두 변의 길이가 각각 3, 4이고 끼인각의 크기가 60°인 평행사변형의 넓이를 구하시오.

**7** 두 대각선의 길이가 3, 4이고 두 대각선이 이루는 한 각의 크기가 $\frac{\pi}{4}$인 사각형의 넓이를 구하시오.

## 삼각형의 넓이

◆ 정답 및 풀이 **92**쪽

다음 삼각형 ABC의 넓이 $S$를 구하시오. $\left(\text{단, } \sin 75° = \dfrac{\sqrt{6}+\sqrt{2}}{4}\right)$

(1) $a=10$, $B=60°$, $C=75°$       (2) $b=4$, $c=3$, $3\sin(B+C)=1$

(3) $a=8$, $b=6$, $c=4$

**날선 Guide** (1) $A=45°$이므로 사인법칙을 이용하여 $b$의 값을 구한 다음

$$S=\frac{1}{2}ab\sin C$$

에서 넓이를 구한다.

$c$의 값을 구한 다음 $\dfrac{1}{2}ca\sin B$를 이용해도 된다.

(2) $b$, $c$의 값을 알고 있으므로 $\sin A$의 값을 알아야 한다.

$A+B+C=\pi$이고 $\sin(B+C)=\dfrac{1}{3}$임을 이용하여

$\sin A$의 값을 구한다.

(3) 세 변의 길이가 주어졌으므로 $\cos A$의 값을 구할 수 있다.

그리고 $\sin^2 A+\cos^2 A=1$을 이용하여 $\sin A$의 값을

구한 다음 넓이를 구한다.

$\cos B$나 $\cos C$의 값을 구해도 된다.

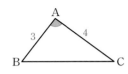

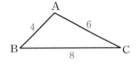

**답** (1) $\dfrac{75+25\sqrt{3}}{2}$   (2) 2   (3) $3\sqrt{15}$

**날선 Point** 삼각형의 넓이 ➡ $S=\dfrac{1}{2}bc\sin A=\dfrac{1}{2}ab\sin C=\dfrac{1}{2}ca\sin B$

**7-1** 다음 삼각형 ABC의 넓이 $S$를 구하시오.

(1) $a=4$, $b=4\sqrt{3}$, $B=60°$       (2) $a=4$, $b=5$, $c=6$

**up 7-2** 그림과 같이 원에 내접하는 사각형 ABCD에서 $\overline{AB}=7$, $\overline{BC}=4$, $\overline{CD}=3$, $\angle B=60°$이다. 다음 물음에 답하시오.

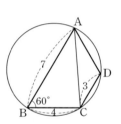

(1) 선분 AC의 길이를 구하시오.

(2) 선분 AD의 길이를 구하시오.

(3) 삼각형 ACD의 넓이를 구하시오.

**Q8** 외접원과 삼각형의 넓이

◆ 정답 및 풀이 **93**쪽

삼각형 ABC는 반지름의 길이가 4인 원에 내접하고 있다. 다음 물음에 답하시오.

(1) $A=30°$, $B=120°$일 때, 삼각형 ABC의 넓이를 구하시오.

(2) 호 AB, BC, CA의 길이의 비가 3 : 4 : 5일 때, 삼각형 ABC의 넓이를 구하시오.

**날선 Guide** (1) 외접원의 반지름의 길이 $R$와 $A$, $B$의 값을 알고 있으므로

$$b=2R\sin B, c=2R\sin C$$

에서 $b$, $c$의 값을 구한 다음 삼각형의 넓이를 구한다.

(2) 삼각형 ABC의 변의 길이나 각의 크기를 바로 구하는 것이 쉽지 않다.

그러나 호의 길이의 비에서 ∠AOB, ∠BOC, ∠COA의 크기를 구할 수 있으므로 삼각형 AOB, BOC, COA의 넓이를 따로 구할 수 있다.

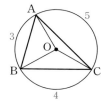

**답** (1) $4\sqrt{3}$ (2) $12+4\sqrt{3}$

**날선 Point** 외접원이 주어진 삼각형의 넓이를 구하는 문제

• 사인법칙을 이용할 수 있는지 조사한다.

• 외접원의 중심과 삼각형의 꼭짓점을 연결하는 반지름을 긋는다.

**8-1**  그림과 같이 한 원에 내접하는 삼각형 ABC와 삼각형 ABD가 있다. $\overline{AB}=2\sqrt{3}$, ∠ABC=45°, ∠ADB=60°일 때, 다음 물음에 답하시오. $\left(\text{단, }\sin 75°=\dfrac{\sqrt{6}+\sqrt{2}}{4}\right)$

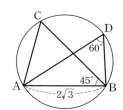

(1) 선분 AC의 길이를 구하시오.

(2) 삼각형 ABC의 넓이를 구하시오.

**8-2** 반지름의 길이가 2인 원에 내접하는 삼각형 ABC의 넓이가 3일 때, 삼각형 ABC의 세 변의 길이의 곱을 구하시오.

다음 그림과 같은 사각형 ABCD의 넓이를 구하시오.

(1)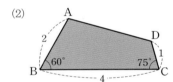

$\overline{AD}/\!/\overline{BC}$, $\overline{AB}=\overline{CD}$

(2)

---

**날선 Guide**  (1) 두 대각선의 길이 $a$, $b$와 두 대각선이 이루는 한 각의 크기 $\theta$를 아는 경우

$$S=\frac{1}{2}ab\sin\theta$$

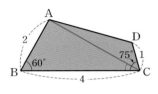

를 이용하여 사각형의 넓이를 구할 수 있다.

사각형 ABCD는 등변사다리꼴이므로 두 대각선의 길이가 같음을 이용한다.

(2) 대각선 AC를 그으면 삼각형 ABC의 넓이를 바로 구할 수 있다.

또 삼각형 ABC에서 변 AC의 길이와 ∠ACB의 크기를 구하면 삼각형 ACD의 넓이도 구할 수 있다.

**답** (1) $9\sqrt{3}$  (2) $2\sqrt{3}+\dfrac{\sqrt{6}}{2}$

---

**날선 Point**  사각형의 넓이 ➡ 대각선을 긋고 두 삼각형의 넓이의 합을 구한다.

---

**9-1**  ∠A$=120°$, $\overline{AB}=4$, $\overline{BC}=6$인 평행사변형 ABCD의 넓이를 구하시오.

**9-2**  한 대각선의 길이가 8인 등변사다리꼴의 넓이가 $16\sqrt{2}$일 때, 두 대각선이 이루는 예각의 크기를 구하시오.

**9-3**  그림과 같은 사각형 ABCD의 넓이를 구하시오.

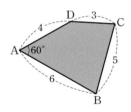

**8 삼각함수의 활용**

**01** 삼각형 ABC에서 $A=30°$, $a=2\sqrt{2}$, $b=4$일 때, 예각 $C$의 크기는?

① $15°$    ② $30°$    ③ $45°$    ④ $60°$    ⑤ $75°$

**02** 반지름의 길이가 8인 원에 내접하는 삼각형 ABC의 둘레의 길이가 24일 때, $\sin A + \sin B + \sin C$의 값은?

① $\dfrac{\sqrt{3}}{2}$    ② $1$    ③ $\dfrac{3}{2}$    ④ $\sqrt{3}$    ⑤ $2\sqrt{2}$

**03** 그림과 같이 반지름의 길이가 1인 원에 내접하는 삼각형 ABC에서 $A=60°$, $B=45°$일 때, $a$, $b$, $c$의 값을 구하시오. $\left(\text{단, } \sin 75° = \dfrac{\sqrt{6}+\sqrt{2}}{4}\right)$

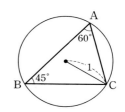

**04** 삼각형 ABC에서 $\sin(A+B) : \sin(B+C) : \sin(C+A)$를 세 변의 길이의 비로 나타내면?

① $a:b:c$    ② $b:a:c$    ③ $b:c:a$    ④ $c:a:b$    ⑤ $c:b:a$

**05** 그림과 같이 한 변의 길이가 3인 정사각형 ABCD의 두 변 BC, CD의 삼등분점 중 점 B, D에 가까운 점을 각각 E, F라 하자. $\angle EAF=\theta$라 할 때, $\cos\theta$의 값을 구하시오.

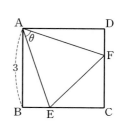

**06** 그림과 같이 $\overline{AB}=4$, $\overline{BC}=5$, $\overline{CD}=3$, $\overline{DA}=2$이고 ∠D=120°인 사각형 ABCD가 있다. 다음 물음에 답하시오.

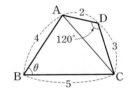

(1) $\overline{AC}$의 길이를 구하시오.

(2) ∠ABC=θ라 할 때, $\cos\theta$의 값을 구하시오.

**07** 어떤 삼각형의 한 변의 길이를 10 % 늘이고, 다른 한 변의 길이를 10 % 줄여서 새로운 삼각형을 만들 때, 삼각형의 넓이는 어떻게 변하는가?

① 1 % 줄어든다.　　② 2 % 줄어든다.　　③ 1 % 늘어난다.

④ 2 % 늘어난다.　　⑤ 변화가 없다.

**08** 그림과 같은 평행사변형 ABCD에서 $\overline{AB}=5$, $\overline{BC}=6$이다. 평행사변형 ABCD의 넓이가 $15\sqrt{3}$일 때, $A$의 크기를 구하시오. (단, $90° < A < 180°$)

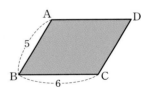

**09** 두 대각선의 길이가 $a$, $b$인 사각형 ABCD가 있다. $a+b=13$, $a^2+b^2=85$이고 두 대각선이 이루는 각의 크기가 45°일 때, 사각형 ABCD의 넓이를 구하시오.

수능 기출

**10** 그림과 같이 사각형 ABCD는 선분 BC를 지름으로 하는 원 O에 내접하고 있다. $\overline{BC}=13$이고 $\overline{CD}=5$일 때, $\sin A$의 값을 구하시오.

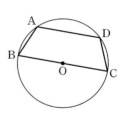

**11** 삼각형 ABC에서 $A=60°$, $a=3$일 때, $b$의 최댓값은?

① $\sqrt{2}$　　　② $2\sqrt{3}$　　　③ $3\sqrt{2}$　　　④ $4\sqrt{3}$　　　⑤ $5\sqrt{3}$

**12** 그림과 같이 $\overline{AB}=2\sqrt{2}$, $\overline{AD}=\overline{AE}=2$인 직육면체 ABCD-EFGH가 있다. $\angle DGE=\theta$라 할 때, $\cos\theta$의 값을 구하시오.

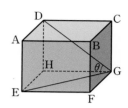

**13** $\overline{AB}=\overline{AC}$인 이등변삼각형 ABC에서 $A=120°$, $\overline{BC}=4$이다. 점 P가 변 AC 위를 움직일 때, $\overline{BP}^2+\overline{CP}^2$의 최솟값은?

① 8　　　② 9　　　③ 10　　　④ 11　　　⑤ 12

**14** 삼각형 ABC의 세 꼭짓점 A, B, C에서 각 대변에 내린 수선의 길이의 비가 3 : 4 : 5일 때, $\sin A : \sin B : \sin C$는?

① 3 : 4 : 5　　　　② 10 : 12 : 15　　　　③ 5 : 4 : 3

④ 15 : 12 : 10　　　　⑤ 20 : 15 : 12

**15** 그림과 같이 강 한 쪽의 두 지점 A, B와 강 건너 쪽의 두 지점 C, D에 대하여 $\angle BAC=90°$, $\angle ABC=30°$, $\angle BAD=30°$, $\angle ABD=60°$이고 $\overline{AB}=60$ m이다. 두 지점 C, D 사이의 거리를 구하시오.

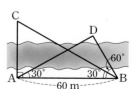

**16** 그림과 같이 30분 전 해양 경찰서가 있는 부두에서
정서 방향 10 km 지점에 있던 어떤 불법 어선이 현
재 해양 경찰서가 있는 부두에서 정북 방향 10 km
지점에 있다. 지금 부두에서 출발한 해양 경비정이
시속 40 km의 속력으로 이동하여 불법 어선을 따라
잡으려면 북쪽에서 동쪽으로 몇 도(°)의 항로를 잡아야 하는지 구하시오.
(단, 배의 크기는 무시하고 불법 어선은 일정한 속도로 움직이고, 불법 어선과
해양 경비정은 직선으로 움직인다.)

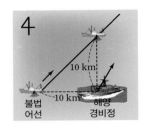

**17** $A=60°$, $b=6$, $c=12$인 삼각형 ABC에 변 AB 위를 움직이는 점 P와 변 AC
위를 움직이는 점 Q가 있다. 삼각형 APQ의 넓이가 삼각형 ABC의 넓이
의 $\dfrac{1}{4}$일 때, 선분 PQ의 길이의 최솟값을 구하시오.

**18** $\angle A=120°$, $\overline{AB}=5$, $\overline{AC}=3$인 삼각형 ABC가 있다. $\angle A$의 이등분선이 변
BC와 만나는 점을 D라 할 때, 선분 AD의 길이를 구하시오.

**19** 그림과 같은 사각형 ABCD에서 두 대각선 AC, BD의
교점을 P라 할 때, $\overline{AP}=4$, $\overline{BP}=3$, $\overline{CP}=5$, $\overline{DP}=6$,
$\overline{CD}=7$이다. 사각형 ABCD의 넓이를 구하시오.

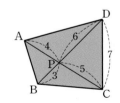

**20** 평행사변형 ABCD에서 $\overline{AB}=5$, $\overline{BC}=3$, $\overline{AC}=7$일 때, 다음 물음에 답하시오.

(1) $\overline{BD}$의 길이를 구하시오.

(2) 평행사변형 ABCD의 넓이를 구하시오.

(3) 삼각형 ABC에 내접하는 원의 반지름의 길이를 구하시오.

수열은 자연수의 집합을 정의역으로, 실수 전체의 집합을 공역으로 하는 함수이다.

이 단원에서는 일정한 규칙으로 나열되는 수열의 일반항을 자연수 $n$에 대한 식으로 나타내 보고, 충분한 개수의 항을 나열한 후 일반항이 옳게 표현되었는지 확인해 보자. 또 일정한 수를 더하여 만드는 등차수열과 공차, 등차중항에 대해 알아보고, 등차수열의 일반항과 그 합을 구하는 방법을 알아보자.

# 등차수열

**개념**

**1** 차례로 나열된 수의 열을 **수열**이라 하고, 각각의 수를 **항**이라 한다. 그리고 앞에서부터

첫째항, 둘째항, 셋째항, … 또는 제1항, 제2항, 제3항, …

이라 하고 $a_1$, $a_2$, $a_3$, …과 같이 나타낸다.

**2** 수열에서 $n$째항을 **일반항**이라 한다.

수열 $a_1$, $a_2$, $a_3$, …은 일반항 $a_n$을 써서 $\{a_n\}$과 같이 나타낸다.

**수열**

홀수를 차례로 쓰면

$$1,\ 3,\ 5,\ 7,\ \cdots,\ 2n-1,\ \cdots \qquad \cdots\ \text{㉠}$$

이와 같이 차례로 나열된 수의 열을 수열이라 하고, 1을 첫째항 또는 제1항, 3을 둘째항 또는 제2항, 5를 셋째항 또는 제3항, …이라 한다.

**수열의 일반항**

일반적으로 수열은 차례로

$$a_1,\ a_2,\ a_3,\ a_4,\ \cdots,\ a_n,\ \cdots$$
$$b_1,\ b_2,\ b_3,\ b_4,\ \cdots,\ b_n,\ \cdots$$

과 같이 나타낸다. 특히 $n$째항 $a_n$이나 $b_n$을 수열의 일반항이라 하고 간단히 수열 $\{a_n\}$ 또는 수열 $\{b_n\}$으로 쓴다.

예를 들어 수열 ㉠의 일반항은 $a_n = 2n-1$이고 간단히 수열 $\{2n-1\}$로 쓸 수 있다.

**수열과 함수의 관계**

자연수 전체의 집합 $N$에서 정의된 함수 $f(x) = 2x - 1$의 함숫값을 차례로 나열하면

$$1,\ 3,\ 5,\ 7,\ \cdots,\ 2n-1,\ \cdots$$

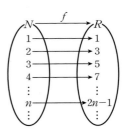

따라서 수열 $\{2n-1\}$은 $f(x) = 2x - 1$의 함숫값을 나열한 꼴이다.

일반적으로 수열 $\{a_n\}$은 정의역이 $N$인 함수 $f(x)$의 함숫값 $f(1)$, $f(2)$, $f(3)$, …을 차례로 나열한 꼴이다.

따라서 $a_n$은 $f(n)$과 같은 표현이라 생각하면 된다.

예를 들어 $g(x) = 2^x - 1$일 때, $g(1) = 2^1 - 1$, $g(2) = 2^2 - 1$, $g(2x) = 2^{2x} - 1$이다.

같은 이유로 $b_n = 2^n - 1$일 때, $b_1 = 2^1 - 1$, $b_2 = 2^2 - 1$, $b_{2n} = 2^{2n} - 1$이다.

**개념 Check**

◆ 정답 및 풀이 **98**쪽

**1** 수열 $\{a_n\}$에서 일반항 $a_n$이 다음과 같을 때, $a_5$와 $a_{10}$의 값을 구하시오.

(1) $a_n = n^2 - 1$ 　　　　　　　　　　 (2) $a_n = \dfrac{2}{n+2}$

**1** 첫째항에 차례로 일정한 수를 더하여 만든 수열을 **등차수열**이라 하고, 더하는 일정한 수를 **공차**라 한다.

**2** 등차수열 $\{a_n\}$의 첫째항이 $a$, 공차가 $d$이면

(1) $a_{n+1}=a_n+d$ 또는 $a_{n+1}-a_n=d$

(2) $a_n=a+(n-1)d$

**3** 세 수 $a$, $b$, $c$가 이 순서로 등차수열이면 $b$를 $a$와 $c$의 **등차중항**이라 한다.

$$b가 \ a와 \ c의 \ 등차중항이다. \Longleftrightarrow b=\frac{a+c}{2}$$

등차수열 ●

홀수를 1부터 나열한 수열은 다음과 같다.

$$1, \quad 3, \quad 5, \quad 7, \quad \cdots$$
$$\quad +2 \quad +2 \quad +2$$

이 수열은 첫째항 1에 차례로 2를 더하여 만들었다고 생각할 수 있다.

이와 같이 첫째항에 차례로 일정한 수를 더하여 만든 수열을 등차수열이라 하고, 더하는 일정한 수 2를 공차라 한다.

등차수열에서 ●
이웃하는 두 항과
공차의 관계

수열 $\{a_n\}$이

$$\{a_n\} : a_1, \quad a_2, \quad a_3, \quad a_4, \quad \cdots$$
$$\qquad +d \quad +d \quad +d$$

와 같이 일정한 수 $d$를 더한 꼴일 때, 이 수열을 등차수열이라 한다.

그리고 더하는 일정한 수 $d$를 공차라 한다.

수열 $\{a_n\}$이 등차수열이면 모든 자연수 $n$에 대하여 다음이 성립한다.

$$a_{n+1}=a_n+d \ 또는 \ a_{n+1}-a_n=d$$

역으로 모든 자연수 $n$에 대하여 $a_{n+1}=a_n+d$ 또는 $a_{n+1}-a_n=d$인 수열 $\{a_n\}$은 공차가 $d$인 등차수열이다.

등차수열의 ●
일반항

첫째항이 $a$, 공차가 $d$인 등차수열 $\{a_n\}$을 나열하면

$$\{a_n\} : a, \quad a+d, \quad a+2d, \quad a+3d, \quad \cdots$$
$$\qquad +d \qquad +d \qquad +d$$

따라서 제$n$항은 $a$에 $d$가 $(n-1)$번 더해진 값이므로 수열 $\{a_n\}$의 일반항은

$$a_n=a+(n-1)d$$

예를 들어 첫째항이 1, 공차가 2인 등차수열 $\{a_n\}$의 일반항은

$$a_n=1+(n-1)\times 2=2n-1 \quad \longrightarrow 수열 \ \{2n-1\}과 \ 같이 \ 나타낼 \ 수도 \ 있다.$$

참고 수열 $\{a_n\}$의 일반항 $a_n$이 $n$에 대한 식이면 $n=1, 2, 3, \cdots$을 차례로 대입하여 각 항을 구할 수 있다.

예를 들어 수열 $\{a_n\}$의 일반항이 $a_n = -3n + 2$이면
$$a_{n+1} - a_n = \{-3(n+1)+2\} - (-3n+2) = -3$$
따라서 공차가 $-3$인 등차수열이다.

또 수열 $\{a_n\}$의 일반항이 $a_n = pn + q$이면
$$a_{n+1} - a_n = \{p(n+1)+q\} - (pn+q) = p$$
따라서 수열 $\{a_n\}$은 공차가 $p$인 등차수열이다.

세 수 $a$, $b$, $c$가 이 순서로 등차수열이면 $b$를 $a$와 $c$의 등차중항이라 한다. 이때
$$b - a = d, \ c - b = d \ (d\text{는 공차})$$
이므로 $b - a = c - b$, 곧
$$b = \frac{a+c}{2} \quad \longrightarrow \bullet \ b\text{는 }a\text{와 }c\text{의 산술평균이다.}$$

예를 들어 세 수 2, $a$, $-4$가 이 순서로 등차수열이면
$$a = \frac{2 + (-4)}{2} = -1$$

수열 $\{a_n\}$에서 $a_{n+1} = \dfrac{a_n + a_{n+2}}{2}$이 모든 자연수 $n$에 대하여 성립하면
$$2a_{n+1} = a_n + a_{n+2}, \ \text{곧} \ a_{n+1} - a_n = a_{n+2} - a_{n+1}$$
따라서 이웃하는 두 항의 차가 일정하므로 수열 $\{a_n\}$은 등차수열이다.

---

**개념 Check** ◆ 정답 및 풀이 **98**쪽

**2** 다음 등차수열 $\{a_n\}$의 일반항을 구하시오.

(1) 첫째항이 $-3$, 공차가 3  (2) 첫째항이 1, 공차가 $-\dfrac{1}{2}$

**3** 다음 등차수열에서 공차 $d$와 일반항 $a_n$을 구하시오.

(1) 2, 0, $-2$, $-4$, $-6$, $\cdots$
(2) 1, $1+\sqrt{2}$, $1+2\sqrt{2}$, $1+3\sqrt{2}$, $\cdots$

**4** 다음 세 수가 이 순서로 등차수열일 때, $a$의 값을 구하시오.

(1) $-5$, $a$, 5  (2) $a$, $2a$, 4

## 대표 Q1 등차수열

◆ 정답 및 풀이 **99**쪽

등차수열 $\{a_n\}$에 대하여 다음 물음에 답하시오.

(1) $a_3=2a_1$, $a_4+a_8=7$일 때, $a_{50}$의 값을 구하시오.

(2) $a_2=200$, $a_{12}=140$일 때, 제몇 항에서 처음으로 음수가 되는지 구하시오.

**날선 Guide** (1) 첫째항이 $a_1$이므로 공차를 $d$라 하면 $a_n=a_1+(n-1)d$이다.

$a_3=2a_1$에서 $a_1+2d=2a_1$

$a_4+a_8=7$에서 $(a_1+3d)+(a_1+7d)=7$

두 식을 연립하여 풀어 $a_1$과 $d$의 값을 구한 다음 $a_{50}$의 값을 구한다.

(2) 첫째항을 $a$, 공차를 $d$라 하면 $a_n=a+(n-1)d$이므로

$a_2=200$에서 $a+d=200$

$a_{12}=140$에서 $a+11d=140$

두 식을 연립하여 풀어 $a$와 $d$의 값을 구한 다음, $a_n<0$이 되는 $n$값의 범위를 구한다.

**답** (1) $\dfrac{51}{2}$  (2) 제36항

---

**날선 Point** 첫째항이 $a$, 공차가 $d$인 등차수열의 일반항 ➡ $a_n=a+(n-1)d$

---

**1-1** 등차수열 $\{a_n\}$에 대하여 다음 물음에 답하시오.

(1) $a_3=-12$, $a_{11}=0$일 때, 공차와 $a_{15}$의 값을 구하시오.

(2) $a_2+a_8=28$, $a_5+a_6=29$일 때, 39는 제몇 항인지 구하시오.

**1-2** 수열 $\{a_n\}$에서 $a_{n+1}-a_n=5$이고 $a_4=-98$일 때, 제몇 항에서 처음으로 100보다 커지는지 구하시오.

 **1-3** 수열 $\{a_n\}$은 첫째항이 $-1$이고 공차가 3인 등차수열일 때, 수열 $\{a_{2n+1}\}$의 공차와 제20항을 구하시오.

다음 물음에 답하시오.

(1) $x$, 10, $y$가 이 순서로 등차수열이고 $y$, $2x$, 15도 이 순서로 등차수열일 때, $x$와 $y$의 값을 구하시오.

(2) 등차수열을 이루는 세 실수가 있다. 세 수의 곱이 15이고, 양 끝 두 수의 제곱의 합이 26일 때, 세 수를 구하시오.

 **Guide** (1) $x$, 10, $y$가 이 순서로 등차수열이므로 $2 \times 10 = x + y$이고

$y$, $2x$, 15가 이 순서로 등차수열이므로 $2 \times 2x = y + 15$이다.

두 식을 연립하여 풀면 $x$와 $y$의 값을 구할 수 있다.

(2) 세 수가 등차수열이면 세 수를

$$a - d, \; a, \; a + d \qquad \longrightarrow \text{공차가 } d$$

네 수가 등차수열이면 네 수를

$$a - 3d, \; a - d, \; a + d, \; a + 3d \qquad \longrightarrow \text{공차가 } 2d$$

로 놓고 푼다.

세 수를 $a$, $a + d$, $a + 2d$라 하고, 네 수를 $a$, $a + d$, $a + 2d$, $a + 3d$라 해도 되지만 보통 계산이 더 복잡하다.

**답** (1) $x = 7$, $y = 13$  (2) 1, 3, 5

---

**날선 Point**
- $a$, $b$, $c$가 이 순서로 등차수열 ➡ $2b = a + c$
- 세 수가 등차수열 ➡ $a - d$, $a$, $a + d$
- 네 수가 등차수열 ➡ $a - 3d$, $a - d$, $a + d$, $a + 3d$

---

**2-1** $-6$, $a$, $b$가 이 순서로 등차수열이고 $b$, $a^2$, 6도 이 순서로 등차수열일 때, $a$와 $b$의 값을 모두 구하시오.

**2-2** 다음 물음에 답하시오.

(1) 등차수열을 이루는 세 수에 대하여 세 수의 합이 9이고 세 수의 곱이 $-21$일 때, 세 수를 구하시오.

(2) 등차수열을 이루는 네 수에 대하여 처음 두 수의 합이 $-3$이고 가운데 두 수의 곱이 0일 때, 네 수를 모두 구하시오.

수열 $\{a_n\}$에 대하여 다음 물음에 답하시오.

(1) 수열 $\left\{\dfrac{1}{a_n}\right\}$이 등차수열이고 $a_2=1$, $a_6=3$일 때, $a_{20}$의 값을 구하시오.

(2) $a_1=1$, $a_2=\dfrac{2}{3}$이고 모든 자연수 $n$에 대하여 $\dfrac{1}{a_{n+2}}+\dfrac{1}{a_n}=\dfrac{2}{a_{n+1}}$일 때, $a_n$을 구하시오.

**날선 Guide** (1) $\dfrac{1}{a_1}$, $\dfrac{1}{a_2}$, $\dfrac{1}{a_3}$, $\cdots$, $\dfrac{1}{a_n}$, $\cdots$이 등차수열이므로 공차를 $d$라 하고

$$\frac{1}{a_n}=\frac{1}{a_1}+(n-1)d$$

로 놓을 수 있다.

이때 $\dfrac{1}{a_2}=1$, $\dfrac{1}{a_6}=\dfrac{1}{3}$임을 이용하여 $\dfrac{1}{a_1}$과 $d$의 값을 구한다.

(2) $\dfrac{1}{a_n}=b_n$이라 하면 $b_{n+2}+b_n=2b_{n+1}$이므로 수열 $\{b_n\}$은 등차수열이다.

수열 $\{b_n\}$의 공차를 $d$라 하면 일반항 $b_n$은

$$b_n=b_1+(n-1)d$$

로 놓을 수 있다.

이때 $b_1=1$, $b_2=\dfrac{3}{2}$을 이용하여 $d$의 값을 구한다.

**참고** 1. 수열 $\left\{\dfrac{1}{a_n}\right\}$이 등차수열일 때, 수열 $\{a_n\}$을 조화수열이라 한다.

2. 세 수 $a$, $b$, $c$가 조화수열을 이루면 $b$를 $a$와 $c$의 조화중항이라 한다.

$\dfrac{1}{a}$, $\dfrac{1}{b}$, $\dfrac{1}{c}$이 등차수열이므로 $\dfrac{2}{b}=\dfrac{1}{a}+\dfrac{1}{c}$이다.

**답** (1) $-\dfrac{1}{2}$ (2) $a_n=\dfrac{2}{n+1}$

**날선 Point** 등차수열 $\left\{\dfrac{1}{a_n}\right\}$의 공차를 $d$라 하면 $\dfrac{1}{a_n}=\dfrac{1}{a_1}+(n-1)d$

**3-1** 수열 $\left\{\dfrac{1}{a_n}\right\}$이 등차수열이고 $a_2=2$, $a_5=5$일 때, $a_n$을 구하시오.

 **3-2** $x$, $6$, $y$가 이 순서로 등차수열이고 $x$, $\dfrac{9}{2}$, $y$는 이 순서로 조화수열일 때, 실수 $x$, $y$의 값을 구하시오. (단, $x<y$)

> 등차수열 $\{a_n\}$에서 제1항부터 제$n$항까지 합을 $S_n$이라 하면
>
> (1) 첫째항이 $a$, 공차가 $d$일 때, $S_n = \dfrac{n\{2a+(n-1)d\}}{2}$
>
> (2) 첫째항이 $a$, 제$n$항이 $a_n$일 때, $S_n = \dfrac{n(a+a_n)}{2}$

**등차수열의 합**

수열 $\{a_n\}$에서 제1항부터 제$n$항까지 합은 보통 $S_n$으로 나타낸다. 곧,

$$S_n = a_1 + a_2 + a_3 + \cdots + a_{n-2} + a_{n-1} + a_n$$

**첫째항과 공차를 알고 있는 경우**

수열 $\{a_n\}$을 첫째항이 $a$, 공차가 $d$인 등차수열이라 하면

$$S_n = a_1 + a_2 + a_3 + \cdots + a_{n-1} + a_n$$
$$= a + (a+d) + (a+2d) + \cdots + \{a+(n-2)d\} + \{a+(n-1)d\}$$

이때 $S_n$과 합의 순서를 바꾼 $S_n$을 다음과 같이 나열하자.

| $a$ | $a+d$ | $a+2d$ | $\cdots$ | $a+(n-2)d$ | $a+(n-1)d$ | $\to S_n$ |
|---|---|---|---|---|---|---|
| $a+(n-1)d$ | $a+(n-2)d$ | $a+(n-3)d$ | $\cdots$ | $a+d$ | $a$ | |
| $2a+(n-1)d$ | $2a+(n-1)d$ | $2a+(n-1)d$ | $\cdots$ | $2a+(n-1)d$ | $2a+(n-1)d$ | |

이때 세로 방향의 합은 각각 $2a+(n-1)d$이고, $n$개이므로

$$2S_n = \{2a+(n-1)d\} \times n$$
$$S_n = \dfrac{n\{2a+(n-1)d\}}{2}$$

**첫째항과 제$n$항을 알고 있는 경우**

또 $2a+(n-1)d = a + a_n$이므로 다음도 성립한다.

$$S_n = \dfrac{n(a+a_n)}{2}$$

또한 그림과 같이 생각할 수도 있다.

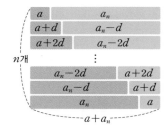

◆ 정답 및 풀이 **101**쪽

**개념 Check**

**5** 등차수열 $\{a_n\}$에서 $a_n = 3n-1$일 때, 제1항부터 제$n$항까지 합 $S_n$을 구하시오.

**6** 등차수열 $\{a_n\}$에서 제1항부터 제$n$항까지 합을 $S_n$이라 할 때, 다음 물음에 답하시오.

(1) 첫째항이 2이고 공차가 5일 때, $S_{10}$의 값을 구하시오.

(2) 첫째항이 $-4$이고 공차가 $-2$일 때, $S_n$을 구하시오.

## 9-4 수열의 합과 일반항

수열 $\{a_n\}$에서 제1항부터 제$n$항까지 합을 $S_n$이라 할 때

$$\begin{cases} a_n = S_n - S_{n-1} \ (n \geq 2) \\ a_1 = S_1 \end{cases}$$

**$S_n$과 $a_n$ 사이의 관계**

수열 $\{a_n\}$에서 제1항부터 제$n$항까지 합을 $S_n$이라 하자.

$n \geq 2$일 때, $S_{n-1}$은 제1항부터 제$(n-1)$항까지 합

이므로 $S_{n-1}$에 $a_n$을 더하면 $S_n$이다. 곧,

$$S_n = S_{n-1} + a_n$$

또 $n=1$이면 $S_1 = a_1$이다. 따라서

$$\begin{cases} a_n = S_n - S_{n-1} \ (n \geq 2) \\ a_1 = S_1 \end{cases}$$

예를 들어 $S_n = n^2 + n$일 때, 일반항 $a_n$은

$$a_n = S_n - S_{n-1} = (n^2 + n) - \{(n-1)^2 + (n-1)\} = 2n \ (n \geq 2) \qquad \cdots \ \bigcirc$$

$$a_1 = S_1 = 2$$

이때 $\bigcirc$의 $a_n$에 $n=1$을 대입한 값이 $a_1 = S_1 = 2$와 같다.

따라서 이 경우는 $n \geq 2$일 때와 $n=1$일 때를 구분하지 않고 $a_n = 2n$이라 하면 된다.

곧, 이 수열 $\{a_n\}$은 첫째항이 2, 공차가 2인 등차수열이다.

**이차식과 등차수열의 합**

$S_n = pn^2 + qn + r$ ($p$, $q$, $r$는 상수)라 하자.

$n \geq 2$일 때

$$\begin{aligned} a_n &= S_n - S_{n-1} \\ &= (pn^2 + qn + r) - \{p(n-1)^2 + q(n-1) + r\} \\ &= 2pn - p + q \qquad\qquad\qquad\qquad\qquad\qquad \cdots \ \bigcirc \end{aligned}$$

그런데 $a_1 = S_1 = p + q + r$이므로 $r=0$이면 $\bigcirc$에 $n=1$을 대입한 값과 같다. 따라서

( i ) $r \neq 0$이면 $n \geq 2$일 때 $a_n$과 $a_1$을 따로 나타내어야 한다.

(ii) $r = 0$이면 $n \geq 1$일 때부터 $a_n = 2pn - p + q$라 하면 된다.

이때 이 수열 $\{a_n\}$은 첫째항이 $p+q$, 공차가 $2p$인 등차수열이다.

**개념 Check**

◆ 정답 및 풀이 **101**쪽

**7** 등차수열 $\{a_n\}$에서 제1항부터 제$n$항까지 합을 $S_n$이라 할 때, 다음 물음에 답하시오.

(1) $S_n = n^2 + n + 10$일 때, $a_{10}$의 값을 구하시오.

(2) $S_n = n^2 - 3$일 때, $a_n$을 구하시오.

첫째항이 $-18$인 등차수열 $\{a_n\}$의 제1항부터 제$n$항까지 합을 $S_n$이라 하자. $S_4 = S_9$일 때, 다음 물음에 답하시오.

(1) $a_n$을 구하시오.

(2) $S_{20}$의 값을 구하시오.

(3) $S_n$의 최솟값을 구하시오.

**날선 Guide** 첫째항을 $a$, 공차를 $d$라 하면

(1) $S_n = \dfrac{n\{2a + (n-1)d\}}{2}$에서

$a = -18$이고 $S_4 = S_9$를 이용하여 $d$의 값부터 구한다.

(2) $a$와 $d$를 알고 있으므로 $S_{20} = \dfrac{20 \times \{2a + (20-1)d\}}{2}$를 계산한다.

**참고** $a_{20}$을 구한 다음 $S_{20} = \dfrac{20 \times (a + a_{20})}{2}$을 계산해도 된다.

(3) $a < 0$, $d > 0$이므로

$$a_1,\ a_2,\ a_3,\ a_4,\ \cdots$$

는 음수에서 점점 커지는 수열이다. 따라서 음수인 항만 더할 때 합이 최소이다. 곧, $a_n < 0$인 항의 합만 생각한다.

**참고** $S_n = \dfrac{n\{2a + (n-1)d\}}{2}$이므로 $n$에 대한 이차식이다.

따라서 $a < 0$, $d > 0$이면 $S_n$은 최솟값을 가지고, $a > 0$, $d < 0$이면 $S_n$은 최댓값을 가진다. 이때 $n$은 자연수임에 주의한다.

**답** (1) $a_n = 3n - 21$ (2) $210$ (3) $-63$

**날선 Point** 등차수열 $\{a_n\}$에서 첫째항이 $a$, 공차가 $d$이면

$\Rightarrow S_n = \dfrac{n\{2a + (n-1)d\}}{2}$, $S_n = \dfrac{n(a + a_n)}{2}$

**4-1** 공차가 $-2$인 등차수열 $\{a_n\}$의 제1항부터 제$n$항까지 합을 $S_n$이라 하자. $S_8 = S_{11}$일 때, $S_{20}$의 값을 구하시오.

**4-2** 수열 $\{a_n\}$에서 $a_n = -2n + 20$이고 제1항부터 제$n$항까지 합을 $S_n$이라 할 때, $S_n$의 최댓값을 구하시오.

## 나누어 합을 구하는 문제

◆ 정답 및 풀이 **102**쪽

수열 $\{a_n\}$에 대하여 다음 물음에 답하시오.

(1) 수열 $\{a_n\}$에서 $a_n=-5n+50$일 때, $|a_1|+|a_2|+|a_3|+\cdots+|a_{20}|$의 값을 구하시오.

(2) 등차수열 $\{a_n\}$에서 제1항부터 제10항까지 합이 35이고 제11항부터 제20항까지 합이 $-265$일 때, 제1항부터 제30항까지 합을 구하시오.

**날선 Guide** (1) 첫째항이 45, 공차가 $-5$인 등차수열의 합에 대한 문제이다.

$-5n+50<0$에서 $n>10$이므로 $n=11, 12, 13, \cdots$일 때, $a_n<0$이다.

$$|a_1|+|a_2|+|a_3|+\cdots+|a_{20}|$$
$$=a_1+a_2+a_3+\cdots+a_{10}-(a_{11}+a_{12}+\cdots+a_{20})$$
$$=S_{10}-(S_{20}-S_{10})=2S_{10}-S_{20}$$

을 계산하면 편하다.

(2) 제11항부터 제20항까지 합은

$$a_{11}+a_{12}+\cdots+a_{20}=a_1+a_2+\cdots+a_{20}-(a_1+a_2+\cdots+a_{10})$$
$$=S_{20}-S_{10}$$

따라서 첫째항을 $a$, 공차를 $d$라 하고 $\dfrac{n\{2a+(n-1)d\}}{2}$를 이용한다.

**참고** 등차수열 $\{a_n\}$의 공차를 $d$라 하면

$$a_{11}+a_{12}+\cdots+a_{20}$$
$$=(a_1+10d)+(a_2+10d)+\cdots+(a_{10}+10d)$$
$$=(a_1+a_2+\cdots+a_{10})+10\times10d$$
$$=S_{10}+100d$$

따라서 $S_{10}=35$, $S_{10}+100d=-265$를 이용해도 된다.

**답** (1) 500   (2) $-795$

**날선 Point** 등차수열에서 제$n$항부터 제$m$항까지 합은 ➡ $S_m-S_{n-1}$ (단, $m>n$)

**5-1** 첫째항이 100이고, 공차가 $-10$인 등차수열 $\{a_n\}$에 대하여 $|a_1|+|a_2|+|a_3|+\cdots+|a_{30}|$의 값을 구하시오.

**5-2** 등차수열 $\{a_n\}$에서 제1항이 $-6$이고, 제6항부터 제10항까지 합이 제1항부터 제5항까지 합의 11배이다. 제1항부터 제20항까지 합을 구하시오.

다음 물음에 답하시오.

(1) 12와 107 사이에 몇 개의 수를 써넣어 등차수열을 만들었다. 모든 항의 합이 1190일 때, 써넣은 수의 개수를 구하시오.

(2) $x$와 $y$ 사이에 19개의 수를 써넣어 공차가 $\frac{1}{2}$인 등차수열을 만들었다. 모든 항의 합이 420일 때, 실수 $x$, $y$의 값을 구하시오. (단, $x < y$)

**날선 Guide** (1) 써넣은 수를 $a_1$, $a_2$, $a_3$, $\cdots$, $a_n$이라 하면

$$12, a_1, a_2, a_3, \cdots, a_n, 107$$

이 등차수열이다. 항이 $(n+2)$개이고,

첫째항이 12, 끝항이 107, 합이 1190임을 이용한다.

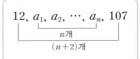

(2) 써넣은 수를 $b_1$, $b_2$, $b_3$, $\cdots$, $b_{19}$라 하면

$$x, b_1, b_2, b_3, \cdots, b_{19}, y$$

는 첫째항이 $x$, 공차가 $\frac{1}{2}$인 등차수열이다.

$y$가 제21항이라는 것과 합이 420이라는 것을 이용하여 $x$와 $y$에 대한 연립방정식을 푼다.

**답** (1) 18  (2) $x=15$, $y=25$

**날선 Point** 등차수열의 첫째항 $a$와 끝항 $a_n$이 주어지면 ➡ $S_n = \dfrac{n(a+a_n)}{2}$

**6-1** 13과 57 사이에 11개의 수를 써넣어 등차수열을 만들었다. 이 수열의 공차와 모든 항의 합을 구하시오.

 **6-2** 5와 105 사이에 $n$개의 수를 써넣은 수열 5, $a_1$, $a_2$, $a_3$, $\cdots$, $a_n$, 105는 등차수열이고 모든 항의 합이 880이다. $3(a_1+a_2+a_3+a_4+a_5)$의 값을 구하시오.

등차수열 $\{a_n\}$, $\{b_n\}$이 다음과 같을 때, 물음에 답하시오.

$$\{a_n\}: 2, 5, 8, 11, 14, \cdots, 197$$
$$\{b_n\}: 3, 5, 7, 9, 11, \cdots, 199$$

(1) 수열 $\{a_n\}$의 합을 구하시오.

(2) 수열 $\{a_n\}$과 $\{b_n\}$에 공통인 항의 합을 구하시오.

**날선 Guide** (1) 수열 $\{a_n\}$의 첫째항이 2, 공차가 3이므로 $a_n = 2 + (n-1) \times 3 = 3n - 1$이다.

$a_n = 197$인 $n$의 값을 찾으면 모든 항의 합을 구할 수 있다.

(2) 수열 $\{a_n\}$과 $\{b_n\}$은 공차가 각각 3과 2이다.

따라서 공통인 항은 3과 2의 최소공배수 6이 공차인 등차수열이다.

그리고 5가 공통인 항의 첫째항이다.

따라서 공통인 항으로 이루어진 수열을 $\{c_n\}$이라 하면

$$c_n = 5 + (n-1) \times 6 = 6n - 1$$

이다. $c_n \le 197$인 $n$의 값을 찾고 모든 항의 합을 구한다.

**참고** 수열 $\{a_n\}$의 각 항을 2로 나눈 나머지를 조사하면

$$\{a_n\}: 2, \quad 5, \quad 8, \quad 11, 14, 17, \cdots$$
$$\qquad\quad 0 \quad 1 \quad 0 \quad 1 \quad 0 \quad 1$$

수열 $\{b_n\}$은 2로 나누었을 때 나머지가 1인 수가 항이므로 수열 $\{a_n\}$에서

$$5, 11, 17, \cdots$$

이 수열 $\{b_n\}$의 항임을 알 수 있다. 그리고 공차는 $2 \times 3 = 6$이다.

**답** (1) 6567   (2) 3333

**날선 Point** 등차수열 $\{a_n\}$, $\{b_n\}$의 공차가 각각 $d_1$, $d_2$일 때,
➡ 수열 $\{a_n\}$과 $\{b_n\}$에 공통인 항은 공차가 $d_1$과 $d_2$의 최소공배수인 등차수열

**7-1** 200 이하의 자연수 중 5로 나누었을 때 3이 남는 수의 합을 구하시오.

**7-2** 등차수열 $\{a_n\}$, $\{b_n\}$이 다음과 같을 때, 수열 $\{a_n\}$과 $\{b_n\}$에 공통인 항의 합을 구하시오.

$$\{a_n\}: 1, 4, 7, 10, 13, 16, \cdots, 103$$
$$\{b_n\}: 4, 8, 12, 16, \cdots, 100$$

수열 $\{a_n\}$에서 제1항부터 제$n$항까지 합을 $S_n$이라 할 때, 다음 물음에 답하시오.

(1) $S_n=pn^2+2n+k$이고 $a_{10}-a_9=5$일 때, 상수 $p$의 값을 구하시오.

(2) 수열 $\{a_n\}$이 등차수열이고 $S_n=3n^2-n+c$일 때, 상수 $c$의 값과 공차를 구하시오.

**날선 Guide** (1) $n \geq 2$일 때, $S_n=S_{n-1}+a_n$이므로
$$a_n=S_n-S_{n-1}$$
이다. 이를 이용하여 $a_{10}$과 $a_9$부터 구한다.

$$\begin{array}{l} S_n \quad =a_1+a_2+\cdots+a_{n-1}+a_n \\ -\underline{\big) S_{n-1}=a_1+a_2+\cdots+a_{n-1}} \\ S_n-S_{n-1}=a_n \end{array}$$

(2) $n \geq 2$일 때,
$$\begin{aligned} a_n&=S_n-S_{n-1} \\ &=(3n^2-n+c)-\{3(n-1)^2-(n-1)+c\} \\ &=6n-4 \quad \cdots \text{ⓒ} \end{aligned}$$
이므로 $n \geq 2$일 때 수열 $\{a_n\}$은 등차수열이다.

따라서 수열 $\{a_n\}$이 등차수열이려면 $a_1=S_1$과 ⓒ에 $n=1$을 대입한 값이 같아야 한다.

**참고** 첫째항이 $a$, 공차가 $d$인 등차수열 $\{a_n\}$에서 제1항부터 제$n$항까지 합 $S_n$은
$$S_n=\frac{n\{2a+(n-1)d\}}{2}=\frac{d}{2}n^2+\left(a-\frac{d}{2}\right)n$$
따라서 등차수열의 합은 상수항이 0인 이차식이다.

또 $S_n=3n^2-n+c$를 비교하면 상수 $c$와 $a$, $d$의 값을 구할 수 있다.

**답** (1) $\dfrac{5}{2}$ (2) $c=0$, 공차 : 6

---

**날선 Point**  수열의 합 $S_n$이 주어질 때
$$\rightarrow \begin{cases} a_n=S_n-S_{n-1}\ (n \geq 2) \\ a_1=S_1 \end{cases}$$ 을 이용하여 일반항 $a_n$을 찾는다.

---

**8-1** 수열 $\{a_n\}$, $\{b_n\}$의 제1항부터 제$n$항까지 합이 각각 $2n^2+4n$, $n^2-kn+10$이다. $a_8=b_8$일 때, 상수 $k$의 값을 구하시오.

**8-2** 공차가 4인 등차수열 $\{a_n\}$의 제1항부터 제$n$항까지 합을 $S_n$이라 하자.
$$S_4=28,\ S_n=pn^2+qn+r$$
라 할 때, $p-2q+r$의 값을 구하시오.

9 등차수열

**01** 다음 수열 중 등차수열인 것은?

① $2, -2, 2, -2, 2, \cdots$

② $1, 2, 3, 6, 12, \cdots$

③ $1, \dfrac{1}{2}, \dfrac{1}{3}, \dfrac{1}{4}, \dfrac{1}{5}, \cdots$

④ $1, -\dfrac{1}{2}, -2, -\dfrac{7}{2}, -5, \cdots$

⑤ $1, 101, 10101, 1010101, 101010101, \cdots$

**02** 등차수열 $\{a_n\}$에 대하여 $a_5=5$, $a_{15}=25$일 때, $a_{20}$의 값을 구하시오.

**03** 첫째항이 $-2$, 공차가 5인 등차수열 $\{a_n\}$에서 처음으로 200보다 큰 항이 나오는 것은 제몇 항인가?

① 제39항          ② 제40항          ③ 제41항

④ 제42항          ⑤ 제43항

**04** 수열 $\{a_n\}$에 대하여 세 수 $a_1$, $a_1+a_2$, $a_2+a_3$이 이 순서로 등차수열을 이룰 때, $\dfrac{a_3}{a_2}$의 값을 구하시오. (단, $a_1 \neq 0$)

**05** 수열 $a, -\dfrac{1}{3}, -\dfrac{1}{6}, b, \cdots$가 등차수열일 때, $b-a$의 값은?

① $\dfrac{1}{6}$          ② $\dfrac{1}{3}$          ③ $\dfrac{1}{2}$          ④ $\dfrac{2}{3}$          ⑤ 1

**06** 등차수열 $\{a_n\}$의 제1항부터 제$n$항까지 합을 $S_n$이라 하자. $a_2 = 7$, $S_7 - S_5 = 50$일 때, $a_{11}$의 값을 구하시오.

**07** 첫째항이 $-3$, 제$n$항이 17이고 제1항부터 제$n$항까지 합이 182인 등차수열 $\{a_n\}$의 공차는?

① $\dfrac{1}{5}$  ② $\dfrac{1}{3}$  ③ $\dfrac{2}{5}$  ④ $\dfrac{1}{2}$  ⑤ $\dfrac{4}{5}$

**08** 제1항부터 제5항까지 합이 55이고, 제1항부터 제10항까지 합이 260인 등차수열에서 제1항부터 제15항까지 합을 구하시오.

**09** 100 이하의 자연수 중 5로 나누었을 때 나머지가 2인 수의 합은?

① 790  ② 800  ③ 890  ④ 900  ⑤ 990

**10** 수열 $\{a_n\}$의 제1항부터 제$n$항까지 합 $S_n$이 $S_n = 2n^2 + n + 1$일 때, $a_1 + a_9$의 값은?

① 38  ② 39  ③ 40  ④ 41  ⑤ 42

**11** 수열 $\{a_n\}$이 등차수열일 때, 다음 중 등차수열이 <u>아닌</u> 것은?

① $\{2a_n\}$          ② $\{a_n-3\}$          ③ $\{a_{n+2}+a_n\}$

④ $\{a_{2n-1}\}$          ⑤ $\{a_n{}^2\}$

**12** 등차수열 $\{a_n\}$의 공차가 $d\,(d\neq 0)$일 때, 두 수열

$$a_1+a_2,\ a_3+a_4,\ a_5+a_6,\ \cdots$$
$$a_1+a_2+a_3,\ a_4+a_5+a_6,\ a_7+a_8+a_9,\ \cdots$$

의 공차를 $d_1,\ d_2$라 할 때, $d_1 : d_2$를 가장 간단한 정수비로 나타낸 것은?

① $1:2$     ② $1:3$     ③ $2:3$     ④ $3:5$     ⑤ $4:9$

🔍 평가원 기출

**13** 네 수 $1,\ x,\ y,\ z$가 이 순서로 등차수열이고 $6x+z=5y$를 만족시킬 때, $x+y+z$의 값을 구하시오.

**14** 등차수열을 이루는 네 수가 있다. 네 수의 합은 36이고 가운데 두 수의 곱은 처음 수와 마지막 수의 곱보다 32만큼 클 때, 네 수를 구하시오.

**15** 수열 $\{a_n\}$이 $a_1=\dfrac{1}{2}$, $\dfrac{1}{a_{n+1}}=\dfrac{1}{a_n}+3$일 때, $a_7$의 값은?

① $\dfrac{1}{20}$     ② $\dfrac{1}{18}$     ③ $\dfrac{1}{16}$     ④ $\dfrac{1}{14}$     ⑤ $\dfrac{1}{12}$

**16** 등차수열 $\{a_n\}$에서 제1항부터 제6항까지 합이 18이고, 제7항부터 제13항까지 합이 $-161$이다. 이 등차수열의 제1항부터 제$n$항까지 합을 $S_n$이라 할 때, $S_n$이 최대가 되는 $n$의 값을 구하시오.

**17** 다음 수열이 등차수열일 때, 자연수 $n$의 값과 모든 항의 합을 구하시오.

$$4, a_1, a_2, a_3, \cdots, a_{2n}, 22, b_1, b_2, b_3, \cdots, b_n, 32$$

**18** 두 수 $\dfrac{2}{3}$와 $\dfrac{10}{3}$ 사이에 19개의 수 $a_1, a_2, a_3, \cdots, a_{19}$를 써넣은

$\dfrac{2}{3}, a_1, a_2, a_3, \cdots, a_{19}, \dfrac{10}{3}$은 등차수열이다. 이때 $a_1+a_3+a_5+\cdots+a_{19}$의 값은?

① 18          ② 20          ③ 22          ④ 24          ⑤ 26

**19** 100보다 크고 200보다 작은 자연수 중 3 또는 5의 배수인 자연수의 합을 구하시오.

**교육청 기출**

**20** $n$개의 항으로 이루어진 등차수열 $a_1, a_2, a_3, \cdots, a_n$이 다음 조건을 모두 만족시킨다.

> ㈎ 처음 4개 항의 합은 26이다.
> ㈏ 마지막 4개 항의 합은 134이다.
> ㈐ $a_1+a_2+a_3+\cdots+a_n=260$

$n$의 값을 구하시오.

앞 단원에서 첫째항에 차례로 일정한 수를 더하여 만든 수열을 등차수열이라 배웠다. 곧, 등차수열은 이웃하는 두 항의 차가 일정한 수열이다.

이 단원에서는 이웃하는 두 항의 비가 일정한 등비수열과 공비, 등비중항에 대해 알아보고, 등비수열의 일반항과 그 합을 구하는 방법을 알아보자. 또 등비수열의 합을 활용하여 적립금의 원리합계 등을 구해 보자.

등비수열

1 첫째항에 차례로 일정한 수를 곱하여 만든 수열을 **등비수열**이라 하고,
   곱하는 일정한 수를 **공비**라 한다.

2 등비수열 $\{a_n\}$의 첫째항이 $a$, 공비가 $r$이면
   (1) $a_{n+1} = ra_n$ 또는 $a_{n+1} \div a_n = r$
   (2) $a_n = ar^{n-1}$

3 0이 아닌 세 수 $a$, $b$, $c$가 이 순서로 등비수열이면 $b$를 $a$와 $c$의 **등비중항**이라 한다.
   $b$가 $a$와 $c$의 등비중항이다. $\iff b^2 = ac$

**등비수열**

2의 거듭제곱을 나열한 수열은 다음과 같다.

$$2, \quad 2^2, \quad 2^3, \quad 2^4, \quad \cdots$$
$$\underset{\times 2}{\quad} \underset{\times 2}{\quad} \underset{\times 2}{\quad}$$

이 수열은 첫째항 2에 차례로 2를 곱하여 만들었다고 생각할 수 있다.

이와 같이 첫째항에 차례로 일정한 수를 곱하여 만든 수열을 등비수열이라 하고, 곱하는 일정한 수 2를 공비라 한다.

**등비수열에서 이웃하는 두 항과 공비의 관계**

수열 $\{a_n\}$이

$$\{a_n\} : a_1, \quad a_2, \quad a_3, \quad a_4, \quad \cdots$$
$$\underset{\times r}{\quad} \underset{\times r}{\quad} \underset{\times r}{\quad}$$

와 같이 일정한 수 $r$를 곱한 꼴일 때, 이 수열을 등비수열이라 한다.

그리고 곱하는 일정한 수 $r$를 공비라 한다.

따라서 수열 $\{a_n\}$이 공비가 $r$인 등비수열이면

$$a_{n+1} = ra_n \text{ 또는 } a_{n+1} \div a_n = r$$

이다.

역으로 모든 자연수 $n$에 대하여 $a_{n+1} = ra_n$ 또는 $a_{n+1} \div a_n = r$인 수열 $\{a_n\}$은 공비가 $r$인 등비수열이다.

**등비수열의 일반항**

첫째항이 $a$, 공비가 $r$인 등비수열 $\{a_n\}$을 나열하면

$$\{a_n\} : a, \quad ar, \quad ar^2, \quad ar^3, \quad \cdots$$
$$\underset{\times r}{\quad} \underset{\times r}{\quad} \underset{\times r}{\quad}$$

따라서 제$n$항은 $a$에 $r$가 $(n-1)$번 곱해진 값이므로 수열 $\{a_n\}$의 일반항은

$$a_n = ar^{n-1}$$

예를 들어 첫째항이 6, 공비가 3인 등비수열 $\{a_n\}$의 일반항은

$$a_n = 6 \times 3^{n-1} = 2 \times 3^n$$

예를 들어 수열 $\{a_n\}$의 일반항이 $a_n = -2 \times 5^n$이면

$$a_{n+1} \div a_n = (-2 \times 5^{n+1}) \div (-2 \times 5^n) = 5$$

따라서 공비가 5인 등비수열이다.

또 수열 $\{a_n\}$의 일반항이 $a_n = pr^n$이면

$$a_{n+1} \div a_n = (pr^{n+1}) \div (pr^n) = r$$

따라서 수열 $\{a_n\}$은 공비가 $r$인 등비수열이다.

세 수 $a$, $b$, $c$가 이 순서로 등비수열이면 $b$를 $a$와 $c$의 등비중항이라 한다. 이때

$$b \div a = r, \ c \div b = r \ (r는 \ 공비)$$

이므로 $b \div a = c \div b$, 곧

$$\boldsymbol{b^2 = ac \ 또는 \ b = \pm\sqrt{ac}}$$

예를 들어 세 수 2, $a$, 32가 이 순서로 등비수열이면

$$a^2 = 2 \times 32 \qquad \therefore a = \pm 8$$

수열 $\{a_n\}$에서 $a_{n+1}{}^2 = a_n a_{n+2}$가 모든 자연수 $n$에 대하여 성립하면

$$a_{n+1} \div a_n = a_{n+2} \div a_{n+1}$$

따라서 이웃하는 두 항을 나눈 값이 일정하므로 수열 $\{a_n\}$은 등비수열이다.

---

▶ **개념 Check**　　　　　　　　　　　　　　　　　　　　　◆ 정답 및 풀이 **108**쪽

**1** 다음 등비수열 $\{a_n\}$의 일반항을 구하시오.

　(1) 첫째항이 $-4$, 공비가 2

　(2) 첫째항이 3, 공비가 $-\dfrac{1}{2}$

**2** 다음 등비수열에서 공비 $r$과 일반항 $a_n$을 구하시오.

　(1) 8, 4, 2, 1, $\dfrac{1}{2}$, $\cdots$

　(2) 2, $-6$, 18, $-54$, $\cdots$

**3** 다음 세 수가 이 순서로 등비수열일 때, $a$의 값을 구하시오.

　(1) 2, $a$, 8　　　　　　　　　　　　　　(2) 4, $a$, $2a$

> 등비수열 $\{a_n\}$에 대하여 다음 물음에 답하시오.
>
> (1) $a_n = 3 \times 4^{n-2}$일 때, 첫째항과 공비를 구하시오.
>
> (2) $a_2 = 8$, $a_5 = 1$일 때, $a_{10}$의 값과 $a_n$을 구하시오.
>
> (3) $a_3 = 2a_1$, $a_5 + a_7 = 12$이고 공비가 양수일 때, 64는 제몇 항인지 구하시오.

**날선 Guide** (1) 첫째항 $a_1$은 $a_n$에 $n=1$을 대입하여 구한다.

공비 $r$는 $r = \dfrac{a_{n+1}}{a_n}$을 이용하여 구한다.

그리고 등비수열이란 조건이 있으므로 $r = \dfrac{a_2}{a_1}$를 공비라 해도 충분하다.

(2) 첫째항을 $a$, 공비를 $r$라 하면 $a_2 = ar$, $a_5 = ar^4$이므로

$$ar = 8, \quad ar^4 = 1$$

이다. 이를 이용하여 $a$와 $r$의 값부터 구한다.

(3) 첫째항을 $a$, 공비를 $r$라 하면 $a_3 = ar^2$, $a_5 = ar^4$, $a_7 = ar^6$이다.

이를 조건에 대입하면 $a$와 $r$의 값을 구할 수 있다.

그리고 $a_n = 64$인 $n$의 값을 구한다.

**답** (1) 첫째항 : $\dfrac{3}{4}$, 공비 : 4  (2) $a_{10} = \dfrac{1}{32}$, $a_n = \left(\dfrac{1}{2}\right)^{n-5}$  (3) 제13항

**날선 Point** 첫째항이 $a$, 공비가 $r$인 등비수열의 일반항 ➡ $a_n = ar^{n-1}$

**1-1** 수열 $\{a_n\}$에서 $a_n = 4 \times 3^{3-n}$일 때, 첫째항과 공비를 구하시오.

**1-2** 등비수열 $\{a_n\}$에 대하여 다음 물음에 답하시오.

(1) $a_4 = 2$, $a_9 = 27a_6$일 때, 162는 제몇 항인지 구하시오.

(2) $a_1 - a_3 = 3$, $a_3 - a_5 = 75$일 때, $a_1$의 값과 $a_n$을 구하시오.

 **1-3** 수열 $\{a_n\}$은 등비수열이고 $a_1 + a_2 + a_3 = 10$, $a_4 + a_5 + a_6 = 30$일 때, $\dfrac{a_{11} + a_{14}}{a_5 + a_8}$의 값을 구하시오.

다음 물음에 답하시오.

(1) 12, $x$, $y$가 이 순서로 등차수열이고 $x$, $y$, 2가 이 순서로 등비수열일 때, $x$와 $y$의 값을 모두 구하시오.

(2) 2와 $a$ 사이에 세 양수를 써넣어 등비수열을 만들었다. 써넣은 세 수의 곱이 216일 때, 써넣은 세 수의 합과 $a$의 값을 구하시오.

 **날선 Guide** (1) 12, $x$, $y$가 이 순서로 등차수열이므로 $2x=12+y$이고

$x$, $y$, 2가 이 순서로 등비수열이므로 $y^2=2x$이다.

두 식을 연립하여 풀면 $x$와 $y$의 값을 구할 수 있다.

(2) 2와 $a$ 사이의 세 수를 생각하면

$$2, \bigcirc, \bigcirc, \bigcirc, a$$

곧, 첫째항이 2인 등비수열이므로 공비를 $r$라 하면

써넣은 세 수는 $2r$, $2r^2$, $2r^3$이고 $a=2r^4$이다.

**참고** 등비수열을 이루는 세 수를 $\dfrac{b}{r}$, $b$, $br$라 놓고 풀 수도 있다.

곱이 216이므로 $b^3=216$ ∴ $b=6$ ($b$는 양수)

이때 2, $\dfrac{6}{r}$, 6, $6r$, $a$가 공비가 $r$인 등비수열이므로 $a$와 $r$의 값을 구할 수 있다.

**답** (1) $x=\dfrac{9}{2}$, $y=-3$ 또는 $x=8$, $y=4$  (2) 합 : $6+8\sqrt{3}$, $a=18$

**날선 Point**
- $a$, $b$, $c$가 이 순서로 등비수열 ➡ $b^2=ac$
- 등비수열을 이루는 수 ➡ $a$, $ar$, $ar^2$, …으로 놓는다.

**2-1** 수열 $x$, $y$, $3x$, 9에서 $x$, $y$, $3x$는 등차수열을 이루고 $y$, $3x$, 9는 등비수열을 이룬다. 양수 $x$, $y$의 값을 구하시오.

**2-2** 다음 물음에 답하시오.

(1) 16과 81 사이에 세 양수를 써넣어 등비수열을 만들었다. 써넣은 세 수를 구하시오.

(2) 등비수열을 이루는 세 실수의 합이 3, 곱이 $-8$일 때, 세 실수를 구하시오.

> 수열 $\{a_n\}$은 첫째항이 2, 공비가 3인 등비수열이다. 다음 물음에 답하시오.
>
> (1) 수열 $\{a_n{}^2\}$의 첫째항과 공비를 구하시오.
>
> (2) 수열 $\left\{\dfrac{1}{a_n}\right\}$의 첫째항과 공비를 구하시오.
>
> (3) 수열 $\{\log a_n\}$은 어떤 수열인지 말하시오.

**날선 Guide** (1) $a_n = 2 \times 3^{n-1}$이므로

$$a_n{}^2 = 2^2 \times (3^{n-1})^2 = 2^2 \times (3^2)^{n-1}$$

따라서 첫째항과 공비를 구할 수 있다.

(2) $\dfrac{1}{a_n} = \dfrac{1}{2 \times 3^{n-1}} = \dfrac{1}{2} \times \left(\dfrac{1}{3}\right)^{n-1}$

이므로 첫째항과 공비를 구할 수 있다.

(3) $\log a_n = \log(2 \times 3^{n-1}) = \log 2 + (n-1)\log 3$

이므로 수열 $\{\log a_n\}$은 등차수열이다. 첫째항과 공차를 찾는다.

**답** (1) 첫째항 : 4, 공비 : 9 (2) 첫째항 : $\dfrac{1}{2}$, 공비 : $\dfrac{1}{3}$

(3) 첫째항이 $\log 2$, 공차가 $\log 3$인 등차수열

**날선 Point**
- 첫째항이 $a$, 공비가 $r$인 등비수열
  ➡ $a_n = ar^{n-1}$으로 놓고 식을 정리한다.
- 수열 $\{a_n\}$이 등비수열이면 수열 $\{a_n{}^2\}$, $\left\{\dfrac{1}{a_n}\right\}$도 등비수열이다.

**3-1** 수열 $\{a_n\}$은 첫째항 3, 공비가 $-2$인 등비수열일 때, 다음 수열의 첫째항과 공비를 구하시오.

(1) $\{a_{2n+1}\}$ (2) $\{a_n a_{n+1}\}$

**3-2** 수열 $\{a_n\}$은 첫째항이 $a$, 공차가 $d$인 등차수열이다. 이때 수열 $\{2^{a_n}\}$은 어떤 수열인지 말하시오.

첫째항이 $a$, 공비가 $r$인 등비수열에서 제1항부터 제$n$항까지 합을 $S_n$이라 하면

$$r \neq 1 \text{일 때, } S_n = \frac{a(1-r^n)}{1-r} = \frac{a(r^n-1)}{r-1}$$

$$r = 1 \text{일 때, } S_n = na$$

**등비수열 $\{2^n\}$의 합**

등비수열 $\{2^n\}$의 제1항부터 제5항까지 합 $S_5$는 다음과 같이 $S_5$에서 $S_5$에 공비 2를 곱한 $2S_5$를 빼서 구할 수 있다.

$$\begin{array}{r} S_5 = 2 + 2^2 + 2^3 + 2^4 + 2^5 \\ - \underline{) \quad 2S_5 = \quad 2^2 + 2^3 + 2^4 + 2^5 + 2^6} \\ -S_5 = 2 - 2^6 = -62 \end{array}$$

$$\therefore S_5 = 62$$

**등비수열의 합**

등비수열의 제1항부터 제$n$항까지 합을 구해 보자.

첫째항이 $a$, 공비가 $r$인 등비수열의 제1항부터 제$n$항까지 합을 $S_n$이라 하면 $S_n$에서 공비 $r$를 곱한 $rS_n$을 빼서 구할 수 있다.

$$\begin{array}{r} S_n = a + ar + ar^2 + ar^3 + \cdots + ar^{n-1} \qquad \cdots \text{㉠} \\ - \underline{) \quad rS_n = \quad ar + ar^2 + ar^3 + \cdots + ar^{n-1} + ar^n} \\ (1-r)S_n = a \qquad\qquad\qquad\qquad\qquad - ar^n \end{array}$$

따라서 $r \neq 1$일 때,

$$S_n = \frac{a(1-r^n)}{1-r} = \frac{a(r^n-1)}{r-1}$$

또 $r = 1$일 때, ㉠에서

$$S_n = \underbrace{a + a + a + \cdots + a}_{n\text{개}} = na$$

**참고** $r < 1$이면 $S_n = \frac{a(1-r^n)}{1-r}$, $r > 1$이면 $S_n = \frac{a(r^n-1)}{r-1}$ 을 이용하는 것이 편하다.

**개념 Check**

◆ 정답 및 풀이 111쪽

**4** 등비수열 $\{a_n\}$이 다음과 같을 때, $a_1$부터 $a_n$까지 합 $S_n$을 구하시오.

(1) 첫째항이 2, 공비가 3        (2) $a_n = 3 \times 2^{n-1}$

**5** 등비수열 $\{a_n\}$이 다음과 같을 때, $a_1$부터 $a_n$까지 합 $S_n$을 구하시오.

(1) 첫째항이 6, 공비가 $-2$        (2) $a_n = 2 \times \left(\frac{1}{3}\right)^{n-1}$

## 10-3 단리법과 복리법

원금이 $a$이고 연이율이 $r$일 때

(1) 단리법으로 $n$년 후 원리합계는 $a(1+nr)$

(2) 복리법으로 $n$년 후 원리합계는 $a(1+r)^n$

**참고** 원금과 이자의 합을 원리합계라 한다.

**단리법** ●

단리법은 원금에만 이자를 더하여 원리합계를 계산하는 방법이다.

따라서 원금이 $a$이고 연이율이 $r$일 때,

**1**년 후 이자는 $ar$이므로 원리합계는 $a+ar=a(1+r)$

**2**년 후 이자는 $ar$이므로 원리합계는 $a(1+r)+ar=a(1+2r)$

$$\vdots$$

따라서 **$n$**년 후 원리합계는 $a(1+nr)$이고 각 항은 공차가 **$ar$**인 등차수열의 항이다.

**복리법** ●

복리법은 원금에 이자를 더하여 원금으로 생각하고 여기에 이자를 계산하는 방법이다.

곧, 이자에도 이자가 붙는 방법이다. 따라서 원금이 $a$이고 연이율이 $r$일 때,

**1**년 후 이자는 $ar$이므로 원리합계는 $a+ar=a(1+r)$

**2**년 후 이자는 $a(1+r)r$이므로 원리합계는 $a(1+r)+a(1+r)r=a(1+r)^2$

$$\vdots$$

따라서 **$n$**년 후 원리합계는 $a(1+r)^n$이고 각 항은 공비가 **$(1+r)$**인 등비수열의 항이다.

| | 단리법 | 복리법 |
|---|---|---|
| 1년 후 | $a+ar=a(1+r)$ | $a+ar=a(1+r)$ |
| 2년 후 | $a(1+r)+ar=a(1+2r)$ | $a(1+r)+a(1+r)r=a(1+r)^2$ |
| 3년 후 | $a(1+2r)+ar=a(1+3r)$ | $a(1+r)^2+a(1+r)^2r=a(1+r)^3$ |
| $\vdots$ | $\vdots$ | $\vdots$ |
| $n$년 후 | $a(1+nr)$ | $a(1+r)^n$ |

**단리법과 복리법의 계산** ●

연이율이 3 %일 때, 100만 원의 10년 후 원리합계는 $1.03^{10}=1.34$로 계산하면

(1) 단리법으로 예금한 경우 : $100\times(1+10\times0.03)=130$(만 원)

(2) 복리법으로 예금한 경우 : $100\times(1+0.03)^{10}=134$(만 원)

▶ 개념 Check

◆ 정답 및 풀이 **111**쪽

**6** 100만 원을 10년 동안 다음과 같이 예금할 때, 원리합계를 구하시오.

(1) 단리법이고, 연이율이 6 %이다.

(2) 복리법이고, 연이율이 5 %이다. (단, $1.05^{10}=1.63$으로 계산한다.)

수열 $\{a_n\}$은 첫째항이 $-3$이고 공비가 2인 등비수열일 때, 다음 값을 구하시오.

(1) $a_1+a_2+a_3+a_4+\cdots+a_{20}$

(2) $a_1-a_2+a_3-a_4+\cdots+a_{19}-a_{20}$

(3) $\dfrac{1}{a_1}+\dfrac{1}{a_2}+\dfrac{1}{a_3}+\cdots+\dfrac{1}{a_n}$

**날선 Guide** 첫째항을 $a$, 공비를 $r$라 하고 제1항부터 제$n$항까지 합을 $S_n$이라 하자.

(1) 공비가 1보다 크므로 $S_n=\dfrac{a(r^n-1)}{r-1}$ 을 이용한다.

(2) $a_1-a_2+a_3-a_4+\cdots+a_{19}-a_{20}$

$=a-ar+ar^2-ar^3+\cdots+ar^{18}-ar^{19}$

따라서 첫째항이 $a$, 공비가 $-r$인 등비수열의 합이다.

이때 공비가 1보다 작으므로 $S_n=\dfrac{a(1-r^n)}{1-r}$ 을 이용한다.

(3) $\dfrac{1}{a_1}+\dfrac{1}{a_2}+\dfrac{1}{a_3}+\cdots+\dfrac{1}{a_n}=\dfrac{1}{a}+\dfrac{1}{ar}+\dfrac{1}{ar^2}+\cdots+\dfrac{1}{ar^{n-1}}$

따라서 첫째항이 $\dfrac{1}{a}$, 공비가 $\dfrac{1}{r}$인 등비수열의 합이다.

**답** (1) $-3\times(2^{20}-1)$ (2) $2^{20}-1$ (3) $\dfrac{1}{3}\times\left(\dfrac{1}{2}\right)^{n-1}-\dfrac{2}{3}$

---

**날선 Point** 첫째항이 $a$, 공비가 $r$인 등비수열의 합

$r>1$일 때 $S_n=\dfrac{a(r^n-1)}{r-1}$, $r<1$일 때 $S_n=\dfrac{a(1-r^n)}{1-r}$

---

**4-1** 다음 등비수열의 제1항부터 제10항까지 합을 구하시오.

(1) $3,\ 3^3,\ 3^5,\ 3^7,\ \cdots$

(2) $\sqrt{2}+1,\ 2+\sqrt{2},\ 2\sqrt{2}+2,\ 4+2\sqrt{2},\ \cdots$

**4-2** 수열 $\{a_n\}$은 등비수열이고 $a_2=3$, $a_5=\dfrac{3}{8}$일 때, 다음 값을 구하시오.

(1) $a_1+a_2+a_3+a_4+\cdots+a_{20}$

(2) $a_2+a_4+a_6+a_8+\cdots+a_{18}+a_{20}$

## 합이 주어진 문제

◆ 정답 및 풀이 **112**쪽

수열 $\{a_n\}$은 공비가 양수인 등비수열이다. 제1항부터 제10항까지 합이 10이고 제11항부터 제20항까지 합이 30일 때, 제1항부터 제30항까지 합을 구하시오.

**날선 Guide** 첫째항을 $a$, 공비를 $r$라 하고 제1항부터 제$n$항까지 합을 $S_n$이라 하자.

$$S_{10}=\frac{a(r^{10}-1)}{r-1}$$

$$S_{20}=\frac{a(r^{20}-1)}{r-1}=\frac{a(r^{10}-1)(r^{10}+1)}{r-1}$$

$$S_{30}=\frac{a(r^{30}-1)}{r-1}=\frac{a(r^{10}-1)(r^{20}+r^{10}+1)}{r-1}$$

세 식을 비교하면

$$S_{20}=S_{10}(r^{10}+1) \qquad \cdots ㉠$$

$$S_{30}=S_{10}(r^{20}+r^{10}+1) \qquad \cdots ㉡$$

조건에서 $S_{10}=10$

또 제1항부터 제20항까지 합은 $S_{20}=10+30=40$이므로

㉠에서 $r^{10}$의 값과 ㉡에서 $S_{30}$의 값을 구할 수 있다.

**참고** 이 문제에서는 $a$와 $r$의 값은 구하지 않아도 된다. 이와 같이 문제를 풀 때에는 구하려고 하는 값이 무엇인지 먼저 파악해야 한다.

**답** 130

**날선 Point**
### 등비수열의 합에 대한 문제
첫째항을 $a$, 공비를 $r$ $(r\neq1)$로 놓고 다음을 이용한다.
$$S_n=\frac{a(r^n-1)}{r-1}=\frac{a(1-r^n)}{1-r}$$

**5-1** 등비수열 $\{a_n\}$의 제1항부터 제$n$항까지 합이 5, 제1항부터 제$2n$항까지 합이 15이다. 제1항부터 제$4n$항까지 합을 구하시오.

**5-2** 수열 $\{a_n\}$은 등비수열이고 다음이 성립할 때, 제1항부터 제10항까지 합을 구하시오.
$$a_1+a_3+a_5+\cdots+a_{17}+a_{19}=2^{20}-1$$
$$a_2+a_4+a_6+\cdots+a_{18}+a_{20}=2^{21}-2$$

수열 $\{a_n\}$의 제1항부터 제$n$항까지 합을 $S_n$이라 할 때, 다음 물음에 답하시오.

(1) $S_n = 2^{n+1} + 1$일 때, $a_n$을 구하시오.

(2) 수열 $\{a_n\}$이 등비수열이고 $S_n = 5^n - k$일 때, 실수 $k$의 값과 공비를 구하시오.

**날선 Guide** (1) 합 $S_n$이 주어진 경우 일반항 $a_n$을 구하는 문제이다.

$$n \geq 2일 \ 때, \ a_n = S_n - S_{n-1}$$

$$n = 1일 \ 때, \ a_1 = S_1$$

임을 이용한다.

(2) $a_n = S_n - S_{n-1} = (5^n - k) - (5^{n-1} - k)$

$\qquad = 5^{n-1} \times (5 - 1) = 4 \times 5^{n-1} \qquad \cdots \ \ominus$

이므로 $n \geq 2$일 때, 수열 $\{a_n\}$은 등비수열이다.

따라서 $n = 1$일 때에도 $\ominus$이 성립할 조건을 찾는다.

**참고** 수열 $\{a_n\}$이 등비수열이므로 $a_n = ar^{n-1}$이라 하면

$$S_n = \frac{a(r^n - 1)}{r - 1} = \frac{a}{r - 1}(r^n - 1)$$

따라서 $S_n = 5^n - k$와 비교하면 $r$와 $k$의 값을 구할 수 있다.

또 $S_n = A(r^n - 1)$일 때, $S_n$은 공비가 $r$인 등비수열의 합임을 알 수 있다.

**답** (1) $a_1 = 5, \ a_n = 2^n \ (n \geq 2)$ (2) $k = 1$, 공비 : 5

**날선 Point** 합 $S_n$이 주어진 수열의 일반항 ➡ $\begin{cases} a_n = S_n - S_{n-1} \ (n \geq 2) \\ a_1 = S_1 \end{cases}$

**6-1** 수열 $\{a_n\}$은 공비가 3인 등비수열이다. 제1항부터 제$n$항까지 합이 $S_n = 3A^n + B$일 때, 실수 $A$와 $B$의 값을 구하시오.

**6-2** 수열 $\{a_n\}$의 제1항부터 제$n$항까지 합을 $S_n$이라 하면 $S_n = 2^{n-1} + 50$이다. $a_1$과 $a_5$의 값을 구하시오.

**등비수열과 도형**

◆ 정답 및 풀이 **113**쪽

한 변의 길이가 4인 정삼각형 모양의 종이가 있다. 1회 시행에서는 삼각형의 각 변의 중점을 연결하여 만든 가운데 정삼각형을 오려 낸다. 2회 시행에서는 1회 시행에서 남은 정삼각형 3개에서 같은 방법으로 각각의 정삼각형을 오려 낸다. 이와 같은 시행을 계속할 때, 10회 시행 후 남은 정삼각형의 개수와 넓이의 합을 구하시오.

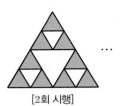

[1회 시행]   [2회 시행]

**날선 Guide** 1회 시행에서 남은 정삼각형은 3개이다. 그림에서 작은 정삼각형 4개의 넓이가 같으므로 남은 정삼각형 넓이의 합은 처음 정삼각형 넓이의 $\dfrac{3}{4}$이다.

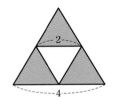

2회 시행에서도 세 정삼각형 각각에 대하여 남은 정삼각형은 3개씩이고, 2회 시행에서 남은 정삼각형 넓이의 합도 1회 시행에서 남은 정삼각형 넓이의 $\dfrac{3}{4}$이다.

이와 같이 생각하면 남은 정삼각형의 개수와 넓이의 합은 모두 등비수열임을 알 수 있다.

**답** 정삼각형의 개수 : $3^{10}$, 넓이의 합 : $3\sqrt{3} \times \left(\dfrac{3}{4}\right)^9$

**날선 Point** 닮은 도형이 반복되는 경우 ➡ 등비수열을 생각한다.

**7-1** 그림과 같이 1회 시행에서는 반지름의 길이가 2인 원 $C$의 내부에 서로 외접하면서 원 $C$에 내접하는 합동인 원 2개를 그린다. 2회 시행에서는 1회 시행에서 그린 원 2개의 내부에 같은 방법으로 각각 합동인 원을 2개씩 그린다. 이와 같은 시행을 계속할 때, 다음 물음에 답하시오.

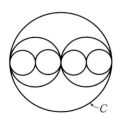

(1) 10회 시행에서 그린 원의 넓이의 합을 구하시오.

(2) 10회 시행까지 그린 원의 개수의 합을 구하시오.

**복리법이고, 연이율이 5 % 이다.** $1.05^{10}=1.63$ **일 때, 다음 물음에 답하시오.**

(1) 매년 초 100만 원씩 적립할 때, 10년 후 연말에 받을 수 있는 금액을 구하시오.

(2) 매년 초에 일정한 금액을 적립하여 10년 후 연말에 1000만 원을 만들려고 한다. 매년 얼마씩 적립하면 되는지 반올림하여 백의 자리까지 나타내시오.

날선 **Guide**   (1)

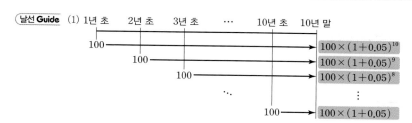

1년 초에 적립한 100만 원은 10년 동안 이자가 붙으므로 원리합계는
$100\times(1+0.05)^{10}$(만 원)이다.

2년 초에 적립한 100만 원은 9년 동안 이자가 붙으므로 원리합계는
$100\times(1+0.05)^{9}$(만 원)이다.

이와 같이 매년 초에 적립한 금액의 원리합계를 각각 구해 모두 더하면 된다.

(2)

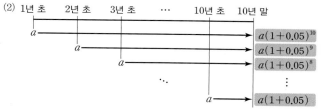

매년 초에 $a$원씩 적립할 때, 10년 후 원리합계는
$a(1+0.05)+a(1+0.05)^{2}+\ \cdots\ +a(1+0.05)^{10}$(원)이다.
따라서 원리합계의 합이 1000만 원이 되는 $a$의 값을 구한다.

🅐 (1) 1323만 원   (2) 755900원

날선
**Point**   원금이 $a$, 이율이 $r$로 $n$년간 복리로 예금했을 때 원리합계 ➡ $a(1+r)^{n}$

**8-1**   복리법이고, 연이율 4 %로 매년 초 100만 원씩 적립할 때, 20년 후 연말에 받을 수 있는 금액을 구하시오. (단, $1.04^{20}=2.2$로 계산한다.)

**01** 다음 중 등비수열이 아닌 것은?

① $-1, 1, -1, 1, -1, \cdots$  ② $4, 2, 0, -2, -4, \cdots$

③ $\dfrac{1}{2}, \dfrac{1}{4}, \dfrac{1}{8}, \dfrac{1}{16}, \dfrac{1}{32}, \cdots$  ④ $0.1, 0.01, 0.001, 0.0001, 0.00001, \cdots$

⑤ $3+2\sqrt{2}, \sqrt{2}+1, 1, \sqrt{2}-1, 3-2\sqrt{2}, \cdots$

**02** 첫째항이 3인 등비수열 $\{a_n\}$에 대하여 $\dfrac{a_3}{a_2} - \dfrac{a_6}{a_4} = \dfrac{1}{4}$일 때, $a_5$의 값을 구하시오.

**03** 수열 $\{a_n\}$은 첫째항이 0이 아닌 등비수열이다. $a_3 = 4a_1$, $a_7 = a_6{}^2$일 때, 수열 $\{a_n\}$의 첫째항은?

① $\dfrac{1}{16}$  ② $\dfrac{1}{8}$  ③ $\dfrac{3}{16}$  ④ $\dfrac{1}{4}$  ⑤ $\dfrac{5}{16}$

**04** 세 수 $a+3$, $a$, $4$가 이 순서로 등비수열을 이룰 때, 양수 $a$의 값을 구하시오.

**05** 4와 $\dfrac{1}{4}$ 사이에 세 실수를 써넣어 등비수열을 만들었다. 써넣은 세 실수의 곱은?

① $\dfrac{1}{16}$  ② $\dfrac{1}{8}$  ③ $\dfrac{1}{4}$  ④ $\dfrac{1}{2}$  ⑤ $1$

**06** 수열 $\{a_n\}$의 공비가 2이고 수열 $\{a_{3n+1}\}$의 첫째항이 1일 때, 수열 $\{a_{3n+1}\}$의 제$n$항을 구하시오.

**07** 첫째항이 1이고 공비가 2인 등비수열 $\{a_n\}$에 대하여 $b_n = a_{n+1}{}^2 - a_n{}^2$일 때, $\dfrac{b_6}{b_3}$의 값을 구하시오.

**08** 등비수열 8, 4, 2, 1, …의 제$n$항이 처음으로 $\dfrac{1}{1000}$보다 작아질 때, $n$의 값은?

① 12          ② 13          ③ 14          ④ 15          ⑤ 16

**09** 다음 수열의 제1항부터 제20항까지 합을 구하시오.

(1) $2^2$, $2^4$, $2^6$, $2^8$, $\cdots$

(2) $\sqrt{2}$, $-2$, $2\sqrt{2}$, $-4$, $4\sqrt{2}$, $\cdots$

**10** 수열 $\{a_n\}$은 첫째항이 1이고 공비가 3인 등비수열일 때,

$\dfrac{1}{a_1} + \dfrac{2}{a_2} + \dfrac{2^2}{a_3} + \cdots + \dfrac{2^{n-1}}{a_n}$을 간단히 하면?

① $\dfrac{1}{3}\left\{1-\left(\dfrac{1}{3}\right)^{n-1}\right\}$          ② $\dfrac{1}{3}\left\{1-\left(\dfrac{2}{3}\right)^{n}\right\}$          ③ $3\left\{1-\left(\dfrac{1}{3}\right)^{n-1}\right\}$

④ $3\left\{1-\left(\dfrac{2}{3}\right)^{n-1}\right\}$          ⑤ $3\left\{1-\left(\dfrac{2}{3}\right)^{n}\right\}$

**11** 제1항부터 제$n$항까지 합 $S_n$이 $S_n = 18 \times 6^{2n-1} - k$인 수열 $\{a_n\}$이 첫째항부터 등비수열을 이루도록 하는 상수 $k$의 값은?

① 1       ② 2       ③ 3       ④ 4       ⑤ 5

**12** 한 변의 길이가 2인 정사각형 $T_1$의 내부에 그림과 같이 정사각형 $T_2$, $T_3$, $\cdots$을 계속해서 그린다. $n$번째 정사각형을 $T_n$이라 할 때, $T_1$부터 $T_{10}$까지 넓이의 합을 구하시오.

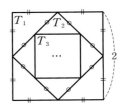

**13** 공비가 0이 아닌 등비수열 $\{a_n\}$에 대하여 다음 중 등비수열이 <u>아닌</u> 것은?

① $\{2a_n\}$       ② $\{a_n^2\}$       ③ $\{a_{n+1} + a_n\}$

④ $\left\{\dfrac{n}{a_n}\right\}$       ⑤ $\{a_{n+1}a_n\}$

**14** 첫째항이 500이고 공비가 $\dfrac{1}{4}$인 등비수열 $\{a_n\}$에 대하여

$$T_n = a_1 \times a_2 \times a_3 \times \cdots \times a_n$$

이라 하자. $T_n$의 값이 최대가 될 때 $n$의 값을 구하시오.

**15** $a$, 7, 11, $b$가 이 순서로 등차수열을 이루고, $a$, $x$, $y$, $b$는 이 순서로 등비수열을 이루고 있다. $xy$의 값은?

① 36       ② 45       ③ 54       ④ 63       ⑤ 72

**16** 이차방정식 $2x^2 - ax + 4 = 0$의 두 실근을 $\alpha$, $\beta$라 하고, 이차방정식 $x^2 + bx + 8 = 0$의 두 실근을 $\gamma$, $\delta$라 하자. 네 수 $\alpha$, $\gamma$, $\beta$, $\delta$가 이 순서로 등비수열일 때, $a^2 + b^2$의 값은?

① 40　　　　② 75　　　　③ 100　　　　④ 125　　　　⑤ 164

**수능 기출**

**17** 첫째항이 7인 등비수열 $\{a_n\}$의 제1항부터 제$n$항까지 합을 $S_n$이라 하자.

$$\frac{S_9 - S_5}{S_6 - S_2} = 3$$

일 때, $a_7$의 값을 구하시오.

**18** 두 수 3과 40 사이에 10개의 수를 써넣으면 3, $a_1$, $a_2$, $\cdots$, $a_{10}$, 40이 등비수열이다.

$$3 + a_1 + a_2 + \cdots + a_{10} + 40 = k\left(\frac{1}{3} + \frac{1}{a_1} + \frac{1}{a_2} + \cdots + \frac{1}{a_{10}} + \frac{1}{40}\right)$$

일 때, 상수 $k$의 값을 구하시오.

**19** 공비가 양수인 등비수열 $\{a_n\}$의 제1항부터 제$n$항까지 합을 $S_n$이라 하면 $S_5 = 9$, $S_{15} = 63$이다. $S_{10}$의 값을 구하시오.

**20** $A = 2^{12}$, $B = 3^{12}$일 때, 다음 중 $6^{12}$의 약수의 합을 $A$와 $B$로 나타낸 것으로 옳은 것은?

① $\frac{1}{2}(2A-1)(3B-1)$　　② $(2A-1)(3B-1)$　　③ $\frac{1}{3}(3A-1)(2B-1)$

④ $\frac{1}{2}(3A-1)(2B-1)$　　⑤ $(3A-1)(2B-1)$

**21** 그림과 같이 길이가 $a$인 선분을 삼등분하여 중간 부분을 버리는 시행을 1단계라 하고, 1단계에서 남은 두 선분을 각각 3등분하여 중간 부분을 버리는 시행을 2단계라 하자. 이와 같은 시행을 계속할 때, 몇 단계부터 남은 선분의 길이의 합이 $\left(\dfrac{2}{3}\right)^{16} a$ 이하가 되는지 구하시오.

[1단계]　　[2단계]

**22** 그림과 같이 한 변의 길이가 1인 정사각형을 4등분하여 대각선에 있는 정사각형을 색칠하는 시행을 1단계라 하고, 1단계에서 색칠하지 않은 정사각형을 4등분하여 대각선에 있는 정사각형을 색칠하는 시행을 2단계라 하자. 이와 같은 시행을 10단계까지 할 때, 색칠한 모든 정사각형의 넓이의 합을 구하시오.

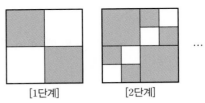

[1단계]　　[2단계]

**23** 평행하지 않은 두 직선 사이에 그림과 같이 정사각형이 크기 순으로 변끼리 만나게 놓여 있다. 첫 번째 정사각형의 넓이가 3이고 7번째 정사각형의 넓이가 24일 때, 11번째 정사각형의 넓이를 구하시오.

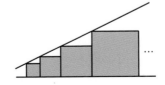

**24** 2019년 초 어느 집의 가격은 5억 원이고, 전년도에 비해 매년 4 %씩 상승한다고 한다. 어느 가족은 이 집을 사기로 계획하고, 2019년 초에 $a$원을 예금하고 다음 해부터 2028년까지 매년 초에 전년도보다 4 % 증가한 금액을 은행에 예금하기로 하였다. 이 가족이 10년 동안 예금한 금액의 2029년 초 원리합계와 그때의 집의 가격이 같기 위한 $a$의 값은?

(단, 예금의 연이율은 4 % 복리이며, $1.04^{10} = 1.5$로 계산한다.)

① $5 \times 10^5$　　② $5 \times 10^6$　　③ $5 \times 10^7$　　④ $5 \times 10^8$　　⑤ $5 \times 10^9$

수열의 합을 덧셈 기호를 사용하여 표현하는 경우 더하는 부분의 중간이 생략되어 일반항이 명확하지 않은 경우가 있다. 이때 합의 기호 $\sum$를 사용하면 일반항과 항의 개수를 표시해야 하므로 이런 혼란을 막을 수 있다.

이 단원에서는 기호 $\sum$의 뜻과 성질을 이해하고, 여러 가지 수열의 합을 구해 보자.

# 수열의 합

## $\sum$의 정의

수열 $a_1$, $a_2$, $a_3$, $\cdots$, $a_n$의 합을 기호 $\sum$를 사용하여 다음과 같이 나타낸다.

$$a_1+a_2+a_3+ \cdots +a_n=\sum_{k=1}^{n} a_k$$

**$\sum$를 사용하여 나타내기**

수열 $\{a_n\}$에서 제1항부터 제$n$항까지 합은 $S_n$으로 나타내었다.

합을 보다 자유롭게 이용하기 위해 기호 $\sum$(시그마)를 사용하여 다음과 같이 나타낸다.

$$a_1+a_2+a_3+ \cdots +a_n=\sum_{k=1}^{n} a_k$$

예를 들어 $a_n=2n-1$이면

$$1+3+5+ \cdots +(2n-1)=\sum_{k=1}^{n} (2k-1)$$

**$\sum$의 뜻**

$\sum\limits_{k=1}^{n} a_k$는 $a_k$의 $k$에 1, 2, 3, $\cdots$, $n$을 대입한 다음, 차례로

더하라는 뜻이다. 따라서 $\sum\limits_{k=1}^{n} 2^{k+1}$을 나열하면

$$\sum_{k=1}^{n} 2^{k+1}=2^2+2^3+2^4+ \cdots +2^{n+1}$$

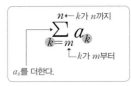

**$\sum\limits_{k=1}^{n} a_k$에서 $k$ 대신 다른 문자의 사용**

$k$ 대신 $i$나 $j$ 등을 사용하여 $\sum\limits_{i=1}^{n} a_i$, $\sum\limits_{j=1}^{n} a_j$로 나타내어도 된다. 곧,

$$\sum_{i=1}^{n} a_i=a_1+a_2+a_3+ \cdots +a_n, \ \sum_{j=1}^{n} a_j=a_1+a_2+a_3+ \cdots +a_n$$

또 $\sum\limits_{k=3}^{n-1} a_k$는 $k$에 3부터 $n-1$까지 대입하여 더하라는 뜻이므로

$$\sum_{k=3}^{n-1} a_k=a_3+a_4+a_5+ \cdots +a_{n-1}$$

---

**개념 Check**

◆ 정답 및 풀이 **119**쪽

**1** 다음을 기호 $\sum$를 사용하지 않은 합의 꼴로 나타내시오.

(1) $\sum\limits_{k=1}^{n} 3k$ (2) $\sum\limits_{k=4}^{10} (k-1)^2$

**2** 다음 합을 기호 $\sum$를 사용하여 나타내시오.

(1) $2+4+6+ \cdots +2(n-1)+2n$

(2) $1^2+3^2+5^2+ \cdots +(2n-3)^2+(2n-1)^2$

(3) $3^2+3^3+3^4+ \cdots +3^{19}+3^{20}$

두 수열 $\{a_n\}$, $\{b_n\}$과 상수 $c$에 대하여

(1) $\displaystyle\sum_{k=1}^{n}(a_k+b_k)=\sum_{k=1}^{n}a_k+\sum_{k=1}^{n}b_k,$ $\displaystyle\sum_{k=1}^{n}(a_k-b_k)=\sum_{k=1}^{n}a_k-\sum_{k=1}^{n}b_k$

(2) $\displaystyle\sum_{k=1}^{n}ca_k=c\sum_{k=1}^{n}a_k,$ 특히 $a_k=1$일 때 $\displaystyle\sum_{k=1}^{n}c=cn$

$\Sigma$의 성질(1)

$\displaystyle\sum_{k=1}^{n}(a_k\pm b_k)$는 $a_k\pm b_k$의 $k$에 1, 2, $\cdots$, $n$을 대입한 합이므로

$$\sum_{k=1}^{n}(a_k+b_k)=(a_1+b_1)+(a_2+b_2)+\cdots+(a_n+b_n)$$

$$=(a_1+a_2+\cdots+a_n)+(b_1+b_2+\cdots+b_n)=\sum_{k=1}^{n}a_k+\sum_{k=1}^{n}b_k$$

$$\sum_{k=1}^{n}(a_k-b_k)=(a_1-b_1)+(a_2-b_2)+\cdots+(a_n-b_n)$$

$$=(a_1+a_2+\cdots+a_n)-(b_1+b_2+\cdots+b_n)=\sum_{k=1}^{n}a_k-\sum_{k=1}^{n}b_k$$

$\Sigma$의 성질(2)

$c$가 상수일 때,

$$\sum_{k=1}^{n}ca_k=ca_1+ca_2+\cdots+ca_n$$

$$=c(a_1+a_2+\cdots+a_n)=c\sum_{k=1}^{n}a_k$$

특히 $a_k=1$이면 $a_1=1$, $a_2=1$, $\cdots$, $a_n=1$이므로

$$\sum_{k=1}^{n}ca_k=\underbrace{c+c+\cdots+c}_{n개}=cn$$

$\Sigma$의 계산

예를 들어 $\displaystyle\sum_{k=1}^{n}a_k=A$, $\displaystyle\sum_{k=1}^{n}b_k=B$이고 $p$, $q$가 상수이면

$$\sum_{k=1}^{n}(pa_k+qb_k)=\sum_{k=1}^{n}pa_k+\sum_{k=1}^{n}qb_k=p\sum_{k=1}^{n}a_k+q\sum_{k=1}^{n}b_k=pA+qB$$

**개념 Check**

◆ 정답 및 풀이 **119**쪽

**3** $\displaystyle\sum_{k=1}^{20}a_k=10$, $\displaystyle\sum_{k=1}^{20}b_k=-5$일 때, 다음 식의 값을 구하시오.

(1) $\displaystyle\sum_{k=1}^{20}(a_k+b_k)$

(2) $\displaystyle\sum_{k=1}^{20}5a_k$

(3) $\displaystyle\sum_{k=1}^{20}3b_k$

(4) $\displaystyle\sum_{k=1}^{20}(a_k-2b_k)$

**4** $\displaystyle\sum_{k=1}^{10}5$의 값을 구하시오.

자연수의 거듭제곱의 합은 다음과 같다.

$$\sum_{k=1}^{n} k = \frac{n(n+1)}{2}, \quad \sum_{k=1}^{n} k^2 = \frac{n(n+1)(2n+1)}{6}, \quad \sum_{k=1}^{n} k^3 = \left\{\frac{n(n+1)}{2}\right\}^2$$

$\sum_{k=1}^{n} k$ •

$$\sum_{k=1}^{n} k = 1+2+3+ \cdots +(n-1)+n$$

은 첫째항이 1, 공차가 1인 등차수열의 제1항부터 제$n$항까지 합이다.

$$\therefore \sum_{k=1}^{n} k = \frac{n(n+1)}{2}$$

$\sum_{k=1}^{n} k^2$ •

$$\sum_{k=1}^{n} k^2 = 1^2+2^2+3^2+ \cdots +(n-1)^2+n^2$$

은 항등식 $(k+1)^3-k^3=3k^2+3k+1$을 이용하여 다음과 같이 구할 수 있다.

|  | $(k+1)^3-k^3$ | $=3k^2$ | $+3k$ | $+1$ |
|---|---|---|---|---|
| $k=1$을 대입 ➡ | $2^3-1^3$ | $=3\times 1^2$ | $+3\times 1$ | $+1$ |
| $k=2$를 대입 ➡ | $3^3-2^3$ | $=3\times 2^2$ | $+3\times 2$ | $+1$ |
| $k=3$을 대입 ➡ | $4^3-3^3$ | $=3\times 3^2$ | $+3\times 3$ | $+1$ |
| ⋮ | | ⋮ | | |
| $k=n-1$을 대입 ➡ | $n^3-(n-1)^3$ | $=3\times(n-1)^2$ | $+3\times(n-1)$ | $+1$ |
| $k=n$을 대입 ➡ | $(n+1)^3-n^3$ | $=3\times n^2$ | $+3\times n$ | $+1$ |
| 변끼리 더하면 ➡ | $(n+1)^3-1^3$ | $=3\sum_{k=1}^{n} k^2$ | $+3\sum_{k=1}^{n} k$ | $+n$ |

$$\therefore 3\sum_{k=1}^{n} k^2 = (n+1)^3-1^3-3\sum_{k=1}^{n} k-n = n^3+3n^2+3n+1-1-3\times\frac{n(n+1)}{2}-n$$

$$= \frac{1}{2}(2n^3+3n^2+n) = \frac{1}{2}n(n+1)(2n+1)$$

$$\therefore \sum_{k=1}^{n} k^2 = \frac{n(n+1)(2n+1)}{6}$$

$\sum_{k=1}^{n} k^3$ •

$$\sum_{k=1}^{n} k^3 = 1^3+2^3+3^3+ \cdots +(n-1)^3+n^3 은$$

항등식 $(k+1)^4-k^4=4k^3+6k^2+4k+1$을 이용하여 위와 같이 구할 수 있다.

$$\therefore \sum_{k=1}^{n} k^3 = \left\{\frac{n(n+1)}{2}\right\}^2$$

▶ 개념 Check

◆ 정답 및 풀이 119쪽

**5** 다음을 구하시오.

(1) $\sum_{k=1}^{n} 2k$ 　　　　(2) $\sum_{k=1}^{n} 3k^2$ 　　　　(3) $\sum_{k=1}^{5} 4k^3$

다음 물음에 답하시오.

(1) $\displaystyle\sum_{k=1}^{n} a_{2k-1} + \sum_{k=1}^{n} a_{2k} = 2n^2$일 때, $\displaystyle\sum_{k=1}^{10} a_k$의 값을 구하시오.

(2) $\displaystyle\sum_{k=0}^{9} f(k+1) - \sum_{k=1}^{10} f(k-1) = 5$일 때, $f(10) - f(0)$의 값을 구하시오.

(3) $\displaystyle\sum_{k=1}^{10} a_k = 5$, $\displaystyle\sum_{k=1}^{10} a_k^2 = 50$일 때, $\displaystyle\sum_{k=1}^{10} (a_k - 2)^2$의 값을 구하시오.

**날선 Guide** (1) $\displaystyle\sum_{k=1}^{n} a_{2k-1} = a_1 + a_3 + a_5 + \cdots + a_{2n-1}$

$\displaystyle\sum_{k=1}^{n} a_{2k} = a_2 + a_4 + a_6 + \cdots + a_{2n}$

과 같이 항의 합으로 나타내면 $\displaystyle\sum_{k=1}^{n} a_{2k-1} + \sum_{k=1}^{n} a_{2k}$를 간단히 할 수 있다.

(2) 먼저 $\displaystyle\sum_{k=0}^{9} f(k+1)$, $\displaystyle\sum_{k=1}^{10} f(k-1)$을 각각 항의 합으로 나타낸 다음 정리한다.

(3) $\displaystyle\sum_{k=1}^{10} (a_k - 2)^2 = \sum_{k=1}^{10} (a_k^2 - 4a_k + 4) = \sum_{k=1}^{10} a_k^2 - 4\sum_{k=1}^{10} a_k + \sum_{k=1}^{10} 4$

와 같이 $\sum$의 성질을 이용하여 나타내면 조건을 이용할 수 있다.

**참고** $\sum$의 성질은 곱셈과 나눗셈에 대해서는 성립하지 않는다.

(1) $\displaystyle\sum_{k=1}^{n} a_k b_k \neq \sum_{k=1}^{n} a_k \sum_{k=1}^{n} b_k$　(2) $\displaystyle\sum_{k=1}^{n} a_k^2 \neq \left(\sum_{k=1}^{n} a_k\right)^2$　(3) $\displaystyle\sum_{k=1}^{n} \frac{a_k}{b_k} \neq \frac{\sum_{k=1}^{n} a_k}{\sum_{k=1}^{n} b_k}$

**답** (1) 50　(2) 5　(3) 70

**날선 Point**
- $\sum a_k \Rightarrow$ 항의 합으로 나타내어 규칙을 찾는다.
- $\sum (a_k \pm b_k) = \sum a_k \pm \sum b_k$, $\sum c a_k = c \sum a_k$

**1-1** $\displaystyle\sum_{k=1}^{n} a_{2k-1} + \sum_{k=1}^{n} a_{2k} = 20$일 때, $\displaystyle\sum_{k=1}^{2n} a_k$의 값을 구하시오.

**1-2** $\displaystyle\sum_{k=1}^{10} k^5 - \sum_{k=1}^{9} (k+1)^5$의 값을 구하시오.

**1-3** $\displaystyle\sum_{k=1}^{n} (a_k + b_k)^2 = 100$, $\displaystyle\sum_{k=1}^{n} a_k b_k = 20$일 때, $\displaystyle\sum_{k=1}^{n} (a_k^2 + b_k^2)$의 값을 구하시오.

**대표 Q2** $\sum k,\ \sum k^2,\ \sum k^3$의 계산

다음 수열의 제1항부터 제$n$항까지 합을 구하시오.

(1) $3^2,\ 4^2,\ 5^2,\ 6^2,\ \cdots$

(2) $1\times2,\ 2\times5,\ 3\times8,\ 4\times11,\ \cdots$

(3) $1,\ 1+2,\ 1+2+3,\ 1+2+3+4,\ \cdots$

**날선 Guide** (1) $\sum$를 사용한 수열의 합은 보통 $\sum\limits_{k=1}^{n}a_k$ 꼴로 나타내므로 $k$번째 항을 구한다.

곧, $a_k=(k+2)^2$이므로

$$\sum_{k=1}^{n}(k+2)^2=\sum_{k=1}^{n}(k^2+4k+4)=\sum_{k=1}^{n}k^2+4\sum_{k=1}^{n}k+\sum_{k=1}^{n}4$$

와 같이 합으로 고친 다음 $\sum$의 성질을 이용하여 계산한다.

**참고** $\sum\limits_{k=1}^{n}(k+2)^2=3^2+4^2+5^2+\cdots+(n+2)^2=\sum\limits_{k=1}^{n+2}k^2-(1^2+2^2)$을 계산해도 된다.

(2) 조건에서 각 항이 곱으로 주어져 있으므로 $k$번째 항은 먼저 곱의 꼴로 생각한다.

곧, $a_k=k(3k-1)$이므로 다음과 같이 계산한다.

$$\sum_{k=1}^{n}k(3k-1)=\sum_{k=1}^{n}(3k^2-k)=3\sum_{k=1}^{n}k^2-\sum_{k=1}^{n}k$$

(3) $a_k=1+2+3+\cdots+k=\dfrac{k(k+1)}{2}=\dfrac{k^2}{2}+\dfrac{k}{2}$이므로 다음과 같이 계산한다.

$$\sum_{k=1}^{n}\left(\frac{k^2}{2}+\frac{k}{2}\right)=\frac{1}{2}\sum_{k=1}^{n}k^2+\frac{1}{2}\sum_{k=1}^{n}k$$

**답** (1) $\dfrac{n(2n^2+15n+37)}{6}$  (2) $n^2(n+1)$  (3) $\dfrac{n(n+1)(n+2)}{6}$

**날선 Point** $\displaystyle\sum_{k=1}^{n}k=\frac{n(n+1)}{2},\ \sum_{k=1}^{n}k^2=\frac{n(n+1)(2n+1)}{6},\ \sum_{k=1}^{n}k^3=\left\{\frac{n(n+1)}{2}\right\}^2$

**2-1** 다음 식의 값을 구하시오.

(1) $\displaystyle\sum_{k=1}^{n}(k-1)^3$  (2) $1^2+3^2+5^2+\cdots+(2n-1)^2$

(3) $1+(1+3)+(1+3+5)+\cdots+\{1+3+5+\cdots+(2n-1)\}$

다음 식의 값을 구하시오.

(1) $\displaystyle\sum_{k=1}^{n} 3^{2k-1}$　　　　　　　　(2) $\displaystyle\sum_{k=1}^{n} (1+2+2^2+\cdots+2^{k-1})$

(3) $9+99+999+\cdots+\underbrace{999\cdots9}_{n개}$

**날선 Guide** (1) ∑를 각 항의 합으로 나타내면

$$\sum_{k=1}^{n} 3^{2k-1} = 3+3^3+3^5+\cdots+3^{2n-1}$$

이므로 첫째항이 3, 공비가 $3^2$인 등비수열의 합이다.

등비수열의 합 $\dfrac{a(r^n-1)}{r-1}$ 또는 $\dfrac{a(1-r^n)}{1-r}$ 을 이용한다.

(2) $a_k = 1+2+2^2+\cdots+2^{k-1} = \dfrac{1\times(2^k-1)}{2-1} = 2^k-1$이므로 다음을 계산한다.

$$\sum_{k=1}^{n}(2^k-1) = \sum_{k=1}^{n}2^k - \sum_{k=1}^{n}1$$

(3) $a_k = \underbrace{999\cdots9}_{k개} = 9+90+900+\cdots+9\times10^{k-1}$

따라서 첫째항이 9, 공비가 10인 등비수열의 합임을 이용하여 $a_k$부터 구한다.

**참고** $9=10-1,\ 99=10^2-1,\ 999=10^3-1,\ \cdots$

이므로 $a_k=10^k-1$임을 이용하여 계산할 수도 있다.

**답** (1) $\dfrac{3}{8}\times(3^{2n}-1)$　(2) $2^{n+1}-n-2$　(3) $\dfrac{10^{n+1}}{9}-n-\dfrac{10}{9}$

**날선 Point** $\displaystyle\sum_{k=1}^{n} r^{k-1}$ 꼴의 계산 ➡ 등비수열의 합을 생각한다.

**3-1** 다음 식의 값을 구하시오.

(1) $\displaystyle\sum_{k=1}^{n} 3^{1-k}$　　　　　　　　(2) $\displaystyle\sum_{k=1}^{n}(3+3^2+3^3+\cdots+3^k)$

 **3-2** 다음 식의 값을 구하시오.

$$1+101+10101+\cdots+\underbrace{101010\cdots101}_{1이\ n개}$$

다음 식의 값을 구하시오.

(1) $\displaystyle\sum_{k=1}^{50}\frac{k}{k+1}+\sum_{i=1}^{50}\frac{1}{i+1}$

(2) $\displaystyle\sum_{m=1}^{10}\left\{\sum_{n=1}^{m}(2n-1)\right\}$

(3) $\displaystyle\sum_{k=1}^{n}\left(\sum_{j=1}^{k}kj\right)$

(4) $\displaystyle\sum_{k=1}^{n}\left\{\sum_{l=1}^{k}(k+l)\right\}$

**날선 Guide** (1) $\displaystyle\sum_{k=1}^{50}\frac{k}{k+1}\cdot\sum_{i=1}^{50}\frac{1}{i+1}$ 을 각각 구하는 것은 어렵다.

$$\sum_{i=1}^{50}\frac{1}{i+1}=\sum_{k=1}^{50}\frac{1}{k+1}\text{이므로}$$

$\displaystyle\sum_{k=1}^{50}\frac{k}{k+1}+\sum_{k=1}^{50}\frac{1}{k+1}$ 과 같이 $k$로 통일한 다음 $\sum$의 성질을 이용한다.

(2) 괄호 안의 $\displaystyle\sum_{n=1}^{m}(2n-1)$부터 계산한다.

(3) 괄호 안의 $\displaystyle\sum_{j=1}^{k}kj$부터 계산한다. 이때 $k$는 $j$와 무관한 상수이다. 따라서

$$\sum_{j=1}^{k}kj=k\sum_{j=1}^{k}j=k\times\frac{k(k+1)}{2}=\frac{k^3}{2}+\frac{k^2}{2}$$

(4) $\displaystyle\sum_{l=1}^{k}(k+l)$부터 계산한다. 이때 $k$는 $l$과 무관한 상수이다. 따라서

$$\sum_{l=1}^{k}(k+l)=\sum_{l=1}^{k}k+\sum_{l=1}^{k}l=k\times k+\frac{k(k+1)}{2}=\frac{3k^2}{2}+\frac{k}{2}$$

**답** (1) 50　(2) 385　(3) $\dfrac{n(n+1)(n+2)(3n+1)}{24}$　(4) $\dfrac{n(n+1)^2}{2}$

**날선 Point**

・ $\displaystyle\sum_{k=1}^{n}a_k=\sum_{l=1}^{n}a_l=\sum_{m=1}^{n}a_m=\cdots$

・ $\displaystyle\sum_{k=1}^{n}a_k$에서 $k$가 아닌 문자는 상수로 생각한다.

**4-1** 다음 식의 값을 구하시오.

(1) $\displaystyle\sum_{k=2}^{10}\frac{k+1}{k}-\sum_{l=1}^{10}\frac{1}{l}$

(2) $\displaystyle\sum_{k=1}^{5}\left\{\sum_{j=1}^{k}\left(\sum_{i=1}^{j}2\right)\right\}$

**4-2** 다음 식의 값을 구하시오.

(1) $\displaystyle\sum_{k=1}^{n}k(n-k)$

(2) $\displaystyle\sum_{k=1}^{5}\left(\sum_{l=1}^{10}k^2 l\right)$

수열 $\{a_n\}$에 대하여 다음 물음에 답하시오.

(1) $\displaystyle\sum_{k=1}^{n} ka_k = n(n+1)(n+2)$일 때, $\displaystyle\sum_{k=1}^{n} a_k$의 값을 구하시오.

(2) $a_1 = 3$, $a_n = 3 + \displaystyle\sum_{k=1}^{n-1} a_k$ $(n \geq 2)$일 때, $a_{10}$의 값을 구하시오.

**날선 Guide** (1) $S_n = \displaystyle\sum_{k=1}^{n} ka_k = n(n+1)(n+2)$라 하면 ∑와 일반항의 관계에서

$n \geq 2$일 때, $na_n = S_n - S_{n-1}$

$n = 1$일 때, $1 \times a_1 = S_1$

이를 이용하여 일반항 $a_n$부터 구한다.

(2) $S_n = \displaystyle\sum_{k=1}^{n} a_k$라 하면 $a_n = 3 + S_{n-1}$ $(n \geq 2)$ $\cdots$ ㉠

㉠에서 $n$에 $n+1$을 대입하면 $a_{n+1} = 3 + S_n$ $\cdots$ ㉡

㉡−㉠을 하면 $a_{n+1} - a_n = S_n - S_{n-1}$

$n \geq 2$일 때, $S_n - S_{n-1} = a_n$이므로 $a_{n+1}$과 $a_n$ 사이의 관계를 구할 수 있다.

**참고** $a_n = 3 + S_{n-1}$ $(n \geq 2)$에서

$\qquad S_n - S_{n-1} = 3 + S_{n-1}$, $S_n = 2S_{n-1} + 3$

이 식에서 $S_n$을 구할 수도 있다.

**답** (1) $\dfrac{3n(n+3)}{2}$ (2) 1536

**날선 Point** $\displaystyle\sum_{k=1}^{n} a_k$와 $a_n$의 관계 ➡ $n \geq 2$일 때 $a_n = \displaystyle\sum_{k=1}^{n} a_k - \sum_{k=1}^{n-1} a_k$

**5-1** 수열 $\{a_n\}$에 대하여 $\displaystyle\sum_{k=1}^{n} a_k = \dfrac{n(n+3)}{2}$일 때, $\displaystyle\sum_{k=1}^{n} ka_{2k-1}$의 값을 구하시오.

**5-2** $a_1 = \dfrac{1}{9}$, $a_n = \dfrac{1}{2}\displaystyle\sum_{k=1}^{n-1} a_k$ $(n \geq 2)$일 때, $a_9$의 값을 구하시오.

# 11-4 수열의 합을 계산하는 방법

**1** 몇 항을 나열한 다음, 소거되는 규칙을 찾는다. 특히

　분수식은 각 항을 $\dfrac{1}{AB}=\dfrac{1}{B-A}\left(\dfrac{1}{A}-\dfrac{1}{B}\right)$을 이용하여 나타낸다.

　무리식은 분모를 유리화하여 각 항을 $\sqrt{A}-\sqrt{B}$의 꼴로 나타낸다.

**2** 수열에서 몇 항씩 짝 지어 군으로 나눈 다음, 군의 수열을 생각한다.

소거되는
규칙이 있는
수열의 항

예를 들어 $\displaystyle\sum_{k=1}^{n}\dfrac{1}{k(k+1)}$ 은 $\dfrac{1}{k(k+1)}=\dfrac{1}{k}-\dfrac{1}{k+1}$이므로

$k=1, 2, 3, \cdots, n-1, n$을 대입하고 나열하면

$$\sum_{k=1}^{n}\frac{1}{k(k+1)}=\left(\frac{1}{1}-\frac{1}{2}\right)+\left(\frac{1}{2}-\frac{1}{3}\right)+\left(\frac{1}{3}-\frac{1}{4}\right)+\cdots+\left(\frac{1}{n-1}-\frac{1}{n}\right)$$

$$+\left(\frac{1}{n}-\frac{1}{n+1}\right)$$

$$=1-\frac{1}{n+1}=\frac{n}{n+1}$$

이와 같이 수열의 합을 구할 때, 각 항을 차의 꼴로 고치고,

처음 몇 항과 끝의 몇 항을 나열하면 소거되는 규칙을 찾아 합을 구할 수 있는 경우가 있다.

이때 주로 다음을 이용한다.

　　　　항이 분수식인 경우 ➡ $\dfrac{1}{AB}=\dfrac{1}{B-A}\left(\dfrac{1}{A}-\dfrac{1}{B}\right)$

　　　　항이 무리식인 경우 ➡ $\sqrt{A}-\sqrt{B}$

군수열

수열 $1, \dfrac{1}{2}, \dfrac{2}{1}, \dfrac{1}{3}, \dfrac{2}{2}, \dfrac{3}{1}, \dfrac{1}{4}, \dfrac{2}{3}, \dfrac{3}{2}, \dfrac{4}{1}, \dfrac{1}{5}, \cdots$

의 일반항 $a_n$을 바로 찾기는 쉽지 않다.

그러나 분모, 분자의 합이 같은 항끼리 묶으면

$$\underbrace{(1)}_{1군}, \underbrace{\left(\frac{1}{2}, \frac{2}{1}\right)}_{2군}, \underbrace{\left(\frac{1}{3}, \frac{2}{2}, \frac{3}{1}\right)}_{3군}, \underbrace{\left(\frac{1}{4}, \frac{2}{3}, \frac{3}{2}, \frac{4}{1}\right)}_{4군}, \underbrace{\left(\frac{1}{5}, \cdots, \frac{5}{1}\right)}_{5군}, \cdots$$

$n(n\geq2)$번째 묶음은 분모, 분자의 합이 $n+1$인 분수임을 알 수 있다.

이때 각 묶음을 군이라 하고, 이런 수열을 군수열이라 한다.

군수열에서는 $n$군의 규칙, 예를 들어

　　　　**군의 항의 개수, 군의 첫째항, 군에서 각 항의 규칙**

등을 조사한다.

위의 수열에서 $n$군은 항이 $n$개이고, 첫째항이 $\dfrac{1}{n}$이다. 또 각 군에서 항은 분자가 1씩 커지고,

분모가 1씩 작아진다.

## 대표 Q6 분수 꼴의 합

다음 식의 값을 구하시오.

$$(1)\ \sum_{k=1}^{n} \frac{1}{1+2+3+\cdots+k}$$

$$(2)\ \sum_{k=2}^{n} \frac{2}{k^2-1}$$

**날선 Guide** (1) $a_k = \dfrac{1}{1+2+3+\cdots+k} = \dfrac{2}{k(k+1)}$

$$= 2\left(\frac{1}{k} - \frac{1}{k+1}\right) \quad \rightarrow \frac{1}{AB} = \frac{1}{B-A}\left(\frac{1}{A} - \frac{1}{B}\right)$$

이므로 $k$에 $1, 2, 3, \cdots, n$을 대입하고 나열하면

$$2 \times \left\{\left(1 - \frac{1}{\cancel{2}}\right) + \left(\frac{1}{\cancel{2}} - \frac{1}{\cancel{3}}\right) + \left(\frac{1}{\cancel{3}} - \frac{1}{\cancel{4}}\right) + \cdots + \left(\frac{1}{\cancel{n}} - \frac{1}{n+1}\right)\right\}$$

이 식에서 소거되는 규칙을 찾는다.

(2) $a_k = \dfrac{2}{k^2-1} = \dfrac{2}{(k-1)(k+1)} = \dfrac{1}{k-1} - \dfrac{1}{k+1}$

이므로 $k$에 $2, 3, 4, \cdots, n-1, n$을 대입하고 나열하면

$$\left(1 - \frac{1}{\cancel{3}}\right) + \left(\frac{1}{2} - \frac{1}{\cancel{4}}\right) + \left(\frac{1}{\cancel{3}} - \frac{1}{\cancel{5}}\right) + \left(\frac{1}{\cancel{4}} - \frac{1}{\cancel{6}}\right) + \cdots + \left(\frac{1}{\cancel{n-2}} - \frac{1}{n}\right) + \left(\frac{1}{\cancel{n-1}} - \frac{1}{n+1}\right)$$

이 식에서 소거되는 규칙을 찾는다.

이 문제에서 합은 $k=2$에서 시작한다는 것에 주의한다.

**답** (1) $\dfrac{2n}{n+1}$    (2) $\dfrac{(3n+2)(n-1)}{2n(n+1)}$

---

**날선 Point** **분수의 합**

❶ $\dfrac{1}{AB} = \dfrac{1}{B-A}\left(\dfrac{1}{A} - \dfrac{1}{B}\right)$을 이용하여 차로 나타낸다.

❷ 합을 나열하고 소거할 수 있는 항을 찾는다.

---

**6-1** 다음 식의 값을 구하시오.

$$(1)\ \frac{1}{1 \times 3} + \frac{1}{2 \times 4} + \frac{1}{3 \times 5} + \cdots + \frac{1}{n(n+2)}$$

$$(2)\ \frac{1}{2} + \frac{1}{2+4} + \frac{1}{2+4+6} + \cdots + \frac{1}{2+4+6+\cdots+2n}$$

다음 식의 값을 구하시오.

(1) $\displaystyle\sum_{k=1}^{n} \frac{1}{\sqrt{k+2}+\sqrt{k}}$ 　　　　　　(2) $\displaystyle\sum_{k=1}^{99} \log\left(1+\frac{1}{k}\right)$

**날선 Guide** (1) $a_k = \dfrac{1}{\sqrt{k+2}+\sqrt{k}} = \dfrac{\sqrt{k+2}-\sqrt{k}}{(\sqrt{k+2}+\sqrt{k})(\sqrt{k+2}-\sqrt{k})} = \dfrac{1}{2}(\sqrt{k+2}-\sqrt{k})$ 이므로

$k$에 1, 2, 3, 4, $\cdots$, $n-2$, $n-1$, $n$을 대입하고 더하면

$$\frac{1}{2} \times \{(\sqrt{3}-\sqrt{1})+(\sqrt{4}-\sqrt{2})+(\sqrt{5}-\sqrt{3})+(\sqrt{6}-\sqrt{4})+\cdots$$
$$+(\sqrt{n+1}-\sqrt{n-1})+(\sqrt{n+2}-\sqrt{n})\}$$

이 식에서 소거되는 규칙을 찾는다.

(2) $a_k = \log\left(1+\dfrac{1}{k}\right) = \log\dfrac{k+1}{k}$ 이므로

$k$에 1, 2, 3, 4, $\cdots$, 98, 99를 대입하고 더하면

$$\log 2 + \log\frac{3}{2} + \log\frac{4}{3} + \cdots + \log\frac{99}{98} + \log\frac{100}{99}$$
$$= \log\left(2 \times \frac{3}{2} \times \frac{4}{3} \times \cdots \times \frac{99}{98} \times \frac{100}{99}\right)$$

**답** (1) $\dfrac{1}{2}(\sqrt{n+1}+\sqrt{n+2}-1-\sqrt{2})$ 　(2) 2

 **날선 Point** ● 무리수의 합 ➡ $\sqrt{A}-\sqrt{B}$ 꼴로 고치고 몇 항을 나열한 다음, 소거되는 규칙을 찾는다.
● 로그의 합 ➡ 몇 항을 나열하고 진수의 곱에서 소거되는 규칙을 찾는다.

**7-1** 다음 수열의 합을 구하시오.

$$\frac{1}{\sqrt{2}+\sqrt{1}}, \ \frac{1}{\sqrt{3}+\sqrt{2}}, \ \frac{1}{\sqrt{4}+\sqrt{3}}, \ \cdots, \ \frac{1}{\sqrt{n+1}+\sqrt{n}}$$

**7-2** 다음 수열의 합을 구하시오.

$$\log 3, \ \log\frac{5}{3}, \ \log\frac{7}{5}, \ \cdots, \ \log\frac{2n+1}{2n-1}$$

다음 식의 값을 구하시오.

(1) $\left(2+\dfrac{1}{2}\right)+\left(4+\dfrac{1}{4}\right)+\left(6+\dfrac{1}{8}\right)+\cdots+\left(2n+\dfrac{1}{2^n}\right)$

(2) $1\times3+3\times3^2+5\times3^3+\cdots+(2n-1)\times3^n$

**날선 Guide** (1) $2,\ 4,\ 6,\ \cdots$은 등차수열이고, $\dfrac{1}{2},\ \dfrac{1}{4},\ \dfrac{1}{8},\ \cdots$은 등비수열이다.

$$\sum_{k=1}^{n}(a_k+b_k)=\sum_{k=1}^{n}a_k+\sum_{k=1}^{n}b_k$$

이므로 등차수열과 등비수열의 합을 각각 구한다.

(2) 공차가 2인 등차수열과 공비가 3인 등비수열의 곱으로 이루어진 수열이다.

합을 $S_n$으로 놓고 $3S_n$과 비교하면

$$S_n=1\times3+3\times3^2+5\times3^3+\cdots+(2n-1)\times3^n$$
$$3S_n=\qquad\ \ 1\times3^2+3\times3^3+\cdots+(2n-3)\times3^n+(2n-1)\times3^{n+1}$$

변끼리 빼면

$$S_n-3S_n=1\times3+2\times3^2+2\times3^3+\cdots+2\times3^n-(2n-1)3^{n+1}$$

우변에서 첫째항과 끝 항을 빼면 등비수열의 합이다.

등비수열의 합의 공식을 구할 때 $S_n-rS_n$을 계산하였다.

**답** (1) $n^2+n+1-\left(\dfrac{1}{2}\right)^n$ (2) $(n-1)\times3^{n+1}+3$

11
수열의 합

**날선 Point**
- (등차수열)+(등비수열) 꼴의 합 ➡ 등차수열과 등비수열의 합을 각각 구하여 더한다.
- (등차수열)×(등비수열) 꼴의 합 ➡ 등비수열의 공비가 $r$이면 $S_n-rS_n$을 계산한다.

**8-1**  다음 수열의 제1항에서 제$n$항까지 합을 구하시오.

(1) $1+\dfrac{1}{10},\ 3-\dfrac{1}{10^2},\ 5+\dfrac{1}{10^3},\ 7-\dfrac{1}{10^4},\ \cdots$

(2) $1\times2,\ 2\times2^2,\ 3\times2^3,\ 4\times2^4,\ \cdots$

**군수열 (1)**

◆ 정답 및 풀이 **125**쪽

자연수를 오른쪽과 같이 나열하였다. 위에서부터 1행, 2행, 3행, 4행, …이라 할 때, 다음 물음에 답하시오.

(1) $n$행의 첫 번째 수를 구하시오.

(2) 8행에 적힌 수의 합을 구하시오.

(3) 200은 몇 행의 몇 번째 수인지 구하시오.

$$1$$
$$2, 3, 4$$
$$5, 6, 7, 8, 9$$
$$10, 11, 12, 13, 14, 15, 16$$
$$\vdots$$

**날선 Guide**

1행 : 1 ⟶ 항이 1개

2행 : 2, 3, 4 ⟶ 항이 3개

3행 : 5, 6, 7, 8, 9 ⟶ 항이 5개

⋮

를 각각 1군, 2군, 3군, …으로 묶고 생각한다.

(1) 예를 들어 4행의 마지막 수는

4행까지 나열한 자연수의 개수 $1+3+5+7=16$과 같다.

따라서 $(n-1)$행까지 나열한 자연수의 개수를 먼저 구하면 된다.

(2) 8행에 적힌 수의 개수는 $2\times8-1=15$이다.

따라서 8행의 첫 번째 수를 $a$라 하면 8행은

$$a, a+1, a+2, \cdots, a+14$$

이다. 그리고 합은 첫째항이 $a$, 끝항이 $a+14$인 등차수열의 합이다.

**참고** $\sum\limits_{k=1}^{15}(a+k-1)$로 생각해도 된다.

(3) 200이 몇 행에 있는지부터 알아야 한다. 200이 $n$행에 있다고 하면

$$\{(n-1)\text{행까지 나열한 수의 개수}\} < 200 \le (n\text{행까지 나열한 수의 개수})$$

**답** (1) $(n-1)^2+1$  (2) 855  (3) 15행의 4번째 수

**날선 Point** 몇 항씩 묶어 군으로 나눈 다음, 군의 항의 개수, 군의 첫째항, 군에서 각 항의 규칙을 조사한다.

**9-1** 홀수를 오른쪽과 같이 나열하였다. 위에서부터 1행, 2행, 3행, 4행, …이라 할 때, 다음 물음에 답하시오.

(1) $n$행의 첫 번째 수를 구하시오.

(2) 10행에 적힌 수의 합을 구하시오.

(3) 121은 몇 행의 몇 번째 수인지 구하시오.

$$1$$
$$3, 5$$
$$7, 9, 11$$
$$13, 15, 17, 19$$
$$\vdots$$

다음 수열에 대하여 물음에 답하시오.

$$\frac{1}{1}, \frac{1}{2}, \frac{2}{1}, \frac{1}{3}, \frac{2}{2}, \frac{3}{1}, \frac{1}{4}, \frac{2}{3}, \frac{3}{2}, \frac{4}{1}, \frac{1}{5}, \cdots$$

(1) $\dfrac{5}{7}$ 는 제몇 항인지 구하시오.

(2) 제100항을 구하시오.

(3) 제1항부터 제100항까지의 수 중에서 3의 개수를 구하시오.

**날선 Guide** 분모, 분자의 합이 같은 항끼리 묶으면

$$(1), \left(\frac{1}{2}, \frac{2}{1}\right), \left(\frac{1}{3}, \frac{2}{2}, \frac{3}{1}\right), \left(\frac{1}{4}, \frac{2}{3}, \frac{3}{2}, \frac{4}{1}\right), \left(\frac{1}{5}, \cdots, \frac{5}{1}\right), \cdots$$

이때 $n$군은

　　　분모와 분자의 합이 $n+1$, 항의 개수는 $n$, 첫 번째 항은 $\dfrac{1}{n}$

이다.

(1) $\dfrac{5}{7}$ 는 $(5+7-1)$군의 수이다.

(2) 제100항이 $n$군에 속한다고 하면

　　　$\{(n-1)$군까지 항의 개수의 합$\} < 100 \leq (n$군까지 항의 개수의 합$)$

(3) 제100항이 $n$군에 속한다고 하면 처음 100개의 항은 분모, 분자의 합이 $(n+1)$보다 작은 수이다.

이때 $\dfrac{3}{1}, \dfrac{6}{2}, \dfrac{9}{3}, \cdots$ 는 모두 3이다.

**답** (1) 제60항　(2) $\dfrac{9}{6}\left(=\dfrac{3}{2}\right)$　(3) 3

**각 항이 분수인 군수열**

➡ 분모 또는 분자가 같은 것끼리 묶거나 분모와 분자의 합이 같은 것끼리 묶어 규칙을 찾는다.

**10**-1 다음 수열에 대하여 물음에 답하시오.

$$\frac{1}{2}, \frac{1}{3}, \frac{2}{3}, \frac{1}{4}, \frac{2}{4}, \frac{3}{4}, \frac{1}{5}, \frac{2}{5}, \frac{3}{5}, \frac{4}{5}, \frac{1}{6}, \cdots$$

(1) $\dfrac{8}{11}$ 은 제몇 항인지 구하시오.

(2) 제200항을 구하시오.

**01** 다음 중 $a_{n+1}+a_{n+2}+\cdots+a_{2n}$을 기호 $\sum$를 사용하여 나타낸 것이 <u>아닌</u> 것은?

① $\displaystyle\sum_{i=n+1}^{2n} a_i$     ② $\displaystyle\sum_{k=1}^{n} a_{n+k}$     ③ $\displaystyle\sum_{k=1}^{2n} a_k - \sum_{k=1}^{n} a_k$

④ $\displaystyle\sum_{k=n}^{2n} a_k - a_n$     ⑤ $\displaystyle\sum_{k=1}^{n} a_{2k}$

**02** 수열 $\{a_n\}$은 첫째항이 1인 등차수열이다. $\displaystyle\sum_{k=1}^{10} a_{2k-1}=-80$일 때, $\{a_n\}$의 공차를 구하시오.

**03** 두 수열 $\{a_n\}$, $\{b_n\}$이 모든 자연수 $n$에 대하여 $a_n+b_n=10$을 만족시킨다. $\displaystyle\sum_{k=1}^{10}(a_k+2b_k)=160$일 때, $\displaystyle\sum_{k=1}^{10}b_k$의 값을 구하시오.

**04** $\displaystyle\sum_{k=0}^{19}\{f(k+1)-f(k)\}=101$, $f(0)=-3$일 때, $f(20)$의 값을 구하시오.

**05** 다음 식의 값을 구하시오.

(1) $\displaystyle\sum_{k=1}^{n}(2k-1)(3k+1)$     (2) $\displaystyle\sum_{k=1}^{n}k(k-1)(k+1)$

**06** 다음 식의 값을 구하시오.

(1) $\displaystyle\sum_{k=1}^{n}\frac{1+2+3+\cdots+k}{k}$     (2) $\displaystyle\sum_{k=1}^{n}(k+2k+3k+\cdots+k^2)$

**07** $\displaystyle\sum_{k=1}^{10} \frac{k^2}{k+1} - \sum_{k=2}^{10} \frac{1}{k+1}$ 의 값을 구하시오.

**08** 다음 수열의 합을 구하시오.

(1) $\displaystyle\sum_{i=1}^{n} \left\{ \sum_{k=1}^{10} (2k-1) \times 5^i \right\}$

(2) $\displaystyle\sum_{k=1}^{40} 3 \times 2^k - \sum_{k=20}^{40} 3 \times 2^k$

**09** $\displaystyle\sum_{k=1}^{n} \left( \sum_{l=1}^{k} l \right) = 35$일 때, 자연수 $n$의 값을 구하시오.

**10** 수열 $\{a_n\}$이 $\displaystyle\sum_{k=1}^{50} a_k = 50$이고 $a_{51} = \dfrac{1}{2}$일 때, $\displaystyle\sum_{k=1}^{50} k(a_k - a_{k+1})$의 값을 구하시오.

**11** $\displaystyle\sum_{k=1}^{n} \frac{4}{k(k+1)} = \frac{15}{4}$일 때, 자연수 $n$의 값을 구하시오.

**12** 첫째항이 4이고 공차가 1인 등차수열 $\{a_n\}$에 대하여 $\displaystyle\sum_{k=1}^{12} \frac{1}{\sqrt{a_{k+1}} + \sqrt{a_k}}$의 값을 구하시오.

**13** $\sum_{k=1}^{n}(k-a)^2$의 값이 최소일 때, $a$를 $n$에 대한 식으로 나타내면?

① $\dfrac{n-1}{2}$ ② $\dfrac{n+1}{2}$ ③ $\dfrac{n}{2}+1$ ④ $n-1$ ⑤ $n+1$

**14** 수열 $\{a_n\}$에 대하여 $\sum_{k=1}^{10}(a_k+1)^2=28$, $\sum_{k=1}^{10}a_k(a_k+1)=16$일 때, $\sum_{k=1}^{10}a_k^2$의 값을 구하시오.

**15** 수열 $\{a_n\}$에서 $a_1,\ a_2,\ a_3,\ \cdots,\ a_{20}$의 값은 $-1,\ 0,\ 1$ 중 하나이다.

$$\sum_{k=1}^{20}a_k=1,\ \sum_{k=1}^{20}a_k^2=11$$

일 때, $a_k=-1$인 자연수 $k$의 개수를 구하시오. (단, $1 \le k \le 20$)

**16** 수열 $\{a_n\}$이 모든 자연수 $n$에 대하여 $\sum_{k=1}^{n}a_{2k-1}=2n^2$, $\sum_{k=1}^{2n}a_k=4n^2+4n$이 성립할 때, $a_{10}$의 값을 구하시오.

**17** 첫째항이 2, 공차가 4인 등차수열 $\{a_n\}$에 대하여 $\sum_{k=1}^{n}a_kb_k=4n^3+3n^2-n$일 때, $b_5$의 값을 구하시오.

**18** 다음 식의 값을 구하시오.

(1) $\dfrac{1}{2^2-1}+\dfrac{1}{4^2-1}+\dfrac{1}{6^2-1}+\cdots+\dfrac{1}{36^2-1}$

(2) $\dfrac{3}{1^2}+\dfrac{5}{1^2+2^2}+\dfrac{7}{1^2+2^2+3^2}+\cdots+\dfrac{41}{1^2+2^2+\cdots+20^2}$

**19** 다음 식의 값을 구하시오.

(1) $\left(\dfrac{n+1}{n}\right)^2+\left(\dfrac{n+2}{n}\right)^2+\left(\dfrac{n+3}{n}\right)^2+\cdots+\left(\dfrac{n+n}{n}\right)^2$

(2) $1\times n+2\times(n-1)+3\times(n-2)+\cdots+(n-1)\times2+n\times1$

**20** $\displaystyle\sum_{k=1}^{100}(-1)^{k+1}k^2$의 값을 구하시오.

**21** 분수 $\dfrac{22}{7}$를 소수로 나타내었을 때, 소수점 아래 $n$째 자리의 숫자를 $a_n$이라 하자.

$\displaystyle\sum_{k=1}^{100}a_k$의 값을 구하시오.

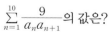

**22** 자연수 $n$에 대하여 곡선 $y=\dfrac{3}{x}\ (x>0)$ 위의 점

$\left(n,\dfrac{3}{n}\right)$과 두 점 $(n-1,0)$, $(n+1,0)$을 세 꼭짓

점으로 하는 삼각형의 넓이를 $a_n$이라 할 때,

$\displaystyle\sum_{n=1}^{10}\dfrac{9}{a_na_{n+1}}$의 값은?

① 410　　　② 420　　　③ 430　　　④ 440　　　⑤ 450

교육청 기출

**23** 그림과 같이 자연수 $n$에 대하여 한 변의 길이가 $2n$인 정사각형 ABCD가 있고, 네 점 E, F, G, H가 각각 네 변 AB, BC, CD, DA 위에 있다. 선분 HF의 길이는 $\sqrt{4n^2+1}$이고 선분 HF와 선분 EG가 서로 수직일 때, 사각형 EFGH의 넓이를 $S_n$이라 하자. $\sum\limits_{n=1}^{10} S_n$의 값은?

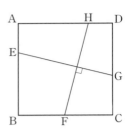

① 765　　　② 770　　　③ 775　　　④ 780　　　⑤ 785

**24** 순서쌍으로 이루어진 수열

$(1, 0), (0, 1), (2, 0), (1, 1), (0, 2), (3, 0), (2, 1), (1, 2), (0, 3), \cdots$

에서 $(4, 8)$은 제몇 항인지 구하시오.

**25** 수열 1, 2, 2, 3, 3, 3, 4, 4, 4, 4, 5, 5, 5, 5, 5, …에 대하여 다음을 구하시오.

(1) 제100항　　　　　　　　(2) 제1항부터 제100항까지 합

**26** 표와 같이 자연수를 나열하였다. 다음 물음에 답하시오.

(1) 4행 12열에 있는 수를 구하시오.

(2) 1004는 몇 행 몇 열에 있는 수인지 구하시오.

| | 1열 | 2열 | 3열 | 4열 | 5열 | … |
|---|---|---|---|---|---|---|
| 1행 | 1 | 2 | 4 | 7 | 11 | … |
| 2행 | 3 | 5 | 8 | 12 | | |
| 3행 | 6 | 9 | 13 | | | |
| 4행 | 10 | 14 | | | | |
| 5행 | 15 | | | | | |
| ⋮ | ⋮ | | | | | |

정답 개수 : ／26　　오답 번호 Check :

수열을 정의할 때 일반항을 구체적인 식으로 나타내기도 하지만 첫째항과 이웃하는 항들 사이의 관계식을 나타내어 정의하기도 한다. 이와 같이 정의하는 것을 수열의 귀납적 정의라 하고, 그 관계식을 점화식이라 한다.

이 단원에서는 수열의 귀납적 정의와 다양한 형태의 점화식에 대하여 알아보자.

# 수학적 귀납법

12

수열 $\{a_n\}$을

$$\begin{cases} a_1=1 \\ a_{n+1}=a_n+2n+1 \ (n=1, 2, 3, \cdots) \end{cases}$$

과 같이 몇 개 항과 이웃하는 몇 개 항 사이의 관계식으로 수열을 정의하는 것을 수열의 **귀납적 정의**라 하고, 항 사이의 관계식을 **점화식**이라 한다.

첫째항과 이웃하는 두 항 사이의 관계식이 주어진 경우

수열 $\{a_n\}$이

$$\begin{cases} a_1=1 \\ a_{n+1}=a_n+2n+1 \ (단, \ n=1, 2, 3, \cdots) \end{cases} \qquad \cdots \ ㉠$$

을 만족시킨다고 하자. 이때

$n=1$을 대입하면 $a_2=a_1+3=4$

$n=2$를 대입하면 $a_3=a_2+5=9$

$n=3$을 대입하면 $a_4=a_3+7=16$

$$\vdots$$

이와 같이 첫째항과 이웃하는 항 사이의 관계식이 있으면 수열 $\{a_n\}$의 모든 항을 구할 수 있다. 이와 같이 수열을 정의하는 것을 수열의 귀납적 정의라 하고, 항 사이의 관계식을 점화식이라 한다.

㉠은 수열 $\{a_n\}$의 일반항 $a_n$을 $a_n=n^2$이라 정의하는 것과 같다.

처음 두 항과 이웃하는 세 항 사이의 관계식이 주어진 경우

수열 $\{a_n\}$을

$$\begin{cases} a_1=2, \ a_2=3 \\ a_{n+2}=a_{n+1}-a_n \ (단, \ n=1, 2, 3, \cdots) \end{cases}$$

과 같이 처음 두 항과 이웃하는 세 항 사이의 관계를 이용하여 정의할 수도 있다.

이 경우도 점화식에 $n=1, 2, 3, \cdots$을 대입하면 $a_3, a_4, a_5, \cdots$를 차례로 구할 수 있다.

**개념 Check**

◆ 정답 및 풀이 **133**쪽

**1** 다음과 같이 정의된 수열 $\{a_n\}$에서 제4항을 구하시오.

$$\begin{cases} a_1=2 \\ a_{n+1}=2a_n-1 \ (단, \ n=1, 2, 3, \cdots) \end{cases}$$

**2** 다음과 같이 정의된 수열 $\{a_n\}$에서 제5항을 구하시오.

$$\begin{cases} a_1=1, \ a_2=4 \\ a_{n+2}=a_{n+1}-a_n \ (단, \ n=1, 2, 3, \cdots) \end{cases}$$

수열 $\{a_n\}$에 대하여 $n$이 자연수일 때,

(1) $a_1$, $a_{n+1}=a_n+d$ ➡ 첫째항이 $a_1$, 공차가 $d$인 등차수열

(2) $a_1$, $a_{n+1}=ra_n$ ➡ 첫째항이 $a_1$, 공비가 $r$인 등비수열

(3) $a_1$, $a_2$, $2a_{n+1}=a_n+a_{n+2}$ ➡ 첫째항이 $a_1$, 공차가 $a_2-a_1$인 등차수열

(4) $a_1$, $a_2$, $a_{n+1}^2=a_na_{n+2}$ ➡ 첫째항이 $a_1$, 공비가 $a_2\div a_1$인 등비수열

기본적인 수열의 귀납적 정의

예를 들어 수열 $\{a_n\}$이

$$\begin{cases} a_1=1 \\ a_{n+1}=a_n+3 \ (단, \ n=1, \ 2, \ 3, \ \cdots) \end{cases} \quad \cdots ㉠$$

을 만족시키면 수열 $\{a_n\}$은 첫째항이 1, 공차가 3인 등차수열임은 앞에서 공부하였다.

그런데 ㉠에

$n=1$을 대입하면 $a_2=a_1+3=4$

$n=2$를 대입하면 $a_3=a_2+3=7$

$n=3$을 대입하면 $a_4=a_3+3=10$

$\qquad \vdots$

따라서 ㉠도 수열의 귀납적 정의라 할 수 있다.

같은 이유로 앞에서 공부한 등차수열, 등비수열에 대한 다음 성질은 수열의 귀납적 정의라 생각해도 된다.

$a_1$, $a_{n+1}=a_n+d$ ➡ 첫째항이 $a_1$, 공차가 $d$인 등차수열

$a_1$, $a_{n+1}=ra_n$ ➡ 첫째항이 $a_1$, 공비가 $r$인 등비수열

$a_1$, $a_2$, $2a_{n+1}=a_n+a_{n+2}$ ➡ 첫째항이 $a_1$, 공차가 $a_2-a_1$인 등차수열

$a_1$, $a_2$, $a_{n+1}^2=a_na_{n+2}$ ➡ 첫째항이 $a_1$, 공비가 $a_2\div a_1$인 등비수열

㉠과 같이 정의된 경우 $a_{10}$의 값을 구할 때에는 $a_2$, $a_3$, $a_4$, $\cdots$를 차례로 구하는 것보다

$a_n=1+3(n-1)$임을 이용하여 $a_{10}=28$과 같이 구하는 것이 편하다.

**개념 Check** ◆ 정답 및 풀이 **133**쪽

**3** 다음과 같이 정의된 수열 $\{a_n\}$에서 $a_n$을 구하시오. (단, $n=1, 2, 3, \cdots$)

(1) $\begin{cases} a_1=10 \\ a_{n+1}-a_n=-2 \end{cases}$

(2) $\begin{cases} a_1=-3 \\ a_{n+1}\div a_n=\dfrac{1}{3} \end{cases}$

(3) $\begin{cases} a_1=-3, \ a_2=0 \\ 2a_{n+1}=a_n+a_{n+2} \end{cases}$

(4) $\begin{cases} a_1=1, \ a_2=4 \\ a_{n+1}^2=a_na_{n+2} \end{cases}$

다음 물음에 답하시오.

(1) 수열 $\{a_n\}$을 $\begin{cases} a_1=1,\ a_2=3 \\ a_{n+2}-a_{n+1}+a_n=0\ (n=1,\ 2,\ 3,\ \cdots) \end{cases}$ 으로 정의할 때, $a_{100}$의 값을 구하시오.

(2) 수열 $\{a_n\}$을 $\begin{cases} a_n=n\ (n=1,\ 2,\ 3,\ 4) \\ a_{n+4}=a_n+1\ (n=1,\ 2,\ 3,\ \cdots) \end{cases}$ 로 정의할 때, $\displaystyle\sum_{n=1}^{50} a_n$의 값을 구하시오.

**날선 Guide** (1) $a_3=a_2-a_1=2,$

$a_4=a_3-a_2=-1,$

$a_5=a_4-a_3=-3,$

$\vdots$

이와 같이 구하다 보면 규칙을 찾을 수 있다.

(2) $a_5=a_1+1,\ a_9=a_5+1=a_1+2,\ a_{13}=a_9+1=a_1+3,\ \cdots$

$a_6=a_2+1,\ a_{10}=a_6+1=a_2+2,\ a_{14}=a_{10}+1=a_2+3,\ \cdots$

$a_7=a_3+1,\ \cdots$

$a_8=a_4+1,\ \cdots$

로 나누어 합을 생각한다.

**참고** $a_{n+4}=a_n+1$이므로 항을 4개씩 나누어 생각해도 된다.

곧, $a_1+a_2+a_3+a_4=10$이므로

$a_5+a_6+a_7+a_8=(a_1+1)+(a_2+1)+(a_3+1)+(a_4+1)=14,$

$a_9+a_{10}+a_{11}+a_{12}=(a_5+1)+(a_6+1)+(a_7+1)+(a_8+1)=18,\ \cdots$

과 같은 방법으로 나누어 합을 구한다.

**답** (1) $-1$　(2) $411$

 **날선 Point** 귀납적으로 정의된 수열 ➡ 규칙이 나올 때까지 항을 구한다.

**1-1** 수열 $\{a_n\}$은 $a_1=2,\ a_2=3$이고 $a_{n+2}-a_{n+1}+2a_n=5\ (n=1,\ 2,\ 3,\ \cdots)$로 정의할 때, $a_6$의 값을 구하시오.

**1-2** 수열 $\{a_n\}$을 $\begin{cases} a_1=1,\ a_2=3,\ a_3=5,\ a_4=7 \\ a_{n+4}=2a_n\ (n=1,\ 2,\ 3,\ \cdots) \end{cases}$ 으로 정의할 때, $\displaystyle\sum_{n=1}^{20} a_n$의 값을 구하시오.

## Q2 $a_{n+1}=a_n+f(n),\ a_{n+1}=a_n\times f(n)$

수열 $\{a_n\}$을 다음과 같이 정의할 때, $a_n$을 구하시오. (단, $n=1, 2, 3, \cdots$)

(1) $\begin{cases} a_1=1 \\ a_{n+1}=a_n+n \end{cases}$　　　　　(2) $\begin{cases} a_1=1 \\ a_{n+1}=2^n a_n \end{cases}$

**날선 Guide** (1) $a_{n+1}=a_n+d$ ($d$는 상수)이면 $\{a_n\}$은 공차가 $d$인 등차수열이다.

$a_{n+1}=a_n+n$에서 $n$은 상수가 아니지만 일반항을 구하는 방법은 같다.

|  | $a_{n+1}=a_n+d$ | $a_{n+1}=a_n+n$ |
|---|---|---|
| $n$에 1을 대입 → | $a_2=a_1+d$ | $a_2=a_1+1$ |
| $n$에 2를 대입 → | $a_3=a_2+d$ | $a_3=a_2+2$ |
| $n$에 3을 대입 → | $a_4=a_3+d$ | $a_4=a_3+3$ |
| ⋮ | ⋮ | ⋮ |
| $n$에 $n-2$를 대입 → | $a_{n-1}=a_{n-2}+d$ | $a_{n-1}=a_{n-2}+(n-2)$ |
| $n$에 $n-1$을 대입 → | $+)\ a_n=a_{n-1}+d$ | $+)\ a_n=a_{n-1}+(n-1)$ |
|  | $a_n=a_1+(n-1)d$ | ? |

(2) $a_{n+1}=ra_n$ ($r$는 상수)이면 $\{a_n\}$은 공비가 $r$인 등비수열이다.

$a_{n+1}=2^n a_n$에서 $2^n$은 상수가 아니지만 일반항을 구하는 방법은 같다.

|  | $a_{n+1}=ra_n$ | $a_{n+1}=2^n a_n$ |
|---|---|---|
| $n$에 1을 대입 → | $a_2=ra_1$ | $a_2=2^1 a_1$ |
| $n$에 2를 대입 → | $a_3=ra_2$ | $a_3=2^2 a_2$ |
| $n$에 3을 대입 → | $a_4=ra_3$ | $a_4=2^3 a_3$ |
| ⋮ | ⋮ | ⋮ |
| $n$에 $n-2$를 대입 → | $a_{n-1}=ra_{n-2}$ | $a_{n-1}=2^{n-2}a_{n-2}$ |
| $n$에 $n-1$을 대입 → | $\times)\ a_n=ra_{n-1}$ | $\times)\ a_n=2^{n-1}a_{n-1}$ |
|  | $a_n=r^{n-1}a_1$ | ? |

**답** (1) $a_n=\dfrac{n^2}{2}-\dfrac{n}{2}+1$　(2) $a_n=2^{\frac{n(n-1)}{2}}$

**날선 Point**
- $a_{n+1}=a_n+f(n)$ 꼴 ➡ $n$에 $1, 2, 3, \cdots, n-1$을 대입하고 변끼리 더한다.
- $a_{n+1}=a_n\times f(n)$ 꼴 ➡ $n$에 $1, 2, 3, \cdots, n-1$을 대입하고 변끼리 곱한다.

**2-1** 수열 $\{a_n\}$을 다음과 같이 정의할 때, $a_{10}$의 값을 구하시오. (단, $n=1, 2, 3, \cdots$)

(1) $\begin{cases} a_1=3 \\ a_{n+1}=a_n+n^2 \end{cases}$　　　　　(2) $\begin{cases} a_1=1 \\ a_{n+1}=na_n \end{cases}$

## 대표 Q3  점화식 구하기

◆정답 및 풀이 **134**쪽

직선 $n$개로 원의 내부를 나눌 때, 나누어진 영역의 개수의 최댓값을 $a_n$이라 할 때, 다음 물음에 답하시오.

(1) $a_{n+1}$과 $a_n$ 사이의 관계식을 구하시오.

(2) $a_n$을 구하시오.

**날선 Guide** 직선 1개를 그으면 원은 2개의 영역으로 나누어지므로 $a_1=2$이다.

두 번째 직선을 처음에 그은 직선과 만나게 그으면 나누어진 영역의 개수는 최대이고, 영역이 2개 더 생기므로 $a_2=a_1+2$

세 번째 직선을 앞에서 그은 두 직선과 만나게 그으면 나누어진 영역의 개수는 최대이고, 영역이 3개 더 생기므로 $a_3=a_2+3$

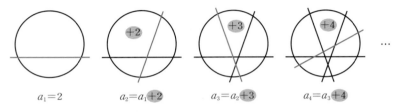

$$a_1=2 \qquad a_2=a_1+2 \qquad a_3=a_2+3 \qquad a_4=a_3+4$$

이와 같이 하면 $a_{n+1}$과 $a_n$ 사이의 관계를 구할 수 있다.

**달** (1) $a_{n+1}=a_n+n+1$  (2) $a_n=\dfrac{n^2}{2}+\dfrac{n}{2}+1$

 **날선 Point** 수열의 점화식을 구할 때 ➡ $a_1$과 $a_2$, $a_2$와 $a_3$, $a_3$과 $a_4$, …의 관계를 구해 규칙을 찾는다.

**3-1** 직선 $n$개로 원의 내부를 나눌 때, 나누어진 영역의 개수의 최솟값을 $a_n$이라 할 때, $a_{n+1}$과 $a_n$ 사이의 관계식을 구하시오.

**3-2** 그림과 같이 한 변의 길이가 1인 정사각형을 붙여 새로운 정사각형을 만들려고 한다. 정사각형의 한 변의 길이가 $n$일 때, 한 변의 길이가 1인 정사각형의 개수를 $a_n$이라 하자. $a_{n+1}$과 $a_n$ 사이의 관계식을 구하고, 이를 이용하여 $a_n$을 구하시오.

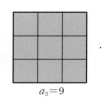

$$a_1=1 \qquad a_2=4 \qquad a_3=9$$

자연수 $n$에 대한 명제 $p(n)$에서

$$\begin{cases} n=1일\ 때,\ p(n)이\ 참이다. \\ n=k일\ 때,\ p(n)이\ 참이라\ 가정하면\ n=k+1일\ 때\ p(n)이\ 참이다. \end{cases}$$

가 성립하면 명제 $p(n)$은 참이다.

또 이 성질을 이용하여 자연수 $n$에 대한 명제 $p(n)$이 참임을 보이는 증명법을
**수학적 귀납법**이라 한다.

수학적 귀납법 ● 자연수 $n$에 대하여 명제 $p(n)$이 다음을 만족시킨다고 하자.

$$\begin{cases} p(1)이\ 참이다. & \cdots\ \bigcirc \\ p(k)가\ 참이면\ p(k+1)이\ 참이다. & \cdots\ \bigcirc\!\!\!\bigcirc \end{cases}$$

이때

$p(1)$이 참이므로 ㉡에 의해 $p(2)$가 참,

$p(2)$가 참이므로 ㉡에 의해 $p(3)$이 참,

$p(3)$이 참이므로 ㉡에 의해 $p(4)$가 참,

$\vdots$

따라서 모든 자연수를 대입하지 않아도 ㉡에 의해 모든 자연수 $n$에 대하여 $p(n)$이 참이라 말
할 수 있다.

이와 같이 ㉠, ㉡이 성립함을 증명해서

$n$이 자연수일 때, $p(n)$이 참임을 증명하는 방법을 수학적 귀납법이라 한다.

수학적 ● $\sum$의 성질에서 공부한 다음 등식을 수학적 귀납법으로 증명해 보자.
귀납법을
이용한 증명
$$1^2+2^2+3^2+\cdots+n^2=\frac{n(n+1)(2n+1)}{6}$$

이 등식을 $p(n)$이라 하고 다음 두 가지를 보이면 된다.

$$\begin{cases} p(1)이\ 참이다. \\ p(k)가\ 참이라\ 가정하면\ p(k+1)이\ 참이다. \end{cases}$$

(ⅰ) $n=1$일 때, (좌변)$=1^2$, (우변)$=\dfrac{1\times(1+1)\times(2\times1+1)}{6}=1$

곧, (좌변)$=$(우변)이므로 $p(1)$이 참이다.

(ⅱ) $n=k$일 때, $p(k)$가 참이라 하면

$$1^2+2^2+3^2+\cdots+k^2=\frac{k(k+1)(2k+1)}{6}$$

양변에 $(k+1)^2$을 더하면

$$1^2+2^2+3^2+\cdots+k^2+(k+1)^2=\frac{k(k+1)(2k+1)}{6}+(k+1)^2$$

여기에서

$$(\text{우변}) = \frac{(k+1)}{6}\{k(2k+1)+6(k+1)\} = \frac{(k+1)}{6}(2k^2+7k+6)$$

$$= \frac{(k+1)(k+2)(2k+3)}{6}$$

$$\therefore \ 1^2+2^2+3^2+\cdots+k^2+(k+1)^2 = \frac{(k+1)(k+2)(2k+3)}{6}$$

따라서 $n=k+1$일 때에도 $p(k+1)$이 참이다.

(ⅰ), (ⅱ)에서 모든 자연수 $n$에 대하여

$$1^2+2^2+3^2+\cdots+n^2 = \frac{n(n+1)(2n+1)}{6}$$

은 참이다.

$n \geq a$인
자연수 $n$에
대한 수학적
귀납법
예를 들어 $n \geq 2$인 자연수에 대한 명제 $p(n)$이 성립함을 증명하려면

$$\begin{cases} p(2)\text{가 참이다.} \\ p(k) \ (k \geq 2)\text{가 참이면 } p(k+1)\text{이 참이다.} \end{cases}$$

를 증명하면 된다.

◆ 정답 및 풀이 135쪽

**개념 Check**

**4** 다음은 수학적 귀납법을 이용하여 $n$이 자연수일 때, 등식

$$1+3+5+\cdots+(2n-1)=n^2$$

이 성립함을 증명하는 과정이다. ㈎, ㈏, ㈐에 알맞은 수나 식을 써넣으시오.

┤ 증명 ├

(ⅰ) $n=1$일 때,

(좌변)＝ ㈎ , (우변)＝ ㈎

따라서 $n=1$일 때, 등식이 성립한다.

(ⅱ) $n=k$일 때, 등식이 성립한다고 가정하면

$$1+3+5+\cdots+(2k-1)=k^2$$

양변에 ㈏ 을 더하면

$$1+3+5+\cdots+(2k-1)+(\boxed{㈏})=k^2+(\boxed{㈏})$$

여기에서 우변을 정리하면

$$1+3+5+\cdots+(2k-1)+(\boxed{㈏})=\boxed{㈐}$$

따라서 $n=k+1$일 때에도 등식이 성립한다.

(ⅰ), (ⅱ)에서 모든 자연수 $n$에 대하여 등식이 성립한다.

수학적 귀납법을 이용하여 $n$이 자연수일 때, 다음을 증명하시오.

$$1^3+2^3+3^3+\cdots+n^3=(1+2+3+\cdots+n)^2$$

**날선 Guide** ( i ) $n=1$일 때, (좌변)=(우변)임을 보인다.

(ii) $n=k$일 때, 등식이 성립한다고 가정하면

$$1^3+2^3+3^3+\cdots+k^3=(1+2+3+\cdots+k)^2 \quad\cdots\text{㉠}$$

$n=k+1$일 때, 등식이 성립함을 보인다.

㉠의 양변에 $(k+1)^3$을 더하면

$$(\text{우변})=(1+2+3+\cdots+k)^2+(k+1)^3$$

이 식을 정리하여 $\{1+2+3+\cdots+(k+1)\}^2$임을 보인다.

답 풀이 참조

**날선 Point** 자연수 $n$에 대하여 다음이 성립하면 명제 $p(n)$이 참이다.

1. $p(1)$이 참이다.      2. $p(k)$가 참이면 $p(k+1)$이 참이다.

**4-1** 다음은 수학적 귀납법을 이용하여 $n$이 자연수일 때, 등식

$$1-\frac{1}{2}+\frac{1}{3}-\frac{1}{4}+\cdots+\frac{1}{2n-1}-\frac{1}{2n}=\frac{1}{n+1}+\frac{1}{n+2}+\cdots+\frac{1}{2n}$$

이 성립함을 증명하는 과정이다. (가), (나), (다)에 알맞은 수나 식을 써넣으시오.

┌ 증명 ┤

( i ) $n=1$일 때, (좌변)=(우변)= (가) 이므로 등식은 성립한다.

(ii) $n=k$일 때, 등식이 성립한다고 가정하면

$$1-\frac{1}{2}+\frac{1}{3}-\frac{1}{4}+\cdots+\frac{1}{2k-1}-\frac{1}{2k}=\frac{1}{k+1}+\frac{1}{k+2}+\cdots+\frac{1}{2k}$$

양변에 (나) 을 더하면

$$1-\frac{1}{2}+\frac{1}{3}-\frac{1}{4}+\cdots+\frac{1}{2k-1}-\frac{1}{2k}+\boxed{\text{(나)}}$$

$$=\frac{1}{k+1}+\frac{1}{k+2}+\cdots+\frac{1}{2k}+\boxed{\text{(나)}}$$

$$(\text{우변})=\frac{1}{k+2}+\frac{1}{k+3}+\cdots+\frac{1}{2k+1}+\boxed{\text{(다)}}$$

따라서 $n=k+1$일 때에도 등식이 성립한다.

( i ), (ii)에서 모든 자연수 $n$에 대하여 등식이 성립한다.

수학적 귀납법을 이용하여 $n$이 2 이상인 자연수일 때, 다음을 증명하시오.

$$1+\frac{1}{2}+\frac{1}{3}+\cdots+\frac{1}{n}>\frac{2n}{n+1}$$

**날선 Guide** ( i ) $n=2$일 때, (좌변)>(우변)이 성립함을 보인다.

(ii) $n=k\ (k\geq 2)$일 때, 부등식은

$$1+\frac{1}{2}+\frac{1}{3}+\cdots+\frac{1}{k}>\frac{2k}{k+1} \qquad \cdots \textcircled{\scriptsize ㄱ}$$

부등식 ㉠이 성립한다고 가정하고, $n=k+1$일 때

$$1+\frac{1}{2}+\frac{1}{3}+\cdots+\frac{1}{k}+\frac{1}{k+1}>\frac{2(k+1)}{k+2} \qquad \cdots \textcircled{\scriptsize ㄴ}$$

이 성립함을 보인다.

㉠의 양변에 $\frac{1}{k+1}$ 을 더하면 (우변)$=\frac{2k}{k+1}+\frac{1}{k+1}$ $\qquad \cdots \textcircled{\scriptsize ㄷ}$

따라서 ㉢이 ㉡의 우변인 $\frac{2(k+1)}{k+2}$ 보다 크다는 것을 보이면 된다. **답** 풀이 참조

**날선 Point**  $n\geq 2$인 자연수 $n$에 대하여 다음이 성립하면 명제 $p(n)$이 참이다.
$$\begin{cases} p(2)가\ 참이다. \\ p(k)가\ 참이면\ p(k+1)이\ 참이다. \end{cases}$$

**5-1** 다음은 수학적 귀납법을 이용하여 $n$이 2 이상인 자연수이고 $x>0$일 때, 부등식

$$(1+x)^n>1+nx$$

가 성립함을 증명하는 과정이다. ㈎, ㈏, ㈐에 알맞은 수나 식을 써넣으시오.

┤ 증명 ├

( i ) $n=\boxed{㈎}$ 일 때, (좌변)$=(1+x)^2=1+2x+x^2$, (우변)$=1+2x$

$x>0$이므로 (좌변)>(우변)

따라서 $n=\boxed{㈎}$ 일 때, 부등식이 성립한다.

(ii) $n=k\ (k\geq 2)$일 때, 주어진 부등식이 성립한다고 가정하면

$$(1+x)^k>1+kx$$

$\boxed{㈏}>0$이므로 $(1+x)^{k+1}>(1+kx)(\boxed{㈏})$

(우변)$=(1+kx)(\boxed{㈏})=1+(k+1)x+\boxed{㈐}$이고,

$\boxed{㈐}>0$이므로 $(1+x)^{k+1}>1+(k+1)x$

따라서 $n=k+1$일 때에도 부등식이 성립한다.

( i ), (ii)에서 $n\geq 2$인 모든 자연수 $n$에 대하여 부등식이 성립한다.

수열 $\{a_n\}$은

$$a_1=3, \; na_{n+1}-2na_n+\frac{n+2}{n+1}=0 \; (n=1, 2, 3, \cdots)$$

이다. 수학적 귀납법을 이용하여 $a_n=2^n+\dfrac{1}{n}$임을 증명하시오.

**낱선 Guide** ( i ) $n=1$일 때, $a_1=3$이 $a_n=2^n+\dfrac{1}{n}$ 꼴임을 보인다.

( ii ) $n=k$일 때, $a_k=2^k+\dfrac{1}{k}$이 성립한다고 가정하고,

$n=k+1$일 때, $a_{k+1}=2^{k+1}+\dfrac{1}{k+1}$이 성립함을 보인다.

따라서 $a_k=2^k+\dfrac{1}{k}$을 점화식

$$ka_{k+1}-2ka_k+\frac{k+2}{k+1}=0$$

에 대입하고 $a_{k+1}$을 구한다.

**답** 풀이 참조

 **낱선 Point** 자연수 $n$에 대하여 다음이 성립하면 명제 $p(n)$이 참이다.
$$\begin{cases} p(1)\text{이 참이다.} \\ p(k)\text{가 참이면 } p(k+1)\text{이 참이다.} \end{cases}$$

**6-1** 수열 $\{a_n\}$이 $a_1=1, a_2=2, a_{n+2}=2a_{n+1}+a_n \; (n=1, 2, 3, \cdots)$으로 정의될 때, 다음은 모든 자연수 $n$에 대하여 $a_{4n}$은 12의 배수임을 수학적 귀납법으로 증명한 것이다.

┤ 증명 ├

( i ) $n=1$일 때, $a_4=\boxed{\text{(가)}}$이므로 성립한다.

( ii ) $n=k$일 때, $a_{4k}$가 12의 배수라 가정하면

$$a_{4(k+1)}=2a_{4k+3}+a_{4k+2}$$
$$=\boxed{\text{(나)}}\,a_{4k+2}+2a_{4k+1}$$
$$=\boxed{\text{(다)}}\,a_{4k+1}+\boxed{\text{(라)}}\,a_{4k}$$

따라서 $a_{4(k+1)}$은 12의 배수이다.

( i ), ( ii )에서 모든 자연수 $n$에 대하여 $a_{4n}$은 12의 배수이다.

위 과정에서 (가), (나), (다), (라)에 알맞은 수를 구하시오.

**01** 수열 $\{a_n\}$이 모든 자연수 $n$에 대하여 $a_1=1$, $a_{n+1}=\dfrac{1}{a_n}+1$일 때, 수열 $\{a_n\}$에서 제6항을 구하시오.

**02** 수열 $\{a_n\}$은 모든 자연수 $n$에 대하여 $a_{n+1}-a_n=2n$을 만족시킨다. $a_5=24$일 때, $a_1$의 값을 구하시오.

**03** 수열 $\{a_n\}$이 모든 자연수 $n$에 대하여 $a_{n+2}-a_{n+1}=a_{n+1}-a_n$을 만족시킨다. $a_1=-2$, $a_2+a_3=8$일 때, $\displaystyle\sum_{k=1}^{30} a_k$의 값은?

① 1540　　② 1580　　③ 1620　　④ 1640　　⑤ 1680

**04** 수열 $\{a_n\}$을 $\begin{cases} a_1=4,\ a_2=12 \\ a_{n+1}^{\ 2}=a_n a_{n+2}\ (n=1,\ 2,\ 3,\ \cdots) \end{cases}$ 로 정의할 때, $\dfrac{a_{100}}{a_{98}}$의 값을 구하시오.

**05** 수열 $\{a_n\}$은 $a_1=1$이고, 모든 자연수 $n$에 대하여 $a_{n+1}=\dfrac{2n}{n+1}a_n$을 만족시킨다. $a_n$을 구하시오.

**06** 그림과 같이 한 줄로 된 밧줄을 구부려서 세 겹으로 만든 후 가위를 이용하여 1회, 2회, 3회, … 평행하게 자른다. $n$회 잘랐을 때 밧줄 조각의 개수를 $a_n$이라 하자. $a_{20}$의 값을 구하시오.

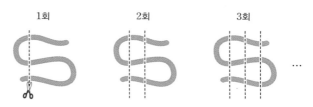

1회        2회        3회

**07** 자연수 $n$에 대하여 명제 $p(n)$이 다음 세 조건을 모두 만족시킨다.

> ㈎ $p(2)$는 참이다.
> ㈏ $p(n)$이 참이면 $p(2n)$도 참이다.
> ㈐ $p(n)$이 참이면 $p(3n)$도 참이다.

다음 중 반드시 참인 명제는?

① $p(3)$      ② $p(10)$      ③ $p(14)$      ④ $p(22)$      ⑤ $p(24)$

**08** 수열 $\{a_n\}$은 다음을 만족시킨다.

$$a_1=2222,\ a_{n+1}=\begin{cases} \dfrac{1}{10}a_n & (a_n\text{이 } 0 \text{ 또는 } 10\text{의 배수일 때}) \\ a_n-1 & (a_n\text{이 } 0\text{과 } 10\text{의 배수가 아닐 때}) \end{cases}$$

$a_k=1$일 때, $k$의 값은? (단, $n$은 자연수이다.)

① 8      ② 9      ③ 10      ④ 11      ⑤ 12

**교육청 기출**

**09** 첫째항이 6인 수열 $\{a_n\}$이 모든 자연수 $n$에 대하여

$$a_{n+1}=\begin{cases} 2-a_n & (a_n\geq 0) \\ a_n+p & (a_n<0) \end{cases}$$

를 만족시킨다. $a_4=0$이 되도록 하는 모든 실수 $p$값의 합을 구하시오.

**10** 모든 자연수 $n$에 대하여 수열 $\{a_n\}$이 항상 $a_{n+1}=a_n+\dfrac{1}{n(n+1)}$을 만족시킨다.

$a_{10}=\dfrac{7}{5}$일 때, $a_1$의 값을 구하시오.

**11** 수열 $\{a_n\}$을 $a_1=1$, $a_n=\left(1-\dfrac{1}{n^2}\right)a_{n-1}$ $(n=2,\ 3,\ 4,\ \cdots)$과 같이 정의할 때,

$a_n$을 구하시오.

**12** 수학적 귀납법을 이용하여 $n$이 자연수일 때, 다음을 증명하시오.

$$\frac{1}{2}+\frac{2}{2^2}+\frac{3}{2^3}+\cdots+\frac{n}{2^n}=2-\frac{n+2}{2^n}$$

🔍 **평가원 기출**

**13** 다음은 모든 자연수 $n$에 대하여

$$1\times n+2\times(n-1)+3\times(n-2)+\cdots+(n-1)\times2+n\times1$$

$$=\frac{n(n+1)(n+2)}{6}$$

가 성립함을 수학적 귀납법으로 증명한 것이다.

┌─ 증명 ├─

( i ) $n=1$일 때, (좌변)$=1$, (우변)$=1$이므로 등식은 성립한다.

(ii) $n=k$일 때, 등식이 성립한다고 가정하면

$$1\times k+2\times(k-1)+3\times(k-2)+\cdots+k\times1=\frac{k(k+1)(k+2)}{6}$$

이다. $n=k+1$일 때, 성립함을 보이자.

$$1\times(k+1)+2\times k+3\times(k-1)+\cdots+(k+1)\times1$$

$$=1\times k+2\times(k-1)+3\times(k-2)+\cdots+k\times1$$

$$\quad+(1+2+3+\cdots+k)+\boxed{\text{(가)}}$$

$$=\frac{k(k+1)(k+2)}{6}+\boxed{\quad\text{(나)}\quad}$$

$$=\boxed{\quad\text{(다)}\quad}$$

따라서 $n=k+1$일 때에도 등식이 성립한다.

( i ), (ii)에서 모든 자연수 $n$에 대하여 등식이 성립한다.

(가), (나), (다)에 알맞은 식을 써넣으시오.

**14** 그림과 같이 차례로 점을 찍어 정오각형 모양의 배열을 만들어 나갈 때, 각각의 정오각형을 이루는 점의 개수를 오각수라 한다. $n$번째 오각수를 $a_n$이라 할 때, $a_1=1$, $a_2=5$, $a_3=12$, $a_4=22$, $\cdots$이다. $a_{n+1}$과 $a_n$ 사이의 관계식을 구하고, 이를 이용하여 $a_n$을 구하시오.

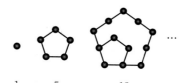

1    5    12

**15** $n \geq 2$인 모든 자연수 $n$에 대하여 부등식

$$1+\frac{1}{2^2}+\frac{1}{3^2}+\cdots+\frac{1}{n^2}<2-\frac{1}{n}$$

이 성립함을 수학적 귀납법으로 증명하는 과정이다.

┌─ **증명** ├

(ⅰ) $n=2$일 때, (좌변)$=1+\dfrac{1}{2^2}=\dfrac{5}{4}$, (우변)$=2-\dfrac{1}{2}=\dfrac{3}{2}$

이므로 부등식은 성립한다.

(ⅱ) $n=k \ (k\geq 2)$일 때, 부등식이 성립한다고 가정하면

$$\frac{1}{1^2}+\frac{1}{2^2}+\cdots+\frac{1}{k^2}<2-\frac{1}{k}$$

이 부등식의 양변에 $\boxed{\text{(가)}}$ 을 더하면

$$\frac{1}{1^2}+\frac{1}{2^2}+\cdots+\frac{1}{k^2}+\boxed{\text{(가)}}<2-\frac{1}{k}+\boxed{\text{(가)}} \qquad \cdots \text{㉠}$$

이때 부등식 ㉠의 우변에서

$$\left\{2-\frac{1}{k}+\frac{1}{(k+1)^2}\right\}-(\boxed{\text{(나)}})=-\frac{1}{k(k+1)^2}<0 \qquad \cdots \text{㉡}$$

㉠과 ㉡에서

$$\frac{1}{1^2}+\frac{1}{2^2}+\cdots+\frac{1}{k^2}+\frac{1}{(k+1)^2}<2-\frac{1}{k}+\frac{1}{(k+1)^2}<2-\frac{1}{k+1}$$

따라서 $n=\boxed{\text{(다)}}$일 때에도 부등식이 성립한다.

(ⅰ), (ⅱ)에서 $n\geq 2$인 모든 자연수 $n$에 대하여 부등식이 성립한다.

(가), (나), (다)에 알맞은 식을 써넣으시오.

| 수 | 0 | 1 | 2 | 3 | 4 | 5 | 6 | 7 | 8 | 9 |
|---|---|---|---|---|---|---|---|---|---|---|
| 1.0 | .0000 | .0043 | .0086 | .0128 | .0170 | .0212 | .0253 | .0294 | .0334 | .0374 |
| 1.1 | .0414 | .0453 | .0492 | .0531 | .0569 | .0607 | .0645 | .0682 | .0719 | .0755 |
| 1.2 | .0792 | .0828 | .0864 | .0899 | .0934 | .0969 | .1004 | .1038 | .1072 | .1106 |
| 1.3 | .1139 | .1173 | .1206 | .1239 | .1271 | .1303 | .1335 | .1367 | .1399 | .1430 |
| 1.4 | .1461 | .1492 | .1523 | .1553 | .1584 | .1614 | .1644 | .1673 | .1703 | .1732 |
| 1.5 | .1761 | .1790 | .1818 | .1847 | .1875 | .1903 | .1931 | .1959 | .1987 | .2014 |
| 1.6 | .2041 | .2068 | .2095 | .2122 | .2148 | .2175 | .2201 | .2227 | .2253 | .2279 |
| 1.7 | .2304 | .2330 | .2355 | .2380 | .2405 | .2430 | .2455 | .2480 | .2504 | .2529 |
| 1.8 | .2553 | .2577 | .2601 | .2625 | .2648 | .2672 | .2695 | .2718 | .2742 | .2765 |
| 1.9 | .2788 | .2810 | .2833 | .2856 | .2878 | .2900 | .2923 | .2945 | .2967 | .2989 |
| 2.0 | .3010 | .3032 | .3054 | .3075 | .3096 | .3118 | .3139 | .3160 | .3181 | .3201 |
| 2.1 | .3222 | .3243 | .3263 | .3284 | .3304 | .3324 | .3345 | .3365 | .3385 | .3404 |
| 2.2 | .3424 | .3444 | .3464 | .3483 | .3502 | .3522 | .3541 | .3560 | .3579 | .3598 |
| 2.3 | .3617 | .3636 | .3655 | .3674 | .3692 | .3711 | .3729 | .3747 | .3766 | .3784 |
| 2.4 | .3802 | .3820 | .3838 | .3856 | .3874 | .3892 | .3909 | .3927 | .3945 | .3962 |
| 2.5 | .3979 | .3997 | .4014 | .4031 | .4048 | .4065 | .4082 | .4099 | .4116 | .4133 |
| 2.6 | .4150 | .4166 | .4183 | .4200 | .4216 | .4232 | .4249 | .4265 | .4281 | .4298 |
| 2.7 | .4314 | .4330 | .4346 | .4362 | .4378 | .4393 | .4409 | .4425 | .4440 | .4456 |
| 2.8 | .4472 | .4487 | .4502 | .4518 | .4533 | .4548 | .4564 | .4579 | .4594 | .4609 |
| 2.9 | .4624 | .4639 | .4654 | .4669 | .4683 | .4698 | .4713 | .4728 | .4742 | .4757 |
| 3.0 | .4771 | .4786 | .4800 | .4814 | .4829 | .4843 | .4857 | .4871 | .4886 | .4900 |
| 3.1 | .4914 | .4928 | .4942 | .4955 | .4969 | .4983 | .4997 | .5011 | .5024 | .5038 |
| 3.2 | .5051 | .5065 | .5079 | .5092 | .5105 | .5119 | .5132 | .5145 | .5159 | .5172 |
| 3.3 | .5185 | .5198 | .5211 | .5224 | .5237 | .5250 | .5263 | .5276 | .5289 | .5302 |
| 3.4 | .5315 | .5328 | .5340 | .5353 | .5366 | .5378 | .5391 | .5403 | .5416 | .5428 |
| 3.5 | .5441 | .5453 | .5465 | .5478 | .5490 | .5502 | .5514 | .5527 | .5539 | .5551 |
| 3.6 | .5563 | .5575 | .5587 | .5599 | .5611 | .5623 | .5635 | .5647 | .5658 | .5670 |
| 3.7 | .5682 | .5694 | .5705 | .5717 | .5729 | .5740 | .5752 | .5763 | .5775 | .5786 |
| 3.8 | .5798 | .5809 | .5821 | .5832 | .5843 | .5855 | .5866 | .5877 | .5888 | .5899 |
| 3.9 | .5911 | .5922 | .5933 | .5944 | .5955 | .5966 | .5977 | .5988 | .5999 | .6010 |
| 4.0 | .6021 | .6031 | .6042 | .6053 | .6064 | .6075 | .6085 | .6096 | .6107 | .6117 |
| 4.1 | .6128 | .6138 | .6149 | .6160 | .6170 | .6180 | .6191 | .6201 | .6212 | .6222 |
| 4.2 | .6232 | .6243 | .6253 | .6263 | .6274 | .6284 | .6294 | .6304 | .6314 | .6325 |
| 4.3 | .6335 | .6345 | .6355 | .6365 | .6375 | .6385 | .6395 | .6405 | .6415 | .6425 |
| 4.4 | .6435 | .6444 | .6454 | .6464 | .6474 | .6484 | .6493 | .6503 | .6513 | .6522 |
| 4.5 | .6532 | .6542 | .6551 | .6561 | .6571 | .6580 | .6590 | .6599 | .6609 | .6618 |
| 4.6 | .6628 | .6637 | .6646 | .6656 | .6665 | .6675 | .6684 | .6693 | .6702 | .6712 |
| 4.7 | .6721 | .6730 | .6739 | .6749 | .6758 | .6767 | .6776 | .6785 | .6794 | .6803 |
| 4.8 | .6812 | .6821 | .6830 | .6839 | .6848 | .6857 | .6866 | .6875 | .6884 | .6893 |
| 4.9 | .6902 | .6911 | .6920 | .6928 | .6937 | .6946 | .6955 | .6964 | .6972 | .6981 |
| 5.0 | .6990 | .6998 | .7007 | .7016 | .7024 | .7033 | .7042 | .7050 | .7059 | .7067 |
| 5.1 | .7076 | .7084 | .7093 | .7101 | .7110 | .7118 | .7126 | .7135 | .7143 | .7152 |
| 5.2 | .7160 | .7168 | .7177 | .7185 | .7193 | .7202 | .7210 | .7218 | .7226 | .7235 |
| 5.3 | .7243 | .7251 | .7259 | .7267 | .7275 | .7284 | .7292 | .7300 | .7308 | .7316 |
| 5.4 | .7324 | .7332 | .7340 | .7348 | .7356 | .7364 | .7372 | .7380 | .7388 | .7396 |

| 수 | 0 | 1 | 2 | 3 | 4 | 5 | 6 | 7 | 8 | 9 |
|---|---|---|---|---|---|---|---|---|---|---|
| 5.5 | .7404 | .7412 | .7419 | .7427 | .7435 | .7443 | .7451 | .7459 | .7466 | .7474 |
| 5.6 | .7482 | .7490 | .7497 | .7505 | .7513 | .7520 | .7528 | .7536 | .7543 | .7551 |
| 5.7 | .7559 | .7566 | .7574 | .7582 | .7589 | .7597 | .7604 | .7612 | .7619 | .7627 |
| 5.8 | .7634 | .7642 | .7649 | .7657 | .7664 | .7672 | .7679 | .7686 | .7694 | .7701 |
| 5.9 | .7709 | .7716 | .7723 | .7731 | .7738 | .7745 | .7752 | .7760 | .7767 | .7774 |
| 6.0 | .7782 | .7789 | .7796 | .7803 | .7810 | .7818 | .7825 | .7832 | .7839 | .7846 |
| 6.1 | .7853 | .7860 | .7868 | .7875 | .7882 | .7889 | .7896 | .7903 | .7910 | .7917 |
| 6.2 | .7924 | .7931 | .7938 | .7945 | .7952 | .7959 | .7966 | .7973 | .7980 | .7987 |
| 6.3 | .7993 | .8000 | .8007 | .8014 | .8021 | .8028 | .8035 | .8041 | .8048 | .8055 |
| 6.4 | .8062 | .8069 | .8075 | .8082 | .8089 | .8096 | .8102 | .8109 | .8116 | .8122 |
| 6.5 | .8129 | .8136 | .8142 | .8149 | .8156 | .8162 | .8169 | .8176 | .8182 | .8189 |
| 6.6 | .8195 | .8202 | .8209 | .8215 | .8222 | .8228 | .8235 | .8241 | .8248 | .8254 |
| 6.7 | .8261 | .8267 | .8274 | .8280 | .8287 | .8293 | .8299 | .8306 | .8312 | .8319 |
| 6.8 | .8325 | .8331 | .8338 | .8344 | .8351 | .8357 | .8363 | .8370 | .8376 | .8382 |
| 6.9 | .8388 | .8395 | .8401 | .8407 | .8414 | .8420 | .8426 | .8432 | .8439 | .8445 |
| 7.0 | .8451 | .8457 | .8463 | .8470 | .8476 | .8482 | .8488 | .8494 | .8500 | .8506 |
| 7.1 | .8513 | .8519 | .8525 | .8531 | .8537 | .8543 | .8549 | .8555 | .8561 | .8567 |
| 7.2 | .8573 | .8579 | .8585 | .8591 | .8597 | .8603 | .8609 | .8615 | .8621 | .8627 |
| 7.3 | .8633 | .8639 | .8645 | .8651 | .8657 | .8663 | .8669 | .8675 | .8681 | .8686 |
| 7.4 | .8692 | .8698 | .8704 | .8710 | .8716 | .8722 | .8727 | .8733 | .8739 | .8745 |
| 7.5 | .8751 | .8756 | .8762 | .8768 | .8774 | .8779 | .8785 | .8791 | .8797 | .8802 |
| 7.6 | .8808 | .8814 | .8820 | .8825 | .8831 | .8837 | .8842 | .8848 | .8854 | .8859 |
| 7.7 | .8865 | .8871 | .8876 | .8882 | .8887 | .8893 | .8899 | .8904 | .8910 | .8915 |
| 7.8 | .8921 | .8927 | .8932 | .8938 | .8943 | .8949 | .8954 | .8960 | .8965 | .8971 |
| 7.9 | .8976 | .8982 | .8987 | .8993 | .8998 | .9004 | .9009 | .9015 | .9020 | .9025 |
| 8.0 | .9031 | .9036 | .9042 | .9047 | .9053 | .9058 | .9063 | .9069 | .9074 | .9079 |
| 8.1 | .9085 | .9090 | .9096 | .9101 | .9106 | .9112 | .9117 | .9122 | .9128 | .9133 |
| 8.2 | .9138 | .9143 | .9149 | .9154 | .9159 | .9165 | .9170 | .9175 | .9180 | .9186 |
| 8.3 | .9191 | .9196 | .9201 | .9206 | .9212 | .9217 | .9222 | .9227 | .9232 | .9238 |
| 8.4 | .9243 | .9248 | .9253 | .9258 | .9263 | .9269 | .9274 | .9279 | .9284 | .9289 |
| 8.5 | .9294 | .9299 | .9304 | .9309 | .9315 | .9320 | .9325 | .9330 | .9335 | .9340 |
| 8.6 | .9345 | .9350 | .9355 | .9360 | .9365 | .9370 | .9375 | .9380 | .9385 | .9390 |
| 8.7 | .9395 | .9400 | .9405 | .9410 | .9415 | .9420 | .9425 | .9430 | .9435 | .9440 |
| 8.8 | .9445 | .9450 | .9455 | .9460 | .9465 | .9469 | .9474 | .9479 | .9484 | .9489 |
| 8.9 | .9494 | .9499 | .9504 | .9509 | .9513 | .9518 | .9523 | .9528 | .9533 | .9538 |
| 9.0 | .9542 | .9547 | .9552 | .9557 | .9562 | .9566 | .9571 | .9576 | .9581 | .9586 |
| 9.1 | .9590 | .9595 | .9600 | .9605 | .9609 | .9614 | .9619 | .9624 | .9628 | .9633 |
| 9.2 | .9638 | .9643 | .9647 | .9652 | .9657 | .9661 | .9666 | .9671 | .9675 | .9680 |
| 9.3 | .9685 | .9689 | .9694 | .9699 | .9703 | .9708 | .9713 | .9717 | .9722 | .9727 |
| 9.4 | .9731 | .9736 | .9741 | .9745 | .9750 | .9754 | .9759 | .9763 | .9768 | .9773 |
| 9.5 | .9777 | .9782 | .9786 | .9791 | .9795 | .9800 | .9805 | .9809 | .9814 | .9818 |
| 9.6 | .9823 | .9827 | .9832 | .9836 | .9841 | .9845 | .9850 | .9854 | .9859 | .9863 |
| 9.7 | .9868 | .9872 | .9877 | .9881 | .9886 | .9890 | .9894 | .9899 | .9903 | .9908 |
| 9.8 | .9912 | .9917 | .9921 | .9926 | .9930 | .9934 | .9939 | .9943 | .9948 | .9952 |
| 9.9 | .9956 | .9961 | .9965 | .9969 | .9974 | .9978 | .9983 | .9987 | .9991 | .9996 |

# 삼각함수표

| 각 | sin | cos | tan |
|---|---|---|---|
| 0° | 0.0000 | 1.0000 | 0.0000 |
| 1° | 0.0175 | 0.9998 | 0.0175 |
| 2° | 0.0349 | 0.9994 | 0.0349 |
| 3° | 0.0523 | 0.9986 | 0.0524 |
| 4° | 0.0698 | 0.9976 | 0.0699 |
| 5° | 0.0872 | 0.9962 | 0.0875 |
| 6° | 0.1045 | 0.9945 | 0.1051 |
| 7° | 0.1219 | 0.9925 | 0.1228 |
| 8° | 0.1392 | 0.9903 | 0.1405 |
| 9° | 0.1564 | 0.9877 | 0.1584 |
| 10° | 0.1736 | 0.9848 | 0.1763 |
| 11° | 0.1908 | 0.9816 | 0.1944 |
| 12° | 0.2079 | 0.9781 | 0.2126 |
| 13° | 0.2250 | 0.9744 | 0.2309 |
| 14° | 0.2419 | 0.9703 | 0.2493 |
| 15° | 0.2588 | 0.9659 | 0.2679 |
| 16° | 0.2756 | 0.9613 | 0.2867 |
| 17° | 0.2924 | 0.9563 | 0.3057 |
| 18° | 0.3090 | 0.9511 | 0.3249 |
| 19° | 0.3256 | 0.9455 | 0.3443 |
| 20° | 0.3420 | 0.9397 | 0.3640 |
| 21° | 0.3584 | 0.9336 | 0.3839 |
| 22° | 0.3746 | 0.9272 | 0.4040 |
| 23° | 0.3907 | 0.9205 | 0.4245 |
| 24° | 0.4067 | 0.9135 | 0.4452 |
| 25° | 0.4226 | 0.9063 | 0.4663 |
| 26° | 0.4384 | 0.8988 | 0.4877 |
| 27° | 0.4540 | 0.8910 | 0.5095 |
| 28° | 0.4695 | 0.8829 | 0.5317 |
| 29° | 0.4848 | 0.8746 | 0.5543 |
| 30° | 0.5000 | 0.8660 | 0.5774 |
| 31° | 0.5150 | 0.8572 | 0.6009 |
| 32° | 0.5299 | 0.8480 | 0.6249 |
| 33° | 0.5446 | 0.8387 | 0.6494 |
| 34° | 0.5592 | 0.8290 | 0.6745 |
| 35° | 0.5736 | 0.8192 | 0.7002 |
| 36° | 0.5878 | 0.8090 | 0.7265 |
| 37° | 0.6018 | 0.7986 | 0.7536 |
| 38° | 0.6157 | 0.7880 | 0.7813 |
| 39° | 0.6293 | 0.7771 | 0.8098 |
| 40° | 0.6428 | 0.7660 | 0.8391 |
| 41° | 0.6561 | 0.7547 | 0.8693 |
| 42° | 0.6691 | 0.7431 | 0.9004 |
| 43° | 0.6820 | 0.7314 | 0.9325 |
| 44° | 0.6947 | 0.7193 | 0.9657 |
| 45° | 0.7071 | 0.7071 | 1.0000 |

| 각 | sin | cos | tan |
|---|---|---|---|
| 45° | 0.7071 | 0.7071 | 1.0000 |
| 46° | 0.7193 | 0.6947 | 1.0355 |
| 47° | 0.7314 | 0.6820 | 1.0724 |
| 48° | 0.7431 | 0.6691 | 1.1106 |
| 49° | 0.7547 | 0.6561 | 1.1504 |
| 50° | 0.7660 | 0.6428 | 1.1918 |
| 51° | 0.7771 | 0.6293 | 1.2349 |
| 52° | 0.7880 | 0.6157 | 1.2799 |
| 53° | 0.7986 | 0.6018 | 1.3270 |
| 54° | 0.8090 | 0.5878 | 1.3764 |
| 55° | 0.8192 | 0.5736 | 1.4281 |
| 56° | 0.8290 | 0.5592 | 1.4826 |
| 57° | 0.8387 | 0.5446 | 1.5399 |
| 58° | 0.8480 | 0.5299 | 1.6003 |
| 59° | 0.8572 | 0.5150 | 1.6643 |
| 60° | 0.8660 | 0.5000 | 1.7321 |
| 61° | 0.8746 | 0.4848 | 1.8040 |
| 62° | 0.8829 | 0.4695 | 1.8807 |
| 63° | 0.8910 | 0.4540 | 1.9626 |
| 64° | 0.8988 | 0.4384 | 2.0503 |
| 65° | 0.9063 | 0.4226 | 2.1445 |
| 66° | 0.9135 | 0.4067 | 2.2460 |
| 67° | 0.9205 | 0.3907 | 2.3559 |
| 68° | 0.9272 | 0.3746 | 2.4751 |
| 69° | 0.9336 | 0.3584 | 2.6051 |
| 70° | 0.9397 | 0.3420 | 2.7475 |
| 71° | 0.9455 | 0.3256 | 2.9042 |
| 72° | 0.9511 | 0.3090 | 3.0777 |
| 73° | 0.9563 | 0.2924 | 3.2709 |
| 74° | 0.9613 | 0.2756 | 3.4874 |
| 75° | 0.9659 | 0.2588 | 3.7321 |
| 76° | 0.9703 | 0.2419 | 4.0108 |
| 77° | 0.9744 | 0.2250 | 4.3315 |
| 78° | 0.9781 | 0.2079 | 4.7046 |
| 79° | 0.9816 | 0.1908 | 5.1446 |
| 80° | 0.9848 | 0.1736 | 5.6713 |
| 81° | 0.9877 | 0.1564 | 6.3138 |
| 82° | 0.9903 | 0.1392 | 7.1154 |
| 83° | 0.9925 | 0.1219 | 8.1443 |
| 84° | 0.9945 | 0.1045 | 9.5144 |
| 85° | 0.9962 | 0.0872 | 11.4301 |
| 86° | 0.9976 | 0.0698 | 14.3007 |
| 87° | 0.9986 | 0.0523 | 19.0811 |
| 88° | 0.9994 | 0.0349 | 28.6363 |
| 89° | 0.9998 | 0.0175 | 57.2900 |
| 90° | 1.0000 | 0.0000 | |

# 날카롭게 선별한 유형문제서

동아출판

**연산으로 개념을 다지는 유형입문서**

이미지를 통한 친절한 개념 설명
유형별 반복 연산 학습으로 구성
고등학교 수학에 나오는 모든 기본 문제를 수록
**수학(상), 수학(하), 수학 I, 수학 II**

고등 **수학**(상)

새 교육과정  연산으로 개념을 다지는 유형입문서

날선 유형

스타트

필요한 유형으로 꽉 채운 **핵심유형서**

새 교육과정

날선 유형

고등 **수학**(상)

## 필요한 유형으로 꽉 채운 **핵심유형서**

최신 유형들을 날카롭게 선별
시험에 꼭 나오는 문제는 "날선유형"으로 분류
교과서 심화문제, 교육청 기출문제, 수능 기출문제 수록
**수학(상), 수학(하), 수학 I, 수학 II, 미적분, 확률과 통계**

동아출판

내일의 꿈을 만들어 가는
**교육문화 1등 기업**  **동아출판**

대한민국 교육브랜드 대상
20회 수상

한국출판문화상
1회 수상

학부모가 뽑은 교육브랜드 대상
46회 수상

올해의 브랜드 대상
5회 수상

# 수학 Ⅰ

### 전통과 신뢰

동아출판은 1945년 설립 이래 70여 년간 교육 도서를 발간해 온 교육문화
1등 기업으로, 교육 그 이상의 가치 실현을 위해 오늘도 노력합니다.

### 나눔과 배려

동아출판은 다양한 사회공헌 활동을 통하여 내일의 꿈을 만들어 갑니다.

- 동아출판 장학생 선정 지원
- 사회단체 도서·참고서 기부
- 지역 아동센터 후원
- 지역사회 나눔 봉사 활동

### 고객과 함께

동아출판은 고객이 만족하는 제품과 서비스를 만들기 위하여 항상 고객의
입장에서 생각하고 행동합니다.

---

- 정답 및 풀이는 동아출판 홈페이지 내 학습자료실에서 내려받을 수 있습니다.

- 교재에서 발견된 오류는 동아출판 홈페이지 내 정오표에서 확인 가능하며,
  잘못 만들어진 책은 구입처에서 교환해 드립니다.

- 학습 상담, 제안 사항, 오류 신고 등 어떠한 이야기라도 들려주세요.

📞 **Telephone** 1644-0600
📶 **Internet** www.bookdonga.com
✉ **Address** 서울시 영등포구 은행로 30 (우 07242)

# 낯선개념

## 학습 Note

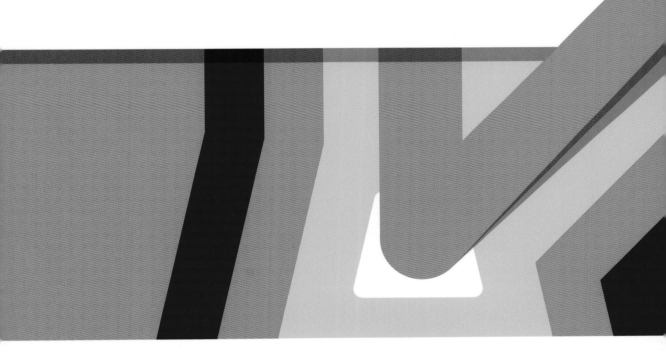

## 수학 I

동아출판

## This planner belongs to

Name 이름 _____

School & Grade 학교, 학년 _____

Birthday 생년월일 _____

Mobile 전화번호 _____

Address 주소 _____

E-mail _____

SNS _____

# 날선개념
## 학습 Note

### 수학 Ⅰ

---

## 날선개념 학습 Note

날선개념 학습 Note는 다음 세 부분으로 구성되어 있습니다.

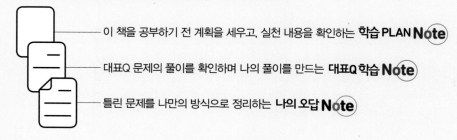

이 책을 공부하기 전 계획을 세우고, 실천 내용을 확인하는 **학습 PLAN Note**

대표Q 문제의 풀이를 확인하며 나의 풀이를 만드는 **대표Q 학습 Note**

틀린 문제를 나만의 방식으로 정리하는 **나의 오답 Note**

**날선개념 학습 Note 한 권이면**
학습 계획부터 대표Q 문제와 나의 풀이, 오답노트까지
수학 공부에 필요한 모든 내용을 담을 수 있습니다.

> 66
공부를 시작하는 순간부터 시험 직전까지
**날선개념 학습 Note**와 함께하세요.
> 99

### 이 책을 시작하는 나에게

### 공부 계획/목표

- ☑
- ☑
- ☑
- ☑

### My Wish List

- ☑
- ☑
- ☑
- ☑

이 책을 공부하는 나의 꿈과 계획, 구체적인 실천 결과를 기록하고 시험 전에 살펴보세요.
부족한 점이 무엇인지, 기억할 것이 무엇인지 확인할 수 있을 거예요.

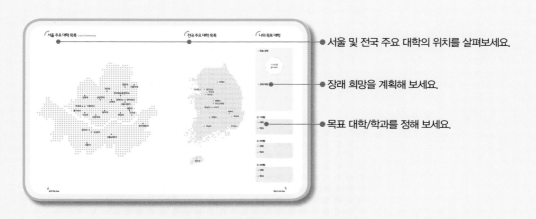

● 서울 및 전국 주요 대학의 위치를 살펴보세요.

● 장래 희망을 계획해 보세요.

● 목표 대학/학과를 정해 보세요.

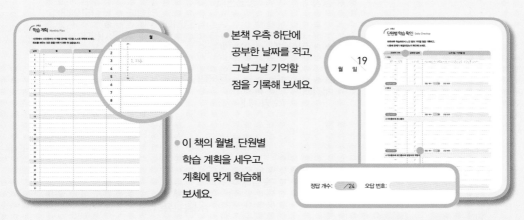

● 본책 우측 하단에
공부한 날짜를 적고,
그날그날 기억할
점을 기록해 보세요.

● 이 책의 월별, 단원별
학습 계획을 세우고,
계획에 맞게 학습해
보세요.

● 본책 '연습과 실전'에서 정답
개수와 오답 번호를 Check하고,
틀린 문제는 나의 오답 Note를
활용해 정리해 보세요.

● 시험 D-21의 계획을 세우고
목표대로 학습하면 반드시 좋은
결과가 있을 거예요.

학습 PLAN Note 한글파일은 동아출판 홈페이지
(http://www.bookdonga.com)에서 다운로드 받을 수 있습니다.

학습자료

# 서울 주요 대학 목록 List of University

광운대
서울여대
국민대
한국예술종합학교
상명대　　성균관대
경희대　한국외대
고려대
서울시립대
연세대　이화여대
세종대
홍익대
건국대
서강대
동국대
한양대
숙명여대
한국체육대
중앙대
숭실대
서울교육대
서울대

## 전국 주요 대학 목록

강원대
인하대 ● ● 경인교대
 ● 단국대
 ● 아주대

충북대
 ● 한국교원대
충남대 ●● KAIST

경북대
 영남대
 전북대

전남대 부산대

제주대

## 나의 목표 대학

● 목표 대학

스티커를
붙이세요.

● 장래 희망

📍 1지망
　● 대학
　● 학과

📍 2지망
　● 대학
　● 학과

📍 3지망
　● 대학
　● 학과

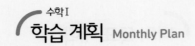

# 학습 계획 Monthly Plan

1단원에서 12단원까지 이 책을 공부할 기간을 스스로 계획해 보세요.
목표를 세우는 것은 꿈을 이루기 위한 첫 걸음입니다.

| 날짜 | 월 | 월 | 월 |
|---|---|---|---|
| 1 | | | |
| 2 | | | |
| 3 | 1. 지수 | | |
| 4 | | | |
| 5 | | | |
| 6 | | | |
| 7 | | | |
| 8 | | | |
| 9 | | | |
| 10 | | | |
| 11 | | | |
| 12 | | | |
| 13 | | | |
| 14 | | | |
| 15 | | | |
| 16 | | | |
| 17 | | | |
| 18 | | | |
| 19 | | | |
| 20 | | | |
| 21 | | | |
| 22 | | | |
| 23 | | | |
| 24 | | | |
| 25 | | | |
| 26 | | | |
| 27 | | | |
| 28 | | | |
| 29 | | | |
| 30 | | | |
| 31 | | | |

수학 I

# 단원별 학습 확인 Daily Checkup

하루하루 학습하면서 느낀 점과 기억할 점을 기록하고,
나중에 문제가 해결되었는지 확인해 보세요.

| 공부한 내용 | 공부한 날짜 | 느낀 점 / 기억할 점 |
|---|---|---|
| **1 지수** | | |
| 8쪽 ~ 10쪽 | 3 / 10 | 거듭제곱근의 성질을 이용하려면 근호 안을 양수로 꼭 고치자! |
| ~ | / | |
| ~ | / | |
| ~ | / | |
| ~ | / | |
| 연습과 실전 | / | 정답 개수: / 16    오답 번호: |
| **2 로그** | | |
| ~ | / | |
| ~ | / | |
| ~ | / | |
| ~ | / | |
| ~ | / | |
| 연습과 실전 | / | 정답 개수: / 20    오답 번호: |
| **3 지수함수와 로그함수** | | |
| ~ | / | |
| ~ | / | |
| ~ | / | |
| ~ | / | |
| ~ | / | |
| 연습과 실전 | / | 정답 개수: / 24    오답 번호: |
| **4 지수함수와 로그함수의 방정식과 부등식** | | |
| ~ | / | |
| ~ | / | |
| ~ | / | |
| ~ | / | |
| ~ | / | |
| ~ | / | |
| 연습과 실전 | / | 정답 개수: / 22    오답 번호: |

| 공부한 내용 | 공부한 날짜 | 느낀 점 / 기억할 점 |
|---|---|---|
| **5 삼각함수** | | |
| ~ | / | |
| ~ | / | |
| ~ | / | |
| ~ | / | |
| ~ | / | |
| ~ | / | |
| ~ | / | |
| ~ | / | |
| 연습과 실전 | / | 정답 개수: /20   오답 번호: |
| **6 삼각함수의 그래프** | | |
| ~ | / | |
| ~ | / | |
| ~ | / | |
| ~ | / | |
| ~ | / | |
| 연습과 실전 | / | 정답 개수: /18   오답 번호: |
| **7 삼각함수를 포함한 방정식과 부등식** | | |
| ~ | / | |
| ~ | / | |
| ~ | / | |
| ~ | / | |
| ~ | / | |
| 연습과 실전 | / | 정답 개수: /15   오답 번호: |
| **8 삼각함수의 활용** | | |
| ~ | / | |
| ~ | / | |
| ~ | / | |
| ~ | / | |
| ~ | / | |
| ~ | / | |
| 연습과 실전 | / | 정답 개수: /20   오답 번호: |

| 공부한 내용 | 공부한 날짜 | 느낀 점 / 기억할 점 |
|---|---|---|
| **9 등차수열** | | |
| ~ | / | |
| ~ | / | |
| ~ | / | |
| ~ | / | |
| ~ | / | |
| ~ | / | |
| ~ | / | |
| 연습과 실전 | / | 정답 개수: /20    오답 번호: |
| **10 등비수열** | | |
| ~ | / | |
| ~ | / | |
| ~ | / | |
| ~ | / | |
| ~ | / | |
| 연습과 실전 | / | 정답 개수: /24    오답 번호: |
| **11 수열의 합** | | |
| ~ | / | |
| ~ | / | |
| ~ | / | |
| ~ | / | |
| ~ | / | |
| ~ | / | |
| 연습과 실전 | / | 정답 개수: /26    오답 번호: |
| **12 수학적 귀납법** | | |
| ~ | / | |
| ~ | / | |
| ~ | / | |
| ~ | / | |
| ~ | / | |
| 연습과 실전 | / | 정답 개수: /15    오답 번호: |

시험명

| D-21 월 일 | D-20 월 일 | D-19 월 일 | D-18 월 일 | D-17 월 일 | D-16 월 일 | D-15 월 일 |
|---|---|---|---|---|---|---|
| D-14 월 일 | D-13 월 일 | D-12 월 일 | D-11 월 일 | D-10 월 일 | D-9 월 일 | D-8 월 일 |
| D-7 월 일 | D-6 월 일 | D-5 월 일 | D-4 월 일 | D-3 월 일 | D-2 월 일 | D-1 월 일 |

**D-day** 월 일

📍시험 범위

📍목표 점수

대표Q 문제의 (날선 **Guide**)에는 문제의 출제 의도와 해결 원리, 떠올려야 할 핵심 개념과 Keyword가 수록되어 있습니다. (날선 **Guide**)를 모티브로 하여 대표Q 문제를 해결할 수 있도록 노력해 보세요.

❝ 배운 개념이 어떻게 활용되는지 스스로 생각하고 학습할 수 있는 힘이 길러집니다. ❞

단순히 유형별로 분류된 문제의 풀이 방법을 외우는 것으로는 개념을 온전히 내 것으로 만들 수 없어요.
만약 (날선 **Guide**)만으로 대표Q 문제가 해결되지 않으면 **대표Q 학습 Note**를 활용해 보세요.
**대표Q 학습 Note**에는 본책의 대표Q 문제의 (날선 **Guide**)에 따른 자세한 해설이 수록되어 있습니다.
아래 방법을 참고하여 **대표Q 학습 Note**를 활용해 보세요.

**Step1**

대표Q 문제를 해결하고 유제를 풀 때
**대표Q 학습 Note**의 자세한 풀이를 참고해
보세요. 대표Q 문제를 해결한 개념과 원리
를 이용하면 유제를 어렵지 않게 해결 할
수 있을 거예요.

**Step2**

**대표Q 문제**를 해결할 때의 핵심 공식과
기억할 것, 주의할 점, 선생님 강의 내용,
나의 풀이 등을 **나만의 Note**에 필기해
두세요. 따로 노트를 준비할 필요 없이
**대표Q 학습 Note** 한 권으로 충분합니다.

**Step3**

**대표Q 학습 Note**에는 대표Q 문제 & 풀이, 나만의 Note, 나의 풀이
까지 알아야 할 모든 내용이 담겨 있습니다. **대표Q 학습 Note**가
나만의 수학 노하우가 담긴 훌륭한 친구가 될 거예요. 평소 수학을
공부할 때, 시험 기간에 빠르게 내용을 훑어보고 싶을 때, 모의고사
보기 직전 등 다양하게 활용해 보세요.

**대표 Q1** 거듭제곱근의 계산

다음 식을 간단히 하시오. (단, $a>0$)

(1) $\sqrt[3]{16} \times \sqrt[3]{\dfrac{27}{2}} - \sqrt{\sqrt[3]{64}}$

(2) $\sqrt[3]{\dfrac{5}{2}} \div \sqrt[6]{\dfrac{4}{9}} \times \sqrt{\sqrt[3]{\dfrac{16}{81}}}$

(3) $\sqrt[4]{\dfrac{\sqrt[3]{a}}{\sqrt{a}}} \times \sqrt{\dfrac{\sqrt[4]{a}}{\sqrt[3]{a}}} \div \sqrt[3]{\dfrac{\sqrt[4]{a}}{\sqrt{a}}}$

(4) $(\sqrt[3]{3}-1)(\sqrt[3]{3^2}+\sqrt[3]{3}+1)$

**대표 Q1** 풀이

(1) $\sqrt[3]{16} \times \sqrt[3]{\dfrac{27}{2}} - \sqrt{\sqrt[3]{64}}$

$= \sqrt[3]{16 \times \dfrac{27}{2}} - \sqrt[6]{2^6}$

$= \sqrt[3]{6^3} - 2$

$= 6 - 2 = \mathbf{4}$

(2) $\sqrt[3]{\dfrac{5}{2}} \div \sqrt[6]{\dfrac{4}{9}} \times \sqrt{\sqrt[3]{\dfrac{16}{81}}}$

$= \sqrt[3]{\dfrac{5}{2}} \times \sqrt[6]{\left(\dfrac{3}{2}\right)^2} \times \sqrt[6]{\left(\dfrac{4}{9}\right)^2}$

$= \sqrt[3]{\dfrac{5}{2}} \times \sqrt[3]{\dfrac{3}{2}} \times \sqrt[3]{\dfrac{4}{9}}$

$= \sqrt[3]{\dfrac{15}{4}} \times \sqrt[3]{\dfrac{4}{9}} = \sqrt[3]{\dfrac{5}{3}}$

(3) $\sqrt[4]{\dfrac{\sqrt[3]{a}}{\sqrt{a}}} \times \sqrt{\dfrac{\sqrt[4]{a}}{\sqrt[3]{a}}} \div \sqrt[3]{\dfrac{\sqrt[4]{a}}{\sqrt{a}}}$

$= \dfrac{\sqrt[12]{a}}{\sqrt[8]{a}} \times \dfrac{\sqrt[8]{a}}{\sqrt[6]{a}} \div \dfrac{\sqrt[12]{a}}{\sqrt[6]{a}}$

$= \dfrac{\sqrt[12]{a}}{\sqrt[8]{a}} \times \dfrac{\sqrt[8]{a}}{\sqrt[6]{a}} \times \dfrac{\sqrt[6]{a}}{\sqrt[12]{a}}$

$= \mathbf{1}$

(4) $(\sqrt[3]{3}-1)(\sqrt[3]{3^2}+\sqrt[3]{3}+1)$

$= \{(\sqrt[3]{3})^3 - 1\} = 3 - 1 = \mathbf{2}$

**나만의 Note**

**1-1** 나의 풀이

**1-2** 나의 풀이

**Q2** 지수법칙

다음 식을 간단히 하시오. (단, $a>0$, $b>0$)

(1) $16^{\frac{1}{6}} \times 18^{-\frac{2}{3}} \div 24^{-\frac{1}{3}}$

(2) $\left\{ \left( \dfrac{27}{64} \right)^{-\frac{1}{2}} \right\}^{\frac{1}{3}} \times \left\{ \left( \dfrac{81}{4} \right)^{\frac{5}{3}} \right\}^{\frac{3}{10}}$

(3) $(2^{\sqrt{3}} \div 2)^{\frac{\sqrt{3}}{2}} \times (\sqrt{2})^{\sqrt{3}}$

(4) $\sqrt{\dfrac{a^2}{b}} \div \sqrt[3]{ab^3} \times \sqrt[6]{\dfrac{b^3}{a^3}}$

**대표 02 풀이**

(1) $16^{\frac{1}{6}} \times 18^{-\frac{2}{3}} \div 24^{-\frac{1}{3}}$

$= (2^4)^{\frac{1}{6}} \times (2 \times 3^2)^{-\frac{2}{3}} \div (2^3 \times 3)^{-\frac{1}{3}}$

$= 2^{\frac{2}{3}} \times (2^{-\frac{2}{3}} \times 3^{-\frac{4}{3}}) \div (2^{-1} \times 3^{-\frac{1}{3}})$

$= 2^{\frac{2}{3}+\left(-\frac{2}{3}\right)-(-1)} \times 3^{-\frac{4}{3}-\left(-\frac{1}{3}\right)} = 2 \times 3^{-1} = \dfrac{2}{3}$

(2) $\left\{ \left( \dfrac{27}{64} \right)^{-\frac{1}{2}} \right\}^{\frac{1}{3}} \times \left\{ \left( \dfrac{81}{4} \right)^{\frac{5}{3}} \right\}^{\frac{3}{10}}$

$= \left( \dfrac{27}{64} \right)^{-\frac{1}{6}} \times \left( \dfrac{81}{4} \right)^{\frac{1}{2}} = \left( \dfrac{3^3}{2^6} \right)^{-\frac{1}{6}} \times \left( \dfrac{3^4}{2^2} \right)^{\frac{1}{2}}$

$= (3^{-\frac{1}{2}} \times 2) \times (3^2 \times 2^{-1}) = 3^{-\frac{1}{2}+2} \times 2^{1-1} = 3^{\frac{3}{2}}$

(3) $(2^{\sqrt{3}} \div 2)^{\frac{\sqrt{3}}{2}} \times (\sqrt{2})^{\sqrt{3}} = (2^{\sqrt{3}-1})^{\frac{\sqrt{3}}{2}} \times (2^{\frac{1}{2}})^{\sqrt{3}}$

$= 2^{\frac{3}{2}-\frac{\sqrt{3}}{2}+\frac{\sqrt{3}}{2}} = 2^{\frac{3}{2}}$

(4) $\sqrt{\dfrac{a^2}{b}} \div \sqrt[3]{ab^3} \times \sqrt[6]{\dfrac{b^3}{a^3}}$

$= (a^2 b^{-1})^{\frac{1}{2}} \div (ab^3)^{\frac{1}{3}} \times (b^3 a^{-3})^{\frac{1}{6}}$

$= ab^{-\frac{1}{2}} \div a^{\frac{1}{3}}b \times b^{\frac{1}{2}}a^{-\frac{1}{2}}$

$= a^{1-\frac{1}{3}+\left(-\frac{1}{2}\right)}b^{-\frac{1}{2}-1+\frac{1}{2}} = a^{\frac{1}{6}}b^{-1}$

👤 **나만의 Note**

**2-1 나의 풀이**

**2-2 나의 풀이**

**대표Q3** $x^a + x^{-a}$ 꼴의 계산

$x > 0$일 때, 다음 물음에 답하시오.

(1) $x^{\frac{1}{2}} + x^{-\frac{1}{2}} = 3$일 때, $x + x^{-1}$과 $x^{\frac{3}{2}} + x^{-\frac{3}{2}}$의 값을 구하시오.

(2) $x^{2a} = 3$일 때, $\dfrac{x^a + x^{-a}}{x^a - x^{-a}}$ 과 $\dfrac{x^{3a} - x^{-3a}}{x^a + x^{-a}}$ 의 값을 구하시오.

**대표Q3 풀이**

(1) $(x^{\frac{1}{2}})^2 = x$, $x^{\frac{1}{2}} \times x^{-\frac{1}{2}} = x^0 = 1$이므로

$x^{\frac{1}{2}} + x^{-\frac{1}{2}} = 3$의 양변을 제곱하면

$(x^{\frac{1}{2}} + x^{-\frac{1}{2}})^2 = 3^2$, $x + 2 + x^{-1} = 9$

$\therefore \boldsymbol{x + x^{-1} = 7}$

또 $(x^{\frac{1}{2}})^3 = x^{\frac{3}{2}}$, $x^{\frac{1}{2}} \times x^{-\frac{1}{2}} = 1$이므로

$x^{\frac{1}{2}} + x^{-\frac{1}{2}} = 3$의 양변을 세제곱하면

$(x^{\frac{1}{2}} + x^{-\frac{1}{2}})^3 = 3^3$, $x^{\frac{3}{2}} + 3(x^{\frac{1}{2}} + x^{-\frac{1}{2}}) + x^{-\frac{3}{2}} = 27$

$\therefore \boldsymbol{x^{\frac{3}{2}} + x^{-\frac{3}{2}} = 27 - 3 \times 3 = 18}$

(2) $(x^{2a})^{\frac{1}{2}} = 3^{\frac{1}{2}}$이므로 $x^a = \sqrt{3}$, $x^{3a} = (\sqrt{3})^3$을 대입하면

$$\boldsymbol{\dfrac{x^a + x^{-a}}{x^a - x^{-a}}} = \dfrac{\sqrt{3} + \dfrac{1}{\sqrt{3}}}{\sqrt{3} - \dfrac{1}{\sqrt{3}}} = \dfrac{3 + 1}{3 - 1} = \boldsymbol{2}$$

$$\boldsymbol{\dfrac{x^{3a} - x^{-3a}}{x^a + x^{-a}}} = \dfrac{(\sqrt{3})^3 - \dfrac{1}{(\sqrt{3})^3}}{\sqrt{3} + \dfrac{1}{\sqrt{3}}} = \dfrac{(\sqrt{3})^6 - 1}{3(3 + 1)} = \boldsymbol{\dfrac{13}{6}}$$

😊 **나만의 Note**

**3-1 나의 풀이**

**3-2 나의 풀이**

**3-3 나의 풀이**

**Q4** **지수법칙을 이용한 식의 변형**

다음 물음에 답하시오.

(1) $3^6 = a$, $4^2 = b$일 때, $18^7$을 $a$, $b$로 나타내시오.

(2) $24^x = 4$, $3^y = 8$일 때, $\dfrac{2}{x} - \dfrac{3}{y}$의 값을 구하시오.

**대표 Q4** **풀이**

(1) $3^6 = a$에서 $3 = a^{\frac{1}{6}}$

$4^2 = 2^4 = b$에서 $2 = b^{\frac{1}{4}}$

$\therefore 18^7 = (2 \times 3^2)^7 = (b^{\frac{1}{4}} \times a^{\frac{1}{6} \times 2})^7 = \boldsymbol{a^{\frac{7}{3}} b^{\frac{7}{4}}}$

(2) $24^x = 4$에서 $24 = 4^{\frac{1}{x}}$, $24 = (2^2)^{\frac{1}{x}}$

$\therefore 2^{\frac{2}{x}} = 24$

$3^y = 8$에서 $3 = 8^{\frac{1}{y}}$, $3 = (2^3)^{\frac{1}{y}}$

$\therefore 2^{\frac{3}{y}} = 3$

$2^{\frac{2}{x}} \div 2^{\frac{3}{y}} = 2^{\frac{2}{x} - \frac{3}{y}} = \dfrac{24}{3} = 8 = 2^3$이므로

$\dfrac{2}{x} - \dfrac{3}{y} = \boldsymbol{3}$

**나만의 Note**

**4-1** **나의 풀이**

**4-2** **나의 풀이**

**대표 Q1** 로그의 덧셈과 뺄셈

다음 식을 간단히 하시오.

(1) $\log_{10} 9 + \dfrac{1}{2} \log_{10} 16 - 2 \log_{10} \dfrac{3}{5}$

(2) $\dfrac{2 \log_5 \sqrt{3} + \log_5 \dfrac{4}{9}}{\log_5 9 - 2 \log_5 4}$

(3) $\log_3 12 + \log_{\sqrt{3}} \dfrac{3}{2}$

(4) $\log_2 \sqrt{3} - \dfrac{1}{2} \log_2 18 + \log_4 \dfrac{3}{8}$

**대표 Q1** 풀이

(1) $\log_{10} 9 + \dfrac{1}{2} \log_{10} 16 - 2 \log_{10} \dfrac{3}{5}$

$= \log_{10} 9 + \log_{10} (2^4)^{\frac{1}{2}} - \log_{10} \left(\dfrac{3}{5}\right)^2$

$= \log_{10} 9 + \log_{10} 2^2 + \log_{10} \left(\dfrac{5}{3}\right)^2$

$= \log_{10} \left(9 \times 4 \times \dfrac{25}{9}\right) = \log_{10} 10^2 = \mathbf{2}$

(2) $2 \log_5 \sqrt{3} + \log_5 \dfrac{4}{9} = \log_5 3 + \log_5 \dfrac{4}{9}$

$\qquad\qquad\qquad = \log_5 \left(3 \times \dfrac{4}{9}\right) = \log_5 \dfrac{4}{3}$

$\log_5 9 - 2 \log_5 4 = \log_5 9 - \log_5 4^2$

$\qquad\qquad\qquad = \log_5 \dfrac{9}{16} = \log_5 \left(\dfrac{4}{3}\right)^{-2}$

$\therefore \dfrac{2 \log_5 \sqrt{3} + \log_5 \dfrac{4}{9}}{\log_5 9 - 2 \log_5 4} = \dfrac{\log_5 \dfrac{4}{3}}{\log_5 \left(\dfrac{4}{3}\right)^{-2}} = -\dfrac{1}{2}$

(3) $\log_3 12 + \log_{\sqrt{3}} \dfrac{3}{2} = \log_3 12 + \log_{3^{\frac{1}{2}}} \dfrac{3}{2}$

$\qquad\qquad\qquad = \log_3 12 + \log_3 \left(\dfrac{3}{2}\right)^2$

$\qquad\qquad\qquad = \log_3 \left(12 \times \dfrac{9}{4}\right) = \log_3 27$

$\qquad\qquad\qquad = \log_3 3^3 = \mathbf{3}$

(4) $\log_2 \sqrt{3} - \dfrac{1}{2} \log_2 18 + \log_4 \dfrac{3}{8}$

$= \log_2 \sqrt{3} - \log_2 \sqrt{18} + \log_2 \sqrt{\dfrac{3}{8}}$

$= \log_2 \dfrac{\sqrt{3} \times \sqrt{\dfrac{3}{8}}}{\sqrt{18}} = \log_2 \dfrac{1}{4} = \log_2 2^{-2} = \mathbf{-2}$

**1-1** 나의 풀이

**1-2** 나의 풀이

**Q2** 여러 가지 로그의 계산

다음 식을 간단히 하시오.

(1) $\log_2 3 \times \log_3 5 \times \log_5 4$

(2) $3^{\log_3 \sqrt{2}} + 3^{\log_9 8}$

**대표 Q2 풀이**

(1) 밑이 10인 로그로 통일하면

$\log_2 3 \times \log_3 5 \times \log_5 4$

$= \dfrac{\log_{10} 3}{\log_{10} 2} \times \dfrac{\log_{10} 5}{\log_{10} 3} \times \dfrac{\log_{10} 4}{\log_{10} 5}$

$= \dfrac{\log_{10} 4}{\log_{10} 2} = \dfrac{2 \log_{10} 2}{\log_{10} 2} = \mathbf{2}$

(2) $3^{\log_3 \sqrt{2}} = \sqrt{2}^{\log_3 3} = \sqrt{2}$

$3^{\log_9 8} = 8^{\log_9 3} = (2^3)^{\log_9 3}$

$\qquad = (2^3)^{\frac{1}{2}} = 2^{\frac{3}{2}}$

$\qquad = 2\sqrt{2}$

$\therefore \ 3^{\log_3 \sqrt{2}} + 3^{\log_9 8} = \sqrt{2} + 2\sqrt{2} = \mathbf{3\sqrt{2}}$

**나만의 Note**

**2-1 나의 풀이**

**2-2 나의 풀이**

**Q3** 주어진 로그를 이용하여 정리하는 꼴

다음 물음에 답하시오.

(1) $\log_{10} 2 = a$, $\log_{10} 3 = b$라 할 때, $\log_{10} 1.08$을 $a$, $b$를 사용하여 나타내시오.

(2) $\log_2 3 = a$, $\log_2 7 = b$라 할 때, $\log_{42} 56$을 $a$, $b$를 사용하여 나타내시오.

(3) $\log_2 10 = a$라 할 때, $\log_5 50$을 $a$를 사용하여 나타내시오.

**대표 Q3 풀이**

(1) $1.08 = \dfrac{108}{100} = \dfrac{2^2 \times 3^3}{10^2}$이므로

$$\begin{aligned}\log_{10} 1.08 &= \log_{10} \frac{2^2 \times 3^3}{10^2} \\ &= 2\log_{10} 2 + 3\log_{10} 3 - 2\log_{10} 10 \\ &= \mathbf{2a + 3b - 2}\end{aligned}$$

(2) 밑이 2인 로그로 고치면

$$\begin{aligned}\log_{42} 56 &= \frac{\log_2 56}{\log_2 42} = \frac{\log_2 (2^3 \times 7)}{\log_2 (2 \times 3 \times 7)} \\ &= \frac{3\log_2 2 + \log_2 7}{\log_2 2 + \log_2 3 + \log_2 7} = \frac{\mathbf{3 + b}}{\mathbf{1 + a + b}}\end{aligned}$$

(3) $\log_2 10 = a$이고,

$$\begin{aligned}\log_2 10 &= \log_2 (2 \times 5) = \log_2 2 + \log_2 5 \\ &= 1 + \log_2 5\end{aligned}$$

이므로 $\log_2 5 = a - 1$

$$\begin{aligned}\therefore \log_5 50 &= \frac{\log_2 50}{\log_2 5} = \frac{\log_2 (2 \times 5^2)}{\log_2 5} \\ &= \frac{\log_2 2 + 2\log_2 5}{\log_2 5} \\ &= \frac{1 + 2(a-1)}{a-1} = \frac{\mathbf{2a - 1}}{\mathbf{a - 1}}\end{aligned}$$

😀 **나만의 Note**

**3-1** 나의 풀이

**3-2** 나의 풀이

**3-3** 나의 풀이

## Q4 조건이 지수로 주어진 로그 문제

**다음 물음에 답하시오.**

(1) $10^x=a$, $10^y=b$, $10^z=c$라 할 때, $\log_{a^2} bc$를 $x$, $y$, $z$를 사용하여 나타내시오.

(2) $40^x=16$, $320^y=32$라 할 때, $\dfrac{4}{x}-\dfrac{5}{y}$의 값을 구하시오.

### 대표 Q4 풀이

(1) $x=\log_{10} a$, $y=\log_{10} b$, $z=\log_{10} c$이므로

$$\log_{a^2} bc=\frac{\log_{10} bc}{\log_{10} a^2}=\frac{\log_{10} b+\log_{10} c}{2\log_{10} a}=\frac{y+z}{2x}$$

(2) $40^x=16$에서 $x=\log_{40} 16=\log_{40} 2^4=4\log_{40} 2$이므로

$$\frac{4}{x}=\frac{4}{4\log_{40} 2}=\log_2 40$$

$320^y=32$에서 $y=\log_{320} 32=\log_{320} 2^5=5\log_{320} 2$

이므로

$$\frac{5}{y}=\frac{5}{5\log_{320} 2}=\log_2 320$$

$$\therefore \frac{4}{x}-\frac{5}{y}=\log_2 40-\log_2 320=\log_2 \frac{40}{320}$$

$$=\log_2 \frac{1}{8}=\log_2 2^{-3}=-3$$

### 나만의 Note

### 4-1 나의 풀이

### 4-2 나의 풀이

**Q5** 상용로그표

상용로그표를 이용하여 다음을 만족시키는 $x$의 값을 구하시오.

| 수 | 0 | 1 | 2 | 3 | 4 |
|---|---|---|---|---|---|
| 3.5 | .5441 | .5453 | .5465 | .5478 | .5490 |
| 3.6 | .5563 | .5575 | .5587 | .5599 | .5611 |
| 3.7 | .5682 | .5694 | .5705 | .5717 | .5729 |
| 3.8 | .5798 | .5809 | .5821 | .5832 | .5843 |
| 3.9 | .5911 | .5922 | .5933 | .5944 | .5955 |

(1) $x = \log 37100$

(2) $x = \log 0.0371$

(3) $\log x = 5.5832$

(4) $\log x = -1.4168$

**대표 Q5** 풀이

표에서 $\log 3.71 = 0.5694$

(1) $\log 37100 = \log (3.71 \times 10^4)$
$= \log 3.71 + \log 10^4$
$= 0.5694 + 4 = \mathbf{4.5694}$

(2) $\log 0.0371 = \log (3.71 \times 10^{-2})$
$= \log 3.71 + \log 10^{-2}$
$= 0.5694 - 2 = \mathbf{-1.4306}$

(3) 표에서 $\log a = 0.5832$이면 $a = 3.83$
$x = 3.83 \times 10^n$ 꼴이고 $\log x = 5.5832$에서
정수 부분이 5이므로 $n = 5$
$\therefore x = 3.83 \times 10^5 = \mathbf{383000}$

(4) $-1.4168 = -2 + 0.5832$이므로
표에서 $\log a = 0.5832$이면 $a = 3.83$
$x = 3.83 \times 10^n$ 꼴이고 $\log x = -2 + 0.5832$에서
정수 부분이 $-2$이므로 $n = -2$
$\therefore x = 3.83 \times 10^{-2} = \mathbf{0.0383}$

😊 나만의 **Note**

**5-1** 나의 풀이

**5-2** 나의 풀이

**Q6** 상용로그 활용

지반의 상대밀도를 구하기 위해 지반에 시험기를 넣어 조사하는 방법이 있다. 지반의 유효수직응력을 $S$, 시험기가 지반에 들어가면서 받는 저항력을 $R$라 할 때, 지반의 상대밀도 $D(\%)$는 다음과 같이 구할 수 있다.

$$D = -98 + 66 \log \frac{R}{\sqrt{S}}$$

($S$, $R$의 단위는 ton/m²)

지반 A의 유효수직응력은 지반 B의 유효수직응력의 1.44배이고, 시험기가 지반 A에 들어가면서 받는 저항력은 시험기가 지반 B에 들어가면서 받는 저항력의 1.5배이다. 지반 B의 상대밀도가 65(%)일 때, 지반 A의 상대밀도 $D(\%)$를 구하시오.
(단, $\log 2 = 0.3$으로 계산한다.)

**대표 Q6 풀이**

두 지반 A, B의 유효수직응력을 $S_A$, $S_B$, 저항력을 $R_A$, $R_B$, 상대밀도를 $D_A$, $D_B$라 하면

$S_A = 1.44S_B$, $R_A = 1.5R_B$, $D_B = 65$ ⋯ ㉠

$D_B = 65$이므로 $65 = -98 + 66 \log \dfrac{R_B}{\sqrt{S_B}}$ ⋯ ㉡

$D_A = -98 + 66 \log \dfrac{R_A}{\sqrt{S_A}}$에 ㉠을 대입하면

$D_A = -98 + 66 \log \dfrac{1.5R_B}{\sqrt{1.44S_B}}$

$\quad = -98 + 66 \log \dfrac{1.5R_B}{1.2\sqrt{S_B}}$

$\quad = -98 + 66 \log \left( \dfrac{5}{4} \times \dfrac{R_B}{\sqrt{S_B}} \right)$

$\quad = -98 + 66 \left( \log \dfrac{5}{4} + \log \dfrac{R_B}{\sqrt{S_B}} \right)$

$\quad = -98 + 66 \log \dfrac{R_B}{\sqrt{S_B}} + 66 \log \dfrac{5}{4}$

㉡을 대입하면

$D_A = 65 + 66 \log \dfrac{5}{4}$

$\quad = 65 + 66 \log \dfrac{10}{8}$

$\quad = 65 + 66 \times (\log 10 - \log 2^3)$

$\quad = 65 + 66 \times (1 - 3 \times 0.3) = \textbf{71.6(\%)}$

**6-1 나의 풀이**

**Q7** 자릿수 문제

$\log 2 = 0.301$, $\log 3 = 0.477$일 때, 다음 물음에 답하시오.

(1) $6^{20}$은 몇 자리 자연수인지 구하시오.

(2) $\left(\dfrac{1}{12}\right)^{10}$은 소수점 아래 몇째 자리에서 처음으로 0이 아닌 숫자가 나오는지 구하시오.

**대표 Q7 풀이**

(1) $6^{20}$에 상용로그를 잡으면

$$\log 6^{20} = 20 \log (2 \times 3) = 20(\log 2 + \log 3)$$
$$= 20 \times (0.301 + 0.477)$$
$$= 15.56 = 15 + 0.56$$

에서 정수 부분이 15이므로 $6^{20}$은 **16자리 자연수**이다.

(2) $\left(\dfrac{1}{12}\right)^{10}$에 상용로그를 잡으면

$$\log \left(\frac{1}{12}\right)^{10} = \log 12^{-10} = -10 \log (2^2 \times 3)$$
$$= -10(2 \log 2 + \log 3)$$
$$= -10(2 \times 0.301 + 0.477)$$
$$= -10.79 = -11 + 0.21$$

에서 정수 부분이 $-11$이므로 $\left(\dfrac{1}{12}\right)^{10}$은 **소수점 아래 11째 자리**에서 처음으로 0이 아닌 숫자가 나온다.

**나만의 Note**

**7-1 나의 풀이**

**7-2 나의 풀이**

**Q8** 소수 부분에 대한 문제

**다음 물음에 답하시오.**

(1) $\log 2=0.301$, $\log 3=0.477$일 때, $5^{12}$의 최고 자리 숫자를 구하시오.

(2) $10<x<100$이고 $\log \sqrt{x}$와 $\log x^2$의 소수 부분이 같을 때, $x$의 값을 구하시오.

**대표 Q8 풀이**

(1) $5^{12}$에 상용로그를 잡으면

$$\log 5^{12}=12 \log 5=12(\log 10-\log 2)$$
$$=12\times(1-0.301)=8.388=8+0.388$$

에서 $5^{12}=a\times 10^8$ $(1\leq a<10)$, $\log a=0.388$이므로

$$\log 2<\log a=0.388<\log 3$$
$$\therefore 2<a<3$$

곧, $2\times 10^8<5^{12}<3\times 10^8$이므로 $5^{12}$의 최고 자리 숫자는 **2**이다.

(2) $\log x^2-\log \sqrt{x}=2 \log x-\dfrac{1}{2}\log x=\dfrac{3}{2}\log x$

가 정수이고 $\log 10=1$, $\log 100=2$이므로

$$\log 10<\log x<\log 100에서 1<\log x<2$$
$$\therefore \dfrac{3}{2}<\dfrac{3}{2}\log x<3$$

$\dfrac{3}{2}\log x$가 정수이므로

$$\dfrac{3}{2}\log x=2, \ \log x=\dfrac{4}{3}$$
$$\therefore x=\mathbf{10^{\frac{4}{3}}}$$

**나만의 Note**

**8-1 나의 풀이**

**8-2 나의 풀이**

**Q1** **지수함수의 그래프**

다음 함수의 그래프를 그리고, 함수의 치역과 그래프의 점근선의 방정식을 구하시오.

(1) $y=4\times 2^{x+1}$　　　(2) $y=2^{-x+2}+3$

(3) $y=-\left(\dfrac{1}{3}\right)^{x-1}-2$

**대표 Q1 풀이**

(1) $y=2^2\times 2^{x+1}=2^{x+3}$이므로
$y=4\times 2^{x+1}$의 그래프는
$y=2^x$의 그래프를 $x$축 방향으로 $-3$만큼 평행이동한 것이므로 그림과 같다.
따라서 치역은 $\{y|y>0\}$,
점근선의 방정식은 $y=0$ ($x$축)

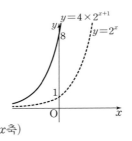

(2) $y=2^{-x+2}+3$
$=2^{-(x-2)}+3$이므로
$y=2^{-x+2}+3$의 그래프
는 $y=2^x$의 그래프를
$y$축에 대칭이동한 후,
$x$축 방향으로 2만큼,
$y$축 방향으로 3만큼 평행이동한 것이므로 그림과 같다.
따라서 치역은 $\{y|y>3\}$,
점근선의 방정식은 $y=3$

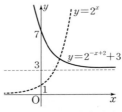

(3) $y=-\left(\dfrac{1}{3}\right)^{x-1}-2$의
그래프는 $y=\left(\dfrac{1}{3}\right)^x$의
그래프를 $x$축에 대칭
이동한 후, $x$축 방향
으로 1만큼, $y$축 방향
으로 $-2$만큼 평행이
동한 것이므로 그림과 같다.
따라서 치역은 $\{y|y<-2\}$,
점근선의 방정식은 $y=-2$

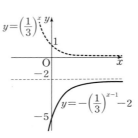

😊 **나만의 Note**

**1-1** 나의 풀이

**1-2** 나의 풀이

**1-3** 나의 풀이

**Q2** 지수함수의 최대와 최소

주어진 범위에서 다음 함수의 최댓값과 최솟값을 구하시오.

(1) $y=2^{-x}\times3^{x}$ $(-1\le x\le2)$

(2) $y=3^{2-x}$ $(1\le x\le3)$

(3) $y=1+2^{x+2}-4^{x}$ $(-1\le x\le2)$

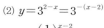 풀이

(1) $y=2^{-x}\times3^{x}=\left(\dfrac{3}{2}\right)^{x}$

$-1\le x\le2$에서

$y=\left(\dfrac{3}{2}\right)^{x}$의 그래프는

그림과 같으므로

$x=2$일 때 **최댓값**은

$\left(\dfrac{3}{2}\right)^{2}=\dfrac{9}{4}$

$x=-1$일 때 **최솟값**은 $\left(\dfrac{3}{2}\right)^{-1}=\dfrac{2}{3}$

(2) $y=3^{2-x}=3^{-(x-2)}$

$\quad=\left(\dfrac{1}{3}\right)^{x-2}$

$1\le x\le3$에서

$y=\left(\dfrac{1}{3}\right)^{x-2}$의 그래프는

그림과 같으므로

$x=1$일 때 **최댓값**은 $\left(\dfrac{1}{3}\right)^{-1}=3$

$x=3$일 때 **최솟값**은 $\left(\dfrac{1}{3}\right)^{1}=\dfrac{1}{3}$

(3) $y=1+2^{x+2}-4^{x}=1+4\times2^{x}-(2^{x})^{2}$

$2^{x}=t$로 놓으면 주어진 함수는

$y=1+4t-t^{2}=-(t-2)^{2}+5$ $\quad\cdots\cdots$ ㉠

이때 $t=2^{x}$은 밑 2가 $2>1$이므로

$-1\le x\le2$에서

$2^{-1}\le t\le2^{2}$

$\therefore \dfrac{1}{2}\le t\le4$

이 범위에서 ㉠의 그래프

는 그림과 같다.

따라서 $t=2$일 때 **최댓값**은 **5**,

$t=4$일 때 **최솟값**은 $-2^{2}+5=1$

대표 **Q3** 그래프에서 좌표를 찾는 문제

함수 $f(x)=3^{-x}$에 대하여
$$a_1=f(2),\ a_2=f(a_1),$$
$$a_3=f(a_2),\ a_4=f(a_3)$$
이라 하자. 그래프를 이용하여 $a_2$, $a_3$, $a_4$의 크기를 비교하시오.

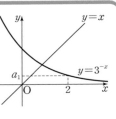

대표 **Q3** 풀이

직선 $y=x$를 이용하여 $a_2$, $a_3$, $a_4$를 $y$축 위에 차례로 나타내면 그림과 같으므로

$$a_3<a_4<a_2$$

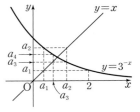

😊 나만의 Note

3-1 나의 풀이

3-2 나의 풀이

## 대표 Q4 그래프와 길이, 넓이

그림과 같이 함수
$y=3^{x+1}$의 그래프 위에
점 A, 함수 $y=3^{x-2}$의
그래프 위에 두 점 B, C
가 있다. 직선 AB는 $y$축,
직선 AC는 $x$축에 평행
하고 $\overline{AB}=\overline{AC}$일 때, 점 A의 $y$좌표를 구하시오.

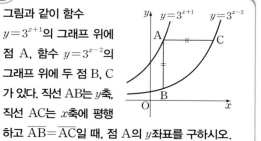

### 대표 Q4 풀이

$y=3^{x-2}$의 그래프는 $y=3^{x+1}$
의 그래프를 $x$축 방향으로
3만큼 평행이동한 것이므로
$\overline{AC}=3$
A$(a, 3^{a+1})$이라 하면
B$(a, 3^{a-2})$, C$(a+3, 3^{a+1})$
이때 $\overline{AB}=\overline{AC}=3$이므로
$3^{a+1}-3^{a-2}=3$

$3\times3^a-\dfrac{1}{9}\times3^a=3$, $\dfrac{26}{9}\times3^a=3$   $\therefore 3^a=\dfrac{27}{26}$

따라서 A의 $y$좌표는 $3^{a+1}=3\times3^a=\dfrac{81}{26}$

 나만의 Note

### 4-1 나의 풀이

### 4-2 나의 풀이

**대표 Q5** 로그함수의 그래프

다음 함수의 그래프를 그리고, 함수의 정의역과 그래프의 점근선의 방정식을 구하시오.

(1) $y = \log_3 9(x+1)$

(2) $y = \log_2 \left( \dfrac{-x}{2} \right)$

(3) $y = \log_{\frac{1}{3}} (-x+2) + 1$

(4) $y = -\log_{0.5} (x+2) + 2$

**대표 Q5 풀이**

(1) $y = \log_3 9(x+1)$
$\quad = \log_3 3^2 + \log_3 (x+1)$
$\quad = \log_3 (x+1) + 2$

$y = \log_3 9(x+1)$의 그래프는 $y = \log_3 x$의 그래프를 $x$축 방향으로 $-1$만큼, $y$축 방향으로 2만큼 평행이동한 것이므로 그림과 같다.

따라서 **정의역은 $\{x \mid x > -1\}$,**
**점근선의 방정식은 $x = -1$**

(2) $y = \log_2 \left( \dfrac{-x}{2} \right)$
$\quad = \log_2 (-x) - 1$

$y = \log_2 \left( \dfrac{-x}{2} \right)$의 그래프는 $y = \log_2 x$의 그래프를 $y$축에 대칭이동한 후, $y$축 방향으로 $-1$만큼 평행이동한 것이므로 그림과 같다.

따라서 **정의역은 $\{x \mid x < 0\}$,**
**점근선의 방정식은 $x = 0$ ($y$축)**

(3) $y = \log_{\frac{1}{3}} (-x+2) + 1$
$\quad = \log_{\frac{1}{3}} \{ -(x-2) \} + 1$

$y = \log_{\frac{1}{3}} (-x+2) + 1$의 그래프는 $y = \log_{\frac{1}{3}} x$의 그래프를 $y$축에 대칭이동한 후, $x$축 방향으로 2만큼, $y$축 방향으로 1만큼 평행이동한 것이므로 그림과 같다.

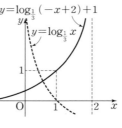

따라서 정의역은 $\{x \mid x < 2\}$,
점근선의 방정식은 $x = 2$

(4) $y = -\log_{0.5} (x+2) + 2$
의 그래프는 $y = \log_{0.5} x$의 그래프를 $x$축에 대칭이동한 후, $x$축 방향으로 $-2$만큼, $y$축 방향으로 2만큼 평행이동한 것이므로 그림과 같다.

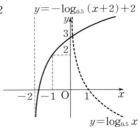

따라서 **정의역은 $\{x \mid x > -2\}$,**
**점근선의 방정식은 $x = -2$**

**5-1 나의 풀이**

**5-2 나의 풀이**

**5-3 나의 풀이**

**대표 Q6** 로그함수의 최대와 최소

주어진 범위에서 다음 함수의 최댓값과 최솟값을
구하시오.

(1) $y = \log_3 (x-2)$ $(3 \leq x \leq 11)$

(2) $y = \log_{\frac{1}{3}} (x+2) - 2$ $(1 \leq x \leq 7)$

(3) $y = \log_2 x^2 \times \log_2 \dfrac{4}{x}$ $\left( \dfrac{1}{4} \leq x \leq 4 \right)$

**대표 Q6 풀이**

(1) $3 \leq x \leq 11$에서
$y = \log_3 (x-2)$의 그
래프는 그림과 같으므로
$x = 11$일 때 **최댓값**은
$\log_3 (11-2) = \log_3 3^2 = $ **2**
$x = 3$일 때 **최솟값**은 $\log_3 (3-2) = $ **0**

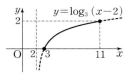

(2) $1 \leq x \leq 7$에서
$y = \log_{\frac{1}{3}} (x+2) - 2$의
그래프는 그림과 같으므
로 $x = 1$일 때 **최댓값**은
$\log_{\frac{1}{3}} (1+2) - 2$
$= -1 - 2 = $ **−3**
$x = 7$일 때 **최솟값**은
$\log_{\frac{1}{3}} (7+2) - 2 = -2 - 2 = $ **−4**

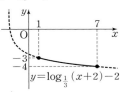

(3) $\log_2 x^2 = 2 \log_2 x$, $\log_2 \dfrac{4}{x} = 2 - \log_2 x$
이므로 $\log_2 x = t$로 놓으면 주어진 함수는
$y = 2t(2-t) = -2t^2 + 4t$
$\quad = -2(t-1)^2 + 2 \quad \cdots$ ㉠
이때 $t = \log_2 x$는 $x$의 값이 증가하면 $y$의 값도 증가
한다.
$\dfrac{1}{4} \leq x \leq 4$에서 $\log_2 \dfrac{1}{4} \leq \log_2 x \leq \log_2 4$
$\therefore -2 \leq t \leq 2$
이 범위에서 ㉠의 그래
프는 그림과 같으므로
$t = 1$일 때 **최댓값**은 **2**
$t = -2$일 때 **최솟값**은
$-2 \times (-3)^2 + 2$
$= $ **−16**

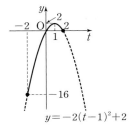

**6-1** 나의 풀이

**6-2** 나의 풀이

### 대표 Q7 그래프와 넓이

그림에서 곡선 $y=\log_5 x$와 직선 $x=5$, $x$축으로 둘러싸인 도형의 넓이를 $S$, 곡선 $y=\log_5 \dfrac{x}{5}$와 직선 $x=1$, $x=5$, 선분 AC로 둘러싸인 도형의 넓이를 $T$라 하자. $S+T$의 값을 구하시오.

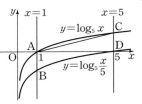

### 대표 Q7 풀이

$y=\log_5 \dfrac{x}{5}=\log_5 x-\log_5 5=\log_5 x-1$

$y=\log_5 \dfrac{x}{5}$의 그래프는 $y=\log_5 x$의 그래프를 $y$축 방향으로 $-1$만큼 평행이동한 것이다.

따라서 $\overline{AB}=\overline{CD}=1$이고, 그림에서 빗금 친 두 부분의 넓이는 같다.

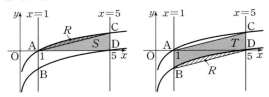

빗금 친 부분의 넓이를 $R$라 하자.

$S-R$는 삼각형 ACD의 넓이이므로

$S-R=\dfrac{1}{2}\times 4\times 1=2$

$T+R$는 평행사변형 ABDC의 넓이이므로

$T+R=1\times 4=4$

$\therefore S+T=(S-R)+(T+R)=2+4=\mathbf{6}$

### 😊 나만의 Note

### 7-1 나의 풀이

### 7-2 나의 풀이

**대표 Q8** 지수함수, 로그함수의 역함수

다음 함수의 역함수를 구하시오.

(1) $y=3^{x-2}+4$　　(2) $y=\log_2(x-1)+2$

**대표 Q8 풀이**

(1) 함수 $y=3^{x-2}+4$의 치역은 $\{y\,|\,y>4\}$

$y=3^{x-2}+4$에서

$y-4=3^{x-2}$, $x-2=\log_3(y-4)$

∴ $x=\log_3(y-4)+2$

$x$와 $y$를 바꾸어 역함수를 구하면

$y=\log_3(x-4)+2$

∴ $y=\log_3(x-4)+2$ (단, $x>4$)

(2) 함수 $y=\log_2(x-1)+2$의 치역은 $\{y\,|\,y$는 실수$\}$

$y=\log_2(x-1)+2$에서

$y-2=\log_2(x-1)$, $x-1=2^{y-2}$

∴ $x=2^{y-2}+1$

$x$와 $y$를 바꾸어 역함수를 구하면

$y=2^{x-2}+1$

**나만의 Note**

**8-1 나의 풀이**

**8-2 나의 풀이**

**8-3 나의 풀이**

### 대표 Q9 지수함수, 로그함수의 역함수와 그래프

그림과 같이 곡선 $y=a^x$과 $y=\log_a x$ 는 두 점 P, Q에서 만난다. 사각형 OAPB와 PCQD 는 합동이고, 사각 형의 각 변은 좌표축에 평행하거나 좌표축 위에 있 다. $a$의 값을 구하시오. (단, O는 원점이다.)

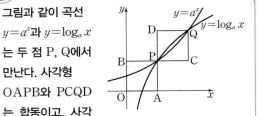

**9-1 나의 풀이**

### 대표 Q9 풀이

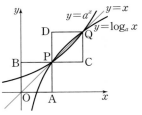

$y=a^x$과 $y=\log_a x$는 서로 역함수이므로 두 곡선은 직선 $y=x$에 대칭이다. 따라서 P, Q 는 직선 $y=x$ 위의 점 이다.

또 두 사각형이 합동이므로 점 P$(k, k)$로 놓으면 점 Q$(2k, 2k)$이다.

이때 두 점 P, Q가 곡선 $y=a^x$ 위의 점이므로

$k=a^k$     ... ㉠

$2k=a^{2k}$     ... ㉡

㉡에서 $2k=(a^k)^2$이므로 ㉠을 대입하면

$2k=k^2$     $\therefore k=2$ $(\because k>0)$

㉠에 대입하면 $2=a^2$

$\therefore a=\sqrt{2}$ $(\because a>0)$

**나만의 Note**

**9-2 나의 풀이**

**대표 Q10** 지수함수, 로그함수와 산술평균, 기하평균

다음 물음에 답하시오.

(1) 함수 $y=2^x+2^{-x}$의 최솟값을 구하시오.

(2) $x>1$일 때, $\log_5 x+\log_x 125$의 최솟값을 구하시오.

(3) $\dfrac{1}{2}<x<3$일 때, $\log_6 2x \times \log_6 \dfrac{3}{x}$의 최댓값을 구하시오.

**대표 Q10** 풀이

(1) $2^x>0$, $2^{-x}>0$이므로

$$2^x+2^{-x}\geq 2\sqrt{2^x\times 2^{-x}}=2\sqrt{2^0}=2$$

(단, 등호는 $2^x=2^{-x}$, 곧 $x=0$일 때 성립한다.)

따라서 최솟값은 **2**이다.

(2) $\log_x 125=\log_x 5^3=3\log_x 5=\dfrac{3}{\log_5 x}$이고,

$x>1$에서 $\log_5 x>0$, $\log_x 125>0$이므로

$$\log_5 x+\log_x 125=\log_5 x+\dfrac{3}{\log_5 x}$$

$$\geq 2\sqrt{\log_5 x \times \dfrac{3}{\log_5 x}}=2\sqrt{3}$$

$\left(\text{단, 등호는 } \log_5 x=\dfrac{3}{\log_5 x}, \text{ 곧 } x=5^{\sqrt{3}}\text{일 때 성립}\right.$

$\left.\text{한다.}\right)$

따라서 최솟값은 $2\sqrt{3}$이다.

(3) $\dfrac{1}{2}<x<3$에서 $\log_6 2x>0$, $\log_6 \dfrac{3}{x}>0$이므로

$$\sqrt{\log_6 2x \times \log_6 \dfrac{3}{x}}\leq \dfrac{\log_6 2x+\log_6 \dfrac{3}{x}}{2}$$

$$=\dfrac{\log_6 \left(2x\times \dfrac{3}{x}\right)}{2}=\dfrac{\log_6 6}{2}$$

$$=\dfrac{1}{2}$$

$\left(\text{단, 등호는 } \log_6 2x=\log_6 \dfrac{3}{x}, \text{ 곧 } x=\dfrac{\sqrt{6}}{2}\text{일 때 성립}\right.$

$\left.\text{한다.}\right)$

$\therefore 0<\log_6 2x \times \log_6 \dfrac{3}{x}\leq \dfrac{1}{4}$

따라서 최댓값은 $\dfrac{1}{4}$이다.

**10-1** 나의 풀이

**대표 Q1** 지수방정식

다음 방정식을 푸시오.

(1) $25^{x+1}=5^{x^2-1}$

(2) $2^{x+2}=3^x$

(3) $9^{x+1}-10\times3^x+1=0$

(4) $2^x-3\times2^{-x}=2$

**대표 Q1 풀이**

(1) $25^{x+1}=(5^2)^{x+1}=5^{2x+2}$이므로 $5^{2x+2}=5^{x^2-1}$에서

$2x+2=x^2-1$, $x^2-2x-3=0$

$(x+1)(x-3)=0$    $\therefore \boldsymbol{x=-1}$ **또는** $\boldsymbol{x=3}$

(2) $2^{x+2}=3^x$의 밑이 다르므로 상용로그를 생각하면

$\log 2^{x+2}=\log 3^x$, $(x+2)\log 2=x\log 3$

$x(\log 3-\log 2)=2\log 2$

$\therefore \boldsymbol{x=\dfrac{2\log 2}{\log 3-\log 2}}$

(3) $9^{x+1}=9\times9^x=9\times(3^2)^x=9\times(3^x)^2$이므로

$3^x=t\,(t>0)$로 놓으면

$9t^2-10t+1=0$, $(9t-1)(t-1)=0$

$\therefore t=\dfrac{1}{9}$ 또는 $t=1$

$t=\dfrac{1}{9}$일 때, $3^x=3^{-2}$에서 $x=-2$

$t=1$일 때, $3^x=1$에서 $x=0$

따라서 방정식의 해는 $\boldsymbol{x=-2}$ **또는** $\boldsymbol{x=0}$

(4) $2^{-x}=\dfrac{1}{2^x}$이므로 $2^x=t\,(t>0)$로 놓으면 $t-\dfrac{3}{t}=2$

양변에 $t$를 곱하면 $t^2-3=2t$

$t^2-2t-3=0$, $(t+1)(t-3)=0$

$\therefore t=3\,(\because t>0)$

곧, $2^x=3$이므로 $\boldsymbol{x=\log_2 3}$

😊 **나만의 Note**

**1-1 나의 풀이**

**1-2 나의 풀이**

**Q2** 로그방정식

다음 방정식을 푸시오.

(1) $\log(3x-4)=1-\log(2x+1)$

(2) $\log_3(x+2)=\log_9(x^2+8)$

(3) $(\log_5 x)^2+\log_5 x^3-10=0$

(4) $\log x+1=2\log_x 10$

**대표 Q2 풀이**

(1) 진수의 조건에서 $3x-4>0$, $2x+1>0$

$\therefore x>\dfrac{4}{3}$

주어진 방정식은 $\log(3x-4)+\log(2x+1)=1$

$\log(3x-4)(2x+1)=1$, $(3x-4)(2x+1)=10$

$6x^2-5x-14=0$, $(x-2)(6x+7)=0$

$\therefore \boldsymbol{x=2}\left(\because x>\dfrac{4}{3}\right)$

(2) 진수의 조건에서 $x+2>0$, $x^2+8>0$

$\therefore x>-2$

$\log_9(x^2+8)=\dfrac{1}{2}\log_3(x^2+8)$이므로

$\log_3(x+2)=\dfrac{1}{2}\log_3(x^2+8)$

$2\log_3(x+2)=\log_3(x^2+8)$

$\log_3(x+2)^2=\log_3(x^2+8)$

$(x+2)^2=x^2+8$, $4x=4$  $\therefore \boldsymbol{x=1}$

(3) $\log_5 x^3=3\log_5 x$이므로 $\log_5 x=t$로 놓으면

$t^2+3t-10=0$, $(t+5)(t-2)=0$

$\therefore t=-5$ 또는 $t=2$

$t=-5$일 때, $\log_5 x=-5$에서 $x=5^{-5}=\dfrac{1}{5^5}$

$t=2$일 때, $\log_5 x=2$에서 $x=5^2=25$

따라서 방정식의 해는 $\boldsymbol{x=\dfrac{1}{5^5}}$ 또는 $\boldsymbol{x=25}$

(4) $\log_x 10=\dfrac{1}{\log x}$이므로 $\log x=t$로 놓으면

$t+1=\dfrac{2}{t}$, $t^2+t-2=0$, $(t+2)(t-1)=0$

$\therefore t=-2$ 또는 $t=1$

$t=-2$일 때, $\log x=-2$에서 $x=10^{-2}=\dfrac{1}{100}$

$t=1$일 때, $\log x=1$에서 $x=10$

따라서 방정식의 해는 $\boldsymbol{x=\dfrac{1}{100}}$ 또는 $\boldsymbol{x=10}$

**2-1 나의 풀이**

**2-2 나의 풀이**

## 대표 Q3 밑과 지수에 모두 미지수가 있는 꼴

$x>0$일 때, 다음 방정식을 푸시오.

(1) $(x^x)^2=x^{x^2}$        (2) $x^{\log_3 x}=27x^2$

### 대표 Q3 풀이

(1) $x^{2x}=x^{x^2}$에서

  ( i ) $x\neq1$이면 $2x=x^2$

       $x^2-2x=0$, $x(x-2)=0$

       $\therefore x=2$ ($\because x>0$)

  (ii) $x=1$이면

       (좌변)$=1^2=1$, (우변)$=1^1=1$

       이므로 등식이 성립한다.

  ( i ), (ii)에서 **$x=1$ 또는 $x=2$**

(2) $x^{\log_3 x}=27x^2$에서 밑이 3인 로그를 생각하면

  $\log_3 x^{\log_3 x}=\log_3 27x^2$

  $(\log_3 x)(\log_3 x)=\log_3 3^3+\log_3 x^2$

  $(\log_3 x)^2=3+2\log_3 x$

  $\log_3 x=t$로 놓으면 $t^2=3+2t$

  $t^2-2t-3=0$, $(t+1)(t-3)=0$

  $\therefore t=-1$ 또는 $t=3$

  $t=-1$일 때, $\log_3 x=-1$에서 $x=3^{-1}=\dfrac{1}{3}$

  $t=3$일 때, $\log_3 x=3$에서 $x=3^3=27$

  따라서 방정식의 해는 **$x=\dfrac{1}{3}$ 또는 $x=27$**

### 나만의 Note

### 3-1 나의 풀이

### 3-2 나의 풀이

**Q4** 지수방정식, 로그방정식과 이차방정식

**다음 물음에 답하시오.**

(1) 방정식 $9^x - 3^{x+3} + 9 = 0$의 두 실근의 합을 구하시오.

(2) 방정식 $(\log x)^2 + \log x^4 - 4 = 0$의 두 실근의 곱을 구하시오.

**대표 04 풀이**

(1) 주어진 방정식은

$(3^x)^2 - 3^3 \times 3^x + 9 = 0 \qquad \cdots \ \text{㉠}$

$3^x = t$로 놓으면 $t^2 - 27t + 9 = 0 \qquad \cdots \ \text{㉡}$

㉠의 두 근을 $\alpha$, $\beta$라 하면 ㉡의 두 근은 $3^\alpha$, $3^\beta$이다.

근과 계수의 관계에서

$3^\alpha \times 3^\beta = 9$, $3^{\alpha+\beta} = 3^2$

$\therefore \alpha + \beta = 2$

(2) 주어진 방정식은

$(\log x)^2 + 4\log x - 4 = 0 \qquad \cdots \ \text{㉠}$

$\log x = t$로 놓으면 $t^2 + 4t - 4 = 0 \qquad \cdots \ \text{㉡}$

㉠의 두 근을 $\alpha$, $\beta$라 하면 ㉡의 두 근은 $\log \alpha$, $\log \beta$이다.

근과 계수의 관계에서

$\log \alpha + \log \beta = -4$, $\log \alpha\beta = -4$

$\therefore \alpha\beta = 10^{-4} = \dfrac{1}{10000}$

**나만의 Note**

**4-1 나의 풀이**

**4-2 나의 풀이**

**4-3 나의 풀이**

대표 **Q5** **지수방정식, 로그방정식과 그래프**

두 함수 $y=2^x$, $y=-\left(\dfrac{1}{2}\right)^x+k$의 그래프가 두 점 A, B에서 만난다. 선분 AB의 중점의 좌표가 $\left(a, \dfrac{5}{4}\right)$일 때, $a$와 $k$의 값을 구하시오.

대표 **Q5** 풀이

두 식에서 $y$를 소거하면 $2^x=-\left(\dfrac{1}{2}\right)^x+k$ $\qquad \cdots$ ㉠

이 방정식의 두 근을 $\alpha$, $\beta$ $(\alpha<\beta)$라 하면 두 점 A, B가 곡선 $y=2^x$ 위의 점이므로 $\mathrm{A}(\alpha, 2^\alpha)$, $\mathrm{B}(\beta, 2^\beta)$이다.

선분 AB의 중점의 좌표가 $\left(a, \dfrac{5}{4}\right)$이므로

$$\dfrac{\alpha+\beta}{2}=a, \quad \dfrac{2^\alpha+2^\beta}{2}=\dfrac{5}{4} \qquad \cdots ㉡$$

㉠에서 $2^x=t$로 놓으면

$$t=-\dfrac{1}{t}+k, \ t^2=-1+kt \qquad \therefore \ t^2-kt+1=0$$

이 방정식의 두 근이 $2^\alpha$, $2^\beta$이므로 근과 계수의 관계에서

$2^\alpha+2^\beta=k$, $2^\alpha \times 2^\beta=1$

$2^\alpha \times 2^\beta=1$에서 $2^{\alpha+\beta}=1$, 곧 $\alpha+\beta=0$

이것을 ㉡에 대입하면 $\boldsymbol{a=0}$

또 $2^\alpha+2^\beta=k$를 ㉡에 대입하면

$$\dfrac{k}{2}=\dfrac{5}{4} \qquad \therefore \ \boldsymbol{k=\dfrac{5}{2}}$$

😀 나만의 Note

5-1 나의 풀이

5-2 나의 풀이

**Q6** 지수부등식

다음 부등식을 푸시오.

(1) $\left(\dfrac{3}{2}\right)^{2x+3} > \left(\dfrac{4}{9}\right)^x$  (2) $\left(\dfrac{1}{2}\right)^{x-1} \geq \dfrac{1}{\sqrt[3]{32}}$

(3) $\dfrac{1}{243} < 3^{-x^2-1} < 9^{x-2}$  (4) $4^x - 5 \times 2^{x+1} + 16 > 0$

**대표 Q6 풀이**

(1) $\dfrac{4}{9} = \left(\dfrac{3}{2}\right)^{-2}$ 이므로 $\left(\dfrac{3}{2}\right)^{2x+3} > \left(\dfrac{3}{2}\right)^{-2x}$

밑이 $\dfrac{3}{2}$ 이고 1보다 크므로

$2x+3 > -2x$  $\therefore$ $x > -\dfrac{3}{4}$

(2) $\dfrac{1}{\sqrt[3]{32}} = \dfrac{1}{2^{\frac{5}{3}}} = \left(\dfrac{1}{2}\right)^{\frac{5}{3}}$ 이므로 $\left(\dfrac{1}{2}\right)^{x-1} \geq \left(\dfrac{1}{2}\right)^{\frac{5}{3}}$

밑이 $\dfrac{1}{2}$ 이고 1보다 작으므로

$x-1 \leq \dfrac{5}{3}$  $\therefore$ $x \leq \dfrac{8}{3}$

(3) $\dfrac{1}{243} = 3^{-5}$, $9^{x-2} = 3^{2x-4}$ 이므로

$3^{-5} < 3^{-x^2-1} < 3^{2x-4}$

(i) $3^{-5} < 3^{-x^2-1}$ 에서 $-5 < -x^2-1$, $x^2 < 4$

  $\therefore$ $-2 < x < 2$  ··· ㉠

(ii) $3^{-x^2-1} < 3^{2x-4}$ 에서 $-x^2-1 < 2x-4$

  $x^2+2x-3 > 0$, $(x+3)(x-1) > 0$

  $\therefore$ $x < -3$ 또는 $x > 1$  ··· ㉡

따라서 ㉠, ㉡에서 $1 < x < 2$

(4) $4^x = (2^x)^2$, $2^{x+1} = 2 \times 2^x$ 이므로

$2^x = t\,(t>0)$ 로 놓으면

$t^2 - 10t + 16 > 0$, $(t-2)(t-8) > 0$

$\therefore$ $t < 2$ 또는 $t > 8$

그런데 $t > 0$ 이므로 $0 < t < 2$ 또는 $t > 8$

$0 < t < 2$ 일 때, $0 < 2^x < 2$ 에서 $x < 1$

$t > 8$ 일 때, $2^x > 2^3$ 에서 $x > 3$

$\therefore$ $x < 1$ 또는 $x > 3$

**나만의 Note**

**6-1 나의 풀이**

**6-2 나의 풀이**

**대표 Q7** 로그부등식

다음 부등식을 푸시오.

(1) $\log_{\frac{1}{2}}(x^2-3x) < -2$

(2) $\log_3(2x-7) \geq 2-\log_3 x$

(3) $\log_4(x^2+9) \leq \log_2(x+1)$

(4) $(\log_{\frac{1}{3}} x)^2 + \log_{\frac{1}{3}} \dfrac{x^2}{9} - 10 > 0$

**대표 Q7 풀이**

(1) 진수의 조건에서 $x^2-3x > 0$

$x(x-3) > 0$  ∴ $x < 0$ 또는 $x > 3$  ··· ㉠

$\log_{\frac{1}{2}}(x^2-3x) < \log_{\frac{1}{2}}\left(\dfrac{1}{2}\right)^{-2}$

에서 밑이 $\dfrac{1}{2}$이고 1보다 작으므로

$x^2-3x > 4$, $x^2-3x-4 > 0$

$(x+1)(x-4) > 0$

∴ $x < -1$ 또는 $x > 4$  ··· ㉡

따라서 ㉠, ㉡에서 $\boldsymbol{x < -1}$ **또는** $\boldsymbol{x > 4}$

(2) 진수의 조건에서 $2x-7 > 0$, $x > 0$

∴ $x > \dfrac{7}{2}$  ··· ㉠

$\log_3(2x-7) \geq \log_3 3^2 - \log_3 x$

$\log_3(2x-7) + \log_3 x \geq \log_3 3^2$

$\log_3 x(2x-7) \geq \log_3 3^2$

에서 밑이 3이고 1보다 크므로

$x(2x-7) \geq 9$, $2x^2-7x-9 \geq 0$

$(x+1)(2x-9) \geq 0$

∴ $x \leq -1$ 또는 $x \geq \dfrac{9}{2}$  ··· ㉡

따라서 ㉠, ㉡에서 $\boldsymbol{x \geq \dfrac{9}{2}}$

(3) 진수의 조건에서 $x^2+9 > 0$, $x+1 > 0$

∴ $x > -1$  ··· ㉠

$\log_4(x^2+9) = \log_{2^2}(x^2+9) = \dfrac{1}{2}\log_2(x^2+9)$

이므로

$\dfrac{1}{2}\log_2(x^2+9) \leq \log_2(x+1)$

$\log_2(x^2+9) \leq 2\log_2(x+1)$

$\log_2(x^2+9) \leq \log_2(x+1)^2$

밑이 2이고 1보다 크므로

$x^2+9 \leq (x+1)^2$

$2x \geq 8$  ∴ $x \geq 4$  ··· ㉡

따라서 ㉠, ㉡에서 $\boldsymbol{x \geq 4}$

(4) 진수의 조건에서 $x > 0$, $\dfrac{x^2}{9} > 0$

∴ $x > 0$  ··· ㉠

$\log_{\frac{1}{3}} \dfrac{x^2}{9} = \log_{\frac{1}{3}} \dfrac{1}{9} + \log_{\frac{1}{3}} x^2 = 2 + 2\log_{\frac{1}{3}} x$

이므로

$\log_{\frac{1}{3}} x = t$로 놓으면 $t^2 + 2 + 2t - 10 > 0$

$t^2 + 2t - 8 > 0$, $(t+4)(t-2) > 0$

∴ $t < -4$ 또는 $t > 2$

곧, $\log_{\frac{1}{3}} x < -4$ 또는 $\log_{\frac{1}{3}} x > 2$이므로

$\log_{\frac{1}{3}} x < \log_{\frac{1}{3}}\left(\dfrac{1}{3}\right)^{-4}$ 또는 $\log_{\frac{1}{3}} x > \log_{\frac{1}{3}}\left(\dfrac{1}{3}\right)^2$

밑이 $\dfrac{1}{3}$이고 1보다 작으므로

$x > 81$ 또는 $x < \dfrac{1}{9}$  ··· ㉡

따라서 ㉠, ㉡에서 $\boldsymbol{0 < x < \dfrac{1}{9}}$ **또는** $\boldsymbol{x > 81}$

**7-1 나의 풀이**

**7-2 나의 풀이**

**대표 Q8** 로그의 활용

총인구에서 65세 이상 인구가 차지하는 비율이 20 % 이상인 사회를 초고령화 사회라고 한다. 어느 나라의 2020년 총인구는 1000만 명이고 65세 이상 인구는 50만 명이다. 총인구는 매년 전년도보다 0.3 %씩 증가하고 65세 이상 인구는 매년 전년도보다 4 %씩 증가한다고 가정할 때, 처음으로 초고령화 사회에 진입할 것으로 예측되는 시기는?

(단, $\log 1.003 = 0.0013$, $\log 1.04 = 0.0170$, $\log 2 = 0.3010$으로 계산한다.)

① 2028년～2030년  ② 2038년～2040년
③ 2048년～2050년  ④ 2058년～2060년
⑤ 2068년～2070년

**대표 Q8** 풀이

2020년 총인구가 $10^7$명이므로 $n$년 후는
$10^7(1+0.003)^n$(명)

2020년 65세 이상 인구가 $5 \times 10^5$명이므로 $n$년 후는
$5 \times 10^5(1+0.04)^n$(명)

조건에서 $\dfrac{5 \times 10^5(1+0.04)^n}{10^7(1+0.003)^n} \geq \dfrac{20}{100}$이어야 하므로

$\dfrac{1}{20}\left(\dfrac{1.04}{1.003}\right)^n \geq \dfrac{1}{5}$, $\left(\dfrac{1.04}{1.003}\right)^n \geq 4$

상용로그를 생각하면

$n(\log 1.04 - \log 1.003) \geq \log 2^2$

$n(0.0170 - 0.0013) \geq 2 \times 0.3010$

$\therefore n \geq \dfrac{0.6020}{0.0157} = 38.\times\times\times$

따라서 약 39년 후에 처음으로 초고령화 사회가 예측된다. 곧, $2020+39=2059$이므로 처음으로 초고령화 사회에 진입할 것으로 예측되는 시기는 ④ 2058년～2060년이다.

😊 **나만의 Note**

**8-1** 나의 풀이

**8-2** 나의 풀이

**Q9** 지수, 로그의 대소

다음 세 수의 대소를 비교하시오.

(1) $\sqrt{5}$, $\sqrt[3]{11}$, $\sqrt[6]{120}$     (2) $2^{40}$, $3^{30}$, $5^{20}$

(3) $-3$, $\log_{\frac{1}{2}} 9$, $\log_{\frac{1}{4}} \sqrt{10}$

**9-1** 나의 풀이

### 대표 **Q9** 풀이

(1) $\sqrt{5}$, $\sqrt[3]{11}$, $\sqrt[6]{120}$ 에서 2, 3, 6의 최소공배수가 6이므로 $\sqrt[6]{\phantom{x}}$ 꼴로 변형하면

$\sqrt{5} = \sqrt[6]{5^3} = \sqrt[6]{125}$, $\sqrt[3]{11} = \sqrt[6]{11^2} = \sqrt[6]{121}$

$120 < 121 < 125$이므로

$\sqrt[6]{120} < \sqrt[6]{121} < \sqrt[6]{125}$

$\therefore \sqrt[6]{120} < \sqrt[3]{11} < \sqrt{5}$

(2) 지수 40, 30, 20의 최소공배수가 120이므로

$2^{40} = (2^{\frac{1}{3}})^{120}$, $3^{30} = (3^{\frac{1}{4}})^{120}$, $5^{20} = (5^{\frac{1}{6}})^{120}$

$2^{\frac{1}{3}}$, $3^{\frac{1}{4}}$, $5^{\frac{1}{6}}$ 에서 3, 4, 6의 최소공배수는 12이므로

$2^{\frac{1}{3}} = 2^{\frac{4}{12}} = (2^4)^{\frac{1}{12}} = 16^{\frac{1}{12}}$

$3^{\frac{1}{4}} = 3^{\frac{3}{12}} = (3^3)^{\frac{1}{12}} = 27^{\frac{1}{12}}$

$5^{\frac{1}{6}} = 5^{\frac{2}{12}} = (5^2)^{\frac{1}{12}} = 25^{\frac{1}{12}}$

$16 < 25 < 27$이므로 $2^{\frac{1}{3}} < 5^{\frac{1}{6}} < 3^{\frac{1}{4}}$

$\therefore 2^{40} < 5^{20} < 3^{30}$

**9-2** 나의 풀이

(3) 세 수를 밑이 $\frac{1}{2}$인 로그로 고치면

$-3 = \log_{\frac{1}{2}} \left(\frac{1}{2}\right)^{-3} = \log_{\frac{1}{2}} 8$

$\log_{\frac{1}{4}} \sqrt{10} = \log_{\left(\frac{1}{2}\right)^2} 10^{\frac{1}{2}} = \frac{1}{4} \log_{\frac{1}{2}} 10 = \log_{\frac{1}{2}} 10^{\frac{1}{4}}$

$8 = 2^3 < 9 = 3^2$이고 $10^{\frac{1}{4}}$과의 크기를 비교하면

$2^3 = (2^{12})^{\frac{1}{4}}$, $10^{\frac{1}{4}}$에서 $2^{12} > 10$이므로 $8 > 10^{\frac{1}{4}}$

$3^2 = (3^8)^{\frac{1}{4}}$, $10^{\frac{1}{4}}$에서 $3^8 > 10$이므로 $9 > 10^{\frac{1}{4}}$

곧, $10^{\frac{1}{4}} < 8 < 9$이므로 $\log_{\frac{1}{2}} 9 < \log_{\frac{1}{2}} 8 < \log_{\frac{1}{2}} 10^{\frac{1}{4}}$

$\therefore \log_{\frac{1}{2}} 9 < -3 < \log_{\frac{1}{4}} \sqrt{10}$

😊 나만의 **Note**

**Q10** 로그의 대소와 그래프

$n$이 자연수일 때, 보기에서 항상 성립하는 부등식을 있는 대로 고른 것은?

┤ 보기 ├
ㄱ. $\log_2(n+3) > \log_2(n+2)$
ㄴ. $\log_2(n+2) > \log_3(n+2)$
ㄷ. $\log_2(n+2) > \log_3(n+3)$

① ㄱ      ② ㄱ, ㄴ      ③ ㄱ, ㄷ
④ ㄴ, ㄷ      ⑤ ㄱ, ㄴ, ㄷ

**날선 Q10 풀이**

ㄱ. $y=\log_2 x$의 그래프에서 $x=n+3$일 때와 $x=n+2$일 때의 함숫값을 비교하면 $\log_2(n+3) > \log_2(n+2)$가 성립한다. (참)

ㄴ. $y=\log_2 x$, $y=\log_3 x$의 그래프에서 $x=n+2$일 때의 함숫값을 비교하면 $\log_2(n+2) > \log_3(n+2)$가 성립한다. (참)

ㄷ. $y=\log_2(x+2)$, $y=\log_3(x+3)$의 그래프에서 $x=n$일 때의 함숫값을 비교하면 $\log_2(n+2) > \log_3(n+3)$이 성립한다. (참)

따라서 항상 성립하는 부등식은 ⑤ ㄱ, ㄴ, ㄷ이다.

 **나만의 Note**

**10-1** 나의 풀이

## 대표 Q1 호도법

다음 물음에 답하시오.

(1) $\dfrac{12}{5}\pi$는 제몇 사분면의 각인지 구하시오.

(2) $-\dfrac{10}{3}\pi$는 제몇 사분면의 각인지 구하시오.

(3) $780°$를 호도법으로 나타내고, 제몇 사분면의 각 인지 구하시오.

### 대표 Q1 풀이

(1) $\dfrac{12}{5}\pi=2\pi\times1+\dfrac{2}{5}\pi$이므로 **제1사분면**의 각이다.

(2) $-4\pi=-\dfrac{12}{3}\pi$이므로 $-\dfrac{10}{3}\pi=2\pi\times(-2)+\dfrac{2}{3}\pi$

따라서 **제2사분면**의 각이다.

(3) $780°=780\times\dfrac{\pi}{180}=\dfrac{13}{3}\pi$

$\dfrac{13}{3}\pi=4\pi+\dfrac{\pi}{3}$이므로 $780°$는 **제1사분면**의 각이다.

### 나만의 Note

### 1-1 나의 풀이

### 1-2 나의 풀이

**Q2** 일반각의 성질

**다음 물음에 답하시오.**

(1) $\theta$가 제2사분면의 각일 때, 각 $\dfrac{\theta}{2}$를 나타내는 동경이 존재하는 사분면을 모두 구하시오.

(2) $0 \le \theta < 2\pi$이고 두 각 $\theta$, $4\theta$를 나타내는 두 동경이 반대 방향으로 일직선을 이룰 때, $\theta$의 값을 모두 구하시오.

**대표 Q2 풀이**

(1) $2n\pi + \dfrac{\pi}{2} < \theta < 2n\pi + \pi$ ($n$은 정수)이므로

$n\pi + \dfrac{\pi}{4} < \dfrac{\theta}{2} < n\pi + \dfrac{\pi}{2}$

(ⅰ) $n = 2k$ ($k$는 정수)일 때,

$2k\pi + \dfrac{\pi}{4} < \dfrac{\theta}{2} < 2k\pi + \dfrac{\pi}{2}$

각 $\dfrac{\theta}{2}$를 나타내는 동경이 $\dfrac{\pi}{4}$와 $\dfrac{\pi}{2}$ 사이에 있으므로 제1사분면에 있다.

(ⅱ) $n = 2k + 1$ ($k$는 정수)일 때,

$2k\pi + \pi + \dfrac{\pi}{4} < \dfrac{\theta}{2} < 2k\pi + \pi + \dfrac{\pi}{2}$

각 $\dfrac{\theta}{2}$를 나타내는 동경이 $\pi + \dfrac{\pi}{4}$와 $\pi + \dfrac{\pi}{2}$ 사이에 있으므로 제3사분면에 있다.

(ⅰ), (ⅱ)에서 각 $\dfrac{\theta}{2}$를 나타내는 동경이 존재하는 사분면은 **제1, 3사분면**이다.

(2) 두 각 $\theta$, $4\theta$를 나타내는 두 동경이 반대 방향으로 일직선을 이루면

$4\theta - \theta = 2n\pi + \pi$ ($n$은 정수)

$\therefore \theta = \dfrac{2}{3}n\pi + \dfrac{\pi}{3}$ ⋯ ㉠

$0 \le \theta < 2\pi$이므로 $0 \le \dfrac{2}{3}n\pi + \dfrac{\pi}{3} < 2\pi$

$\therefore -\dfrac{1}{2} \le n < \dfrac{5}{2}$

$n$은 정수이므로 $n = 0, 1, 2$

㉠에 대입하면 $\theta = \dfrac{\pi}{3}, \pi, \dfrac{5}{3}\pi$

**2-1 나의 풀이**

**2-2 나의 풀이**

**대표 Q3** 부채꼴의 호의 길이와 넓이

**다음 물음에 답하시오.**

(1) 중심각의 크기가 $\dfrac{4}{3}\pi$, 호의 길이가 $2\pi$인 부채꼴의 넓이를 구하시오.

(2) 둘레의 길이가 12인 부채꼴의 넓이의 최댓값을 구하시오.

**대표 Q3 풀이**

부채꼴의 반지름의 길이를 $r$, 중심각의 크기를 $\theta$, 호의 길이를 $l$, 넓이를 $S$라 하자.

(1) $l=r\theta$이므로

$$2\pi=r\times\dfrac{4}{3}\pi \qquad \therefore r=\dfrac{3}{2}$$

$S=\dfrac{1}{2}r^2\theta$이므로 $S=\dfrac{1}{2}\times\left(\dfrac{3}{2}\right)^2\times\dfrac{4}{3}\pi=\dfrac{3}{2}\pi$

(2) 둘레의 길이가 12이므로

$$2r+l=12 \ (0<r<6)$$

$$\therefore S=\dfrac{1}{2}rl=\dfrac{1}{2}r(12-2r)$$

$$=-r^2+6r=-(r-3)^2+9$$

따라서 $r=3$일 때 부채꼴의 넓이의 최댓값은 **9**이다.

**나만의 Note**

**3-1 나의 풀이**

**3-2 나의 풀이**

## Q4 삼각함수의 값

각 $\theta$의 크기가 다음과 같을 때, $\sin\theta$, $\cos\theta$, $\tan\theta$
의 값을 구하시오.

(1) $120°$      (2) $\dfrac{5}{4}\pi$

(3) $750°$      (4) $-\dfrac{13}{4}\pi$

### 대표 Q4 풀이

각 $\theta$를 나타내는 동경과 중심이 원점 O인 단위원의 교점
을 P라 하자.

(1) $\mathrm{P}\left(-\dfrac{1}{2}, \dfrac{\sqrt{3}}{2}\right)$이므로

$\sin 120° = \dfrac{\sqrt{3}}{2}$

$\cos 120° = -\dfrac{1}{2}$

$\tan 120° = -\sqrt{3}$

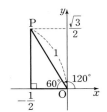

(2) $\mathrm{P}\left(-\dfrac{\sqrt{2}}{2}, -\dfrac{\sqrt{2}}{2}\right)$이므로

$\sin \dfrac{5}{4}\pi = -\dfrac{\sqrt{2}}{2}$

$\cos \dfrac{5}{4}\pi = -\dfrac{\sqrt{2}}{2}$

$\tan \dfrac{5}{4}\pi = 1$

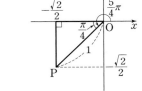

(3) $750° = 360° \times 2 + 30°$이므로

$\mathrm{P}\left(\dfrac{\sqrt{3}}{2}, \dfrac{1}{2}\right)$

$\sin 750° = \dfrac{1}{2}$

$\cos 750° = \dfrac{\sqrt{3}}{2}$

$\tan 750° = \dfrac{1}{\sqrt{3}} = \dfrac{\sqrt{3}}{3}$

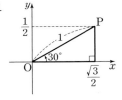

(4) $-\dfrac{13}{4}\pi = 2\pi \times (-2) + \dfrac{3}{4}\pi$

이므로 $\mathrm{P}\left(-\dfrac{\sqrt{2}}{2}, \dfrac{\sqrt{2}}{2}\right)$

$\sin\left(-\dfrac{13}{4}\pi\right) = \dfrac{\sqrt{2}}{2}$

$\cos\left(-\dfrac{13}{4}\pi\right) = -\dfrac{\sqrt{2}}{2}$

$\tan\left(-\dfrac{13}{4}\pi\right) = -1$

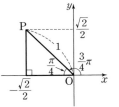

### 4-1 나의 풀이

## 대표 Q5 한 값을 알 때, 나머지 삼각함수의 값 구하기

다음 물음에 답하시오.

(1) $\sin\theta = \dfrac{5}{13}$이고 $\dfrac{\pi}{2} < \theta < \dfrac{3}{2}\pi$일 때,

$\cos\theta$, $\tan\theta$의 값을 구하시오.

(2) $\tan\theta = -3$일 때, $\sin\theta + \cos\theta$의 값을 모두
구하시오.

### 대표 05 풀이

(1) $\dfrac{\pi}{2} < \theta < \dfrac{3}{2}\pi$이고 $\sin\theta = \dfrac{5}{13}$이므로

$\theta$는 제2사분면의 각이다.

$\sin^2\theta + \cos^2\theta = 1$이므로

$\left(\dfrac{5}{13}\right)^2 + \cos^2\theta = 1$, $\cos^2\theta = \left(\dfrac{12}{13}\right)^2$

$\theta$가 제2사분면의 각이므로 $\boldsymbol{\cos\theta = -\dfrac{12}{13}}$

또 $\boldsymbol{\tan\theta = \dfrac{\sin\theta}{\cos\theta} = -\dfrac{5}{12}}$

(2) $\tan\theta = -3$에서 $\dfrac{\sin\theta}{\cos\theta} = -3$, 곧 $\sin\theta = -3\cos\theta$

$\sin^2\theta + \cos^2\theta = 1$이므로

$(-3\cos\theta)^2 + \cos^2\theta = 1$, $10\cos^2\theta = 1$

$\cos^2\theta = \dfrac{1}{10}$ ∴ $\cos\theta = \pm\dfrac{1}{\sqrt{10}} = \pm\dfrac{\sqrt{10}}{10}$

∴ $\sin\theta + \cos\theta = -3\cos\theta + \cos\theta$

$= -2\cos\theta = \pm\dfrac{\sqrt{10}}{5}$

### 😊 나만의 Note

### 5-1 나의 풀이

### 5-2 나의 풀이

**Q6** $\sin\theta+\cos\theta$ 또는 $\sin\theta\cos\theta$가 주어진 문제

**다음 물음에 답하시오.**

(1) $\theta$가 제1사분면의 각이고 $\sin\theta\cos\theta=\dfrac{1}{2}$일 때, $\sin^3\theta+\cos^3\theta$의 값을 구하시오.

(2) 이차방정식 $x^2-x+a=0$의 두 근이 $\sin\theta$, $\cos\theta$일 때, 상수 $a$의 값을 구하시오.

**대표 Q6 풀이**

(1) $\sin^2\theta+\cos^2\theta=1$이므로

$$(\sin\theta+\cos\theta)^2=\sin^2\theta+\cos^2\theta+2\sin\theta\cos\theta$$
$$=1+2\sin\theta\cos\theta$$

$\sin\theta\cos\theta=\dfrac{1}{2}$을 대입하면

$$(\sin\theta+\cos\theta)^2=1+2\times\dfrac{1}{2}=2$$

$\theta$가 제1사분면의 각이므로 $\sin\theta>0$, $\cos\theta>0$

$\therefore \sin\theta+\cos\theta=\sqrt{2}$

$\therefore \sin^3\theta+\cos^3\theta$

$$=(\sin\theta+\cos\theta)^3-3\sin\theta\cos\theta(\sin\theta+\cos\theta)$$
$$=(\sqrt{2})^3-3\times\dfrac{1}{2}\times\sqrt{2}=\dfrac{\sqrt{2}}{2}$$

(2) 근과 계수의 관계에서

$\sin\theta+\cos\theta=1$, $\sin\theta\cos\theta=a$

첫 번째 식의 양변을 제곱하면

$\sin^2\theta+2\sin\theta\cos\theta+\cos^2\theta=1$

$\sin^2\theta+\cos^2\theta=1$이므로

$1+2a=1 \qquad \therefore a=0$

**나만의 Note**

**6-1 나의 풀이**

**6-2 나의 풀이**

**대표 Q7** 식을 정리하는 문제

다음 등식이 성립함을 보이시오.

(1) $\tan^2\theta - \sin^2\theta = \tan^2\theta \sin^2\theta$

(2) $\dfrac{1}{1+\sin\theta} + \dfrac{1}{1-\sin\theta} = 2(1+\tan^2\theta)$

**대표 Q7 풀이**

(1) $\tan^2\theta - \sin^2\theta = \dfrac{\sin^2\theta}{\cos^2\theta} - \sin^2\theta$

$= \dfrac{\sin^2\theta}{\cos^2\theta} - \dfrac{\sin^2\theta\cos^2\theta}{\cos^2\theta}$

$= \dfrac{\sin^2\theta(1-\cos^2\theta)}{\cos^2\theta}$

$= \dfrac{\sin^2\theta \sin^2\theta}{\cos^2\theta}$

$= \tan^2\theta \sin^2\theta$

(2) $\dfrac{1}{1+\sin\theta} + \dfrac{1}{1-\sin\theta} = \dfrac{1-\sin\theta+1+\sin\theta}{(1+\sin\theta)(1-\sin\theta)}$

$= \dfrac{2}{1-\sin^2\theta} = \dfrac{2}{\cos^2\theta}$

$1+\tan^2\theta = 1 + \dfrac{\sin^2\theta}{\cos^2\theta} = \dfrac{\cos^2\theta+\sin^2\theta}{\cos^2\theta} = \dfrac{1}{\cos^2\theta}$

$\therefore \dfrac{1}{1+\sin\theta} + \dfrac{1}{1-\sin\theta} = 2(1+\tan^2\theta)$

**나만의 Note**

**7-1 나의 풀이**

**7-2 나의 풀이**

**Q8** $n\pi\pm\theta, \dfrac{n}{2}\pi\pm\theta$ ($n$은 정수) 꼴로 고쳐 삼각함수의 값 구하기

다음 삼각함수의 값을 구하시오.

(1) $\sin\dfrac{19}{6}\pi$　　　　(2) $\cos\left(-\dfrac{10}{3}\pi\right)$

(3) $\tan\dfrac{19}{4}\pi$

**대표 Q8 풀이**

(1) $\dfrac{19}{6}\pi=3\pi+\dfrac{\pi}{6}$이고 제3사분면의 각이므로

$\sin\dfrac{19}{6}\pi<0$

$\therefore \sin\dfrac{19}{6}\pi=-\sin\dfrac{\pi}{6}=-\dfrac{1}{2}$

(2) $-\dfrac{10}{3}\pi=-3\pi-\dfrac{\pi}{3}$이고 제2사분면의 각이므로

$\cos\left(-\dfrac{10}{3}\pi\right)<0$

$\therefore \cos\left(-\dfrac{10}{3}\pi\right)=-\cos\dfrac{\pi}{3}=-\dfrac{1}{2}$

(3) $\dfrac{19}{4}\pi=5\pi-\dfrac{\pi}{4}$이고 제2사분면의 각이므로

$\tan\dfrac{19}{4}\pi=-\tan\dfrac{\pi}{4}=-1$

**나만의 Note**

**8-1 나의 풀이**

**8-2 나의 풀이**

대표 **Q9** $n\pi\pm\theta$, $\dfrac{n}{2}\pi\pm\theta$ ($n$은 정수) 꼴의 식을 정리하는 문제

다음 식을 간단히 하시오.

(1) $\dfrac{1}{\cos(\pi-\theta)\sin\left(\dfrac{\pi}{2}+\theta\right)}$

$+\dfrac{\sin(3\pi+\theta)\tan(2\pi-\theta)}{\cos\left(-\dfrac{\pi}{2}+\theta\right)\tan\left(\dfrac{3}{2}\pi-\theta\right)}$

(2) $\cos^2\left(\dfrac{\pi}{3}-\theta\right)+\cos^2\left(\dfrac{\pi}{6}+\theta\right)$

**대표 Q9** 풀이

(1) $\theta$가 예각이라 생각하자.

$\cos(\pi-\theta)<0$이므로 $\cos(\pi-\theta)=-\cos\theta$

$\sin\left(\dfrac{\pi}{2}+\theta\right)>0$이므로 $\sin\left(\dfrac{\pi}{2}+\theta\right)=\cos\theta$

$\sin(3\pi+\theta)<0$이므로 $\sin(3\pi+\theta)=-\sin\theta$

$\tan(2\pi-\theta)<0$이므로 $\tan(2\pi-\theta)=-\tan\theta$

$\cos\left(-\dfrac{\pi}{2}+\theta\right)>0$이므로 $\cos\left(-\dfrac{\pi}{2}+\theta\right)=\sin\theta$

$\tan\left(\dfrac{3}{2}\pi-\theta\right)>0$이므로 $\tan\left(\dfrac{3}{2}\pi-\theta\right)=\dfrac{1}{\tan\theta}$

$\therefore$ (주어진 식)

$=\dfrac{1}{(-\cos\theta)\cos\theta}+\dfrac{(-\sin\theta)(-\tan\theta)}{\sin\theta\times\dfrac{1}{\tan\theta}}$

$=-\dfrac{1}{\cos^2\theta}+\tan^2\theta=-\dfrac{1}{\cos^2\theta}+\dfrac{\sin^2\theta}{\cos^2\theta}$

$=\dfrac{-1+\sin^2\theta}{\cos^2\theta}=\dfrac{-\cos^2\theta}{\cos^2\theta}=-1$

(2) $\left(\dfrac{\pi}{3}-\theta\right)+\left(\dfrac{\pi}{6}+\theta\right)=\dfrac{\pi}{2}$이므로 $\dfrac{\pi}{6}+\theta=\dfrac{\pi}{2}-\left(\dfrac{\pi}{3}-\theta\right)$

$\dfrac{\pi}{3}-\theta=\theta'$이라 하면

$\cos^2\left(\dfrac{\pi}{3}-\theta\right)+\cos^2\left(\dfrac{\pi}{6}+\theta\right)$

$=\cos^2\theta'+\cos^2\left(\dfrac{\pi}{2}-\theta'\right)$

$=\cos^2\theta'+\sin^2\theta'=1$

😊 나만의 **Note**

**9-1** 나의 풀이

**9-2** 나의 풀이

**대표 Q1** 사인함수의 그래프

다음 함수의 주기와 최댓값, 최솟값을 구하고, 그래프를 그리시오.

(1) $y = 2\sin\dfrac{x}{2} + 1$     (2) $y = \sin 2\left(x - \dfrac{\pi}{4}\right)$

(3) $y = |\sin x|$

**대표 Q1 풀이**

(1) $y = 2\sin\dfrac{x}{2}$의 주기는 $\dfrac{2\pi}{\dfrac{1}{2}} = 4\pi$, 최댓값은 2, 최솟값은 $-2$이다.

$y = 2\sin\dfrac{x}{2}$의 그래프를 $y$축 방향으로 1만큼 평행이동하면 $y = 2\sin\dfrac{x}{2} + 1$이므로 그래프는 그림과 같다.

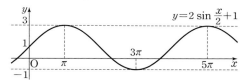

∴ 주기 : **4π**, 최댓값 : **3**, 최솟값 : **−1**

(2) $y = \sin 2x$의 주기는 $\dfrac{2\pi}{2} = \pi$, 최댓값은 1, 최솟값은 $-1$이다.

$y = \sin 2x$의 그래프를 $x$축 방향으로 $\dfrac{\pi}{4}$만큼 평행이동하면 $y = \sin 2\left(x - \dfrac{\pi}{4}\right)$이므로 그래프는 그림과 같다.

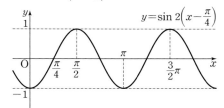

∴ 주기 : **π**, 최댓값 : **1**, 최솟값 : **−1**

(3) $y = \sin x$의 그래프를 그리고, $x$축 아랫부분을 $x$축 위로 꺾어 올리면 $y = |\sin x|$의 그래프는 그림과 같다.

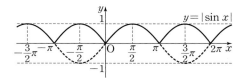

∴ 주기 : **π**, 최댓값 : **1**, 최솟값 : **0**

**1-1** 나의 풀이

**1-2** 나의 풀이

**대표 Q2** 코사인함수의 그래프

다음 함수의 주기와 최댓값, 최솟값을 구하고, 그래프를 그리시오.

(1) $y=-\cos 3x-1$   (2) $y=2\cos\dfrac{1}{2}\left(x-\dfrac{\pi}{6}\right)$

(3) $y=|\cos x|$

**대표 Q2** 풀이

(1) $y=\cos 3x$의 그래프를 $x$축에 대칭이동한 다음 $y$축 방향으로 $-1$만큼 평행이동하면 $y=-\cos 3x-1$이므로 그래프는 그림과 같다.

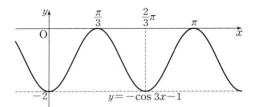

$\therefore$ 주기 : $\dfrac{2}{3}\pi$, 최댓값 : $0$, 최솟값 : $-2$

(2) $y=2\cos\dfrac{x}{2}$의 그래프를 $x$축 방향으로 $\dfrac{\pi}{6}$만큼 평행이동하면 $y=2\cos\dfrac{1}{2}\left(x-\dfrac{\pi}{6}\right)$이므로 그래프는 그림과 같다.

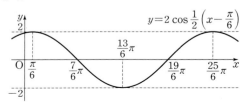

$\therefore$ 주기 : $4\pi$, 최댓값 : $2$, 최솟값 : $-2$

(3) $y=\cos x$의 그래프를 그리고, $x$축 아랫부분을 $x$축 위로 꺾어 올리면 $y=|\cos x|$의 그래프는 그림과 같다.

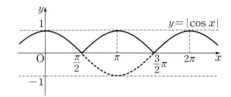

$\therefore$ 주기 : $\pi$, 최댓값 : $1$, 최솟값 : $0$

**2-1** 나의 풀이

**2-2** 나의 풀이

**Q3** 탄젠트함수의 그래프

다음 함수의 주기를 구하고, 그래프를 그리시오.

(1) $y = \tan 2x + 1$      (2) $y = \tan \dfrac{1}{2}\left(x - \dfrac{\pi}{4}\right)$

(3) $y = |\tan x|$

**3-1** 나의 풀이

**대표 Q3 풀이**

(1) $y = \tan 2x$의 그래프를 $y$축 방향으로 1만큼 평행이
동하면 $y = \tan 2x + 1$이므로 그래프는 그림과 같다.

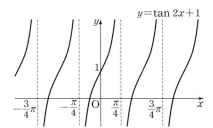

$\therefore$ 주기 : $\dfrac{\pi}{2}$

(2) $y = \tan \dfrac{x}{2}$의 그래프를 $x$축 방향으로 $\dfrac{\pi}{4}$만큼 평행이동

하면 $y = \tan \dfrac{1}{2}\left(x - \dfrac{\pi}{4}\right)$이므로 그래프는 그림과 같다.

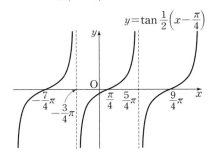

$\therefore$ 주기 : $2\pi$

(3) $y = \tan x$의 그래프를 그리고, $x$축 아랫부분을 $x$축 위
로 꺾어 올리면 $y = |\tan x|$의 그래프는 그림과 같다.

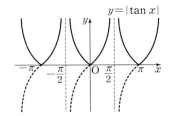

$\therefore$ 주기 : $\pi$

## 대표 **Q4** 삼각함수의 그래프와 미정계수

함수 $f(x)=a\cos(px-q)+b$일 때, $y=f(x)$의 그래프가 그림과 같다. $a$, $b$, $p$, $q$의 값과 $f(0)$의 값을 구하시오. (단, $a>0$, $p>0$, $0\le q<2\pi$)

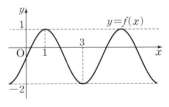

### 대표 **Q4** 풀이

$x=1$에서 $x=3$까지가 주기의 $\dfrac{1}{2}$이므로 주기는 4이다.

$p>0$이므로 $\dfrac{2\pi}{p}=4$  $\therefore$ $\boldsymbol{p=\dfrac{\pi}{2}}$

$a>0$, $-1\le\cos(px-q)\le1$이고 최댓값이 1, 최솟값이 $-2$이므로

$a+b=1$, $-a+b=-2$

두 식을 연립하여 풀면 $\boldsymbol{a=\dfrac{3}{2}}$, $\boldsymbol{b=-\dfrac{1}{2}}$

이때 $f(x)=\dfrac{3}{2}\cos\left(\dfrac{\pi}{2}x-q\right)-\dfrac{1}{2}$

$\qquad\quad=\dfrac{3}{2}\cos\dfrac{\pi}{2}\left(x-\dfrac{2q}{\pi}\right)-\dfrac{1}{2}$

$0\le q<2\pi$이므로 평행이동을 생각하면

$\dfrac{2q}{\pi}=1$  $\therefore$ $\boldsymbol{q=\dfrac{\pi}{2}}$

따라서 $f(x)=\dfrac{3}{2}\cos\left(\dfrac{\pi}{2}x-\dfrac{\pi}{2}\right)-\dfrac{1}{2}$이므로

$\boldsymbol{f(0)=\dfrac{3}{2}\cos\left(-\dfrac{\pi}{2}\right)-\dfrac{1}{2}=-\dfrac{1}{2}}$

### 😀 나만의 Note

### 4-1 나의 풀이

### 4-2 나의 풀이

**대표 Q5** **삼각함수의 최댓값과 최솟값**

주어진 범위에서 다음 함수의 최댓값과 최솟값을 구하시오.

(1) $y=|2\sin x-1|+3 \ (0\leq x\leq\pi)$

(2) $y=\sin^2 x-\cos x+1 \ (0\leq x\leq\pi)$

(3) $y=\tan^2 x+\tan x-1 \ \left(-\dfrac{\pi}{4}\leq x\leq\dfrac{\pi}{3}\right)$

**대표 Q5 풀이**

(1) $\sin x=t$로 놓으면 주어진 함수는

$y=|2t-1|+3$

$0\leq x\leq\pi$에서

$0\leq\sin x\leq1$이므로

$0\leq t\leq1$

따라서

$t=0$ 또는 $t=1$일 때 **최댓값은 4**

$t=\dfrac{1}{2}$일 때 **최솟값은 3**

(2) $\cos x=t$로 놓으면 주어진 함수는

$$y=(1-t^2)-t+1=-\left(t+\dfrac{1}{2}\right)^2+\dfrac{9}{4}$$

$0\leq x\leq\pi$에서 $-1\leq\cos x\leq1$이므로 $-1\leq t\leq1$

따라서

$t=-\dfrac{1}{2}$일 때

**최댓값은 $\dfrac{9}{4}$**

$t=1$일 때 **최솟값은**

$-1^2-1+2=$**0**

(3) $\tan x=t$로 놓으면 주어진 함수는

$$y=t^2+t-1=\left(t+\dfrac{1}{2}\right)^2-\dfrac{5}{4}$$

$-\dfrac{\pi}{4}\leq x\leq\dfrac{\pi}{3}$에서 $-1\leq\tan x\leq\sqrt{3}$이므로

$-1\leq t\leq\sqrt{3}$

따라서

$t=\sqrt{3}$일 때 **최댓값은**

$(\sqrt{3})^2+\sqrt{3}-1=$**$2+\sqrt{3}$**

$t=-\dfrac{1}{2}$일 때

**최솟값은 $-\dfrac{5}{4}$**

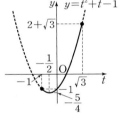

**5-1 나의 풀이**

**5-2 나의 풀이**

**대표 Q1** $\sin ax = k$ 꼴의 방정식

$0 \le x \le 2\pi$일 때, 다음 방정식의 해를 구하시오.

(1) $2\sin 2x = -\sqrt{2}$　　(2) $2\cos\dfrac{x}{2} - 1 = 0$

(3) $\tan x = \dfrac{3}{\tan x}$

**대표 Q1 풀이**

(1) $2x = t$로 놓으면 $0 \le x \le 2\pi$에서

$0 \le t \le 4\pi$　　$\cdots$ ㉠

주어진 방정식은 $2\sin t = -\sqrt{2}$에서 $\sin t = -\dfrac{\sqrt{2}}{2}$

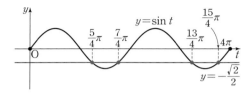

그림과 같이 ㉠에서 $y = \sin t$의 그래프를 그리고 직선 $y = -\dfrac{\sqrt{2}}{2}$와의 교점의 $t$좌표를 구하면

$t = \dfrac{5}{4}\pi,\ \dfrac{7}{4}\pi,\ \dfrac{13}{4}\pi,\ \dfrac{15}{4}\pi$

$x = \dfrac{t}{2}$이므로 $x = \dfrac{5}{8}\pi,\ \dfrac{7}{8}\pi,\ \dfrac{13}{8}\pi,\ \dfrac{15}{8}\pi$

(2) $\dfrac{x}{2} = t$로 놓으면 $0 \le x \le 2\pi$에서

$0 \le t \le \pi$　　$\cdots$ ㉠

주어진 방정식은 $2\cos t - 1 = 0$에서

$\cos t = \dfrac{1}{2}$

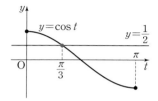

그림과 같이 ㉠에서 $y = \cos t$의 그래프를 그리고 직선 $y = \dfrac{1}{2}$과의 교점의 $t$좌표를 구하면 $t = \dfrac{\pi}{3}$

$x = 2t$이므로 $x = \dfrac{2}{3}\pi$

(3) $\tan x = \dfrac{3}{\tan x}$에서

$\tan^2 x = 3$

$\therefore \tan x = \pm\sqrt{3}$

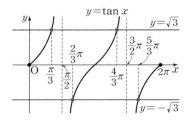

그림과 같이 $0 \le x \le 2\pi$에서 $y = \tan x$의 그래프를 그리고 직선 $y = \sqrt{3}$, $y = -\sqrt{3}$과의 교점의 $x$좌표를 구하면

$x = \dfrac{\pi}{3},\ \dfrac{2}{3}\pi,\ \dfrac{4}{3}\pi,\ \dfrac{5}{3}\pi$

**1-1 나의 풀이**

**대표 Q2** $\sin(x-p)=k$ 꼴의 방정식

$0\le x\le 2\pi$일 때, 다음 방정식의 해를 구하시오.

(1) $2\sin\left(x-\dfrac{\pi}{3}\right)=\sqrt{3}$   (2) $\cos\left(2x+\dfrac{\pi}{4}\right)=0$

(3) $\tan\left(\dfrac{x}{2}-\dfrac{\pi}{3}\right)=-1$

**대표 02 풀이**

(1) $x-\dfrac{\pi}{3}=t$로 놓으면 $0\le x\le 2\pi$에서

$-\dfrac{\pi}{3}\le t\le \dfrac{5}{3}\pi$　…㉠

주어진 방정식은 $2\sin t=\sqrt{3}$에서 $\sin t=\dfrac{\sqrt{3}}{2}$

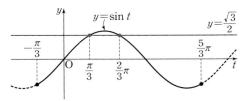

그림과 같이 ㉠에서 $y=\sin t$의 그래프를 그리고 직선 $y=\dfrac{\sqrt{3}}{2}$과의 교점의 $t$좌표를 구하면 $t=\dfrac{\pi}{3},\ \dfrac{2}{3}\pi$

$x=t+\dfrac{\pi}{3}$이므로 $x=\dfrac{2}{3}\pi,\ \pi$

(2) $2x+\dfrac{\pi}{4}=t$로 놓으면 $0\le x\le 2\pi$에서

$\dfrac{\pi}{4}\le t\le \dfrac{17}{4}\pi$　…㉠

주어진 방정식은 $\cos t=0$

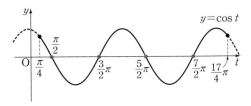

그림과 같이 ㉠에서 $y=\cos t$의 그래프를 그리고 직선 $y=0$, 곧 $t$축과의 교점의 $t$좌표를 구하면

$t=\dfrac{\pi}{2},\ \dfrac{3}{2}\pi,\ \dfrac{5}{2}\pi,\ \dfrac{7}{2}\pi$

$x=\dfrac{t}{2}-\dfrac{\pi}{8}$이므로 $x=\dfrac{\pi}{8},\ \dfrac{5}{8}\pi,\ \dfrac{9}{8}\pi,\ \dfrac{13}{8}\pi$

(3) $\dfrac{x}{2}-\dfrac{\pi}{3}=t$로 놓으면 $0\le x\le 2\pi$에서

$-\dfrac{\pi}{3}\le t\le \dfrac{2}{3}\pi$　…㉠

주어진 방정식은 $\tan t=-1$

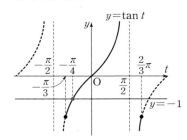

그림과 같이 ㉠에서 $y=\tan t$의 그래프를 그리고 직선 $y=-1$과의 교점의 $t$좌표를 구하면

$t=-\dfrac{\pi}{4}$

$x=2t+\dfrac{2}{3}\pi$이므로 $x=\dfrac{\pi}{6}$

**2-1 나의 풀이**

**Q3** 삼각함수를 치환하는 방정식

$0 \le x \le 2\pi$일 때, 다음 방정식의 해를 구하시오.

(1) $2\cos^2 x - 5\cos x + 2 = 0$

(2) $2\cos^2 x - \sin x = 1$

(3) $\sin x + \cos x = 1$

**대표 Q3 풀이**

(1) $\cos x = t$로 놓으면 주어진 방정식은

$2t^2 - 5t + 2 = 0 \qquad \therefore t = \dfrac{1}{2}$ 또는 $t = 2$

이때 $-1 \le \cos x \le 1$에서 $-1 \le t \le 1$이므로 $t = \dfrac{1}{2}$

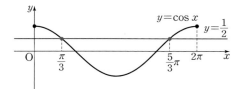

곧, $\cos x = \dfrac{1}{2}$이므로 $\boldsymbol{x = \dfrac{\pi}{3},\ \dfrac{5}{3}\pi}$

(2) $\cos^2 x = 1 - \sin^2 x$이므로 주어진 방정식은

$2(1 - \sin^2 x) - \sin x = 1 \quad \cdots \ \bigcirc$

$\sin x = t$로 놓으면 $2(1 - t^2) - t = 1$

$2t^2 + t - 1 = 0 \qquad \therefore t = -1$ 또는 $t = \dfrac{1}{2}$

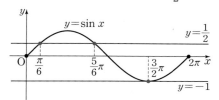

$t = -1$, 곧 $\sin x = -1$일 때 $\boldsymbol{x = \dfrac{3}{2}\pi}$

$t = \dfrac{1}{2}$, 곧 $\sin x = \dfrac{1}{2}$일 때 $\boldsymbol{x = \dfrac{\pi}{6},\ \dfrac{5}{6}\pi}$

(3) $\sin x = X$, $\cos x = Y$로 놓으면

$X + Y = 1 \qquad \cdots \ \bigcirc$

또 $\sin^2 x + \cos^2 x = 1$이므로

$X^2 + Y^2 = 1 \qquad \cdots \ \bigcirc\!\!\bigcirc$

$\bigcirc$에서 $Y = 1 - X$를 $\bigcirc\!\!\bigcirc$에 대입하면

$X^2 + (1 - X)^2 = 1 \qquad \therefore X = 0$ 또는 $X = 1$

$Y = 1 - X$에 대입하면

$X = 0$, $Y = 1$ 또는 $X = 1$, $Y = 0$

$X = 0$, $Y = 1$, 곧 $\sin x = 0$, $\cos x = 1$일 때 $\boldsymbol{x = 0,\ 2\pi}$

$X = 1$, $Y = 0$, 곧 $\sin x = 1$, $\cos x = 0$일 때 $\boldsymbol{x = \dfrac{\pi}{2}}$

**3-1** 나의 풀이

**3-2** 나의 풀이

**Q4** **삼각함수의 그래프와 방정식**

$f(x)=\sin kx$일 때, 그림과 같이 $y=f(x)$의 그래프의 일부분과 직선 $y=\dfrac{3}{4}$이 만나는 점의 $x$좌표를 $\alpha$, $\beta$, $\gamma$ $(\alpha<\beta<\gamma)$라 하자. $f(\alpha+\beta+\gamma)$의 값을 구하시오.

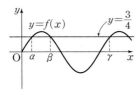

**날선 Q4** **풀이**

$k>0$이므로 $f(x)$의 주기는 $\dfrac{2\pi}{k}$이고, $y=f(x)$의 그래프는 그림과 같이 $x=\dfrac{\pi}{k}$, $x=\dfrac{2\pi}{k}$에서 $x$축과 만난다.

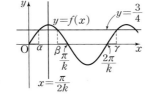

따라서 $\alpha$, $\beta$는 직선 $x=\dfrac{\pi}{2k}$에 대칭이므로

$\dfrac{\alpha+\beta}{2}=\dfrac{\pi}{2k}$, 곧 $\alpha+\beta=\dfrac{\pi}{k}$

$\therefore f(\alpha+\beta+\gamma)=\sin k\left(\dfrac{\pi}{k}+\gamma\right)=\sin(\pi+k\gamma)$

$\qquad\qquad\qquad =-\sin k\gamma=-f(\gamma)=-\dfrac{3}{4}$

**나만의 Note**

**4-1** **나의 풀이**

**대표 Q5** 삼각함수를 포함한 부등식

$0 \leq x \leq 2\pi$일 때, 다음 부등식의 해를 구하시오.

(1) $-1 < \sin x < -\dfrac{1}{2}$    (2) $|2\cos x| \leq \sqrt{2}$

(3) $-1 < \tan x \leq \sqrt{3}$

**5-1** 나의 풀이

**대표 Q5** 풀이

(1)

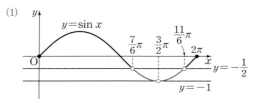

$\therefore \dfrac{7}{6}\pi < x < \dfrac{3}{2}\pi$ 또는 $\dfrac{3}{2}\pi < x < \dfrac{11}{6}\pi$

(2) $|2\cos x| \leq \sqrt{2}$에서 $-\sqrt{2} \leq 2\cos x \leq \sqrt{2}$

곧, $-\dfrac{\sqrt{2}}{2} \leq \cos x \leq \dfrac{\sqrt{2}}{2}$

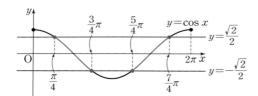

$\therefore \dfrac{\pi}{4} \leq x \leq \dfrac{3}{4}\pi$ 또는 $\dfrac{5}{4}\pi \leq x \leq \dfrac{7}{4}\pi$

(3)

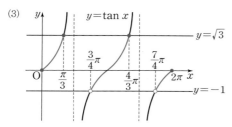

$\therefore 0 \leq x \leq \dfrac{\pi}{3}$ 또는 $\dfrac{3}{4}\pi < x \leq \dfrac{4}{3}\pi$ 또는 $\dfrac{7}{4}\pi < x \leq 2\pi$

😊 **나만의 Note**

**Q6** 여러 가지 삼각함수를 포함한 부등식

$0 \le x \le 2\pi$일 때, 다음 부등식의 해를 구하시오.

(1) $2\sin^2 x + 5\sin x + 2 \ge 0$

(2) $2\sin^2 x - \cos x \le 2$

(3) $\sin x > \cos x$

**대표 Q6 풀이**

(1) $\sin x = t$로 놓으면 주어진 부등식은

$2t^2 + 5t + 2 \ge 0$, $(2t+1)(t+2) \ge 0$

$\therefore t \le -2$ 또는 $t \ge -\dfrac{1}{2}$

그런데 $-1 \le t \le 1$이므로 $-\dfrac{1}{2} \le t \le 1$

$\therefore -\dfrac{1}{2} \le \sin x \le 1$

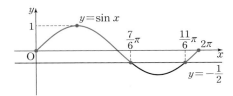

따라서 부등식의 해는

$0 \le x \le \dfrac{7}{6}\pi$ 또는 $\dfrac{11}{6}\pi \le x \le 2\pi$

(2) $\sin^2 x = 1 - \cos^2 x$이므로 주어진 부등식은

$2(1 - \cos^2 x) - \cos x \le 2$

$\cos x = t$로 놓으면 $2(1 - t^2) - t \le 2$

$2t^2 + t \ge 0$, $t(2t+1) \ge 0$

$\therefore t \le -\dfrac{1}{2}$ 또는 $t \ge 0$

그런데 $-1 \le t \le 1$이므로

$-1 \le t \le -\dfrac{1}{2}$ 또는 $0 \le t \le 1$

$\therefore -1 \le \cos x \le -\dfrac{1}{2}$ 또는 $0 \le \cos x \le 1$

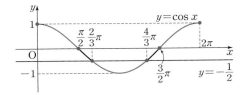

따라서 부등식의 해는

$0 \le x \le \dfrac{\pi}{2}$ 또는 $\dfrac{2}{3}\pi \le x \le \dfrac{4}{3}\pi$ 또는 $\dfrac{3}{2}\pi \le x \le 2\pi$

(3) $y = \sin x$와 $y = \cos x$의 그래프의 교점의 $x$좌표는

$\sin x = \cos x$에서 양변을 $\cos x$로 나누면

$\tan x = 1$

$\therefore x = \dfrac{\pi}{4}$ 또는 $x = \dfrac{5}{4}\pi$

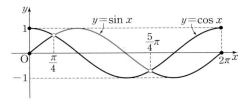

따라서 부등식의 해는

$\dfrac{\pi}{4} < x < \dfrac{5}{4}\pi$

**6-1 나의 풀이**

**대표 Q7** 삼각함수를 포함한 부등식의 활용

다음 물음에 답하시오.

(1) 모든 실수 $x$에 대하여

$x^2-2x\sin\theta+\cos\theta+1>0$이 성립할 때,

$\theta$값의 범위를 구하시오. (단, $0\le\theta\le2\pi$)

(2) 모든 $\theta$에 대하여 $\cos^2\theta+\sin\theta+a\ge0$이 성립

할 때, 실수 $a$값의 범위를 구하시오.

**대표 Q7 풀이**

(1) 모든 실수 $x$에 대하여 부등식

$x^2-2x\sin\theta+\cos\theta+1>0$이 성립하면

$\dfrac{D}{4}=\sin^2\theta-\cos\theta-1<0$

$1-\cos^2\theta-\cos\theta-1<0$, $\cos\theta(\cos\theta+1)>0$

$\therefore \cos\theta<-1$ 또는 $\cos\theta>0$

그런데 $-1\le\cos\theta\le1$이므로 $0<\cos\theta\le1$

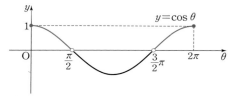

$\therefore 0\le\theta<\dfrac{\pi}{2}$ 또는 $\dfrac{3}{2}\pi<\theta\le2\pi$

(2) $\cos^2\theta=1-\sin^2\theta$이므로 주어진 부등식은

$1-\sin^2\theta+\sin\theta+a\ge0$

$\sin\theta=t$로 놓으면 $1-t^2+t+a\ge0$

$t^2-t-a-1\le0$

$-1\le\sin\theta\le1$에서 $-1\le t\le1$이므로

모든 $\theta$에 대하여 부등식 $\cos^2\theta+\sin\theta+a\ge0$이 성

립하면 $-1\le t\le1$에서 $t^2-t-a-1\le0$이 성립한다.

$f(t)=t^2-t-a-1$이라 하면

$f(t)=\left(t-\dfrac{1}{2}\right)^2-a-\dfrac{5}{4}$이고

그림과 같이 $f(t)$의 최댓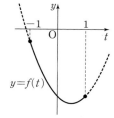

값 $f(-1)$이 0보다 작거나

같아야 한다.

곧, $f(-1)=1-a\le0$에서

$y=f(t)$

**$a\ge1$**

**7-1** 나의 풀이

**7-2** 나의 풀이

**7-3** 나의 풀이

**대표 Q1 삼각형 구하기 – 사인법칙**

삼각형 ABC에서 각의 크기와 변의 길이가 다음과 같을 때, 나머지 각의 크기와 변의 길이를 구하시오.

$\left(\text{단, } \sin 75° = \dfrac{\sqrt{6}+\sqrt{2}}{4}\right)$

(1) $A=45°$, $B=75°$, $c=\sqrt{3}$

(2) $A=30°$, $a=4$, $b=4\sqrt{3}$

**대표 Q1 풀이**

(1)

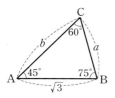

$C = 180° - (A+B)$

$\quad = 180° - (45° + 75°) = \mathbf{60°}$

$\dfrac{a}{\sin A} = \dfrac{c}{\sin C}$ 이므로 $\dfrac{a}{\sin 45°} = \dfrac{\sqrt{3}}{\sin 60°}$

$\therefore \boldsymbol{a} = \dfrac{\sqrt{3}}{\frac{\sqrt{3}}{2}} \times \dfrac{\sqrt{2}}{2} = \boldsymbol{\sqrt{2}}$

$\dfrac{b}{\sin B} = \dfrac{c}{\sin C}$ 이므로 $\dfrac{b}{\sin 75°} = \dfrac{\sqrt{3}}{\sin 60°}$

$\therefore \boldsymbol{b} = \dfrac{\sqrt{3}}{\frac{\sqrt{3}}{2}} \times \dfrac{\sqrt{6}+\sqrt{2}}{4} = \dfrac{\boldsymbol{\sqrt{6}+\sqrt{2}}}{\mathbf{2}}$

(2) $\dfrac{a}{\sin A} = \dfrac{b}{\sin B}$ 이므로 $\dfrac{4}{\sin 30°} = \dfrac{4\sqrt{3}}{\sin B}$

$\sin B = \sqrt{3} \sin 30°$

$\qquad = \sqrt{3} \times \dfrac{1}{2} = \dfrac{\sqrt{3}}{2}$

$\therefore B = 60°$ 또는 $B = 120°$

( i ) $B = 60°$일 때,

$\quad C = 180° - (A+B)$

$\qquad = 180° - (30° + 60°) = 90°$

이때 그림과 같이 삼각형 ABC가 직각삼각형이므로

$c = \sqrt{(4\sqrt{3})^2 + 4^2}$

$\quad = 8$

(ii) $B = 120°$일 때,

$\quad C = 180° - (A+B) = 180° - (30° + 120°) = 30°$

이때 그림과 같이 삼각형 ABC가 $\overline{AB} = \overline{BC}$인 이등변삼각형이므로

$c = a = 4$

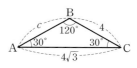

( i ), (ii)에서 $\boldsymbol{B = 60°}$, $\boldsymbol{C = 90°}$, $\boldsymbol{c = 8}$

또는 $\boldsymbol{B = 120°}$, $\boldsymbol{C = 30°}$, $\boldsymbol{c = 4}$

**1-1 나의 풀이**

**Q2** **삼각형 구하기 – 코사인법칙**

삼각형 ABC에서 각의 크기와 변의 길이가 다음과 같을 때, 나머지 각의 크기와 변의 길이를 구하시오.

(1) $A=60°$, $b=4$, $c=2\sqrt{3}+2$

(2) $a=2$, $b=\sqrt{6}$, $c=\sqrt{3}+1$

**대표 Q2 풀이**

(1)

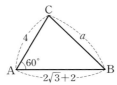

$a^2=b^2+c^2-2bc\cos A$
$\quad=4^2+(2\sqrt{3}+2)^2-2\times4\times(2\sqrt{3}+2)\times\cos60°$
$\quad=16+16+8\sqrt{3}-8\sqrt{3}-8=24$

$\therefore \boldsymbol{a=2\sqrt{6}}$

$\cos B=\dfrac{c^2+a^2-b^2}{2ca}$

$\quad=\dfrac{(2\sqrt{3}+2)^2+(2\sqrt{6})^2-4^2}{2\times(2\sqrt{3}+2)\times2\sqrt{6}}$

$\quad=\dfrac{16+8\sqrt{3}+24-16}{8\sqrt{6}(\sqrt{3}+1)}=\dfrac{8(3+\sqrt{3})}{8\sqrt{6}(\sqrt{3}+1)}$

$\quad=\dfrac{3+\sqrt{3}}{\sqrt{2}(3+\sqrt{3})}=\dfrac{1}{\sqrt{2}}=\dfrac{\sqrt{2}}{2}$

$\therefore \boldsymbol{B=45°}$

$\therefore \boldsymbol{C}=180°-(A+B)=180°-(60°+45°)=\boldsymbol{75°}$

(2) $\cos A=\dfrac{b^2+c^2-a^2}{2bc}$

$\quad=\dfrac{(\sqrt{6})^2+(\sqrt{3}+1)^2-2^2}{2\times\sqrt{6}\times(\sqrt{3}+1)}=\dfrac{6+4+2\sqrt{3}-4}{2\sqrt{6}(\sqrt{3}+1)}$

$\quad=\dfrac{2(3+\sqrt{3})}{2\sqrt{6}(\sqrt{3}+1)}=\dfrac{2(3+\sqrt{3})}{2\sqrt{2}(3+\sqrt{3})}=\dfrac{1}{\sqrt{2}}=\dfrac{\sqrt{2}}{2}$

$\therefore \boldsymbol{A=45°}$

$\cos B=\dfrac{c^2+a^2-b^2}{2ca}$

$\quad=\dfrac{(\sqrt{3}+1)^2+2^2-(\sqrt{6})^2}{2\times(\sqrt{3}+1)\times2}=\dfrac{4+2\sqrt{3}+4-6}{4(\sqrt{3}+1)}$

$\quad=\dfrac{2(\sqrt{3}+1)}{4(\sqrt{3}+1)}=\dfrac{1}{2}$

$\therefore \boldsymbol{B=60°}$

$\therefore \boldsymbol{C}=180°-(A+B)=180°-(45°+60°)=\boldsymbol{75°}$

**2-1** 나의 풀이

**2-2** 나의 풀이

**2-3** 나의 풀이

**Q3** 사인법칙의 활용

삼각형 ABC에서 다음 물음에 답하시오.

$$\left(\text{단, } \sin 75° = \frac{\sqrt{6}+\sqrt{2}}{4}\right)$$

(1) $a : b : c = 3 : 4 : 6$일 때,

$\sin A : \sin B : \sin C$를 구하시오.

(2) $A : B : C = 3 : 4 : 5$일 때,

$a : b : c$를 구하시오.

**대표 03 풀이**

외접원의 반지름의 길이를 $R$라 하면

(1) $\sin A = \dfrac{a}{2R}$, $\sin B = \dfrac{b}{2R}$, $\sin C = \dfrac{c}{2R}$이므로

$$\sin A : \sin B : \sin C = \frac{a}{2R} : \frac{b}{2R} : \frac{c}{2R}$$
$$= a : b : c$$
$$= \mathbf{3 : 4 : 6}$$

(2) $A+B+C=180°$이고 $A : B : C = 3 : 4 : 5$이므로

$$A = 180° \times \frac{3}{3+4+5} = 45°, \ B = 180° \times \frac{4}{12} = 60°$$

$$C = 180° \times \frac{5}{12} = 75°$$

$a = 2R\sin A$, $b = 2R\sin B$, $c = 2R\sin C$이므로

$a : b : c = 2R\sin A : 2R\sin B : 2R\sin C$

$$= \sin 45° : \sin 60° : \sin 75°$$
$$= \frac{\sqrt{2}}{2} : \frac{\sqrt{3}}{2} : \frac{\sqrt{6}+\sqrt{2}}{4}$$
$$= \mathbf{\sqrt{2} : \sqrt{3} : \frac{\sqrt{6}+\sqrt{2}}{2}}$$

😀 **나만의 Note**

**3-1** 나의 풀이

**3-2** 나의 풀이

**대표 Q4** 삼각형의 판별

다음 등식이 성립할 때, 삼각형 ABC는 어떤 삼각형인지 구하시오.

(1) $a \cos A = b \cos B$

(2) $2 \sin A \cos B = \cos \dfrac{A+B-C}{2}$

**4-1** 나의 풀이

**대표 Q4 풀이**

(1) $a \cos A = b \cos B$에서

$$a \times \frac{b^2+c^2-a^2}{2bc} = b \times \frac{c^2+a^2-b^2}{2ca}$$

양변에 $2abc$를 곱하고 정리하면

$$a^2(b^2+c^2-a^2) = b^2(c^2+a^2-b^2)$$

$$a^2c^2 - a^4 = b^2c^2 - b^4$$

$$(a^2-b^2)c^2 - (a^4-b^4) = 0$$

$$(a^2-b^2)(c^2-a^2-b^2) = 0$$

$a>0$, $b>0$이므로 $a=b$ 또는 $c^2=a^2+b^2$

따라서 **$a=b$인 이등변삼각형** 또는 **$C=90°$인 직각삼각형**이다.

(2) $A+B+C = \pi$이므로

$$\cos \frac{A+B-C}{2} = \cos \frac{\pi-2C}{2} = \cos\left(\frac{\pi}{2}-C\right)$$

$$= \sin C$$

곧, 주어진 식은

$$2 \sin A \cos B = \sin C$$

외접원의 반지름의 길이를 $R$라 하면

$$\sin A = \frac{a}{2R}, \ \sin C = \frac{c}{2R}$$이므로

$$\frac{2a}{2R} \cos B = \frac{c}{2R} \qquad \therefore 2a \cos B = c$$

$$\cos B = \frac{c^2+a^2-b^2}{2ca}$$이므로

$$2a \times \frac{c^2+a^2-b^2}{2ca} = c$$

$$c^2+a^2-b^2 = c^2 \qquad \therefore a^2 = b^2$$

$a>0$, $b>0$이므로 **$a=b$인 이등변삼각형**이다.

😀 **나만의 Note**

**4-2** 나의 풀이

**Q5** 삼각함수의 활용(1)

**5-1** 나의 풀이

그림과 같이 A 지점 바로 위에 열기구가 떠 있다. B 지점에서 열기구를 올려본각의 크기는 45°이고, 선분 AB와 60°의 각을 이

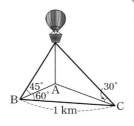

루면서 B 지점으로부터 1 km 떨어진 C 지점에서 열기구를 올려본각의 크기는 30°이다. 세 지점 A, B, C가 한 평면 위의 점일 때, A 지점에서 열기구까지의 높이는 몇 m인지 구하시오.

**대표 Q5 풀이**

그림과 같이 열기구의 위치를 점 P, $\overline{PA}=x$ (km)라 하자.
직각삼각형 PBA에서

$\tan 45° = \dfrac{x}{\overline{AB}}$

$\therefore \overline{AB}=x$ (km)

직각삼각형 PAC에서

$\tan 30° = \dfrac{x}{\overline{AC}}$　　$\therefore \overline{AC}=\sqrt{3}x$ (km)

∠ABC=60°이므로 삼각형 ABC에서 코사인법칙을 이용하면

$\overline{AC}^2 = \overline{AB}^2 + \overline{BC}^2 - 2\times\overline{AB}\times\overline{BC}\times\cos B$

$(\sqrt{3}x)^2 = x^2 + 1^2 - 2\times x\times 1\times\cos 60°$

$2x^2+x-1=0,\ (x+1)(2x-1)=0$

$x>0$이므로 $x=\dfrac{1}{2}$ (km)

따라서 A 지점에서 열기구까지의 높이는 **500 m**이다.

 나만의 **Note**

**Q6** 삼각함수의 활용 (2)

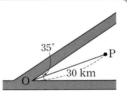

그림과 같이 35°의 각을 이루며 만나는 두 직선 도로 사이의 P 지점에 새로운 공장을 지으려고 한다. 또한 각 직선 도로 위에 두 지점 A, B를 잡아 세 지점 P, A, B를 연결하는 삼각형 모양의 도로도 새로 만들려고 한다. $\overline{OP}=30$ km일 때, 새로 만드는 도로의 길이의 최솟값을 $l$ km라 하자. $l^2$의 값을 구하시오. (단, O는 두 직선 도로가 만나는 지점이고 도로의 폭은 무시하며 $\sin 20°=0.34$로 계산한다.)

**대표 Q6 풀이**

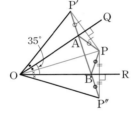

그림과 같이 점 P와 반직선 OQ, OR에 대칭인 점을 각각 P′, P″이라 하자. 선분 P′P″이 반직선 OQ, OR와 만나는 점을 각각 A, B라 하면 $\overline{PA}+\overline{AB}+\overline{PB}$가 최솟값 $l$이고 $l=\overline{P'P''}$이다.

$\angle P'OQ=\angle POQ$, $\angle P''OR=\angle POR$이고 $\angle QOR=35°$이므로

$\angle P'OP''=2\angle QOR=70°$

또 $\overline{OP'}=\overline{OP''}=\overline{OP}=30$ (km)이므로 삼각형 P′OP″에서 코사인법칙을 이용하면

$\overline{P'P''}^2=\overline{OP'}^2+\overline{OP''}^2-2\times\overline{OP'}\times\overline{OP''}\times\cos\angle P'OP''$

$l^2=30^2+30^2-2\times30\times30\times\cos70°$

이때 $\cos70°=\cos(90°-20°)=\sin20°=0.34$이므로

$l^2=900+900-2\times900\times0.34=$**1188**

**6-1** 나의 풀이

**Q7** 삼각형의 넓이

다음 삼각형 ABC의 넓이 $S$를 구하시오.

$$\left(단, \ \sin 75° = \frac{\sqrt{6}+\sqrt{2}}{4}\right)$$

(1) $a=10$, $B=60°$, $C=75°$

(2) $b=4$, $c=3$, $3\sin(B+C)=1$

(3) $a=8$, $b=6$, $c=4$

**대표 Q7 풀이**

(1) $A=180°-(60°+75°)=45°$이므로 사인법칙에 의해

$$\frac{10}{\sin 45°}=\frac{b}{\sin 60°}$$

$$\therefore b=\frac{10}{\frac{\sqrt{2}}{2}}\times\frac{\sqrt{3}}{2}=5\sqrt{6}$$

$$\therefore S=\frac{1}{2}ab\sin C$$

$$=\frac{1}{2}\times10\times5\sqrt{6}\times\sin 75°$$

$$=\frac{1}{2}\times10\times5\sqrt{6}\times\frac{\sqrt{6}+\sqrt{2}}{4}=\frac{75+25\sqrt{3}}{2}$$

(2) $A+B+C=\pi$이고 $\sin(B+C)=\frac{1}{3}$이므로

$$\sin(B+C)=\sin(\pi-A)=\sin A=\frac{1}{3}$$

$$\therefore S=\frac{1}{2}bc\sin A$$

$$=\frac{1}{2}\times4\times3\times\frac{1}{3}=2$$

(3) $\cos A=\frac{6^2+4^2-8^2}{2\times6\times4}=\frac{36+16-64}{48}=-\frac{1}{4}$이므로

$$\sin^2 A=1-\cos^2 A=1-\left(-\frac{1}{4}\right)^2=\frac{15}{16}$$

$\sin A>0$이므로 $\sin A=\frac{\sqrt{15}}{4}$

$$\therefore S=\frac{1}{2}bc\sin A$$

$$=\frac{1}{2}\times6\times4\times\frac{\sqrt{15}}{4}$$

$$=3\sqrt{15}$$

**7-1 나의 풀이**

**7-2 나의 풀이**

**Q8** 외접원과 삼각형의 넓이

삼각형 ABC는 반지름의 길이가 4인 원에 내접하고 있다. 다음 물음에 답하시오.

(1) $A=30°$, $B=120°$일 때, 삼각형 ABC의 넓이를 구하시오.

(2) 호 AB, BC, CA의 길이의 비가 3 : 4 : 5일 때, 삼각형 ABC의 넓이를 구하시오.

**대표 Q8 풀이**

(1) $C=180°-(30°+120°)=30°$

외접원의 반지름의 길이를 $R$라 하면

$b=2R \sin B=2 \times 4 \times \sin 120°=4\sqrt{3}$

$c=2R \sin C=2 \times 4 \times \sin 30°=4$

$\therefore \triangle ABC=\dfrac{1}{2}bc \sin A$

$=\dfrac{1}{2} \times 4\sqrt{3} \times 4 \times \sin 30°=\boldsymbol{4\sqrt{3}}$

(2) 외접원의 중심을 O라 하면

$\angle AOB=360° \times \dfrac{3}{12}=90°$

$\angle BOC=360° \times \dfrac{4}{12}=120°$

$\angle COA=360° \times \dfrac{5}{12}=150°$

$\therefore \triangle ABC=\triangle AOB+\triangle BOC+\triangle COA$

$=\dfrac{1}{2} \times 4 \times 4 \times \sin 90°$

$+\dfrac{1}{2} \times 4 \times 4 \times \sin 120°$

$+\dfrac{1}{2} \times 4 \times 4 \times \sin 150°$

$=8+4\sqrt{3}+4=\boldsymbol{12+4\sqrt{3}}$

**나만의 Note**

**8-1 나의 풀이**

**8-2 나의 풀이**

**Q9** 사각형의 넓이

다음 그림과 같은 사각형 ABCD의 넓이를 구하시오.

(1)
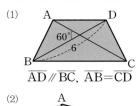
$$\overline{AD} /\!/ \overline{BC}, \quad \overline{AB}=\overline{CD}$$

(2)
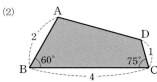

**대표 Q9 풀이**

(1) 사각형 ABCD는 등변사다리꼴이므로 두 대각선의 길이가 서로 같다.

따라서 사각형 ABCD의 넓이는

$$\frac{1}{2}\times 6\times 6\times \sin 60°=\mathbf{9\sqrt{3}}$$

(2) △ABC

$$=\frac{1}{2}\times 2\times 4\times \sin 60°$$

$$=2\sqrt{3}$$

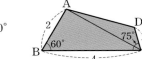

삼각형 ABC에서 코사인법칙을 이용하면

$$\overline{AC}^2=2^2+4^2-2\times 2\times 4\times \cos 60°$$

$$\qquad =4+16-8=12$$

곧, $\overline{AC}=2\sqrt{3}$ 이므로 삼각형 ABC는 ∠BAC=90° 인 직각삼각형이다.

이때 ∠BCA=30°, ∠ACD=45°이므로

$$\triangle ACD=\frac{1}{2}\times 2\sqrt{3}\times 1\times \sin 45°=\frac{\sqrt{6}}{2}$$

$$\therefore \square ABCD=\triangle ABC+\triangle ACD=\mathbf{2\sqrt{3}+\frac{\sqrt{6}}{2}}$$

**나만의 Note**

**9-1 나의 풀이**

**9-2 나의 풀이**

**9-3 나의 풀이**

## 대표 Q1 등차수열

등차수열 $\{a_n\}$에 대하여 다음 물음에 답하시오.

(1) $a_3=2a_1$, $a_4+a_8=7$일 때, $a_{50}$의 값을 구하시오.

(2) $a_2=200$, $a_{12}=140$일 때, 제몇 항에서 처음으로 음수가 되는지 구하시오.

### 대표 Q1 풀이

(1) 공차를 $d$라 하자.

$a_3=2a_1$이므로 $a_1+2d=2a_1$

$\therefore a_1=2d \quad \cdots \ \bigcirc$

$a_4+a_8=7$이므로

$(a_1+3d)+(a_1+7d)=7$, $2a_1+10d=7$

이 식에 $\bigcirc$을 대입하면 $4d+10d=7$

$\therefore d=\dfrac{1}{2}$, $a_1=2d=1$

$\therefore a_{50}=1+(50-1)\times\dfrac{1}{2}=\dfrac{51}{2}$

(2) 첫째항을 $a$, 공차를 $d$라 하자.

$a_2=200$이므로 $a+d=200 \qquad \cdots \ \bigcirc$

$a_{12}=140$이므로 $a+11d=140 \qquad \cdots \ \bigcirc\!\bigcirc$

$\bigcirc$, $\bigcirc\!\bigcirc$을 연립하여 풀면 $a=206$, $d=-6$

$a_n<0$에서 $206+(n-1)\times(-6)<0$

$n-1>\dfrac{206}{6}$, $n-1>34.3\times\times\times$

$\therefore n>35.3\times\times\times$

따라서 처음으로 음수가 되는 항은 **제36항**이다.

### 나만의 Note

### 1-1 나의 풀이

### 1-2 나의 풀이

### 1-3 나의 풀이

**Q2** 등차중항

**다음 물음에 답하시오.**

(1) $x$, 10, $y$가 이 순서로 등차수열이고 $y$, $2x$, 15 도 이 순서로 등차수열일 때, $x$와 $y$의 값을 구하시오.

(2) 등차수열을 이루는 세 실수가 있다. 세 수의 곱이 15이고, 양 끝 두 수의 제곱의 합이 26일 때, 세 수를 구하시오.

**대표 02 풀이**

(1) $x$, 10, $y$가 이 순서로 등차수열이므로

$2 \times 10 = x + y$  ∴ $x + y = 20$  ··· ㉠

$y$, $2x$, 15가 이 순서로 등차수열이므로

$2 \times 2x = y + 15$  ∴ $4x - y = 15$  ··· ㉡

㉠, ㉡을 연립하여 풀면 $x = 7$, $y = 13$

(2) 세 수가 등차수열을 이루므로 세 수를

$a - d$, $a$, $a + d$로 놓자.

$a(a-d)(a+d) = 15$, $a(a^2 - d^2) = 15$  ··· ㉠

$(a-d)^2 + (a+d)^2 = 26$, $a^2 + d^2 = 13$  ··· ㉡

㉡에서 $d^2 = 13 - a^2$을 ㉠에 대입하면

$a(2a^2 - 13) = 15$, $2a^3 - 13a - 15 = 0$

$(a-3)(2a^2 + 6a + 5) = 0$

그런데 $a$는 실수이므로 $a = 3$, $d = \pm 2$

따라서 세 수는 **1, 3, 5**이다.

**나만의 Note**

**2-1** 나의 풀이

**2-2** 나의 풀이

**날선 Q3** 조화수열

수열 $\{a_n\}$에 대하여 다음 물음에 답하시오.

(1) 수열 $\left\{\dfrac{1}{a_n}\right\}$이 등차수열이고 $a_2=1$, $a_6=3$일 때, $a_{20}$의 값을 구하시오.

(2) $a_1=1$, $a_2=\dfrac{2}{3}$이고 모든 자연수 $n$에 대하여

$\dfrac{1}{a_{n+2}}+\dfrac{1}{a_n}=\dfrac{2}{a_{n+1}}$일 때, $a_n$을 구하시오.

**날선 03 풀이**

(1) 수열 $\left\{\dfrac{1}{a_n}\right\}$이 등차수열이므로 첫째항을 $a$, 공차를 $d$ 라 하면

$\dfrac{1}{a_n}=a+(n-1)d$

$a_2=1$, $a_6=3$이므로 $\dfrac{1}{a_2}=1$, $\dfrac{1}{a_6}=\dfrac{1}{3}$이다. 곧,

$\dfrac{1}{a_2}=a+d=1 \qquad \cdots \text{㉠}$

$\dfrac{1}{a_6}=a+5d=\dfrac{1}{3} \qquad \cdots \text{㉡}$

㉠, ㉡을 연립하여 풀면

$a=\dfrac{7}{6}$, $d=-\dfrac{1}{6}$

$\dfrac{1}{a_{20}}=a+19d=\dfrac{7}{6}+19\times\left(-\dfrac{1}{6}\right)=-2$이므로

$a_{20}=-\dfrac{1}{2}$

(2) $\dfrac{1}{a_n}=b_n$이라 하면 $b_{n+2}+b_n=2b_{n+1}$이므로

수열 $\{b_n\}$은 등차수열이다.

이 수열의 공차를 $d$라 하면

$b_n=b_1+(n-1)d$

$a_1=1$, $a_2=\dfrac{2}{3}$이므로 $b_1=1$, $b_2=\dfrac{3}{2}$이다. 곧,

$b_2=b_1+d$에서 $\dfrac{3}{2}=1+d$

$\therefore d=\dfrac{1}{2}$

따라서 $b_n=1+(n-1)\times\dfrac{1}{2}=\dfrac{n+1}{2}$이므로

$a_n=\dfrac{2}{n+1}$

**3-1 나의 풀이**

**3-2 나의 풀이**

**Q4** 등차수열의 합

첫째항이 $-18$인 등차수열 $\{a_n\}$의 제1항부터 제$n$항까지 합을 $S_n$이라 하자. $S_4=S_9$일 때, 다음 물음에 답하시오.

(1) $a_n$을 구하시오.　　(2) $S_{20}$의 값을 구하시오.
(3) $S_n$의 최솟값을 구하시오.

**대표 04 풀이**

(1) 공차를 $d$라 하면
$$S_4=\frac{4\times\{2\times(-18)+(4-1)d\}}{2}=6d-72$$
$$S_9=\frac{9\times\{2\times(-18)+(9-1)d\}}{2}=36d-162$$
$S_4=S_9$이므로 $6d-72=36d-162$　　$\therefore d=3$
$$\therefore \boldsymbol{a_n}=-18+(n-1)\times3$$
$$=\boldsymbol{3n-21}$$

(2) $S_{20}=\dfrac{20\times\{2\times(-18)+(20-1)\times3\}}{2}=\boldsymbol{210}$

(3) 첫째항이 $-18$, 공차가 3이므로 음수인 항만 더할 때 합이 최소이다.
$a_n<0$에서 $3n-21<0$　　$\therefore n<7$
따라서 $S_n$의 최솟값은
$$S_6=\frac{6\times\{2\times(-18)+(6-1)\times3\}}{2}=\boldsymbol{-63}$$

😊 **나만의 Note**

**4-1** 나의 풀이

**4-2** 나의 풀이

**대표 Q5** 나누어 합을 구하는 문제

수열 $\{a_n\}$에 대하여 다음 물음에 답하시오.

(1) 수열 $\{a_n\}$에서 $a_n=-5n+50$일 때,
$|a_1|+|a_2|+|a_3|+\cdots+|a_{20}|$의 값을 구하시오.

(2) 등차수열 $\{a_n\}$에서 제1항부터 제10항까지 합이 35이고 제11항부터 제20항까지 합이 $-265$일 때, 제1항부터 제30항까지 합을 구하시오.

**대표 Q5 풀이**

(1) 수열 $\{a_n\}$은 첫째항이 45, 공차가 $-5$인 등차수열이다.

$-5n+50<0$에서 $n>10$

따라서 $n=11,\ 12,\ 13,\ \cdots$일 때, $a_n<0$이므로

$|a_1|+|a_2|+|a_3|+\cdots+|a_{20}|$

$=a_1+a_2+a_3+\cdots+a_{10}-(a_{11}+a_{12}+\cdots+a_{20})$

$=S_{10}-(S_{20}-S_{10})=2S_{10}-S_{20}$

$=2\times\dfrac{10\times\{2\times45+(10-1)\times(-5)\}}{2}$

$\qquad-\dfrac{20\times\{2\times45+(20-1)\times(-5)\}}{2}$

$=450+50=\mathbf{500}$

(2) 첫째항을 $a$, 공차를 $d$라 하면

$S_{10}=35$이므로 $\dfrac{10(2a+9d)}{2}=35$

$\therefore 2a+9d=7 \qquad \cdots \text{㉠}$

제11항부터 제20항까지 합은 $S_{20}-S_{10}$이므로

$S_{20}-S_{10}=-265$에서

$\dfrac{20\times(2a+19d)}{2}-35=-265$

$\therefore 2a+19d=-23 \qquad \cdots \text{㉡}$

㉠, ㉡을 연립하여 풀면 $a=17,\ d=-3$

$\therefore S_{30}=\dfrac{30\times\{2\times17+29\times(-3)\}}{2}=\mathbf{-795}$

😊 **나만의 Note**

**5-1** 나의 풀이

**5-2** 나의 풀이

**Q6** 등차수열을 만드는 문제

다음 물음에 답하시오.

(1) 12와 107 사이에 몇 개의 수를 써넣어 등차수열을 만들었다. 모든 항의 합이 1190일 때, 써넣은 수의 개수를 구하시오.

(2) $x$와 $y$ 사이에 19개의 수를 써넣어 공차가 $\frac{1}{2}$인 등차수열을 만들었다. 모든 항의 합이 420일 때, 실수 $x$, $y$의 값을 구하시오. (단, $x<y$)

**대표 Q6 풀이**

(1) 두 수 12와 107 사이에 $n$개의 수를 써넣으면 첫째항이 12, 제 $(n+2)$항이 107이고, 등차수열의 합이 1190이므로

$$\frac{(n+2)(12+107)}{2}=1190 \qquad \therefore n=18$$

(2) 두 수 $x$와 $y$ 사이에 19개의 수를 써넣으면 첫째항이 $x$, 공차가 $\frac{1}{2}$인 등차수열이고, 제21항이 $y$이므로

$$y=x+(21-1)\times\frac{1}{2}=x+10 \qquad \cdots \ \text{㉠}$$

$x$부터 $y$까지 합이 420이므로

$$\frac{21(x+y)}{2}=420 \qquad \therefore x+y=40 \qquad \cdots \ \text{㉡}$$

㉠, ㉡을 연립하여 풀면 $x=15$, $y=25$

**나만의 Note**

**6-1 나의 풀이**

**6-2 나의 풀이**

**대표 Q7 배수의 합**

등차수열 $\{a_n\}$, $\{b_n\}$이 다음과 같을 때, 물음에 답하시오.

$$\{a_n\}: 2, 5, 8, 11, 14, \cdots, 197$$
$$\{b_n\}: 3, 5, 7, 9, 11, \cdots, 199$$

(1) 수열 $\{a_n\}$의 합을 구하시오.

(2) 수열 $\{a_n\}$과 $\{b_n\}$에 공통인 항의 합을 구하시오.

**대표 Q7 풀이**

(1) 첫째항이 2, 공차가 3이므로

$$a_n = 2 + (n-1) \times 3 = 3n - 1$$

197을 제$n$항이라 하면

$$3n - 1 = 197 \qquad \therefore n = 66$$

따라서 2부터 197까지 합은

$$\frac{66 \times (2 + 197)}{2} = \mathbf{6567}$$

(2) 수열 $\{a_n\}$과 $\{b_n\}$의 공차는 각각 3과 2이다.

두 수열의 공통인 항은 5, 11, 17, $\cdots$이고

이 수열을 $\{c_n\}$이라 하면 첫째항이 5, 공차가 3과 2의 최소공배수 6인 등차수열이므로

$$c_n = 5 + (n-1) \times 6 = 6n - 1$$

$c_n \le 197$에서

$$6n - 1 \le 197 \qquad \therefore n \le 33$$

따라서 두 수열의 공통인 항의 합은

$$\frac{33 \times \{2 \times 5 + (33-1) \times 6\}}{2} = \mathbf{3333}$$

**나만의 Note**

**7-1 나의 풀이**

**7-2 나의 풀이**

**대표** **Q8** 수열의 합과 일반항

수열 $\{a_n\}$에서 제1항부터 제$n$항까지 합을 $S_n$이라 할 때, 다음 물음에 답하시오.

(1) $S_n = pn^2 + 2n + k$이고 $a_{10} - a_9 = 5$일 때, 상수 $p$의 값을 구하시오.

(2) 수열 $\{a_n\}$이 등차수열이고 $S_n = 3n^2 - n + c$일 때, 상수 $c$의 값과 공차를 구하시오.

**대표 Q8** 풀이

(1) $n \geq 2$일 때,
$$a_n = S_n - S_{n-1}$$
$$= (pn^2 + 2n + k) - \{p(n-1)^2 + 2(n-1) + k\}$$
$$= 2pn - p + 2$$
또 $a_1 = S_1 = p + 2 + k$

$a_{10} - a_9 = 5$이므로

$$(20p - p + 2) - (18p - p + 2) = 5 \qquad \therefore p = \frac{5}{2}$$

(2) $n \geq 2$일 때,
$$a_n = S_n - S_{n-1}$$
$$= (3n^2 - n + c) - \{3(n-1)^2 - (n-1) + c\}$$
$$= 6n - 4 \qquad \cdots \ \text{㉠}$$
또 $a_1 = S_1 = 3 - 1 + c = c + 2$

㉠에 $n = 1$을 대입하면 $a_1 = 2$이고, 수열 $\{a_n\}$이 등차수열이므로

$$c + 2 = 2 \qquad \therefore \boldsymbol{c = 0}$$

이때 $a_{n+1} - a_n = 6(n+1) - 4 - (6n - 4) = 6$이므로

**공차**는 **6**이다.

 나만의 Note

**8-1** 나의 풀이

**8-2** 나의 풀이

## 대표 Q1 등비수열

등비수열 $\{a_n\}$에 대하여 다음 물음에 답하시오.

(1) $a_n = 3 \times 4^{n-2}$일 때, 첫째항과 공비를 구하시오.

(2) $a_2 = 8$, $a_5 = 1$일 때, $a_{10}$의 값과 $a_n$을 구하시오.

(3) $a_3 = 2a_1$, $a_5 + a_7 = 12$이고 공비가 양수일 때, 64는 제몇 항인지 구하시오.

### 대표 Q1 풀이

(1) **첫째항**은 $a_1 = 3 \times 4^{1-2} = \dfrac{3}{4}$

또 $a_2 = 3 \times 4^{2-2} = 3$이므로 **공비**는

$r = \dfrac{a_2}{a_1} = 3 \div \dfrac{3}{4} = 4$

(2) 첫째항을 $a$, 공비를 $r$라 하자.

$a_2 = 8$이므로 $ar = 8$ ⋯ ㉠

$a_5 = 1$이므로 $ar^4 = 1$ ⋯ ㉡

㉡÷㉠을 하면 $r^3 = \dfrac{1}{8}$ ∴ $r = \dfrac{1}{2}$ (∵ $r$는 실수)

㉠에 대입하면 $a \times \dfrac{1}{2} = 8$ ∴ $a = 16$

곧, $\boldsymbol{a_n} = 16 \times \left(\dfrac{1}{2}\right)^{n-1} = 2^4 \times \left(\dfrac{1}{2}\right)^{n-1} = \left(\dfrac{1}{2}\right)^{n-5}$

또 $\boldsymbol{a_{10}} = \left(\dfrac{1}{2}\right)^{10-5} = \dfrac{1}{32}$

(3) 첫째항을 $a$, 공비를 $r \, (r > 0)$라 하자.

$a_3 = 2a_1$이므로

$ar^2 = 2a$ ⋯ ㉠

$a_5 + a_7 = 12$이므로

$ar^4 + ar^6 = 12$ ⋯ ㉡

㉠에서 $a \neq 0$이므로 $r^2 = 2$ ∴ $r = \sqrt{2}$ (∵ $r > 0$)

㉡에 대입하면 $4a + 8a = 12$ ∴ $a = 1$

∴ $a_n = (\sqrt{2})^{n-1}$

$a_n = 64$이면 $(\sqrt{2})^{n-1} = 64$

$2^{\frac{n-1}{2}} = 2^6$, $\dfrac{n-1}{2} = 6$ ∴ $n = 13$

따라서 64는 **제13항**이다.

### 나만의 Note

### 1-1 나의 풀이

### 1-2 나의 풀이

### 1-3 나의 풀이

**Q2** 등비중항, 등비수열을 이루는 경우

**다음 물음에 답하시오.**

(1) 12, $x$, $y$가 이 순서로 등차수열이고 $x$, $y$, 2가 이 순서로 등비수열일 때, $x$와 $y$의 값을 모두 구하시오.

(2) 2와 $a$ 사이에 세 양수를 써넣어 등비수열을 만들었다. 써넣은 세 수의 곱이 216일 때, 써넣은 세 수의 합과 $a$의 값을 구하시오.

**대표 Q2 풀이**

(1) 12, $x$, $y$가 이 순서로 등차수열이므로
$$2x=12+y \quad \cdots \ \text{㉠}$$
$x$, $y$, 2가 이 순서로 등비수열이므로
$$y^2=2x \quad \cdots \ \text{㉡}$$
㉠, ㉡에서 $y^2=12+y$
$$y^2-y-12=0, \ (y+3)(y-4)=0$$
$$\therefore y=-3 \ \text{또는} \ y=4$$
㉠에 대입하면
$$x=\frac{9}{2}, \ y=-3 \ \text{또는} \ x=8, \ y=4$$

(2) 첫째항이 2인 등비수열이므로 공비를 $r$라 하면 써넣은 세 수는 $2r$, $2r^2$, $2r^3$이다.
세 수의 곱이 216이므로
$$8r^6=216, \ r^6=27=3^3 \quad \therefore r^2=3$$
써넣은 세 수가 양수이므로 $r>0$ $\quad \therefore r=\sqrt{3}$
따라서 써넣은 세 수의 **합**은
$$2\sqrt{3}+2\times(\sqrt{3})^2+2\times(\sqrt{3})^3=2\sqrt{3}+6+6\sqrt{3}$$
$$=6+8\sqrt{3}$$
또 $a$는 첫째항이 2, 공비가 $\sqrt{3}$인 등비수열의 제5항이므로
$$a=2\times(\sqrt{3})^4=18$$

**나만의 Note**

**2-1 나의 풀이**

**2-2 나의 풀이**

**Q3** $\{a_n{}^2\}$, $\{\log a_n\}$ 꼴의 수열

수열 $\{a_n\}$은 첫째항이 2, 공비가 3인 등비수열이다.
다음 물음에 답하시오.

(1) 수열 $\{a_n{}^2\}$의 첫째항과 공비를 구하시오.

(2) 수열 $\left\{\dfrac{1}{a_n}\right\}$의 첫째항과 공비를 구하시오.

(3) 수열 $\{\log a_n\}$은 어떤 수열인지 말하시오.

**대표 Q3 풀이**

$a_n = 2 \times 3^{n-1}$이므로

(1) $a_n{}^2 = (2 \times 3^{n-1})^2$
$\qquad = 2^2 \times (3^2)^{n-1} = 4 \times 9^{n-1}$

$a_1{}^2 = 4 \times 9^{1-1} = 4$, $a_2{}^2 = 4 \times 9^{2-1} = 36$

$\therefore \dfrac{a_2{}^2}{a_1{}^2} = \dfrac{36}{4} = 9$

따라서 **첫째항**은 **4**, **공비**는 **9**이다.

(2) $\dfrac{1}{a_n} = \dfrac{1}{2 \times 3^{n-1}} = \dfrac{1}{2} \times \left(\dfrac{1}{3}\right)^{n-1}$

$\dfrac{1}{a_1} = \dfrac{1}{2} \times \left(\dfrac{1}{3}\right)^{1-1} = \dfrac{1}{2}$, $\dfrac{1}{a_2} = \dfrac{1}{2} \times \left(\dfrac{1}{3}\right)^{2-1} = \dfrac{1}{6}$

$\therefore \dfrac{1}{a_2} \div \dfrac{1}{a_1} = \dfrac{1}{6} \div \dfrac{1}{2} = \dfrac{1}{3}$

따라서 **첫째항**은 $\dfrac{1}{2}$, **공비**는 $\dfrac{1}{3}$이다.

(3) $\log a_n = \log(2 \times 3^{n-1}) = \log 2 + (n-1)\log 3$
이므로 수열 $\{\log a_n\}$은 등차수열이다.

따라서 **첫째항**은 $\log 2$, **공차**가 $\log 3$인 등차수열이다.

**나만의 Note**

**3-1 나의 풀이**

**3-2 나의 풀이**

**대표 Q4** 등비수열의 합

수열 $\{a_n\}$은 첫째항이 $-3$이고 공비가 2인 등비수열일 때, 다음 값을 구하시오.

(1) $a_1+a_2+a_3+a_4+\cdots+a_{20}$

(2) $a_1-a_2+a_3-a_4+\cdots+a_{19}-a_{20}$

(3) $\dfrac{1}{a_1}+\dfrac{1}{a_2}+\dfrac{1}{a_3}+\cdots+\dfrac{1}{a_n}$

**대표 Q4** 풀이

제1항부터 제$n$항까지 합을 $S_n$이라 하자.

(1) 첫째항이 $-3$, 공비가 2이므로

$$S_{20}=\frac{-3\times(2^{20}-1)}{2-1}=-3\times(2^{20}-1)$$

(2) 첫째항을 $a$, 공비를 $r$라 하면

$$a_1-a_2+a_3-a_4+\cdots+a_{19}-a_{20}$$
$$=a-ar+ar^2-ar^3+\cdots+ar^{18}-ar^{19}$$

따라서 첫째항이 $a$, 공비가 $-r$인 등비수열의 합이다.

$a=-3$, $-r=-2$이므로

$$S_{20}=\frac{-3\times\{1-(-2)^{20}\}}{1-(-2)}=2^{20}-1$$

(3) 첫째항을 $a$, 공비를 $r$라 하면

$$\frac{1}{a_1}+\frac{1}{a_2}+\frac{1}{a_3}+\cdots+\frac{1}{a_n}$$
$$=\frac{1}{a}+\frac{1}{ar}+\frac{1}{ar^2}+\cdots+\frac{1}{ar^{n-1}}$$

따라서 첫째항이 $\dfrac{1}{a}$, 공비가 $\dfrac{1}{r}$인 등비수열의 합이다.

$\dfrac{1}{a}=-\dfrac{1}{3}$, $\dfrac{1}{r}=\dfrac{1}{2}$이므로

$$S_n=\frac{-\dfrac{1}{3}\times\left\{1-\left(\dfrac{1}{2}\right)^n\right\}}{1-\dfrac{1}{2}}=\frac{1}{3}\times\left(\frac{1}{2}\right)^{n-1}-\frac{2}{3}$$

나만의 Note

**4-1** 나의 풀이

**4-2** 나의 풀이

### Q5 합이 주어진 문제

수열 $\{a_n\}$은 공비가 양수인 등비수열이다. 제1항부터 제10항까지 합이 10이고 제11항부터 제20항까지 합이 30일 때, 제1항부터 제30항까지 합을 구하시오.

**대표 Q5 풀이**

첫째항을 $a$, 공비를 $r$라 하고 제1항부터 제$n$항까지 합을 $S_n$이라 하자.

$S_{10}=10$이므로 $\dfrac{a(r^{10}-1)}{r-1}=10$ · · · ㉠

$S_{20}=10+30=40$이므로

$\dfrac{a(r^{20}-1)}{r-1}=40,\ \dfrac{a(r^{10}-1)(r^{10}+1)}{r-1}=40$ · · · ㉡

㉡÷㉠을 하면 $r^{10}+1=4$ ∴ $r^{10}=3$

$S_{30}=\dfrac{a(r^{30}-1)}{r-1}=\dfrac{a(r^{10}-1)(r^{20}+r^{10}+1)}{r-1}$

$=S_{10}(r^{20}+r^{10}+1)$

$=10\times(3^2+3+1)=\mathbf{130}$

**나만의 Note**

**5-1 나의 풀이**

**5-2 나의 풀이**

**Q6** 수열의 합과 일반항

수열 $\{a_n\}$의 제1항부터 제$n$항까지 합을 $S_n$이라 할 때, 다음 물음에 답하시오.

(1) $S_n=2^{n+1}+1$일 때, $a_n$을 구하시오.

(2) 수열 $\{a_n\}$이 등비수열이고 $S_n=5^n-k$일 때, 실수 $k$의 값과 공비를 구하시오.

**대표 Q6 풀이**

(1) $n\geq 2$일 때,
$$a_n=S_n-S_{n-1}=(2^{n+1}+1)-(2^n+1)$$
$$=(2-1)\times 2^n=2^n$$
또 $a_1=S_1=2^{1+1}+1=5$
$$\therefore \boldsymbol{a_1=5,\ a_n=2^n\ (n\geq 2)}$$

(2) $n\geq 2$일 때,
$$a_n=S_n-S_{n-1}=(5^n-k)-(5^{n-1}-k)$$
$$=5\times 5^{n-1}-5^{n-1}=5^{n-1}\times(5-1)$$
$$=4\times 5^{n-1} \quad \cdots \text{㉠}$$
또 $a_1=S_1=5-k$

㉠에 $n=1$을 대입하면 $a_1=4$이고, 수열 $\{a_n\}$은 **공비**가 **5**인 등비수열이므로
$$5-k=4 \qquad \therefore \boldsymbol{k=1}$$

😊 **나만의 Note**

**6-1 나의 풀이**

**6-2 나의 풀이**

## 대표 Q7 등비수열과 도형

한 변의 길이가 4인 정삼각형 모양의 종이가 있다. 1회 시행에서는 삼각형의 각 변의 중점을 연결하여 만든 가운데 정삼각형을 오려 낸다. 2회 시행에서는 1회 시행에서 남은 정삼각형 3개에서 같은 방법으로 각각의 정삼각형을 오려 낸다. 이와 같은 시행을 계속할 때, 10회 시행 후 남은 정삼각형의 개수와 넓이의 합을 구하시오.

[1회 시행]

[2회 시행]

...

### 대표 Q7 풀이

(i) 1회 시행에서 남은 정삼각형은 3개이고,
2회 시행에서는 1회 시행에서 남은 각 정삼각형에 대하여 정삼각형이 3개씩 생긴다.
따라서 남은 정삼각형의 개수는 첫째항이 3, 공비가 3인 등비수열이다.
곧, 10회 시행 후 남은 **정삼각형의 개수**는
$3 \times 3^9 = \mathbf{3^{10}}$

(ii) $n$회 시행 후 남은 정삼각형의 넓이의 합을 $R_n$이라 하면
$$R_2 = \frac{3}{4}R_1, \ R_3 = \frac{3}{4}R_2, \ \cdots$$
이므로 수열 $\{R_n\}$은 공비가 $\frac{3}{4}$인 등비수열이다.
처음 정삼각형의 한 변의 길이가 4이므로 넓이는
$$\frac{\sqrt{3}}{4} \times 4^2 = 4\sqrt{3}$$
$$\therefore R_1 = 4\sqrt{3} \times \frac{3}{4} = 3\sqrt{3}$$
따라서 10회 시행 후 남은 정삼각형의 **넓이의 합**은
$$R_{10} = 3\sqrt{3} \times \left(\frac{3}{4}\right)^{10-1} = \mathbf{3\sqrt{3} \times \left(\frac{3}{4}\right)^9}$$

😊 나만의 Note

7-1 나의 풀이

**Q8** 원리합계

복리법이고, 연이율이 5 %이다. $1.05^{10}=1.63$일 때, 다음 물음에 답하시오.

(1) 매년 초 100만 원씩 적립할 때, 10년 후 연말에 받을 수 있는 금액을 구하시오.

(2) 매년 초에 일정한 금액을 적립하여 10년 후 연말에 1000만 원을 만들려고 한다. 매년 얼마씩 적립하면 되는지 반올림하여 백의 자리까지 나타내시오.

**대표 Q8 풀이**

(1) 1년 초에 적립한 100만 원의 원리합계는
$100 \times (1+0.05)^{10}$(만 원)
2년 초에 적립한 100만 원의 원리합계는
$100 \times (1+0.05)^{9}$(만 원)
$\vdots$
10년 초에 적립한 100만 원의 원리합계는
$100 \times (1+0.05)$(만 원)
따라서 첫째항이 $100 \times (1+0.05) = 105$(만 원),
공비가 $1+0.05 = 1.05$인 등비수열의 제1항부터 제10항까지 합이므로

$$\frac{105 \times (1.05^{10}-1)}{1.05-1} = \frac{105 \times (1.63-1)}{0.05}$$
$$= 1323(만 원)$$

따라서 받을 수 있는 금액은 **1323만 원**이다.

(2) 매년 초에 적립해야 하는 금액을 $a$원이라 하면
10년 말까지 적립한 금액의 원리합계는
$a(1+0.05) + a(1+0.05)^2 + \cdots + a(1+0.05)^{10}$
이므로 첫째항이 $a(1+0.05) = 1.05a$,
공비가 $1+0.05 = 1.05$인 등비수열의 제1항부터 제10항까지 합이다.
따라서 원리합계가 1000만 원이 되려면

$$\frac{1.05a(1.05^{10}-1)}{1.05-1} = 10^7$$

$$\therefore a = \frac{10^7 \times 0.05}{1.05 \times (1.63-1)} = \frac{500000}{0.6615}$$
$$= 755857.\times\times\times$$

따라서 반올림하여 백의 자리까지 나타내면
**755900원**이다.

**8-1 나의 풀이**

**대표 Q1** ∑의 정의와 성질

다음 물음에 답하시오.

(1) $\sum\limits_{k=1}^{n} a_{2k-1} + \sum\limits_{k=1}^{n} a_{2k} = 2n^2$일 때, $\sum\limits_{k=1}^{10} a_k$의 값을 구하시오.

(2) $\sum\limits_{k=0}^{9} f(k+1) - \sum\limits_{k=1}^{10} f(k-1) = 5$일 때, $f(10) - f(0)$의 값을 구하시오.

(3) $\sum\limits_{k=1}^{10} a_k = 5$, $\sum\limits_{k=1}^{10} a_k^2 = 50$일 때, $\sum\limits_{k=1}^{10} (a_k - 2)^2$의 값을 구하시오.

**대표 Q1** 풀이

(1) $\sum\limits_{k=1}^{n} a_{2k-1} + \sum\limits_{k=1}^{n} a_{2k} = (a_1 + a_3 + a_5 + \cdots + a_{2n-1})$
$\qquad\qquad\qquad\qquad + (a_2 + a_4 + a_6 + \cdots + a_{2n})$
$\qquad\qquad = \sum\limits_{k=1}^{2n} a_k$

$\therefore \sum\limits_{k=1}^{2n} a_k = 2n^2$

이 식에 $n=5$를 대입하면 $\sum\limits_{k=1}^{10} a_k = 2 \times 5^2 = \mathbf{50}$

(2) $\sum\limits_{k=0}^{9} f(k+1) = f(1) + f(2) + f(3) + \cdots + f(10)$

$\sum\limits_{k=1}^{10} f(k-1) = f(0) + f(1) + f(2) + \cdots + f(9)$

$\therefore \sum\limits_{k=0}^{9} f(k+1) - \sum\limits_{k=1}^{10} f(k-1) = f(10) - f(0) = \mathbf{5}$

(3) $\sum\limits_{k=1}^{10} (a_k - 2)^2 = \sum\limits_{k=1}^{10} (a_k^2 - 4a_k + 4)$
$\qquad\qquad = \sum\limits_{k=1}^{10} a_k^2 - 4 \sum\limits_{k=1}^{10} a_k + \sum\limits_{k=1}^{10} 4$
$\qquad\qquad = 50 - 4 \times 5 + 40 = \mathbf{70}$

😊 **나만의 Note**

**1-1** 나의 풀이

**1-2** 나의 풀이

**1-3** 나의 풀이

**Q2** $\sum k$, $\sum k^2$, $\sum k^3$의 계산

다음 수열의 제1항부터 제$n$항까지 합을 구하시오.

(1) $3^2$, $4^2$, $5^2$, $6^2$, $\cdots$

(2) $1 \times 2$, $2 \times 5$, $3 \times 8$, $4 \times 11$, $\cdots$

(3) $1$, $1+2$, $1+2+3$, $1+2+3+4$, $\cdots$

**대표 02 풀이**

(1) $a_k = (k+2)^2$이므로

$$\sum_{k=1}^{n} a_k = \sum_{k=1}^{n} (k+2)^2 = \sum_{k=1}^{n} (k^2 + 4k + 4)$$

$$= \sum_{k=1}^{n} k^2 + 4\sum_{k=1}^{n} k + \sum_{k=1}^{n} 4$$

$$= \frac{n(n+1)(2n+1)}{6} + 4 \times \frac{n(n+1)}{2} + 4n$$

$$= \frac{n}{6}\{(n+1)(2n+1) + 12(n+1) + 24\}$$

$$= \frac{n(2n^2 + 15n + 37)}{6}$$

(2) $a_k = k(3k-1) = 3k^2 - k$이므로

$$\sum_{k=1}^{n} a_k = \sum_{k=1}^{n} (3k^2 - k) = 3\sum_{k=1}^{n} k^2 - \sum_{k=1}^{n} k$$

$$= 3 \times \frac{n(n+1)(2n+1)}{6} - \frac{n(n+1)}{2}$$

$$= \frac{n(n+1)}{2}(2n+1-1) = n^2(n+1)$$

(3) $a_k = 1 + 2 + 3 + \cdots + k$

$$= \frac{k(k+1)}{2} = \frac{k^2}{2} + \frac{k}{2}$$이므로

$$\sum_{k=1}^{n} a_k = \sum_{k=1}^{n} \left(\frac{k^2}{2} + \frac{k}{2}\right) = \frac{1}{2}\sum_{k=1}^{n} k^2 + \frac{1}{2}\sum_{k=1}^{n} k$$

$$= \frac{1}{2} \times \frac{n(n+1)(2n+1)}{6} + \frac{1}{2} \times \frac{n(n+1)}{2}$$

$$= \frac{n(n+1)}{4} \times \frac{2n+4}{3}$$

$$= \frac{n(n+1)(n+2)}{6}$$

**나만의 Note**

**2-1 나의 풀이**

**대표 Q3** $\sum$와 등비수열의 합

다음 식의 값을 구하시오.

(1) $\displaystyle\sum_{k=1}^{n} 3^{2k-1}$

(2) $\displaystyle\sum_{k=1}^{n} (1+2+2^2+ \cdots +2^{k-1})$

(3) $9+99+999+ \cdots + \underbrace{999 \cdots 9}_{n개}$

**대표 Q3 풀이**

(1) $\displaystyle\sum_{k=1}^{n} 3^{2k-1} = 3+3^3+3^5+ \cdots +3^{2n-1}$

이므로 첫째항이 3, 공비가 $3^2$인 등비수열의 제1항부터 제$n$항까지 합이다.

$\therefore \displaystyle\sum_{k=1}^{n} 3^{2k-1} = \dfrac{3 \times \{(3^2)^n - 1\}}{3^2 - 1} = \dfrac{3}{8} \times (3^{2n} - 1)$

(2) $a_k = 1+2+2^2+ \cdots +2^{k-1} = \dfrac{1 \times (2^k - 1)}{2-1} = 2^k - 1$

이므로

$\displaystyle\sum_{k=1}^{n} (2^k - 1) = \sum_{k=1}^{n} 2^k - \sum_{k=1}^{n} 1 = \dfrac{2 \times (2^n - 1)}{2-1} - n$

$\qquad\qquad\qquad = 2^{n+1} - n - 2$

(3) $a_k = \underbrace{999 \cdots 9}_{k개} = 9+90+900+ \cdots +9 \times 10^{k-1}$

$\qquad = 9+9 \times 10 + 9 \times 10^2 + \cdots + 9 \times 10^{k-1}$

$\qquad = \dfrac{9 \times (10^k - 1)}{10 - 1} = 10^k - 1$

이므로

$\displaystyle\sum_{k=1}^{n} (10^k - 1) = \dfrac{10 \times (10^n - 1)}{10 - 1} - n$

$\qquad\qquad\qquad = \dfrac{10^{n+1}}{9} - n - \dfrac{10}{9}$

**나만의 Note**

**3-1 나의 풀이**

**3-2 나의 풀이**

**Q4** 변수가 2개인 $\sum$의 계산

다음 식의 값을 구하시오.

(1) $\sum\limits_{k=1}^{50} \dfrac{k}{k+1} + \sum\limits_{i=1}^{50} \dfrac{1}{i+1}$  (2) $\sum\limits_{m=1}^{10}\left\{\sum\limits_{n=1}^{m}(2n-1)\right\}$

(3) $\sum\limits_{k=1}^{n}\left(\sum\limits_{j=1}^{k}kj\right)$  (4) $\sum\limits_{k=1}^{n}\left\{\sum\limits_{l=1}^{k}(k+l)\right\}$

**대표 Q4 풀이**

(1) $\sum\limits_{k=1}^{50} \dfrac{k}{k+1} + \sum\limits_{i=1}^{50} \dfrac{1}{i+1} = \sum\limits_{k=1}^{50} \dfrac{k}{k+1} + \sum\limits_{k=1}^{50} \dfrac{1}{k+1}$

$= \sum\limits_{k=1}^{50} \dfrac{k+1}{k+1} = \sum\limits_{k=1}^{50} 1 = \mathbf{50}$

(2) $\sum\limits_{n=1}^{m}(2n-1) = 2\sum\limits_{n=1}^{m}n - \sum\limits_{n=1}^{m}1$

$= 2 \times \dfrac{m(m+1)}{2} - m = m^2$

$\therefore \sum\limits_{m=1}^{10}\left\{\sum\limits_{n=1}^{m}(2n-1)\right\} = \sum\limits_{m=1}^{10} m^2$

$= \dfrac{10 \times 11 \times 21}{6} = \mathbf{385}$

(3) $\sum\limits_{j=1}^{k}kj = k\sum\limits_{j=1}^{k}j = k \times \dfrac{k(k+1)}{2} = \dfrac{k^3}{2} + \dfrac{k^2}{2}$

$\therefore \sum\limits_{k=1}^{n}\left(\sum\limits_{j=1}^{k}kj\right)$

$= \sum\limits_{k=1}^{n}\left(\dfrac{k^3}{2} + \dfrac{k^2}{2}\right) = \dfrac{1}{2}\sum\limits_{k=1}^{n}k^3 + \dfrac{1}{2}\sum\limits_{k=1}^{n}k^2$

$= \dfrac{1}{2} \times \left\{\dfrac{n(n+1)}{2}\right\}^2 + \dfrac{1}{2} \times \dfrac{n(n+1)(2n+1)}{6}$

$= \dfrac{\mathbf{n(n+1)(n+2)(3n+1)}}{\mathbf{24}}$

(4) $\sum\limits_{l=1}^{k}(k+l) = \sum\limits_{l=1}^{k}k + \sum\limits_{l=1}^{k}l = k \times k + \dfrac{k(k+1)}{2}$

$= \dfrac{3k^2}{2} + \dfrac{k}{2}$

$\therefore \sum\limits_{k=1}^{n}\left\{\sum\limits_{l=1}^{k}(k+l)\right\}$

$= \sum\limits_{k=1}^{n}\left(\dfrac{3k^2}{2} + \dfrac{k}{2}\right) = \dfrac{3}{2}\sum\limits_{k=1}^{n}k^2 + \dfrac{1}{2}\sum\limits_{k=1}^{n}k$

$= \dfrac{3}{2} \times \dfrac{n(n+1)(2n+1)}{6} + \dfrac{1}{2} \times \dfrac{n(n+1)}{2}$

$= \dfrac{n(n+1)}{4} \times (2n+1+1) = \dfrac{\mathbf{n(n+1)^2}}{\mathbf{2}}$

**4-1** 나의 풀이

**4-2** 나의 풀이

**Q5** ∑와 일반항의 관계

수열 $\{a_n\}$에 대하여 다음 물음에 답하시오.

(1) $\displaystyle\sum_{k=1}^{n} ka_k = n(n+1)(n+2)$일 때, $\displaystyle\sum_{k=1}^{n} a_k$의 값을 구하시오.

(2) $a_1 = 3$, $a_n = 3 + \displaystyle\sum_{k=1}^{n-1} a_k$ $(n \geq 2)$일 때, $a_{10}$의 값을 구하시오.

### 날선 Q5 풀이

(1) $S_n = \displaystyle\sum_{k=1}^{n} ka_k = n(n+1)(n+2)$라 하면

$n \geq 2$일 때,

$na_n = S_n - S_{n-1}$

$\quad = n(n+1)(n+2) - n(n-1)(n+1)$

$\quad = 3n(n+1)$

$\therefore a_n = 3(n+1) \quad \cdots \, \bigcirc$

$\bigcirc$에 $n=1$을 대입하면 $a_1 = S_1 = 6$이 성립하므로

$a_n = 3(n+1) \; (n \geq 1)$

$\therefore \displaystyle\sum_{k=1}^{n} a_k = \sum_{k=1}^{n} 3(k+1) = 3\sum_{k=1}^{n} k + \sum_{k=1}^{n} 3$

$\qquad = 3 \times \dfrac{n(n+1)}{2} + 3n$

$\qquad = \dfrac{3n(n+3)}{2}$

(2) $S_n = \displaystyle\sum_{k=1}^{n} a_k$라 하면

$a_n = 3 + S_{n-1} \; (n \geq 2) \qquad \cdots \, \bigcirc$

$\bigcirc$에서 $n$에 $n+1$을 대입하면 $a_{n+1} = 3 + S_n \quad \cdots \, \bigcirc\!\bigcirc$

$\bigcirc\!\bigcirc - \bigcirc$을 하면 $a_{n+1} - a_n = S_n - S_{n-1}$

$n \geq 2$일 때, $S_n - S_{n-1} = a_n$이므로

$a_{n+1} - a_n = a_n \qquad \therefore a_{n+1} = 2a_n$

$a_1 = 3$이므로 수열 $\{a_n\}$은 첫째항이 3, 공비가 2인 등비수열이므로 $a_n = 3 \times 2^{n-1}$

$\therefore a_{10} = 3 \times 2^9 = \mathbf{1536}$

### 나만의 Note

**Q6** 분수 꼴의 합

다음 식의 값을 구하시오.

(1) $\sum\limits_{k=1}^{n} \dfrac{1}{1+2+3+\cdots+k}$

(2) $\sum\limits_{k=2}^{n} \dfrac{2}{k^2-1}$

**대표 Q6 풀이**

(1) $a_k = \dfrac{1}{1+2+3+\cdots+k} = \dfrac{1}{\dfrac{k(k+1)}{2}} = \dfrac{2}{k(k+1)}$

$\qquad = 2\left(\dfrac{1}{k} - \dfrac{1}{k+1}\right)$

이므로

$\sum\limits_{k=1}^{n} a_k = 2\sum\limits_{k=1}^{n}\left(\dfrac{1}{k} - \dfrac{1}{k+1}\right)$

$\qquad = 2 \times \left\{\left(1 - \dfrac{1}{2}\right) + \left(\dfrac{1}{2} - \dfrac{1}{3}\right) + \left(\dfrac{1}{3} - \dfrac{1}{4}\right)\right.$

$\qquad\qquad \left. + \cdots + \left(\dfrac{1}{n-1} - \dfrac{1}{n}\right) + \left(\dfrac{1}{n} - \dfrac{1}{n+1}\right)\right\}$

$\qquad = 2 \times \left(1 - \dfrac{1}{n+1}\right) = \dfrac{2n}{n+1}$

(2) $a_k = \dfrac{2}{k^2-1} = \dfrac{2}{(k-1)(k+1)}$

$\qquad = \dfrac{1}{k-1} - \dfrac{1}{k+1}$

이므로

$\sum\limits_{k=2}^{n} a_k = \sum\limits_{k=2}^{n}\left(\dfrac{1}{k-1} - \dfrac{1}{k+1}\right)$

$\qquad = \left(1 - \dfrac{1}{3}\right) + \left(\dfrac{1}{2} - \dfrac{1}{4}\right) + \left(\dfrac{1}{3} - \dfrac{1}{5}\right)$

$\qquad\qquad + \cdots + \left(\dfrac{1}{n-2} - \dfrac{1}{n}\right) + \left(\dfrac{1}{n-1} - \dfrac{1}{n+1}\right)$

$\qquad = 1 + \dfrac{1}{2} - \dfrac{1}{n} - \dfrac{1}{n+1}$

$\qquad = \dfrac{(3n+2)(n-1)}{2n(n+1)}$

**나만의 Note**

**6-1 나의 풀이**

**Q7** 무리수의 합, 로그의 합

다음 식의 값을 구하시오.

$(1) \displaystyle\sum_{k=1}^{n} \frac{1}{\sqrt{k+2}+\sqrt{k}}$  $(2) \displaystyle\sum_{k=1}^{99} \log\left(1+\frac{1}{k}\right)$

**대표 Q7 풀이**

$(1)$ $a_k = \dfrac{1}{\sqrt{k+2}+\sqrt{k}}$

$= \dfrac{\sqrt{k+2}-\sqrt{k}}{(\sqrt{k+2}+\sqrt{k})(\sqrt{k+2}-\sqrt{k})}$

$= \dfrac{1}{2}(\sqrt{k+2}-\sqrt{k})$

이므로

$\displaystyle\sum_{k=1}^{n} \frac{1}{\sqrt{k+2}+\sqrt{k}}$

$= \dfrac{1}{2}\displaystyle\sum_{k=1}^{n}(\sqrt{k+2}-\sqrt{k})$

$= \dfrac{1}{2}\times\{(\sqrt{3}-\sqrt{1})+(\sqrt{4}-\sqrt{2})+(\sqrt{5}-\sqrt{3})+(\sqrt{6}-\sqrt{4})$

$\quad + \cdots +(\sqrt{n+1}-\sqrt{n-1})+(\sqrt{n+2}-\sqrt{n})\}$

$= \dfrac{1}{2}\times(\sqrt{n+1}+\sqrt{n+2}-1-\sqrt{2})$

$(2)$ $a_k = \log\left(1+\dfrac{1}{k}\right) = \log\dfrac{k+1}{k}$이므로

$\displaystyle\sum_{k=1}^{99} \log\frac{k+1}{k}$

$= \log 2 + \log\dfrac{3}{2} + \log\dfrac{4}{3} + \cdots + \log\dfrac{99}{98} + \log\dfrac{100}{99}$

$= \log\left(2\times\dfrac{3}{2}\times\dfrac{4}{3}\times \cdots \times\dfrac{99}{98}\times\dfrac{100}{99}\right)$

$= \log 100 = 2$

**나만의 Note**

**7-1 나의 풀이**

**7-2 나의 풀이**

**Q8** 등차수열과 등비수열을 같이 포함한 꼴의 합

다음 식의 값을 구하시오.

(1) $\left(2+\dfrac{1}{2}\right)+\left(4+\dfrac{1}{4}\right)+\left(6+\dfrac{1}{8}\right)+\cdots+\left(2n+\dfrac{1}{2^n}\right)$

(2) $1\times3+3\times3^2+5\times3^3+\cdots+(2n-1)\times3^n$

**대표 Q8 풀이**

(1) $a_k=2k+\left(\dfrac{1}{2}\right)^k$ 이므로

$$\sum_{k=1}^{n}a_k=\sum_{k=1}^{n}\left\{2k+\left(\dfrac{1}{2}\right)^k\right\}=2\sum_{k=1}^{n}k+\sum_{k=1}^{n}\left(\dfrac{1}{2}\right)^k$$

$$=2\times\dfrac{n(n+1)}{2}+\dfrac{\dfrac{1}{2}\times\left\{1-\left(\dfrac{1}{2}\right)^n\right\}}{1-\dfrac{1}{2}}$$

$$=\boldsymbol{n^2+n+1-\left(\dfrac{1}{2}\right)^n}$$

(2) 수열의 합을 $S_n$이라 하면

$$S_n=1\times3+3\times3^2+5\times3^3+\cdots+(2n-1)\times3^n$$

$$3S_n=\qquad 1\times3^2+3\times3^3+\cdots+(2n-3)\times3^n$$
$$\qquad\qquad\qquad +(2n-1)\times3^{n+1}$$

변끼리 빼면

$$-2S_n=1\times3+2\times3^2+2\times3^3+\cdots+2\times3^n$$
$$\qquad -(2n-1)\times3^{n+1}$$

$$=3+2\times\dfrac{3^2\times(3^{n-1}-1)}{3-1}-(2n-1)\times3^{n+1}$$

$$=3+3^{n+1}-3^2-(2n-1)\times3^{n+1}$$

$$=-2(n-1)\times3^{n+1}-6$$

$$\therefore S_n=\boldsymbol{(n-1)\times3^{n+1}+3}$$

😊 **나만의 Note**

---

**8-1 나의 풀이**

---

**대표 Q9** 군수열(1)

자연수를 다음과 같이 나열하였다. 위에서부터 1행, 2행, 3행, 4행, …이라 할 때, 다음 물음에 답하시오.

> 1
> 2, 3, 4
> 5, 6, 7, 8, 9
> 10, 11, 12, 13, 14, 15, 16
> ⋮

(1) $n$행의 첫 번째 수를 구하시오.

(2) 8행에 적힌 수의 합을 구하시오.

(3) 200은 몇 행의 몇 번째 수인지 구하시오.

**대표 Q9 풀이**

(1) $(n-1)$행까지 나열한 자연수의 개수는

$$\sum_{k=1}^{n-1}(2k-1)=2\sum_{k=1}^{n-1}k-\sum_{k=1}^{n-1}1$$
$$=2\times\frac{n(n-1)}{2}-(n-1)$$
$$=n^2-2n+1=(n-1)^2$$

곧, $(n-1)$행의 마지막 수는 $(n-1)^2$이다.

따라서 $n$행의 첫 번째 수는 $(n-1)^2+1$

(2) 8행의 첫 번째 수는 $(8-1)^2+1=50$

8행에 적힌 수의 개수는 $2\times8-1=15$(개)

곧, 8행은 $50, 50+1, 50+2, \cdots, 50+14$

따라서 8행에 적힌 수의 합은 첫째항이 $50$, 끝항이 $50+14=64$이고, 항이 15개인 등차수열의 합이므로

$$\frac{15\times(50+64)}{2}=855$$

(3) 200이 $n$행의 수라 하면

$$\sum_{k=1}^{n-1}(2k-1)<200\leq\sum_{k=1}^{n}(2k-1)$$

$$(n-1)^2<200\leq n^2$$

$14^2=196$, $15^2=225$이므로 $n=15$

따라서 200은 15행의 수이고 15행의 첫 번째 수는

$(15-1)^2+1=197$

따라서 200은 **15행의 4번째** 수이다.

**9-1** 나의 풀이

**군수열** (2)

다음 수열에 대하여 물음에 답하시오.

$$\frac{1}{1}, \frac{1}{2}, \frac{2}{1}, \frac{1}{3}, \frac{2}{2}, \frac{3}{1}, \frac{1}{4}, \frac{2}{3}, \frac{3}{2}, \frac{4}{1}, \frac{1}{5}, \cdots$$

(1) $\frac{5}{7}$는 제몇 항인지 구하시오.

(2) 제100항을 구하시오.

(3) 제1항부터 제100항까지의 수 중에서 3의 개수를 구하시오.

**대표 Q10 풀이**

$$\left(\frac{1}{1}\right), \left(\frac{1}{2}, \frac{2}{1}\right), \left(\frac{1}{3}, \frac{2}{2}, \frac{3}{1}\right), \left(\frac{1}{4}, \frac{2}{3}, \frac{3}{2}, \frac{4}{1}\right), \cdots$$

와 같이 분모와 분자의 합이 같은 항끼리 묶는다.

(1) $\frac{5}{7}$는 $5+7-1=11$(군)에 속한다.

10군까지 항의 개수는

$$\sum_{k=1}^{10} k = \frac{10 \times (10+1)}{2} = 55$$

$\frac{5}{7}$는 11군의 5번째 수이므로 $55+5=60$,

곧 **제60항**이다.

(2) 제100항이 $n$군에 속한다고 하면

$$\sum_{k=1}^{n-1} k < 100 \le \sum_{k=1}^{n} k$$

$$\frac{n(n-1)}{2} < 100 \le \frac{n(n+1)}{2}$$

$$\frac{13 \times 14}{2} = 91, \ \frac{14 \times 15}{2} = 105 \text{이므로 } n=14$$

따라서 제100항은 14군에 속하고, 13군까지 항의 개수가 91이므로 제100항은 14군의 9번째 항이다.

그런데 14군의 첫 번째 항은 $\frac{1}{14}$이므로 9번째 항은

$\frac{9}{6}\left(=\frac{3}{2}\right)$이다.

(3) 제100항은 14군에 속하고, 14군의 분모와 분자의 합이 15이므로 제100항까지의 수 중에서 3인 수는

$\frac{3}{1}, \frac{6}{2}, \frac{9}{3}$이고 **3개**이다.

**10-1 나의 풀이**

**대표 Q1** 수열의 귀납적 정의

다음 물음에 답하시오.

(1) 수열 $\{a_n\}$을

$$\begin{cases} a_1=1, \ a_2=3 \\ a_{n+2}-a_{n+1}+a_n=0 \ (n=1, \ 2, \ 3, \ \cdots) \end{cases}$$ 으로

정의할 때, $a_{100}$의 값을 구하시오.

(2) 수열 $\{a_n\}$을 $\begin{cases} a_n=n \ (n=1, \ 2, \ 3, \ 4) \\ a_{n+4}=a_n+1 \ (n=1, \ 2, \ 3, \ \cdots) \end{cases}$

로 정의할 때, $\displaystyle\sum_{n=1}^{50} a_n$의 값을 구하시오.

**대표 Q1 풀이**

(1) $a_{n+2}=a_{n+1}-a_n$이고 $a_1=1$, $a_2=3$이므로

$a_3=3-1=2$, $a_4=2-3=-1$,

$a_5=-1-2=-3$, $a_6=-3-(-1)=-2$,

$a_7=-2-(-3)=1$, $a_8=1-(-2)=3$, $\cdots$

따라서 1, 3, 2, $-1$, $-3$, $-2$가 반복된다.

$100=6\times16+4$이므로 $a_{100}=a_4=\mathbf{-1}$

(2) ( i ) $a_1=1$, $a_5=a_1+1=2$, $a_9=a_5+1=3$,

$a_{13}=a_9+1=4$, $\cdots$, $a_{45}=12$, $a_{49}=13$

( ii ) $a_2=2$, $a_6=a_2+1=3$, $a_{10}=a_6+1=4$, $a_{14}=5$,

$\cdots$, $a_{46}=13$, $a_{50}=14$

( iii ) $a_3=3$, $a_7=a_3+1=4$, $a_{11}=a_7+1=5$, $a_{15}=6$,

$\cdots$, $a_{47}=14$

( iv ) $a_4=4$, $a_8=a_4+1=5$, $a_{12}=a_8+1=6$, $a_{16}=7$,

$\cdots$, $a_{48}=15$

$\therefore \displaystyle\sum_{n=1}^{50} a_n=(a_1+a_5+a_9+\cdots+a_{49})$

$\qquad\qquad +(a_2+a_6+a_{10}+\cdots+a_{50})$

$\qquad\qquad +(a_3+a_7+a_{11}+\cdots+a_{47})$

$\qquad\qquad +(a_4+a_8+a_{12}+\cdots+a_{48})$

$\qquad =\dfrac{13\times(1+13)}{2}+\dfrac{13\times(2+14)}{2}$

$\qquad\quad +\dfrac{12\times(3+14)}{2}+\dfrac{12\times(4+15)}{2}$

$\qquad =\mathbf{411}$

**나만의 Note**

**1-1** 나의 풀이

**1-2** 나의 풀이

**대표 Q2** $a_{n+1}=a_n+f(n),\ a_{n+1}=a_n\times f(n)$

수열 $\{a_n\}$을 다음과 같이 정의할 때, $a_n$을 구하시오.

(단, $n=1, 2, 3, \cdots$)

(1) $\begin{cases} a_1=1 \\ a_{n+1}=a_n+n \end{cases}$
(2) $\begin{cases} a_1=1 \\ a_{n+1}=2^n a_n \end{cases}$

**대표 Q2 풀이**

(1) $a_{n+1}=a_n+n$의 $n$에 $1, 2, 3, \cdots, n-1$을 차례로 대입하여 변끼리 더하면

$a_2=a_1+1$

$a_3=a_2+2$

$a_4=a_3+3$

$\qquad \vdots$

$a_{n-1}=a_{n-2}+(n-2)$

$a_n=a_{n-1}+(n-1)$

따라서 $a_n=a_1+1+2+3+\cdots+(n-1)$

$a_1=1$이므로

$$a_n=1+\frac{n(n-1)}{2}=\frac{n^2}{2}-\frac{n}{2}+1$$

(2) $a_{n+1}=2^n a_n$의 $n$에 $1, 2, 3, \cdots, n-1$을 차례로 대입하여 변끼리 더하면

$a_2=2^1 a_1$

$a_3=2^2 a_2$

$a_4=2^3 a_3$

$\qquad \vdots$

$a_{n-1}=2^{n-2}a_{n-2}$

$a_n=2^{n-1}a_{n-1}$

따라서 $a_n=a_1\times 2^1\times 2^2\times 2^3\times\cdots\times 2^{n-1}$

$a_1=1$이므로

$$a_n=2^{1+2+3+\cdots+(n-1)}=2^{\frac{n(n-1)}{2}}$$

**😊 나만의 Note**

**2-1 나의 풀이**

**대표 Q3** 점화식 구하기

직선 $n$개로 원의 내부를 나눌 때, 나누어진 영역의 개수의 최댓값을 $a_n$이라 할 때, 다음 물음에 답하시오.

(1) $a_{n+1}$과 $a_n$ 사이의 관계식을 구하시오.

(2) $a_n$을 구하시오.

**대표 Q3** 풀이

(1) 영역의 개수가 최대이려면 그림과 같이 이미 그어진 직선 $n$개와 원 안에서 모두 만나게 $(n+1)$번째 직선을 그으면 된다.
이때 더 생기는 영역은 $(n+1)$개이다.

$a_1=2$　　　$a_2=a_1+2$　　　$a_3=a_2+3$

 $\cdots$

$a_4=a_3+4$

$\therefore \boldsymbol{a_{n+1}=a_n+n+1}$

(2) $a_{n+1}=a_n+n+1$의 $n$에 $1, 2, 3, \cdots, n-2, n-1$을 차례로 대입하여 변끼리 더하면

$a_{\cancel{2}}=a_1+2$

$a_{\cancel{3}}=a_{\cancel{2}}+3$

$a_{\cancel{4}}=a_{\cancel{3}}+4$

$\quad\vdots$

$a_{\cancel{n-1}}=a_{\cancel{n-2}}+(n-1)$

$a_n=a_{\cancel{n-1}}+n$

따라서 $a_n=a_1+2+3+4+\cdots+(n-1)+n$

$a_1=2$이므로

$$\boldsymbol{a_n}=1+\sum_{k=1}^{n}k=1+\frac{n(n+1)}{2}=\frac{\boldsymbol{n^2}}{\boldsymbol{2}}+\frac{\boldsymbol{n}}{\boldsymbol{2}}+\boldsymbol{1}$$

 나만의 **Note**

**3-1** 나의 풀이

**3-2** 나의 풀이

## Q4 수학적 귀납법과 등식

수학적 귀납법을 이용하여 $n$이 자연수일 때, 다음을 증명하시오.

$$1^3+2^3+3^3+ \cdots +n^3=(1+2+3+ \cdots +n)^2$$

### 대표 Q4 풀이

( i ) $n=1$일 때,

(좌변)$=1^3=1$, (우변)$=1^2=1$

따라서 $n=1$일 때, 등식이 성립한다.

(ii) $n=k$일 때, 등식이 성립한다고 가정하면

$$1^3+2^3+3^3+ \cdots +k^3=(1+2+3+ \cdots +k)^2$$

양변에 $(k+1)^3$을 더하면

$$\begin{aligned}(우변)&=(1+2+3+\cdots+k)^2+(k+1)^3\\&=\left\{\frac{k(k+1)}{2}\right\}^2+(k+1)^3\\&=\frac{(k+1)^2}{4}\times\{k^2+4(k+1)\}\\&=\frac{(k+1)^2}{4}\times(k+2)^2=\left\{\frac{(k+1)(k+2)}{2}\right\}^2\\&=\{1+2+3+ \cdots +k+(k+1)\}^2\end{aligned}$$

따라서

$$1^3+2^3+3^3+ \cdots +(k+1)^3$$
$$=\{1+2+3+ \cdots +(k+1)\}^2$$

이므로 $n=k+1$일 때에도 등식이 성립한다.

( i ), (ii)에서 모든 자연수 $n$에 대하여 등식이 성립한다.

### 나만의 Note

### 4-1 나의 풀이

**Q5** **수학적 귀납법과 부등식**

수학적 귀납법을 이용하여 $n$이 2 이상인 자연수일 때, 다음을 증명하시오.

$$1+\frac{1}{2}+\frac{1}{3}+\cdots+\frac{1}{n}>\frac{2n}{n+1}$$

**대표 Q5 풀이**

(i) $n=2$일 때,

$$(좌변)=1+\frac{1}{2}=\frac{3}{2}, \ (우변)=\frac{2\times 2}{2+1}=\frac{4}{3}$$

따라서 $\frac{3}{2}>\frac{4}{3}$이므로 $n=2$일 때, 부등식이 성립한다.

(ii) $n=k \ (k\geq 2)$일 때, 부등식이 성립한다고 가정하면

$$1+\frac{1}{2}+\frac{1}{3}+\cdots+\frac{1}{k}>\frac{2k}{k+1}$$

양변에 $\frac{1}{k+1}$을 더하면

$$1+\frac{1}{2}+\frac{1}{3}+\cdots+\frac{1}{k}+\frac{1}{k+1}>\frac{2k}{k+1}+\frac{1}{k+1}$$

$$(우변)=\frac{2k}{k+1}+\frac{1}{k+1}=\frac{2k+1}{k+1}$$이고

$$\frac{2k+1}{k+1}-\frac{2(k+1)}{k+2}$$

$$=\frac{(2k+1)(k+2)-(2k+2)(k+1)}{(k+1)(k+2)}$$

$$=\frac{k}{(k+1)(k+2)}>0$$

이므로 $\frac{2k+1}{k+1}>\frac{2(k+1)}{k+2}$

$$\therefore 1+\frac{1}{2}+\frac{1}{3}+\cdots+\frac{1}{k+1}>\frac{2(k+1)}{k+2}$$

따라서 $n=k+1$일 때에도 부등식이 성립한다.

(i), (ii)에서 $n\geq 2$인 모든 자연수 $n$에 대하여 부등식이 성립한다.

**나만의 Note**

**5-1** **나의 풀이**

**Q6** 수학적 귀납법과 점화식

수열 $\{a_n\}$은

$a_1=3,\ na_{n+1}-2na_n+\dfrac{n+2}{n+1}=0\ (n=1,\ 2,\ 3,\ \cdots)$

이다. 수학적 귀납법을 이용하여 $a_n=2^n+\dfrac{1}{n}$임을 증명하시오.

**대표 Q6 풀이**

( i ) $n=1$일 때,

$a_1=2^1+\dfrac{1}{1}=3$이므로 성립한다.

(ii) $n=k$일 때, $a_k=2^k+\dfrac{1}{k}$이 성립한다고 가정하면

조건에서

$ka_{k+1}-2k\times\left(2^k+\dfrac{1}{k}\right)+\dfrac{k+2}{k+1}=0$

$ka_{k+1}=k\times 2^{k+1}+\dfrac{k}{k+1}$

$a_{k+1}=2^{k+1}+\dfrac{1}{k+1}$

따라서 $n=k+1$일 때에도 부등식이 성립한다.

( i ), (ii)에서 모든 자연수 $n$에 대하여 부등식이 성립한다.

**나만의 Note**

**6-1 나의 풀이**

memo

문제를 푸는 건 내가 무엇을 알고 무엇을 모르는지 확인하는 단계입니다.

문제를 다 풀고 정답만 채점한 후에 책을 덮어버리면 성적이 절대 오르지 않아요.

확실히 맞은 문제, 잘 못 이해해서 틀린 문제, 풀이 과정을 몰라서 틀린 문제를 구분하여 표시해 두고,

틀린 문제는 나의 오답 **Note**를 이용하여 틀린 이유와 내가 몰랐던 개념을 정리해 두세요.

❝ 나의 오답 **Note**는 이렇게 작성하세요. ❞

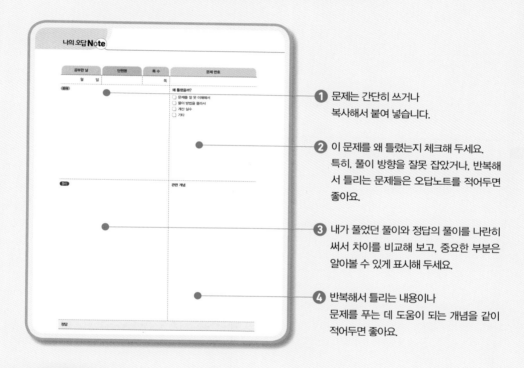

❶ 문제는 간단히 쓰거나 복사해서 붙여 넣습니다.

❷ 이 문제를 왜 틀렸는지 체크해 두세요. 특히, 풀이 방향을 잘못 잡았거나, 반복해서 틀리는 문제들은 오답노트를 적어두면 좋아요.

❸ 내가 풀었던 풀이와 정답의 풀이를 나란히 써서 차이를 비교해 보고, 중요한 부분은 알아볼 수 있게 표시해 두세요.

❹ 반복해서 틀리는 내용이나 문제를 푸는 데 도움이 되는 개념을 같이 적어두면 좋아요.

**마지막으로!**

오답노트를 만들기만 하고 다시 보지 않으면 아무 의미가 없어요!

다시 문제를 정확히 맞을 때까지 반복해서 풀어 보세요.

나의 오답 Note 한글파일은 동아출판 홈페이지
(http://www.bookdonga.com)에서 다운로드 받을 수 있습니다.

학습자료

| 공부한 날 | 단원명 | 쪽 수 | 문제 번호 |
|---|---|---|---|
| 월   일 | | 쪽 | |

**문제**

**왜 틀렸을까?**

☐ 문제를 잘 못 이해해서
☐ 풀이 방법을 몰라서
☐ 계산 실수
☐ 기타

**풀이**

**관련 개념**

**정답**

| 공부한 날 | 단원명 | 쪽 수 | 문제 번호 |
|---|---|---|---|
| 월    일 | | 쪽 | |

**문제**

**왜 틀렸을까?**

☐ 문제를 잘 못 이해해서
☐ 풀이 방법을 몰라서
☐ 계산 실수
☐ 기타

**풀이**

**관련 개념**

**정답**

| 공부한 날 | 단원명 | 쪽 수 | 문제 번호 |
|---|---|---|---|
| 월    일 | | 쪽 | |

**문제**

**왜 틀렸을까?**

☐ 문제를 잘 못 이해해서
☐ 풀이 방법을 몰라서
☐ 계산 실수
☐ 기타

**풀이**

**관련 개념**

**정답**

| 공부한 날 | 단원명 | 쪽 수 | 문제 번호 |
|---|---|---|---|
| 월    일 | | 쪽 | |

**문제**

**왜 틀렸을까?**

☐ 문제를 잘 못 이해해서
☐ 풀이 방법을 몰라서
☐ 계산 실수
☐ 기타

**풀이**

**관련 개념**

**정답**

| 공부한 날 | 단원명 | 쪽 수 | 문제 번호 |
|---|---|---|---|
| 월    일 | | 쪽 | |

**문제**

**왜 틀렸을까?**

☐ 문제를 잘 못 이해해서

☐ 풀이 방법을 몰라서

☐ 계산 실수

☐ 기타

**풀이**

**관련 개념**

**정답**

1등급의 절대 기준
# 고등 수학 내신 1등급 문제서

# 절대등급

絕對等級

수능 만점자가
강력 추천하는
대한민국 대표강사
**이창무** 집필!

(현) 대성마이맥 고등 수학 대표 강사

수학 (상)  수학 (하)  수학 I  수학 II

내신 1등급 문제서 **절대등급**

전국 500개 최근 학교 시험 완벽 분석

출제율 높은 고득점 필수 문제 엄선

타임어택 1, 3, 7분컷의 3단계 구성

낯선개념

학습 Note

필수개념으로 꽉 채운 개념기본서

# 낯선개념

수학 Ⅰ

# 정답 및 풀이

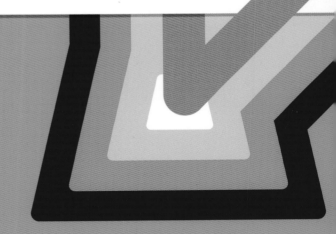

동아출판

# 낯선개념

## 정답 및 풀이 사용 설명서

1. 풀이를 보기 전에 최대한 고민하고, 그래도 해결되지 않을 때 풀이를 보세요.
2. 풀이의 **전략**이 있는 문제는 **전략** 부분에서 힌트를 얻어 다시 풀어 보세요.
3. **다른 풀이**, **참고**는 다양한 사고력을 키워주므로 꼭 읽어 보세요.

* 대표Q & 낯선Q 문제의 풀이는 [낯선개념 학습 Note]에서도 확인할 수 있습니다.

# 1 지수

**1**

(1) 8의 세제곱근을 $x$라 하면 $x^3=8$이므로

$x^3-8=0$, $(x-2)(x^2+2x+4)=0$

$\therefore x=2$ 또는 $x=-1\pm\sqrt{3}i$

따라서 8의 세제곱근은 2, $-1\pm\sqrt{3}i$이다.

(2) (1)에서 8의 세제곱근 중 실수는 2이다.

**답** (1) 2, $-1\pm\sqrt{3}i$   (2) 2

**2**

(1) 1의 네제곱근을 $x$라 하면 $x^4=1$이므로

$x^4-1=0$, $(x^2-1)(x^2+1)=0$

$\therefore x=\pm1$ 또는 $x=\pm i$

따라서 1의 네제곱근 중 실수는 $\pm1$이다.

(2) 1의 세제곱근을 $x$라 하면 $x^3=1$이므로

$x^3-1=0$, $(x-1)(x^2+x+1)=0$

$\therefore x=1$ 또는 $x=\dfrac{-1\pm\sqrt{3}i}{2}$

따라서 1의 세제곱근 중 실수는 1이다.

(3) $-1$의 세제곱근을 $x$라 하면 $x^3=-1$이므로

$x^3+1=0$, $(x+1)(x^2-x+1)=0$

$\therefore x=-1$ 또는 $x=\dfrac{1\pm\sqrt{3}i}{2}$

따라서 $-1$의 세제곱근 중 실수는 $-1$이다.

**답** (1) $\pm1$   (2) 1   (3) $-1$

**3**

(1) $-27=(-3)^3$이므로 $\sqrt[3]{-27}=-3$

(2) $64=4^3$이므로 $\sqrt[3]{64}=4$

(3) $81=3^4$이므로 $\sqrt[4]{81}=3$

(4) $625=5^4$이므로 $-\sqrt[4]{625}=-5$

**답** (1) $-3$   (2) 4   (3) 3   (4) $-5$

**4**

(1) $\sqrt[4]{5}\times\sqrt[4]{125}=\sqrt[4]{5\times125}=\sqrt[4]{5^4}=5$

(2) $\dfrac{\sqrt[3]{81}}{\sqrt[3]{3}}=\sqrt[3]{\dfrac{81}{3}}=\sqrt[3]{27}=\sqrt[3]{3^3}=3$

(3) $(\sqrt[6]{4})^3=\sqrt[6]{4^3}=\sqrt[6]{2^6}=2$

(4) $\sqrt{\sqrt[4]{256}}=\sqrt[2\times4]{256}=\sqrt[8]{2^8}=2$

**답** (1) 5   (2) 3   (3) 2   (4) 2

**대표 Q1**

(1) $\sqrt[3]{16}\times\sqrt[3]{\dfrac{27}{2}}-\sqrt{\sqrt[3]{64}}$

$=\sqrt[3]{16\times\dfrac{27}{2}}-\sqrt[6]{2^6}$

$=\sqrt[3]{6^3}-2$

$=6-2=4$

(2) $\sqrt[3]{\dfrac{5}{2}}\div\sqrt[6]{\dfrac{4}{9}}\times\sqrt[3]{\dfrac{16}{81}}$

$=\sqrt[3]{\dfrac{5}{2}}\times\sqrt[6]{\left(\dfrac{3}{2}\right)^2}\times\sqrt[6]{\left(\dfrac{4}{9}\right)^2}$

$=\sqrt[3]{\dfrac{5}{2}}\times\sqrt[3]{\dfrac{3}{2}}\times\sqrt[3]{\dfrac{4}{9}}$

$=\sqrt[3]{\dfrac{15}{4}}\times\sqrt[3]{\dfrac{4}{9}}=\sqrt[3]{\dfrac{5}{3}}$

(3) $\sqrt[4]{\dfrac{\sqrt[3]{a}}{\sqrt{a}}}\times\sqrt{\dfrac{\sqrt[4]{a}}{\sqrt[3]{a}}}\div\sqrt[3]{\dfrac{\sqrt[4]{a}}{\sqrt{a}}}$

$=\dfrac{\sqrt[12]{a}}{\sqrt[8]{a}}\times\dfrac{\sqrt[8]{a}}{\sqrt[6]{a}}\div\dfrac{\sqrt[12]{a}}{\sqrt[6]{a}}$

$=\dfrac{\sqrt[12]{a}}{\sqrt[8]{a}}\times\dfrac{\sqrt[8]{a}}{\sqrt[6]{a}}\times\dfrac{\sqrt[6]{a}}{\sqrt[12]{a}}$

$=1$

(4) $(\sqrt[3]{3}-1)(\sqrt[3]{3^2}+\sqrt[3]{3}+1)$

$=\{(\sqrt[3]{3})^3-1\}=3-1=2$

**답** (1) 4   (2) $\sqrt[3]{\dfrac{5}{3}}$   (3) 1   (4) 2

## 1-1

(1) $(\sqrt[4]{7})^8 - \sqrt[5]{27} \times \sqrt[5]{9} = \sqrt[4]{7^8} - \sqrt[5]{27 \times 9} = \sqrt[4]{7^{2 \times 4}} - \sqrt[5]{3^5}$

$\qquad\qquad\qquad\qquad\qquad = 7^2 - 3 = 46$

(2) $\sqrt{\sqrt[3]{729}} + \dfrac{\sqrt[3]{432}}{\sqrt[3]{2}} = \sqrt[2 \times 3]{729} + \sqrt[3]{\dfrac{432}{2}}$

$\qquad\qquad\qquad\qquad = \sqrt[6]{3^6} + \sqrt[3]{6^3} = 3 + 6 = 9$

답 (1) 46  (2) 9

## 1-2

(1) $\sqrt[5]{\dfrac{\sqrt[3]{a}}{\sqrt{a}}} \div \sqrt[3]{\dfrac{\sqrt{a}}{\sqrt[5]{a}}} \times \sqrt[5]{\dfrac{\sqrt{a}}{\sqrt[4]{a}}}$

$= \dfrac{\sqrt[15]{a}}{\sqrt[10]{a}} \div \dfrac{\sqrt[6]{a}}{\sqrt[15]{a}} \times \dfrac{\sqrt[10]{a}}{\sqrt[20]{a}}$

$= \dfrac{\sqrt[15]{a}}{\sqrt[10]{a}} \times \dfrac{\sqrt[15]{a}}{\sqrt[6]{a}} \times \dfrac{\sqrt[10]{a}}{\sqrt[20]{a}}$

$= \dfrac{\sqrt[15]{a} \times \sqrt[15]{a}}{\sqrt[6]{a} \times \sqrt[20]{a}} = \dfrac{\sqrt[60]{a^4} \times \sqrt[60]{a^4}}{\sqrt[60]{a^{10}} \times \sqrt[60]{a^3}}$

$= \sqrt[60]{\dfrac{a^8}{a^{13}}} = \sqrt[60]{\dfrac{1}{a^5}} = \dfrac{1}{\sqrt[12]{a}}$

(2) $(\sqrt[4]{2} - 1)(\sqrt[4]{2} + 1)(\sqrt{2} + 1) = (\sqrt{2} - 1)(\sqrt{2} + 1)$

$\qquad\qquad\qquad\qquad\qquad\qquad = 2 - 1 = 1$

답 (1) $\dfrac{1}{\sqrt[12]{a}}$  (2) 1

---

**개념 Check**  12쪽 ~ 14쪽

## 5

(1) $(-2)^0 = 1$

(2) $3^{-4} = \dfrac{1}{3^4} = \dfrac{1}{81}$

(3) $\left(\dfrac{3}{2}\right)^{-2} = \left(\dfrac{2}{3}\right)^2 = \dfrac{4}{9}$

답 (1) 1  (2) $\dfrac{1}{81}$  (3) $\dfrac{4}{9}$

## 6

(1) $3^3 \times 3^{-4} = 3^{3+(-4)} = 3^{-1} = \dfrac{1}{3}$

(2) $(2^2)^{-3} \div 2^{-4} = 2^{2 \times (-3)} \div 2^{-4} = 2^{-6-(-4)} = 2^{-2}$

$\qquad\qquad\qquad\qquad = \dfrac{1}{2^2} = \dfrac{1}{4}$

(3) $(a^2 b^{-1})^2 \times (a^{-3} b^2)^{-2} = a^4 b^{-2} \times a^6 b^{-4}$

$\qquad\qquad\qquad\qquad\qquad = a^{4+6} b^{-2-4} = a^{10} b^{-6}$

답 (1) $\dfrac{1}{3}$  (2) $\dfrac{1}{4}$  (3) $a^{10} b^{-6}$

## 7

(1) $\sqrt{8} = \sqrt{2^3} = 2^{\frac{3}{2}}$

(2) $\dfrac{1}{\sqrt[3]{81}} = \dfrac{1}{\sqrt[3]{3^4}} = \dfrac{1}{3^{\frac{4}{3}}} = 3^{-\frac{4}{3}}$

(3) $\sqrt[4]{a^2} = \sqrt{a} = a^{\frac{1}{2}}$

(4) $\sqrt[n]{\dfrac{1}{a^m}} = \dfrac{1}{a^{\frac{m}{n}}} = a^{-\frac{m}{n}}$

답 (1) $2^{\frac{3}{2}}$  (2) $3^{-\frac{4}{3}}$  (3) $a^{\frac{1}{2}}$  (4) $a^{-\frac{m}{n}}$

## 8

(1) $49^{0.5} = (7^2)^{\frac{1}{2}} = 7^{2 \times \frac{1}{2}} = 7$

**다른 풀이**

$49^{0.5} = 49^{\frac{1}{2}} = \sqrt{49} = \sqrt{7^2} = 7$

(2) $32^{-\frac{1}{5}} = (2^5)^{-\frac{1}{5}} = 2^{5 \times \left(-\frac{1}{5}\right)} = 2^{-1} = \dfrac{1}{2}$

**다른 풀이**

$32^{-\frac{1}{5}} = \dfrac{1}{32^{\frac{1}{5}}} = \dfrac{1}{\sqrt[5]{32}} = \dfrac{1}{\sqrt[5]{2^5}} = \dfrac{1}{2}$

(3) $81^{\frac{3}{4}} = (3^4)^{\frac{3}{4}} = 3^{4 \times \frac{3}{4}} = 3^3 = 27$

**다른 풀이**

$81^{\frac{3}{4}} = \sqrt[4]{81^3} = \sqrt[4]{(3^4)^3} = \sqrt[4]{(3^3)^4} = 3^3 = 27$

답 (1) 7  (2) $\dfrac{1}{2}$  (3) 27

## 9

(1) $4^{\frac{5}{12}} \times 4^{\frac{1}{12}} = 4^{\frac{5}{12}+\frac{1}{12}} = 4^{\frac{1}{2}} = (2^2)^{\frac{1}{2}} = 2^{2 \times \frac{1}{2}} = 2$

(2) $2^{\frac{5}{2}} \div (2^3)^{\frac{7}{6}} = 2^{\frac{5}{2}} \div 2^{3 \times \frac{7}{6}} = 2^{\frac{5}{2}} \div 2^{\frac{7}{2}} = 2^{\frac{5}{2}-\frac{7}{2}} = 2^{-1} = \dfrac{1}{2}$

(3) $(16^{\frac{1}{3}})^{\frac{9}{4}} \times (27^{\frac{1}{2}})^{\frac{4}{3}} = 16^{\frac{1}{3} \times \frac{9}{4}} \times 27^{\frac{1}{2} \times \frac{4}{3}} = 16^{\frac{3}{4}} \times 27^{\frac{2}{3}}$

$\qquad\qquad\qquad\qquad\qquad = 2^{4 \times \frac{3}{4}} \times 3^{3 \times \frac{2}{3}} = 2^3 \times 3^2 = 72$

답 (1) 2  (2) $\dfrac{1}{2}$  (3) 72

## 10

(1) $2^{\sqrt{2}} \div 2^{2+\sqrt{2}} = 2^{\sqrt{2}-(2+\sqrt{2})} = 2^{-2} = \dfrac{1}{4}$

(2) $(3^{\sqrt{2}})^{\sqrt{2}} = 3^{\sqrt{2} \times \sqrt{2}} = 3^2 = 9$

답 (1) $\dfrac{1}{4}$  (2) 9

**대표 02**

(1) $16^{\frac{1}{6}} \times 18^{-\frac{2}{3}} \div 24^{-\frac{1}{3}}$

$= (2^4)^{\frac{1}{6}} \times (2 \times 3^2)^{-\frac{2}{3}} \div (2^3 \times 3)^{-\frac{1}{3}}$

$= 2^{\frac{2}{3}} \times (2^{-\frac{2}{3}} \times 3^{-\frac{4}{3}}) \div (2^{-1} \times 3^{-\frac{1}{3}})$

$= 2^{\frac{2}{3} + (-\frac{2}{3}) - (-1)} \times 3^{-\frac{4}{3} - (-\frac{1}{3})} = 2 \times 3^{-1} = \dfrac{2}{3}$

(2) $\left\{ \left( \dfrac{27}{64} \right)^{-\frac{1}{2}} \right\}^{\frac{1}{3}} \times \left\{ \left( \dfrac{81}{4} \right)^{\frac{5}{3}} \right\}^{\frac{3}{10}}$

$= \left( \dfrac{27}{64} \right)^{-\frac{1}{6}} \times \left( \dfrac{81}{4} \right)^{\frac{1}{2}} = \left( \dfrac{3^3}{2^6} \right)^{-\frac{1}{6}} \times \left( \dfrac{3^4}{2^2} \right)^{\frac{1}{2}}$

$= (3^{-\frac{1}{2}} \times 2) \times (3^2 \times 2^{-1}) = 3^{-\frac{1}{2} + 2} \times 2^{1-1} = 3^{\frac{3}{2}}$

(3) $(2^{\sqrt{3}} \div 2)^{\frac{\sqrt{3}}{2}} \times (\sqrt{2})^{\sqrt{3}} = (2^{\sqrt{3} - 1})^{\frac{\sqrt{3}}{2}} \times (2^{\frac{1}{2}})^{\sqrt{3}}$

$= 2^{\frac{3}{2} - \frac{\sqrt{3}}{2} + \frac{\sqrt{3}}{2}} = 2^{\frac{3}{2}}$

(4) $\sqrt{\dfrac{a^2}{b}} \div \sqrt[3]{ab^3} \times \sqrt[6]{\dfrac{b^3}{a^3}}$

$= (a^2 b^{-1})^{\frac{1}{2}} \div (ab^3)^{\frac{1}{3}} \times (b^3 a^{-3})^{\frac{1}{6}}$

$= ab^{-\frac{1}{2}} \div a^{\frac{1}{3}} b \times b^{\frac{1}{2}} a^{-\frac{1}{2}}$

$= a^{1 - \frac{1}{3} + (-\frac{1}{2})} b^{-\frac{1}{2} - 1 + \frac{1}{2}} = a^{\frac{1}{6}} b^{-1}$

**답** (1) $\dfrac{2}{3}$   (2) $3^{\frac{3}{2}}$   (3) $2^{\frac{3}{2}}$   (4) $a^{\frac{1}{6}} b^{-1}$

**2-1**

(1) $15^{\frac{3}{2}} \div 27^{\frac{5}{6}} \times 45^{-\frac{1}{2}}$

$= (3 \times 5)^{\frac{3}{2}} \div (3^3)^{\frac{5}{6}} \times (3^2 \times 5)^{-\frac{1}{2}}$

$= 3^{\frac{3}{2}} \times 5^{\frac{3}{2}} \div 3^{\frac{5}{2}} \times 3^{-1} \times 5^{-\frac{1}{2}}$

$= 3^{\frac{3}{2} - \frac{5}{2} + (-1)} \times 5^{\frac{3}{2} + (-\frac{1}{2})} = 3^{-2} \times 5 = \dfrac{5}{9}$

(2) $0.75 = \dfrac{3}{4}$이므로

$\left\{ \left( \dfrac{1}{8} \right)^{\frac{4}{9}} \right\}^{0.75} \times \left\{ \left( \dfrac{25}{16} \right)^{\frac{5}{4}} \right\}^{-\frac{2}{5}}$

$= \left( \dfrac{1}{8} \right)^{\frac{4}{9} \times \frac{3}{4}} \times \left( \dfrac{25}{16} \right)^{\frac{5}{4} \times (-\frac{2}{5})}$

$= \left( \dfrac{1}{8} \right)^{\frac{1}{3}} \times \left( \dfrac{25}{16} \right)^{-\frac{1}{2}}$

$= \left( \dfrac{1}{2^3} \right)^{\frac{1}{3}} \times \left( \dfrac{5^2}{2^4} \right)^{-\frac{1}{2}}$

$= \dfrac{1}{2} \times \left( \dfrac{5}{2^2} \right)^{-1} = \dfrac{1}{2} \times \dfrac{4}{5} = \dfrac{2}{5}$

(3) $4^{\sqrt{6}} \times (5^{\sqrt{2}} \div 2^{2\sqrt{3}})^{\sqrt{2}}$

$= (2^2)^{\sqrt{6}} \times 5^2 \div 2^{2\sqrt{6}}$

$= 2^{2\sqrt{6}} \times 5^2 \times \dfrac{1}{2^{2\sqrt{6}}} = 5^2 = 25$

(4) $\sqrt[8]{a^4 b^5} \div \sqrt[3]{a^2 b} \times \sqrt[4]{\dfrac{a}{b}}$

$= (a^4 b^5)^{\frac{1}{8}} \div (a^2 b)^{\frac{1}{3}} \times \left( \dfrac{a}{b} \right)^{\frac{1}{4}} = a^{\frac{1}{2}} b^{\frac{5}{8}} \div a^{\frac{2}{3}} b^{\frac{1}{3}} \times a^{\frac{1}{4}} b^{-\frac{1}{4}}$

$= a^{\frac{1}{2} - \frac{2}{3} + \frac{1}{4}} b^{\frac{5}{8} - \frac{1}{3} + (-\frac{1}{4})} = a^{\frac{1}{12}} b^{\frac{1}{24}}$

**답** (1) $\dfrac{5}{9}$   (2) $\dfrac{2}{5}$   (3) $25$   (4) $a^{\frac{1}{12}} b^{\frac{1}{24}}$

**2-2**

$a = 3^{2\sqrt{3} - 3}$, $b = 3^{2\sqrt{3} + 3}$이므로

$\dfrac{81a}{b} = \dfrac{3^4 \times 3^{2\sqrt{3} - 3}}{3^{2\sqrt{3} + 3}} = 3^{4 + 2\sqrt{3} - 3 - (2\sqrt{3} + 3)} = 3^{-2} = \dfrac{1}{9}$

**답** $\dfrac{1}{9}$

**대표 03**

(1) $(x^{\frac{1}{2}})^2 = x$, $x^{\frac{1}{2}} \times x^{-\frac{1}{2}} = x^0 = 1$이므로

$x^{\frac{1}{2}} + x^{-\frac{1}{2}} = 3$의 양변을 제곱하면

$(x^{\frac{1}{2}} + x^{-\frac{1}{2}})^2 = 3^2$, $x + 2 + x^{-1} = 9$

$\therefore x + x^{-1} = 7$

또 $(x^{\frac{1}{2}})^3 = x^{\frac{3}{2}}$, $x^{\frac{1}{2}} \times x^{-\frac{1}{2}} = 1$이므로

$x^{\frac{1}{2}} + x^{-\frac{1}{2}} = 3$의 양변을 세제곱하면

$(x^{\frac{1}{2}} + x^{-\frac{1}{2}})^3 = 3^3$, $x^{\frac{3}{2}} + 3(x^{\frac{1}{2}} + x^{-\frac{1}{2}}) + x^{-\frac{3}{2}} = 27$

$\therefore x^{\frac{3}{2}} + x^{-\frac{3}{2}} = 27 - 3 \times 3 = 18$

(2) $(x^{2a})^{\frac{1}{2}} = 3^{\frac{1}{2}}$이므로 $x^a = \sqrt{3}$, $x^{3a} = (\sqrt{3})^3$을 대입하면

$\dfrac{x^a + x^{-a}}{x^a - x^{-a}} = \dfrac{\sqrt{3} + \dfrac{1}{\sqrt{3}}}{\sqrt{3} - \dfrac{1}{\sqrt{3}}} = \dfrac{3+1}{3-1} = 2$

$\dfrac{x^{3a} - x^{-3a}}{x^a + x^{-a}} = \dfrac{(\sqrt{3})^3 - \dfrac{1}{(\sqrt{3})^3}}{\sqrt{3} + \dfrac{1}{\sqrt{3}}} = \dfrac{(\sqrt{3})^6 - 1}{3(\sqrt{3} + 1)} = \dfrac{13}{6}$

**다른 풀이**

$\dfrac{x^a + x^{-a}}{x^a - x^{-a}} = \dfrac{(x^a + x^{-a})x^a}{(x^a - x^{-a})x^a} = \dfrac{x^{2a} + 1}{x^{2a} - 1} = \dfrac{3+1}{3-1} = 2$

$$\frac{x^{3a}-x^{-3a}}{x^a+x^{-a}}=\frac{(x^{3a}-x^{-3a})x^a}{(x^a+x^{-a})x^a}=\frac{x^{4a}-x^{-2a}}{x^{2a}+1}$$

$$=\frac{(x^{2a})^2-\frac{1}{x^{2a}}}{x^{2a}+1}=\frac{3^2-\frac{1}{3}}{3+1}=\frac{13}{6}$$

**답** (1) $x+x^{-1}=7,\ x^{\frac{3}{2}}+x^{-\frac{3}{2}}=18$

(2) $\frac{x^a+x^{-a}}{x^a-x^{-a}}=2,\ \frac{x^{3a}-x^{-3a}}{x^a+x^{-a}}=\frac{13}{6}$

## 3-1

(1) $(a^{\frac{1}{4}}-b^{\frac{1}{4}})(a^{\frac{1}{4}}+b^{\frac{1}{4}})(a^{\frac{1}{2}}+b^{\frac{1}{2}})$

$=\{(a^{\frac{1}{4}})^2-(b^{\frac{1}{4}})^2\}(a^{\frac{1}{2}}+b^{\frac{1}{2}})$

$=(a^{\frac{1}{2}}-b^{\frac{1}{2}})(a^{\frac{1}{2}}+b^{\frac{1}{2}})$

$=a-b$

**다른 풀이**

$a^{\frac{1}{4}}=x,\ b^{\frac{1}{4}}=y$로 놓으면

$(x-y)(x+y)(x^2+y^2)$

$=(x^2-y^2)(x^2+y^2)=x^4-y^4$

$=(a^{\frac{1}{4}})^4-(b^{\frac{1}{4}})^4=a-b$

(2) $(a+b)\div(a^{\frac{2}{3}}-a^{\frac{1}{3}}b^{\frac{1}{3}}+b^{\frac{2}{3}})$

$=\frac{a+b}{a^{\frac{2}{3}}-a^{\frac{1}{3}}b^{\frac{1}{3}}+b^{\frac{2}{3}}}$

$=\frac{(a^{\frac{1}{3}}+b^{\frac{1}{3}})(a^{\frac{2}{3}}-a^{\frac{1}{3}}b^{\frac{1}{3}}+b^{\frac{2}{3}})}{a^{\frac{2}{3}}-a^{\frac{1}{3}}b^{\frac{1}{3}}+b^{\frac{2}{3}}}$

$=a^{\frac{1}{3}}+b^{\frac{1}{3}}$

**다른 풀이**

$a^{\frac{1}{3}}=x,\ b^{\frac{1}{3}}=y$로 놓으면

$(x^3+y^3)\div(x^2-xy+y^2)$

$=\frac{(x+y)(x^2-xy+y^2)}{x^2-xy+y^2}$

$=x+y=a^{\frac{1}{3}}+b^{\frac{1}{3}}$

**답** (1) $a-b$ (2) $a^{\frac{1}{3}}+b^{\frac{1}{3}}$

## 3-2

$(x^{\frac{1}{2}})^2=x,\ (x^{\frac{1}{2}})^3=x^{\frac{3}{2}},\ x^{\frac{1}{2}}\times x^{-\frac{1}{2}}=x^0=1$

(1) $x^{\frac{1}{2}}-x^{-\frac{1}{2}}=2$의 양변을 제곱하면

$(x^{\frac{1}{2}}-x^{-\frac{1}{2}})^2=2^2,\ x-2+x^{-1}=4$

$\therefore x+x^{-1}=6$

(2) $x^{\frac{1}{2}}-x^{-\frac{1}{2}}=2$의 양변을 세제곱하면

$(x^{\frac{1}{2}}-x^{-\frac{1}{2}})^3=2^3,\ x^{\frac{3}{2}}-3(x^{\frac{1}{2}}-x^{-\frac{1}{2}})-x^{-\frac{3}{2}}=8$

$\therefore x^{\frac{3}{2}}-x^{-\frac{3}{2}}=8+3\times2=14$

(3) $(x^{\frac{1}{2}}+x^{-\frac{1}{2}})^2=x+2+x^{-1}=6+2=8$

그런데 $x>0$이므로 $x^{\frac{1}{2}}+x^{-\frac{1}{2}}=\sqrt{8}=2\sqrt{2}$

**답** (1) 6 (2) 14 (3) $2\sqrt{2}$

## 3-3

$a^{4x}=(a^{2x})^2=4$이고, $a>0$이므로 $a^{2x}=2$

(1) $\frac{a^x+a^{-x}}{a^x-a^{-x}}$의 분모, 분자에 $a^x$을 곱하면

$\frac{a^x+a^{-x}}{a^x-a^{-x}}=\frac{(a^x+a^{-x})a^x}{(a^x-a^{-x})a^x}=\frac{a^{2x}+1}{a^{2x}-1}=\frac{2+1}{2-1}=3$

(2) $\frac{a^{5x}+a^{-5x}}{a^x+a^{-x}}$의 분모, 분자에 $a^x$을 곱하면

$\frac{a^{5x}+a^{-5x}}{a^x+a^{-x}}=\frac{(a^{5x}+a^{-5x})a^x}{(a^x+a^{-x})a^x}=\frac{a^{6x}+a^{-4x}}{a^{2x}+1}$

$=\frac{(a^{2x})^3+(a^{2x})^{-2}}{a^{2x}+1}=\frac{2^3+\frac{1}{2^2}}{2+1}=\frac{11}{4}$

**답** (1) 3 (2) $\frac{11}{4}$

## 대표 04

(1) $3^6=a$에서 $3=a^{\frac{1}{6}}$

$4^2=2^4=b$에서 $2=b^{\frac{1}{4}}$

$\therefore 18^7=(2\times3^2)^7=(b^{\frac{1}{4}}\times a^{\frac{1}{6}\times2})^7=a^{\frac{7}{3}}b^{\frac{7}{4}}$

(2) $24^x=4$에서 $24=4^{\frac{1}{x}},\ 24=(2^2)^{\frac{1}{x}}$

$\therefore 2^{\frac{2}{x}}=24$

$3^y=8$에서 $3=8^{\frac{1}{y}},\ 3=(2^3)^{\frac{1}{y}}$

$\therefore 2^{\frac{3}{y}}=3$

$2^{\frac{2}{x}}\div2^{\frac{3}{y}}=2^{\frac{2}{x}-\frac{3}{y}}=\frac{24}{3}=8=2^3$이므로

$\frac{2}{x}-\frac{3}{y}=3$

**답** (1) $a^{\frac{7}{3}}b^{\frac{7}{4}}$ (2) 3

## 4-1

$a=\sqrt{2}=2^{\frac{1}{2}},\ b=\sqrt[3]{3}=3^{\frac{1}{3}}$이므로

$\sqrt[6]{6}=6^{\frac{1}{6}}=(2\times3)^{\frac{1}{6}}=2^{\frac{1}{6}}\times3^{\frac{1}{6}}$

$=(2^{\frac{1}{2}})^{\frac{1}{3}}\times(3^{\frac{1}{3}})^{\frac{1}{2}}=a^{\frac{1}{3}}b^{\frac{1}{2}}$

**답** ①

**4-2**

$a^x = 7$에서 $(a^x)^{\frac{6}{x}} = 7^{\frac{6}{x}}$

$b^{2y} = 7$에서 $\{(b^2)^y\}^{\frac{3}{y}} = 7^{\frac{3}{y}}$

$c^{3z} = 7$에서 $\{(c^3)^z\}^{\frac{2}{z}} = 7^{\frac{2}{z}}$

$7^{\frac{6}{x} + \frac{3}{y} + \frac{2}{z}} = 7^{\frac{6}{x}} \times 7^{\frac{3}{y}} \times 7^{\frac{2}{z}}$

$\qquad = (a^x)^{\frac{6}{x}} \times \{(b^2)^y\}^{\frac{3}{y}} \times \{(c^3)^z\}^{\frac{2}{z}}$

$\qquad = a^6 b^6 c^6 = (abc)^6 = (7^2)^6 = 7^{12}$

$\therefore \dfrac{6}{x} + \dfrac{3}{y} + \dfrac{2}{z} = 12$

답 12

**연습과 실전** **1 지수**

18쪽~20쪽

| | | | |
|---|---|---|---|
| **01** (1) $\dfrac{5}{6}$  (2) $\dfrac{23}{40}$ | | **02** (1) $a^{\frac{7}{6}}$  (2) $a^{\frac{7}{10}}$ | |
| **03** (1) $\dfrac{2}{3}$  (2) $3\sqrt{3}$ | **04** 1 | **05** 2 | **06** $-2$ |
| **07** ②, ⑤ | **08** $\dfrac{1}{8}$ | **09** $\dfrac{8}{9}$ | **10** 25 |
| **11** (1) $2a^2 + 6$  (2) $a - a^{-1}$ | **12** ② | **13** $\dfrac{4}{5}$ | |
| **14** $\dfrac{2}{3}$ | **15** ① | **16** 100 | |

**01**

(1) $\sqrt[3]{3^2 \sqrt{3}} = \sqrt[3]{3^2} \times \sqrt[3]{\sqrt{3}} = \sqrt[6]{3^4} \times \sqrt[6]{3}$

$\qquad = \sqrt[6]{3^4 \times 3} = \sqrt[6]{3^5} = 3^{\frac{5}{6}}$

$\therefore k = \dfrac{5}{6}$

(2) $\sqrt[5]{4\sqrt{2\sqrt[4]{8}}} = \sqrt[5]{4} \times \sqrt[5]{\sqrt{2}} \times \sqrt[5]{\sqrt{\sqrt[4]{8}}}$

$\qquad = \sqrt[40]{4^8} \times \sqrt[40]{2^4} \times \sqrt[40]{8}$

$\qquad = \sqrt[40]{2^{16} \times 2^4 \times 2^3}$

$\qquad = \sqrt[40]{2^{23}} = 2^{\frac{23}{40}}$

$\therefore k = \dfrac{23}{40}$

**다른 풀이**

$\sqrt[5]{4\sqrt{2\sqrt[4]{8}}} = 4^{\frac{1}{5}} \times (2^{\frac{1}{2}})^{\frac{1}{5}} \times \{(8^{\frac{1}{4}})^{\frac{1}{2}}\}^{\frac{1}{5}}$

$\qquad = 4^{\frac{1}{5}} \times 2^{\frac{1}{10}} \times 8^{\frac{1}{40}}$

$\qquad = (2^2)^{\frac{1}{5}} \times 2^{\frac{1}{10}} \times (2^3)^{\frac{1}{40}} = 2^{\frac{23}{40}}$

답 (1) $\dfrac{5}{6}$  (2) $\dfrac{23}{40}$

**02**

(1) $\sqrt[3]{a\sqrt[4]{a}} \times \sqrt{a^3} \div \sqrt[4]{a^3} = \dfrac{\sqrt[3]{a \times \sqrt[4]{a}} \times \sqrt{a^3}}{\sqrt[4]{a^3}}$

$\qquad = \dfrac{\sqrt[12]{a^4} \times \sqrt[12]{a} \times \sqrt[12]{a^{18}}}{\sqrt[12]{a^9}}$

$\qquad = \sqrt[12]{\dfrac{a^4 \times a \times a^{18}}{a^9}} = \sqrt[12]{a^{14}}$

$\qquad = a^{\frac{14}{12}} = a^{\frac{7}{6}}$

(2) $\sqrt{\dfrac{\sqrt{a^5}}{\sqrt[4]{a^2}} \div \sqrt[5]{a^4}} \times \sqrt{\dfrac{\sqrt[5]{a^3}}{\sqrt[10]{a^4}}}$

$\quad = \dfrac{\sqrt{\sqrt{a^5}}}{\sqrt{\sqrt[4]{a^2}} \sqrt[5]{a^4}} \times \dfrac{\sqrt{\sqrt[5]{a^3}}}{\sqrt{\sqrt[10]{a^4}}} = \dfrac{\sqrt[4]{a^5}}{\sqrt[4]{a}\sqrt[5]{a^4}} \times \dfrac{\sqrt[10]{a^3}}{\sqrt[5]{a^2}}$

$\quad = \sqrt[4]{\dfrac{a^5}{a}} \times \dfrac{\sqrt[10]{a^3}}{\sqrt[5]{a^2 \times a}} = \sqrt[4]{a^4} \times \dfrac{\sqrt[10]{a^3}}{\sqrt[5]{a^3}}$

$\quad = \sqrt[10]{a^{10}} \times \dfrac{\sqrt[10]{a^3}}{\sqrt[10]{a^6}} = \sqrt[10]{\dfrac{a^{13}}{a^6}} = \sqrt[10]{a^7} = a^{\frac{7}{10}}$

답 (1) $a^{\frac{7}{6}}$  (2) $a^{\frac{7}{10}}$

**참고** 거듭제곱근은 다음과 같이 지수로 고쳐서 풀이할 수도 있다.

(1) $\sqrt[3]{a\sqrt[4]{a}} \times \sqrt{a^3} \div \sqrt[4]{a^3} = (a \times a^{\frac{1}{4}})^{\frac{1}{3}} \times a^{\frac{3}{2}} \div a^{\frac{3}{4}}$

**03**

(1) $2^{\frac{3}{4}} \times 3^{-\frac{2}{3}} \times (2^{-\frac{1}{2}} \times 3^{\frac{2}{3}})^{-\frac{1}{2}} = 2^{\frac{3}{4}} \times 3^{-\frac{2}{3}} \times 2^{\frac{1}{4}} \times 3^{-\frac{1}{3}}$

$\qquad = 2^{\frac{3}{4} + \frac{1}{4}} \times 3^{-\frac{2}{3} - \frac{1}{3}}$

$\qquad = 2^1 \times 3^{-1} = \dfrac{2}{3}$

(2) $\sqrt{3\sqrt{27^2}} \times 243^{-\frac{1}{5}} \div 9^{-\frac{1}{4}} = \sqrt{3 \times 3^3} \times (3^5)^{-\frac{1}{5}} \div (3^2)^{-\frac{1}{4}}$

$\qquad = \sqrt{3^4} \times 3^{-1} \div 3^{-\frac{1}{2}}$

$\qquad = 3^2 \times 3^{-1} \times 3^{\frac{1}{2}}$

$\qquad = 3^{2 - 1 + \frac{1}{2}} = 3^{\frac{3}{2}} = 3\sqrt{3}$

답 (1) $\dfrac{2}{3}$  (2) $3\sqrt{3}$

**04**

$\sqrt{a^2 b} \div \sqrt[4]{a^3 b^5} \times \sqrt[6]{ab^8} = (a^2)^{\frac{1}{2}} b^{\frac{1}{2}} \div a^{\frac{3}{4}} b^{\frac{5}{4}} \times a^{\frac{1}{6}} b^{\frac{8}{6}}$

$\qquad = a^{1 - \frac{3}{4} + \frac{1}{6}} b^{\frac{1}{2} - \frac{5}{4} + \frac{8}{6}}$

$\qquad = a^{\frac{5}{12}} b^{\frac{7}{12}}$

따라서 $x = \dfrac{5}{12}$, $y = \dfrac{7}{12}$이므로 $x + y = 1$

답 1

## 05

$(x-x^{-1})^2=x^2-2+x^{-2}$이고 $x^2+x^{-2}=6$이므로

$(x-x^{-1})^2=6-2=4$

그런데 $x>1$이므로 $x>x^{-1}$　　∴ $x-x^{-1}=2$

답 2

## 06

$(17^x)^{\frac{1}{x}}=(3^2)^{\frac{1}{x}}$, $17=3^{\frac{2}{x}}$

$(153^y)^{\frac{1}{y}}=(3^{-4})^{\frac{1}{y}}$, $153=3^{-\frac{4}{y}}$

에서 $3^{\frac{2}{x}}\div 3^{-\frac{4}{y}}=3^{\frac{2}{x}+\frac{4}{y}}=\dfrac{17}{153}=\dfrac{1}{9}=3^{-2}$

∴ $\dfrac{2}{x}+\dfrac{4}{y}=-2$

답 $-2$

## 07 전략 $n$이 홀수일 때, 실수 $a$의 $n$제곱근 중 실수인 것은 $\sqrt[n]{a}$ 하나이다.

① 8의 세제곱근을 $x$라 하면 $x^3=8$

　$(x-2)(x^2+2x+4)=0$

　∴ $x=2$ 또는 $x=-1\pm\sqrt{3}i$

　따라서 8의 세제곱근은 $2$, $-1\pm\sqrt{3}i$이다. (거짓)

② $-5$의 세제곱근 중 실수는 1개이고

　$(-\sqrt[3]{5})^3=-(\sqrt[3]{5})^3=-5$이므로

　$-5$의 세제곱근 중 실수는 $\sqrt[3]{-5}=-\sqrt[3]{5}$이다. (참)

③ $-16$의 네제곱근 중 실수는 없다. 곧, 양수라 말할 수 없다. (거짓)

④ $a$가 음수이면 $x^n=a$를 만족시키는 실수 $x$는 없다.

(거짓)

⑤ $n$이 홀수이면 $a$의 $n$제곱근 중 실수는 $\sqrt[n]{a}$ 하나이다.

(참)

따라서 옳은 것은 ②, ⑤이다.

답 ②, ⑤

## 08 전략 지수법칙을 이용하여 식을 정리한다.

$a\left(\dfrac{1}{b}+\dfrac{1}{c}\right)+b\left(\dfrac{1}{c}+\dfrac{1}{a}\right)+c\left(\dfrac{1}{a}+\dfrac{1}{b}\right)$

$=\dfrac{a}{b}+\dfrac{a}{c}+\dfrac{b}{c}+\dfrac{b}{a}+\dfrac{c}{a}+\dfrac{c}{b}$

$=\dfrac{b+c}{a}+\dfrac{a+c}{b}+\dfrac{a+b}{c}$　　　… ㉠

$a+b+c=0$이므로 ㉠은

$\dfrac{-a}{a}+\dfrac{-b}{b}+\dfrac{-c}{c}=-3$

∴ $2^{a\left(\frac{1}{b}+\frac{1}{c}\right)}\times 2^{b\left(\frac{1}{c}+\frac{1}{a}\right)}\times 2^{c\left(\frac{1}{a}+\frac{1}{b}\right)}$

$=2^{a\left(\frac{1}{b}+\frac{1}{c}\right)+b\left(\frac{1}{c}+\frac{1}{a}\right)+c\left(\frac{1}{a}+\frac{1}{b}\right)}$

$=2^{-3}=\dfrac{1}{8}$

답 $\dfrac{1}{8}$

## 09 전략 $2^{-a}+2^{-b}=\dfrac{9}{4}$를 정리하고 $2^a+2^b=2$를 대입하여 구한다.

$2^{-a}+2^{-b}=\dfrac{1}{2^a}+\dfrac{1}{2^b}=\dfrac{2^b+2^a}{2^a2^b}=\dfrac{2^b+2^a}{2^{a+b}}$

$2^a+2^b=2$, $2^{-a}+2^{-b}=\dfrac{9}{4}$이므로

$\dfrac{9}{4}=\dfrac{2}{2^{a+b}}$　　∴ $2^{a+b}=\dfrac{8}{9}$

답 $\dfrac{8}{9}$

## 10 전략 $a^2-b^2=(a+b)(a-b)$임을 이용하여 식의 값을 구한다.

$3^{a^2-b^2}=(3^{a+b})^{a-b}=4^{a-b}=2^{2(a-b)}=(2^{a-b})^2=5^2=25$

답 25

## 11 전략 곱셈 공식을 이용한다.

(1) $(a^{\frac{2}{3}}+a^{-\frac{1}{3}})^3+(a^{\frac{2}{3}}-a^{-\frac{1}{3}})^3$

$=(a^{\frac{2}{3}})^3+3\times(a^{\frac{2}{3}})^2a^{-\frac{1}{3}}+3\times a^{\frac{2}{3}}(a^{-\frac{1}{3}})^2+(a^{-\frac{1}{3}})^3$

$\quad+(a^{\frac{2}{3}})^3-3\times(a^{\frac{2}{3}})^2a^{-\frac{1}{3}}+3\times a^{\frac{2}{3}}(a^{-\frac{1}{3}})^2-(a^{-\frac{1}{3}})^3$

$=a^2+3+a^2+3$

$=2a^2+6$

(2) $a^{\frac{1}{6}}=x$, $a^{-\frac{1}{6}}=y$로 놓으면 $xy=a^{\frac{1}{6}-\frac{1}{6}}=a^0=1$이므로

$(a^{\frac{1}{3}}+a^{-\frac{1}{3}}+1)(a^{\frac{1}{6}}-a^{-\frac{1}{6}})(a^{\frac{1}{2}}+a^{-\frac{1}{2}})$

$=(x^2+y^2+xy)(x-y)(x^3+y^3)$

$=(x^3-y^3)(x^3+y^3)=x^6-y^6=a-a^{-1}$

답 (1) $2a^2+6$　(2) $a-a^{-1}$

## 12 전략 $x=3^{\frac{1}{4}}-3^{-\frac{1}{4}}$을 $x^2+4$에 대입하고 간단히 한다.

$x^2+4=(3^{\frac{1}{4}}-3^{-\frac{1}{4}})^2+4=3^{\frac{1}{2}}-2+3^{-\frac{1}{2}}+4$

$\qquad=3^{\frac{1}{2}}+2+3^{-\frac{1}{2}}=(3^{\frac{1}{4}}+3^{-\frac{1}{4}})^2$

∴ $\sqrt{x^2+4}+x=\sqrt{(3^{\frac{1}{4}}+3^{-\frac{1}{4}})^2}+3^{\frac{1}{4}}-3^{-\frac{1}{4}}$

$\qquad=3^{\frac{1}{4}}+3^{-\frac{1}{4}}+3^{\frac{1}{4}}-3^{-\frac{1}{4}}=2\times 3^{\frac{1}{4}}$

답 ②

**13** **전략** $\dfrac{a^x-a^{-x}}{a^x+a^{-x}}=\dfrac{1}{2}$ 을 정리하여 $a^x$ 또는 $a^{2x}$의 값을 구한다.

$\dfrac{a^x-a^{-x}}{a^x+a^{-x}}=\dfrac{1}{2}$의 양변에 $2(a^x+a^{-x})$을 곱하면

$2(a^x-a^{-x})=a^x+a^{-x}$, $a^x=3a^{-x}$    $\therefore a^{2x}=3$

$\therefore \dfrac{a^{2x}-a^{-2x}}{a^{2x}+a^{-2x}}=\dfrac{3-\dfrac{1}{3}}{3+\dfrac{1}{3}}=\dfrac{4}{5}$

**답** $\dfrac{4}{5}$

**14** **전략** $a>0$, $b>0$이고 0이 아닌 실수 $x$에 대하여 $a^x=b$이면 $a=b^{\frac{1}{x}}$임을 이용한다.

$a^x=b^y=c^z=3^3$이므로 $a=3^{\frac{3}{x}}$, $b=3^{\frac{3}{y}}$, $c=3^{\frac{3}{z}}$

$\dfrac{ab}{c}=9$에 대입하면

$3^{\frac{3}{x}+\frac{3}{y}-\frac{3}{z}}=3^2$, $\dfrac{3}{x}+\dfrac{3}{y}-\dfrac{3}{z}=2$

$\therefore \dfrac{1}{x}+\dfrac{1}{y}-\dfrac{1}{z}=\dfrac{2}{3}$

**답** $\dfrac{2}{3}$

**15** **전략** 먼저 거듭제곱근은 지수로 나타낸다.

( i ) $\sqrt{\dfrac{2^a\times 5^b}{2}}=\sqrt{2^{a-1}\times 5^b}=2^{\frac{a-1}{2}}\times 5^{\frac{b}{2}}$이 자연수이다.

$a-1$은 0 또는 짝수이므로 $a=1$, 3, 5, $\cdots$

$b$는 짝수이므로 $b=2$, 4, 6, $\cdots$

(ii) $\sqrt[3]{\dfrac{3^b}{2^{a+1}}}=\dfrac{3^{\frac{b}{3}}}{2^{\frac{a+1}{3}}}$이 유리수이다.

$a+1$은 3의 배수이므로 $a=2$, 5, 8, $\cdots$

$b$는 3의 배수이므로 $b=3$, 6, 9, $\cdots$

( i ), (ii)에서 $a$의 최솟값은 5, $b$의 최솟값은 6이므로 $a+b$의 최솟값은 $5+6=11$

**답** ①

**16** **전략** 지수법칙을 이용하여 식의 값을 구한다.

필름을 투과하는 빛의 세기가 $R=Q\times 10^{-P}$이므로 필름 A, B를 투과하는 빛의 세기는

$R_A=Q\times 10^{-p}$, $R_B=Q\times 10^{-(p+2)}$

$\therefore \dfrac{R_A}{R_B}=\dfrac{Q\times 10^{-p}}{Q\times 10^{-(p+2)}}=10^{-p+p+2}=10^2=100$

**답** 100

---

# 2 로그

**개념 Check** 22쪽~24쪽

**1**

**답** (1) $\log_3 1=0$

(2) $\log_{81} 3=\dfrac{1}{4}$

(3) $\log_{\sqrt{5}} 5=2$

**2**

**답** (1) $10^2=100$

(2) $5^{\frac{1}{2}}=\sqrt{5}$

**3**

$\log_a N=x$에서 $a$, $N$, $x$ 중 어느 하나의 값을 구할 때는 $a^x=N$ 꼴로 변형한 후 지수법칙을 이용한다.

(1) $6^x=6$    $\therefore x=1$

**다른 풀이**

$\log_a a=1$이므로 $\log_6 6=1$

(2) $3^x=\dfrac{1}{9}=3^{-2}$    $\therefore x=-2$

(3) $x=2^6=64$

(4) $x=10^{-2}=\dfrac{1}{100}$

(5) $x^2=4$    $\therefore x=2\,(\because x>0)$

(6) $x^{-3}=8$    $\therefore x=8^{-\frac{1}{3}}=(2^3)^{-\frac{1}{3}}=2^{-1}=\dfrac{1}{2}$

**답** (1) 1   (2) $-2$   (3) 64   (4) $\dfrac{1}{100}$   (5) 2   (6) $\dfrac{1}{2}$

**4**

(1) $\log_{10} 2+\log_{10} 5=\log_{10}(2\times 5)=\log_{10} 10=1$

(2) $\log_{12} 16+\log_{12} 9=\log_{12}(16\times 9)=\log_{12} 12^2$
$=2\log_{12} 12=2$

(3) $\log_3 6-\log_3 2=\log_3 \dfrac{6}{2}=\log_3 3=1$

(4) $\log_2 36-\log_2 9=\log_2 \dfrac{36}{9}=\log_2 2^2=2\log_2 2=2$

(5) $\log_3 \sqrt{27}=\log_3 (3^3)^{\frac{1}{2}}=\log_3 3^{\frac{3}{2}}=\dfrac{3}{2}\log_3 3=\dfrac{3}{2}$

(6) $\log_2 \dfrac{1}{\sqrt[3]{2}} = \log_2 2^{-\frac{1}{3}} = -\dfrac{1}{3}\log_2 2 = -\dfrac{1}{3}$

答 (1) 1  (2) 2  (3) 1  (4) 2  (5) $\dfrac{3}{2}$  (6) $-\dfrac{1}{3}$

**5**

(1) $\log_2 3 = \dfrac{\log_{10} 3}{\log_{10} 2}$

(2) $\log_2 10 = \dfrac{\log_{10} 10}{\log_{10} 2} = \dfrac{1}{\log_{10} 2}$

答 (1) $\dfrac{\log_{10} 3}{\log_{10} 2}$  (2) $\dfrac{1}{\log_{10} 2}$

참고 (2) $\log_a b = \dfrac{1}{\log_b a}$ 을 이용해도 된다.

**6**

(1) $9 = 3^2$, $27 = 3^3$이므로 밑이 3인 로그로 나타내면

$\log_9 27 = \dfrac{\log_3 27}{\log_3 9} = \dfrac{\log_3 3^3}{\log_3 3^2} = \dfrac{3\log_3 3}{2\log_3 3} = \dfrac{3}{2}$

다른 풀이

$\log_9 27 = \log_{3^2} 3^3 = \dfrac{3}{2}\log_3 3 = \dfrac{3}{2}$

(2) $\dfrac{1}{4} = 2^{-2}$, $32 = 2^5$이므로 밑이 2인 로그로 나타내면

$\log_{\frac{1}{4}} 32 = \dfrac{\log_2 2^5}{\log_2 2^{-2}} = \dfrac{5\log_2 2}{-2\log_2 2} = -\dfrac{5}{2}$

다른 풀이

$\log_{\frac{1}{4}} 32 = \log_{2^{-2}} 2^5 = -\dfrac{5}{2}\log_2 2 = -\dfrac{5}{2}$

答 (1) $\dfrac{3}{2}$  (2) $-\dfrac{5}{2}$

---

**대표Q** 25쪽 ~ 28쪽

**대표 Q1**

(1) $\log_{10} 9 + \dfrac{1}{2}\log_{10} 16 - 2\log_{10} \dfrac{3}{5}$

$= \log_{10} 9 + \log_{10} (2^4)^{\frac{1}{2}} - \log_{10} \left(\dfrac{3}{5}\right)^2$

$= \log_{10} 9 + \log_{10} 2^2 + \log_{10} \left(\dfrac{5}{3}\right)^2$

$= \log_{10} \left(9 \times 4 \times \dfrac{25}{9}\right) = \log_{10} 10^2 = 2$

(2) $2\log_5 \sqrt{3} + \log_5 \dfrac{4}{9} = \log_5 3 + \log_5 \dfrac{4}{9}$

$= \log_5 \left(3 \times \dfrac{4}{9}\right) = \log_5 \dfrac{4}{3}$

$\log_5 9 - 2\log_5 4 = \log_5 9 - \log_5 4^2$

$= \log_5 \dfrac{9}{16} = \log_5 \left(\dfrac{4}{3}\right)^{-2}$

$\therefore \dfrac{2\log_5 \sqrt{3} + \log_5 \dfrac{4}{9}}{\log_5 9 - 2\log_5 4} = \dfrac{\log_5 \dfrac{4}{3}}{\log_5 \left(\dfrac{4}{3}\right)^{-2}} = -\dfrac{1}{2}$

(3) $\log_3 12 + \log_{\sqrt{3}} \dfrac{3}{2} = \log_3 12 + \log_{3^{\frac{1}{2}}} \dfrac{3}{2}$

$= \log_3 12 + 2\log_3 \dfrac{3}{2}$

$= \log_3 12 + \log_3 \left(\dfrac{3}{2}\right)^2$

$= \log_3 \left(12 \times \dfrac{9}{4}\right) = \log_3 27$

$= \log_3 3^3 = 3$

(4) $\log_2 \sqrt{3} - \dfrac{1}{2}\log_2 18 + \log_4 \dfrac{3}{8}$

$= \log_2 \sqrt{3} - \log_2 18^{\frac{1}{2}} + \log_{2^2} \dfrac{3}{8}$

$= \log_2 \sqrt{3} - \log_2 \sqrt{18} + \log_2 \sqrt{\dfrac{3}{8}}$

$= \log_2 \dfrac{\sqrt{3} \times \sqrt{\dfrac{3}{8}}}{\sqrt{18}} = \log_2 \dfrac{1}{4} = \log_2 2^{-2} = -2$

答 (1) 2  (2) $-\dfrac{1}{2}$  (3) 3  (4) $-2$

**1-1**

(1) $75 = 3 \times 5^2$, $15 = 3 \times 5$이므로

$\log_5 3 - 2\log_5 75 + \log_5 15$

$= \log_5 3 - \log_5 75^2 + \log_5 15$

$= \log_5 \dfrac{3 \times 3 \times 5}{3^2 \times 5^4} = \log_5 \dfrac{1}{5^3} = \log_5 5^{-3} = -3$

(2) $0.08 = \dfrac{8}{100} = \dfrac{2^3}{2^2 \times 5^2} = \dfrac{2}{5^2}$이므로

$\log_2 0.08 + \log_2 32 + 2\log_2 \dfrac{5}{4}$

$= \log_2 \dfrac{2}{5^2} + \log_2 2^5 + \log_2 \left(\dfrac{5}{2^2}\right)^2$

$= \log_2 \left(\dfrac{2}{5^2} \times 2^5 \times \dfrac{5^2}{2^4}\right)$

$= \log_2 2^2 = 2$

答 (1) $-3$  (2) 2

**1-2**

(1) $\log_{25} \dfrac{8}{3} = \log_{5^2} \dfrac{8}{3} = \dfrac{1}{2} \log_5 \dfrac{8}{3}$ 이므로

밑이 5인 로그로 통일하면

$4 \log_5 \sqrt{3} + 2 \log_{25} \dfrac{8}{3} - \log_5 12$

$= \log_5 (\sqrt{3})^4 + \log_5 \dfrac{8}{3} - \log_5 12$

$= \log_5 \left( 3^2 \times \dfrac{8}{3} \times \dfrac{1}{12} \right)$

$= \log_5 2$

(2) $2 \log_3 5 + \log_3 2 - 2 \log_3 \sqrt{18}$

$= \log_3 5^2 + \log_3 2 - \log_3 18$

$= \log_3 \dfrac{5^2 \times 2}{18} = \log_3 \left( \dfrac{5}{3} \right)^2 = 2 \log_3 \dfrac{5}{3}$

$= 2(\log_3 5 - \log_3 3)$

$= 2(\log_3 5 - 1)$

또 $\log_9 3 = \log_{3^2} 3 = \dfrac{1}{2} \log_3 3 = \dfrac{1}{2}$ 이므로

$\log_3 \sqrt{5} - \log_9 3 = \log_3 5^{\frac{1}{2}} - \dfrac{1}{2}$

$\qquad\qquad\qquad = \dfrac{1}{2}(\log_3 5 - 1)$

$\therefore \dfrac{2 \log_3 5 + \log_3 2 - 2 \log_3 \sqrt{18}}{\log_3 \sqrt{5} - \log_9 3}$

$= \dfrac{2(\log_3 5 - 1)}{\dfrac{1}{2}(\log_3 5 - 1)} = 4$

**답** (1) $\log_5 2$  (2) $4$

**대표 02**

(1) 밑이 10인 로그로 통일하면

$\log_2 3 \times \log_3 5 \times \log_5 4$

$= \dfrac{\log_{10} 3}{\log_{10} 2} \times \dfrac{\log_{10} 5}{\log_{10} 3} \times \dfrac{\log_{10} 4}{\log_{10} 5}$

$= \dfrac{\log_{10} 4}{\log_{10} 2} = \dfrac{2 \log_{10} 2}{\log_{10} 2} = 2$

(2) $3^{\log_3 \sqrt{2}} = \sqrt{2}^{\log_3 3} = \sqrt{2}$

$3^{\log_3 8} = 8^{\log_3 3} = (2^3)^{\log_3 3}$

$\qquad = (2^3)^{\frac{1}{2}} = 2^{\frac{3}{2}}$

$\qquad = 2\sqrt{2}$

$\therefore 3^{\log_3 \sqrt{2}} + 3^{\log_3 8} = \sqrt{2} + 2\sqrt{2} = 3\sqrt{2}$

**답** (1) $2$  (2) $3\sqrt{2}$

**2-1**

(1) 밑이 10인 로그로 통일하면

$\log_2 9 \times \log_3 \sqrt{5} \times \log_{25} 2$

$= \dfrac{\log_{10} 9}{\log_{10} 2} \times \dfrac{\log_{10} \sqrt{5}}{\log_{10} 3} \times \dfrac{\log_{10} 2}{\log_{10} 25}$

$= \dfrac{2 \log_{10} 3}{\log_{10} 2} \times \dfrac{\dfrac{1}{2} \log_{10} 5}{\log_{10} 3} \times \dfrac{\log_{10} 2}{2 \log_{10} 5}$

$= 2 \times \dfrac{1}{2} \times \dfrac{1}{2} = \dfrac{1}{2}$

(2) $\log_2 \dfrac{1}{3} \times \log_3 \dfrac{1}{4} \times \log_4 \dfrac{1}{5} \times \log_5 \dfrac{1}{6}$

$= (-\log_2 3) \times (-\log_3 4) \times (-\log_4 5)$

$\qquad \times (-\log_5 6)$

$= \log_2 3 \times \log_3 4 \times \log_4 5 \times \log_5 6$

$= \dfrac{\log_{10} 3}{\log_{10} 2} \times \dfrac{\log_{10} 4}{\log_{10} 3} \times \dfrac{\log_{10} 5}{\log_{10} 4} \times \dfrac{\log_{10} 6}{\log_{10} 5}$ ← 밑이 10인 로그로 통일하면

$= \dfrac{\log_{10} 6}{\log_{10} 2} = \log_2 6$

**답** (1) $\dfrac{1}{2}$  (2) $\log_2 6$

**2-2**

(1) $2 \log_2 \sqrt{10} + \log_2 6 = \log_2 10 + \log_2 6$

$\qquad\qquad\qquad\qquad = \log_2 60$

$\therefore 2^{2 \log_2 \sqrt{10} + \log_2 6} = 2^{\log_2 60} = 60^{\log_2 2} = 60$

(2) $2^{\log_8 5} = 5^{\log_8 2} = 5^{\log_{2^3} 2} = 5^{\frac{1}{3} \log_2 2}$

$\qquad\quad = 5^{\frac{1}{3}}$

**답** (1) $60$  (2) $5^{\frac{1}{3}}$

**대표 03**

(1) $1.08 = \dfrac{108}{100} = \dfrac{2^2 \times 3^3}{10^2}$ 이므로

$\log_{10} 1.08 = \log_{10} \dfrac{2^2 \times 3^3}{10^2}$

$\qquad\qquad = 2 \log_{10} 2 + 3 \log_{10} 3 - 2 \log_{10} 10$

$\qquad\qquad = 2a + 3b - 2$

(2) 밑이 2인 로그로 고치면

$\log_{42} 56 = \dfrac{\log_2 56}{\log_2 42} = \dfrac{\log_2 (2^3 \times 7)}{\log_2 (2 \times 3 \times 7)}$

$\qquad\qquad = \dfrac{3 \log_2 2 + \log_2 7}{\log_2 2 + \log_2 3 + \log_2 7} = \dfrac{3 + b}{1 + a + b}$

(3) $\log_2 10 = a$이고,

$$\log_2 10 = \log_2 (2 \times 5) = \log_2 2 + \log_2 5$$
$$= 1 + \log_2 5$$

이므로 $\log_2 5 = a - 1$

$$\therefore \log_5 50 = \frac{\log_2 50}{\log_2 5} = \frac{\log_2 (2 \times 5^2)}{\log_2 5}$$
$$= \frac{\log_2 2 + 2 \log_2 5}{\log_2 5}$$
$$= \frac{1 + 2(a-1)}{a-1} = \frac{2a-1}{a-1}$$

답 (1) $2a + 3b - 2$　(2) $\dfrac{3+b}{1+a+b}$　(3) $\dfrac{2a-1}{a-1}$

## 3-1

(1) $\log_{10} 54 = \log_{10} (2 \times 3^3) = \log_{10} 2 + 3 \log_{10} 3$
$$= a + 3b$$

(2) $3.6 = \dfrac{36}{10} = \dfrac{2^2 \times 3^2}{10}$이므로

$$\log_{10} 3.6 = \log_{10} \frac{2^2 \times 3^2}{10} = 2 \log_{10} 2 + 2 \log_{10} 3 - 1$$
$$= 2a + 2b - 1$$

(3) $\log_{10} \sqrt{24} = \log_{10} (2^3 \times 3)^{\frac{1}{2}}$
$$= \frac{1}{2}(3 \log_{10} 2 + \log_{10} 3)$$
$$= \frac{3a + b}{2}$$

답 (1) $a + 3b$　(2) $2a + 2b - 1$　(3) $\dfrac{3a+b}{2}$

## 3-2

(1) $\log_3 2 = \dfrac{1}{\log_2 3} = \dfrac{1}{a}$

(2) $\log_2 7 = \dfrac{\log_3 7}{\log_3 2} = \dfrac{b}{\frac{1}{a}} = ab$

(3) $\log_3 42 = \log_3 (2 \times 3 \times 7)$
$$= \log_3 2 + \log_3 3 + \log_3 7$$
$$= \frac{1}{a} + b + 1$$

답 (1) $\dfrac{1}{a}$　(2) $ab$　(3) $\dfrac{1}{a} + b + 1$

## 3-3

$a = \log_2 10 = \log_2 (2 \times 5) = 1 + \log_2 5$이므로

$\log_2 5 = a - 1$

(1) $\log_5 10 = \dfrac{\log_2 10}{\log_2 5} = \dfrac{a}{a-1}$

(2) $\log_2 50 = \log_2 (2 \times 5^2) = 1 + 2 \log_2 5$
$$= 1 + 2(a-1) = 2a - 1$$

$$\therefore \log_{50} 2 = \frac{1}{\log_2 50} = \frac{1}{2a-1}$$

답 (1) $\dfrac{a}{a-1}$　(2) $\dfrac{1}{2a-1}$

### 대표 04

(1) $x = \log_{10} a,\ y = \log_{10} b,\ z = \log_{10} c$이므로

$$\log_{a^2} bc = \frac{\log_{10} bc}{\log_{10} a^2} = \frac{\log_{10} b + \log_{10} c}{2 \log_{10} a} = \frac{y+z}{2x}$$

**다른 풀이**

$a^2 = (10^x)^2 = 10^{2x},\ bc = 10^y 10^z = 10^{y+z}$이므로

$$\log_{a^2} bc = \frac{\log_{10} bc}{\log_{10} a^2} = \frac{\log_{10} 10^{y+z}}{\log_{10} 10^{2x}}$$
$$= \frac{(y+z) \log_{10} 10}{2x \log_{10} 10} = \frac{y+z}{2x}$$

(2) $40^x = 16$에서 $x = \log_{40} 16 = \log_{40} 2^4 = 4 \log_{40} 2$이므로

$$\frac{4}{x} = \frac{4}{4 \log_{40} 2} = \log_2 40$$

$320^y = 32$에서 $y = \log_{320} 32 = \log_{320} 2^5 = 5 \log_{320} 2$

이므로

$$\frac{5}{y} = \frac{5}{5 \log_{320} 2} = \log_2 320$$

$$\therefore \frac{4}{x} - \frac{5}{y} = \log_2 40 - \log_2 320 = \log_2 \frac{40}{320}$$
$$= \log_2 \frac{1}{8} = \log_2 2^{-3} = -3$$

**다른 풀이**

$40^x = 16 = 2^4$에서 $40 = (2^4)^{\frac{1}{x}} = 2^{\frac{4}{x}}$

$320^y = 32 = 2^5$에서 $320 = (2^5)^{\frac{1}{y}} = 2^{\frac{5}{y}}$

두 식을 같은 변끼리 나누면

$$\frac{40}{320} = 2^{\frac{4}{x}} \div 2^{\frac{5}{y}},\ \frac{1}{8} = 2^{\frac{4}{x} - \frac{5}{y}}$$

$\dfrac{1}{8} = 2^{-3}$이므로 $\dfrac{4}{x} - \dfrac{5}{y} = -3$

답 (1) $\dfrac{y+z}{2x}$　(2) $-3$

참고 문제에 따라 지수로 푸는 것이 간단할 수도 있고 로그로 푸는 것이 간단할 수도 있다.

## 4-1

$x=\log_2 a$, $y=\log_2 b$, $z=\log_2 c$이므로

(1) $\log_{4c} ab=\dfrac{\log_2 ab}{\log_2 4c}=\dfrac{\log_2 a+\log_2 b}{\log_2 4+\log_2 c}=\dfrac{x+y}{2+z}$

**다른 풀이**

$\log_{4c} ab=\dfrac{\log_2 ab}{\log_2 4c}=\dfrac{\log_2 (2^x\times 2^y)}{\log_2 (2^2\times 2^z)}$

$\qquad=\dfrac{\log_2 2^{x+y}}{\log_2 2^{2+z}}=\dfrac{(x+y)\log_2 2}{(2+z)\log_2 2}=\dfrac{x+y}{2+z}$

(2) $\log_{ab} b^2 c^3=\dfrac{\log_2 b^2 c^3}{\log_2 ab}=\dfrac{2\log_2 b+3\log_2 c}{\log_2 a+\log_2 b}$

$\qquad=\dfrac{2y+3z}{x+y}$

**다른 풀이**

$\log_{ab} b^2 c^3=\dfrac{\log_2 b^2 c^3}{\log_2 ab}=\dfrac{\log_2 (2^{2y}\times 2^{3z})}{\log_2 (2^x\times 2^y)}$

$\qquad=\dfrac{\log_2 2^{2y+3z}}{\log_2 2^{x+y}}=\dfrac{(2y+3z)\log_2 2}{(x+y)\log_2 2}$

$\qquad=\dfrac{2y+3z}{x+y}$

$\qquad\qquad\qquad$ 🔁 (1) $\dfrac{x+y}{2+z}$　(2) $\dfrac{2y+3z}{x+y}$

## 4-2

$3.15^x=100$에서 $x=\log_{3.15} 100$이므로

$\dfrac{1}{x}=\log_{100} 3.15$

$0.00315^y=100$에서 $y=\log_{0.00315} 100$이므로

$\dfrac{1}{y}=\log_{100} 0.00315$

$\therefore \dfrac{1}{x}-\dfrac{1}{y}=\log_{100} 3.15-\log_{100} 0.00315$

$\qquad\qquad=\log_{100}\dfrac{3.15}{0.00315}=\log_{10^2} 10^3$

$\qquad\qquad=\dfrac{3}{2}\log_{10} 10=\dfrac{3}{2}$

**다른 풀이**

$3.15=100^{\frac{1}{x}}$, $0.00315=100^{\frac{1}{y}}$이므로 두 식을 같은 변끼리 나누면

$\dfrac{3.15}{0.00315}=100^{\frac{1}{x}-\frac{1}{y}}$, $10^3=10^{2\left(\frac{1}{x}-\frac{1}{y}\right)}$

$\therefore \dfrac{1}{x}-\dfrac{1}{y}=\dfrac{3}{2}$

$\qquad\qquad\qquad\qquad\qquad\qquad\qquad$ 🔁 $\dfrac{3}{2}$

---

## 7

(1) 표에서 4.4의 가로줄과 8의 세로줄이 만나는 곳의 수가 0.6513이므로

$\log 4.48=0.6513$

(2) $\log 4480=\log (4.48\times 10^3)=\log 4.48+3$

$\qquad\qquad=0.6513+3=3.6513$

(3) $\log 0.0448=\log (4.48\times 10^{-2})=\log 4.48-2$

$\qquad\qquad=0.6513-2=-1.3487$

(4) $\log 0.000448=\log (4.48\times 10^{-4})=\log 4.48-4$

$\qquad\qquad=0.6513-4=-3.3487$

$\qquad\qquad$ 🔁 (1) $0.6513$　(2) $3.6513$

$\qquad\qquad\qquad$ (3) $-1.3487$　(4) $-3.3487$

## 8

상용로그의 정수 부분이 3이므로 $A$의 정수 부분은 4자리이다.

$\qquad\qquad\qquad\qquad\qquad\qquad$ 🔁 4자리

## 9

(1) 상용로그의 정수 부분이 $-2$이므로 $B$는 소수점 아래 둘째 자리에서 처음으로 0이 아닌 숫자가 나온다.

(2) $-3.5=-4+(1-0.5)$이므로 상용로그의 정수 부분이 $-4$이다.

따라서 $B$는 소수점 아래 넷째 자리에서 처음으로 0이 아닌 숫자가 나온다.

$\qquad\qquad\qquad$ 🔁 (1) 소수점 아래 둘째 자리

$\qquad\qquad\qquad\qquad$ (2) 소수점 아래 넷째 자리

---

## 대표 05

표에서 $\log 3.71=0.5694$

(1) $\log 37100=\log (3.71\times 10^4)$

$\qquad\qquad=\log 3.71+\log 10^4$

$\qquad\qquad=0.5694+4=4.5694$

(2) $\log 0.0371 = \log (3.71 \times 10^{-2})$
$$= \log 3.71 + \log 10^{-2}$$
$$= 0.5694 - 2 = -1.4306$$

(3) 표에서 $\log a = 0.5832$이면 $a = 3.83$

$x = 3.83 \times 10^n$ 꼴이고 $\log x = 5.5832$에서

정수 부분이 5이므로 $n = 5$

$\therefore x = 3.83 \times 10^5 = 383000$

**다른 풀이**

$\log x = 5.5832 = 5 + 0.5832$
$$= \log 10^5 + \log 3.83$$
$$= \log (3.83 \times 10^5)$$

$\therefore x = 3.83 \times 10^5 = 383000$

(4) $-1.4168 = -2 + 0.5832$이므로

표에서 $\log a = 0.5832$이면 $a = 3.83$

$x = 3.83 \times 10^n$ 꼴이고 $\log x = -2 + 0.5832$에서

정수 부분이 $-2$이므로 $n = -2$

$\therefore x = 3.83 \times 10^{-2} = 0.0383$

**다른 풀이**

$\log x = -1.4168 = -2 + 0.5832$
$$= \log 10^{-2} + \log 3.83$$
$$= \log (3.83 \times 10^{-2})$$

$\therefore x = 3.83 \times 10^{-2} = 0.0383$

**답** (1) $4.5694$  (2) $-1.4306$

(3) $383000$  (4) $0.0383$

**5-1**

표에서 $\log 4.27 = 0.6304$

(1) $\log 427 = \log (4.27 \times 10^2)$
$$= \log 4.27 + \log 10^2$$
$$= 0.6304 + 2$$
$$= 2.6304$$

(2) $\log \sqrt{42700} = \log (4.27 \times 10^4)^{\frac{1}{2}}$
$$= \frac{1}{2}(\log 4.27 + \log 10^4)$$
$$= \frac{1}{2}(0.6304 + 4)$$
$$= 2.3152$$

(3) $\log (4.27 \times 10^{-3}) = \log 4.27 + \log 10^{-3}$
$$= 0.6304 - 3$$
$$= -2.3696$$

**답** (1) $2.6304$  (2) $2.3152$  (3) $-2.3696$

**5-2**

(1) 표에서 $\log a = 0.6484$이면 $a = 4.45$

$x = 4.45 \times 10^n$ 꼴이고 $\log x = 3.6484$에서 정수 부분이 3이므로 $n = 3$

$\therefore x = 4.45 \times 10^3 = 4450$

**다른 풀이**

$\log x = 3 + 0.6484$
$$= \log 10^3 + \log 4.45$$
$$= \log (4.45 \times 10^3)$$

$\therefore x = 4.45 \times 10^3 = 4450$

(2) $-4.3516 = -5 + 0.6484$이므로

표에서 $\log a = 0.6484$    $\therefore a = 4.45$

$x = 4.45 \times 10^n$ 꼴이고 $\log x = -5 + 0.6484$에서

정수 부분이 $-5$이므로 $n = -5$

$\therefore x = 4.45 \times 10^{-5} = 0.0000445$

**다른 풀이**

$\log x = -5 + 0.6484$
$$= \log 10^{-5} + \log 4.45$$
$$= \log (4.45 \times 10^{-5})$$

$\therefore x = 4.45 \times 10^{-5} = 0.0000445$

**답** (1) $4450$  (2) $0.0000445$

**대표 06**

두 지반 A, B의 유효수직응력을 $S_A$, $S_B$, 저항력을 $R_A$, $R_B$, 상대밀도를 $D_A$, $D_B$라 하면

$S_A = 1.44 S_B$, $R_A = 1.5 R_B$, $D_B = 65$    … ㉠

$D_B = 65$이므로 $65 = -98 + 66 \log \dfrac{R_B}{\sqrt{S_B}}$    … ㉡

$D_A = -98 + 66 \log \dfrac{R_A}{\sqrt{S_A}}$에 ㉠을 대입하면

$D_A = -98 + 66 \log \dfrac{1.5 R_B}{\sqrt{1.44 S_B}}$

$= -98 + 66 \log \dfrac{1.5 R_B}{1.2 \sqrt{S_B}}$

$= -98 + 66 \log \left( \dfrac{5}{4} \times \dfrac{R_B}{\sqrt{S_B}} \right)$

$= -98 + 66 \left( \log \dfrac{5}{4} + \log \dfrac{R_B}{\sqrt{S_B}} \right)$

$= -98 + 66 \log \dfrac{R_B}{\sqrt{S_B}} + 66 \log \dfrac{5}{4}$

㉡을 대입하면

$$D_A = 65 + 66 \log \frac{5}{4} = 65 + 66 \log \frac{10}{8}$$
$$= 65 + 66 \times (\log 10 - \log 2^3)$$
$$= 65 + 66 \times (1 - 3 \times 0.3) = 71.6(\%)$$

**답** 71.6 %

## 6-1

두 열차 A, B가 지점 P를 통과할 때의 속력을 $v_A$, $v_B$, 최고소음도를 $L_A$, $L_B$라 하면

$$v_A = 0.9 v_B, \quad d = 75$$

$$L_A = 80 + 28 \log \frac{v_A}{100} - 14 \log \frac{75}{25} \quad \cdots \text{㉠}$$

$$L_B = 80 + 28 \log \frac{v_B}{100} - 14 \log \frac{75}{25}$$

$v_A = 0.9 v_B$를 ㉠에 대입하면

$$L_A = 80 + 28 \log \frac{0.9 v_B}{100} - 14 \log \frac{75}{25}$$

$$\therefore L_B - L_A = 28 \left( \log \frac{v_B}{100} - \log \frac{0.9 v_B}{100} \right)$$

$$= 28 \log \frac{\frac{v_B}{100}}{\frac{0.9 v_B}{100}} = 28 \log \frac{1}{0.9}$$

$$= 28 \log \frac{10}{9} = 28(\log 10 - 2 \log 3)$$

$$= 28(1 - 2 \times 0.48) = 1.12(\text{dB})$$

**답** 1.12 dB

## 대표 07

(1) $6^{20}$에 상용로그를 잡으면

$$\log 6^{20} = 20 \log (2 \times 3) = 20(\log 2 + \log 3)$$
$$= 20 \times (0.301 + 0.477)$$
$$= 15.56 = 15 + 0.56$$

에서 정수 부분이 15이므로 $6^{20}$은 16자리 자연수이다.

(2) $\left( \frac{1}{12} \right)^{10}$에 상용로그를 잡으면

$$\log \left( \frac{1}{12} \right)^{10} = \log 12^{-10} = -10 \log (2^2 \times 3)$$

$$= -10(2 \log 2 + \log 3)$$

$$= -10(2 \times 0.301 + 0.477)$$

$$= -10.79 = -11 + 0.21$$

에서 정수 부분이 $-11$이므로 $\left( \frac{1}{12} \right)^{10}$은 소수점 아래 11째 자리에서 처음으로 0이 아닌 숫자가 나온다.

**답** (1) 16자리 자연수 (2) 소수점 아래 11째 자리

## 7-1

(1) $2^{64}$에 상용로그를 잡으면

$$\log 2^{64} = 64 \log 2 = 64 \times 0.301 = 19.264$$
$$= 19 + 0.264$$

에서 정수 부분이 19이므로 $2^{64}$은 20자리 자연수이다.

(2) $12^{30}$에 상용로그를 잡으면

$$\log 12^{30} = 30 \log (2^2 \times 3) = 30(2 \log 2 + \log 3)$$
$$= 30(2 \times 0.301 + 0.477) = 32.37$$

에서 정수 부분이 32이므로 $12^{30}$은 33자리 자연수이다.

**답** (1) 20자리 자연수 (2) 33자리 자연수

## 7-2

(1) $0.25 = \frac{25}{100} = \frac{1}{2^2}$이므로 $\left( \frac{1}{2^2} \right)^{10}$에 상용로그를 잡으면

$$\log \left( \frac{1}{2^2} \right)^{10} = \log 2^{-20} = -20 \log 2$$

$$= -20 \times 0.301 = -6.02 = -7 + 0.98$$

에서 정수 부분이 $-7$이므로 $0.25^{10}$은 소수점 아래 7째 자리에서 처음으로 0이 아닌 숫자가 나온다.

(2) $\frac{1}{18} = \frac{1}{2 \times 3^2}$이므로 $\left( \frac{1}{2 \times 3^2} \right)^{30}$에 상용로그를 잡으면

$$\log \left( \frac{1}{2 \times 3^2} \right)^{30} = \log (2 \times 3^2)^{-30}$$

$$= -30 \log (2 \times 3^2)$$

$$= -30(\log 2 + 2 \log 3)$$

$$= -30(0.301 + 2 \times 0.477)$$

$$= -37.65 = -38 + 0.35$$

에서 정수 부분이 $-38$이므로 $\left( \frac{1}{18} \right)^{30}$은 소수점 아래 38째 자리에서 처음으로 0이 아닌 숫자가 나온다.

**답** (1) 소수점 아래 7째 자리
(2) 소수점 아래 38째 자리

## 대표 08

(1) $5^{12}$에 상용로그를 잡으면

$$\log 5^{12} = 12 \log 5 = 12(\log 10 - \log 2)$$
$$= 12 \times (1 - 0.301) = 8.388 = 8 + 0.388$$

에서 $5^{12} = a \times 10^8 \ (1 \le a < 10)$, $\log a = 0.388$이므로

$$\log 2 < \log a = 0.388 < \log 3$$

$$\therefore 2 < a < 3$$

곧, $2 \times 10^8 < 5^{12} < 3 \times 10^8$이므로 $5^{12}$의 최고 자리 숫자는 2이다.

(2) $\log x^2 - \log \sqrt{x} = 2\log x - \frac{1}{2}\log x = \frac{3}{2}\log x$

가 정수이고 $\log 10 = 1$, $\log 100 = 2$이므로

$\log 10 < \log x < \log 100$에서 $1 < \log x < 2$

$\therefore \frac{3}{2} < \frac{3}{2}\log x < 3$

$\frac{3}{2}\log x$가 정수이므로

$\frac{3}{2}\log x = 2$, $\log x = \frac{4}{3}$

$\therefore x = 10^{\frac{4}{3}}$

답 (1) 2  (2) $10^{\frac{4}{3}}$

참고 (2) 두 상용로그의 소수 부분이 같으면 두 상용로그의 차는 정수이다.

## 8-1

$15^9$에 상용로그를 잡으면

$\log 15^9 = 9\log\left(3 \times \frac{10}{2}\right)$

$= 9(\log 3 + \log 10 - \log 2)$

$= 9(0.477 + 1 - 0.301) = 10.584$

$= 10 + 0.584$

에서 $15^9 = a \times 10^{10}$ $(1 \le a < 10)$, $\log a = 0.584$

이때 $\log 4 = \log 2^2 = 2\log 2 = 0.602$이므로

$\log 3 < \log a = 0.584 < \log 4$ $\therefore 3 < a < 4$

곧, $3 \times 10^{10} < 15^9 < 4 \times 10^{10}$이므로 $15^9$의 최고 자리 숫자는 3이다.

답 3

## 8-2

$\log x - \log \frac{1}{x} = \log x + \log x = 2\log x$가 정수이다.

$\log 100 < \log x < \log 1000$에서 $2 < \log x < 3$

$\therefore 4 < 2\log x < 6$

$2\log x$가 정수이므로

$2\log x = 5$, $\log x = \frac{5}{2}$

$\therefore x = 10^{\frac{5}{2}}$

답 $10^{\frac{5}{2}}$

---

 **2 로그**

**01** (1) $2 < x < 3$  (2) $-1 < x < 5$ 또는 $5 < x < 6$

**02** ④  **03** (1) $3\log_3 2 + 1$  (2) $-125$  (3) 7

**04** $-4$  **05** ⑤  **06** $\frac{2}{9}$  **07** $\frac{21}{2}$

**08** (1) $a + b - 1$  (2) $\frac{1 - a + b}{3}$

**09** (1) $-0.0855$  (2) 583  (3) 0.057

**10** (1) 2.8274  (2) $-0.1726$  (3) 0.4137

**11** ①  **12** ③  **13** $\frac{5}{2}$  **14** ③  **15** 24

**16** 10시간 후  **17** ②  **18** 12, 13

**19** 10  **20** ②

---

**01**

로그가 정의되기 위한 조건은

$(밑) > 0$, $(밑) \ne 1$, $(진수) > 0$이므로

(1) $-x^2 + 5x - 6 > 0$이므로 $x^2 - 5x + 6 < 0$

$(x-2)(x-3) < 0$ $\therefore 2 < x < 3$

(2) $6 - x > 0$, $6 - x \ne 1$, $x + 1 > 0$이므로

$-1 < x < 5$ 또는 $5 < x < 6$

답 (1) $2 < x < 3$  (2) $-1 < x < 5$ 또는 $5 < x < 6$

---

**02**

$a = \log_2(2 + \sqrt{3})$에서 $2^a = 2 + \sqrt{3}$

또 $4^a = 2^{2a} = (2^a)^2 = (2 + \sqrt{3})^2 = 7 + 4\sqrt{3}$

$\therefore 4^a + \frac{4}{2^a} = 7 + 4\sqrt{3} + \frac{4}{2 + \sqrt{3}}$

$= 7 + 4\sqrt{3} + \frac{4(2 - \sqrt{3})}{4 - 3} = 15$

답 ④

---

**03**

(1) $\log_3 4 - 8\log_9 6 + \frac{5}{\log_6 3}$

$= \log_3 2^2 - 8\log_{3^2} 6 + 5\log_3 6$

$= 2\log_3 2 - 4\log_3 6 + 5\log_3 6$

$= 2\log_3 2 + \log_3 6$

$= 2\log_3 2 + (\log_3 2 + \log_3 3)$

$= 3\log_3 2 + 1$

---

(2) $\log_{16}\dfrac{1}{32}\times\log_{\sqrt5}25\times9^{\log_3 5}$

$=\dfrac{\log_2\dfrac{1}{32}}{\log_2 16}\times\dfrac{\log_5 25}{\log_5\sqrt5}\times3^{2\log_3 5}$

$=\dfrac{\log_2 2^{-5}}{\log_2 2^4}\times\dfrac{\log_5 5^2}{\log_5 5^{\frac{1}{2}}}\times3^{\log_3 5^2}$

$=\dfrac{-5}{4}\times\dfrac{2}{\dfrac{1}{2}}\times5^2=-125$

(3) $(\log_{\sqrt3}25-\log_3 5)(\log_5 9-\log_{\frac15}\sqrt[3]{3})$

$=(\log_{3^{\frac12}}5^2-\log_3 5)(\log_5 3^2-\log_{5^{-1}}3^{\frac13})$

$=(4\log_3 5-\log_3 5)\Big(2\log_5 3+\dfrac13\log_5 3\Big)$

$=3\log_3 5\times\dfrac73\log_5 3=7$

**답** (1) $3\log_3 2+1$　(2) $-125$　(3) $7$

## 04

$\log_2\dfrac12+\log_2\dfrac23+\log_2\dfrac34+\cdots+\log_2\dfrac{15}{16}$

$=\log_2\Big(\dfrac12\times\dfrac23\times\dfrac34\times\cdots\times\dfrac{15}{16}\Big)$

$=\log_2\dfrac{1}{16}=\log_2 2^{-4}=-4$

**다른 풀이**

$\log_2\dfrac12+\log_2\dfrac23+\log_2\dfrac34+\cdots+\log_2\dfrac{15}{16}$

$=(\log_2 1-\log_2 2)+(\log_2 2-\log_2 3)$

$\quad+(\log_2 3-\log_2 4)+\cdots+(\log_2 15-\log_2 16)$

$=\log_2 1-\log_2 16$

$=0-\log_2 2^4=-4$

**답** $-4$

## 05

①, ③은 로그 공식에 의하여 성립한다. (참)

② $\log_a abc=\log_a a+\log_a bc=1+\log_a bc$ (참)

④ $\log_a b\times\log_b c=\log_a b\times\dfrac{\log_a c}{\log_a b}=\log_a c$ (참)

⑤ $\dfrac{\log_a c}{\log_a b}=\log_b c,\ \log_a c-\log_a b=\log_a\dfrac{c}{b}$

　곧, $\dfrac{\log_a c}{\log_a b}\neq\log_a c-\log_a b$ (거짓)

따라서 옳지 않은 것은 ⑤이다.

**답** ⑤

## 06

로그의 정의에 의하여

$x=\log_{27}5,\ y=\log_{125}9$이므로

$xy=\log_{27}5\times\log_{125}9$

$=\dfrac{\log 5}{\log 27}\times\dfrac{\log 9}{\log 125}$

$=\dfrac{\log 5}{3\log 3}\times\dfrac{2\log 3}{3\log 5}$

$=\dfrac29$

**다른 풀이**

$125^y=5^{3y}=9$이고 $5=3^{3x}$이므로

$5^{3y}=(3^{3x})^{3y}=3^{9xy}=9=3^2$

$9xy=2$이므로 $xy=\dfrac29$

**답** $\dfrac29$

## 07

이차방정식의 근과 계수의 관계에서

$\log\alpha+\log\beta=5,\ \log\alpha\log\beta=2$이므로

$(\log\alpha)^2+(\log\beta)^2$

$=(\log\alpha+\log\beta)^2-2\log\alpha\log\beta$

$=5^2-2\times2=21$

$\therefore\ \log_\alpha\beta+\log_\beta\alpha=\dfrac{\log\beta}{\log\alpha}+\dfrac{\log\alpha}{\log\beta}$

$=\dfrac{(\log\beta)^2+(\log\alpha)^2}{\log\alpha\log\beta}=\dfrac{21}{2}$

**답** $\dfrac{21}{2}$

## 08

(1) $\log\dfrac72=\log\dfrac{35}{10}=\log(5\times7)-1$

$=\log 5+\log 7-1$

$=a+b-1$

(2) $\log\sqrt[3]{14}=\dfrac13\log(2\times7)=\dfrac13(\log 2+\log 7)$

$=\dfrac13\Big(\log\dfrac{10}{5}+\log 7\Big)$

$=\dfrac13(1-\log 5+\log 7)$

$=\dfrac{1-a+b}{3}$

**답** (1) $a+b-1$　(2) $\dfrac{1-a+b}{3}$

**09**

(1) $\log 5.54 = 0.7435$이므로

$$\log \sqrt[3]{0.554} = \log (10^{-1} \times 5.54)^{\frac{1}{3}}$$
$$= \frac{1}{3}(-1 + 0.7435) = -0.0855$$

(2) $\log x = 2 + 0.7657$이고 $\log 5.83 = 0.7657$이므로

$$\log x = 2 + \log 5.83 = \log (10^2 \times 5.83) = \log 583$$
$$\therefore x = 583$$

(3) $\log y = -1.2441 = -2 + 0.7559$이고

$\log 5.70 = 0.7559$이므로

$$\log y = -2 + \log 5.70$$
$$= \log (10^{-2} \times 5.70) = \log 0.057$$
$$\therefore y = 0.057$$

**답** (1) $-0.0855$ (2) $583$ (3) $0.057$

**10**

$\log 67.2 = 1.8274$에서

$\log 67.2 = \log (10 \times 6.72) = 1 + \log 6.72$

이므로 $\log 6.72 = 0.8274$

(1) $\log 672 = \log (100 \times 6.72)$
$= 2 + \log 6.72 = 2.8274$

**다른 풀이**

$\log 672 = \log (10 \times 67.2)$
$= 1 + \log 67.2 = 2.8274$

(2) $\log 0.672 = \log (10^{-1} \times 6.72)$
$= -1 + 0.8274 = -0.1726$

**다른 풀이**

$\log 0.672 = \log (10^{-2} \times 67.2)$
$= -2 + 1.8274 = -0.1726$

(3) $\log \sqrt{6.72} = \log 6.72^{\frac{1}{2}} = \frac{1}{2} \log 6.72$
$= \frac{1}{2} \times 0.8274 = 0.4137$

**답** (1) $2.8274$ (2) $-0.1726$ (3) $0.4137$

**11** **전략** 로그의 정의와 공식을 이용한다.

$k$를 자연수라 하면

$5 \log_n 2 = \log_n 2^5 = k$에서 $n^k = 2^5$이고 $n$은 2 이상의 자연수이므로

$n=2$이면 $k=5$, $n=2^5$이면 $k=1$이다.

따라서 $n=2$ 또는 $n=2^5=32$이므로 모든 $n$값의 합은

$2+32=34$

**답** ①

**12** **전략** 주어진 로그의 밑을 통일한다.

$\log_{\sqrt{3}} a = \log_{3^{\frac{1}{2}}} a = \log_3 a^2$

$\log_9 ab = \log_{3^2} ab = \log_3 \sqrt{ab}$

이므로

$\log_3 a^2 = \log_3 \sqrt{ab}$, $a^2 = \sqrt{ab}$

$a^4 = ab$, $a(a^3 - b) = 0$

진수 $a$는 0이 아니므로 $a^3 - b = 0$, 곧 $b = a^3$

$\therefore \log_a b = \log_a a^3 = 3$

**답** ③

**13** **전략** 먼저 비례식을 밑이 $c$인 로그로 정리한다.

$\log_a c : \log_b c = 2 : 1$이므로 $2 \log_b c = \log_a c$

$$\frac{2}{\log_c b} = \frac{1}{\log_c a}, \quad \frac{\log_c b}{\log_c a} = 2 \qquad \therefore \log_a b = 2$$

$$\therefore \log_a b + \log_b a = \log_a b + \frac{1}{\log_a b} = 2 + \frac{1}{2} = \frac{5}{2}$$

**다른 풀이**

$2 \log_b c = \log_a c$에서 좌변을 밑이 $a$인 로그로 정리하면

$$\frac{2 \log_a c}{\log_a b} = \log_a c$$

$\log_a c \ne 0$이므로 $\log_a b = 2$

**답** $\dfrac{5}{2}$

**14** **전략** 밑이 7인 로그로 통일한다.

$\log_2 7 = a$에서 $\log_7 2 = \dfrac{1}{a}$

$\log_7 9 = b$에서 $2 \log_7 3 = b$ $\qquad \therefore \log_7 3 = \dfrac{b}{2}$

이때 $\log_{24} 7 = \dfrac{1}{\log_7 24}$이고

$\log_7 24 = \log_7 (2^3 \times 3) = 3 \log_7 2 + \log_7 3$
$= \dfrac{3}{a} + \dfrac{b}{2} = \dfrac{ab+6}{2a}$

$\therefore \log_{24} 7 = \dfrac{2a}{ab+6}$

**답** ③

**15** **전략** 밑이 $w$인 로그로 통일한다.

$\log_x w = 12$에서 $\log_w x = \dfrac{1}{12}$ $\quad \cdots$ ㉠

$\log_y w = 8$에서 $\log_w y = \dfrac{1}{8}$ $\quad \cdots$ ㉡

$\log_{xyz} w = 4$에서

$\log_w xyz = \dfrac{1}{4}$, $\log_w x + \log_w y + \log_w z = \dfrac{1}{4}$

㉠, ㉡을 대입하면 $\frac{1}{12}+\frac{1}{8}+\log_w z=\frac{1}{4}$

$\log_w z=\frac{1}{24}$    ∴ $\log_z w=24$

**답** 24

**16** **전략** $\log \frac{C}{C_0}=-kt$에 $C$, $C_0$, $t$의 값을 대입하여 $k$의 값
부터 구한다.

$\log \dfrac{C}{C_0}=-kt$    ··· ㉠

$C_0=8\times10^5$이고, $t=3$일 때 $C=2\times10^5$이므로 ㉠에 대입하면

$\log \dfrac{2\times10^5}{8\times10^5}=-3k$

$-3k=\log 2^{-2}=-2\log 2$

∴ $k=\dfrac{2}{3}\log 2=\dfrac{2}{3}\times0.3=0.2$

$t$시간이 지나는 순간 박테리아 수가 $8\times10^3$이면

$\log \dfrac{8\times10^3}{8\times10^5}=-0.2t$

$-0.2t=\log 10^{-2}=-2$

∴ $t=10$

따라서 10시간 후이다.

**답** 10시간 후

**17** **전략** $\log n$의 정수 부분이 1, $\log \dfrac{1}{m}$의 정수 부분이 $-1$
인 것을 이용하여 $a$, $b$의 값을 구한다.

$\log n$의 정수 부분이 1이므로

$1\le \log n<2$    ∴ $10\le n<10^2=100$

$n=10, 11, 12, \cdots, 99$이므로 $a=90$

$\log \dfrac{1}{m}$의 정수 부분이 $-1$이므로

$-1\le \log \dfrac{1}{m}<0$, $\dfrac{1}{10}\le \dfrac{1}{m}<1$    ∴ $1<m\le10$

$m=2, 3, 4, \cdots, 10$이므로 $b=9$

∴ $a+b=99$

**답** ②

**18** **전략** $A$가 $n$자리 수이면 $\log A$의 정수 부분은 $n-1$임
을 이용한다.

$4^m$이 8자리 정수이므로 $\log 4^m$의 정수 부분은 7이다.

$7\le \log 4^m<8$, $7\le m\log 4<8$

$\log 4=\log 2^2=2\log 2=0.602$이므로

$\dfrac{7}{0.602}\le m<\dfrac{8}{0.602}$

∴ $11.\times\times\times\le m<13.\times\times\times$

$m$은 자연수이므로 $m=12, 13$

**답** 12, 13

**19** **전략** $0<\log x<1$이고 $\log x+\log x^2$은 정수임을 이
용한다.

$\log x+\log x^2=\log x^3=3\log x$는 정수이다.

$1<x<10$에서 $0<\log x<1$, $0<3\log x<3$

$3\log x$는 정수이므로 $3\log x=1$ 또는 $3\log x=2$

$3\log x=1$일 때, $\log x=\dfrac{1}{3}$    ∴ $x=10^{\frac{1}{3}}$

$3\log x=2$일 때, $\log x=\dfrac{2}{3}$    ∴ $x=10^{\frac{2}{3}}$

따라서 $x$값의 곱은 $10^{\frac{1}{3}}\times10^{\frac{2}{3}}=10^{\frac{1}{3}+\frac{2}{3}}=10$

**답** 10

**20** **전략** $x=a\times10^n$ ($1\le a<10$, $n$은 정수) 꼴로 고치고
$f(x)$를 구한다.

$x=a\times10^n$ ($1\le a<10$, $n$은 정수)이라 하면

$\log x=\log (a\times10^n)=\log a+n$

$0\le \log a<1$이므로 $[\log x]=n$

∴ $\log x-[\log x]=\log a$

① $x=1.2\times10^{-2}$이므로 $f(x)=\log 1.2$

② $x=8.24\times10^{-1}$이므로 $f(x)=\log 8.24$

③ $x=1.96$이므로 $f(x)=\log 1.96$

④ $x=5.6\times10$이므로 $f(x)=\log 5.6$

⑤ $x=4.7\times10^2$이므로 $f(x)=\log 4.7$

따라서 $f(x)$의 값이 가장 큰 것은 ②이다.

**답** ②

**참고** $\log x-[\log x]$는 $\log x$의 소수 부분이다.

# **3** 지수함수와 로그함수

개념 Check 41쪽

**1**

$y=2^x \quad \cdots \ \text{㉠}$

의 그래프는 그림과 같다.

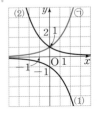 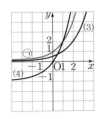

(1) $-y=2^x$이므로 $y$에 $-y$를 대입한 꼴이다.

　곧, ㉠의 그래프를 $x$축에 대칭이동한다.

(2) $y=2^{-x}$은 $x$에 $-x$를 대입한 꼴이다.

　곧, ㉠의 그래프를 $y$축에 대칭이동한다.

(3) $y=2^{x-1}$은 ㉠의 그래프를 $x$축 방향으로 1만큼 평행 이동한다.

(4) $y=2^{x+1}-2$는 ㉠의 그래프를 $x$축 방향으로 $-1$만 큼, $y$축 방향으로 $-2$만큼 평행이동한다.

　**월** 풀이 참조

**2**

$y=\left(\dfrac{1}{2}\right)^x \quad \cdots \ \text{㉠}$

의 그래프는 그림과 같다.

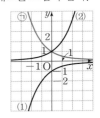 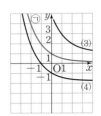

(1) $-y=\left(\dfrac{1}{2}\right)^x$이므로 $y$에 $-y$를 대입한 꼴이다.

　곧, ㉠의 그래프를 $x$축에 대칭이동한다.

(2) $y=\left(\dfrac{1}{2}\right)^{-x}$이므로 $x$에 $-x$를 대입한 꼴이다.

　곧, ㉠의 그래프를 $y$축에 대칭이동한다.

(3) $y=\left(\dfrac{1}{2}\right)^{x-2}+1$은 ㉠의 그래프를 $x$축 방향으로 2만큼, $y$축 방향으로 1만큼 평행이동한다.

(4) $y=2^{-x}-2=\left(\dfrac{1}{2}\right)^x-2$이므로 ㉠의 그래프를 $y$축 방 향으로 $-2$만큼 평행이동한다.

　**월** 풀이 참조

대표Q 42쪽 ~ 45쪽

**대표 01**

(1) $y=2^2\times2^{x+1}=2^{x+3}$이므로 $y=4\times2^{x+1}$의 그래프는 $y=2^x$의 그래프를 $x$축 방 향으로 $-3$만큼 평행이동 한 것이므로 그림과 같다.

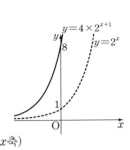

따라서 치역은 $\{y\,|\,y>0\}$, 점근선의 방정식은 $y=0$ ($x$축)

(2) $y=2^{-x+2}+3$
$=2^{-(x-2)}+3$이므로 $y=2^{-x+2}+3$의 그래프 는 $y=2^x$의 그래프를 $y$축에 대칭이동한 후,
$x$축 방향으로 2만큼,

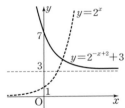

$y$축 방향으로 3만큼 평행이동한 것이므로 그림과 같다.

따라서 치역은 $\{y\,|\,y>3\}$,
점근선의 방정식은 $y=3$

(3) $y=-\left(\dfrac{1}{3}\right)^{x-1}-2$의 그래프는 $y=\left(\dfrac{1}{3}\right)^x$의 그래프를 $x$축에 대칭 이동한 후, $x$축 방향 으로 1만큼, $y$축 방향 으로 $-2$만큼 평행이 동한 것이므로 그림과 같다.

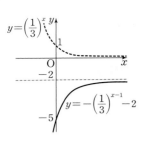

따라서 치역은 $\{y\,|\,y<-2\}$,
점근선의 방정식은 $y=-2$

**월** (1) 그래프 : 풀이 참조,

　　치역 : $\{y\,|\,y>0\}$, 점근선의 방정식 : $y=0$

　(2) 그래프 : 풀이 참조,

　　치역 : $\{y\,|\,y>3\}$, 점근선의 방정식 : $y=3$

(3) 그래프 : 풀이 참조,
　　치역 : $\{y\,|\,y<-2\}$, 점근선의 방정식 : $y=-2$

## 1-1

(1) $y=3^{2x-4}+2$
　　$=(3^2)^{x-2}+2$
　　$=9^{x-2}+2$
이므로
$y=3^{2x-4}+2$의 그래프
는 $y=9^x$의 그래프를 $x$
축 방향으로 2만큼, $y$축
방향으로 2만큼 평행이동한 것이므로 그림과 같다.
따라서 치역은 $\{y\,|\,y>2\}$,
점근선의 방정식은 $y=2$

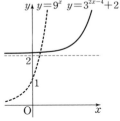

(2) $y=3\times\left(\dfrac{1}{5}\right)^x-1$의 그래프
는 $y=3\times\left(\dfrac{1}{5}\right)^x$의 그래프
를 $y$축 방향으로 $-1$만큼
평행이동한 것이므로 그림
과 같다.
따라서 치역은
$\{y\,|\,y>-1\}$,
점근선의 방정식은 $y=-1$

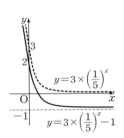

(3) $y=-4^{-2x+2}$
　　$=-4^{-2(x-1)}=-\left(\dfrac{1}{16}\right)^{x-1}$
이므로
$y=-4^{-2x+2}$의 그래프는
$y=\left(\dfrac{1}{16}\right)^x$의 그래프를 $x$축
에 대칭이동한 후 $x$축 방
향으로 1만큼 평행이동한 것이므로 그림과 같다.
따라서 치역은 $\{y\,|\,y<0\}$,
점근선의 방정식은 $y=0$

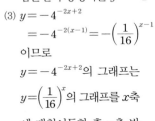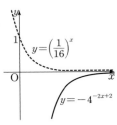

📋 (1) 그래프 : 풀이 참조,
　　치역 : $\{y\,|\,y>2\}$, 점근선의 방정식 : $y=2$
　(2) 그래프 : 풀이 참조,
　　치역 : $\{y\,|\,y>-1\}$, 점근선의 방정식 : $y=-1$
　(3) 그래프 : 풀이 참조,
　　치역 : $\{y\,|\,y<0\}$, 점근선의 방정식 : $y=0$

## 1-2

$y=3^x$의 그래프를 $x$축 방향으로 $-2$만큼, $y$축 방향으로
3만큼 평행이동한 그래프의 식은
$y-3=3^{x+2}$
$\therefore y=3^2\times 3^x+3=9\times 3^x+3$
$\therefore a=9,\ b=3$

📋 $a=9,\ b=3$

## 1-3

$y=\left(\dfrac{1}{9}\right)^x=(3^{-2})^x=3^{-2x}$이므로 $y=3^{-2x}$의 그래프를 $x$축

방향으로 3만큼 평행이동한 그래프의 식은
$y=3^{-2(x-3)}$　　$\therefore y=3^{-2x+6}$　　$\cdots$ ㉠
㉠의 그래프를 $y$축에 대칭이동한 그래프의 식은
$y=3^{-2(-x)+6}$　　$\therefore y=3^{2x+6}$
$\therefore a=2,\ b=6$

📋 $a=2,\ b=6$

## 대표 02

(1) $y=2^{-x}\times 3^x=\left(\dfrac{3}{2}\right)^x$
　$-1\le x\le 2$에서
　$y=\left(\dfrac{3}{2}\right)^x$의 그래프는
　그림과 같으므로
　$x=2$일 때 최댓값은
　$\left(\dfrac{3}{2}\right)^2=\dfrac{9}{4}$
　$x=-1$일 때 최솟값은 $\left(\dfrac{3}{2}\right)^{-1}=\dfrac{2}{3}$

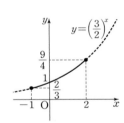

(2) $y=3^{2-x}=3^{-(x-2)}$
　$=\left(\dfrac{1}{3}\right)^{x-2}$
　$1\le x\le 3$에서
　$y=\left(\dfrac{1}{3}\right)^{x-2}$의 그래프는
　그림과 같으므로
　$x=1$일 때 최댓값은 $\left(\dfrac{1}{3}\right)^{-1}=3$
　$x=3$일 때 최솟값은 $\left(\dfrac{1}{3}\right)^1=\dfrac{1}{3}$

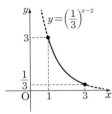

(3) $y=1+2^{x+2}-4^x=1+4\times 2^x-(2^x)^2$
　$2^x=t$로 놓으면 주어진 함수는

$y = 1 + 4t - t^2 = -(t-2)^2 + 5$  $\cdots$ ㉠

이때 $t = 2^x$은 밑 2가 $2 > 1$이므로

$-1 \leq x \leq 2$에서

$2^{-1} \leq t \leq 2^2$

$\therefore \dfrac{1}{2} \leq t \leq 4$

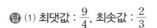

이 범위에서 ㉠의 그래프

는 그림과 같다.

따라서 $t = 2$일 때 최댓값 5,

$t = 4$일 때 최솟값은

$-2^2 + 5 = 1$

> 답 (1) 최댓값 : $\dfrac{9}{4}$, 최솟값 : $\dfrac{2}{3}$
>
> (2) 최댓값 : 3, 최솟값 : $\dfrac{1}{3}$
>
> (3) 최댓값 : 5, 최솟값 : 1

참고 $\alpha \leq x \leq \beta$에서 $y = a^x$의 최대, 최소

(1) $a > 1$이면 $x$의 값이 증가하면 $y$의 값도 증가하므로

$x = \alpha$일 때 최소, $x = \beta$일 때 최대

(2) $0 < a < 1$이면 $x$의 값이 증가하면 $y$의 값이 감소하

므로 $x = \alpha$일 때 최대, $x = \beta$일 때 최소

## 2-1

(1) $y = \left(\dfrac{1}{2}\right)^{1-2x} + 1 = \left(\dfrac{1}{2}\right)^{-2\left(x-\frac{1}{2}\right)} + 1 = 4^{x-\frac{1}{2}} + 1$

$-1 \leq x \leq 1$에서

$y = 4^{x-\frac{1}{2}} + 1$의 그래

프는 그림과 같으므로

$x = 1$일 때 최댓값은

$4^{1-\frac{1}{2}} + 1 = 3$

$x = -1$일 때 최솟값은

$4^{-1-\frac{1}{2}} + 1 = \dfrac{9}{8}$

(2) $y = 3^{x-2} \times 5^{-x} = 3^x \times 3^{-2} \times \left(\dfrac{1}{5}\right)^x = \dfrac{1}{3^2} \times \left(\dfrac{3}{5}\right)^x$

$= \dfrac{1}{9} \times \left(\dfrac{3}{5}\right)^x$

$1 \leq x \leq 3$에서

$y = \dfrac{1}{9} \times \left(\dfrac{3}{5}\right)^x$의 그래프는

그림과 같으므로

$x = 1$일 때 최댓값은

$\dfrac{1}{9} \times \left(\dfrac{3}{5}\right)^1 = \dfrac{1}{15}$

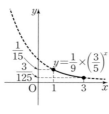

$x = 3$일 때 최솟값은

$\dfrac{1}{9} \times \left(\dfrac{3}{5}\right)^3 = \dfrac{3}{125}$

(3) $x^2 + 2x - 1 = t$로 놓

으면 주어진 함수는

$y = 3^t$이고,

$t = (x+1)^2 - 2$

$\cdots$ ㉠

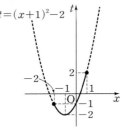

$-2 \leq x \leq 1$에서 ㉠의

그래프는 그림과 같다.

$\therefore -2 \leq t \leq 2$

이때 $y = 3^t$은 $x$의 값이 증가하면 $y$의 값도 증가한다.

따라서 $t = 2$일 때 최댓값은 $3^2 = 9$,

$t = -2$일 때 최솟값은 $3^{-2} = \dfrac{1}{9}$

> 답 (1) 최댓값 : 3, 최솟값 : $\dfrac{9}{8}$
>
> (2) 최댓값 : $\dfrac{1}{15}$, 최솟값 : $\dfrac{3}{125}$
>
> (3) 최댓값 : 9, 최솟값 : $\dfrac{1}{9}$

## 2-2

(1) $y = 3 \times 4^{x-1} - 2 = \dfrac{3}{4} \times 4^x - 2$

$-1 \leq x \leq 1$에서

$y = \dfrac{3}{4} \times 4^x - 2$의 그래

프는 그림과 같고, $x$

의 값이 증가하면 $y$의

값도 증가한다.

따라서 $x = 1$일 때 최

댓값은 $\dfrac{3}{4} \times 4^1 - 2 = 1$,

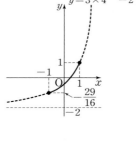

$x = -1$일 때 최솟값은 $\dfrac{3}{4} \times 4^{-1} - 2 = -\dfrac{29}{16}$

(2) $y = 4^{x-1} + 2^{x+1} - 1 = \dfrac{1}{4} \times (2^x)^2 + 2 \times 2^x - 1$

$2^x = t$로 놓으면 주어진 함수는

$y = \dfrac{1}{4}t^2 + 2t - 1 = \dfrac{1}{4}(t+4)^2 - 5$  $\cdots$ ㉠

이때 $t = 2^x$은 밑 2가 $2 > 1$이므로

$-1 \leq x \leq 1$에서 $2^{-1} \leq t \leq 2$  $\therefore \dfrac{1}{2} \leq t \leq 2$

이 범위에서 ㉠의 그래
프는 그림과 같다.
따라서 $t=2$일 때 최댓
값은

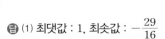

$\dfrac{1}{4} \times 6^2 - 5 = 4,$

$t=\dfrac{1}{2}$일 때 최솟값은

$\dfrac{1}{4} \times \left(\dfrac{9}{2}\right)^2 - 5 = \dfrac{1}{16}$

📖 (1) 최댓값 : 1, 최솟값 : $-\dfrac{29}{16}$

(2) 최댓값 : 4, 최솟값 : $\dfrac{1}{16}$

**대표 03**

직선 $y=x$를 이용하여
$a_2$, $a_3$, $a_4$를 $y$축 위에 차
례로 나타내면 그림과 같
으므로

$a_3 < a_4 < a_2$

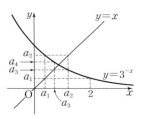

📖 $a_3 < a_4 < a_2$

**3-1**

주어진 함수를 $y=f(x)$라 하면

$f(a)=p$, $f(b)=q$이므로 $\left(\dfrac{1}{2}\right)^a = p$, $\left(\dfrac{1}{2}\right)^b = q$

변끼리 곱하면 $\left(\dfrac{1}{2}\right)^{a+b} = pq$

이때 $pq=8=2^3$이므로 $\left(\dfrac{1}{2}\right)^{a+b} = 2^3$

$\therefore a+b=-3$

📖 $-3$

**3-2**

$f(x)=2^x$이라 하면

$a=f(0)=2^0=1$, $b=f(2)=2^2=4$

$c=f(b)=f(4)=2^4=16$

📖 $a=1$, $b=4$, $c=16$

**대표 04**

$y=3^{x-2}$의 그래프는 $y=3^{x+1}$
의 그래프를 $x$축 방향으로
3만큼 평행이동한 것이므로

$\overline{\mathrm{AC}}=3$

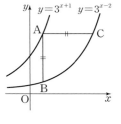

$\mathrm{A}(a, 3^{a+1})$이라 하면

$\mathrm{B}(a, 3^{a-2})$, $\mathrm{C}(a+3, 3^{a+1})$

이때 $\overline{\mathrm{AB}}=\overline{\mathrm{AC}}=3$이므로

$3^{a+1}-3^{a-2}=3$

$3 \times 3^a - \dfrac{1}{9} \times 3^a = 3$, $\dfrac{26}{9} \times 3^a = 3$ $\therefore 3^a = \dfrac{27}{26}$

따라서 A의 $y$좌표는 $3^{a+1}=3 \times 3^a = \dfrac{81}{26}$

📖 $\dfrac{81}{26}$

**4-1**

$y=2^{x-2}$의 그래프는 $y=2^x$의
그래프를 $x$축 방향으로 2만
큼 평행이동한 것이므로

$\overline{\mathrm{AB}}=\overline{\mathrm{CD}}=2$이고, 그림에서
빗금 친 두 부분의 넓이가 같다.
곧, 구하는 넓이를 $S$라 하면
$S$는 직사각형 $\mathrm{CBB'D}$의 넓이와 같다.

점 B의 $y$좌표가 1이므로

$2^{x-2}=1=2^0$, $x=2$ $\therefore \mathrm{B}(2, 1)$

점 C의 $x$좌표가 2이므로

$y=2^2=4$ $\therefore \mathrm{C}(2, 4)$

따라서 $\overline{\mathrm{CD}}=2$, $\overline{\mathrm{BC}}=4-1=3$이므로

$S=\square\mathrm{CBB'D}=2 \times 3 = 6$

📖 6

**4-2**

H와 G의 $x$좌표를 $k(k>0)$라 하면 $\overline{\mathrm{EH}}=\dfrac{1}{2}\overline{\mathrm{AD}}$이므로

C와 D의 $x$좌표는 $2k$이다.

$\therefore \mathrm{H}(k, a^k)$, $\mathrm{G}(k, a^{-k})$, $\mathrm{C}(2k, a^{-2k})$, $\mathrm{D}(2k, a^{2k})$

$\overline{\mathrm{AD}}=4k$, $\overline{\mathrm{CD}}=a^{2k}-a^{-2k}$이므로

$\square\mathrm{ABCD}=4k(a^{2k}-a^{-2k})$

또 $\overline{\mathrm{EH}}=2k$, $\overline{\mathrm{GH}}=a^k-a^{-k}$이므로

$\square\mathrm{EFGH}=2k(a^k-a^{-k})$

조건에서 $\square\mathrm{EFGH}=\dfrac{1}{8}\square\mathrm{ABCD}$이므로

$$2k(a^k-a^{-k})=\frac{1}{8}\times 4k(a^{2k}-a^{-2k})$$

$$4k(a^k-a^{-k})=k(a^k+a^{-k})(a^k-a^{-k})$$

$k>0$, $a^k-a^{-k}\neq 0$이므로 $a^k+a^{-k}=4$

$$\therefore \overline{\mathrm{ID}}+\overline{\mathrm{IC}}=a^{2k}+a^{-2k}=(a^k+a^{-k})^2-2$$
$$=4^2-2=14$$

**답** 14

**3**

$y=\log_2 x \qquad \cdots \ ㉠$

의 그래프는 그림과 같다.

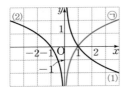 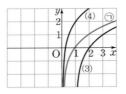

(1) $-y=\log_2 x$이므로 $y$에 $-y$를 대입한 꼴이다.

곧, ㉠의 그래프를 $x$축에 대칭이동한다.

(2) $y=\log_2(-x)$는 $x$에 $-x$를 대입한 꼴이다.

곧, ㉠의 그래프를 $y$축에 대칭이동한다.

(3) $y=\log_2(x-1)$은 ㉠의 그래프를 $x$축 방향으로 1만큼 평행이동한다.

(4) $y=\log_2 x+2$는 ㉠의 그래프를 $y$축 방향으로 2만큼 평행이동한다.

**답** 풀이 참조

**4**

$y=\log_{\frac{1}{2}} x \qquad \cdots \ ㉠$

의 그래프는 그림과 같다.

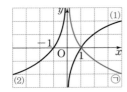 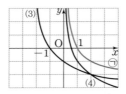

(1) $-y=\log_{\frac{1}{2}} x$이므로 $y$에 $-y$를 대입한 꼴이다.

곧, ㉠의 그래프를 $x$축에 대칭이동한다.

(2) $y=\log_{\frac{1}{2}}(-x)$는 $x$에 $-x$를 대입한 꼴이다.

곧, ㉠의 그래프를 $y$축에 대칭이동한다.

(3) $y=\log_{\frac{1}{2}}(x+2)$는 ㉠의 그래프를 $x$축 방향으로 $-2$만큼 평행이동한다.

(4) $y=\log_{\frac{1}{2}} x-1$은 ㉠의 그래프를 $y$축 방향으로 $-1$만큼 평행이동한다.

**답** 풀이 참조

**대표 05**

(1) $y=\log_3 9(x+1)$
$=\log_3 3^2+\log_3(x+1)$
$=\log_3(x+1)+2$

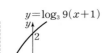

$y=\log_3 9(x+1)$의 그래프는 $y=\log_3 x$의 그래프를 $x$축 방향으로 $-1$만큼, $y$축 방향으로 2만큼 평행이동한 것이므로 그림과 같다.

따라서 정의역은 $\{x\,|\,x>-1\}$, 점근선의 방정식은 $x=-1$

(2) $y=\log_2\left(\dfrac{-x}{2}\right)$
$=\log_2(-x)-1$

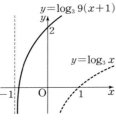

$y=\log_2\left(\dfrac{-x}{2}\right)$의 그래프는 $y=\log_2 x$의 그래프를 $y$축에 대칭이동한 후, $y$축 방향으로 $-1$만큼 평행이동한 것이므로 그림과 같다.

따라서 정의역은 $\{x\,|\,x<0\}$, 점근선의 방정식은 $x=0$ ($y$축)

(3) $y=\log_{\frac{1}{3}}(-x+2)+1$
$=\log_{\frac{1}{3}}\{-(x-2)\}+1$

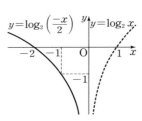

$y=\log_{\frac{1}{3}}(-x+2)+1$의 그래프는 $y=\log_{\frac{1}{3}} x$의 그래프를 $y$축에 대칭이동한 후, $x$축 방향으로

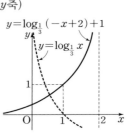

2만큼, $y$축 방향으로 1만큼 평행이동한 것이므로 그림과 같다.

따라서 정의역은 $\{x \mid x < 2\}$,

점근선의 방정식은 $x = 2$

(4) $y = -\log_{0.5} (x+2) + 2$의 그래프는

$y = \log_{0.5} x$의 그래프를 $x$축에 대칭이동한 후, $x$축 방향으로 $-2$만큼, $y$축 방향으로 2만큼 평행이동한 것이므로 그림과 같다.

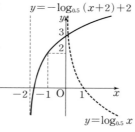

따라서 정의역은 $\{x \mid x > -2\}$,

점근선의 방정식은 $x = -2$

🖪 (1) 그래프 : 풀이 참조,

　정의역 : $\{x \mid x > -1\}$, 점근선의 방정식 : $x = -1$

(2) 그래프 : 풀이 참조,

　정의역 : $\{x \mid x < 0\}$, 점근선의 방정식 : $x = 0$

(3) 그래프 : 풀이 참조,

　정의역 : $\{x \mid x < 2\}$, 점근선의 방정식 : $x = 2$

(4) 그래프 : 풀이 참조,

　정의역 : $\{x \mid x > -2\}$, 점근선의 방정식 : $x = -2$

**5-1**

(1) $y = \log_{\frac{1}{3}} (3x+1) - 1$

$\quad = \log_{\frac{1}{3}} \left\{ 3\left(x + \dfrac{1}{3}\right) \right\} - 1$

$\quad = \log_{\frac{1}{3}} \left(x + \dfrac{1}{3}\right) - 2$

$y = \log_{\frac{1}{3}} (3x+1) - 1$의 그래프는 $y = \log_{\frac{1}{3}} x$의 그래프를 $x$축 방향으로 $-\dfrac{1}{3}$만큼, $y$축 방향으로 $-2$만큼 평행이동한 것이므로 그림과 같다.

따라서 정의역은 $\left\{ x \,\middle|\, x > -\dfrac{1}{3} \right\}$,

점근선의 방정식은 $x = -\dfrac{1}{3}$

(2) $y = \log_2 \dfrac{2}{x-1} = \log_2 2 - \log_2 (x-1)$

$\qquad = -\log_2 (x-1) + 1$

$y = \log_2 \dfrac{2}{x-1}$의 그래프는 $y = \log_2 x$의 그래프를 $x$축에 대칭이동한 후, $x$축 방향으로 1만큼, $y$축 방향으로 1만큼 평행이동한 것이므로 그림과 같다.

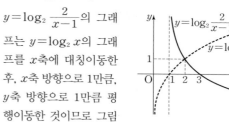

따라서 정의역은 $\{x \mid x > 1\}$,

점근선의 방정식은 $x = 1$

🖪 (1) 그래프 : 풀이 참조,

　정의역 : $\left\{ x \,\middle|\, x > -\dfrac{1}{3} \right\}$, 점근선의 방정식 : $x = -\dfrac{1}{3}$

(2) 그래프 : 풀이 참조,

　정의역 : $\{x \mid x > 1\}$, 점근선의 방정식 : $x = 1$

**5-2**

$y = \log_2 x$의 그래프를 $x$축 방향으로 $-2$만큼, $y$축 방향으로 3만큼 평행이동한 그래프의 식은

$y - 3 = \log_2 (x+2)$에서

$y = \log_2 (x+2) + 3$

$\quad = \log_2 (x+2) + \log_2 2^3$

$\quad = \log_2 2^3 (x+2)$

$\quad = \log_2 (8x + 16)$

$\therefore a = 8, \ b = 16$

🖪 $a = 8, \ b = 16$

**5-3**

$y = \log_2 x^2$에서 $x^2 > 0$이므로 $x$는 0이 아닌 실수이다.

곧, 정의역은 $\{x \mid x < 0 \ \text{또는} \ x > 0\}$

이때

$$y = \begin{cases} 2\log_2 x & (x > 0) \\ 2\log_2 (-x) & (x < 0) \end{cases}$$

이므로 그래프는 그림과 같다.

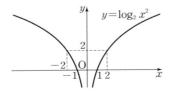

**답** 정의역 : $\{x \,|\, x < 0 \text{ 또는 } x > 0\}$,
그래프 : 풀이 참조

**참고** (1) $x > 0$일 때,
$$\log_2 x^2 = 2 \log_2 x$$
(2) $x$가 0이 아닌 실수일 때,
$$\log_2 x^2 = \begin{cases} 2 \log_2 x & (x > 0) \\ 2 \log_2 (-x) & (x < 0) \end{cases}$$

**대표 06**

(1) $3 \le x \le 11$에서
$y = \log_3 (x-2)$의 그래프는 그림과 같으므로
$x = 11$일 때 최댓값은
$\log_3 (11-2) = \log_3 3^2 = 2$
$x = 3$일 때 최솟값은
$\log_3 (3-2) = 0$

(2) $1 \le x \le 7$에서
$y = \log_{\frac{1}{3}} (x+2) - 2$의
그래프는 그림과 같으므로 $x = 1$일 때 최댓값은
$\log_{\frac{1}{3}} (1+2) - 2$
$= -1 - 2 = -3$
$x = 7$일 때 최솟값은
$\log_{\frac{1}{3}} (7+2) - 2 = -2 - 2 = -4$

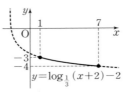

(3) $\log_2 x^2 = 2 \log_2 x$,
$\log_2 \dfrac{4}{x} = \log_2 4 - \log_2 x = 2 - \log_2 x$
이므로 $\log_2 x = t$로 놓으면 주어진 함수는
$y = 2t(2-t) = -2t^2 + 4t$
$= -2(t-1)^2 + 2$  ··· ㉠
이때 $t = \log_2 x$는 $x$의 값이 증가하면 $y$의 값도 증가한다.
$\dfrac{1}{4} \le x \le 4$에서 $\log_2 \dfrac{1}{4} \le \log_2 x \le \log_2 4$
$\therefore -2 \le t \le 2$

이 범위에서 ㉠의 그래프는 그림과 같으므로
$t = 1$일 때 최댓값은 2
$t = -2$일 때 최솟값은
$-2 \times (-3)^2 + 2$
$= -16$

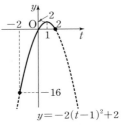

**답** (1) 최댓값 : 2, 최솟값 : 0
(2) 최댓값 : $-3$, 최솟값 : $-4$
(3) 최댓값 : 2, 최솟값 : $-16$

**참고** $\alpha \le x \le \beta$에서 $y = \log_a x$의 최대, 최소
(1) $a > 1$일 때, $x$의 값이 증가하면 $y$의 값도 증가하므로
$x = \alpha$일 때 최소, $x = \beta$일 때 최대
(2) $0 < a < 1$일 때, $x$의 값이 증가하면 $y$의 값은 감소하므로 $x = \alpha$일 때 최대, $x = \beta$일 때 최소

**6-1**

(1) $5 \le x \le 9$에서
$y = -\log_2 (x-1)$의 그래프는 그림과 같으므로
$x = 5$일 때 최댓값은
$-\log_2 4 = -2$
$x = 9$일 때 최솟값은 $-\log_2 8 = -3$

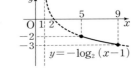

(2) $x^2 + 2x + 3 = t$로 놓으면
$t = (x+1)^2 + 2$
··· ㉠
$-2 \le x \le 2$에서 ㉠의 그래프는 그림과 같다.
$\therefore 2 \le t \le 11$
이때 $y = \log_2 t$는 $x$의 값이 증가하면 $y$의 값도 증가한다.
따라서 $t = 11$일 때 최댓값은 $\log_2 11$,
$t = 2$일 때 최솟값은 $\log_2 2 = 1$

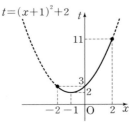

**답** (1) 최댓값 : $-2$, 최솟값 : $-3$
(2) 최댓값 : $\log_2 11$, 최솟값 : 1

**6-2**

(1) $\log_3 \dfrac{x^2}{9} = \log_3 x^2 - \log_3 9 = 2 \log_3 x - 2$
이므로 $\log_3 x = t$로 놓으면 주어진 함수는

$$y=t(2t-2)=2t^2-2t$$
$$=2\left(t-\frac{1}{2}\right)^2-\frac{1}{2} \quad \cdots \ \text{㉠}$$

이때 $t=\log_3 x$는 $x$의 값이 증가하면 $y$의 값도 증가한다.

$1\le x\le 81$에서 $\log_3 1\le\log_3 x\le\log_3 81$

$\therefore 0\le t\le 4$

이 범위에서 ㉠의 그래프는 그림과 같으므로

$t=4$일 때 최댓값은
$2\times 4^2-2\times 4=24$,

$t=\frac{1}{2}$일 때 최솟값은

$-\frac{1}{2}$

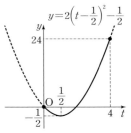

(2) $\log_{\frac{1}{3}} x=\log_{3^{-1}} x=-\log_3 x$

이므로 $\log_3 x=t$로 놓으면 주어진 함수는

$$y=-t^2+2t+1$$
$$=-(t-1)^2+2 \quad \cdots \ \text{㉠}$$

$1\le x\le 81$에서 $0\le t\le 4$이고, 이 범위에서 ㉠의 그래프는 그림과 같으므로

$t=1$일 때 최댓값은 2,

$t=4$일 때 최솟값은

$-(4-1)^2+2=-7$

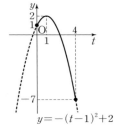

**冒** (1) 최댓값 : 24, 최솟값 : $-\frac{1}{2}$

(2) 최댓값 : 2, 최솟값 : $-7$

**대표 07**

$y=\log_5\dfrac{x}{5}=\log_5 x-\log_5 5=\log_5 x-1$

$y=\log_5\dfrac{x}{5}$의 그래프는 $y=\log_5 x$의 그래프를 $y$축 방향으로 $-1$만큼 평행이동한 것이다.

따라서 $\overline{\text{AB}}=\overline{\text{CD}}=1$이고, 그림에서 빗금 친 두 부분의 넓이는 같다.

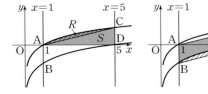

빗금 친 부분의 넓이를 $R$라 하자.

$S-R$는 삼각형 ACD의 넓이이므로

$S-R=\dfrac{1}{2}\times 4\times 1=2$

$T+R$는 평행사변형 ABDC의 넓이이므로

$T+R=1\times 4=4$

$\therefore S+T=(S-R)+(T+R)=2+4=6$

**冒** 6

**7-1**

곡선 $y=\log_3 x$와 $y=\log_3(x+3)$이 직선 $y=1$과 만나는 점은 A(3, 1), B(0, 1)이다.

그림에서 색칠한 두 부분의 넓이가 같으므로

B′(0, $a$), A′(3, $a$)라 하면 직사각형 ABB′A′의 넓이가 6이다.

$3\times(1-a)=6 \quad \therefore a=-1$

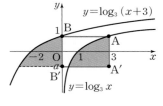

**冒** $-1$

**7-2**

A($p$, $\log_2 p$), B($2p$, $\log_2 2p$)이므로

$\triangle\text{BCD}=\dfrac{1}{2}\times p\times\log_2 2p$

$\triangle\text{ACB}=\dfrac{1}{2}\times p\times\log_2 p$

이때 $\log_2 2p>\log_2 p$이고, 조건에서 두 삼각형의 넓이의 차가 8이므로

$\dfrac{1}{2}\times p\times\log_2 2p-\dfrac{1}{2}\times p\times\log_2 p=8$

$p\log_2 2p-p\log_2 p=16$, $p\log_2\dfrac{2p}{p}=16$

$p\log_2 2=16 \quad \therefore p=16$

**冒** 16

**대표 08**

(1) 함수 $y=3^{x-2}+4$의 치역은 $\{y\,|\,y>4\}$

$y=3^{x-2}+4$에서

$y-4=3^{x-2}$, $x-2=\log_3(y-4)$

$\therefore x=\log_3(y-4)+2$

$x$와 $y$를 바꾸어 역함수를 구하면

$y=\log_3(x-4)+2$

$\therefore y = \log_3 (x-4)+2$ (단, $x>4$)

(2) 함수 $y = \log_2 (x-1)+2$의 치역은 $\{y \,|\, y$는 실수$\}$

$y = \log_2 (x-1)+2$에서

$y-2 = \log_2 (x-1)$, $x-1 = 2^{y-2}$

$\therefore x = 2^{y-2}+1$

$x$와 $y$를 바꾸어 역함수를 구하면

$y = 2^{x-2}+1$

답 (1) $y = \log_3 (x-4)+2$ (단, $x>4$)

(2) $y = 2^{x-2}+1$

## 8-1

(1) 함수 $y = 3 \times 2^{x-1}$의 치역은 $\{y \,|\, y>0\}$

$y = 3 \times 2^{x-1}$에서 $\dfrac{y}{3} = 2^{x-1}$

$x-1 = \log_2 \dfrac{y}{3}$ $\therefore x = \log_2 \dfrac{y}{3}+1$

$x$와 $y$를 바꾸어 역함수를 구하면

$y = \log_2 \dfrac{x}{3}+1$

$\therefore y = \log_2 \dfrac{x}{3}+1$ (단, $x>0$)

(2) 함수 $y = \log_3 (x+2)-4$의 치역은 $\{y \,|\, y$는 실수$\}$

$y = \log_3 (x+2)-4$에서 $y+4 = \log_3 (x+2)$

$x+2 = 3^{y+4}$ $\therefore x = 3^{y+4}-2$

$x$와 $y$를 바꾸어 역함수를 구하면

$y = 3^{x+4}-2$

답 (1) $y = \log_2 \dfrac{x}{3}+1$ (단, $x>0$)

(2) $y = 3^{x+4}-2$

## 8-2

$y = \dfrac{a}{100} \log x$에서

$\dfrac{100}{a} y = \log x$ $\therefore x = 10^{\frac{100}{a}y}$

$x$와 $y$를 바꾸어 역함수를 구하면 $y = 10^{\frac{100}{a}x}$

이때 역함수가 $y = 10^{ax}$이므로

$\dfrac{100}{a} = a$, $a^2 = 100$ $\therefore a = 10$ $(\because a>0)$

**다른 풀이**

$f(f^{-1}(x)) = x$를 이용할 수도 있다.

$f(x) = \dfrac{a}{100} \log x$, $f^{-1}(x) = 10^{ax}$라 하면

$f(f^{-1}(x)) = \dfrac{a}{100} \log 10^{ax} = \dfrac{a^2}{100} x$

$f(f^{-1}(x)) = x$이므로 $\dfrac{a^2}{100} = 1$

그런데 $a>0$이므로 $a = 10$

답 10

## 8-3

모든 실수 $x$에 대하여 $g(f(x)) = x$이므로

$g(x)$는 $f(x)$의 역함수이다.

$g(9) = -2$에서 $f(-2) = 9$이고, $f(x) = 2^{-x+a}+1$이므로

$2^{2+a}+1 = 9$, $2^{2+a} = 8$, $2+a = 3$ $\therefore a = 1$

$\therefore f(x) = 2^{-x+1}+1$

$g(17) = k$라 하면 $f(k) = 17$이므로

$2^{-k+1}+1 = 17$, $2^{-k+1} = 16$, $-k+1 = 4$ $\therefore k = -3$

$\therefore g(17) = -3$

답 $-3$

**대표 09**

$y = a^x$과 $y = \log_a x$는 서로 역함수이므로 두 곡선은 직선 $y = x$에 대칭이다. 따라서 P, Q 는 직선 $y = x$ 위의 점 이다.

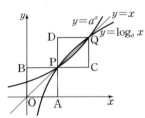

또 두 사각형이 합동이므로 점 $P(k, k)$로 놓으면

점 $Q(2k, 2k)$이다.

이때 두 점 P, Q가 곡선 $y = a^x$ 위의 점이므로

$k = a^k$ $\cdots$ ㉠

$2k = a^{2k}$ $\cdots$ ㉡

㉡에서 $2k = (a^k)^2$이므로 ㉠을 대입하면

$2k = k^2$ $\therefore k = 2$ $(\because k>0)$

㉠에 대입하면 $2 = a^2$

$\therefore a = \sqrt{2}$ $(\because a>0)$

답 $\sqrt{2}$

## 9-1

$y = \log_4 (x+p)+q$의 그래프가 점 $(4, 1)$을 지나므로

$1 = \log_4 (4+p)+q$ $\cdots$ ㉠

$y = \log_{\frac{1}{2}} (x+p)+q$의 그래프가 점 $(4, 1)$을 지나므로

$1 = \log_{\frac{1}{2}} (4+p)+q$ $\cdots$ ㉡

㉠, ㉡에서 $\log_4 (4+p) = \log_{\frac{1}{2}} (4+p)$

$\log_{2^2} (4+p) = \log_{2^{-1}} (4+p)$

$\dfrac{1}{2}\log_2(4+p)=-\log_2(4+p)$

$\dfrac{3}{2}\log_2(4+p)=0,\ \log_2(4+p)=0$

$4+p=1 \qquad \therefore p=-3$

㉠에 대입하면 $1=\log_4 1+q \qquad \therefore q=1$

**답** $p=-3,\ q=1$

### 9-2

$y=2^x$과 $y=\log_2 x$는 서로 역함수이므로 두 곡선은 직선 $y=x$에 대칭이다.

이때 직선 $y=-x+5a$와 직선 $y=x$가 서로 수직이 므로 두 점 A와 B도 직선 $y=x$에 대칭이고, 직선 $y=-x+5a$가 $y$축과 만 나는 점을 D라 하면 C와 D 도 직선 $y=x$에 대칭이다.

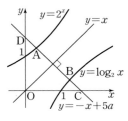

곧, $\overline{AB}:\overline{BC}=3:1$에서 $\overline{DA}:\overline{AB}:\overline{BC}=1:3:1$이 므로 A의 $x$좌표를 $k$라 하면 B의 $x$좌표는 $4k$이고, A의 $y$좌표는 B의 $x$좌표와 같으므로 $A(k,\ 4k)$이다.

A가 직선 $y=-x+5a$ 위의 점이므로

$4k=-k+5a \qquad \therefore k=a \qquad \therefore A(a,\ 4a)$

또 A가 곡선 $y=2^x$ 위의 점이므로

$4a=2^a \qquad \therefore \dfrac{2^a}{a}=4$

**답** 4

### 대표 010

(1) $2^x>0,\ 2^{-x}>0$이므로

$2^x+2^{-x}\geq 2\sqrt{2^x\times 2^{-x}}=2\sqrt{2^0}=2$

(단, 등호는 $2^x=2^{-x}$, 곧 $x=0$일 때 성립한다.)

따라서 최솟값은 2이다.

(2) $\log_x 125=\log_x 5^3=3\log_x 5=\dfrac{3}{\log_5 x}$이고,

$x>1$에서 $\log_5 x>0,\ \log_x 125>0$이므로

$\log_5 x+\log_x 125=\log_5 x+\dfrac{3}{\log_5 x}$

$\qquad\qquad\qquad\qquad \geq 2\sqrt{\log_5 x\times\dfrac{3}{\log_5 x}}=2\sqrt{3}$

$\left(\text{단, 등호는 }\log_5 x=\dfrac{3}{\log_5 x}\text{, 곧 }x=5^{\sqrt{3}}\text{일 때 성립}\right.$

$\left.\text{한다.}\right)$

따라서 최솟값은 $2\sqrt{3}$이다.

(3) $\dfrac{1}{2}<x<3$에서 $\log_6 2x>0,\ \log_6\dfrac{3}{x}>0$이므로

$\sqrt{\log_6 2x\times\log_6\dfrac{3}{x}}\leq\dfrac{\log_6 2x+\log_6\dfrac{3}{x}}{2}$

$\qquad\qquad\qquad\qquad =\dfrac{\log_6\left(2x\times\dfrac{3}{x}\right)}{2}=\dfrac{\log_6 6}{2}$

$\qquad\qquad\qquad\qquad =\dfrac{1}{2}$

$\left(\text{단, 등호는 }\log_6 2x=\log_6\dfrac{3}{x}\text{, 곧 }x=\dfrac{\sqrt{6}}{2}\text{일 때 성립}\right.$

$\left.\text{한다.}\right)$

$\therefore 0<\log_6 2x\times\log_6\dfrac{3}{x}\leq\dfrac{1}{4}$

따라서 최댓값은 $\dfrac{1}{4}$이다.

**답** (1) 2  (2) $2\sqrt{3}$  (3) $\dfrac{1}{4}$

### 10-1

(1) $3^x>0,\ \left(\dfrac{1}{3}\right)^x>0$이므로

$3^x+\left(\dfrac{1}{3}\right)^x\geq 2\sqrt{3^x\times\left(\dfrac{1}{3}\right)^x}=2\sqrt{1}=2$

$\left(\text{단, 등호는 }3^x=\left(\dfrac{1}{3}\right)^x\text{, 곧 }x=0\text{일 때 성립한다.}\right)$

따라서 최솟값은 2이다.

(2) $\log_4 x=\log_{2^2}x=\dfrac{1}{2}\log_2 x$

$\log_x\sqrt{2}=\log_x 2^{\frac{1}{2}}=\dfrac{1}{2}\log_x 2=\dfrac{1}{2\log_2 x}$

이고, $x>1$에서 $\log_4 x>0,\ \log_x\sqrt{2}>0$이므로

$\log_4 x+\log_x\sqrt{2}=\dfrac{1}{2}\left(\log_2 x+\dfrac{1}{\log_2 x}\right)$

$\qquad\qquad\qquad\qquad \geq\dfrac{1}{2}\times 2\sqrt{\log_2 x\times\dfrac{1}{\log_2 x}}=1$

$\left(\text{단, 등호는 }\log_2 x=\dfrac{1}{\log_2 x}\text{, 곧 }x=2\text{일 때 성립한다.}\right)$

따라서 최솟값은 1이다.

(3) $\log_x y^2=2\log_x y,\ \log_y x^2=2\log_y x=\dfrac{2}{\log_x y}$이고,

$x>1,\ y>1$에서 $\log_x y^2>0,\ \log_y x^2>0$이므로

$$\log_x y^2 + \log_y x^2 = 2\left(\log_x y + \frac{1}{\log_x y}\right)$$

$$\geq 2 \times 2\sqrt{\log_x y \times \frac{1}{\log_x y}} = 4$$

$$\left(\text{단, 등호는 } \log_x y = \frac{1}{\log_x y}, \text{ 곧 } x = y \text{일 때 성립한다.}\right)$$

따라서 최솟값은 4이다.

📘 (1) 2  (2) 1  (3) 4

---

연습과 실전  **3 지수함수와 로그함수**   54쪽 ~ 58쪽

| | | | |
|---|---|---|---|
| **01** $0 < p < 1$ | **02** ③, ⑤ | **03** $-7$ | **04** ②, ④ |
| **05** ⑤ | **06** 4 | **07** ③ | **08** 16 | **09** ③, ④ |
| **10** $a = 4, b = -1$ | **11** $\sqrt{2}$ | **12** $\frac{3}{2}$ | **13** ① |
| **14** $\frac{4}{3}$ | **15** $\frac{4}{7}$ | **16** ② | **17** ③ | **18** $\frac{1}{4}$ |
| **19** 최댓값 : 없다, 최솟값 : $-7$ | | **20** 11 | |
| **21** 최댓값 : 16, 최솟값 : $-2$ | **22** $-2$ | **23** 6 | |
| **24** 2 | | | |

## 01

$0 < p^2 - p + 1 < 1$이다.

(ⅰ) $0 < p^2 - p + 1$에서 $p^2 - p + 1 = \left(p - \frac{1}{2}\right)^2 + \frac{3}{4} > 0$

곧, 이 부등식은 항상 성립한다.

(ⅱ) $p^2 - p + 1 < 1$에서 $p^2 - p < 0$

$p(p - 1) < 0$  ∴ $0 < p < 1$

(ⅰ), (ⅱ)에서 $0 < p < 1$

📘 $0 < p < 1$

## 02

① $y = \frac{1}{2^x} = 2^{-x}$이므로 $y = 2^x$의 그래프를 $y$축에 대칭이동한 것이다.

② $y = \sqrt{2} \times 2^x = 2^{\frac{1}{2}} \times 2^x = 2^{x + \frac{1}{2}}$이므로 $y = 2^x$의 그래프를 $x$축 방향으로 $-\frac{1}{2}$만큼 평행이동한 것이다.

③ $y = (\sqrt{2})^x = (2^{\frac{1}{2}})^x = 2^{\frac{1}{2}x}$

④ $y = -2^x$에서 $-y = 2^x$이므로 $y = 2^x$의 그래프를 $x$축에 대칭이동한 것이다.

⑤ $y = 2^{2x} = (2^2)^x = 4^x$

따라서 평행이동하거나 대칭이동하여 $y = 2^x$의 그래프와 겹칠 수 없는 것은 ③, ⑤이다.

📘 ③, ⑤

## 03

밑이 1보다 작으므로

$y = \left(\frac{1}{7}\right)^{x-1} + k$의 그래프가

제1사분면을 지나지 않으려면 그림과 같아야 한다.

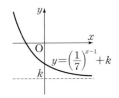

곧, $x = 0$일 때 $y \leq 0$이므로

$\left(\frac{1}{7}\right)^{0-1} + k \leq 0$  ∴ $k \leq -7$

따라서 $k$의 최댓값은 $-7$이다.

📘 $-7$

## 04

① $f(2x) = 2^{2x}$, $\{f(x)\}^2 = (2^x)^2 = 2^{2x}$

② $f(x^3) = 2^{x^3}$, $f(3x) = 2^{3x}$이므로 $f(x^3) \neq f(3x)$

③ $f(x + y) = 2^{x+y}$, $f(x)f(y) = 2^x \times 2^y = 2^{x+y}$

④ $f(xy) = 2^{xy}$, $f(x) + f(y) = 2^x + 2^y$이므로 $f(xy) \neq f(x) + f(y)$

⑤ $f(-x) = 2^{-x}$, $\frac{1}{f(x)} = \frac{1}{2^x} = 2^{-x}$

따라서 옳지 않은 것은 ②, ④이다.

📘 ②, ④

## 05

⑤ $y = \log_{\frac{1}{a}}(x - 1) = \log_{a^{-1}}(x - 1) = -\log_a(x - 1)$

이므로 $y = f(x)$에 $y$ 대신 $-y$를 대입한 꼴이다.

따라서 두 그래프는 $x$축에 대칭이다. (거짓)

📘 ⑤

참고 ④ $a > 1$이면 $y = f(x)$는 $x$의 값이 증가하면 $y$의 값도 증가한다.

**06**

$y=2^{x^2}\times\left(\dfrac{1}{2}\right)^{2x-3}=2^{x^2}\times2^{-2x+3}=2^{x^2-2x+3}$

$x^2-2x+3=t$로 놓으면 주어진 함수는 $y=2^t$이고,

$t=(x-1)^2+2\geq2$

이때 $y=2^t$은 증가하는 함수이므로

$t=2$일 때 최솟값은 $2^2=4$

      📋 4

**07**

$\log_3 x=t$로 놓으면 주어진 함수는 $y=5^{t-2}$

$t=\log_3 x$는 증가하는 함수이고,

$x=1$일 때 $t=0$, $x=81$일 때 $t=4$

따라서 $1\leq x\leq81$에서 $0\leq t\leq4$

이 범위에서 $y=5^{t-2}$은 증가함수이므로

$t=4$일 때 최댓값은 $5^2=25$

$t=0$일 때 최솟값은 $5^{-2}=\dfrac{1}{25}$

따라서 최댓값과 최솟값의 곱은 $25\times\dfrac{1}{25}=1$

      📋 ③

**08**

$y=9\times3^x=3^{x+2}$이므로 함수 $y=9\times3^x$의 그래프는 함수 $y=3^x$의 그래프를 $x$축 방향으로 $-2$만큼 평행이동한 것이다.

따라서 그림의 빗금 친 부분의 넓이는 같으므로 구하는 도형의 넓이는 평행사변형의 넓이와 같다.

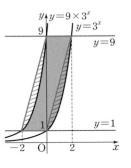

그림에서 평행사변형은 밑변의 길이가 2이고 높이가 8이므로

$2\times8=16$

      📋 16

**09**

① $y=\log_2\dfrac{2}{x}=\log_2 2-\log_2 x=1-\log_2 x$이므로

  $y=\log_2 x$의 그래프를 $x$축에 대칭이동한 다음 $y$축 방향으로 1만큼 평행이동한 것이다.

② $y=\log_{\frac{1}{2}}x=\log_{2^{-1}}x=-\log_2 x$이므로 $y=\log_2 x$의 그래프를 $x$축에 대칭이동한 것이다.

③ $y=\log_4 x=\log_{2^2}x=\dfrac{1}{2}\log_2 x$이므로 $y=\log_2 x$의 그래프를 평행이동하거나 대칭이동한 것이 아니다.

④ $y=\log_4 x^2=\log_{2^2}x^2=\dfrac{2}{2}\log_2|x|=\log_2|x|$이므로

  $x>0$일 때 $y=\log_2 x$, $x<0$일 때 $y=\log_2(-x)$

  곧, $y=\log_2 x$의 그래프를 평행이동하거나 대칭이동한 것이 아니다.

⑤ $y=\log_2 x$의 그래프를 직선 $y=x$에 대칭이동하면 곡선 $y=2^x$이다. 이를 다시 $y$축에 대칭이동하면 곡선 $y=2^{-x}$이다.

따라서 평행이동하거나 대칭이동하여 $y=\log_2 x$의 그래프와 겹칠 수 없는 것은 ③, ④이다.

      📋 ③, ④

**10**

$g(a)=1$에서 $f(1)=a$이므로

$\left(\dfrac{1}{2}\right)^{1-1}+3=a$    ∴ $a=4$

$g(7)=b$에서 $f(b)=7$이므로

$\left(\dfrac{1}{2}\right)^{b-1}+3=7$, $2^{-b+1}=2^2$    ∴ $b=-1$

      📋 $a=4, b=-1$

**11**

$\log_{a^3}b^2=\dfrac{2}{3}\log_a b$, $\log_{b^4}a^3=\dfrac{3}{4}\log_b a=\dfrac{3}{4\log_a b}$

또 $a>1$, $b>1$이므로 $\log_{a^3}b^2>0$, $\log_{b^4}a^3>0$

$\therefore\ \log_{a^3}b^2+\log_{b^4}a^3=\dfrac{2}{3}\log_a b+\dfrac{3}{4\log_a b}$

$\qquad\qquad\qquad\qquad\geq2\sqrt{\dfrac{2}{3}\log_a b\times\dfrac{3}{4\log_a b}}$

$\qquad\qquad\qquad\qquad=2\sqrt{\dfrac{1}{2}}=\sqrt{2}$

$\left(\text{단, 등호는 }\dfrac{2}{3}\log_a b=\dfrac{3}{4\log_a b}\text{, 곧 }(\log_a b)^2=\dfrac{9}{8}\text{일}\right.$

$\left.\text{때 성립한다.}\right)$

따라서 최솟값은 $\sqrt{2}$이다.

      📋 $\sqrt{2}$

**12** **전략** $y=3^x$의 그래프를 $x$축 방향으로 $a$만큼, $y$축 방향으로 $b$만큼 평행이동한 그래프의 식은 $y=3^{x-a}+b$임을 이용한다.

$y=3^x$의 그래프를 $x$축 방향으로 $a$만큼, $y$축 방향으로 $b$만큼 평행이동한 그래프의 식은
$y=3^{x-a}+b=3^{-a}\times 3^x+b$
$y=2\times 3^x+1$과 비교하면 $3^{-a}=2$, $b=1$
$\therefore 3^a\times 3^b=2^{-1}\times 3^1=\dfrac{3}{2}$

**다른 풀이**
$2=3^{\log_3 2}$이므로
$y=2\times 3^x+1=3^{x+\log_3 2}+1$
곧, $y=3^x$의 그래프를 $x$축 방향으로 $-\log_3 2$만큼, $y$축 방향으로 1만큼 평행이동한 것이므로
$a=-\log_3 2$, $b=1$
$\therefore 3^a\times 3^b=3^{-\log_3 2}\times 3^1=3^{\log_3 2^{-1}}\times 3$
$\qquad =2^{-1}\times 3=\dfrac{3}{2}$

**답** $\dfrac{3}{2}$

**13** **전략** $x<1$, $x\geq 1$의 두 가지 경우로 나누어 $y=2^{f(x)}$의 그래프의 개형을 그린다.

( i ) $x<1$일 때,
$f(x)=-x+1$이므로
$y=2^{-x+1}=2^{-(x-1)}$
곧, $y=2^{-x}$의 그래프를 $x$축 방향으로 1만큼 평행이동한 것이다.
(ii) $x\geq 1$일 때,
$f(x)=x-1$이므로 $y=2^{x-1}$
곧, $y=2^x$의 그래프를 $x$축 방향으로 1만큼 평행이동한 것이다.

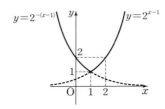

( i ), (ii)에서 $y=2^{f(x)}$의 그래프의 개형은 그림과 같으므로 옳은 것은 ①이다.

**답** ①

**14** **전략** 점 $P(a, 2^a)$으로 놓고 선분 $OP$와 곡선 $y=\left(\dfrac{1}{4}\right)^x$의 교점의 좌표를 $a$로 나타낸다.

선분 $OP$와 $y=\left(\dfrac{1}{4}\right)^x$의 그래프의 교점을 $Q$라 하자.
점 $P$의 좌표를 $(a, 2^a)$이라 하면 점 $Q$는 선분 $OP$를 $1:3$으로 내분하므로 $Q\left(\dfrac{a}{4}, \dfrac{2^a}{4}\right)$
이때 점 $Q$는 곡선 $y=\left(\dfrac{1}{4}\right)^x$ 위의 점이므로
$\dfrac{2^a}{4}=\left(\dfrac{1}{4}\right)^{\frac{a}{4}}$, $2^{a-2}=2^{-2\times\frac{a}{4}}$
$a-2=-\dfrac{a}{2}$ $\qquad \therefore a=\dfrac{4}{3}$

**답** $\dfrac{4}{3}$

**15** **전략** 점 $P$의 $x$좌표를 $a$, 점 $Q$의 $x$좌표를 $2a$라 하고 두 점이 $y=k\times 3^x$ 위의 점이고, $P$는 $y=3^{-x}$, $Q$는 $y=-4\times 3^x+8$ 위의 점임을 이용한다.

점 $P$의 $x$좌표를 $a$라 하면 점 $Q$의 $x$좌표는 $2a$이다.
$P$, $Q$는 곡선 $y=k\times 3^x$ 위의 점이므로
$P(a, k\times 3^a)$, $Q(2a, k\times 3^{2a})$
이때 $P$가 곡선 $y=3^{-x}$ 위의 점이므로
$k\times 3^a=3^{-a}$ $\qquad \therefore 3^{2a}=\dfrac{1}{k}$ $\qquad \cdots$ ㉠
또 $Q$가 곡선 $y=-4\times 3^x+8$ 위의 점이므로
$k\times 3^{2a}=-4\times 3^{2a}+8$ $\qquad \cdots$ ㉡
㉠을 ㉡에 대입하면
$k\times\dfrac{1}{k}=-4\times\dfrac{1}{k}+8$, $\dfrac{4}{k}=7$
$\therefore k=\dfrac{4}{7}$

**답** $\dfrac{4}{7}$

**16** **전략** 직선 $y=x$를 이용하여 $y$축 위에 $b$, $c$, $d$의 함숫값을 나타낸다.

그림과 같이
$\log_3 b = a$, $\log_3 c = b$,
$\log_3 d = c$
이므로

$$\left(\frac{1}{3}\right)^{a-c} = \left(\frac{1}{3}\right)^{\log_3 b - \log_3 d}$$
$$= \left(\frac{1}{3}\right)^{\log_3 \frac{b}{d}}$$
$$= 3^{-\log_3 \frac{b}{d}} = 3^{\log_3 \left(\frac{b}{d}\right)^{-1}} = 3^{\log_3 \frac{d}{b}} = \frac{d}{b}$$

답 ②

**17** 전략 평행이동한 두 그래프가 직선 $y=x$에 대하여 대칭이므로 서로 역함수 관계이다.

함수 $y=2^x+2$의 그래프를 $x$축 방향으로 $m$만큼 평행이동한 그래프는
$$y = 2^{x-m}+2 \qquad \cdots \ \bigcirc$$
이고, 함수 $y = \log_2 8x$의 그래프를 $x$축 방향으로 $2$만큼 평행이동한 그래프는
$$y = \log_2 8(x-2)$$
이다.

직선 $y=x$에 대하여 대칭이면 서로 역함수 관계이므로
$y = \log_2 8(x-2)$에서
$y = \log_2 8 + \log_2 (x-2)$, $\log_2 (x-2) = y-3$
$x-2 = 2^{y-3}$
$\therefore x = 2^{y-3}+2$
$x$와 $y$를 바꾸면
$$y = 2^{x-3}+2$$
$\bigcirc$과 같은 함수이므로 $m=3$

답 ③

**18** 전략 $x^2-4x+2=t$로 놓고 $t$의 범위를 구한 다음 $0<a<1$, $a>1$일 때로 나누어 $y=a^t$의 최댓값이 $4$임을 이용한다.

$x^2-4x+2=t$로 놓으면 주어진 함수는 $y=a^t$이고,
$t = (x-2)^2 - 2$
$1 \le x \le 4$이므로 $-2 \le t \le 2$이다.

( i ) $0<a<1$일 때,
$y=a^t$의 최댓값은
$t=-2$에서 $4$이므로
$4 = a^{-2}$, $a = \frac{1}{2}$

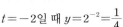

따라서 최솟값은
$t=2$일 때 $y = \left(\frac{1}{2}\right)^2 = \frac{1}{4}$

( ii ) $a>1$일 때,
$y=a^t$의 최댓값은
$t=2$에서 $4$이므로
$4 = a^2$, $a=2$
따라서 최솟값은
$t=-2$일 때 $y = 2^{-2} = \frac{1}{4}$

( i ), ( ii )에서 구하는 최솟값은 $\frac{1}{4}$이다.

답 $\frac{1}{4}$

**19** 전략 $2^x + 2^{-x} = t$로 놓고 $t$의 범위를 구한 다음 최댓값과 최솟값을 구한다.

$$(2^x + 2^{-x})^2 = (2^x)^2 + 2 \times 2^x \times 2^{-x} + (2^{-x})^2$$
$$= 4^x + 4^{-x} + 2$$
이므로 $2^x + 2^{-x} = t$로 놓으면
$2^x > 0$, $2^{-x} > 0$이므로
$$2^x + 2^{-x} \ge 2\sqrt{2^x \times 2^{-x}} = 2\sqrt{2^0} = 2 \qquad \cdots \ \bigcirc$$
(단, 등호는 $2^x = 2^{-x}$, 곧 $x=0$일 때 성립한다.)
$4^x + 4^{-x} = t^2 - 2$
이때 주어진 함수는
$$y = t^2 - 2 - 6t + 4$$
$$= (t-3)^2 - 7$$

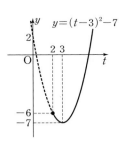

$\bigcirc$에서 $t \ge 2$이므로 그래프는 그림과 같다.
따라서 $t=3$일 때 최솟값은 $-7$이고, 최댓값은 없다.

답 최댓값 : 없다, 최솟값 : $-7$

**20** 전략 $x^2-2x+65=t$로 놓고 $t$의 범위를 구한 다음 최솟값이 $2$임을 이용한다.

$x^2-2x+65=t$로 놓으면 주어진 함수는 $y = \log_{a-3} t$이고,
$t = (x-1)^2 + 64 \ge 64$

이때 $y=\log_{a-3} t\,(t\geq64)$
의 최솟값이 2이므로 그림
과 같다.
$a-3>1$이고
$t=64$일 때 $y=2$이므로
$\log_{a-3} 64=2,\ (a-3)^2=64$
$a-3>1$이므로 $a-3=8$
$\therefore a=11$

**답** 11

**21** **전략** $\log_{\frac{1}{2}} x$를 $t$로 치환한다.

$\log_{\frac{1}{2}} x=t$로 놓으면 주어진 함수는
$y=2t^2+4t=2(t+1)^2-2 \quad \cdots \ \text{㉠}$
이때 $t=\log_{\frac{1}{2}} x$는 감소함수이고,

$x=\dfrac{1}{4}$일 때 $t=2$,

$x=4$일 때 $t=-2$

따라서 $\dfrac{1}{4}\leq x\leq4$에서
$-2\leq t\leq2$
이 범위에서 ㉠의 그래
프는 그림과 같으므로
$t=-1$일 때 최솟값은 $-2$
$t=2$일 때 최댓값은
$2(2+1)^2-2=16$

**답** 최댓값 : 16, 최솟값 : $-2$

**22** **전략** $0<a<1,\ a>1$일 때로 나누어 함수를 생각한다.

$0<a<1,\ a>1$일 때로 나누어 $y=f(x)$의 그래프를 그
리면 다음 그림과 같다.

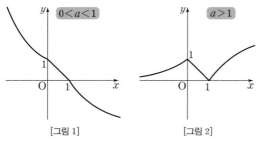

[그림 1]         [그림 2]

이때 $f(x)$의 역함수가 존재하므로 $f(x)$는 일대일대응
이다.

따라서 [그림 1]과 같이 $0<a<1$이다.
$f(a)=\dfrac{2}{3}$이므로 $-a+1=\dfrac{2}{3}$ $\quad \therefore a=\dfrac{1}{3}$
$\therefore f(9)=\log_{\frac{1}{3}} 9=\log_{3^{-1}} 3^2=-2$

**답** $-2$

**23** **전략** 로그함수의 그래프의 성질을 이해하고, 두 곡선이
$x$축에 대칭임을 이용한다.

세 점 A, B, C의 좌표는
$A(1,\ 0),\ B(k,\ \log_2 k),\ C(k,\ \log_{\frac{1}{2}} k)$
삼각형 ACB의 무게중심의 좌표는
$\left(\dfrac{2k+1}{3},\ 0\right)$이므로

$\dfrac{2k+1}{3}=3 \quad \therefore k=4$

따라서 점 $B(4,\ 2),\ C(4,\ -2)$이므로
$\triangle ACB=\dfrac{1}{2}\times4\times3=6$

**답** 6

**참고** 세 점 $A(x_1,\ y_1),\ B(x_2,\ y_2),\ C(x_3,\ y_3)$을 꼭짓점으로
하는 삼각형 ABC의 무게중심의 좌표는
$\left(\dfrac{x_1+x_2+x_3}{3},\ \dfrac{y_1+y_2+y_3}{3}\right)$

**24** **전략** 로그의 성질을 이용하여 먼저 식을 정리한다.

$\log_3\left(x+\dfrac{1}{y}\right)+\log_3\left(y+\dfrac{4}{x}\right)$
$=\log_3\left(x+\dfrac{1}{y}\right)\left(y+\dfrac{4}{x}\right)$
$=\log_3\left(5+xy+\dfrac{4}{xy}\right) \quad \cdots \ \text{㉠}$

밑이 3이므로 $5+xy+\dfrac{4}{xy}$가 최소일 때 ㉠이 최소이다.
$x>0,\ y>0$이므로

$5+xy+\dfrac{4}{xy}\geq5+2\sqrt{xy\times\dfrac{4}{xy}}=9$

$\left(\text{단, 등호는 } xy=\dfrac{4}{xy},\text{ 곧 } xy=2\text{일 때 성립한다.}\right)$

따라서 $5+xy+\dfrac{4}{xy}$의 최솟값이 9이므로 ㉠의 최솟값은
$\log_3 9=2$

**답** 2

**지수함수와 로그함수의 방정식과 부등식**

**개념 Check** 60쪽~61쪽

**1**

(1) 두 항의 밑이 같으므로

$x=-x+4$ ∴ $x=2$

(2) 두 항의 밑이 다르므로 로그의 정의를 이용하면

$x-2=\log_3 2$ ∴ $x=\log_3 2+2$

(3) $3^{2x}-4\times 3^x+3=0$에서

$(3^x)^2-4\times 3^x+3=0$

$3^x=t\,(t>0)$로 놓으면

$t^2-4t+3=0,\ (t-1)(t-3)=0$

∴ $t=1$ 또는 $t=3$

$t=1$일 때, $3^x=1$에서 $x=0$

$t=3$일 때, $3^x=3$에서 $x=1$

따라서 방정식의 해는 $x=0$ 또는 $x=1$

**답** (1) $x=2$ (2) $x=\log_3 2+2$ (3) $x=0$ 또는 $x=1$

**2**

(1) 로그의 정의에서

$x+1=5^{-1},\ x+1=\dfrac{1}{5}$ ∴ $x=-\dfrac{4}{5}$

진수의 조건에서 $x+1>0$ ∴ $x>-1$

따라서 $x=-\dfrac{4}{5}$는 진수의 조건을 만족시키므로 방정식의 해이다.

(2) $\log_3(x-1)^2=4$에서 $(x-1)^2=3^4$

$x-1=\pm 9$ ∴ $x=-8$ 또는 $x=10$

진수의 조건에서 $(x-1)^2>0$, 곧 $x\neq 1$인 실수이다.

따라서 $x=-8$ 또는 $x=10$은 진수의 조건을 만족시키므로 방정식의 해이다.

(3) 밑이 같으므로

$2(x-1)=-x+4,\ 3x=6$ ∴ $x=2$

진수의 조건에서

$2(x-1)>0,\ -x+4>0$

이므로 $1<x<4$

따라서 $x=2$는 진수의 조건을 만족시키므로 방정식의 해이다.

(4) 밑이 같으므로

$-3x-2=x^2+x+2,\ x^2+4x+4=0$

$(x+2)^2=0$ ∴ $x=-2$

진수의 조건에서

$-3x-2>0,\ x^2+x+2>0$ ∴ $x<-\dfrac{2}{3}$

따라서 $x=-2$는 진수의 조건을 만족시키므로 방정식의 해이다.

**답** (1) $x=-\dfrac{4}{5}$ (2) $x=-8$ 또는 $x=10$

(3) $x=2$ (4) $x=-2$

**대표Q** 62쪽~66쪽

**대표 01**

(1) $25^{x+1}=(5^2)^{x+1}=5^{2x+2}$이므로 $5^{2x+2}=5^{x^2-1}$에서

$2x+2=x^2-1,\ x^2-2x-3=0$

$(x+1)(x-3)=0$ ∴ $x=-1$ 또는 $x=3$

(2) $2^{x+2}=3^x$의 밑이 다르므로 상용로그를 생각하면

$\log 2^{x+2}=\log 3^x,\ (x+2)\log 2=x\log 3$

$x(\log 3-\log 2)=2\log 2$

∴ $x=\dfrac{2\log 2}{\log 3-\log 2}$

(3) $9^{x+1}=9\times 9^x=9\times(3^2)^x=9\times(3^x)^2$이므로

$3^x=t\,(t>0)$로 놓으면

$9t^2-10t+1=0,\ (9t-1)(t-1)=0$

∴ $t=\dfrac{1}{9}$ 또는 $t=1$

$t=\dfrac{1}{9}$일 때, $3^x=3^{-2}$에서 $x=-2$

$t=1$일 때, $3^x=1$에서 $x=0$

따라서 방정식의 해는 $x=-2$ 또는 $x=0$

(4) $2^{-x}=\dfrac{1}{2^x}$이므로 $2^x=t\,(t>0)$로 놓으면 $t-\dfrac{3}{t}=2$

양변에 $t$를 곱하면 $t^2-3=2t$

$t^2-2t-3=0,\ (t+1)(t-3)=0$

∴ $t=3\ (\because\ t>0)$

곧, $2^x=3$이므로 $x=\log_2 3$

**답** (1) $x=-1$ 또는 $x=3$ (2) $x=\dfrac{2\log 2}{\log 3-\log 2}$

(3) $x=-2$ 또는 $x=0$ (4) $x=\log_2 3$

**1-1**

(1) $\left(\dfrac{1}{36}\right)^{2x-3}=(6^{-2})^{2x-3}=6^{-4x+6}$이므로

$6^{x+1}=6^{-4x+6}$에서 $x+1=-4x+6$ ∴ $x=1$

(2) $\left(\dfrac{2}{3}\right)^x=\left(\dfrac{3}{2}\right)^{-x}$이므로 $\left(\dfrac{3}{2}\right)^{2x+1}=\left(\dfrac{3}{2}\right)^{-x}$에서

$2x+1=-x$ ∴ $x=-\dfrac{1}{3}$

(3) $5^x=3^{2x-1}$의 밑이 다르므로 상용로그를 생각하면

$\log 5^x=\log 3^{2x-1}$, $x\log 5=(2x-1)\log 3$

$x(2\log 3-\log 5)=\log 3$

∴ $x=\dfrac{\log 3}{2\log 3-\log 5}$

**답** (1) $x=1$ (2) $x=-\dfrac{1}{3}$ (3) $x=\dfrac{\log 3}{2\log 3-\log 5}$

**1-2**

(1) $\left(\dfrac{1}{4}\right)^x=\left(\dfrac{1}{2}\right)^{2x}$, $\left(\dfrac{1}{2}\right)^{x-1}=2\times\left(\dfrac{1}{2}\right)^x$이므로

$\left(\dfrac{1}{2}\right)^x=t\,(t>0)$로 놓으면

$t^2+2t-8=0$, $(t+4)(t-2)=0$

∴ $t=2\,(\because t>0)$

곧, $\left(\dfrac{1}{2}\right)^x=2$ ∴ $x=-1$

(2) $3^{x+2}=9\times 3^x$이므로 $3^x=t\,(t>0)$로 놓으면

$6-\dfrac{1}{t}=9t$, $6t-1=9t^2$, $9t^2-6t+1=0$

$(3t-1)^2=0$ ∴ $t=\dfrac{1}{3}$

곧, $3^x=\dfrac{1}{3}$이므로 $x=-1$

**답** (1) $x=-1$ (2) $x=-1$

**대표 02**

(1) 진수의 조건에서 $3x-4>0$, $2x+1>0$

∴ $x>\dfrac{4}{3}$

주어진 방정식은 $\log(3x-4)+\log(2x+1)=1$

$\log(3x-4)(2x+1)=1$, $(3x-4)(2x+1)=10$

$6x^2-5x-14=0$, $(x-2)(6x+7)=0$

∴ $x=2\left(\because x>\dfrac{4}{3}\right)$

(2) 진수의 조건에서 $x+2>0$, $x^2+8>0$

∴ $x>-2$

$\log_9(x^2+8)=\log_{3^2}(x^2+8)=\dfrac{1}{2}\log_3(x^2+8)$

이므로

$\log_3(x+2)=\dfrac{1}{2}\log_3(x^2+8)$

$2\log_3(x+2)=\log_3(x^2+8)$

$\log_3(x+2)^2=\log_3(x^2+8)$

$(x+2)^2=x^2+8$, $4x=4$ ∴ $x=1$

(3) $\log_5 x^3=3\log_5 x$이므로 $\log_5 x=t$로 놓으면

$t^2+3t-10=0$, $(t+5)(t-2)=0$

∴ $t=-5$ 또는 $t=2$

$t=-5$일 때, $\log_5 x=-5$에서 $x=5^{-5}=\dfrac{1}{5^5}$

$t=2$일 때, $\log_5 x=2$에서 $x=5^2=25$

따라서 방정식의 해는 $x=\dfrac{1}{5^5}$ 또는 $x=25$

(4) $\log_x 10=\dfrac{1}{\log x}$이므로 $\log x=t$로 놓으면

$t+1=\dfrac{2}{t}$

$t^2+t-2=0$, $(t+2)(t-1)=0$

∴ $t=-2$ 또는 $t=1$

$t=-2$일 때, $\log x=-2$에서 $x=10^{-2}=\dfrac{1}{100}$

$t=1$일 때, $\log x=1$에서 $x=10$

따라서 방정식의 해는 $x=\dfrac{1}{100}$ 또는 $x=10$

**답** (1) $x=2$ (2) $x=1$

(3) $x=\dfrac{1}{5^5}$ 또는 $x=25$ (4) $x=\dfrac{1}{100}$ 또는 $x=10$

**2-1**

(1) 진수의 조건에서 $x>0$, $x-20>0$ ∴ $x>20$

$\log_5 x+\log_5(x-20)=3$에서

$\log_5 x(x-20)=\log_5 5^3$

$x^2-20x-125=0$

$(x+5)(x-25)=0$

∴ $x=25\,(\because x>20)$

(2) 진수의 조건에서 $x-4>0$, $5x+4>0$ ∴ $x>4$

$\log_9(5x+4)=\log_{3^2}(5x+4)=\dfrac{1}{2}\log_3(5x+4)$

이므로

$\log_3(x-4)=\dfrac{1}{2}\log_3(5x+4)$

$2\log_3(x-4)=\log_3(5x+4)$

$\log_3(x-4)^2=\log_3(5x+4)$

$(x-4)^2=5x+4$, $x^2-13x+12=0$

$(x-1)(x-12)=0$ ∴ $x=12\,(\because x>4)$

**답** (1) $x=25$ (2) $x=12$

## 2-2

(1) $\log_3 \sqrt{x} = \frac{1}{2}\log_3 x$이므로 $\log_3 x = t$로 놓으면

$t^2 - 3t + 2 = 0, \ (t-1)(t-2) = 0$

$\therefore \ t = 1$ 또는 $t = 2$

$t = 1$일 때, $\log_3 x = 1$에서 $x = 3$

$t = 2$일 때, $\log_3 x = 2$에서 $x = 3^2 = 9$

따라서 방정식의 해는 $x = 3$ 또는 $x = 9$

(2) $\log_x \frac{1}{2} = -\log_x 2 = -\frac{1}{\log_2 x}$이므로 $\log_2 x = t$로

놓으면

$t = -\frac{4}{t} + 5, \ t^2 - 5t + 4 = 0$

$(t-1)(t-4) = 0$

$\therefore \ t = 1$ 또는 $t = 4$

$t = 1$일 때, $\log_2 x = 1$에서 $x = 2$

$t = 4$일 때, $\log_2 x = 4$에서 $x = 2^4 = 16$

따라서 방정식의 해는 $x = 2$ 또는 $x = 16$

**답** (1) $x = 3$ 또는 $x = 9$  (2) $x = 2$ 또는 $x = 16$

### 대표 03

(1) $x^{2x} = x^{x^2}$에서

(ⅰ) $x \neq 1$이면 $2x = x^2$

$x^2 - 2x = 0, \ x(x-2) = 0$

$\therefore \ x = 2 \ (\because \ x > 0)$

(ⅱ) $x = 1$이면

(좌변) $= 1^2 = 1$, (우변) $= 1^1 = 1$

이므로 등식이 성립한다.

(ⅰ), (ⅱ)에서 $x = 1$ 또는 $x = 2$

(2) $x^{\log_3 x} = 27x^2$에서 밑이 3인 로그를 생각하면

$\log_3 x^{\log_3 x} = \log_3 27x^2$

$(\log_3 x)(\log_3 x) = \log_3 3^3 + \log_3 x^2$

$(\log_3 x)^2 = 3 + 2\log_3 x$

$\log_3 x = t$로 놓으면 $t^2 = 3 + 2t$

$t^2 - 2t - 3 = 0, \ (t+1)(t-3) = 0$

$\therefore \ t = -1$ 또는 $t = 3$

$t = -1$일 때, $\log_3 x = -1$에서 $x = 3^{-1} = \frac{1}{3}$

$t = 3$일 때, $\log_3 x = 3$에서 $x = 3^3 = 27$

따라서 방정식의 해는 $x = \frac{1}{3}$ 또는 $x = 27$

**답** (1) $x = 1$ 또는 $x = 2$  (2) $x = \frac{1}{3}$ 또는 $x = 27$

## 3-1

(1) $(2x+1)^{x-1} = (x+3)^{x-1}$에서

(ⅰ) 밑이 같으면 $2x+1 = x+3$  $\therefore \ x = 2$

(ⅱ) 지수가 0이면 $x - 1 = 0$  $\therefore \ x = 1$

따라서 방정식의 해는 $x = 1$ 또는 $x = 2$

(2) $(x^2)^{x+1} = x^{2x+2}$이므로 $x^{2x+2} = x^{x^2+x-4}$에서

(ⅰ) $x \neq 1$이면

$2x+2 = x^2+x-4, \ x^2-x-6 = 0$

$(x+2)(x-3) = 0$  $\therefore \ x = 3 \ (\because \ x > 0)$

(ⅱ) $x = 1$이면

(좌변) $= 1^{2+2} = 1$, (우변) $= 1^{1+1-4} = 1$

이므로 등식이 성립한다.

(ⅰ), (ⅱ)에서 $x = 1$ 또는 $x = 3$

**답** (1) $x = 1$ 또는 $x = 2$  (2) $x = 1$ 또는 $x = 3$

## 3-2

(1) $x^{2\log_4 x} = 16x^3$의 양변에 밑이 4인 로그를 생각하면

$\log_4 x^{2\log_4 x} = \log_4 16x^3$

$(2\log_4 x)(\log_4 x) = \log_4 4^2 + \log_4 x^3$

$2(\log_4 x)^2 = 2 + 3\log_4 x$

$\log_4 x = t$로 놓으면 $2t^2 = 2 + 3t$

$2t^2 - 3t - 2 = 0, \ (2t+1)(t-2) = 0$

$\therefore \ t = -\frac{1}{2}$ 또는 $t = 2$

$t = -\frac{1}{2}$일 때, $\log_4 x = -\frac{1}{2}$에서

$x = 4^{-\frac{1}{2}} = 2^{-1} = \frac{1}{2}$

$t = 2$일 때, $\log_4 x = 2$에서 $x = 4^2 = 16$

따라서 방정식의 해는 $x = \frac{1}{2}$ 또는 $x = 16$

(2) $x^{\log_2 x} = 8x^2$에서 양변에 밑이 2인 로그를 생각하면

$\log_2 x^{\log_2 x} = \log_2 8x^2, \ (\log_2 x)^2 = \log_2 8 + \log_2 x^2$

$(\log_2 x)^2 - 2\log_2 x - 3 = 0$

$\log_2 x = t$로 놓으면 $t^2 - 2t - 3 = 0$

$(t+1)(t-3) = 0$  $\therefore \ t = -1$ 또는 $t = 3$

$t = -1$일 때, $\log_2 x = -1$에서 $x = 2^{-1} = \frac{1}{2}$

$t = 3$일 때, $\log_2 x = 3$에서 $x = 2^3 = 8$

따라서 방정식의 해는 $x = \frac{1}{2}$ 또는 $x = 8$

**답** (1) $x = \frac{1}{2}$ 또는 $x = 16$  (2) $x = \frac{1}{2}$ 또는 $x = 8$

**대표 04**

(1) 주어진 방정식은

$(3^x)^2 - 3^3 \times 3^x + 9 = 0$ ⋯ ㉠

$3^x = t$로 놓으면 $t^2 - 27t + 9 = 0$ ⋯ ㉡

㉠의 두 근을 $\alpha$, $\beta$라 하면 ㉡의 두 근은 $3^\alpha$, $3^\beta$이다.

근과 계수의 관계에서

$3^\alpha \times 3^\beta = 9$, $3^{\alpha+\beta} = 3^2$

$\therefore \alpha + \beta = 2$

(2) 주어진 방정식은

$(\log x)^2 + 4\log x - 4 = 0$ ⋯ ㉠

$\log x = t$로 놓으면 $t^2 + 4t - 4 = 0$ ⋯ ㉡

㉠의 두 근을 $\alpha$, $\beta$라 하면 ㉡의 두 근은 $\log \alpha$, $\log \beta$
이다.

근과 계수의 관계에서

$\log \alpha + \log \beta = -4$, $\log \alpha\beta = -4$

$\therefore \alpha\beta = 10^{-4} = \dfrac{1}{10000}$

**답** (1) 2  (2) $\dfrac{1}{10000}$

**4-1**

주어진 방정식은 $6 - 2^x = 2^3 \times 2^{-x}$ ⋯ ㉠

$2^x = t$로 놓으면 $6 - t = \dfrac{8}{t}$

$6t - t^2 = 8$  $\therefore t^2 - 6t + 8 = 0$ ⋯ ㉡

㉠의 두 근을 $\alpha$, $\beta$라 하면 ㉡의 두 근은 $2^\alpha$, $2^\beta$이다.

근과 계수의 관계에서

$2^\alpha \times 2^\beta = 8$, $2^{\alpha+\beta} = 2^3$

$\therefore \alpha + \beta = 3$

**답** 3

**4-2**

$\log_3 \dfrac{x}{3} = \log_3 x - 1$이고

$20\log_9 x = 20\log_{3^2} x = 10\log_3 x$

이므로 주어진 방정식은

$(\log_3 x - 1)^2 - 10\log_3 x + 26 = 0$

$(\log_3 x)^2 - 12\log_3 x + 27 = 0$ ⋯ ㉠

$\log_3 x = t$로 놓으면 $t^2 - 12t + 27 = 0$ ⋯ ㉡

㉠의 두 근을 $\alpha$, $\beta$라 하면 ㉡의 두 근은 $\log_3 \alpha$, $\log_3 \beta$이
다. 근과 계수의 관계에서

$\log_3 \alpha + \log_3 \beta = 12$, $\log_3 \alpha\beta = 12$  $\therefore \alpha\beta = 3^{12}$

**답** $3^{12}$

**4-3**

주어진 방정식은 $(2^x)^2 - 2a \times 2^x + a + 6 = 0$ ⋯ ㉠

$2^x = t$로 놓으면 $t^2 - 2at + a + 6 = 0$ ⋯ ㉡

㉠의 두 근을 $\alpha$, $\beta$라 하면 ㉡의 두 근은 $2^\alpha$, $2^\beta$이고,
$2^\alpha > 0$, $2^\beta > 0$이므로 ㉡의 근은 서로 다른 두 양수이다.

(i) $\dfrac{D}{4} = a^2 - (a+6) > 0$에서 $a^2 - a - 6 > 0$

$(a+2)(a-3) > 0$  $\therefore a < -2$ 또는 $a > 3$

(ii) $2^\alpha + 2^\beta = 2a > 0$에서 $a > 0$

(iii) $2^\alpha \times 2^\beta = a + 6 > 0$에서 $a > -6$

따라서 (i), (ii), (iii)에서 $a > 3$

**답** $a > 3$

**대표 05**

두 식에서 $y$를 소거하면 $2^x = -\left(\dfrac{1}{2}\right)^x + k$ ⋯ ㉠

이 방정식의 두 근을 $\alpha$, $\beta$ ($\alpha < \beta$)라 하면 두 점 A, B가
곡선 $y = 2^x$ 위의 점이므로 A($\alpha$, $2^\alpha$), B($\beta$, $2^\beta$)이다.

선분 AB의 중점의 좌표가 $\left(a, \dfrac{5}{4}\right)$이므로

$\dfrac{\alpha+\beta}{2} = a$, $\dfrac{2^\alpha + 2^\beta}{2} = \dfrac{5}{4}$ ⋯ ㉡

㉠에서 $2^x = t$로 놓으면

$t = -\dfrac{1}{t} + k$, $t^2 = -1 + kt$  $\therefore t^2 - kt + 1 = 0$

이 방정식의 두 근이 $2^\alpha$, $2^\beta$이므로 근과 계수의 관계에서

$2^\alpha + 2^\beta = k$, $2^\alpha \times 2^\beta = 1$

$2^\alpha \times 2^\beta = 1$에서 $2^{\alpha+\beta} = 1$, 곧 $\alpha + \beta = 0$

이것을 ㉡에 대입하면 $a = 0$

또 $2^\alpha + 2^\beta = k$를 ㉡에 대입하면

$\dfrac{k}{2} = \dfrac{5}{4}$  $\therefore k = \dfrac{5}{2}$

**답** $a = 0$, $k = \dfrac{5}{2}$

**5-1**

$y = 2^x$에 $x = 0$을 대입하면 $y = 2^0 = 1$

$y = -2^x + 6$에 $x = 0$을 대입하면 $y = -2^0 + 6 = 5$

$\therefore$ A(0, 1), B(0, 5)

$y = 2^x$과 $y = -2^x + 6$에서
$y$를 소거하면

$2^x = -2^x + 6$, $2 \times 2^x = 6$

$2^x = 3$  $\therefore x = \log_2 3$

따라서 그래프는 그림과 같으
므로

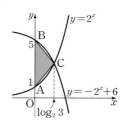

$$\triangle ABC = \frac{1}{2} \times (5-1) \times \log_2 3$$
$$= 2\log_2 3$$

**답** $2\log_2 3$

**5-2**

$A(2, \log_a 2)$이고 $\overline{AB}=2$이므로
$B(4, \log_b 4), C(4, \log_a 4)$
이때 선분 AB가 $x$축에 평행하므로 두 점 A, B의 $y$좌표가 같다. 곧,
$\log_a 2 = \log_b 4$ ∴ $\log_a 2 = 2\log_b 2$ ··· ㉠
또 $\overline{BC}=2$이므로 $\log_a 4 - \log_b 4 = 2$
$2\log_a 2 - 2\log_b 2 = 2$ ∴ $\log_a 2 - \log_b 2 = 1$
㉠을 대입하면 $2\log_b 2 - \log_b 2 = 1$
$\log_b 2 = 1$ ∴ $b=2$
㉠에 대입하면 $\log_a 2 = 2\log_2 2 = 2$, $a^2 = 2$
∴ $a = \sqrt{2}$ $(\because a>1)$

**답** $a=\sqrt{2}, b=2$

**3**

(1) 양변의 밑이 5로 같고 1보다 크므로
  $-x \geq 2x+3$ ∴ $x \leq -1$
(2) 양변의 밑이 3으로 같고 1보다 크므로
  $x^2 < -x+6$, $x^2+x-6 < 0$
  $(x+3)(x-2) < 0$ ∴ $-3 < x < 2$
(3) 양변의 밑이 $\frac{1}{3}$로 같고 1보다 작으므로
  $3x \geq x+2$ ∴ $x \geq 1$
(4) 양변의 밑이 $\frac{1}{5}$로 같고 1보다 작으므로
  $x^2+1 < 3x+5$, $x^2-3x-4 < 0$
  $(x+1)(x-4) < 0$ ∴ $-1 < x < 4$

**답** (1) $x \leq -1$ (2) $-3 < x < 2$
(3) $x \geq 1$ (4) $-1 < x < 4$

**4**

(1) 진수의 조건에서 $4x+3 > 0$, $2x+5 > 0$
  ∴ $x > -\frac{3}{4}$ ··· ㉠

양변의 밑이 5로 같고 1보다 크므로
  $4x+3 > 2x+5$ ∴ $x > 1$ ··· ㉡
따라서 ㉠, ㉡에서 $x > 1$
(2) 진수의 조건에서 $3x+1 > 0$, $2x+2 > 0$
  ∴ $x > -\frac{1}{3}$ ··· ㉠

양변의 밑이 $\frac{1}{3}$로 같고 1보다 작으므로
  $3x+1 \geq 2x+2$ ∴ $x \geq 1$ ··· ㉡
따라서 ㉠, ㉡에서 $x \geq 1$

**답** (1) $x > 1$ (2) $x \geq 1$

**대표 06**

(1) $\frac{4}{9} = \left(\frac{3}{2}\right)^{-2}$이므로 $\left(\frac{3}{2}\right)^{2x+3} > \left(\frac{3}{2}\right)^{-2x}$

  밑이 $\frac{3}{2}$이고 1보다 크므로
  $2x+3 > -2x$ ∴ $x > -\frac{3}{4}$
(2) $\frac{1}{\sqrt[3]{32}} = \frac{1}{2^{\frac{5}{3}}} = \left(\frac{1}{2}\right)^{\frac{5}{3}}$이므로 $\left(\frac{1}{2}\right)^{x-1} \geq \left(\frac{1}{2}\right)^{\frac{5}{3}}$

  밑이 $\frac{1}{2}$이고 1보다 작으므로
  $x-1 \leq \frac{5}{3}$ ∴ $x \leq \frac{8}{3}$

**다른 풀이**

$\frac{1}{2} = 2^{-1}$, $\frac{1}{\sqrt[3]{32}} = \frac{1}{2^{\frac{5}{3}}} = 2^{-\frac{5}{3}}$이므로

$2^{-(x-1)} \geq 2^{-\frac{5}{3}}$

밑이 2이고 1보다 크므로
$-(x-1) \geq -\frac{5}{3}$ ∴ $x \leq \frac{8}{3}$

(3) $\frac{1}{243} = 3^{-5}$, $9^{x-2} = 3^{2x-4}$이므로
  $3^{-5} < 3^{-x^2-1} < 3^{2x-4}$
  (ⅰ) $3^{-5} < 3^{-x^2-1}$에서 $-5 < -x^2-1$, $x^2 < 4$
    ∴ $-2 < x < 2$ ··· ㉠
  (ⅱ) $3^{-x^2-1} < 3^{2x-4}$에서 $-x^2-1 < 2x-4$
    $x^2+2x-3 > 0$, $(x+3)(x-1) > 0$
    ∴ $x < -3$ 또는 $x > 1$ ··· ㉡
  따라서 ㉠, ㉡에서 $1 < x < 2$

(4) $4^x=(2^x)^2$, $2^{x+1}=2\times 2^x$이므로

$2^x=t\,(t>0)$로 놓으면

$t^2-10t+16>0$, $(t-2)(t-8)>0$

$\therefore\ t<2$ 또는 $t>8$

그런데 $t>0$이므로 $0<t<2$ 또는 $t>8$

$0<t<2$일 때, $0<2^x<2$에서 $x<1$

$t>8$일 때, $2^x>2^3$에서 $x>3$

$\therefore\ x<1$ 또는 $x>3$

(답) (1) $x>-\dfrac{3}{4}$　(2) $x\le\dfrac{8}{3}$

　　　(3) $1<x<2$　(4) $x<1$ 또는 $x>3$

## 6-1

(1) $\left(\dfrac{1}{5}\right)^{1-2x}=5^{-1+2x}$이므로 $5^{-1+2x}\le 5^{x+4}$

밑이 5이고 1보다 크므로

$-1+2x\le x+4$　$\therefore\ x\le 5$

(2) $\left(\dfrac{1}{2}\right)^{x-4}=2^{-x+4}$, $\sqrt[3]{64}=\left((2^6)^{\frac{1}{3}}\right)^{\frac{1}{2}}=2$이므로

$2^{-x+4}>2$

밑이 2이고 1보다 크므로

$-x+4>1$　$\therefore\ x<3$

(3) $\left(\dfrac{1}{2}\right)^{x-4}=2^{-x+4}$, $\left(\dfrac{1}{4}\right)^{x^2-3x}=2^{-2x^2+6x}$,

$4\sqrt{2}=2^2\times 2^{\frac{1}{2}}=2^{\frac{5}{2}}$이므로

$2^{-x+4}<2^{\frac{5}{2}}<2^{-2x^2+6x}$

(i) $2^{-x+4}<2^{\frac{5}{2}}$에서 $-x+4<\dfrac{5}{2}$

　　$\therefore\ x>\dfrac{3}{2}$　　…㉠

(ii) $2^{\frac{5}{2}}<2^{-2x^2+6x}$에서 $\dfrac{5}{2}<-2x^2+6x$

　　$4x^2-12x+5<0$, $(2x-1)(2x-5)<0$

　　$\therefore\ \dfrac{1}{2}<x<\dfrac{5}{2}$　　…㉡

따라서 ㉠, ㉡에서 $\dfrac{3}{2}<x<\dfrac{5}{2}$

(답) (1) $x\le 5$　(2) $x<3$　(3) $\dfrac{3}{2}<x<\dfrac{5}{2}$

## 6-2

(1) $9^x=(3^x)^2$, $3^{x+2}=9\times 3^x$이므로 $3^x=t\,(t>0)$로 놓으면 주어진 부등식은 $t^2-9t+18<0$

$(t-3)(t-6)<0$　　$\therefore\ 3<t<6$

곧, $3<3^x<6$이고 $6=3^{\log_3 6}$이므로 $1<x<\log_3 6$

(2) $2^{1-x}=\dfrac{2}{2^x}$이므로 $2^x=t\,(t>0)$로 놓으면

$t+\dfrac{2}{t}\ge 3$에서 $t^2-3t+2\ge 0$

$(t-1)(t-2)\ge 0$　　$\therefore\ t\le 1$ 또는 $t\ge 2$

그런데 $t>0$이므로 $0<t\le 1$ 또는 $t\ge 2$

$0<t\le 1$일 때, $0<2^x\le 1$에서 $x\le 0$

$t\ge 2$일 때, $2^x\ge 2$에서 $x\ge 1$

$\therefore\ x\le 0$ 또는 $x\ge 1$

(답) (1) $1<x<\log_3 6$　(2) $x\le 0$ 또는 $x\ge 1$

(참고) (1) $\log_3 6=1+\log_3 2$이므로 $1<x<1+\log_3 2$라 해도 된다.

### 대표 07

(1) 진수의 조건에서 $x^2-3x>0$

　　$x(x-3)>0$　　$\therefore\ x<0$ 또는 $x>3$　　…㉠

$\log_{\frac{1}{2}}(x^2-3x)<\log_{\frac{1}{2}}\left(\dfrac{1}{2}\right)^{-2}$

에서 밑이 $\dfrac{1}{2}$이고 1보다 작으므로

$x^2-3x>4$, $x^2-3x-4>0$

$(x+1)(x-4)>0$

$\therefore\ x<-1$ 또는 $x>4$　　…㉡

따라서 ㉠, ㉡에서 $x<-1$ 또는 $x>4$

(2) 진수의 조건에서 $2x-7>0$, $x>0$

　　$\therefore\ x>\dfrac{7}{2}$　　…㉠

$\log_3(2x-7)\ge\log_3 3^2-\log_3 x$

$\log_3(2x-7)+\log_3 x\ge\log_3 3^2$

$\log_3 x(2x-7)\ge\log_3 3^2$

에서 밑이 3이고 1보다 크므로

$x(2x-7)\ge 9$, $2x^2-7x-9\ge 0$

$(x+1)(2x-9)\ge 0$

$\therefore\ x\le -1$ 또는 $x\ge\dfrac{9}{2}$　　…㉡

따라서 ㉠, ㉡에서 $x\ge\dfrac{9}{2}$

(3) 진수의 조건에서 $x^2+9>0$, $x+1>0$

　　$\therefore\ x>-1$　　…㉠

$\log_4(x^2+9)=\log_{2^2}(x^2+9)=\dfrac{1}{2}\log_2(x^2+9)$

이므로

$\dfrac{1}{2}\log_2(x^2+9)\leq\log_2(x+1)$

$\log_2(x^2+9)\leq2\log_2(x+1)$

$\log_2(x^2+9)\leq\log_2(x+1)^2$

밑이 2이고 1보다 크므로

$x^2+9\leq(x+1)^2$

$2x\geq8$ $\quad\therefore x\geq4$ $\quad\cdots$ ⓛ

따라서 ⓝ, ⓛ에서 $x\geq4$

(4) 진수의 조건에서 $x>0$, $\dfrac{x^2}{9}>0$

$\therefore x>0$ $\qquad\qquad\cdots$ ⓝ

$\log_{\frac{1}{3}}\dfrac{x^2}{9}=\log_{\frac{1}{3}}\dfrac{1}{9}+\log_{\frac{1}{3}}x^2=2+2\log_{\frac{1}{3}}x$

이므로

$\log_{\frac{1}{3}}x=t$로 놓으면 $t^2+2+2t-10>0$

$t^2+2t-8>0$, $(t+4)(t-2)>0$

$\therefore t<-4$ 또는 $t>2$

곧, $\log_{\frac{1}{3}}x<-4$ 또는 $\log_{\frac{1}{3}}x>2$이므로

$\log_{\frac{1}{3}}x<\log_{\frac{1}{3}}\left(\dfrac{1}{3}\right)^{-4}$ 또는 $\log_{\frac{1}{3}}x>\log_{\frac{1}{3}}\left(\dfrac{1}{3}\right)^2$

밑이 $\dfrac{1}{3}$이고 1보다 작으므로

$x>81$ 또는 $x<\dfrac{1}{9}$ $\quad\cdots$ ⓛ

따라서 ⓝ, ⓛ에서 $0<x<\dfrac{1}{9}$ 또는 $x>81$

**답** (1) $x<-1$ 또는 $x>4$ (2) $x\geq\dfrac{9}{2}$

(3) $x\geq4$ (4) $0<x<\dfrac{1}{9}$ 또는 $x>81$

## 7-1

(1) 진수의 조건에서 $x^2-2x-15>0$, $3x-9>0$이므로

$x^2-2x-15>0$에서 $(x+3)(x-5)>0$

$\therefore x<-3$ 또는 $x>5$

$3x-9>0$에서 $x>3$

따라서 공통부분은 $x>5$ $\quad\cdots$ ⓝ

$\log_{\frac{1}{3}}(x^2-2x-15)>\log_{\frac{1}{3}}(3x-9)$에서

밑이 $\dfrac{1}{3}$이고 1보다 작으므로 $x^2-2x-15<3x-9$

$x^2-5x-6<0$, $(x+1)(x-6)<0$

$\therefore -1<x<6$ $\qquad\cdots$ ⓛ

따라서 ⓝ, ⓛ에서 $5<x<6$

(2) 진수의 조건에서 $x>0$, $6-x>0$

$\therefore 0<x<6$ $\qquad\cdots$ ⓝ

$\log_2 x+\log_2(6-x)\leq\log_2 2^3$에서

$\log_2 x(6-x)\leq\log_2 2^3$

밑이 2이고 1보다 크므로

$x(6-x)\leq8$, $x^2-6x+8\geq0$

$(x-2)(x-4)\geq0$

$\therefore x\leq2$ 또는 $x\geq4$ $\quad\cdots$ ⓛ

따라서 ⓝ, ⓛ에서 $0<x\leq2$ 또는 $4\leq x<6$

(3) 진수의 조건에서 $x>0$, $x^5>0$

$\therefore x>0$ $\qquad\qquad\cdots$ ⓝ

$\log x^5=5\log x$이므로 $\log x=t$로 놓으면

$t^2-5t+6<0$, $(t-2)(t-3)<0$

$\therefore 2<t<3$

곧, $2<\log x<3$이므로 $\log 10^2<\log x<\log 10^3$

밑이 10이고 1보다 크므로

$100<x<1000$ $\qquad\cdots$ ⓛ

따라서 ⓝ, ⓛ에서 $100<x<1000$

(4) 진수의 조건에서 $x>0$, $3x>0$

$\therefore x>0$ $\qquad\qquad\cdots$ ⓝ

$\log_3 3x=1+\log_3 x$이므로 $\log_3 x=t$로 놓으면

$t(1+t)\geq20$, $t^2+t-20\geq0$

$(t+5)(t-4)\geq0$ $\quad\therefore t\leq-5$ 또는 $t\geq4$

곧, $\log_3 x\leq-5$ 또는 $\log_3 x\geq4$이므로

$\log_3 x\leq\log_3 3^{-5}$ 또는 $\log_3 x\geq\log_3 3^4$

밑이 3이고 1보다 크므로

$x\leq\dfrac{1}{243}$ 또는 $x\geq81$ $\quad\cdots$ ⓛ

따라서 ⓝ, ⓛ에서 $0<x\leq\dfrac{1}{243}$ 또는 $x\geq81$

**답** (1) $5<x<6$ (2) $0<x\leq2$ 또는 $4\leq x<6$

(3) $100<x<1000$ (4) $0<x\leq\dfrac{1}{243}$ 또는 $x\geq81$

## 7-2

$f(f(x))=\log_2 f(x)$이므로 $\log_2 f(x)\leq3$

진수의 조건에서 $f(x)>0$이므로 $\log_2 x>0$

$\log_2 x>\log_2 1$ $\quad\therefore x>1$ $\quad\cdots$ ⓝ

또 $\log_2 f(x)\leq3$, 곧 $\log_2 f(x)\leq\log_2 2^3$에서

밑이 2이고 1보다 크므로

$f(x)\leq2^3$ $\quad\therefore \log_2 x\leq8$

진수의 조건에서 $x>0$ $\qquad\cdots$ ⓛ

$\log_2 x\leq\log_2 2^8$에서 $x\leq256$ $\quad\cdots$ ⓒ

따라서 ⓝ, ⓛ, ⓒ에서 $1<x\leq256$

**답** $1<x\leq256$

## 대표 08

2020년 총인구가 $10^7$명이므로 $n$년 후는

$10^7(1+0.003)^n$(명)

2020년 65세 이상 인구가 $5\times10^5$명이므로 $n$년 후는

$5\times10^5(1+0.04)^n$(명)

조건에서 $\dfrac{5\times10^5(1+0.04)^n}{10^7(1+0.003)^n}\geq\dfrac{20}{100}$이어야 하므로

$\dfrac{1}{20}\left(\dfrac{1.04}{1.003}\right)^n\geq\dfrac{1}{5}$, $\left(\dfrac{1.04}{1.003}\right)^n\geq4$

상용로그를 생각하면

$n(\log1.04-\log1.003)\geq\log2^2$

$n(0.0170-0.0013)\geq2\times0.3010$

$\therefore n\geq\dfrac{0.6020}{0.0157}=38.\times\times\times$

따라서 약 39년 후에 처음으로 초고령화 사회가 예측된다.
곧, $2020+39=2059$이므로 처음으로 초고령화 사회에 진입할 것으로 예측되는 시기는 ④ 2058년~2060년이다.

📋 ④

## 8-1

2020년도 일본 수출량이 110톤이므로 $n$년 후는

$110(1+0.1)^n$(톤)

2020년도 중국 수출량이 13톤이므로 $n$년 후는

$13(1+0.3)^n$(톤)

조건에서 $13\times1.3^n>110\times1.1^n$이어야 하므로

$10\times1.3^{n+1}>100\times1.1^{n+1}$

$1.3^{n+1}>10\times1.1^{n+1}$

상용로그를 생각하면

$\log1.3^{n+1}>\log(10\times1.1^{n+1})$

$(n+1)\log1.3>1+(n+1)\log1.1$

$(n+1)(\log1.3-\log1.1)>1$

$(n+1)(0.1139-0.0414)>1$

$n+1>\dfrac{1}{0.0725}=13.\times\times\times$

$\therefore n>12.\times\times\times$

따라서 약 13년 후에 중국에 대한 수출량이 더 많아진다.
곧, $2020+13=2033$이므로 중국에 대한 수출량이 더 많아지는 것은 약 2033년도부터이다.

📋 약 2033년도

## 8-2

바다 표면에서의 빛의 세기를 $a$라 하자.

깊이 0.45 m에서 빛의 세기는 $\dfrac{9}{10}a$

깊이 $(0.45\times2)$ m에서 빛의 세기는

$\dfrac{9}{10}a\times\dfrac{9}{10}=\left(\dfrac{9}{10}\right)^2a$

$\vdots$

깊이 $(0.45\times n)$ m에서 빛의 세기는 $\left(\dfrac{9}{10}\right)^na$

조건에서 $\left(\dfrac{9}{10}\right)^na=\dfrac{1}{10}a$이므로 $\left(\dfrac{9}{10}\right)^n=\dfrac{1}{10}$

상용로그를 생각하면

$\log\left(\dfrac{9}{10}\right)^n=\log\dfrac{1}{10}$, $n\log\dfrac{3^2}{10}=\log\dfrac{1}{10}$

$n(2\log3-1)=-1$, $n(2\times0.48-1)=-1$

$\therefore n=\dfrac{-1}{-0.04}=25$

따라서 구하는 바닷속의 깊이는

$0.45\times25=11.25$ (m)

📋 11.25 m

## 대표 09

(1) $\sqrt{5}$, $\sqrt[3]{11}$, $\sqrt[6]{120}$에서 2, 3, 6의 최소공배수가 6이므로 $\sqrt[6]{\phantom{0}}$ 꼴로 변형하면

$\sqrt{5}=\sqrt[6]{5^3}=\sqrt[6]{125}$, $\sqrt[3]{11}=\sqrt[6]{11^2}=\sqrt[6]{121}$

$120<121<125$이므로

$\sqrt[6]{120}<\sqrt[6]{121}<\sqrt[6]{125}$

$\therefore \sqrt[6]{120}<\sqrt[3]{11}<\sqrt{5}$

**다른 풀이**

$\sqrt{5}=5^{\frac{1}{2}}$, $\sqrt[3]{11}=11^{\frac{1}{3}}$, $\sqrt[6]{120}=120^{\frac{1}{6}}$

지수의 분모 2, 3, 6의 최소공배수는 6이므로 각 수를 6제곱하면

$(\sqrt{5})^6=(5^{\frac{1}{2}})^6=5^3=125$

$(\sqrt[3]{11})^6=(11^{\frac{1}{3}})^6=11^2=121$

$(\sqrt[6]{120})^6=(120^{\frac{1}{6}})^6=120$

$120<121<125$이므로 $(\sqrt[6]{120})^6<(\sqrt[3]{11})^6<(\sqrt{5})^6$

$\therefore \sqrt[6]{120}<\sqrt[3]{11}<\sqrt{5}$

(2) 지수 40, 30, 20의 최소공배수가 120이므로

$2^{40}=(2^{\frac{1}{3}})^{120}$, $3^{30}=(3^{\frac{1}{4}})^{120}$, $5^{20}=(5^{\frac{1}{6}})^{120}$

$2^{\frac{1}{3}}$, $3^{\frac{1}{4}}$, $5^{\frac{1}{6}}$에서 3, 4, 6의 최소공배수는 12이므로

$2^{\frac{1}{3}}=2^{\frac{4}{12}}=(2^4)^{\frac{1}{12}}=16^{\frac{1}{12}}$

$3^{\frac{1}{4}}=3^{\frac{3}{12}}=(3^3)^{\frac{1}{12}}=27^{\frac{1}{12}}$

$5^{\frac{1}{6}}=5^{\frac{2}{12}}=(5^2)^{\frac{1}{12}}=25^{\frac{1}{12}}$

$16<25<27$이므로 $2^{\frac{1}{3}}<5^{\frac{1}{6}}<3^{\frac{1}{4}}$

$\therefore 2^{40}<5^{20}<3^{30}$

(3) 세 수를 밑이 $\frac{1}{2}$인 로그로 고치면

$$-3=\log_{\frac{1}{2}}\left(\frac{1}{2}\right)^{-3}=\log_{\frac{1}{2}}8$$

$$\log_{\frac{1}{4}}\sqrt{10}=\log_{\left(\frac{1}{2}\right)^2}10^{\frac{1}{2}}=\frac{1}{4}\log_{\frac{1}{2}}10=\log_{\frac{1}{2}}10^{\frac{1}{4}}$$

$8=2^3<9=3^2$이고 $10^{\frac{1}{4}}$과의 크기를 비교하면

$2^3=(2^{12})^{\frac{1}{4}}$, $10^{\frac{1}{4}}$에서 $2^{12}>10$이므로 $8>10^{\frac{1}{4}}$

$3^2=(3^8)^{\frac{1}{4}}$, $10^{\frac{1}{4}}$에서 $3^8>10$이므로 $9>10^{\frac{1}{4}}$

곧, $10^{\frac{1}{4}}<8<9$이므로 $\log_{\frac{1}{2}}9<\log_{\frac{1}{2}}8<\log_{\frac{1}{2}}10^{\frac{1}{4}}$

$\therefore \log_{\frac{1}{2}}9<-3<\log_{\frac{1}{4}}\sqrt{10}$

답 (1) $\sqrt[6]{120}<\sqrt[3]{11}<\sqrt{5}$
(2) $2^{40}<5^{20}<3^{30}$
(3) $\log_{\frac{1}{2}}9<-3<\log_{\frac{1}{4}}\sqrt{10}$

## 9-1

$\sqrt{2\sqrt[3]{6}}=\sqrt{\sqrt[3]{2^3\times6}}=\sqrt[6]{48}$

$\sqrt[3]{2\sqrt{6}}=\sqrt[3]{\sqrt{2^2\times6}}=\sqrt[6]{24}$

$\sqrt[3]{\sqrt{12}}=\sqrt[6]{12}$

$12<24<48$이므로

$\sqrt[6]{12}<\sqrt[6]{24}<\sqrt[6]{48}$

$\therefore \sqrt[3]{\sqrt{12}}<\sqrt[3]{2\sqrt{6}}<\sqrt{2\sqrt[3]{6}}$

답 $\sqrt[3]{\sqrt{12}}<\sqrt[3]{2\sqrt{6}}<\sqrt{2\sqrt[3]{6}}$

## 9-2

$0<a<b$이므로 $a^a<b^a$, $a^b<b^b$ $\cdots$ ㉠

또 $a<b$이고 밑이 $0<a<1$, $0<b<1$이므로

$a^a>a^b$, $b^a>b^b$ $\cdots$ ㉡

㉠, ㉡에서 $a^b<a^a<b^a$, $a^b<b^b<b^a$

따라서 가장 작은 수는 $a^b$, 가장 큰 수는 $b^a$

답 가장 작은 수: $a^b$, 가장 큰 수: $b^a$

**날선 010**

ㄱ. $y=\log_2 x$의 그래프에서
$x=n+3$일 때와
$x=n+2$일 때의 함숫값
을 비교하면
$\log_2(n+3)>\log_2(n+2)$
가 성립한다. (참)

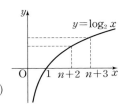

ㄴ. $y=\log_2 x$, $y=\log_3 x$
의 그래프에서
$x=n+2$일 때의 함숫
값을 비교하면
$\log_2(n+2)$
$>\log_3(n+2)$
가 성립한다. (참)

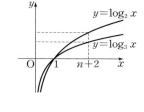

ㄷ. $y=\log_2(x+2)$,
$y=\log_3(x+3)$
의 그래프에서
$x=n$일 때의
함숫값을 비교하면
$\log_2(n+2)>\log_3(n+3)$
이 성립한다. (참)

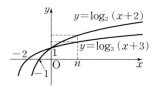

따라서 항상 성립하는 부등식은 ㄱ, ㄴ, ㄷ이다.

답 ⑤

## 10-1

$f(x)=\log_a x$, $g(x)=\log_b x$일 때, $y=f(x)$, $y=g(x)$의 그래프는 그림과 같다.

ㄱ. $1<b<a$인 경우
$x=p$일 때의 $f(x)$, $g(x)$
의 함숫값을 비교하면
$f(p)>g(p)$
가 성립한다. (참)

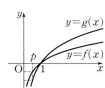

ㄴ. $0<a<b<1$인 경우
$x=p$일 때의 $f(x)$, $g(x)$
의 함숫값을 비교하면
$g(p)>f(p)$
가 성립한다. (거짓)

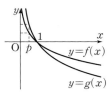

ㄷ. $0<a<1<b$인 경우
$x=p$일 때의 $f(x)$, $g(x)$
의 함숫값을 비교하면
$f(p)>g(p)$
가 성립한다. (참)

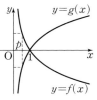

따라서 $0<x<1$에서 $f(x)>g(x)$가 성립하기 위한 조건으로 옳은 것은 ㄱ, ㄷ이다.

답 ㄱ, ㄷ

### 4 지수함수와 로그함수의 방정식과 부등식

**01** (1) $x=-1$ 또는 $x=\dfrac{7}{3}$

(2) $x=-1$ 또는 $x=-3$ (3) $x=0$

**02** (1) $x=\pm 2\sqrt{2}$ (2) $x=3$

(3) $x=1$ 또는 $x=100$

**03** (1) $x\leq 4$ (2) $0<x<2$ (3) $x\geq -2$

**04** (1) $2<x<10$ (2) $-1\leq x<1$ 또는 $1<x\leq 3$

(3) $\dfrac{1}{625}<x<5$

**05** $-\dfrac{34}{15}$ **06** ⑤ **07** ② **08** 64

**09** ① **10** ④ **11** ⑤

**12** (1) $x=3$, $y=2$

(2) $x=\dfrac{1}{10}$, $y=1000$ 또는 $x=1000$, $y=\dfrac{1}{10}$

**13** $4<k<\dfrac{25}{4}$ **14** $3<a\leq 27$

**15** (1) $\dfrac{1}{2}<x<1$ 또는 $x>2$

(2) $0<x\leq\dfrac{1}{10}$ 또는 $x\geq 100$

**16** ③ **17** $-\dfrac{11}{28}$ **18** 15 **19** 13 **20** 4

**21** ③ **22** ⑤

**01**

(1) $\dfrac{1}{4}=2^{-2}$이므로 $2^{3x^2-4x-9}=2^{-2}$에서

$3x^2-4x-9=-2$, $3x^2-4x-7=0$

$(x+1)(3x-7)=0$

$\therefore x=-1$ 또는 $x=\dfrac{7}{3}$

(2) $4^{-x}=(2^{-x})^2$, $2^{-x+1}=2\times 2^{-x}$

이므로 $2^{-x}=t$ $(t>0)$로 놓으면

$t^2-10t+16=0$, $(t-2)(t-8)=0$

$\therefore t=2$ 또는 $t=8$

$t=2$일 때, $2^{-x}=2$에서 $-x=1$ $\therefore x=-1$

$t=8$일 때, $2^{-x}=2^3$에서 $-x=3$ $\therefore x=-3$

따라서 방정식의 해는 $x=-1$ 또는 $x=-3$

(3) $5^{x+1}=5\times 5^x$, $5^{-x}=\dfrac{1}{5^x}$

이므로 $5^x=t$ $(t>0)$로 놓으면

$5t-\dfrac{1}{t}=4$, $5t^2-4t-1=0$, $(5t+1)(t-1)=0$

$\therefore t=1$ $(\because t>0)$

곧, $5^x=1$ $\therefore x=0$

🔑 (1) $x=-1$ 또는 $x=\dfrac{7}{3}$

(2) $x=-1$ 또는 $x=-3$

(3) $x=0$

**02**

(1) 진수의 조건에서 $4+x>0$, $4-x>0$

$\therefore -4<x<4$

주어진 방정식은 $\log_2(4+x)(4-x)=3$

$(4+x)(4-x)=2^3$, $x^2=8$

$\therefore x=\pm 2\sqrt{2}$

따라서 $x=\pm 2\sqrt{2}$는 진수의 조건을 만족시키므로 방정식의 해이다.

(2) $\log_9 x=\dfrac{1}{2}\log_3 x$, $\log_9 3=\dfrac{1}{2}$

이므로 $\log_3 x=t$로 놓으면

$\left(1-\dfrac{1}{2}t\right)t=\dfrac{1}{2}$, $t^2-2t+1=0$

$(t-1)^2=0$ $\therefore t=1$

곧, $\log_3 x=1$ $\therefore x=3$

(3) $2^{2-\log x}=\dfrac{4}{2^{\log x}}$이므로 $2^{\log x}=t$ $(t>0)$로 놓으면

$t+\dfrac{4}{t}=5$, $t^2-5t+4=0$

$(t-1)(t-4)=0$

$\therefore t=1$ 또는 $t=4$

$t=1$일 때 $2^{\log x}=2^0$에서

$\log x=0$ $\therefore x=1$

$t=4$일 때 $2^{\log x}=2^2$에서

$\log x=2$ $\therefore x=10^2=100$

따라서 방정식의 해는 $x=1$ 또는 $x=100$

🔑 (1) $x=\pm 2\sqrt{2}$ (2) $x=3$ (3) $x=1$ 또는 $x=100$

**03**

(1) $\dfrac{27}{9^x}=3^{3-2x}$이므로 $3^{3-2x}\geq 3^{x-9}$

밑이 3이고 1보다 크므로

$3-2x\geq x-9$, $3x\leq 12$ $\therefore x\leq 4$

(2) $4^{-x^2}=2^{-2x^2}$, $\left(\dfrac{1}{2}\right)^{4x}=2^{-4x}$이므로

$2^{-2x^2}>2^{-4x}$

밑이 2이고 1보다 크므로

$-2x^2>-4x$, $2x^2-4x<0$

$x(x-2)<0$   $\therefore 0<x<2$

(3) $\dfrac{1}{4^x}=\left(\dfrac{1}{2^x}\right)^2$, $\dfrac{1}{2^{x-1}}=\dfrac{2}{2^x}$이므로

$\dfrac{1}{2^x}=t\,(t>0)$로 놓으면

$t^2-2t-8\leq0$, $(t+2)(t-4)\leq0$

$\therefore -2\leq t\leq4$

그런데 $t>0$이므로 $0<t\leq4$

곧, $0<\dfrac{1}{2^x}=2^{-x}\leq2^2$이므로 $x\geq-2$

**답** (1) $x\leq4$   (2) $0<x<2$   (3) $x\geq-2$

## 04

(1) 진수의 조건에서 $x-2>0$   $\therefore x>2$   $\cdots$ ㉠

$\log_{\frac{1}{2}}(x-2)>-3$, $x-2<\left(\dfrac{1}{2}\right)^{-3}$

$x<8+2$   $\therefore x<10$   $\cdots$ ㉡

따라서 ㉠, ㉡에서 $2<x<10$

(2) 진수의 조건에서 $|x-1|>0$

$\therefore x\neq1$인 실수   $\cdots$ ㉠

$2\log_2|x-1|\leq1-\log_2\dfrac{1}{2}$

$\log_2|x-1|^2\leq\log_2 4$

밑이 2이고 1보다 크므로

$(x-1)^2\leq4$, $x^2-2x-3\leq0$

$(x+1)(x-3)\leq0$   $\therefore -1\leq x\leq3$   $\cdots$ ㉡

따라서 ㉠, ㉡에서 $-1\leq x<1$ 또는 $1<x\leq3$

(3) 진수의 조건에서 $x>0$, $x^3>0$   $\therefore x>0$

$\log_{\frac{1}{5}}x=t$로 놓으면

$t^2<3t+4$, $t^2-3t-4<0$

$(t+1)(t-4)<0$   $\therefore -1<t<4$

$-1=\log_{\frac{1}{5}}\left(\dfrac{1}{5}\right)^{-1}=\log_{\frac{1}{5}}5$

$4=\log_{\frac{1}{5}}\left(\dfrac{1}{5}\right)^4=\log_{\frac{1}{5}}\dfrac{1}{625}$

이므로

$\log_{\frac{1}{5}}5<\log_{\frac{1}{5}}x<\log_{\frac{1}{5}}\dfrac{1}{625}$

밑이 $\dfrac{1}{5}$이고 1보다 작으므로

$\dfrac{1}{625}<x<5$

**답** (1) $2<x<10$   (2) $-1\leq x<1$ 또는 $1<x\leq3$

   (3) $\dfrac{1}{625}<x<5$

## 05

$\log_{\frac{1}{3}}x^2=\log_{3^{-1}}x^2=-2\log_3 x$

이므로 $\log_3 x=t$로 놓으면

$-2t+t^2-15=0$, $t^2-2t-15=0$   $\cdots$ ㉠

$(t+3)(t-5)=0$   $\therefore t=-3$ 또는 $t=5$

$t=-3$일 때 $\log_3 x=-3$에서 $x=3^{-3}$

$t=5$일 때 $\log_3 x=5$에서 $x=3^5$

따라서 $\alpha=3^{-3}$, $\beta=3^5$으로 놓을 수 있으므로

$\log_\alpha\beta+\log_\beta\alpha=\log_{3^{-3}}3^5+\log_{3^5}3^{-3}$

$=-\dfrac{5}{3}-\dfrac{3}{5}=-\dfrac{34}{15}$

**다른 풀이**

㉠의 두 근이 $\log_3\alpha$, $\log_3\beta$이므로

근과 계수의 관계에서

$\log_3\alpha+\log_3\beta=2$, $\log_3\alpha\times\log_3\beta=-15$

이므로

$\log_\alpha\beta+\log_\beta\alpha=\dfrac{\log_3\beta}{\log_3\alpha}+\dfrac{\log_3\alpha}{\log_3\beta}$

$=\dfrac{(\log_3\beta)^2+(\log_3\alpha)^2}{\log_3\alpha\times\log_3\beta}$

이때

$(\log_3\alpha)^2+(\log_3\beta)^2$

$=(\log_3\alpha+\log_3\beta)^2-2\log_3\alpha\times\log_3\beta$

$=2^2-2\times(-15)=34$

$\therefore \log_\alpha\beta+\log_\beta\alpha=\dfrac{34}{-15}=-\dfrac{34}{15}$

**답** $-\dfrac{34}{15}$

## 06

$10<3^{2x-1}+1\leq3^{x-2}+3^{x+1}$에서

$10<3^{2x-1}+1$이고 $3^{2x-1}+1\leq3^{x-2}+3^{x+1}$

(i) $10<3^{2x-1}+1$에서 $3^{2x-1}>9=3^2$

$2x-1>2$   $\therefore x>\dfrac{3}{2}$   $\cdots$ ㉠

(ii) $3^{2x-1}+1 \leq 3^{x-2}+3^{x+1}$에서

$$3^{2x-1}+1 = \frac{1}{3} \times (3^x)^2 + 1$$

$$3^{x-2}+3^{x+1} = \frac{1}{9} \times 3^x + 3 \times 3^x$$

$3^x = t \ (t>0)$로 놓으면

$$\frac{1}{3}t^2 + 1 \leq \frac{1}{9}t + 3t, \ 3t^2 - 28t + 9 \leq 0$$

$$(3t-1)(t-9) \leq 0 \qquad \therefore \frac{1}{3} \leq t \leq 9$$

곧, $\frac{1}{3} \leq 3^x \leq 9$이므로 $3^{-1} \leq 3^x \leq 3^2$

$$\therefore -1 \leq x \leq 2 \qquad \cdots \ \text{ⓛ}$$

따라서 ㉠, ⓛ의 공통부분은 $\frac{3}{2} < x \leq 2$

**답** ⑤

**07**

$\log_5 x = t$로 놓으면

$$t^2 + at + b < 0 \qquad \cdots \ \text{㉠}$$

$\frac{1}{25} < x < 5$에서 밑이 5인 로그를 생각하면

$$\log_5 \frac{1}{25} < \log_5 x < \log_5 5$$이고

$\log_5 \frac{1}{25} = -2$, $\log_5 5 = 1$이므로 ㉠의 해는

$$-2 < t < 1$$

곧, 이차방정식 $t^2 + at + b = 0$의 해가 $-2$와 1이므로 근과 계수의 관계에서

$$-a = -2 + 1, \ b = (-2) \times 1$$

따라서 $a = 1$, $b = -2$이므로 $a - b = 3$

**답** ②

**08**

선분 AB가 $x$축과 만나는 점을 $k$라 하면 점 A, B의 $y$좌표가 각각 $2^k$, $-4^{k-2}$이고, $\overline{OA} = \overline{OB}$이므로

$$\sqrt{k^2 + (2^k)^2}$$
$$= \sqrt{k^2 + (-4^{k-2})^2}$$

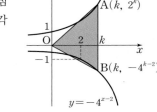

양변을 제곱하여 정리하면

$$2^{2k} = 2^{4k-8}$$

이므로 $2k = 4k - 8$ $\qquad \therefore k = 4$

$$\overline{AB} = 2^4 + 4^{4-2} = 32$$

$$\therefore \triangle AOB = \frac{1}{2} \times 4 \times 32 = 64$$

**답** 64

**09**

$$A = 0.5^{\frac{1}{2}} = \left(\frac{1}{2}\right)^{\frac{1}{2}} = 2^{-\frac{1}{2}}, \ B = 4^{\frac{1}{3}} = 2^{\frac{2}{3}}, \ C = (2^{\frac{1}{2}})^3 = 2^{\frac{3}{2}}$$

지수의 분모 2, 3의 최소공배수는 6이므로 $A$, $B$, $C$를 6제곱하면

$$A^6 = 2^{-3} = \frac{1}{8}, \ B^6 = 2^4 = 16, \ C^6 = 2^9 = 512$$

$A^6 < B^6 < C^6$이므로 $A < B < C$

**답** ①

**10** **전략** $f(x+3)$, $f(x+1)$, $f(x+2)$를 대입하고, $a$의 값을 구한다.

$f(x+3) = a^{x+3}$, $f(x+1) = a^{x+1}$, $f(x+2) = a^{x+2}$이므로

$a^{x+3} - 3a^{x+1} = 2a^{x+2}$에서 $a^{x+3} - 2a^{x+2} - 3a^{x+1} = 0$

$a^{x+1} > 0$이므로 $a^{x+1}$으로 양변을 나누면

$$a^2 - 2a - 3 = 0, \ (a+1)(a-3) = 0$$

$a > 0$이므로 $a = 3$

따라서 $f(x) = 3^x$이므로 $f(2) = 3^2 = 9$

**답** ④

**11** **전략** 진수가 같으므로 진수가 1이거나 밑이 같음을 이용한다.

(i) $x - 3 = 1$일 때 등식이 성립하므로 $x = 4$

　　이때 밑은 1이 아닌 양수이다.

(ii) $x + 2 = x^2 - 5x + 7$일 때, $x^2 - 6x + 5 = 0$

　　$(x-1)(x-5) = 0$ $\qquad \therefore x = 1$ 또는 $x = 5$

　　진수의 조건에서 $x - 3 > 0$이므로 $x = 5$

　　이때 밑은 1이 아닌 양수이다.

따라서 (i), (ii)에서 $x = 4$ 또는 $x = 5$

**답** ⑤

**12** 전략 (1) $2^x=X$, $3^y=Y$로 놓고 푼다.

(2) $xy=100$의 양변에 상용로그를 생각한다.

(1) $2^x=X$, $3^y=Y$로 놓으면

$$\begin{cases} 3X-2Y=6 \\ \dfrac{1}{4}X-\dfrac{1}{3}Y=-1 \end{cases}$$

두 식을 연립하여 풀면 $X=8$, $Y=9$

곧, $2^x=8$, $3^y=9$이므로 $x=3$, $y=2$

(2) $xy=100$의 양변에 상용로그를 생각하면

$\log xy=\log 100$, $\log x+\log y=2$

또 $\log x \times \log y=-3$이므로 $\log x$, $\log y$는 방정식

$t^2-2t-3=0$의 두 근이다.

$(t+1)(t-3)=0$에서 $t=-1$ 또는 $t=3$

곧, $\log x=-1$, $\log y=3$ 또는

$\log x=3$, $\log y=-1$

$\therefore x=\dfrac{1}{10}$, $y=1000$ 또는 $x=1000$, $y=\dfrac{1}{10}$

답 (1) $x=3$, $y=2$

(2) $x=\dfrac{1}{10}$, $y=1000$ 또는 $x=1000$, $y=\dfrac{1}{10}$

**13** 전략 치환해서 이차방정식의 판별식을 이용한다.

주어진 방정식은 $5^{2x}-5^{x+1}+k=0$ $\cdots$ ㉠

$5^{2x}=(5^x)^2$, $5^{x+1}=5\times5^x$이므로

$5^x=t$ $(t>0)$로 놓으면 $t^2-5t+k=0$ $\cdots$ ㉡

㉠의 두 근을 $\alpha$, $\beta$라 하면 ㉡의 두 근은 $5^\alpha$, $5^\beta$이고

조건에서 $\alpha>0$, $\beta>0$이므로

$5^\alpha>1$, $5^\beta>1$, 곧 $t>1$

㉡은 1보다 큰 서로 다른 두

실근을 가진다.

$f(t)=t^2-5t+k$

$\quad=\left(t-\dfrac{5}{2}\right)^2+k-\dfrac{25}{4}$

이므로 $y=f(t)$의 그래프는

그림과 같다.

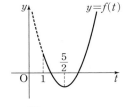

(i) $D=(-5)^2-4k>0$이므로 $k<\dfrac{25}{4}$

(ii) $f(1)=1-5+k>0$이므로 $k>4$

따라서 (i), (ii)에서 $4<k<\dfrac{25}{4}$

답 $4<k<\dfrac{25}{4}$

**14** 전략 $x^2$의 계수의 부호와 판별식을 생각한다.

$(3-\log_3 a)x^2-2(3-\log_3 a)x+2\log_3 a>0$ $\cdots$ ㉠

(i) $3-\log_3 a=0$일 때 $\log_3 a=3$ $\therefore a=3^3=27$

㉠에 대입하면 $2\log_3 3^3=6>0$이므로 ㉠은 모든 실수 $x$에 대하여 성립한다.

(ii) $3-\log_3 a\neq0$일 때 ㉠이 모든 실수 $x$에 대하여 성립하려면 $3-\log_3 a>0$이고 $\dfrac{D}{4}<0$이다.

$3-\log_3 a>0$에서 $\log_3 a<3$

$\log_3 a<\log_3 3^3$ $\therefore a<3^3=27$

진수의 조건에서 $a>0$이므로 $0<a<27$ $\cdots$ ㉡

또 $\dfrac{D}{4}=(3-\log_3 a)^2-(3-\log_3 a)\times2\log_3 a<0$

에서 $\log_3 a=t$로 놓으면

$(3-t)^2-(3-t)\times2t<0$, $(3-t)(3-t-2t)<0$

$3(t-1)(t-3)<0$ $\therefore 1<t<3$

곧, $1<\log_3 a<3$이므로 $\log_3 3<\log_3 a<\log_3 3^3$

$\therefore 3<a<27$ $\cdots$ ㉢

㉡, ㉢의 공통부분은 $3<a<27$

따라서 (i), (ii)에서 $3<a\leq27$

답 $3<a\leq27$

**15** 전략 밑과 지수에 모두 미지수가 있으므로

(1) $0<x<1$, $x=1$, $x>1$인 경우로 나누어 구한다.

(2) 양변에 상용로그를 생각한다.

(1) $x^{2x^2+2}>x^{5x}$에서

(i) $0<x<1$일 때 $2x^2+2<5x$, $2x^2-5x+2<0$

$(2x-1)(x-2)<0$ $\therefore \dfrac{1}{2}<x<2$

그런데 $0<x<1$이므로 $\dfrac{1}{2}<x<1$

(ii) $x=1$일 때 (좌변)$=1$, (우변)$=1$이므로 부등식은 성립하지 않는다.

(iii) $x>1$일 때 $2x^2+2>5x$, $2x^2-5x+2>0$

$(2x-1)(x-2)>0$ $\therefore x<\dfrac{1}{2}$ 또는 $x>2$

그런데 $x>1$이므로 $x>2$

따라서 (i), (ii), (iii)에서 $\dfrac{1}{2}<x<1$ 또는 $x>2$

(2) 조건에서 $x>0$ $\cdots$ ㉠

$x^{\log x}\geq100x$에서 양변에 상용로그를 생각하면

**4** 지수함수와 로그함수의 방정식과 부등식

$(\log x)(\log x) \geq \log 100 + \log x$

$\log x = t$로 놓으면 $t^2 \geq 2 + t$

$t^2 - t - 2 \geq 0$, $(t+1)(t-2) \geq 0$

$\therefore t \leq -1$ 또는 $t \geq 2$

곧, $\log x \leq -1$ 또는 $\log x \geq 2$이므로

$\log x \leq \log 10^{-1}$ 또는 $\log x \geq \log 10^2$

밑이 1보다 크므로

$x \leq \dfrac{1}{10}$ 또는 $x \geq 100$ $\quad\cdots$ ㉡

따라서 ㉠, ㉡의 공통부분은 $0 < x \leq \dfrac{1}{10}$ 또는 $x \geq 100$

답 (1) $\dfrac{1}{2} < x < 1$ 또는 $x > 2$

(2) $0 < x \leq \dfrac{1}{10}$ 또는 $x \geq 100$

---

**16** 전략 점 A의 좌표를 $(a, 2\log_2 a)$라 하고 B, C의 좌표를 구한다.

점 A의 좌표를 $(a, 2\log_2 a)$라 하면 점 A, B의 $y$좌표는 같으므로 점 B의 좌표는 $(a+2, 2\log_2 a)$이고, $\overline{BC} = 2$이므로 점 C의 좌표는 $(a+2, 2\log_2 a + 2)$이다.

점 C가 함수 $y = 2\log_2 x$ 위의 점이므로 대입하면

$2\log_2 a + 2 = 2\log_2 (a+2)$, $\log_2 a + 1 = \log_2 (a+2)$

$\log_2 2a = \log_2 (a+2)$

$2a = a+2$ $\quad\therefore a = 2$

따라서 점 C의 $x$좌표는 $a+2 = 4$, $y$좌표는 $2\log_2 2 + 2 = 4$이므로 점 D의 $x$좌표를 구하면

$4 = 2^{x-3}$, $2^2 = 2^{x-3}$

$2 = x-3$ $\quad\therefore x = 5$

$\therefore \square ABDC = \dfrac{2+1}{2} \times 2 = 3$

답 ③

---

**17** 전략 B, C, D의 좌표를 $n$의 식으로 나타낸다.

$A(2^n, 0)$, $B(2^n, n)$이므로

선분 AB를 $2 : 3$으로 내분하는 점의 좌표는

$\left( \dfrac{2 \times 2^n + 3 \times 2^n}{2+3}, \dfrac{2 \times n + 3 \times 0}{2+3} \right)$, 곧 $\left( 2^n, \dfrac{2}{5}n \right)$

C는 직선 $y = \dfrac{2}{5}n$과 곡선 $y = \log_2 x$가 만나는 점이므로

$x$좌표는 $\dfrac{2}{5}n = \log_2 x$에서 $x = 2^{\frac{2}{5}n}$

곧, D의 $x$좌표는 $x = 2^{\frac{2}{5}n}$ $\quad\cdots$ ㉠

한편 D는 $y$좌표가 16이고 곡선 $y = 2^x$ 위의 점이므로

$x$좌표는 $16 = 2^x$에서 $x = 4$ $\quad\cdots$ ㉡

㉠, ㉡에서 $2^{\frac{2}{5}n} = 4$, $\dfrac{2}{5}n = 2$ $\quad\therefore n = 5$

따라서 $B(2^5, 5)$, $D(4, 16)$이므로 직선 BD의 기울기는

$\dfrac{16-5}{4-2^5} = -\dfrac{11}{28}$

답 $-\dfrac{11}{28}$

---

**18** 전략 그래프를 이용하여 $f(x)$의 식을 문자로 나타낸다.

일차함수 $y = f(x)$의 그래프가 점 $(-5, 0)$을 지나고, 기울기가 양수이므로 $f(x) = a(x+5)$ $(a > 0)$으로 놓으면

$2^{a(x+5)} \leq 8$에서 $2^{a(x+5)} \leq 2^3$

$a(x+5) \leq 3$ $\quad\therefore x \leq \dfrac{3}{a} - 5$ $(\because a > 0)$

이 부등식의 해가 $x \leq -4$이므로

$\dfrac{3}{a} - 5 = -4$, $\dfrac{3}{a} = 1$ $\quad\therefore a = 3$

따라서 $f(x) = 3(x+5)$이므로 $f(0) = 15$

답 15

---

**19** 전략 $0 < a < 1$일 때, $a^{f(x)} < a^{g(x)}$이면 $f(x) > g(x)$임을 이용하여 부등식을 정리한 후 주어진 그래프를 이용한다.

$\dfrac{1}{8} = \left( \dfrac{1}{2} \right)^3$이므로 $\left( \dfrac{1}{2} \right)^{f(x)g(x)} \geq \left( \dfrac{1}{2} \right)^{3g(x)}$

밑이 1보다 작으므로

$f(x)g(x) \leq 3g(x)$, $g(x)\{f(x) - 3\} \leq 0$

(i) $g(x) \geq 0$, $f(x) - 3 \leq 0$인 경우

그림에서 $g(x) \geq 0$인 범위는 $x \geq 3$

$f(x) \leq 3$인 범위는 $1 \leq x \leq 5$

이므로 공통부분은 $3 \leq x \leq 5$

(ii) $g(x) \leq 0$, $f(x) - 3 \geq 0$인 경우

그림에서 $g(x) \leq 0$인 범위는 $x \leq 3$

$f(x) \geq 3$인 범위는 $x \leq 1$ 또는 $x \geq 5$

이므로 공통부분은 $x \leq 1$

따라서 (i), (ii)에서 구하는 자연수 $x$는 1, 3, 4, 5이다.

$\therefore 1+3+4+5 = 13$

답 13

**20** (전략) 처음 빵의 가격과 무게를 문자로 나타내고 식을 세운다.

처음 빵의 가격을 $x$, 무게를 $y$라 하자.

무게를 10 % 줄이는 시행을 $n$번 하면 빵의 무게는 $0.9^n y$

처음 빵의 단위 무게당 가격은 $\dfrac{x}{y}$이고,

$n$번 시행 후 빵의 단위 무게당 가격은 $\dfrac{x}{0.9^n y}$이다.

조건에서 $\dfrac{x}{0.9^n y} \geq 1.5 \dfrac{x}{y}$, $\left(\dfrac{10}{9}\right)^n \geq \dfrac{3}{2}$

상용로그를 생각하면

$$\log\left(\dfrac{10}{9}\right)^n \geq \log \dfrac{3}{2}$$

$$n(1-2\log 3) \geq \log 3 - \log 2$$

$$n(1-0.954) \geq 0.176$$

$$\therefore n \geq \dfrac{0.176}{0.046} = 3.8 \times \times \times$$

따라서 $n$의 최솟값은 4이다.

(답) 4

**21** (전략) ㄱ. $\log_a a < \log_a b$임을 이용한다.

ㄴ. $\dfrac{\log a}{a}$를 직선의 기울기로 생각한다.

ㄷ. 진수를 비교한다.

ㄱ. $1 < a < b$이므로 $\log_a a < \log_a b$에서

$\log_a b > 1$, $\log_b a = \dfrac{1}{\log_a b} < 1$

$\therefore \log_b a < \log_a b$ (참)

ㄴ. $A(a, \log a)$, $B(b, \log b)$라 하면 $\dfrac{\log a}{a}$는 직선

OA의 기울기, $\dfrac{\log b}{b}$는 직선 OB의 기울기이다.

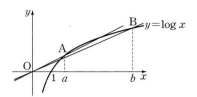

$1 < a < b$이므로 A, B가 그림과 같으면 직선 OA의 기울기가 직선 OB의 기울기보다 크다.

$\therefore \dfrac{1}{a}\log a > \dfrac{1}{b}\log b$ (거짓)

ㄷ. $2\log(a+b) = \log(a+b)^2$이고

$2(a^2+b^2)-(a+b)^2 = (a-b)^2 > 0$이므로

$2(a^2+b^2) > (a+b)^2$

밑이 1보다 크므로

$\log(a+b)^2 < \log 2(a^2+b^2)$

$\therefore 2\log(a+b) < \log 2(a^2+b^2)$ (참)

따라서 옳은 것은 ㄱ, ㄷ이다.

(답) ③

(참고) ㄴ에서 $a=10$, $b=100$이면

$\dfrac{1}{a}\log a = \dfrac{1}{10}$, $\dfrac{1}{b}\log b = \dfrac{2}{100} = \dfrac{1}{50}$이고 $\dfrac{1}{10} > \dfrac{1}{50}$

이므로 거짓이다.

이와 같이 거짓인 경우는 반례만 들어도 충분하다.

**22** (전략) $(x_1, y_1)$, $(x_2, y_2)$가 직선 $y = 2 - x$ 위의 점임을 이용한다.

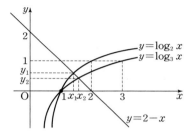

ㄱ. $(x_2, y_2)$가 직선 $y = 2 - x$ 위의 점이므로

$y_2 = 2 - x_2$

$1 < x_2 < 2$이므로 $0 < y_2 = 2 - x_2 < 1$이고 $x_1 > 1$이므로

$x_1 > y_2$ (참)

ㄴ. $y_1 - y_2 = (2-x_1) - (2-x_2) = -x_1 + x_2$이므로

$x_2 - x_1 = y_1 - y_2$ (참)

ㄷ. $x_1 y_1 - x_2 y_2 = x_1(2-x_1) - x_2(2-x_2)$

$= x_2^2 - x_1^2 - 2(x_2 - x_1)$

$= (x_2 - x_1)(x_2 + x_1 - 2)$ ⋯ ㉠

이고

$x_2 - x_1 > 0$

$x_2 + x_1 - 2 = 2 - y_2 + 2 - y_1 - 2$

$= 2 - (y_1 + y_2)$

에서 $0 < y_1 < 1$, $0 < y_2 < 1$이므로 $0 < y_1 + y_2 < 2$

곧, $x_2 + x_1 - 2 > 0$

㉠에서 $(x_2 - x_1)(x_2 + x_1 - 2) > 0$이므로

$x_1 y_1 - x_2 y_2 > 0$ $\therefore x_1 y_1 > x_2 y_2$ (참)

따라서 옳은 것은 ㄱ, ㄴ, ㄷ이다.

(답) ⑤

# 5 삼각함수

개념 Check     81쪽~83쪽

**1**

(1) $360° \times 3 = 1080°$이므로

$1280° = 360° \times 3 + 200°$

$200°$는 제3사분면의 각이므로 $1280°$는 제3사분면의 각이다.

(2) $680° = 360° \times 1 + 320°$

$320°$는 제4사분면의 각이므로 $680°$는 제4사분면의 각이다.

(3) $360° \times (-6) = -2160°$이므로

$-2000° = 360° \times (-6) + 160°$

$160°$는 제2사분면의 각이므로 $-2000°$는 제2사분면의 각이다.

**답** (1) $360° \times 3 + 200°$, 제3사분면

(2) $360° \times 1 + 320°$, 제4사분면

(3) $360° \times (-6) + 160°$, 제2사분면

**2**

$1° = \dfrac{\pi}{180}$ 라디안이므로

(1) $30° = 30 \times \dfrac{\pi}{180} = \dfrac{\pi}{6}$, $45° = 45 \times \dfrac{\pi}{180} = \dfrac{\pi}{4}$

$60° = 60 \times \dfrac{\pi}{180} = \dfrac{\pi}{3}$

(2) $90° = 90 \times \dfrac{\pi}{180} = \dfrac{\pi}{2}$, $180° = 180 \times \dfrac{\pi}{180} = \pi$

$270° = 270 \times \dfrac{\pi}{180} = \dfrac{3}{2}\pi$, $360° = 360 \times \dfrac{\pi}{180} = 2\pi$

**답** (1) $\dfrac{\pi}{6}, \dfrac{\pi}{4}, \dfrac{\pi}{3}$    (2) $\dfrac{\pi}{2}, \pi, \dfrac{3}{2}\pi, 2\pi$

**3**

부채꼴의 반지름의 길이를 $r$, 중심각의 크기를 $\theta$라 하자.

$l = r\theta$이므로 $l = 3 \times 2 = 6$

$S = \dfrac{1}{2}r^2\theta$이므로 $S = \dfrac{1}{2} \times 3^2 \times 2 = 9$

**답** $l = 6$, $S = 9$

대표Q     84쪽~86쪽

**대표 Q1**

(1) $\dfrac{12}{5}\pi = 2\pi \times 1 + \dfrac{2}{5}\pi$이므로 제1사분면의 각이다.

(2) $-4\pi = -\dfrac{12}{3}\pi$이므로 $-\dfrac{10}{3}\pi = 2\pi \times (-2) + \dfrac{2}{3}\pi$

따라서 제2사분면의 각이다.

(3) $780° = 780 \times \dfrac{\pi}{180} = \dfrac{13}{3}\pi$

$\dfrac{13}{3}\pi = 4\pi + \dfrac{\pi}{3}$이므로 $780°$는 제1사분면의 각이다.

**답** (1) 제1사분면    (2) 제2사분면

(3) $\dfrac{13}{3}\pi$, 제1사분면

**1-1**

(1) $\dfrac{17}{6}\pi = 2\pi \times 1 + \dfrac{5}{6}\pi$이므로 제2사분면의 각이다.

(2) $\dfrac{20}{3}\pi = 2\pi \times 3 + \dfrac{2}{3}\pi$이므로 제2사분면의 각이다.

(3) $-6\pi = -\dfrac{24}{4}\pi$이므로

$-\dfrac{23}{4}\pi = 2\pi \times (-3) + \dfrac{\pi}{4}$

따라서 제1사분면의 각이다.

**답** (1) 제2사분면    (2) 제2사분면

(3) 제1사분면

**1-2**

$1° = \dfrac{\pi}{180}$ 라디안, 1라디안 $= \dfrac{180°}{\pi}$이므로

(1) $\dfrac{\pi}{3} = \dfrac{\pi}{3} \times \dfrac{180°}{\pi} = 60°$

$120° = 120 \times \dfrac{\pi}{180} = \dfrac{2}{3}\pi$

다른 각도 같은 방법으로 계산한다.

| 육십분법 | 60° | 120° | 240° | 300° |
|---|---|---|---|---|
| 호도법 | $\dfrac{\pi}{3}$ | $\dfrac{2}{3}\pi$ | $\dfrac{4}{3}\pi$ | $\dfrac{5}{3}\pi$ |

(2)

| 육십분법 | 30° | 150° | 210° | 330° |
|---|---|---|---|---|
| 호도법 | $\dfrac{\pi}{6}$ | $\dfrac{5}{6}\pi$ | $\dfrac{7}{6}\pi$ | $\dfrac{11}{6}\pi$ |

(3)

| 육십분법 | 45° | 135° | 225° | 315° |
|---|---|---|---|---|
| 호도법 | $\dfrac{\pi}{4}$ | $\dfrac{3}{4}\pi$ | $\dfrac{5}{4}\pi$ | $\dfrac{7}{4}\pi$ |

**답** 풀이 참조

참고 (1) 240°는 60°의 4배이므로 호도법도 $\dfrac{\pi}{3}$의 4배임을 이용할 수 있다.

### 대표 02

(1) $2n\pi+\dfrac{\pi}{2}<\theta<2n\pi+\pi$ ($n$은 정수)이므로

$n\pi+\dfrac{\pi}{4}<\dfrac{\theta}{2}<n\pi+\dfrac{\pi}{2}$

(i) $n=2k$ ($k$는 정수)일 때,

$2k\pi+\dfrac{\pi}{4}<\dfrac{\theta}{2}<2k\pi+\dfrac{\pi}{2}$

각 $\dfrac{\theta}{2}$를 나타내는 동경이 $\dfrac{\pi}{4}$와 $\dfrac{\pi}{2}$ 사이에 있으므로 제1사분면에 있다.

(ii) $n=2k+1$ ($k$는 정수)일 때,

$2k\pi+\pi+\dfrac{\pi}{4}<\dfrac{\theta}{2}<2k\pi+\pi+\dfrac{\pi}{2}$

각 $\dfrac{\theta}{2}$를 나타내는 동경이 $\pi+\dfrac{\pi}{4}$와 $\pi+\dfrac{\pi}{2}$ 사이에 있으므로 제3사분면에 있다.

(i), (ii)에서 각 $\dfrac{\theta}{2}$를 나타내는 동경이 존재하는 사분면은 제1, 3사분면이다.

(2) 두 각 $\theta$, $4\theta$를 나타내는 두 동경이 반대 방향으로 일직선을 이루면

$4\theta-\theta=2n\pi+\pi$ ($n$은 정수)

$\therefore \theta=\dfrac{2}{3}n\pi+\dfrac{\pi}{3}$ ⋯ ㉠

$0\le\theta<2\pi$이므로 $0\le\dfrac{2}{3}n\pi+\dfrac{\pi}{3}<2\pi$

$\therefore -\dfrac{1}{2}\le n<\dfrac{5}{2}$

$n$은 정수이므로 $n=0,\ 1,\ 2$

㉠에 대입하면 $\theta=\dfrac{\pi}{3},\ \pi,\ \dfrac{5}{3}\pi$

🔲 (1) 제1, 3사분면  (2) $\dfrac{\pi}{3},\ \pi,\ \dfrac{5}{3}\pi$

### 2-1

$2n\pi<\theta<2n\pi+\dfrac{\pi}{2}$ ($n$은 정수)이므로

$\dfrac{2}{3}n\pi<\dfrac{\theta}{3}<\dfrac{2}{3}n\pi+\dfrac{\pi}{6}$

(i) $n=3k$ ($k$는 정수)일 때,

$2k\pi<\dfrac{\theta}{3}<2k\pi+\dfrac{\pi}{6}$

각 $\dfrac{\theta}{3}$를 나타내는 동경이 0과 $\dfrac{\pi}{6}$ 사이에 있으므로 제1사분면에 있다.

(ii) $n=3k+1$ ($k$는 정수)일 때,

$2k\pi+\dfrac{2}{3}\pi<\dfrac{\theta}{3}<2k\pi+\dfrac{2}{3}\pi+\dfrac{\pi}{6}$

각 $\dfrac{\theta}{3}$를 나타내는 동경이 $\dfrac{2}{3}\pi$와 $\dfrac{5}{6}\pi$ 사이에 있으므로 제2사분면에 있다.

(iii) $n=3k+2$ ($k$는 정수)일 때,

$2k\pi+\dfrac{4}{3}\pi<\dfrac{\theta}{3}<2k\pi+\dfrac{4}{3}\pi+\dfrac{\pi}{6}$

각 $\dfrac{\theta}{3}$를 나타내는 동경이 $\dfrac{4}{3}\pi$와 $\dfrac{3}{2}\pi$ 사이에 있으므로 제3사분면에 있다.

(i), (ii), (iii)에서 각 $\dfrac{\theta}{3}$를 나타내는 동경이 존재하는 사분면은 제1, 2, 3사분면이다.

🔲 제1, 2, 3사분면

### 2-2

(1) 두 각 $\theta$, $3\theta$를 나타내는 두 동경이 일치하면

$3\theta-\theta=2n\pi$ ($n$은 정수)

$\therefore \theta=n\pi$ ⋯ ㉠

$0\le\theta<2\pi$이므로 $0\le n\pi<2\pi$

$\therefore 0\le n<2$

$n$은 정수이므로 $n=0,\ 1$

㉠에 대입하면 $\theta=0,\ \pi$

(2) 두 각 $\theta$, $3\theta$를 나타내는 두 동경이 $x$축에 대칭이면

$\theta+3\theta=2n\pi$ ($n$은 정수)

$\therefore \theta=\dfrac{n}{2}\pi$ ⋯ ㉠

$0\le\theta<2\pi$이므로 $0\le\dfrac{n}{2}\pi<2\pi$

$\therefore 0\le n<4$

$n$은 정수이므로 $n=0,\ 1,\ 2,\ 3$

㉠에 대입하면 $\theta=0,\ \dfrac{\pi}{2},\ \pi,\ \dfrac{3}{2}\pi$

🔲 (1) $0,\ \pi$  (2) $0,\ \dfrac{\pi}{2},\ \pi,\ \dfrac{3}{2}\pi$

### 대표 03

부채꼴의 반지름의 길이를 $r$, 중심각의 크기를 $\theta$, 호의 길이를 $l$, 넓이를 $S$라 하자.

(1) $l=r\theta$이므로

$$2\pi=r\times\frac{4}{3}\pi \qquad \therefore r=\frac{3}{2}$$

$S=\frac{1}{2}r^2\theta$이므로 $S=\frac{1}{2}\times\left(\frac{3}{2}\right)^2\times\frac{4}{3}\pi=\frac{3}{2}\pi$

**다른 풀이**

$S=\frac{1}{2}rl$이므로 $S=\frac{1}{2}\times\frac{3}{2}\times2\pi=\frac{3}{2}\pi$

(2) 둘레의 길이가 12이므로

$$2r+l=12 \ (0<r<6)$$

$$\therefore S=\frac{1}{2}rl=\frac{1}{2}r(12-2r)$$

$$=-r^2+6r=-(r-3)^2+9$$

따라서 $r=3$일 때 부채꼴의 넓이의 최댓값은 9이다.

**답** (1) $\dfrac{3}{2}\pi$ (2) 9

**3-1**

부채꼴의 반지름의 길이를 $r$, 중심각의 크기를 $\theta$, 호의 길이를 $l$, 넓이를 $S$라 하자.

(1) $l=r\theta$이므로 $\dfrac{3}{4}\pi=r\times\dfrac{\pi}{4}$ $\qquad \therefore r=3$

(2) $S=\dfrac{1}{2}r^2\theta$이므로 $30\pi=\dfrac{1}{2}r^2\times\dfrac{5}{3}\pi$

$r^2=36$ $\qquad \therefore r=6 \ (\because r>0)$

$\therefore l=r\theta=6\times\dfrac{5}{3}\pi=10\pi$

(3) $S=\dfrac{1}{2}rl$이므로 $12\pi=\dfrac{1}{2}r\times2\pi$ $\qquad \therefore r=12$

**답** (1) 3 (2) $10\pi$ (3) 12

**3-2**

부채꼴의 반지름의 길이를 $r$, 호의 길이를 $l$, 넓이를 $S$라 하자. 둘레의 길이가 20이므로

$$2r+l=20 \ (0<r<10)$$

$$\therefore S=\frac{1}{2}rl=\frac{1}{2}r(20-2r)$$

$$=-r^2+10r=-(r-5)^2+25$$

따라서 $r=5$일 때 부채꼴의 넓이가 최대이다.

**답** 5

 **개념 Check** 88쪽~89쪽

**4**

**답** $\sin\alpha=-\dfrac{3}{5}$, $\cos\alpha=-\dfrac{4}{5}$, $\tan\alpha=\dfrac{3}{4}$

**5**

$r=\overline{OQ}=\sqrt{(\sqrt{2})^2+(-1)^2}$
$\qquad=\sqrt{3}$

$\therefore \sin\beta=\dfrac{y}{r}=-\dfrac{1}{\sqrt{3}}=-\dfrac{\sqrt{3}}{3}$

$\cos\beta=\dfrac{x}{r}=\dfrac{\sqrt{2}}{\sqrt{3}}=\dfrac{\sqrt{6}}{3}$

$\tan\beta=\dfrac{y}{x}=-\dfrac{1}{\sqrt{2}}=-\dfrac{\sqrt{2}}{2}$

**답** $\sin\beta=-\dfrac{\sqrt{3}}{3}$, $\cos\beta=\dfrac{\sqrt{6}}{3}$, $\tan\beta=-\dfrac{\sqrt{2}}{2}$

**6**

중심이 원점 O인 단위원과 각 $\theta$를 나타내는 동경이 만나는 점을 $P(x, y)$라 하면 $\sin\theta$, $\cos\theta$, $\tan\theta$ 값의 부호는 각각 $y$, $x$, $\dfrac{y}{x}$의 부호와 같다.

(1) $x>0$, $y<0$이므로 $\theta$는 제4사분면의 각이다.

(2) $y<0$, $\dfrac{y}{x}>0$, 곧 $y<0$, $x<0$이므로 $\theta$는 제3사분면의 각이다.

**답** (1) 제4사분면 (2) 제3사분면

**참고** (1) $\cos\theta$만 양수이므로 $\theta$는 제4사분면의 각이다.
(2) $\tan\theta$만 양수이므로 $\theta$는 제3사분면의 각이다.

**7**

(1) $\sin\theta=-\dfrac{1}{3}$을 $\sin^2\theta+\cos^2\theta=1$에 대입하면

$$\left(-\frac{1}{3}\right)^2+\cos^2\theta=1, \ \cos^2\theta=\frac{8}{9}$$

$\theta$가 제3사분면의 각이므로 $\cos\theta<0$

$$\therefore \cos\theta=-\frac{2\sqrt{2}}{3}$$

(2) $\tan\theta=\dfrac{\sin\theta}{\cos\theta}=\dfrac{-\dfrac{1}{3}}{-\dfrac{2\sqrt{2}}{3}}=\dfrac{1}{2\sqrt{2}}=\dfrac{\sqrt{2}}{4}$

**답** (1) $-\dfrac{2\sqrt{2}}{3}$ (2) $\dfrac{\sqrt{2}}{4}$

**대표Q** 90쪽~93쪽

**대표 04**

각 $\theta$를 나타내는 동경과 중심이 원점 O인 단위원의 교점을 P라 하자.

(1) $P\left(-\dfrac{1}{2}, \dfrac{\sqrt{3}}{2}\right)$이므로

$\sin 120° = \dfrac{\sqrt{3}}{2}$

$\cos 120° = -\dfrac{1}{2}$

$\tan 120° = -\sqrt{3}$

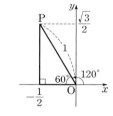

(2) $P\left(-\dfrac{\sqrt{2}}{2}, -\dfrac{\sqrt{2}}{2}\right)$이므로

$\sin \dfrac{5}{4}\pi = -\dfrac{\sqrt{2}}{2}$

$\cos \dfrac{5}{4}\pi = -\dfrac{\sqrt{2}}{2}$

$\tan \dfrac{5}{4}\pi = 1$

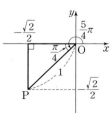

(3) $750° = 360° \times 2 + 30°$이므로

$P\left(\dfrac{\sqrt{3}}{2}, \dfrac{1}{2}\right)$

$\sin 750° = \dfrac{1}{2}$

$\cos 750° = \dfrac{\sqrt{3}}{2}$

$\tan 750° = \dfrac{1}{\sqrt{3}} = \dfrac{\sqrt{3}}{3}$

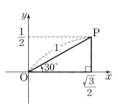

(4) $-\dfrac{13}{4}\pi = 2\pi \times (-2) + \dfrac{3}{4}\pi$

이므로 $P\left(-\dfrac{\sqrt{2}}{2}, \dfrac{\sqrt{2}}{2}\right)$

$\sin \left(-\dfrac{13}{4}\pi\right) = \dfrac{\sqrt{2}}{2}$

$\cos \left(-\dfrac{13}{4}\pi\right) = -\dfrac{\sqrt{2}}{2}$

$\tan \left(-\dfrac{13}{4}\pi\right) = -1$

**답** (1) $\sin 120° = \dfrac{\sqrt{3}}{2}$, $\cos 120° = -\dfrac{1}{2}$, $\tan 120° = -\sqrt{3}$

(2) $\sin \dfrac{5}{4}\pi = -\dfrac{\sqrt{2}}{2}$, $\cos \dfrac{5}{4}\pi = -\dfrac{\sqrt{2}}{2}$, $\tan \dfrac{5}{4}\pi = 1$

(3) $\sin 750° = \dfrac{1}{2}$, $\cos 750° = \dfrac{\sqrt{3}}{2}$, $\tan 750° = \dfrac{\sqrt{3}}{3}$

(4) $\sin \left(-\dfrac{13}{4}\pi\right) = \dfrac{\sqrt{2}}{2}$, $\cos \left(-\dfrac{13}{4}\pi\right) = -\dfrac{\sqrt{2}}{2}$,

$\tan \left(-\dfrac{13}{4}\pi\right) = -1$

**참고** (4) $-\dfrac{13}{4}\pi = 2\pi \times (-1) - \dfrac{5}{4}\pi$로 변형하여 $-\dfrac{5}{4}\pi$를
나타내는 동경을 이용해도 위의 결과와 같다.

---

**4-1**

각 $\theta$를 나타내는 동경과 중심이 원점 O인 단위원의 교점을 P라 하자.

(1) $P\left(-\dfrac{\sqrt{2}}{2}, \dfrac{\sqrt{2}}{2}\right)$이므로

$\sin \dfrac{3}{4}\pi = \dfrac{\sqrt{2}}{2}$

$\cos \dfrac{3}{4}\pi = -\dfrac{\sqrt{2}}{2}$

$\tan \dfrac{3}{4}\pi = -1$

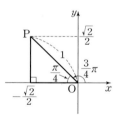

(2) $P\left(\dfrac{\sqrt{3}}{2}, -\dfrac{1}{2}\right)$이므로

$\sin \dfrac{11}{6}\pi = -\dfrac{1}{2}$

$\cos \dfrac{11}{6}\pi = \dfrac{\sqrt{3}}{2}$

$\tan \dfrac{11}{6}\pi = -\dfrac{1}{\sqrt{3}} = -\dfrac{\sqrt{3}}{3}$

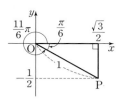

(3) $P\left(-\dfrac{1}{2}, -\dfrac{\sqrt{3}}{2}\right)$이므로

$\sin \left(-\dfrac{2}{3}\pi\right) = -\dfrac{\sqrt{3}}{2}$

$\cos \left(-\dfrac{2}{3}\pi\right) = -\dfrac{1}{2}$

$\tan \left(-\dfrac{2}{3}\pi\right) = \sqrt{3}$

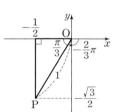

(4) $\dfrac{35}{6}\pi = 2\pi \times 2 + \dfrac{11}{6}\pi$

이므로 $P\left(\dfrac{\sqrt{3}}{2}, -\dfrac{1}{2}\right)$

$\sin \dfrac{35}{6}\pi = -\dfrac{1}{2}$

$\cos \dfrac{35}{6}\pi = \dfrac{\sqrt{3}}{2}$

$\tan \dfrac{35}{6}\pi = -\dfrac{1}{\sqrt{3}} = -\dfrac{\sqrt{3}}{3}$

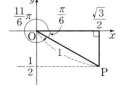

**다른 풀이**

$\dfrac{35}{6}\pi = 2\pi \times 3 - \dfrac{\pi}{6}$이므로

$\sin \dfrac{35}{6}\pi = -\dfrac{1}{2}$

$\cos \dfrac{35}{6}\pi = \dfrac{\sqrt{3}}{2}$

$\tan \dfrac{35}{6}\pi = -\dfrac{\sqrt{3}}{3}$

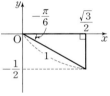

(5) $840° = 360° × 2 + 120°$

이므로 $\mathrm{P}\left(-\dfrac{1}{2},\ \dfrac{\sqrt{3}}{2}\right)$

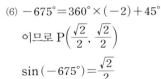

$\sin 840° = \dfrac{\sqrt{3}}{2}$

$\cos 840° = -\dfrac{1}{2}$

$\tan 840° = -\sqrt{3}$

(6) $-675° = 360° × (-2) + 45°$

이므로 $\mathrm{P}\left(\dfrac{\sqrt{2}}{2},\ \dfrac{\sqrt{2}}{2}\right)$

$\sin(-675°) = \dfrac{\sqrt{2}}{2}$

$\cos(-675°) = \dfrac{\sqrt{2}}{2}$

$\tan(-675°) = 1$

**답** (1) $\sin\dfrac{3}{4}\pi = \dfrac{\sqrt{2}}{2},\ \cos\dfrac{3}{4}\pi = -\dfrac{\sqrt{2}}{2},\ \tan\dfrac{3}{4}\pi = -1$

(2) $\sin\dfrac{11}{6}\pi = -\dfrac{1}{2},\ \cos\dfrac{11}{6}\pi = \dfrac{\sqrt{3}}{2}$,

$\tan\dfrac{11}{6}\pi = -\dfrac{\sqrt{3}}{3}$

(3) $\sin\left(-\dfrac{2}{3}\pi\right) = -\dfrac{\sqrt{3}}{2},\ \cos\left(-\dfrac{2}{3}\pi\right) = -\dfrac{1}{2}$,

$\tan\left(-\dfrac{2}{3}\pi\right) = \sqrt{3}$

(4) $\sin\dfrac{35}{6}\pi = -\dfrac{1}{2},\ \cos\dfrac{35}{6}\pi = \dfrac{\sqrt{3}}{2}$,

$\tan\dfrac{35}{6}\pi = -\dfrac{\sqrt{3}}{3}$

(5) $\sin 840° = \dfrac{\sqrt{3}}{2},\ \cos 840° = -\dfrac{1}{2},\ \tan 840° = -\sqrt{3}$

(6) $\sin(-675°) = \dfrac{\sqrt{2}}{2},\ \cos(-675°) = \dfrac{\sqrt{2}}{2}$,

$\tan(-675°) = 1$

**대표 05**

(1) $\dfrac{\pi}{2} < \theta < \dfrac{3}{2}\pi$ 이고 $\sin\theta = \dfrac{5}{13}$ 이므로

$\theta$는 제2사분면의 각이다.

$\sin^2\theta + \cos^2\theta = 1$ 이므로

$\left(\dfrac{5}{13}\right)^2 + \cos^2\theta = 1,\ \cos^2\theta = \left(\dfrac{12}{13}\right)^2$

$\theta$가 제2사분면의 각이므로 $\cos\theta = -\dfrac{12}{13}$

또 $\tan\theta = \dfrac{\sin\theta}{\cos\theta} = -\dfrac{5}{12}$

**다른 풀이**

$\sin\theta = \dfrac{5}{13}$ 이고 $\dfrac{\pi}{2} < \theta < \dfrac{3}{2}\pi$ 이므로

제2사분면에서 그림과 같이 빗변의 길이가 13인 직각삼각형을 생각할 수 있다.

이때 $\mathrm{P}(-12,\ 5)$이므로

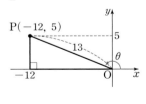

$\cos\theta = -\dfrac{12}{13},\ \tan\theta = -\dfrac{5}{12}$

(2) $\tan\theta = -3$에서 $\dfrac{\sin\theta}{\cos\theta} = -3$, 곧 $\sin\theta = -3\cos\theta$

$\sin^2\theta + \cos^2\theta = 1$ 이므로

$(-3\cos\theta)^2 + \cos^2\theta = 1,\ 10\cos^2\theta = 1$

$\cos^2\theta = \dfrac{1}{10}$ ∴ $\cos\theta = \pm\dfrac{1}{\sqrt{10}} = \pm\dfrac{\sqrt{10}}{10}$

∴ $\sin\theta + \cos\theta = -3\cos\theta + \cos\theta$

$= -2\cos\theta = \pm\dfrac{\sqrt{10}}{5}$

**다른 풀이**

$\tan\theta = -3$ 이므로 제2, 4사분면에서 그림과 같은 직각삼각형을 생각할 수 있다.

이때 $\mathrm{P}_1(-1,\ 3)$, $\mathrm{P}_2(1,\ -3)$이고 $\overline{\mathrm{OP}_1} = \overline{\mathrm{OP}_2} = \sqrt{10}$ 이므로

(ⅰ) $\mathrm{P}_1(-1,\ 3)$일 때,

$\sin\theta = \dfrac{3}{\sqrt{10}} = \dfrac{3\sqrt{10}}{10},\ \cos\theta = -\dfrac{1}{\sqrt{10}} = -\dfrac{\sqrt{10}}{10}$

∴ $\sin\theta + \cos\theta = \dfrac{\sqrt{10}}{5}$

(ⅱ) $\mathrm{P}_2(1,\ -3)$일 때,

$\sin\theta = -\dfrac{3}{\sqrt{10}} = -\dfrac{3\sqrt{10}}{10},\ \cos\theta = \dfrac{1}{\sqrt{10}} = \dfrac{\sqrt{10}}{10}$

∴ $\sin\theta + \cos\theta = -\dfrac{\sqrt{10}}{5}$

(ⅰ), (ⅱ)에서 $\sin\theta + \cos\theta$의 값은 $\pm\dfrac{\sqrt{10}}{5}$

**답** (1) $\cos\theta=-\dfrac{12}{13}$, $\tan\theta=-\dfrac{5}{12}$  (2) $\pm\dfrac{\sqrt{10}}{5}$

**참고** (2) $\cos\theta=\pm\dfrac{\sqrt{10}}{10}$, $\sin\theta=-3\cos\theta$이므로

$\cos\theta=\dfrac{\sqrt{10}}{10}$일 때, $\sin\theta=-\dfrac{3\sqrt{10}}{10}$

$\cos\theta=-\dfrac{\sqrt{10}}{10}$일 때, $\sin\theta=\dfrac{3\sqrt{10}}{10}$

으로 $\sin\theta$의 값을 구하고 계산해도 된다.

**5-1**

$\pi<\theta<2\pi$이고 $\cos\theta=-\dfrac{1}{4}$이므로

$\theta$는 제3사분면의 각이다.

$\sin^2\theta+\cos^2\theta=1$이므로

$\sin^2\theta+\left(-\dfrac{1}{4}\right)^2=1$, $\sin^2\theta=\dfrac{15}{16}$

$\theta$가 제3사분면의 각이므로 $\sin\theta=-\dfrac{\sqrt{15}}{4}$

또 $\tan\theta=\dfrac{\sin\theta}{\cos\theta}=\sqrt{15}$

**답** $\sin\theta=-\dfrac{\sqrt{15}}{4}$, $\tan\theta=\sqrt{15}$

**5-2**

$\tan\theta=2$에서 $\dfrac{\sin\theta}{\cos\theta}=2$, 곧 $\sin\theta=2\cos\theta$

$\sin^2\theta+\cos^2\theta=1$이므로

$(2\cos\theta)^2+\cos^2\theta=1$, $5\cos^2\theta=1$

$\cos^2\theta=\dfrac{1}{5}$  $\therefore \cos\theta=\pm\dfrac{\sqrt{5}}{5}$

$\therefore \sin\theta-\cos\theta=2\cos\theta-\cos\theta$

$=\cos\theta=\pm\dfrac{\sqrt{5}}{5}$

**답** $\pm\dfrac{\sqrt{5}}{5}$

**대표 06**

(1) $\sin^2\theta+\cos^2\theta=1$이므로

$(\sin\theta+\cos\theta)^2=\sin^2\theta+\cos^2\theta+2\sin\theta\cos\theta$

$=1+2\sin\theta\cos\theta$

$\sin\theta\cos\theta=\dfrac{1}{2}$을 대입하면

$(\sin\theta+\cos\theta)^2=1+2\times\dfrac{1}{2}=2$

$\theta$가 제1사분면의 각이므로 $\sin\theta>0$, $\cos\theta>0$

$\therefore \sin\theta+\cos\theta=\sqrt{2}$

$\therefore \sin^3\theta+\cos^3\theta$

$=(\sin\theta+\cos\theta)^3-3\sin\theta\cos\theta(\sin\theta+\cos\theta)$

$=(\sqrt{2})^3-3\times\dfrac{1}{2}\times\sqrt{2}=\dfrac{\sqrt{2}}{2}$

**다른 풀이**

$\sin^3\theta+\cos^3\theta$

$=(\sin\theta+\cos\theta)(\sin^2\theta-\sin\theta\cos\theta+\cos^2\theta)$

$=\sqrt{2}\times\left(1-\dfrac{1}{2}\right)=\dfrac{\sqrt{2}}{2}$

(2) 근과 계수의 관계에서

$\sin\theta+\cos\theta=1$, $\sin\theta\cos\theta=a$

첫 번째 식의 양변을 제곱하면

$\sin^2\theta+2\sin\theta\cos\theta+\cos^2\theta=1$

$\sin^2\theta+\cos^2\theta=1$이므로

$1+2a=1$    $\therefore a=0$

**답** (1) $\dfrac{\sqrt{2}}{2}$  (2) 0

**6-1**

(1) $\sin\theta+\cos\theta=\dfrac{1}{2}$의 양변을 제곱하면

$\sin^2\theta+2\sin\theta\cos\theta+\cos^2\theta=\dfrac{1}{4}$

$\sin^2\theta+\cos^2\theta=1$이므로

$1+2\sin\theta\cos\theta=\dfrac{1}{4}$    $\therefore \sin\theta\cos\theta=-\dfrac{3}{8}$

(2) $\dfrac{1}{\sin\theta}+\dfrac{1}{\cos\theta}=\dfrac{\cos\theta+\sin\theta}{\sin\theta\cos\theta}$

$=\dfrac{\dfrac{1}{2}}{-\dfrac{3}{8}}=-\dfrac{4}{3}$

(3) $\sin^3\theta+\cos^3\theta$

$=(\sin\theta+\cos\theta)^3-3\sin\theta\cos\theta(\sin\theta+\cos\theta)$

$=\left(\dfrac{1}{2}\right)^3-3\times\left(-\dfrac{3}{8}\right)\times\dfrac{1}{2}=\dfrac{11}{16}$

(4) $\sin^4\theta+\cos^4\theta$

$=(\sin^2\theta+\cos^2\theta)^2-2(\sin\theta\cos\theta)^2$

$=1^2-2\times\left(-\dfrac{3}{8}\right)^2=\dfrac{23}{32}$

**답** (1) $-\dfrac{3}{8}$  (2) $-\dfrac{4}{3}$  (3) $\dfrac{11}{16}$  (4) $\dfrac{23}{32}$

## 6-2

$4x^2-2\sqrt{2}x+1=0$의 근과 계수의 관계에서

$\sin\theta+\cos\theta=\dfrac{\sqrt{2}}{2}$, $\sin\theta\cos\theta=\dfrac{1}{4}$

또 $x^2+ax+1=0$의 근과 계수의 관계에서

$\tan\theta+\dfrac{1}{\tan\theta}=-a$이므로

$$\dfrac{\sin\theta}{\cos\theta}+\dfrac{\cos\theta}{\sin\theta}=\dfrac{\sin^2\theta+\cos^2\theta}{\sin\theta\cos\theta}$$
$$=\dfrac{1}{\dfrac{1}{4}}=4$$

곧, $-a=4$이므로 $a=-4$

**답** $-4$

### 대표 07

(1) $\tan^2\theta-\sin^2\theta=\dfrac{\sin^2\theta}{\cos^2\theta}-\sin^2\theta$

$\qquad\qquad =\dfrac{\sin^2\theta}{\cos^2\theta}-\dfrac{\sin^2\theta\cos^2\theta}{\cos^2\theta}$

$\qquad\qquad =\dfrac{\sin^2\theta(1-\cos^2\theta)}{\cos^2\theta}$

$\qquad\qquad =\dfrac{\sin^2\theta\sin^2\theta}{\cos^2\theta}$

$\qquad\qquad =\tan^2\theta\sin^2\theta$

**다른 풀이**

$\tan^2\theta\sin^2\theta=\tan^2\theta(1-\cos^2\theta)$

$\qquad\qquad =\tan^2\theta-\tan^2\theta\cos^2\theta$

$\qquad\qquad =\tan^2\theta-\sin^2\theta$

(2) $\dfrac{1}{1+\sin\theta}+\dfrac{1}{1-\sin\theta}=\dfrac{1-\sin\theta+1+\sin\theta}{(1+\sin\theta)(1-\sin\theta)}$

$\qquad\qquad\qquad =\dfrac{2}{1-\sin^2\theta}=\dfrac{2}{\cos^2\theta}$

$1+\tan^2\theta=1+\dfrac{\sin^2\theta}{\cos^2\theta}=\dfrac{\cos^2\theta+\sin^2\theta}{\cos^2\theta}=\dfrac{1}{\cos^2\theta}$

$\therefore \dfrac{1}{1+\sin\theta}+\dfrac{1}{1-\sin\theta}=2(1+\tan^2\theta)$

**답** 풀이 참조

## 7-1

(1) $\sin^4\theta-\cos^4\theta=(\sin^2\theta+\cos^2\theta)(\sin^2\theta-\cos^2\theta)$

$\qquad\qquad =\sin^2\theta-\cos^2\theta$

$\qquad\qquad =(1-\cos^2\theta)-\cos^2\theta$

$\qquad\qquad =1-2\cos^2\theta$

(2) $\tan^2\theta=\dfrac{\sin^2\theta}{\cos^2\theta}$이므로

$\tan^2\theta+\cos^2\theta(1-\tan^4\theta)$

$\qquad =\dfrac{\sin^2\theta}{\cos^2\theta}+\cos^2\theta-\dfrac{\sin^4\theta}{\cos^2\theta}$

$\qquad =\dfrac{\sin^2\theta+\cos^4\theta-\sin^4\theta}{\cos^2\theta}$

$\qquad =\dfrac{\sin^2\theta+(\cos^2\theta+\sin^2\theta)(\cos^2\theta-\sin^2\theta)}{\cos^2\theta}$

$\qquad =\dfrac{\sin^2\theta+\cos^2\theta-\sin^2\theta}{\cos^2\theta}=1$

**답** 풀이 참조

## 7-2

(1) $1+\tan^2\theta=1+\dfrac{\sin^2\theta}{\cos^2\theta}$

$\qquad\qquad =\dfrac{\cos^2\theta+\sin^2\theta}{\cos^2\theta}$

$\qquad\qquad =\dfrac{1}{\cos^2\theta}$

(2) $\dfrac{1}{1+\sin\theta}+\dfrac{1}{1-\sin\theta}$

$\qquad =\dfrac{1-\sin\theta+1+\sin\theta}{(1+\sin\theta)(1-\sin\theta)}$

$\qquad =\dfrac{2}{1-\sin^2\theta}=\dfrac{2}{\cos^2\theta}$

곧, $\dfrac{2}{\cos^2\theta}=3$이므로 $\dfrac{1}{\cos^2\theta}=\dfrac{3}{2}$

$1+\tan^2\theta=\dfrac{1}{\cos^2\theta}$에서

$1+\tan^2\theta=\dfrac{3}{2}$, $\tan^2\theta=\dfrac{1}{2}$

$\therefore \tan\theta=\pm\dfrac{\sqrt{2}}{2}$

**다른 풀이**

$\dfrac{2}{\cos^2\theta}=3$이므로

$\cos^2\theta=\dfrac{2}{3}$, $\sin^2\theta=\dfrac{1}{3}$

$\tan^2\theta=\dfrac{\sin^2\theta}{\cos^2\theta}=\dfrac{1}{2}$이므로

$\tan\theta=\pm\dfrac{\sqrt{2}}{2}$

**답** (1) 풀이 참조 (2) $\pm\dfrac{\sqrt{2}}{2}$

개념 Check ▷ 95쪽

**8**

(1) $\sin\dfrac{7}{3}\pi=\sin\left(2\pi+\dfrac{\pi}{3}\right)=\sin\dfrac{\pi}{3}=\dfrac{\sqrt{3}}{2}$

(2) $\cos\dfrac{17}{4}\pi=\cos\left(2\pi\times2+\dfrac{\pi}{4}\right)=\cos\dfrac{\pi}{4}=\dfrac{\sqrt{2}}{2}$

(3) $\tan\dfrac{13}{6}\pi=\tan\left(2\pi+\dfrac{\pi}{6}\right)=\tan\dfrac{\pi}{6}=\dfrac{\sqrt{3}}{3}$

🖋 (1) $\dfrac{\sqrt{3}}{2}$ (2) $\dfrac{\sqrt{2}}{2}$ (3) $\dfrac{\sqrt{3}}{3}$

**9**

(1) $\sin\left(-\dfrac{\pi}{6}\right)=-\sin\dfrac{\pi}{6}=-\dfrac{1}{2}$

(2) $\cos\left(-\dfrac{\pi}{6}\right)=\cos\dfrac{\pi}{6}=\dfrac{\sqrt{3}}{2}$

(3) $\tan\left(-\dfrac{\pi}{4}\right)=-\tan\dfrac{\pi}{4}=-1$

🖋 (1) $-\dfrac{1}{2}$ (2) $\dfrac{\sqrt{3}}{2}$ (3) $-1$

**10**

(1) $\sin\dfrac{7}{6}\pi=\sin\left(\pi+\dfrac{\pi}{6}\right)=-\sin\dfrac{\pi}{6}=-\dfrac{1}{2}$

(2) $\cos\dfrac{7}{6}\pi=\cos\left(\pi+\dfrac{\pi}{6}\right)=-\cos\dfrac{\pi}{6}=-\dfrac{\sqrt{3}}{2}$

(3) $\tan\dfrac{7}{6}\pi=\tan\left(\pi+\dfrac{\pi}{6}\right)=\tan\dfrac{\pi}{6}=\dfrac{\sqrt{3}}{3}$

🖋 (1) $-\dfrac{1}{2}$ (2) $-\dfrac{\sqrt{3}}{2}$ (3) $\dfrac{\sqrt{3}}{3}$

대표Q ▷ 97쪽~98쪽

**대표 08**

(1) $\dfrac{19}{6}\pi=3\pi+\dfrac{\pi}{6}$이고 제3사분면의 각이므로

$\sin\dfrac{19}{6}\pi<0$

$\therefore \sin\dfrac{19}{6}\pi=-\sin\dfrac{\pi}{6}=-\dfrac{1}{2}$

**다른 풀이**

$\dfrac{19}{6}\pi$를 나타내는 동경과 단위원이 만나는 점을 P라 하면

$P\left(-\dfrac{\sqrt{3}}{2},\ -\dfrac{1}{2}\right)$

$\therefore \sin\dfrac{19}{6}\pi=-\dfrac{1}{2}$

(2) $-\dfrac{10}{3}\pi=-3\pi-\dfrac{\pi}{3}$이고 제2사분면의 각이므로

$\cos\left(-\dfrac{10}{3}\pi\right)<0$

$\therefore \cos\left(-\dfrac{10}{3}\pi\right)=-\cos\dfrac{\pi}{3}=-\dfrac{1}{2}$

(3) $\dfrac{19}{4}\pi=5\pi-\dfrac{\pi}{4}$이고 제2사분면의 각이므로

$\tan\dfrac{19}{4}\pi=-\tan\dfrac{\pi}{4}=-1$

🖋 (1) $-\dfrac{1}{2}$ (2) $-\dfrac{1}{2}$ (3) $-1$

**8-1**

(1) $-\dfrac{9}{4}\pi=-2\pi-\dfrac{\pi}{4}$이고 제4사분면의 각이므로

$\sin\left(-\dfrac{9}{4}\pi\right)<0$

$\therefore \sin\left(-\dfrac{9}{4}\pi\right)=-\sin\dfrac{\pi}{4}=-\dfrac{\sqrt{2}}{2}$

(2) $\dfrac{17}{3}\pi=6\pi-\dfrac{\pi}{3}$이고 제4사분면의 각이므로

$\cos\dfrac{17}{3}\pi>0$

$\therefore \cos\dfrac{17}{3}\pi=\cos\dfrac{\pi}{3}=\dfrac{1}{2}$

(3) $\dfrac{11}{3}\pi=4\pi-\dfrac{\pi}{3}$이고 제4사분면의 각이므로

$\tan\dfrac{11}{3}\pi<0$

$\therefore \tan\dfrac{11}{3}\pi=-\tan\dfrac{\pi}{3}=-\sqrt{3}$

🖋 (1) $-\dfrac{\sqrt{2}}{2}$ (2) $\dfrac{1}{2}$ (3) $-\sqrt{3}$

**8-2**

$310°=90°\times3+40°$이고 제4사분면의 각이므로

$\sin310°<0$ $\therefore \sin310°=-\cos40°$

$140°=90°\times1+50°$이고 제2사분면의 각이므로

$\cos140°<0$ $\therefore \cos140°=-\sin50°$

$-230°=90°\times(-3)+40°$이고 제2사분면의 각이므로

$\sin(-230°)>0 \quad \therefore \sin(-230°)=\cos 40°$

$-405°=90°\times(-5)+45°$이고 제4사분면의 각이므로

$\tan(-405°)<0$

$\therefore \tan(-405°)=-\dfrac{1}{\tan 45°}=-1$

그런데 $\sin 50°=\sin(90°-40°)=\cos 40°$이므로

$(주어진 식)=-\cos 40°-\cos 40°+2\cos 40°-1$

$=-1$

답 $-1$

**대표 09**

(1) $\theta$가 예각이라 생각하자.

$\pi-\theta$가 제2사분면의 각, $\cos(\pi-\theta)<0$이므로

$\cos(\pi-\theta)=-\cos\theta$

$\dfrac{\pi}{2}+\theta$가 제2사분면의 각, $\sin\left(\dfrac{\pi}{2}+\theta\right)>0$이므로

$\sin\left(\dfrac{\pi}{2}+\theta\right)=\cos\theta$

$3\pi+\theta$가 제3사분면의 각, $\sin(3\pi+\theta)<0$이므로

$\sin(3\pi+\theta)=-\sin\theta$

$2\pi-\theta$가 제4사분면의 각, $\tan(2\pi-\theta)<0$이므로

$\tan(2\pi-\theta)=-\tan\theta$

$-\dfrac{\pi}{2}+\theta$가 제4사분면의 각, $\cos\left(-\dfrac{\pi}{2}+\theta\right)>0$이므로

$\cos\left(-\dfrac{\pi}{2}+\theta\right)=\sin\theta$

$\dfrac{3}{2}\pi-\theta$가 제3사분면의 각, $\tan\left(\dfrac{3}{2}\pi-\theta\right)>0$이므로

$\tan\left(\dfrac{3}{2}\pi-\theta\right)=\dfrac{1}{\tan\theta}$

$\therefore$ (주어진 식)

$=\dfrac{1}{(-\cos\theta)\cos\theta}+\dfrac{(-\sin\theta)(-\tan\theta)}{\sin\theta\times\dfrac{1}{\tan\theta}}$

$=-\dfrac{1}{\cos^2\theta}+\tan^2\theta=-\dfrac{1}{\cos^2\theta}+\dfrac{\sin^2\theta}{\cos^2\theta}$

$=\dfrac{-1+\sin^2\theta}{\cos^2\theta}=\dfrac{-\cos^2\theta}{\cos^2\theta}=-1$

(2) $\left(\dfrac{\pi}{3}-\theta\right)+\left(\dfrac{\pi}{6}+\theta\right)=\dfrac{\pi}{2}$이므로 $\dfrac{\pi}{6}+\theta=\dfrac{\pi}{2}-\left(\dfrac{\pi}{3}-\theta\right)$

$\dfrac{\pi}{3}-\theta=\theta'$이라 하면

$\cos^2\left(\dfrac{\pi}{3}-\theta\right)+\cos^2\left(\dfrac{\pi}{6}+\theta\right)$

$=\cos^2\theta'+\cos^2\left(\dfrac{\pi}{2}-\theta'\right)$

$=\cos^2\theta'+\sin^2\theta'=1$

답 (1) $-1$ (2) $1$

참고 (1) $\sin^2\theta+\cos^2\theta=1$에서 $-1+\sin^2\theta=-\cos^2\theta$

**9-1**

$\dfrac{\cos\theta\cos\left(\dfrac{\pi}{2}+\theta\right)}{\tan(\pi+\theta)}+\sin\theta\tan(\pi-\theta)\sin\left(\dfrac{\pi}{2}-\theta\right)$

$=\dfrac{\cos\theta(-\sin\theta)}{\tan\theta}+\sin\theta(-\tan\theta)\cos\theta$

$=-\cos\theta\sin\theta\times\dfrac{\cos\theta}{\sin\theta}-\sin\theta\cos\theta\times\dfrac{\sin\theta}{\cos\theta}$

$=-(\cos^2\theta+\sin^2\theta)=-1$

답 $-1$

**9-2**

$\sin 70°=\sin(90°-20°)=\cos 20°$

$\tan 70°=\tan(90°-20°)=\dfrac{1}{\tan 20°}$

$\therefore \sin^2 20°+\sin^2 70°+\tan 20°\tan 70°$

$=\sin^2 20°+\cos^2 20°+\tan 20°\times\dfrac{1}{\tan 20°}$

$=1+1=2$

답 2

**연습과 실전 5 삼각함수** 99쪽~102쪽

| | | | | |
|---|---|---|---|---|
| 01 ③ | 02 ③ | 03 ④ | 04 ⑤ | |
| 05 (1) $-\sqrt{3}+1$ (2) $-\dfrac{1}{2}$ | | | 06 ④ | |
| 07 (1) $\pm\dfrac{\sqrt{2}}{2}$ (2) $\pm\dfrac{5\sqrt{2}}{8}$ | | | 08 $6\sqrt{2}$ | 09 ③ |
| 10 (1) $-1$ (2) $3-2\sqrt{3}$ | | | 11 $\dfrac{7}{9}\pi$ | 12 ③ |
| 13 ② | 14 27 | 15 ③ | 16 $\dfrac{\sqrt{5}}{5}$ | 17 ④ |
| 18 $\pm\dfrac{1}{2}$ | 19 (1) 1 (2) $\dfrac{45}{2}$ | | 20 $-1$ | |

**01**

① $\dfrac{\pi}{5}=\dfrac{\pi}{5}\times\dfrac{180°}{\pi}=36°\neq 42°$

② $\dfrac{7}{9}\pi=\dfrac{7}{9}\pi\times\dfrac{180°}{\pi}=140°\ne139°$

③ $\dfrac{17}{30}\pi=\dfrac{17}{30}\pi\times\dfrac{180°}{\pi}=102°$

④ $\dfrac{7}{10}\pi=\dfrac{7}{10}\pi\times\dfrac{180°}{\pi}=126°\ne152°$

⑤ $\dfrac{11}{12}\pi=\dfrac{11}{12}\pi\times\dfrac{180°}{\pi}=165°\ne168°$

따라서 옳은 것은 ③이다.

답 ③

**02**

$910°=360°\times2+190°$ ➡ 제3사분면의 각

$-220°=360°\times(-1)+140°$ ➡ 제2사분면의 각

$-1195°=360°\times(-4)+245°$ ➡ 제3사분면의 각

$\dfrac{32}{15}\pi=2\pi+\dfrac{2}{15}\pi$ ➡ 제1사분면의 각

$5\pi=2\pi\times2+\pi$ ➡ $x$축 위의 각

$-\dfrac{11}{4}\pi=2\pi\times(-2)+\dfrac{5}{4}\pi$ ➡ 제3사분면의 각

따라서 제3사분면의 각은 모두 3개이다.

답 ③

**03**

부채꼴의 중심각의 크기를 $\theta$라 하자.

원의 넓이와 부채꼴의 넓이가 같으므로

$\pi\times2^2=\dfrac{1}{2}\times8^2\times\theta$    $\therefore \theta=\dfrac{\pi}{8}$

따라서 부채꼴의 둘레의 길이는

$2\times8+8\times\dfrac{\pi}{8}=16+\pi$

**다른 풀이**

부채꼴의 호의 길이를 $l$이라 하자.

원의 넓이와 부채꼴의 넓이가 같으므로

$\pi\times2^2=\dfrac{1}{2}\times8\times l$    $\therefore l=\pi$

따라서 부채꼴의 둘레의 길이는

$2\times8+\pi=16+\pi$

답 ④

**04**

부채꼴의 반지름의 길이를 $r$, 중심각의 크기를 $\theta$라 하자.

호의 길이가 $4\pi$이므로 $r\theta=4\pi$    … ㉠

넓이가 $12\pi$이므로 $\dfrac{1}{2}\times r\times4\pi=12\pi$    … ㉡

㉡에서 $r=6$

$r=6$을 ㉠에 대입하면 $6\theta=4\pi$    $\therefore \theta=\dfrac{2}{3}\pi$

답 ⑤

**참고** ㉡에서 $S=\dfrac{1}{2}rl$을 이용하였다.

$S=\dfrac{1}{2}r^2\theta$를 이용하면 $\dfrac{1}{2}r^2\theta=12\pi$    … ㉢

㉠을 ㉢에 대입하면 $\dfrac{1}{2}\times r\times4\pi=12\pi$

따라서 ㉡을 얻는다.

**05**

(1) $\sin\dfrac{5}{3}\pi=\sin\left(2\pi-\dfrac{\pi}{3}\right)=-\sin\dfrac{\pi}{3}=-\dfrac{\sqrt{3}}{2}$

$\cos\left(-\dfrac{3}{2}\pi\right)=0$

$\tan\dfrac{5}{4}\pi=\tan\dfrac{\pi}{4}=1$

$\therefore 2\sin\dfrac{5}{3}\pi+\cos\left(-\dfrac{3}{2}\pi\right)+\tan\dfrac{5}{4}\pi=-\sqrt{3}+1$

(2) $1560°=360°\times4+120°$이므로

$\sin1560°=\sin120°=\sin(90°+30°)$

$\qquad\qquad=\cos30°=\dfrac{\sqrt{3}}{2}$

또 $\tan30°=\dfrac{\sqrt{3}}{3}$, $\cos45°=\dfrac{\sqrt{2}}{2}$

$\therefore \log_2\sin1560°+\log_2\tan30°-\log_2\cos45°$

$=\log_2\dfrac{\sqrt{3}}{2}+\log_2\dfrac{\sqrt{3}}{3}-\log_2\dfrac{\sqrt{2}}{2}$

$=\log_2\left(\dfrac{\sqrt{3}}{2}\times\dfrac{\sqrt{3}}{3}\times\dfrac{2}{\sqrt{2}}\right)$

$=\log_2\dfrac{1}{\sqrt{2}}=\log_2 2^{-\frac{1}{2}}=-\dfrac{1}{2}$

답 (1) $-\sqrt{3}+1$  (2) $-\dfrac{1}{2}$

**06**

$\dfrac{\sin\theta}{1-\cos\theta}-\dfrac{\sin\theta}{1+\cos\theta}$

$=\dfrac{\sin\theta(1+\cos\theta)-\sin\theta(1-\cos\theta)}{(1-\cos\theta)(1+\cos\theta)}$

$=\dfrac{2\sin\theta\cos\theta}{1-\cos^2\theta}=\dfrac{2\sin\theta\cos\theta}{\sin^2\theta}$

$=\dfrac{2\cos\theta}{\sin\theta}=\dfrac{2}{\tan\theta}=\dfrac{2}{3}$

답 ④

**07**

(1) $(\sin\theta-\cos\theta)^2=\sin^2\theta+\cos^2\theta-2\sin\theta\cos\theta$

$$=1-2\times\frac{1}{4}=\frac{1}{2}$$

$$\therefore\ \sin\theta-\cos\theta=\pm\frac{\sqrt{2}}{2}$$

(2) $\sin^3\theta-\cos^3\theta$

$$=(\sin\theta-\cos\theta)(\sin^2\theta+\sin\theta\cos\theta+\cos^2\theta)$$

$$=\pm\frac{\sqrt{2}}{2}\times\left(1+\frac{1}{4}\right)=\pm\frac{5\sqrt{2}}{8}$$

**답** (1) $\pm\dfrac{\sqrt{2}}{2}$  (2) $\pm\dfrac{5\sqrt{2}}{8}$

**08**

이차방정식의 근과 계수의 관계에서

$\dfrac{1}{\sin\theta}\times\dfrac{1}{\cos\theta}=\dfrac{6}{3}=2$이므로 $\sin\theta\cos\theta=\dfrac{1}{2}$

$\dfrac{1}{\sin\theta}+\dfrac{1}{\cos\theta}=-\dfrac{a}{3}$이므로 $\dfrac{\cos\theta+\sin\theta}{\sin\theta\cos\theta}=-\dfrac{a}{3}$

$$\therefore\ \cos\theta+\sin\theta=-\frac{a}{6}\quad\cdots\ \text{㉠}$$

㉠의 양변을 제곱하면

$$\cos^2\theta+\sin^2\theta+2\cos\theta\sin\theta=\frac{a^2}{36}$$

$$1+2\times\frac{1}{2}=\frac{a^2}{36},\ a^2=72$$

$a$는 양수이므로 $a=\sqrt{72}=6\sqrt{2}$

**답** $6\sqrt{2}$

**09**

$\theta$가 제3사분면의 각이므로

$\sin\theta<0,\ \cos\theta<0$

$$\therefore\ \sqrt{\sin^2\theta+2\sin\theta\cos\theta+\cos^2\theta}-|\cos\theta|$$

$$=\sqrt{(\sin\theta+\cos\theta)^2}+\cos\theta$$

$\sin\theta+\cos\theta<0$이므로

(주어진 식)$=-\sin\theta-\cos\theta+\cos\theta=-\sin\theta$

**답** ③

**10**

(1) $\sin\dfrac{11}{3}\pi=\sin\left(4\pi-\dfrac{\pi}{3}\right)=\sin\left(-\dfrac{\pi}{3}\right)$

$$=-\sin\frac{\pi}{3}=-\frac{\sqrt{3}}{2}$$

$\cos\left(-\dfrac{13}{6}\pi\right)=\cos\dfrac{13}{6}\pi=\cos\left(2\pi+\dfrac{\pi}{6}\right)$

$$=\cos\frac{\pi}{6}=\frac{\sqrt{3}}{2}$$

$\tan\dfrac{11}{4}\pi=\tan\left(2\pi+\dfrac{3}{4}\pi\right)=\tan\dfrac{3}{4}\pi$

$$=\tan\left(\pi-\frac{\pi}{4}\right)=-\tan\frac{\pi}{4}=-1$$

$$\therefore\ \sin\frac{11}{3}\pi+\cos\left(-\frac{13}{6}\pi\right)+\tan\frac{11}{4}\pi$$

$$=-\frac{\sqrt{3}}{2}+\frac{\sqrt{3}}{2}+(-1)=-1$$

**다른 풀이**

$\dfrac{11}{3}\pi=4\pi-\dfrac{\pi}{3}$이고 제4사분면의 각이므로

$$\sin\frac{11}{3}\pi<0$$

$$\therefore\ \sin\frac{11}{3}\pi=-\sin\frac{\pi}{3}=-\frac{\sqrt{3}}{2}$$

$-\dfrac{13}{6}\pi=-2\pi-\dfrac{\pi}{6}$이고 제4사분면의 각이므로

$$\cos\left(-\frac{13}{6}\pi\right)>0$$

$$\therefore\ \cos\left(-\frac{13}{6}\pi\right)=\cos\frac{\pi}{6}=\frac{\sqrt{3}}{2}$$

$\dfrac{11}{4}\pi=\dfrac{5}{2}\pi+\dfrac{\pi}{4}$이고 제2사분면의 각이므로

$$\tan\frac{11}{4}\pi<0$$

$$\therefore\ \tan\frac{11}{4}\pi=-\frac{1}{\tan\dfrac{\pi}{4}}=-1$$

$$\therefore\ \sin\frac{11}{3}\pi+\cos\left(-\frac{13}{6}\pi\right)+\tan\frac{11}{4}\pi$$

$$=-\frac{\sqrt{3}}{2}+\frac{\sqrt{3}}{2}+(-1)=-1$$

(2) $\sin\dfrac{7}{3}\pi=\sin\left(2\pi+\dfrac{\pi}{3}\right)=\sin\dfrac{\pi}{3}=\dfrac{\sqrt{3}}{2}$

$\tan\dfrac{9}{4}\pi=\tan\left(2\pi+\dfrac{\pi}{4}\right)=\tan\dfrac{\pi}{4}=1$

$\cos\left(-\dfrac{7}{6}\pi\right)=\cos\dfrac{7}{6}\pi=\cos\left(\pi+\dfrac{\pi}{6}\right)$

$$=-\cos\frac{\pi}{6}=-\frac{\sqrt{3}}{2}$$

$\tan\left(-\dfrac{\pi}{4}\right)=-\tan\dfrac{\pi}{4}=-1$

$$\therefore\ \frac{\sin\dfrac{7}{3}\pi\times\tan\dfrac{9}{4}\pi}{\cos\left(-\dfrac{7}{6}\pi\right)+\tan\left(-\dfrac{\pi}{4}\right)}$$

$$=\frac{\dfrac{\sqrt{3}}{2}\times1}{-\dfrac{\sqrt{3}}{2}-1}=\frac{-\sqrt{3}}{\sqrt{3}+2}=\frac{-\sqrt{3}(\sqrt{3}-2)}{(\sqrt{3}+2)(\sqrt{3}-2)}$$

$$=\sqrt{3}(\sqrt{3}-2)=3-2\sqrt{3}$$

📋 (1) $-1$  (2) $3-2\sqrt{3}$

**11** 전략 $4\theta-\theta=2n\pi+\dfrac{\pi}{3}$이다.

두 각을 나타내는 두 동경이 이루는 각의 크기가 $\dfrac{\pi}{3}$이므로

$4\theta-\theta=2n\pi+\dfrac{\pi}{3}$ ($n$은 정수), $3\theta=\dfrac{6n+1}{3}\pi$

$\therefore \theta=\dfrac{6n+1}{9}\pi$

$\dfrac{\pi}{2}<\theta<\pi$이므로 $n=1$    $\therefore \theta=\dfrac{7}{9}\pi$

📋 $\dfrac{7}{9}\pi$

**12** 전략 두 각 $\alpha$, $\beta$를 나타내는 두 동경이 $y$축에 대칭이면 $\alpha+\beta=2n\pi+\pi$이다.

두 각 $\theta$, $7\theta$를 나타내는 두 동경이 $y$축에 대칭이므로

$\theta+7\theta=2n\pi+\pi$ ($n$은 정수)

$\therefore \theta=\dfrac{2n+1}{8}\pi$

$0<\theta<\pi$이므로 $n=1,\ 2,\ 3$

$n=3$일 때 $\theta$가 가장 크므로 $\theta=\dfrac{7}{8}\pi$

$\therefore p+q=8+7=15$

📋 ③

**13** 전략 원뿔의 전개도를 그린다.
원뿔의 전개도를 그리면 그림과 같다.

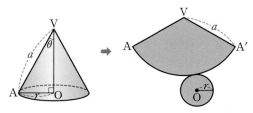

부채꼴 $\text{VAA}'$의 반지름의 길이를 $a$, 밑면인 원의 반지름의 길이를 $r$라 하자.
이때 호 $\text{AA}'$의 길이는 원 O의 둘레의 길이 $2\pi r$이므로
부채꼴의 넓이는 $\dfrac{1}{2}a\times2\pi r=\pi ar$
원뿔의 옆넓이가 밑넓이의 2배이므로
$\pi ar=2\times\pi r^2$    $\therefore a=2r$

삼각형 VAO에서 $\overline{\text{VO}}=\sqrt{(2r)^2-r^2}=\sqrt{3}r$
따라서 삼각형 VAO는 각 변의 길이의 비가 $2:1:\sqrt{3}$인 직각삼각형이므로
$\theta=30°=\dfrac{\pi}{6}$

📋 ②

**14** 전략 호 BC의 중심각을 이용할 수 있게 반원의 중심과 점 C를 잇는다.

선분 AB의 중점을 O라 하면 O는 반지름의 길이가 6인 원의 중심이다.

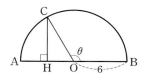

$\angle\text{COB}=\theta$라 하면 호 BC의 길이가 $4\pi$이므로
$6\times\theta=4\pi$    $\therefore \theta=\dfrac{2}{3}\pi$

$\therefore \angle\text{AOC}=\pi-\theta=\dfrac{\pi}{3}$

삼각형 CHO에서 $\sin(\angle\text{COH})=\dfrac{\overline{\text{CH}}}{\overline{\text{CO}}}$이므로

$\overline{\text{CH}}=6\sin\dfrac{\pi}{3}=6\times\dfrac{\sqrt{3}}{2}=3\sqrt{3}$

$\therefore \overline{\text{CH}}^2=(3\sqrt{3})^2=27$

📋 27

참고 $\angle\text{AOC}=\dfrac{\pi}{3}$, $\overline{\text{CO}}=\overline{\text{AO}}$이므로 $\triangle\text{CAO}$는 정삼각형이다. 정삼각형의 성질을 이용하여 풀 수도 있다.

**15** 전략 단위원에서 크기가 1(라디안)인 각을 표시한다.

그림에서 $\theta=1$(라디안)이라 하면
$\sin1=\overline{\text{AB}}$, $\cos1=\overline{\text{OA}}$,
$\tan1=\overline{\text{CD}}$

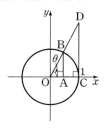

$1>\dfrac{\pi}{4}$이므로 $\overline{\text{AB}}>\overline{\text{OA}}$

곧, $\overline{\text{OA}}<\overline{\text{AB}}<\overline{\text{CD}}$이므로

$\cos1<\sin1<\tan1$

📋 ③

**16** 전략 $\sin^2\theta+\cos^2\theta=1$을 이용한다.

$5\sin\theta=\dfrac{1}{\sin\theta}$에서

$\sin^2\theta=\dfrac{1}{5}$    $\therefore \sin\theta=\pm\dfrac{\sqrt{5}}{5}$

$\cos^2\theta = 1 - \sin^2\theta$이므로

$\cos^2\theta = 1 - \dfrac{1}{5} = \dfrac{4}{5}$　　$\therefore \cos\theta = \pm\dfrac{2\sqrt{5}}{5}$

$\cos\theta\tan\theta < 0$에서 $\cos\theta$와 $\tan\theta$의 부호가 다르므로 $\theta$는 제3사분면 또는 제4사분면의 각이다.

또 $\sin\theta\cos\theta < 0$에서 $\sin\theta$와 $\cos\theta$의 부호가 다르므로 $\theta$는 제2사분면 또는 제4사분면의 각이다.

따라서 $\theta$는 제4사분면의 각이므로

$\sin\theta < 0,\ \cos\theta > 0$

$\therefore \sin\theta + \cos\theta = -\dfrac{\sqrt{5}}{5} + \dfrac{2\sqrt{5}}{5} = \dfrac{\sqrt{5}}{5}$

답 $\dfrac{\sqrt{5}}{5}$

**17** 전략 $\sin^2\theta + \cos^2\theta = 1$, $\tan\theta = \dfrac{\sin\theta}{\cos\theta}$를 이용한다.

ㄱ. $\dfrac{\sin\theta}{1+\cos\theta} + \dfrac{1}{\tan\theta} = \dfrac{\sin\theta}{1+\cos\theta} + \dfrac{\cos\theta}{\sin\theta}$

$= \dfrac{\sin^2\theta + \cos\theta + \cos^2\theta}{\sin\theta(1+\cos\theta)}$

$= \dfrac{1+\cos\theta}{\sin\theta(1+\cos\theta)}$

$= \dfrac{1}{\sin\theta}$ (거짓)

ㄴ. $\dfrac{\tan\theta}{\cos\theta} + \dfrac{1}{\cos^2\theta} = \dfrac{\tan\theta\cos\theta + 1}{\cos^2\theta}$

$= \dfrac{\sin\theta + 1}{\cos^2\theta} = \dfrac{\sin\theta + 1}{1 - \sin^2\theta}$

$= \dfrac{\sin\theta + 1}{(1+\sin\theta)(1-\sin\theta)}$

$= \dfrac{1}{1-\sin\theta}$ (참)

ㄷ. $\dfrac{\cos^2\theta - \sin^2\theta}{1 + 2\sin\theta\cos\theta}$

$= \dfrac{\cos^2\theta - \sin^2\theta}{(\sin^2\theta + \cos^2\theta) + 2\sin\theta\cos\theta}$

$= \dfrac{(\cos\theta - \sin\theta)(\cos\theta + \sin\theta)}{(\cos\theta + \sin\theta)^2}$

$= \dfrac{\cos\theta - \sin\theta}{\cos\theta + \sin\theta}$

$= \dfrac{1 - \dfrac{\sin\theta}{\cos\theta}}{1 + \dfrac{\sin\theta}{\cos\theta}} = \dfrac{1 - \tan\theta}{1 + \tan\theta}$ (참)

따라서 옳은 것은 ㄴ, ㄷ이다.

답 ④

**18** 전략 $\theta$를 예각이라 생각하고 좌변을 간단히 한다.

$\theta$를 예각이라 생각하자.

$-\pi + \theta$가 제3사분면의 각이므로

$\sin(-\pi + \theta) = -\sin\theta$

$\dfrac{\pi}{2} + \theta$가 제2사분면의 각이므로

$\tan\left(\dfrac{\pi}{2} + \theta\right) = -\dfrac{1}{\tan\theta}$

$\dfrac{3}{2}\pi + \theta$가 제4사분면의 각이므로

$\cos\left(\dfrac{3}{2}\pi + \theta\right) = \sin\theta$

$\pi - \theta$가 제2사분면의 각이므로

$\tan(\pi - \theta) = -\tan\theta$

$\therefore$ (좌변) $= (-\sin\theta)\left(-\dfrac{1}{\tan\theta}\right) - \sin\theta(-\tan\theta)$

$= \sin\theta \times \dfrac{\cos\theta}{\sin\theta} + \sin\theta \times \dfrac{\sin\theta}{\cos\theta}$

$= \dfrac{\cos^2\theta + \sin^2\theta}{\cos\theta} = \dfrac{1}{\cos\theta}$

따라서 $\dfrac{1}{\cos\theta} = 4\cos\theta$이므로

$\cos^2\theta = \dfrac{1}{4}$　　$\therefore \cos\theta = \pm\dfrac{1}{2}$

답 $\pm\dfrac{1}{2}$

**19** 전략 $\sin\left(\dfrac{\pi}{2} - \theta\right) = \cos\theta$를 이용한다.

(1) $\tan 1° = \dfrac{\sin 1°}{\cos 1°}$, $\tan 89° = \dfrac{\sin 89°}{\cos 89°}$이므로

$\sin 1°\cos 1°\tan 1° + \sin 89°\cos 89°\tan 89°$

$= \sin^2 1° + \sin^2 89°$

$= \sin^2 1° + \sin^2(90° - 1°)$

$= \sin^2 1° + \cos^2 1° = 1$

(2) $\cos^2 1° + \cos^2 89° = \cos^2 1° + \sin^2 1° = 1$

$\cos^2 3° + \cos^2 87° = \cos^2 3° + \sin^2 3° = 1$

$\cos^2 5° + \cos^2 85° = \cos^2 5° + \sin^2 5° = 1$

$\vdots$

$\cos^2 43° + \cos^2 47° = \cos^2 43° + \sin^2 43° = 1$

$\cos^2 45° = \left(\dfrac{\sqrt{2}}{2}\right)^2 = \dfrac{1}{2}$

이므로

$\cos^2 1° + \cos^2 3° + \cos^2 5° + \cdots + \cos^2 87° + \cos^2 89°$

$= 1 \times 22 + \dfrac{1}{2} = \dfrac{45}{2}$

답 (1) 1　(2) $\dfrac{45}{2}$

**20** (전략) 좌표의 합에 대한 문제는 대칭부터 찾는다.

$\theta = \dfrac{2}{10}\pi = \dfrac{\pi}{5}$이므로 $\cos\theta$, $\cos 2\theta$, $\cos 3\theta$, $\cdots$의 값을 따로 구할 수 없다. $\cos\theta$, $\cos 2\theta$, $\cos 3\theta$, $\cdots$가 각각 $P_2$, $P_3$, $P_4$, $\cdots$의 $x$좌표이므로 좌표의 성질을 생각한다.

그림과 같이 $y$축에 대칭임을 생각하면

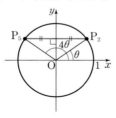

$P_2$의 $x$좌표와 $P_5$의 $x$좌표의 합이 0이므로

$\cos\theta + \cos 4\theta = 0$

$P_3$의 $x$좌표와 $P_4$의 $x$좌표의 합이 0이므로

$\cos 2\theta + \cos 3\theta = 0$

같은 방법으로

$\cos 6\theta + \cos 9\theta = 0$, $\cos 7\theta + \cos 8\theta = 0$

∴ (주어진 식) $= \cos 5\theta = \cos\pi = -1$

(답) $-1$

(참고) 그림과 같이 $x$축에 대칭임을 생각하면

$P_2$의 $x$좌표와 $P_{10}$의 $x$좌표에서 $\cos\theta = \cos 9\theta$

$P_3$의 $x$좌표와 $P_9$의 $x$좌표에서 $\cos 2\theta = \cos 8\theta$

⋮

따라서 주어진 식은

$2\cos\theta + 2\cos 2\theta + 2\cos 3\theta + 2\cos 4\theta + \cos 5\theta$

이고, 더 이상 간단히 할 수 없다.

---

# 6 삼각함수의 그래프

**개념 Check**  107쪽 ~ 109쪽

**1**

(1) $\dfrac{2\pi}{3} = \dfrac{2}{3}\pi$

(2) $\dfrac{2\pi}{\pi} = 2$

(답) (1) $\dfrac{2}{3}\pi$  (2) 2

**2**

주기가 2이므로 $-1 \le x < 1$에서의 그래프가 반복된다.

따라서 $y = f(x)$의 그래프는 그림과 같다.

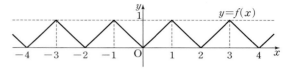

(답) 풀이 참조

**3**

(답) (1) 주기 : $4\pi$, 최댓값 : 1, 최솟값 : $-1$

(2) 주기 : $\dfrac{2}{3}\pi$, 최댓값 : 2, 최솟값 : $-2$

(3) 주기 : 1, 최댓값과 최솟값은 없다.

**4**

최댓값이 2, 최솟값이 $-2$이므로 $|a| = 2$

$a > 0$이므로 $a = 2$

주기가 $6\pi$이므로 $\dfrac{2\pi}{|p|} = 6\pi$, $|p| = \dfrac{1}{3}$

$p > 0$이므로 $p = \dfrac{1}{3}$

(답) $a = 2$, $p = \dfrac{1}{3}$

**대표Q**  110쪽 ~ 114쪽

**대표 Q1**

(1) $y = 2\sin\dfrac{x}{2}$의 주기는 $\dfrac{2\pi}{\dfrac{1}{2}} = 4\pi$, 최댓값은 2, 최솟값은 $-2$이다.

$y=2\sin\dfrac{x}{2}$의 그래프를 $y$축 방향으로 1만큼 평행이

동하면 $y=2\sin\dfrac{x}{2}+1$이므로 그래프는 그림과 같다.

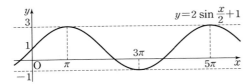

∴ 주기 : $4\pi$, 최댓값 : 3, 최솟값 : $-1$

(2) $y=\sin 2x$의 주기는 $\dfrac{2\pi}{2}=\pi$, 최댓값은 1, 최솟값은

$-1$이다.

$y=\sin 2x$의 그래프를 $x$축 방향으로 $\dfrac{\pi}{4}$만큼 평행이동

하면 $y=\sin 2\left(x-\dfrac{\pi}{4}\right)$이므로 그래프는 그림과 같다.

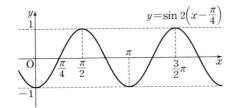

∴ 주기 : $\pi$, 최댓값 : 1, 최솟값 : $-1$

(3) $y=\sin x$의 그래프를 그리고, $x$축 아랫부분을 $x$축 위

로 꺾어 올리면 $y=|\sin x|$의 그래프는 그림과 같다.

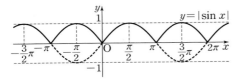

∴ 주기 : $\pi$, 최댓값 : 1, 최솟값 : 0

**답** 풀이 참조

**참고** (1) $y=\sin x$의 그래프를 $x$축 방향으로 2배하면

$y=\sin\dfrac{x}{2}$

$y=\sin\dfrac{x}{2}$의 그래프를 $y$축 방향으로 2배하면

$y=2\sin\dfrac{x}{2}$

이므로 $y=\sin x$의 그래프를 기준으로 생각할 수도

있다.

**1-1**

(1) $y=\sin\pi x$의 주기는 $\dfrac{2\pi}{\pi}=2$, 최댓값은 1, 최솟값은

$-1$이다.

$y=\sin\pi x$의 그래프를 $y$축 방향으로 3만큼 평행이

동하면 $y=\sin\pi x+3$이므로 그래프는 그림과 같다.

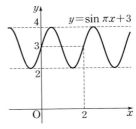

∴ 주기 : 2, 최댓값 : 4, 최솟값 : 2

(2) $y=\dfrac{1}{2}\sin 3x$의 주기는 $\dfrac{2\pi}{3}=\dfrac{2}{3}\pi$, 최댓값은 $\dfrac{1}{2}$, 최솟

값은 $-\dfrac{1}{2}$이다.

$y=\dfrac{1}{2}\sin 3x$의 그래프를 $x$축에 대칭이동하면

$y=-\dfrac{1}{2}\sin 3x$

$y=-\dfrac{1}{2}\sin\left(3x+\dfrac{\pi}{2}\right)=-\dfrac{1}{2}\sin 3\left(x+\dfrac{\pi}{6}\right)$

곧, $y=-\dfrac{1}{2}\sin 3x$의 그래프를 $x$축 방향으로 $-\dfrac{\pi}{6}$

만큼 평행이동하면 $y=-\dfrac{1}{2}\sin\left(3x+\dfrac{\pi}{2}\right)$이므로 그

래프는 그림과 같다.

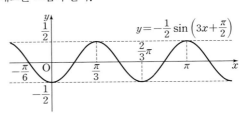

∴ 주기 : $\dfrac{2}{3}\pi$, 최댓값 : $\dfrac{1}{2}$, 최솟값 : $-\dfrac{1}{2}$

**답** 풀이 참조

**1-2**

$x\geq 0$일 때는 $y=\sin x$의 그래프를 그리고

$x<0$일 때는 $x\geq 0$인 부분을 $y$축에 대칭하여 그린다.

따라서 $y=\sin|x|$의 그래프는 그림과 같다.

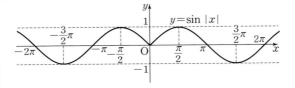

따라서 $y=\sin|x|$는 주기함수가 아니다.

📖 풀이 참조

**대표 02**

(1) $y=\cos 3x$의 주기는 $\dfrac{2\pi}{3}=\dfrac{2}{3}\pi$, 최댓값은 1, 최솟값은 $-1$이다.

$y=\cos 3x$의 그래프를 $x$축에 대칭이동한 다음 $y$축 방향으로 $-1$만큼 평행이동하면 $y=-\cos 3x-1$이므로 그래프는 그림과 같다.

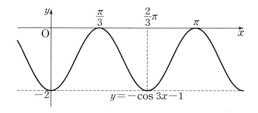

$\therefore$ 주기 : $\dfrac{2}{3}\pi$, 최댓값 : $0$, 최솟값 : $-2$

(2) $y=2\cos\dfrac{x}{2}$의 주기는 $\dfrac{2\pi}{\frac{1}{2}}=4\pi$, 최댓값은 2, 최솟값은 $-2$이다.

$y=2\cos\dfrac{x}{2}$의 그래프를 $x$축 방향으로 $\dfrac{\pi}{6}$만큼 평행이동하면 $y=2\cos\dfrac{1}{2}\left(x-\dfrac{\pi}{6}\right)$이므로 그래프는 그림과 같다.

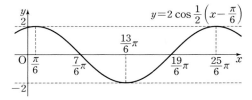

$\therefore$ 주기 : $4\pi$, 최댓값 : $2$, 최솟값 : $-2$

(3) $y=\cos x$의 그래프를 그리고, $x$축 아랫부분을 $x$축 위로 꺾어 올리면 $y=|\cos x|$의 그래프는 그림과 같다.

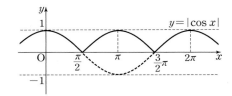

$\therefore$ 주기 : $\pi$, 최댓값 : $1$, 최솟값 : $0$

📖 풀이 참조

**2-1**

(1) $y=\dfrac{1}{3}\cos 2x$의 주기는 $\dfrac{2\pi}{2}=\pi$, 최댓값은 $\dfrac{1}{3}$, 최솟값은 $-\dfrac{1}{3}$이다.

$y=\dfrac{1}{3}\cos 2x$의 그래프를 $x$축에 대칭이동한 다음 $y$축 방향으로 1만큼 평행이동하면 $y=-\dfrac{1}{3}\cos 2x+1$이므로 그래프는 그림과 같다.

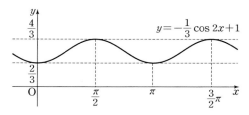

$\therefore$ 주기 : $\pi$, 최댓값 : $\dfrac{4}{3}$, 최솟값 : $\dfrac{2}{3}$

(2) $y=2\cos\dfrac{x}{2}$의 주기는 $\dfrac{2\pi}{\frac{1}{2}}=4\pi$, 최댓값은 2, 최솟값은 $-2$이다.

$y=2\cos\left(\dfrac{x}{2}-\pi\right)=2\cos\dfrac{1}{2}(x-2\pi)$

곧, $y=2\cos\dfrac{x}{2}$의 그래프를 $x$축 방향으로 $2\pi$만큼 평행이동하면 $y=2\cos\dfrac{1}{2}(x-2\pi)$이므로 그래프는 그림과 같다.

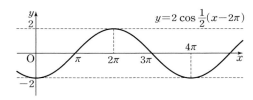

$\therefore$ 주기 : $4\pi$, 최댓값 : $2$, 최솟값 : $-2$

📖 풀이 참조

**2-2**

$y=\cos x+|\cos x|$에서

(i) $\cos x\geq 0$일 때, $y=\cos x+\cos x=2\cos x$

(ii) $\cos x<0$일 때, $y=\cos x-\cos x=0$

이므로 $y=\cos x+|\cos x|$의 그래프는 그림과 같다.

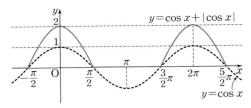

$\therefore$ 주기 : $2\pi$, 최댓값 : 2, 최솟값 : 0

(답) 풀이 참조

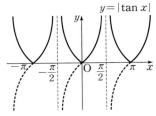

$\therefore$ 주기 : $\pi$

(답) 풀이 참조

**대표 03**

(1) $y=\tan 2x$의 주기는 $\dfrac{\pi}{2}$이고, $y=\tan 2x$의 그래프를 $y$축 방향으로 1만큼 평행이동하면 $y=\tan 2x+1$이므로 그래프는 그림과 같다.

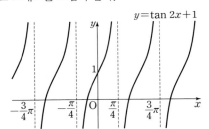

$\therefore$ 주기 : $\dfrac{\pi}{2}$

(2) $y=\tan \dfrac{x}{2}$의 주기는 $\dfrac{\pi}{\frac{1}{2}}=2\pi$이고, $y=\tan \dfrac{x}{2}$의 그래프를 $x$축 방향으로 $\dfrac{\pi}{4}$만큼 평행이동하면 $y=\tan \dfrac{1}{2}\left(x-\dfrac{\pi}{4}\right)$이므로 그래프는 그림과 같다.

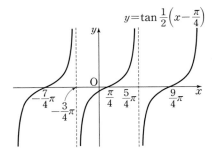

$\therefore$ 주기 : $2\pi$

(3) $y=\tan x$의 그래프를 그리고, $x$축 아랫부분을 $x$축 위로 꺾어 올리면 $y=|\tan x|$의 그래프는 그림과 같다.

**3-1**

(1) $y=\tan \dfrac{x}{2}$의 주기는 $\dfrac{\pi}{\frac{1}{2}}=2\pi$이고, $y=\tan \dfrac{x}{2}$의 그래프를 $x$축에 대칭이동하면 $y=-\tan \dfrac{x}{2}$이므로 그래프는 그림과 같다.

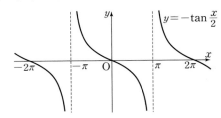

$\therefore$ 주기 : $2\pi$

(2) $y=\tan \pi x$의 주기는 $\dfrac{\pi}{\pi}=1$이고, $y=\tan \pi x$의 그래프를 $y$축 방향으로 2만큼 평행이동하면 $y=\tan \pi x+2$이므로 그래프는 그림과 같다.

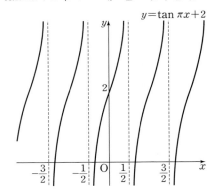

$\therefore$ 주기 : 1

(답) 풀이 참조

**대표 04**

$x=1$에서 $x=3$까지가 주기의 $\dfrac{1}{2}$이므로 주기는 4이다.

$p>0$이므로 $\dfrac{2\pi}{p}=4$ $\qquad \therefore p=\dfrac{\pi}{2}$

$a>0$, $-1\le \cos(px-q)\le 1$이고 최댓값이 1, 최솟값이 $-2$이므로

$a+b=1$, $-a+b=-2$

두 식을 연립하여 풀면 $a=\dfrac{3}{2}$, $b=-\dfrac{1}{2}$

이때 $f(x)=\dfrac{3}{2}\cos\left(\dfrac{\pi}{2}x-q\right)-\dfrac{1}{2}$

$\qquad\quad =\dfrac{3}{2}\cos\dfrac{\pi}{2}\left(x-\dfrac{2q}{\pi}\right)-\dfrac{1}{2}$

$0\le q<2\pi$이므로 평행이동을 생각하면

$\dfrac{2q}{\pi}=1$ $\qquad \therefore q=\dfrac{\pi}{2}$

따라서 $f(x)=\dfrac{3}{2}\cos\left(\dfrac{\pi}{2}x-\dfrac{\pi}{2}\right)-\dfrac{1}{2}$이므로

$f(0)=\dfrac{3}{2}\cos\left(-\dfrac{\pi}{2}\right)-\dfrac{1}{2}=-\dfrac{1}{2}$

📖 $a=\dfrac{3}{2}$, $b=-\dfrac{1}{2}$, $p=\dfrac{\pi}{2}$, $q=\dfrac{\pi}{2}$, $f(0)=-\dfrac{1}{2}$

**4-1**

주기가 $3\pi$이고 $p>0$이므로 $\dfrac{2\pi}{p}=3\pi$ $\qquad \therefore p=\dfrac{2}{3}$

$-1\le \sin(px+q)\le 1$이고 $a<0$이므로

$-a\ge a\sin(px+q)\ge a$

$f(x)$의 최댓값이 4, 최솟값이 0이므로

$-a+b=4$, $a+b=0$

두 식을 연립하여 풀면 $a=-2$, $b=2$

이때 $f(x)=-2\sin\left(\dfrac{2}{3}x+q\right)+2$이고, $f(0)=0$이므로

$-2\sin q+2=0$, $\sin q=1$

$0\le q<2\pi$이므로 $q=\dfrac{\pi}{2}$

📖 $a=-2$, $b=2$, $p=\dfrac{2}{3}$, $q=\dfrac{\pi}{2}$

참고 $q$값의 범위가 없으면 $q=2n\pi+\dfrac{\pi}{2}$ ($n$은 정수)이다.

**4-2**

주기가 $2\pi$이고 $p>0$이므로 $\dfrac{2\pi}{p}=2\pi$ $\qquad \therefore p=1$

---

$a>0$이고 최댓값이 0, 최솟값이 $-4$이므로

$a+b=0$, $-a+b=-4$

두 식을 연립하여 풀면 $a=2$, $b=-2$

이때 $f(x)=2\sin(x-q)-2$이고 이 함수의 그래프는 $y=2\sin(x-q)$의 그래프를 $y$축 방향으로 $-2$만큼 평행이동한 것이다.

곧, $y=2\sin(x-q)$의 그래프가 그림과 같고,

$0\le q<2\pi$이므로 $q=\dfrac{\pi}{2}$

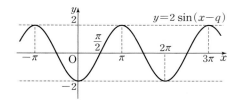

따라서 $f(x)=2\sin\left(x-\dfrac{\pi}{2}\right)-2$이므로

$f\left(\dfrac{\pi}{2}\right)=2\sin\left(\dfrac{\pi}{2}-\dfrac{\pi}{2}\right)-2$

$\qquad\quad =2\sin 0-2=-2$

📖 $a=2$, $b=-2$, $p=1$, $q=\dfrac{\pi}{2}$, $f\left(\dfrac{\pi}{2}\right)=-2$

**대표 05**

(1) $\sin x=t$로 놓으면 주어진 함수는

$y=|2t-1|+3$

$0\le x\le \pi$에서

$0\le \sin x\le 1$이므로

$0\le t\le 1$

따라서

$t=0$ 또는 $t=1$일 때 최댓값은 4

$t=\dfrac{1}{2}$일 때 최솟값은 3

(2) $\sin^2 x=1-\cos^2 x$이므로 $\cos x=t$로 놓으면 주어진 함수는

$y=(1-t^2)-t+1=-t^2-t+2$

$\qquad =-\left(t+\dfrac{1}{2}\right)^2+\dfrac{9}{4}$

$0\le x\le \pi$에서 $-1\le \cos x\le 1$이므로 $-1\le t\le 1$

따라서

$t=-\dfrac{1}{2}$일 때

최댓값은 $\dfrac{9}{4}$

$t=1$일 때 최솟값은

$-1^2-1+2=0$

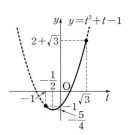

(3) $\tan x=t$로 놓으면 주어진 함수는

$$y=t^2+t-1=\left(t+\dfrac{1}{2}\right)^2-\dfrac{5}{4}$$

$-\dfrac{\pi}{4}\leq x\leq\dfrac{\pi}{3}$에서 $-1\leq\tan x\leq\sqrt{3}$이므로

$-1\leq t\leq\sqrt{3}$

따라서

$t=\sqrt{3}$일 때 최댓값은

$(\sqrt{3})^2+\sqrt{3}-1=2+\sqrt{3}$

$t=-\dfrac{1}{2}$일 때

최솟값은 $-\dfrac{5}{4}$

🔁 (1) 최댓값 : 4, 최솟값 : 3

(2) 최댓값 : $\dfrac{9}{4}$, 최솟값 : 0

(3) 최댓값 : $2+\sqrt{3}$, 최솟값 : $-\dfrac{5}{4}$

$-\dfrac{\pi}{2}\leq x\leq\dfrac{\pi}{2}$에서

$0\leq\cos x\leq1$이므로

$0\leq t\leq1$

따라서

$t=1$일 때 최댓값은

$3+2-1=4$

$t=0$일 때 최솟값은 $-1$

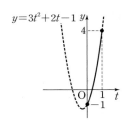

(3) $\cos^2 x=1-\sin^2 x$이므로 $\sin x=t$로 놓으면 주어진 함수는

$$y=t^2+3(1-t^2)-4t=-2t^2-4t+3$$
$$=-2(t+1)^2+5$$

$-\dfrac{\pi}{2}\leq x\leq\dfrac{\pi}{2}$에서

$-1\leq\sin x\leq1$이므로

$-1\leq t\leq1$

따라서

$t=-1$일 때 최댓값은 5

$t=1$일 때 최솟값은

$-2-4+3=-3$

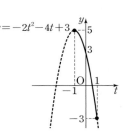

🔁 (1) 최댓값 : 3, 최솟값 : 2

(2) 최댓값 : 4, 최솟값 : $-1$

(3) 최댓값 : 5, 최솟값 : $-3$

**5-1**

(1) $\cos x=t$로 놓으면 주어진 함수는

$$y=-|t+2|+5$$

$-\dfrac{\pi}{2}\leq x\leq\dfrac{\pi}{2}$에서

$0\leq\cos x\leq1$이므로

$0\leq t\leq1$

따라서

$t=0$일 때 최댓값은 3

$t=1$일 때 최솟값은 2

(2) $\cos x=t$로 놓으면 주어진 함수는

$$y=3t^2+2t-1=3\left(t+\dfrac{1}{3}\right)^2-\dfrac{4}{3}$$

**5-2**

$\tan x=t$로 놓으면 주어진 함수는

$$y=\dfrac{2t+1}{t+2}=\dfrac{2(t+2)-3}{t+2}$$
$$=-\dfrac{3}{t+2}+2$$

$0\leq x\leq\dfrac{\pi}{4}$에서

$0\leq\tan x\leq1$이므로

$0\leq t\leq1$

따라서

$t=1$일 때 최댓값은 1

$t=0$일 때 최솟값은 $\dfrac{1}{2}$

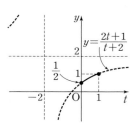

🔁 최댓값 : 1, 최솟값 : $\dfrac{1}{2}$

6 삼각함수의 그래프     115쪽 ~ 118쪽

| | | | |
|---|---|---|---|
| 01 ②, ⑤ | 02 ⑤ | 03 1 | 04 $\dfrac{\sqrt{3}}{2}$ | 05 $\dfrac{5}{2}$ |
| 06 ④ | 07 ⑤ | 08 8 | 09 $-1$ | 10 ③ |
| 11 ② | 12 4 | 13 $a=3$, $p=3$, $q=\dfrac{\pi}{2}$ | | |
| 14 9 | 15 ④ | 16 $-1$ | 17 ③ | 18 65 |

**01**

① 함수 $f(x)$와 $g(x)$는 모두 주기가 $2\pi$이다. (참)

② $0 \le x \le \dfrac{\pi}{2}$에서 $x$의 값이 증가하면 $f(x)$의 값은 증가

하지만 $\dfrac{\pi}{2} \le x \le \pi$에서 $x$의 값이 증가하면 $f(x)$의 값

은 감소한다. (거짓)

③ $\sin(-x) = -\sin x$이므로 $f(-x) = -f(x)$, 곧

$\quad f(x) = -f(-x)$ (참)

④ $x < 0$일 때 $\cos(-x) = \cos x$이므로

$\quad g(|x|) = g(x)$ (참)

⑤ $\sin\left(x - \dfrac{\pi}{2}\right) = -\sin\left(\dfrac{\pi}{2} - x\right) = -\cos x$ (거짓)

따라서 옳지 않은 것은 ②, ⑤이다.

         답 ②, ⑤

**02**

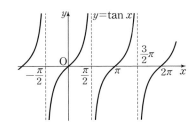

① 정의역은 $x \ne n\pi + \dfrac{\pi}{2}$ ($n$은 정수)인 실수의 집합이다.

                         (거짓)

② $0 \le x \le \pi$에서 최솟값과 최댓값은 없다. (거짓)

③ 그래프는 원점에 대칭이다. (거짓)

④ 주기는 $\pi$이다. (거짓)

⑤ 점근선의 방정식은 $x = n\pi + \dfrac{\pi}{2}$ ($n$은 정수)이다. (참)

따라서 옳은 것은 ⑤이다.

         답 ⑤

**03**

그래프에서 $a > 0$이므로 주기는 $\dfrac{2\pi}{a}$이다.

함수 $y = \sin ax$의 그래프가
$x$축과 만나는 점을 A라 하자.

$x = \dfrac{\pi}{4}$에서의 함숫값과

$x = \dfrac{3}{4}\pi$에서의 함숫값이

같으므로 점 A의 $x$좌표는

$\dfrac{3}{4}\pi + \dfrac{\pi}{4} = \pi$

따라서 주기의 $\dfrac{1}{2}$이 $\pi$이므로

$\dfrac{2\pi}{a} = 2 \times \pi \qquad \therefore a = 1$

         답 1

**04**

함수 $y = \cos \dfrac{\pi}{2} x$의 그래프를 $x$축 방향으로 $\dfrac{1}{2}$만큼 평행

이동하면 $y = \cos \dfrac{\pi}{2}\left(x - \dfrac{1}{2}\right)$

이 함수의 그래프가 점 $\left(\dfrac{5}{6}, a\right)$를 지나므로

$a = \cos \dfrac{\pi}{2}\left(\dfrac{5}{6} - \dfrac{1}{2}\right) = \cos \dfrac{\pi}{6} = \dfrac{\sqrt{3}}{2}$

         답 $\dfrac{\sqrt{3}}{2}$

**05**

$a$, $b$가 양수이므로 함수 $y = a \sin \dfrac{\pi}{2b} x$의 최댓값은 $a$,

주기는 $\dfrac{2\pi}{\frac{\pi}{2b}} = 4b$이다.

최댓값이 2이므로 $a = 2$

주기가 2이므로 $4b = 2$에서 $b = \dfrac{1}{2}$

$\therefore a + b = \dfrac{5}{2}$

         답 $\dfrac{5}{2}$

**06**

함수 $y = 2\cos\left(\pi x - \dfrac{\pi}{2}\right) + 1$에서

최댓값은 $2 + 1 = 3$, 최솟값은 $-2 + 1 = -1$이므로

$M = 3$, $m = -1$

주기는 $\dfrac{2\pi}{\pi}=2$이므로 $p=2$

$\therefore M+m+p=4$

**답** ④

## 07

① $f(x)=\cos\dfrac{\sqrt{3}}{3}x$의 주기는 $\dfrac{2\pi}{\dfrac{\sqrt{3}}{3}}=2\sqrt{3}\pi$

② $f(x)=\cos\sqrt{3}x$의 주기는 $\dfrac{2\pi}{\sqrt{3}}=\dfrac{2\sqrt{3}}{3}\pi$

③ $f(x)=\sin\dfrac{\sqrt{3}}{3}\pi x$의 주기는 $\dfrac{2\pi}{\dfrac{\sqrt{3}}{3}\pi}=2\sqrt{3}$

④ $f(x)=\sin\dfrac{\sqrt{3}}{2}\pi x$의 주기는 $\dfrac{2\pi}{\dfrac{\sqrt{3}}{2}\pi}=\dfrac{4\sqrt{3}}{3}$

⑤ $f(x)=\tan\dfrac{\sqrt{3}}{3}\pi x$의 주기는 $\dfrac{\pi}{\dfrac{\sqrt{3}}{3}\pi}=\sqrt{3}$

따라서 $f(x)=f(x+\sqrt{3})$,

곧 주기가 $\sqrt{3}$인 함수는 ⑤이다.

**답** ⑤

**참고** 주기가 $\dfrac{\sqrt{3}}{2}$이면

$$f(x+\sqrt{3})=f\left(\left(x+\dfrac{\sqrt{3}}{2}\right)+\dfrac{\sqrt{3}}{2}\right)=f\left(x+\dfrac{\sqrt{3}}{2}\right)$$
$$=f(x)$$

따라서 주기가 $\dfrac{\sqrt{3}}{n}$ ($n$은 자연수)이면 모두

$f(x+\sqrt{3})=f(x)$를 만족시킨다.

## 08

함수 $y=2\cos\dfrac{\pi}{2}x$의 주기는 $\dfrac{2\pi}{\dfrac{\pi}{2}}=4$이고

최댓값은 2, 최솟값은 $-2$이다.

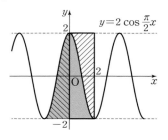

그림에서 빗금 친 두 부분의 넓이가 같으므로 구하는 넓이는 가로의 길이가 2, 세로의 길이가 4인 직사각형의 넓이와 같다.

$\therefore 2\times 4=8$

**답** 8

## 09

$\sin^2 x=1-\cos^2 x$이므로

$\cos x=t$로 놓으면

$-1\le t\le 1$이고

주어진 함수는

$y=-t^2+4t+a+1$

$\quad=-(t-2)^2+a+5$

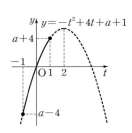

따라서 $t=1$일 때 최대이고

최댓값은 $a+4$이므로

$a+4=3$ $\therefore a=-1$

**답** $-1$

## 10 **전략** 주기, 최대와 최소, 평행이동을 생각한다.

함수의 주기가 $\dfrac{2}{3}\pi-\left(-\dfrac{\pi}{3}\right)=\pi$이므로

$y=\sin 2x$, $y=\cos 2x$ 꼴을 생각한다.

함수의 최댓값이 2, 최솟값이 0이므로

$y=\pm\sin 2x$ 또는 $y=\pm\cos 2x$ 꼴의 그래프를 $y$축 방향으로 1만큼 평행이동하고 $x$축 방향으로 평행이동한 것이다. 곧,

$f(x)=\pm\sin(2x+a)+1$ 또는

$f(x)=\pm\cos(2x+a)+1$

꼴이므로 가능한 것은 ①, ②, ③이다.

이 중에서 점 $\left(\dfrac{2}{3}\pi, 2\right)$를 지나는 것은

③ $f(x)=-\cos\left(2x-\dfrac{\pi}{3}\right)+1$이다.

**답** ③

## 11 **전략** $y=a\sin(bx+c)+d$의 최댓값과 최솟값, 주기를 식으로 나타낸다.

$a>0$이고 $a\sin(bx+c)+d$의 최댓값이 5, 최솟값이 $-1$이므로

$a+d=5$, $-a+d=-1$

두 식을 연립하여 풀면 $a=3$, $d=2$

$b>0$이고 주어진 그래프에서 주기는 $\dfrac{7}{6}\pi-\dfrac{\pi}{6}=\pi$이므로

$\dfrac{2\pi}{b}=\pi$    ∴ $b=2$

이때 $y=3\sin(2x+c)+2$이고, 점 $\left(0,\dfrac{7}{2}\right)$을 지나므로

$\dfrac{7}{2}=3\sin c+2$, $\sin c=\dfrac{1}{2}$

$0<c<\dfrac{\pi}{2}$이므로 $c=\dfrac{\pi}{6}$

∴ $abcd=2\pi$

답 ②

**12** 전략 $f(x+p)=f(x)$를 만족시키는 양수 $p$의 최솟값은 주기이다.

$a>0$이고 $f(x)=a\sin bx+c$의 최댓값이 4, 최솟값이 $-2$이므로

$a+c=4$, $-a+c=-2$

두 식을 연립하여 풀면 $a=3$, $c=1$

$f(x+p)=f(x)$에서 양수 $p$의 최솟값이 주기이고

$b>0$이므로 $\dfrac{2\pi}{b}=\pi$    ∴ $b=2$

∴ $f(x)=3\sin 2x+1$이므로 $f\left(\dfrac{\pi}{4}\right)=3\sin\dfrac{\pi}{2}+1=4$

답 4

**13** 전략 탄젠트함수는 점근선의 간격이 주기이다.

함수 $f(x)=a\tan(px-q)$의 그래프의 점근선이

직선 $x=\dfrac{n}{3}\pi$ ($n$은 정수)이므로 $f(x)$의 주기는 $\dfrac{\pi}{3}$이다.

$p>0$이므로 $\dfrac{\pi}{p}=\dfrac{\pi}{3}$    ∴ $p=3$

이때 $f(x)=a\tan(3x-q)=a\tan 3\left(x-\dfrac{q}{3}\right)$

따라서 $y=f(x)$의 그래프는 $y=a\tan 3x$의 그래프를 $x$

축 방향으로 $\dfrac{q}{3}$만큼 평행이동한 것이다.

$0<\dfrac{q}{3}<\dfrac{\pi}{3}$이고, 점근선이 직선 $x=0$, $x=\dfrac{\pi}{3}$이므로

$\dfrac{q}{3}=\dfrac{\pi}{6}$    ∴ $q=\dfrac{\pi}{2}$

따라서 $f(x)=a\tan\left(3x-\dfrac{\pi}{2}\right)$이고, $f\left(\dfrac{\pi}{4}\right)=3$이므로

$a\tan\left(\dfrac{3}{4}\pi-\dfrac{\pi}{2}\right)=3$, $a\tan\dfrac{\pi}{4}=3$

∴ $a=3$

답 $a=3$, $p=3$, $q=\dfrac{\pi}{2}$

**14** 전략 주기를 구한 후 그래프를 그린다.

$y=4\sin\left(\dfrac{\pi}{2}x\right)$의 주기는

$\dfrac{2\pi}{\frac{\pi}{2}}=4$이고, $0\le x\le 2$에서

$0\le y\le 4$이므로 그래프는 그림과 같다.

따라서 $y$좌표가 정수인 점은 9개이다.

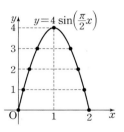

답 9

**15** 전략 주어진 함수의 그래프를 그린다.

①, ②, ③, ④의 함수의 그래프를 그리면 그림과 같다.

① $y=|\sin x|$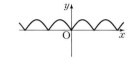

② $y=|\cos x|$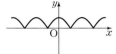

③ $y=|\tan x|$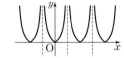

④ $y=\sin|x|$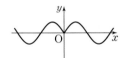

⑤에서 $y=\cos|x|=\cos x$이므로 주기함수이다.

따라서 주기함수가 아닌 것은 ④이다.

답 ④

**16** 전략 $\sin x=t$로 치환하여 그래프를 그린다.

$\sin x=t$로 놓으면 주어진 함수는

$y=\dfrac{t-1}{t+1}=\dfrac{t+1-2}{t+1}=-\dfrac{2}{t+1}+1$

$0\le x\le\dfrac{\pi}{2}$에서

$0\le\sin x\le 1$이므로

$0\le t\le 1$

그림에서

$t=1$일 때 최댓값은 0

$t=0$일 때 최솟값은 $-1$

따라서 최댓값과 최솟값의 합은 $-1$

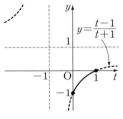

답 $-1$

**17** (전략) $t$로 치환할 수 있도록 삼각함수의 성질을 이용하여 삼각함수를 통일한다.

$\cos(-x)=\cos x$이므로

$\cos^2\left(x-\dfrac{3}{4}\pi\right)=\cos^2\left(x-\dfrac{\pi}{4}-\dfrac{\pi}{2}\right)$

$\qquad\qquad\qquad=\cos^2\left(\dfrac{\pi}{2}-\left(x-\dfrac{\pi}{4}\right)\right)$

$\qquad\qquad\qquad=\sin^2\left(x-\dfrac{\pi}{4}\right)$

$\therefore f(x)=\sin^2\left(x-\dfrac{\pi}{4}\right)-\cos\left(x-\dfrac{\pi}{4}\right)+k$

$\sin^2\left(x-\dfrac{\pi}{4}\right)=1-\cos^2\left(x-\dfrac{\pi}{4}\right)$이므로

$f(x)=1-\cos^2\left(x-\dfrac{\pi}{4}\right)-\cos\left(x-\dfrac{\pi}{4}\right)+k$

$\cos\left(x-\dfrac{\pi}{4}\right)=t$라 하면 $-1\le t\le 1$이고

$f(t)=-t^2-t+k+1$

$\qquad=-\left(t+\dfrac{1}{2}\right)^2+k+\dfrac{5}{4}$

$t=-\dfrac{1}{2}$일 때

최댓값 3이므로

$k+\dfrac{5}{4}=3$

$\therefore k=\dfrac{7}{4}$

$t=1$일 때 최솟값이 $m$이므로

$-1-1+\dfrac{7}{4}+1=m$ $\quad\therefore m=\dfrac{3}{4}$

$\therefore k+m=\dfrac{5}{2}$

답 ③

**18** (전략) $f(x)=a\cos(px+q)+b$

➡ 주기는 $\dfrac{2\pi}{|p|}$, 최댓값은 $|a|+b$,

최솟값은 $-|a|+b$

(i) $f(x)=a\cos b\pi(x-c)+4.5$라 하자.

A 지점의 조차가 $8\,\mathrm{m}$이므로 $f(x)$의 최댓값과 최솟값의 차가 8이다.

$a>0$이므로 $f(x)$의 최댓값은 $a+4.5$,

최솟값은 $-a+4.5$

$\therefore (a+4.5)-(-a+4.5)=8,\ 2a=8$ $\quad\therefore a=4$

(ii) 만조와 다음 만조의 시간 차이가 12시간 30분이므로 이 값이 주기이다.

$b>0$이므로 $\dfrac{2\pi}{b\pi}=12.5$ $\quad\therefore b=\dfrac{4}{25}$

$\therefore f(x)=4\cos\dfrac{4}{25}\pi(x-c)+4.5$

(iii) 첫 만조 시각이 04시 30분이므로 $f(x)$는 $x=4.5$일 때 최대이다. $f(x)$의 최댓값이 8.5이므로

$f(4.5)=8.5$

$4\cos\dfrac{4}{25}\pi(4.5-c)+4.5=8.5$

$\cos\dfrac{4}{25}\pi(4.5-c)=1$ $\quad\cdots$ ㉠

$0<c<6$이므로 $-\dfrac{6}{25}\pi<\dfrac{4}{25}\pi(4.5-c)<\dfrac{18}{25}\pi$

이 범위에서 ㉠을 풀면

$\dfrac{4}{25}\pi(4.5-c)=0$ $\quad\therefore c=4.5$

$\therefore a+100b+10c=4+100\times\dfrac{4}{25}+10\times4.5$

$\qquad\qquad\qquad=65$

답 65

(참고) ㉠에서 $\dfrac{4}{25}\pi(4.5-c)=\cdots,\ -4\pi,\ -2\pi,\ 0,\ 2\pi,\ 4\pi,$

$\cdots$

이때 $0<c<6$이므로 $c=4.5$

삼각함수를 포함한 방정식과 부등식

**개념 Check**　　120쪽~123쪽

**1**

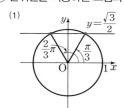

**답** (1) $x=\dfrac{\pi}{3}$ 또는 $x=\dfrac{2}{3}\pi$　(2) $x=\dfrac{7}{6}\pi$ 또는 $x=\dfrac{11}{6}\pi$

(3) $x=\dfrac{\pi}{2}$

**참고** 단위원을 이용하면 그림과 같다.

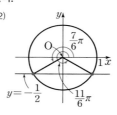

**2**

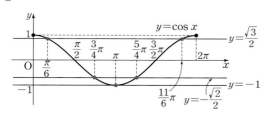

**답** (1) $x=\dfrac{\pi}{6}$ 또는 $x=\dfrac{11}{6}\pi$ (2) $x=\dfrac{3}{4}\pi$ 또는 $x=\dfrac{5}{4}\pi$

(3) $x=\pi$

**참고** 단위원을 이용하면 그림과 같다.

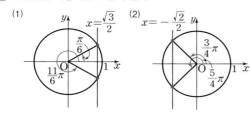

**3**

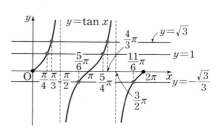

**답** (1) $x=\dfrac{\pi}{3}$ 또는 $x=\dfrac{4}{3}\pi$　(2) $x=\dfrac{5}{6}\pi$ 또는 $x=\dfrac{11}{6}\pi$

(3) $x=\dfrac{\pi}{4}$ 또는 $x=\dfrac{5}{4}\pi$

**참고** 단위원을 이용하면 그림과 같다.

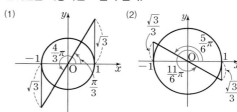

**4**

**답** (1) 차례로 $-\dfrac{\pi}{3},\ -\dfrac{\pi}{4},\ -\dfrac{\pi}{6},\ \dfrac{2}{3}\pi,\ \dfrac{3}{4}\pi,\ \dfrac{5}{6}\pi,\ \dfrac{7}{6}\pi,$

$\dfrac{5}{4}\pi,\ \dfrac{4}{3}\pi,\ \dfrac{5}{3}\pi,\ \dfrac{7}{4}\pi,\ \dfrac{11}{6}\pi$

(2) 차례로 $-\dfrac{\pi}{3},\ -\dfrac{\pi}{4},\ -\dfrac{\pi}{6},\ \dfrac{2}{3}\pi,\ \dfrac{3}{4}\pi,\ \dfrac{5}{6}\pi,\ \dfrac{7}{6}\pi,$

$\dfrac{5}{4}\pi,\ \dfrac{4}{3}\pi,\ \dfrac{5}{3}\pi,\ \dfrac{7}{4}\pi,\ \dfrac{11}{6}\pi$

(3) 차례로 $-\dfrac{\pi}{3},\ -\dfrac{\pi}{4},\ -\dfrac{\pi}{6},\ \dfrac{2}{3}\pi,\ \dfrac{3}{4}\pi,\ \dfrac{5}{6}\pi,\ \dfrac{7}{6}\pi,$

$\dfrac{5}{4}\pi,\ \dfrac{4}{3}\pi,\ \dfrac{5}{3}\pi,\ \dfrac{7}{4}\pi,\ \dfrac{11}{6}\pi$

**대표Q**　　124쪽~127쪽

**대표 Q1**

(1) $2x=t$로 놓으면 $0\le x\le 2\pi$에서

$0\le t\le 4\pi$　　… ㉠

주어진 방정식은 $2\sin t=-\sqrt{2}$에서 $\sin t=-\dfrac{\sqrt{2}}{2}$

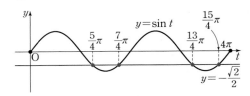

그림과 같이 ㉠에서 $y=\sin t$의 그래프를 그리고 직선 $y=-\dfrac{\sqrt{2}}{2}$와의 교점의 $t$좌표를 구하면

$$t=\frac{5}{4}\pi,\ \frac{7}{4}\pi,\ \frac{13}{4}\pi,\ \frac{15}{4}\pi$$

$x=\dfrac{t}{2}$이므로

$$x=\frac{5}{8}\pi,\ \frac{7}{8}\pi,\ \frac{13}{8}\pi,\ \frac{15}{8}\pi$$

**다른 풀이**

$0\le t\le 2\pi$에서 방정식 $\sin t=-\dfrac{\sqrt{2}}{2}$의 해는

$$t=\frac{5}{4}\pi\ \text{또는}\ t=\frac{7}{4}\pi$$

$y=\sin t$의 주기가 $2\pi$이므로 $0\le t\le 4\pi$에서 생각하면 $t=\dfrac{5}{4}\pi+2\pi$, $t=\dfrac{7}{4}\pi+2\pi$도 해이다.

곧, $t=\dfrac{5}{4}\pi,\ \dfrac{7}{4}\pi,\ \dfrac{13}{4}\pi,\ \dfrac{15}{4}\pi$

$$\therefore\ x=\frac{5}{8}\pi,\ \frac{7}{8}\pi,\ \frac{13}{8}\pi,\ \frac{15}{8}\pi$$

(2) $\dfrac{x}{2}=t$로 놓으면 $0\le x\le 2\pi$에서

$0\le t\le \pi$ $\quad\cdots\ \text{㉠}$

주어진 방정식은 $2\cos t-1=0$에서

$\cos t=\dfrac{1}{2}$

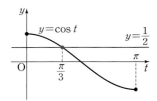

그림과 같이 ㉠에서 $y=\cos t$의 그래프를 그리고 직선 $y=\dfrac{1}{2}$과의 교점의 $t$좌표를 구하면

$$t=\frac{\pi}{3}$$

$x=2t$이므로 $x=\dfrac{2}{3}\pi$

(3) $\tan x=\dfrac{3}{\tan x}$에서

$\tan^2 x=3$

$\therefore\ \tan x=\pm\sqrt{3}$

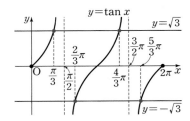

그림과 같이 $0\le x\le 2\pi$에서 $y=\tan x$의 그래프를 그리고 직선 $y=\sqrt{3}$, $y=-\sqrt{3}$과의 교점의 $x$좌표를 구하면

$$x=\frac{\pi}{3},\ \frac{2}{3}\pi,\ \frac{4}{3}\pi,\ \frac{5}{3}\pi$$

**답** (1) $x=\dfrac{5}{8}\pi,\ \dfrac{7}{8}\pi,\ \dfrac{13}{8}\pi,\ \dfrac{15}{8}\pi$

(2) $x=\dfrac{2}{3}\pi$

(3) $x=\dfrac{\pi}{3},\ \dfrac{2}{3}\pi,\ \dfrac{4}{3}\pi,\ \dfrac{5}{3}\pi$

**1-1**

(1) $\dfrac{x}{2}=t$로 놓으면 $0\le x\le 2\pi$에서

$0\le t\le \pi$ $\quad\cdots\ \text{㉠}$

주어진 방정식은 $2\sin t-1=0$에서

$\sin t=\dfrac{1}{2}$

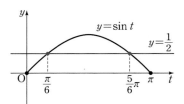

그림과 같이 ㉠에서 $y=\sin t$의 그래프를 그리고 직선 $y=\dfrac{1}{2}$과의 교점의 $t$좌표를 구하면

$$t=\frac{\pi}{6},\ \frac{5}{6}\pi$$

$x=2t$이므로

$$x=\frac{\pi}{3},\ \frac{5}{3}\pi$$

(2) $2x=t$로 놓으면 $0\le x\le 2\pi$에서

$0\le t\le 4\pi$　…　㉠

주어진 방정식은 $2\cos t=\sqrt 3$에서

$\cos t=\dfrac{\sqrt 3}{2}$

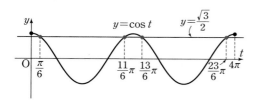

그림과 같이 ㉠에서 $y=\cos t$의 그래프를 그리고 직선 $y=\dfrac{\sqrt 3}{2}$과의 교점의 $t$좌표를 구하면

$t=\dfrac{\pi}{6},\ \dfrac{11}{6}\pi,\ \dfrac{13}{6}\pi,\ \dfrac{23}{6}\pi$

$x=\dfrac{t}{2}$이므로

$x=\dfrac{\pi}{12},\ \dfrac{11}{12}\pi,\ \dfrac{13}{12}\pi,\ \dfrac{23}{12}\pi$

(3) $\dfrac{x}{2}=t$로 놓으면 $0\le x\le 2\pi$에서

$0\le t\le \pi$　…　㉠

주어진 방정식은 $|\tan t|=1$에서

$\tan t=\pm 1$

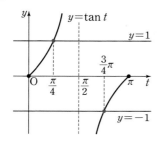

그림과 같이 ㉠에서 $y=\tan t$의 그래프를 그리고 직선 $y=1,\ y=-1$과의 교점의 $t$좌표를 구하면

$t=\dfrac{\pi}{4},\ \dfrac{3}{4}\pi$

$x=2t$이므로 $x=\dfrac{\pi}{2},\ \dfrac{3}{2}\pi$

🖋 (1) $x=\dfrac{\pi}{3},\ \dfrac{5}{3}\pi$

(2) $x=\dfrac{\pi}{12},\ \dfrac{11}{12}\pi,\ \dfrac{13}{12}\pi,\ \dfrac{23}{12}\pi$

(3) $x=\dfrac{\pi}{2},\ \dfrac{3}{2}\pi$

**대표 02**

(1) $x-\dfrac{\pi}{3}=t$로 놓으면 $0\le x\le 2\pi$에서

$-\dfrac{\pi}{3}\le t\le \dfrac{5}{3}\pi$　…　㉠

주어진 방정식은 $2\sin t=\sqrt 3$에서

$\sin t=\dfrac{\sqrt 3}{2}$

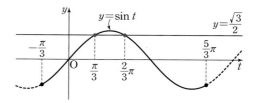

그림과 같이 ㉠에서 $y=\sin t$의 그래프를 그리고 직선 $y=\dfrac{\sqrt 3}{2}$과의 교점의 $t$좌표를 구하면

$t=\dfrac{\pi}{3},\ \dfrac{2}{3}\pi$

$x=t+\dfrac{\pi}{3}$이므로 $x=\dfrac{2}{3}\pi,\ \pi$

(2) $2x+\dfrac{\pi}{4}=t$로 놓으면 $0\le x\le 2\pi$에서

$\dfrac{\pi}{4}\le t\le \dfrac{17}{4}\pi$　…　㉠

주어진 방정식은 $\cos t=0$

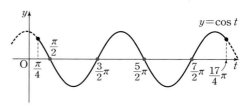

그림과 같이 ㉠에서 $y=\cos t$의 그래프를 그리고 직선 $y=0$, 곧 $t$축과의 교점의 $t$좌표를 구하면

$t=\dfrac{\pi}{2},\ \dfrac{3}{2}\pi,\ \dfrac{5}{2}\pi,\ \dfrac{7}{2}\pi$

$x=\dfrac{t}{2}-\dfrac{\pi}{8}$이므로 $x=\dfrac{\pi}{8},\ \dfrac{5}{8}\pi,\ \dfrac{9}{8}\pi,\ \dfrac{13}{8}\pi$

(3) $\dfrac{x}{2}-\dfrac{\pi}{3}=t$로 놓으면 $0\le x\le 2\pi$에서

$-\dfrac{\pi}{3}\le t\le \dfrac{2}{3}\pi$　…　㉠

주어진 방정식은 $\tan t=-1$

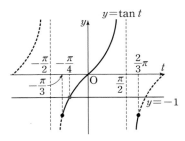

그림과 같이 ㉠에서 $y=\tan t$의 그래프를 그리고 직선 $y=-1$과의 교점의 $t$좌표를 구하면

$$t=-\frac{\pi}{4}$$

$x=2t+\frac{2}{3}\pi$이므로 $x=\frac{\pi}{6}$

**답** (1) $x=\frac{2}{3}\pi,\ \pi$　(2) $x=\frac{\pi}{8},\ \frac{5}{8}\pi,\ \frac{9}{8}\pi,\ \frac{13}{8}\pi$

　　(3) $x=\frac{\pi}{6}$

**2-1**

(1) $\dfrac{x}{2}-\dfrac{\pi}{6}=t$로 놓으면 $0\le x\le 2\pi$에서

$$-\frac{\pi}{6}\le t\le\frac{5}{6}\pi \qquad \cdots ㉠$$

주어진 방정식은 $2\sin t=1$에서 $\sin t=\dfrac{1}{2}$

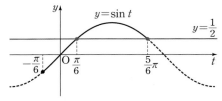

그림과 같이 ㉠에서 $y=\sin t$의 그래프를 그리고 직선 $y=\dfrac{1}{2}$과의 교점의 $t$좌표를 구하면

$$t=\frac{\pi}{6},\ \frac{5}{6}\pi$$

$x=2t+\dfrac{\pi}{3}$이므로 $x=\dfrac{2}{3}\pi,\ 2\pi$

(2) $2x+\dfrac{\pi}{3}=t$로 놓으면 $0\le x\le 2\pi$에서

$$\frac{\pi}{3}\le t\le\frac{13}{3}\pi \qquad \cdots ㉠$$

주어진 방정식은 $2\cos t=-1$에서

$$\cos t=-\frac{1}{2}$$

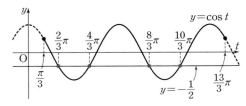

그림과 같이 ㉠에서 $y=\cos t$의 그래프를 그리고 직선 $y=-\dfrac{1}{2}$과의 교점의 $t$좌표를 구하면

$$t=\frac{2}{3}\pi,\ \frac{4}{3}\pi,\ \frac{8}{3}\pi,\ \frac{10}{3}\pi$$

$x=\dfrac{t}{2}-\dfrac{\pi}{6}$이므로 $x=\dfrac{\pi}{6},\ \dfrac{\pi}{2},\ \dfrac{7}{6}\pi,\ \dfrac{3}{2}\pi$

(3) $x+\dfrac{\pi}{4}=t$로 놓으면 $0\le x\le 2\pi$에서

$$\frac{\pi}{4}\le t\le\frac{9}{4}\pi \qquad \cdots ㉠$$

주어진 방정식은 $\sqrt{3}\tan t=1$에서

$$\tan t=\frac{1}{\sqrt{3}}=\frac{\sqrt{3}}{3}$$

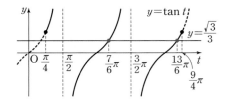

그림과 같이 ㉠에서 $y=\tan t$의 그래프를 그리고 직선 $y=\dfrac{\sqrt{3}}{3}$과의 교점의 $t$좌표를 구하면

$$t=\frac{7}{6}\pi,\ \frac{13}{6}\pi$$

$x=t-\dfrac{\pi}{4}$이므로 $x=\dfrac{11}{12}\pi,\ \dfrac{23}{12}\pi$

**답** (1) $x=\frac{2}{3}\pi,\ 2\pi$　(2) $x=\frac{\pi}{6},\ \frac{\pi}{2},\ \frac{7}{6}\pi,\ \frac{3}{2}\pi$

　　(3) $x=\frac{11}{12}\pi,\ \frac{23}{12}\pi$

**대표 03**

(1) $\cos x = t$로 놓으면 주어진 방정식은

$2t^2 - 5t + 2 = 0$, $(2t-1)(t-2) = 0$

$\therefore t = \dfrac{1}{2}$ 또는 $t = 2$

이때 $-1 \le \cos x \le 1$에서 $-1 \le t \le 1$이므로 $t = \dfrac{1}{2}$

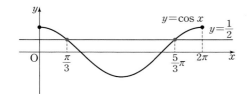

곧, $\cos x = \dfrac{1}{2}$이므로 $x = \dfrac{\pi}{3}$, $\dfrac{5}{3}\pi$

(2) $\cos^2 x = 1 - \sin^2 x$이므로 주어진 방정식은

$2(1 - \sin^2 x) - \sin x = 1$ $\cdots$ ㉠

$\sin x = t$로 놓으면 $2(1 - t^2) - t = 1$

$2t^2 + t - 1 = 0$, $(t+1)(2t-1) = 0$

$\therefore t = -1$ 또는 $t = \dfrac{1}{2}$

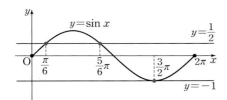

$t = -1$, 곧 $\sin x = -1$일 때 $x = \dfrac{3}{2}\pi$

$t = \dfrac{1}{2}$, 곧 $\sin x = \dfrac{1}{2}$일 때 $x = \dfrac{\pi}{6}$, $\dfrac{5}{6}\pi$

(3) $\sin x = X$, $\cos x = Y$로 놓으면

$X + Y = 1$ $\cdots$ ㉠

또 $\sin^2 x + \cos^2 x = 1$이므로

$X^2 + Y^2 = 1$ $\cdots$ ㉡

㉠에서 $Y = 1 - X$를 ㉡에 대입하면

$X^2 + (1-X)^2 = 1$, $2X^2 - 2X = 0$

$2X(X-1) = 0$ $\therefore X = 0$ 또는 $X = 1$

$Y = 1 - X$에 대입하면

$X = 0$, $Y = 1$ 또는 $X = 1$, $Y = 0$

$X = 0$, $Y = 1$, 곧 $\sin x = 0$, $\cos x = 1$일 때 $x = 0$, $2\pi$

$X = 1$, $Y = 0$, 곧 $\sin x = 1$, $\cos x = 0$일 때 $x = \dfrac{\pi}{2}$

**답** (1) $x = \dfrac{\pi}{3}$, $\dfrac{5}{3}\pi$  (2) $x = \dfrac{\pi}{6}$, $\dfrac{5}{6}\pi$, $\dfrac{3}{2}\pi$

(3) $x = 0$, $\dfrac{\pi}{2}$, $2\pi$

**참고** (2) ㉠을 곧바로 정리하여 풀어도 된다.

$2\sin^2 x + \sin x - 1 = 0$

$\therefore (\sin x + 1)(2\sin x - 1) = 0$

**3-1**

(1) $\sin x = t$로 놓으면 주어진 방정식은

$2t^2 - t - 1 = 0$, $(2t+1)(t-1) = 0$

$\therefore t = -\dfrac{1}{2}$ 또는 $t = 1$

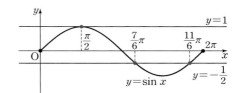

$t = -\dfrac{1}{2}$, 곧 $\sin x = -\dfrac{1}{2}$일 때 $x = \dfrac{7}{6}\pi$, $\dfrac{11}{6}\pi$

$t = 1$, 곧 $\sin x = 1$일 때 $x = \dfrac{\pi}{2}$

(2) $\sin^2 x = 1 - \cos^2 x$이므로 주어진 방정식은

$2(1 - \cos^2 x) - 3\cos x = 0$

$\cos x = t$로 놓으면 $2(1 - t^2) - 3t = 0$

$2t^2 + 3t - 2 = 0$, $(t+2)(2t-1) = 0$

$\therefore t = -2$ 또는 $t = \dfrac{1}{2}$

이때 $-1 \le \cos x \le 1$에서 $-1 \le t \le 1$이므로 $t = \dfrac{1}{2}$

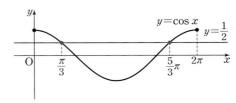

곧, $\cos x = \dfrac{1}{2}$이므로 $x = \dfrac{\pi}{3}$, $\dfrac{5}{3}\pi$

**답** (1) $x = \dfrac{\pi}{2}$, $\dfrac{7}{6}\pi$, $\dfrac{11}{6}\pi$  (2) $x = \dfrac{\pi}{3}$, $\dfrac{5}{3}\pi$

## 3-2

$\sin x = X$, $\cos x = Y$로 놓으면

$X - Y = 1$  $\cdots$ ㉠

또 $\sin^2 x + \cos^2 x = 1$이므로

$X^2 + Y^2 = 1$  $\cdots$ ㉡

㉠에서 $Y = X - 1$을 ㉡에 대입하면

$X^2 + (X-1)^2 = 1$, $2X^2 - 2X = 0$

$2X(X-1) = 0$  $\therefore X = 0$ 또는 $X = 1$

$Y = X - 1$에 대입하면

$X = 0$, $Y = -1$ 또는 $X = 1$, $Y = 0$

$X = 0$, $Y = -1$, 곧 $\sin x = 0$, $\cos x = -1$일 때 $x = \pi$

$X = 1$, $Y = 0$, 곧 $\sin x = 1$, $\cos x = 0$일 때 $x = \dfrac{\pi}{2}$

답 $x = \dfrac{\pi}{2}$, $\pi$

## 날선 04

$k > 0$이므로 $f(x)$의 주기

는 $\dfrac{2\pi}{k}$이고, $y = f(x)$의

그래프는 그림과 같이

$x = \dfrac{\pi}{k}$, $x = \dfrac{2\pi}{k}$에서 $x$축

과 만난다.

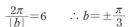

따라서 $\alpha$, $\beta$는 직선 $x = \dfrac{\pi}{2k}$에 대칭이므로

$\dfrac{\alpha + \beta}{2} = \dfrac{\pi}{2k}$, 곧 $\alpha + \beta = \dfrac{\pi}{k}$

$\therefore f(\alpha + \beta + \gamma) = \sin k\left(\dfrac{\pi}{k} + \gamma\right) = \sin(\pi + k\gamma)$

$= -\sin k\gamma = -f(\gamma) = -\dfrac{3}{4}$

### 다른 풀이

위의 그림에서 빨간색 선분의 길이가 모두 $\alpha$이므로

$\beta = \dfrac{\pi}{k} - \alpha$, $\gamma = \dfrac{2\pi}{k} + \alpha$

$\therefore f(\alpha + \beta + \gamma) = f\left(\alpha + \dfrac{3\pi}{k}\right) = \sin k\left(\alpha + \dfrac{3\pi}{k}\right)$

$= \sin(k\alpha + 3\pi)$

$= \sin(k\alpha + \pi) = -\sin k\alpha = -f(\alpha)$

$= -\dfrac{3}{4}$

답 $-\dfrac{3}{4}$

## 4-1

그림과 같이 함수

$y = a\cos bx$의 그래프는

직선 $x = p$에 대칭이므로

$p = 3$

따라서 주기는 $2p = 6$이

다. 곧,

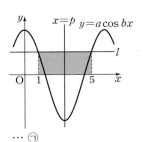

$\dfrac{2\pi}{|b|} = 6$  $\therefore b = \pm\dfrac{\pi}{3}$  $\cdots$ ㉠

$x = 1$일 때, $y = a\cos b$이므로 둘러싸인 도형은 밑변의

길이가 4, 높이가 $a\cos b$인 직사각형이다.

넓이가 20이므로 $4 \times a\cos b = 20$

$\therefore a\cos b = 5$

㉠을 대입하면 $a\cos\left(\pm\dfrac{\pi}{3}\right) = 5$  $\therefore a = 10$

답 $a = 10$, $b = \pm\dfrac{\pi}{3}$

## 개념 Check

128쪽

### 5

(1)

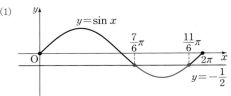

$\therefore \dfrac{7}{6}\pi \leq x \leq \dfrac{11}{6}\pi$

(2)

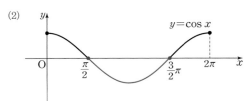

$\therefore \dfrac{\pi}{2} \leq x \leq \dfrac{3}{2}\pi$

(3)

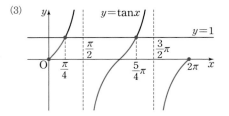

$$\therefore 0 \le x \le \frac{\pi}{4} \ \text{또는} \ \frac{\pi}{2} < x \le \frac{5}{4}\pi \ \text{또는} \ \frac{3}{2}\pi < x \le 2\pi$$

**답** (1) $\frac{7}{6}\pi \le x \le \frac{11}{6}\pi$  (2) $\frac{\pi}{2} \le x \le \frac{3}{2}\pi$

(3) $0 \le x \le \frac{\pi}{4}$ 또는 $\frac{\pi}{2} < x \le \frac{5}{4}\pi$ 또는 $\frac{3}{2}\pi < x \le 2\pi$

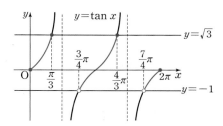

$$\therefore 0 \le x \le \frac{\pi}{3} \ \text{또는} \ \frac{3}{4}\pi < x \le \frac{4}{3}\pi \ \text{또는} \ \frac{7}{4}\pi < x \le 2\pi$$

**답** (1) $\frac{7}{6}\pi < x < \frac{3}{2}\pi$ 또는 $\frac{3}{2}\pi < x < \frac{11}{6}\pi$

(2) $\frac{\pi}{4} \le x \le \frac{3}{4}\pi$ 또는 $\frac{5}{4}\pi \le x \le \frac{7}{4}\pi$

(3) $0 \le x \le \frac{\pi}{3}$ 또는 $\frac{3}{4}\pi < x \le \frac{4}{3}\pi$ 또는 $\frac{7}{4}\pi < x \le 2\pi$

**참고** (1) $y = -1$인 경우는 해가 아니므로 $\frac{\pi}{6} < x < \frac{11}{6}\pi$라

답하지 않도록 주의한다.

**대표Q**  129쪽~131쪽

**대표 05**

(1) 주어진 부등식의 해는 $y = \sin x$의 그래프가 두 직선

$y = -\frac{1}{2}$, $y = -1$ 사이에 있는 $x$값의 범위이다.

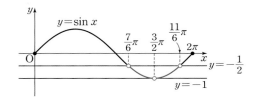

$$\therefore \frac{7}{6}\pi < x < \frac{3}{2}\pi \ \text{또는} \ \frac{3}{2}\pi < x < \frac{11}{6}\pi$$

(2) $|2\cos x| \le \sqrt{2}$에서 $-\sqrt{2} \le 2\cos x \le \sqrt{2}$

곧, $-\frac{\sqrt{2}}{2} \le \cos x \le \frac{\sqrt{2}}{2}$

주어진 부등식의 해는 $y = \cos x$의 그래프가 두 직선

$y = \frac{\sqrt{2}}{2}$, $y = -\frac{\sqrt{2}}{2}$ 사이에 있는 $x$값의 범위이다.

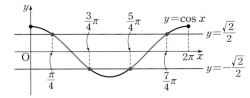

$$\therefore \frac{\pi}{4} \le x \le \frac{3}{4}\pi \ \text{또는} \ \frac{5}{4}\pi \le x \le \frac{7}{4}\pi$$

(3) 주어진 부등식의 해는 $y = \tan x$의 그래프가 직선

$y = -1$보다 위쪽에 있고 직선 $y = \sqrt{3}$과 만나거나 아

래쪽에 있는 $x$값의 범위이다.

**5-1**

(1) $x - \frac{\pi}{4} = t$로 놓으면 $0 \le x \le 2\pi$에서

$$-\frac{\pi}{4} \le t \le \frac{7}{4}\pi \qquad \cdots \ ㉠$$

주어진 부등식은 $0 \le \sin t \le \frac{1}{2}$이므로 ㉠에서

$y = \sin t$의 그래프를 그리고 직선 $y = 0$, $y = \frac{1}{2}$과의

교점의 $t$좌표를 구하면 그림과 같다.

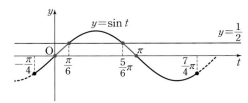

따라서 부등식 $0 \le \sin t \le \frac{1}{2}$의 해는

$0 \le t \le \frac{\pi}{6}$ 또는 $\frac{5}{6}\pi \le t \le \pi$

곧, $0 \le x - \frac{\pi}{4} \le \frac{\pi}{6}$ 또는 $\frac{5}{6}\pi \le x - \frac{\pi}{4} \le \pi$

$$\therefore \frac{\pi}{4} \le x \le \frac{5}{12}\pi \ \text{또는} \ \frac{13}{12}\pi \le x \le \frac{5}{4}\pi$$

(2) $\dfrac{x}{2}+\dfrac{\pi}{4}=t$로 놓으면 $0\le x\le 2\pi$에서

$\dfrac{\pi}{4}\le t\le\dfrac{5}{4}\pi$ ··· ㉠

주어진 부등식은 $2\cos t<-\sqrt{3}$에서

$\cos t<-\dfrac{\sqrt{3}}{2}$

㉠에서 $y=\cos t$의 그래프를 그리고 직선

$y=-\dfrac{\sqrt{3}}{2}$과의 교점의 $t$좌표를 구하면 그림과 같다.

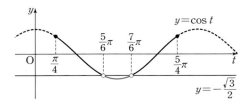

따라서 부등식 $\cos t<-\dfrac{\sqrt{3}}{2}$의 해는

$\dfrac{5}{6}\pi<t<\dfrac{7}{6}\pi$

곧, $\dfrac{5}{6}\pi<\dfrac{x}{2}+\dfrac{\pi}{4}<\dfrac{7}{6}\pi$

$\therefore \dfrac{7}{6}\pi<x<\dfrac{11}{6}\pi$

(3) $|\tan x|>\sqrt{3}$에서

$\tan x<-\sqrt{3}$ 또는 $\tan >\sqrt{3}$

$0\le x\le 2\pi$에서 $y=\tan x$의 그래프를 그리고 직선 $y=-\sqrt{3}$, $y=\sqrt{3}$과의 교점의 $x$좌표를 구하면 그림과 같다.

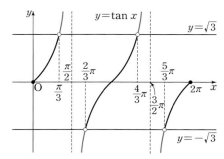

따라서 부등식 $|\tan x|>\sqrt{3}$의 해는

$\dfrac{\pi}{3}<x<\dfrac{\pi}{2}$ 또는 $\dfrac{\pi}{2}<x<\dfrac{2}{3}\pi$ 또는 $\dfrac{4}{3}\pi<x<\dfrac{3}{2}\pi$

또는 $\dfrac{3}{2}\pi<x<\dfrac{5}{3}\pi$

目 (1) $\dfrac{\pi}{4}\le x\le\dfrac{5}{12}\pi$ 또는 $\dfrac{13}{12}\pi\le x\le\dfrac{5}{4}\pi$

(2) $\dfrac{7}{6}\pi<x<\dfrac{11}{6}\pi$

(3) $\dfrac{\pi}{3}<x<\dfrac{\pi}{2}$ 또는 $\dfrac{\pi}{2}<x<\dfrac{2}{3}\pi$

또는 $\dfrac{4}{3}\pi<x<\dfrac{3}{2}\pi$ 또는 $\dfrac{3}{2}\pi<x<\dfrac{5}{3}\pi$

**대표 06**

(1) $\sin x=t$로 놓으면 주어진 부등식은

$2t^2+5t+2\ge 0$, $(2t+1)(t+2)\ge 0$

$\therefore t\le -2$ 또는 $t\ge -\dfrac{1}{2}$

그런데 $-1\le t\le 1$이므로 $-\dfrac{1}{2}\le t\le 1$

$\therefore -\dfrac{1}{2}\le\sin x\le 1$

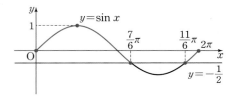

따라서 부등식의 해는

$0\le x\le\dfrac{7}{6}\pi$ 또는 $\dfrac{11}{6}\pi\le x\le 2\pi$

(2) $\sin^2 x=1-\cos^2 x$이므로 주어진 부등식은

$2(1-\cos^2 x)-\cos x\le 2$

$\cos x=t$로 놓으면 $2(1-t^2)-t\le 2$

$2t^2+t\ge 0$, $t(2t+1)\ge 0$

$\therefore t\le -\dfrac{1}{2}$ 또는 $t\ge 0$

그런데 $-1\le t\le 1$이므로

$-1\le t\le -\dfrac{1}{2}$ 또는 $0\le t\le 1$

$\therefore -1\le\cos x\le -\dfrac{1}{2}$ 또는 $0\le\cos x\le 1$

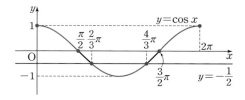

따라서 부등식의 해는

$0 \leq x \leq \dfrac{\pi}{2}$ 또는 $\dfrac{2}{3}\pi \leq x \leq \dfrac{4}{3}\pi$ 또는 $\dfrac{3}{2}\pi \leq x \leq 2\pi$

(3) $y=\sin x$와 $y=\cos x$의 그래프의 교점의 $x$좌표는
$\sin x=\cos x$에서 양변을 $\cos x$로 나누면
$\tan x=1$

$\therefore x=\dfrac{\pi}{4}$ 또는 $x=\dfrac{5}{4}\pi$

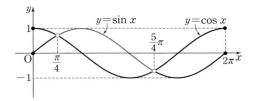

따라서 부등식의 해는

$\dfrac{\pi}{4}<x<\dfrac{5}{4}\pi$

답 (1) $0 \leq x \leq \dfrac{7}{6}\pi$ 또는 $\dfrac{11}{6}\pi \leq x \leq 2\pi$

(2) $0 \leq x \leq \dfrac{\pi}{2}$ 또는 $\dfrac{2}{3}\pi \leq x \leq \dfrac{4}{3}\pi$ 또는 $\dfrac{3}{2}\pi \leq x \leq 2\pi$

(3) $\dfrac{\pi}{4}<x<\dfrac{5}{4}\pi$

**6-1**

(1) $\sin x=t$로 놓으면 주어진 부등식은
$4t^2+2(\sqrt{3}-1)t-\sqrt{3} \leq 0$
$(2t+\sqrt{3})(2t-1) \leq 0$

$\therefore -\dfrac{\sqrt{3}}{2} \leq t \leq \dfrac{1}{2}$

$\therefore -\dfrac{\sqrt{3}}{2} \leq \sin x \leq \dfrac{1}{2}$

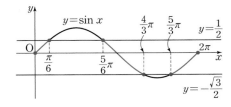

따라서 부등식의 해는

$0 \leq x \leq \dfrac{\pi}{6}$ 또는 $\dfrac{5}{6}\pi \leq x \leq \dfrac{4}{3}\pi$ 또는 $\dfrac{5}{3}\pi \leq x \leq 2\pi$

(2) $\cos^2 x=1-\sin^2 x$이므로 주어진 부등식은
$2(1-\sin^2 x)+\sin x-1>0$

$\sin x=t$로 놓으면 $2(1-t^2)+t-1>0$
$2t^2-t-1<0$, $(2t+1)(t-1)<0$

$\therefore -\dfrac{1}{2}<t<1$

$\therefore -\dfrac{1}{2}<\sin x<1$

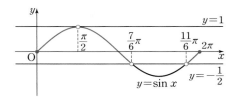

따라서 부등식의 해는

$0 \leq x < \dfrac{\pi}{2}$ 또는 $\dfrac{\pi}{2}<x<\dfrac{7}{6}\pi$ 또는 $\dfrac{11}{6}\pi<x \leq 2\pi$

(3) $\tan x=t$로 놓으면 주어진 부등식은
$t^2-(\sqrt{3}-1)t-\sqrt{3} \leq 0$
$(t+1)(t-\sqrt{3}) \leq 0$
$\therefore -1 \leq t \leq \sqrt{3}$
$\therefore -1 \leq \tan x \leq \sqrt{3}$

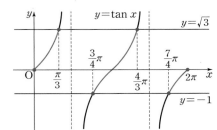

따라서 부등식의 해는

$0 \leq x \leq \dfrac{\pi}{3}$ 또는 $\dfrac{3}{4}\pi \leq x \leq \dfrac{4}{3}\pi$ 또는 $\dfrac{7}{4}\pi \leq x \leq 2\pi$

답 (1) $0 \leq x \leq \dfrac{\pi}{6}$ 또는 $\dfrac{5}{6}\pi \leq x \leq \dfrac{4}{3}\pi$ 또는 $\dfrac{5}{3}\pi \leq x \leq 2\pi$

(2) $0 \leq x < \dfrac{\pi}{2}$ 또는 $\dfrac{\pi}{2}<x<\dfrac{7}{6}\pi$ 또는 $\dfrac{11}{6}\pi<x \leq 2\pi$

(3) $0 \leq x \leq \dfrac{\pi}{3}$ 또는 $\dfrac{3}{4}\pi \leq x \leq \dfrac{4}{3}\pi$ 또는 $\dfrac{7}{4}\pi \leq x \leq 2\pi$

**대표 07**

(1) 모든 실수 $x$에 대하여 부등식
$x^2-2x\sin\theta+\cos\theta+1>0$이 성립하면
$\dfrac{D}{4}=\sin^2\theta-\cos\theta-1<0$
$1-\cos^2\theta-\cos\theta-1<0$, $\cos\theta(\cos\theta+1)>0$

$\therefore \cos\theta < -1$ 또는 $\cos\theta > 0$

그런데 $-1 \le \cos\theta \le 1$이므로 $0 < \cos\theta \le 1$

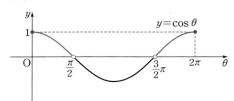

$\therefore 0 \le \theta < \dfrac{\pi}{2}$ 또는 $\dfrac{3}{2}\pi < \theta \le 2\pi$

(2) $\cos^2\theta = 1 - \sin^2\theta$이므로 주어진 부등식은

$1 - \sin^2\theta + \sin\theta + a \ge 0$

$\sin\theta = t$로 놓으면 $1 - t^2 + t + a \ge 0$

$t^2 - t - a - 1 \le 0$

$-1 \le \sin\theta \le 1$에서 $-1 \le t \le 1$이므로

모든 $\theta$에 대하여 부등식 $\cos^2\theta + \sin\theta + a \ge 0$이 성립하면

$-1 \le t \le 1$에서 $t^2 - t - a - 1 \le 0$이 성립한다.

$f(t) = t^2 - t - a - 1$이라 하면

$f(t) = \left(t - \dfrac{1}{2}\right)^2 - a - \dfrac{5}{4}$이고

그림과 같이 $f(t)$의 최댓값 $f(-1)$이 0보다 작거나 같아야 한다.

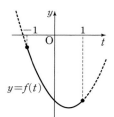

곧, $f(-1) = 1 - a \le 0$에서

$a \ge 1$

**다른 풀이**

$t^2 - t - 1 \le a$로 생각하면 $-1 \le t \le 1$에서 직선 $y = a$가 $y = t^2 - t - 1$의 그래프보다 위쪽에 있거나 점 $(-1, 1)$을 지나야 하므로

$a \ge 1$

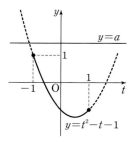

🅐 (1) $0 \le \theta < \dfrac{\pi}{2}$ 또는 $\dfrac{3}{2}\pi < \theta \le 2\pi$  (2) $a \ge 1$

**7-1**

$\sin^2 x - \sin x = 1 - a$에서

$\sin^2 x - \sin x - 1 = -a$

주어진 방정식이 실근을 가지면

$y = \sin^2 x - \sin x - 1$의 그래프와 직선 $y = -a$가 만나야 한다.

$\sin x = t$로 놓으면 $-1 \le t \le 1$이고

$y = t^2 - t - 1 = \left(t - \dfrac{1}{2}\right)^2 - \dfrac{5}{4}$

따라서 그림에서 주어진 방정식이 실근을 갖는 $-a$값의 범위는

$-\dfrac{5}{4} \le -a \le 1$

$\therefore -1 \le a \le \dfrac{5}{4}$

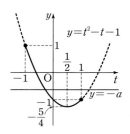

🅐 $-1 \le a \le \dfrac{5}{4}$

**7-2**

모든 실수 $x$에 대하여 부등식

$x^2 - 2\sqrt{2}\,x\cos\theta + 3\sin\theta > 0$이 성립하려면

$\dfrac{D}{4} = (\sqrt{2}\cos\theta)^2 - 3\sin\theta < 0$

$2\cos^2\theta - 3\sin\theta < 0$

$2(1 - \sin^2\theta) - 3\sin\theta < 0$

$2\sin^2\theta + 3\sin\theta - 2 > 0$

$\sin\theta = t$로 놓으면 주어진 부등식은

$2t^2 + 3t - 2 > 0$, $(2t - 1)(t + 2) > 0$

$\therefore t < -2$ 또는 $t > \dfrac{1}{2}$

그런데 $-1 \le t \le 1$이므로 $\dfrac{1}{2} < t \le 1$

$\therefore \dfrac{1}{2} < \sin\theta \le 1$

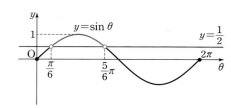

$\therefore \dfrac{\pi}{6} < \theta < \dfrac{5}{6}\pi$

🅐 $\dfrac{\pi}{6} < \theta < \dfrac{5}{6}\pi$

## 7-3

$\sin^2\theta - 3\sin\theta - a + 9 \geq 0$에서

$\sin^2\theta - 3\sin\theta + 9 \geq a$

$\sin\theta = t$로 놓으면 주어진 부등식은

$t^2 - 3t + 9 \geq a$

$0 \leq \theta \leq \pi$에서 $0 \leq t \leq 1$이므로 이 범위에서 부등식이 성립하면 그림과 같이

$y = t^2 - 3t + 9$

$= \left(t - \dfrac{3}{2}\right)^2 + \dfrac{27}{4}$

의 그래프가 직선 $y = a$보다 위쪽에 있거나 직선 $y = a$가 점 $(1, 7)$을 지나야 한다.

$\therefore a \leq 7$

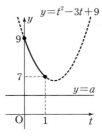

🖪 $a \leq 7$

---

**7 삼각함수를 포함한 방정식과 부등식**

132쪽 ~ 134쪽

**01** (1) $x = 0,\ \dfrac{\pi}{4},\ \dfrac{3}{4}\pi,\ \pi,\ 2\pi$ (2) $x = \dfrac{\pi}{3},\ \dfrac{5}{3}\pi$

**02** (1) $x = \dfrac{\pi}{4}$ (2) $x = \dfrac{3}{4}\pi$

**03** (1) $\dfrac{\pi}{3} < x < \dfrac{2}{3}\pi$

(2) $\dfrac{\pi}{3} \leq x \leq \dfrac{2}{3}\pi$ 또는 $\dfrac{4}{3}\pi \leq x \leq \dfrac{5}{3}\pi$

(3) $\dfrac{\pi}{2} < x \leq \dfrac{5}{6}\pi$ 또는 $\dfrac{3}{2}\pi < x \leq \dfrac{11}{6}\pi$

**04** (1) $\dfrac{5}{6}\pi \leq x \leq \dfrac{3}{2}\pi$ (2) $\pi < x < 2\pi$

**05** ② **06** $-1$ **07** $0$ **08** ⑤

**09** (1) $x = 0,\ \dfrac{\pi}{2},\ \pi,\ \dfrac{3}{2}\pi,\ 2\pi$ (2) $x = \dfrac{3}{4}\pi,\ \dfrac{7}{4}\pi$

**10** ② **11** $9$ **12** $\dfrac{35}{12}\pi$ **13** ③

**14** $\dfrac{4}{3}\pi$ **15** $-3 \leq k \leq 1$

---

## 01

(1) $\sqrt{2}\sin^2 x - \sin x = 0$, $\sin x(\sqrt{2}\sin x - 1) = 0$에서

$\sin x = 0$ 또는 $\sin x = \dfrac{1}{\sqrt{2}} = \dfrac{\sqrt{2}}{2}$

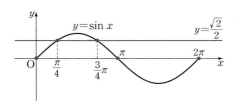

따라서 방정식의 해는

$\sin x = 0$일 때 $x = 0,\ \pi,\ 2\pi$

$\sin x = \dfrac{\sqrt{2}}{2}$일 때 $x = \dfrac{\pi}{4},\ \dfrac{3}{4}\pi$

(2) $\sin^2 x = 1 - \cos^2 x$이므로 주어진 방정식은

$2\cos x - \cos^2 x = 1 - \cos^2 x$, $2\cos x = 1$

$\therefore \cos x = \dfrac{1}{2}$

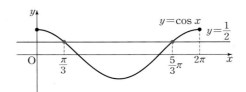

따라서 방정식의 해는 $x = \dfrac{\pi}{3},\ \dfrac{5}{3}\pi$

🖪 (1) $x = 0,\ \dfrac{\pi}{4},\ \dfrac{3}{4}\pi,\ \pi,\ 2\pi$ (2) $x = \dfrac{\pi}{3},\ \dfrac{5}{3}\pi$

## 02

(1) $\sin x = \cos x$에서

( i ) $\cos x \neq 0$일 때, 양변을 $\cos x$로 나누면

$\tan x = 1$

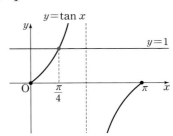

$0 \leq x \leq \pi$에서 방정식 $\tan x = 1$의 해는

$x = \dfrac{\pi}{4}$

(ii) $\cos x=0$일 때, $x=\dfrac{\pi}{2}$이고 $\sin\dfrac{\pi}{2}=1$이므로 해

가 아니다.

(i), (ii)에서 $x=\dfrac{\pi}{4}$

(2) $\sin x=-\cos x$에서

(i) $\cos x\neq 0$일 때, 양변을 $\cos x$로 나누면

$\tan x=-1$

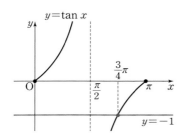

$0\leq x\leq\pi$에서 방정식 $\tan x=-1$의 해는

$x=\dfrac{3}{4}\pi$

(ii) $\cos x=0$일 때, $x=\dfrac{\pi}{2}$이고 $\sin\dfrac{\pi}{2}=1$이므로 해

가 아니다.

(i), (ii)에서 $x=\dfrac{3}{4}\pi$

🔔 (1) $x=\dfrac{\pi}{4}$  (2) $x=\dfrac{3}{4}\pi$

**03**

(1) $0\leq x\leq 2\pi$에서 $y=\sin x$의 그래프와 직선 $y=\dfrac{\sqrt{3}}{2}$

은 그림과 같다.

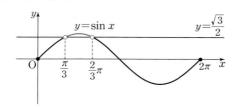

따라서 부등식 $\sin x>\dfrac{\sqrt{3}}{2}$의 해는

$\dfrac{\pi}{3}<x<\dfrac{2}{3}\pi$

(2) $0\leq x\leq 2\pi$에서 $y=\cos x$의 그래프와 직선 $y=\dfrac{1}{2}$,

$y=-\dfrac{1}{2}$은 그림과 같다.

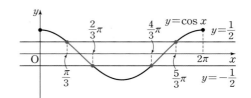

따라서 부등식 $-\dfrac{1}{2}\leq\cos x\leq\dfrac{1}{2}$의 해는

$\dfrac{\pi}{3}\leq x\leq\dfrac{2}{3}\pi$ 또는 $\dfrac{4}{3}\pi\leq x\leq\dfrac{5}{3}\pi$

(3) $0\leq x\leq 2\pi$에서 $y=\tan x$의 그래프와 직선

$y=-\dfrac{\sqrt{3}}{3}$은 그림과 같다.

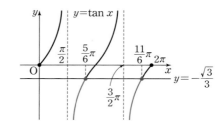

따라서 부등식 $\tan x\leq-\dfrac{\sqrt{3}}{3}$의 해는

$\dfrac{\pi}{2}<x\leq\dfrac{5}{6}\pi$ 또는 $\dfrac{3}{2}\pi<x\leq\dfrac{11}{6}\pi$

🔔 (1) $\dfrac{\pi}{3}<x<\dfrac{2}{3}\pi$

(2) $\dfrac{\pi}{3}\leq x\leq\dfrac{2}{3}\pi$ 또는 $\dfrac{4}{3}\pi\leq x\leq\dfrac{5}{3}\pi$

(3) $\dfrac{\pi}{2}<x\leq\dfrac{5}{6}\pi$ 또는 $\dfrac{3}{2}\pi<x\leq\dfrac{11}{6}\pi$

**04**

(1) $x-\dfrac{\pi}{6}=t$로 놓으면 $0<x<2\pi$에서

$-\dfrac{\pi}{6}<t<\dfrac{11}{6}\pi$　　$\cdots$ ㉠

주어진 부등식은 $\cos t\leq-\dfrac{1}{2}$

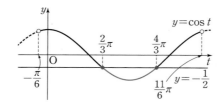

㉠의 범위에서 $\cos t \leq -\dfrac{1}{2}$의 해는 $\dfrac{2}{3}\pi \leq t \leq \dfrac{4}{3}\pi$

곧, $\dfrac{2}{3}\pi \leq x - \dfrac{\pi}{6} \leq \dfrac{4}{3}\pi$  $\therefore \dfrac{5}{6}\pi \leq x \leq \dfrac{3}{2}\pi$

(2) $\dfrac{x}{3} - \dfrac{\pi}{2} = t$로 놓으면 $0 < x < 2\pi$에서

$-\dfrac{\pi}{2} < t < \dfrac{\pi}{6}$  $\cdots$ ㉠

주어진 부등식은 $-\dfrac{\sqrt{3}}{3} < \tan t \leq \sqrt{3}$

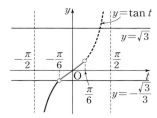

㉠의 범위에서 $-\dfrac{\sqrt{3}}{3} < \tan t \leq \sqrt{3}$의 해는

$-\dfrac{\pi}{6} < t < \dfrac{\pi}{6}$

곧, $-\dfrac{\pi}{6} < \dfrac{x}{3} - \dfrac{\pi}{2} < \dfrac{\pi}{6}$  $\therefore \pi < x < 2\pi$

**답** (1) $\dfrac{5}{6}\pi \leq x \leq \dfrac{3}{2}\pi$  (2) $\pi < x < 2\pi$

**05**

$y = \sin 2x$의 주기는 $\dfrac{2\pi}{2} = \pi$이고 $y = \cos 4x$의 주기는

$\dfrac{2\pi}{4} = \dfrac{\pi}{2}$이므로 $0 \leq x \leq 2\pi$에서 $y = \sin 2x$와

$y = \cos 4x$의 그래프는 그림과 같다.

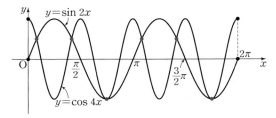

이때 두 그래프가 6개 점에서 만나므로 방정식
$\sin 2x = \cos 4x$의 서로 다른 실근도 6개이다.

**답** ②

⟨참고⟩ $0 \leq x \leq \pi$에서 두 그래프가 3개 점에서 만나므로
$0 \leq x \leq 2\pi$에서 두 그래프가 만나는 점의 개수는
$3 \times 2 = 6$이라 생각해도 된다.

**06**

$\cos^2 x = 1 - \sin^2 x$이므로 주어진 부등식은
$2(1 - \sin^2 x) - 3\sin x < 0$
$2\sin^2 x + 3\sin x - 2 > 0$
$(\sin x + 2)(2\sin x - 1) > 0$

$\therefore \sin x < -2$ 또는 $\sin x > \dfrac{1}{2}$

그런데 $-1 \leq \sin x \leq 1$이므로 $\dfrac{1}{2} < \sin x \leq 1$

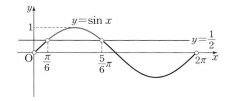

$\therefore \dfrac{\pi}{6} < x < \dfrac{5}{6}\pi$

따라서 $\alpha = \dfrac{\pi}{6}$, $\beta = \dfrac{5}{6}\pi$이므로
$\cos(\alpha + \beta) = \cos \pi = -1$

**답** $-1$

**07**

$\sqrt{3}\tan x - 1 < 0$에서 $\tan x < \dfrac{\sqrt{3}}{3}$이므로

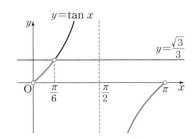

$0 < x < \dfrac{\pi}{6}$ 또는 $\dfrac{\pi}{2} < x < \pi$  $\cdots$ ㉠

$2\sin x \geq \sqrt{2}$에서 $\sin x \geq \dfrac{\sqrt{2}}{2}$이므로

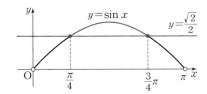

**7** 삼각함수를 포함한 방정식과 부등식

$\dfrac{\pi}{4} \leq x \leq \dfrac{3}{4}\pi$      $\cdots$ ㉡

㉠, ㉡의 공통 범위는 $\dfrac{\pi}{2} < x \leq \dfrac{3}{4}\pi$ 이므로

$\alpha = \dfrac{\pi}{2}$, $\beta = \dfrac{3}{4}\pi$

$\therefore \sin\alpha + \tan\beta = \sin\dfrac{\pi}{2} + \tan\dfrac{3}{4}\pi$

$\qquad\qquad\qquad = 1 + (-1) = 0$

답 0

**08** **전략** 주어진 식의 양변에 $\tan x$를 곱한다.

주어진 식의 양변에 $\tan x$를 곱하고 정리하면

$\tan^2 x - (1+\sqrt{3})\tan x + \sqrt{3} = 0$

$(\tan x - 1)(\tan x - \sqrt{3}) = 0$

$\therefore \tan x = 1$ 또는 $\tan x = \sqrt{3}$

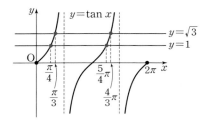

$\tan x = 1$일 때 $x = \dfrac{\pi}{4}$, $\dfrac{5}{4}\pi$

$\tan x = \sqrt{3}$일 때 $x = \dfrac{\pi}{3}$, $\dfrac{4}{3}\pi$

따라서 해의 합은 $\dfrac{\pi}{4} + \dfrac{5}{4}\pi + \dfrac{\pi}{3} + \dfrac{4}{3}\pi = \dfrac{19}{6}\pi$

답 ⑤

**09** **전략** (1) $\sin x = t$로 놓고 풀어도 된다.

(2) 먼저 삼각함수를 간단하게 고친 후 방정식을 푼다.

(1) $\pi\cos x = t$로 놓으면 $0 \leq x \leq 2\pi$에서 $-\pi \leq t \leq \pi$

주어진 방정식은 $\sin t = 0$

$\therefore t = -\pi$ 또는 $t = 0$ 또는 $t = \pi$

곧, $\pi\cos x = -\pi$ 또는 $\pi\cos x = 0$ 또는 $\pi\cos x = \pi$

$\therefore \cos x = -1$ 또는 $\cos x = 0$ 또는 $\cos x = 1$

$\cos x = -1$일 때, $x = \pi$

$\cos x = 0$일 때, $x = \dfrac{\pi}{2}$, $x = \dfrac{3}{2}\pi$

$\cos x = 1$일 때, $x = 0$, $x = 2\pi$

(2) $\sin\left(\dfrac{\pi}{2} - x\right) = \cos x$, $\sin(\pi - x) = \sin x$,

$\sin\left(\dfrac{3}{2}\pi - x\right) = -\cos x$,

$\sin(2\pi - x) = \sin(-x) = -\sin x$

이므로 주어진 방정식은

$\cos x + \sin x = -\cos x - \sin x$

$\therefore \sin x = -\cos x$      $\cdots$ ㉠

$\cos x = 0$일 때, ㉠을 만족시키는 $x$의 값은 없다.

$\cos x \neq 0$일 때, 양변을 $\cos x$로 나누면

$\tan x = -1$

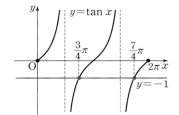

$\therefore x = \dfrac{3}{4}\pi$, $\dfrac{7}{4}\pi$

답 (1) $x = 0$, $\dfrac{\pi}{2}$, $\pi$, $\dfrac{3}{2}\pi$, $2\pi$    (2) $x = \dfrac{3}{4}\pi$, $\dfrac{7}{4}\pi$

**참고** ㉠의 양변을 제곱하면

$\sin^2 x = \cos^2 x$, $1 - \cos^2 x = \cos^2 x$

$\cos^2 x = \dfrac{1}{2}$      $\therefore \cos x = \pm\dfrac{\sqrt{2}}{2}$

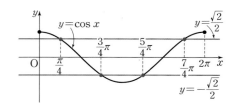

$\cos x = \dfrac{\sqrt{2}}{2}$일 때 $x = \dfrac{\pi}{4}$, $\dfrac{7}{4}\pi$

$\cos x = -\dfrac{\sqrt{2}}{2}$일 때 $x = \dfrac{3}{4}\pi$, $\dfrac{5}{4}\pi$

이 중에서 ㉠을 만족시키는 것은 $x = \dfrac{3}{4}\pi$, $\dfrac{7}{4}\pi$

곧, $x = \dfrac{\pi}{4}$ 또는 $x = \dfrac{5}{4}\pi$를 ㉠에 대입하면 $\dfrac{\sqrt{2}}{2} = -\dfrac{\sqrt{2}}{2}$

이므로 성립하지 않지만 ㉠을 제곱한 식에 대입하면 성립한다.

이와 같이 양변을 제곱하여 푸는 경우 해가 아닌 값도 나올 수 있다는 것에 주의한다.

**10** 전략 주기를 구한 후 그래프에서 대칭을 이용한다.

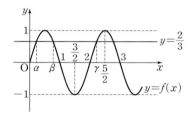

$y=\sin \pi x$의 주기는 $\dfrac{2\pi}{\pi}=2$이므로

$\alpha+\beta=1$

$\therefore f(\alpha+\beta+\gamma+1)+f\left(\alpha+\beta+\dfrac{1}{2}\right)$

$=f(2+\gamma)+f\left(1+\dfrac{1}{2}\right)$

$=f(\gamma)+f\left(\dfrac{3}{2}\right)$

$=\dfrac{2}{3}+(-1)=-\dfrac{1}{3}$

답 ②

**11** 전략 함수 $y=\cos \pi x$의 그래프와 직선 $y=\dfrac{2}{9}x$를 그린다.

$y=\cos \pi x$의 주기는 $\dfrac{2\pi}{\pi}=2$

또 $-1\leq\cos \pi x\leq 1$이므로 $-1\leq\dfrac{2}{9}x\leq 1$

곧, $-\dfrac{9}{2}\leq x\leq\dfrac{9}{2}$에서만 방정식의 해가 있다.

이 범위에서 $y=\cos \pi x$의 그래프와 직선 $y=\dfrac{2}{9}x$는 그림과 같다.

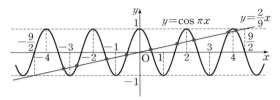

따라서 두 그래프의 교점이 9개이므로 방정식 $\cos \pi x=\dfrac{2}{9}x$의 서로 다른 실근도 9개이다.

답 9

**12** 전략 삼각함수의 그래프를 그려서 부등식의 해를 구한다.

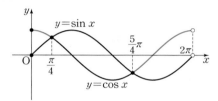

그림에서 $\sin x\leq\cos x$의 해는

$0\leq x\leq\dfrac{\pi}{4}$ 또는 $\dfrac{5}{4}\pi\leq x<2\pi$ $\quad\cdots$ ㉠

또 $\sin^2 x=1-\cos^2 x$이므로 $2\sin^2 x-5\cos x+1\geq 0$에서

$2(1-\cos^2 x)-5\cos x+1\geq 0$

$2\cos^2 x+5\cos x-3\leq 0$

$(\cos x+3)(2\cos x-1)\leq 0$

$\therefore -3\leq\cos x\leq\dfrac{1}{2}$

그런데 $-1\leq\cos x\leq 1$이므로 $-1\leq\cos x\leq\dfrac{1}{2}$

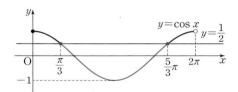

그림에서 $\dfrac{\pi}{3}\leq x\leq\dfrac{5}{3}\pi$ $\quad\cdots$ ㉡

㉠, ㉡의 공통 범위를 구하면 $\dfrac{5}{4}\pi\leq x\leq\dfrac{5}{3}\pi$

따라서 $\alpha=\dfrac{5}{4}\pi$, $\beta=\dfrac{5}{3}\pi$이므로

$\alpha+\beta=\dfrac{35}{12}\pi$

답 $\dfrac{35}{12}\pi$

**13** 전략 $2^x-8$과 $\cos x-\dfrac{1}{2}$의 곱이 0보다 작으므로
$0<x<\pi$에서 부호가 다른 경우를 생각한다.

(i) $2^x-8>0$, $\cos x-\dfrac{1}{2}<0$인 경우

$2^x>8=2^3$, $\cos x<\dfrac{1}{2}$

$x>3$, $\dfrac{\pi}{3}<x<\pi$

그런데 $3<\pi$이므로 $3<x<\pi$

(ii) $2^x-8<0$, $\cos x-\dfrac{1}{2}>0$인 경우

$2^x<8=2^3$, $\cos x>\dfrac{1}{2}$

$x<3$, $0<x<\dfrac{\pi}{3}$

$\therefore 0<x<\dfrac{\pi}{3}$

( i ), (ii)에서 부등식의 해는 $0<x<\dfrac{\pi}{3}$ 또는 $3<x<\pi$

$b<c$이므로 $a=0$, $b=\dfrac{\pi}{3}$, $c=3$, $d=\pi$

$\therefore (b-a)+(d-c)=\dfrac{\pi}{3}+\pi-3=\dfrac{4}{3}\pi-3$

**답** ③

**14** **전략** $0\le\theta<2\pi$에서 부등식 $D<0$의 해가 $\alpha<\theta<\beta$이다.

주어진 이차방정식이 실근을 갖지 않으므로

$\dfrac{D}{4}=4\cos^2\theta-6\sin\theta<0$ ⋯ ㉠

$\cos^2\theta=1-\sin^2\theta$이므로

$4(1-\sin^2\theta)-6\sin\theta<0$

$2\sin^2\theta+3\sin\theta-2>0$

$(\sin\theta+2)(2\sin\theta-1)>0$

$\therefore \sin\theta<-2$ 또는 $\sin\theta>\dfrac{1}{2}$

그런데 $-1\le\sin\theta\le1$이므로 $\dfrac{1}{2}<\sin\theta\le1$

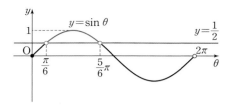

따라서 부등식 ㉠의 해가 $\dfrac{\pi}{6}<\theta<\dfrac{5}{6}\pi$이므로

$\alpha=\dfrac{\pi}{6}$, $\beta=\dfrac{5}{6}\pi$

$\therefore 3\alpha+\beta=3\times\dfrac{\pi}{6}+\dfrac{5}{6}\pi=\dfrac{4}{3}\pi$

**답** $\dfrac{4}{3}\pi$

**15** **전략** 삼각함수를 통일하고 실근을 가질 조건을 생각한다.

$\cos\left(x+\dfrac{\pi}{2}\right)=-\sin x$이므로 $\sin x=t$로 놓으면

주어진 방정식은 $t^2-2t+k=0$

$-1\le\sin x\le1$이므로 $-1\le t\le1$에서 이차방정식 $t^2-2t+k=0$은 실근을 가진다.

$f(t)=t^2-2t+k$라 하면 $f(t)=(t-1)^2+k-1$이고, $y=f(t)$의 그래프가 그림과 같아야 하므로

$f(-1)=k+3\ge0$

$\therefore k\ge-3$ ⋯ ㉠

$f(1)=k-1\le0$

$\therefore k\le1$ ⋯ ㉡

㉠, ㉡의 공통 범위를 구하면

$-3\le k\le1$

**답** $-3\le k\le1$

#  8 삼각함수의 활용

**1**

(1) $2R = \dfrac{a}{\sin A}$ 이므로

$$2R = \dfrac{2}{\sin 30^\circ} = \dfrac{2}{\dfrac{1}{2}} = 4 \qquad \therefore R = 2$$

(2) $2R = \dfrac{a}{\sin A}$ 에서 $a = 2R\sin A$ 이므로

$$a = 2 \times 10 \times \sin 45^\circ = 2 \times 10 \times \dfrac{\sqrt{2}}{2} = 10\sqrt{2}$$

(3) $2R = \dfrac{a}{\sin A}$ 에서 $\sin A = \dfrac{a}{2R}$ 이므로

$$\sin A = \dfrac{5\sqrt{3}}{2 \times 5} = \dfrac{\sqrt{3}}{2}$$

$$\therefore A = 60^\circ \text{ 또는 } A = 120^\circ$$

그런데 $A$는 예각이므로 $A = 60^\circ$

     目 (1) 2   (2) $10\sqrt{2}$   (3) $60^\circ$

**2**

$\dfrac{a}{\sin A} = \dfrac{b}{\sin B}$ 이므로 $\dfrac{6}{\sin 60^\circ} = \dfrac{b}{\sin 45^\circ}$

$$\therefore b = \dfrac{6}{\sin 60^\circ} \times \sin 45^\circ = \dfrac{6}{\dfrac{\sqrt{3}}{2}} \times \dfrac{\sqrt{2}}{2} = 2\sqrt{6}$$

     目 $2\sqrt{6}$

**3**

(1) $a^2 = b^2 + c^2 - 2bc \cos A$

$\qquad = 4^2 + 6^2 - 2 \times 4 \times 6 \times \cos 60^\circ$

$\qquad = 16 + 36 - 24 = 28$

$\therefore a = 2\sqrt{7}$

(2) $b^2 = c^2 + a^2 - 2ca \cos B$

$\qquad = 10^2 + 5^2 - 2 \times 10 \times 5 \times \cos 120^\circ$

$\qquad = 100 + 25 + 50 = 175$

$\therefore b = 5\sqrt{7}$

     目 (1) $2\sqrt{7}$   (2) $5\sqrt{7}$

**4**

$$\cos A = \dfrac{b^2 + c^2 - a^2}{2bc} = \dfrac{5^2 + 6^2 - 4^2}{2 \times 5 \times 6}$$

$$= \dfrac{25 + 36 - 16}{60} = \dfrac{3}{4}$$

     目 $\dfrac{3}{4}$

**대표 01**

(1)

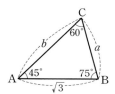

$C = 180^\circ - (A + B) = 180^\circ - (45^\circ + 75^\circ) = 60^\circ$

$\dfrac{a}{\sin A} = \dfrac{c}{\sin C}$ 이므로 $\dfrac{a}{\sin 45^\circ} = \dfrac{\sqrt{3}}{\sin 60^\circ}$

$$\therefore a = \dfrac{\sqrt{3}}{\dfrac{\sqrt{3}}{2}} \times \dfrac{\sqrt{2}}{2} = \sqrt{2}$$

$\dfrac{b}{\sin B} = \dfrac{c}{\sin C}$ 이므로 $\dfrac{b}{\sin 75^\circ} = \dfrac{\sqrt{3}}{\sin 60^\circ}$

$$\therefore b = \dfrac{\sqrt{3}}{\dfrac{\sqrt{3}}{2}} \times \dfrac{\sqrt{6}+\sqrt{2}}{4} = \dfrac{\sqrt{6}+\sqrt{2}}{2}$$

(2) $\dfrac{a}{\sin A} = \dfrac{b}{\sin B}$ 이므로 $\dfrac{4}{\sin 30^\circ} = \dfrac{4\sqrt{3}}{\sin B}$

$$\sin B = \sqrt{3}\sin 30^\circ = \sqrt{3} \times \dfrac{1}{2} = \dfrac{\sqrt{3}}{2}$$

$$\therefore B = 60^\circ \text{ 또는 } B = 120^\circ$$

( i ) $B = 60^\circ$일 때,

$C = 180^\circ - (A + B) = 180^\circ - (30^\circ + 60^\circ) = 90^\circ$

이때 그림과 같이 삼각형 ABC가

직각삼각형이므로

$c = \sqrt{(4\sqrt{3})^2 + 4^2}$

$\quad = 8$

(ii) $B = 120^\circ$일 때,

$C = 180^\circ - (A + B) = 180^\circ - (30^\circ + 120^\circ) = 30^\circ$

이때 그림과 같이 삼

각형 ABC가

$\overline{AB} = \overline{BC}$인 이등

변삼각형이므로

$c = a = 4$

(i), (ii)에서 $B=60°$, $C=90°$, $c=8$

또는 $B=120°$, $C=30°$, $c=4$

**답** (1) $C=60°$, $a=\sqrt{2}$, $b=\dfrac{\sqrt{6}+\sqrt{2}}{2}$

(2) $B=60°$, $C=90°$, $c=8$ 또는

$B=120°$, $C=30°$, $c=4$

**참고** (2) 삼각형 ABC에서 $A$는 길이가 주어진 두 변의 끼인 각이 아니므로 삼각형의 결정 조건이 아니다. 이 문제와 같이 조건을 만족시키는 삼각형이 두 개 있을 수도 있다.

---

**1-1**

(1) $C=180°-(A+B)=180°-(105°+45°)=30°$

$\dfrac{a}{\sin A}=\dfrac{c}{\sin C}$이므로 $\dfrac{a}{\sin 105°}=\dfrac{\sqrt{2}}{\sin 30°}$

$\sin 105°=\sin(180°-75°)=\sin 75°$이므로

$a=\dfrac{\sqrt{2}}{\frac{1}{2}}\times\dfrac{\sqrt{6}+\sqrt{2}}{4}=\sqrt{3}+1$

$\dfrac{b}{\sin B}=\dfrac{c}{\sin C}$이므로 $\dfrac{b}{\sin 45°}=\dfrac{\sqrt{2}}{\sin 30°}$

$\therefore b=\dfrac{\sqrt{2}}{\frac{1}{2}}\times\dfrac{\sqrt{2}}{2}=2$

(2) $\dfrac{a}{\sin A}=\dfrac{b}{\sin B}$이므로 $\dfrac{\sqrt{2}}{\sin 45°}=\dfrac{1}{\sin B}$

$\sin B=\dfrac{\frac{\sqrt{2}}{2}}{\sqrt{2}}=\dfrac{1}{2}$

$\therefore B=30°$

$\therefore C=180°-(A+B)=180°-(45°+30°)=105°$

$\dfrac{a}{\sin A}=\dfrac{c}{\sin C}$이므로 $\dfrac{\sqrt{2}}{\sin 45°}=\dfrac{c}{\sin 105°}$

$\sin 105°=\sin(180°-75°)=\sin 75°$이므로

$c=\dfrac{\sqrt{2}}{\frac{\sqrt{2}}{2}}\times\dfrac{\sqrt{6}+\sqrt{2}}{4}=\dfrac{\sqrt{6}+\sqrt{2}}{2}$

**답** (1) $C=30°$, $a=\sqrt{3}+1$, $b=2$

(2) $B=30°$, $C=105°$, $c=\dfrac{\sqrt{6}+\sqrt{2}}{2}$

**참고** (2) $\sin B=\dfrac{1}{2}$을 만족시키는 $B=30°$ 또는 $B=150°$이다. 삼각형의 세 내각의 크기의 합이 $180°$이므로 $B=150°$는 불가능하다.

---

**대표 02**

(1)

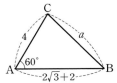

$a^2=b^2+c^2-2bc\cos A$

$=4^2+(2\sqrt{3}+2)^2-2\times 4\times(2\sqrt{3}+2)\times\cos 60°$

$=16+16+8\sqrt{3}-8\sqrt{3}-8=24$

$\therefore a=2\sqrt{6}$  $\cdots$ ㉠

$\cos B=\dfrac{c^2+a^2-b^2}{2ca}$

$=\dfrac{(2\sqrt{3}+2)^2+(2\sqrt{6})^2-4^2}{2\times(2\sqrt{3}+2)\times 2\sqrt{6}}$

$=\dfrac{16+8\sqrt{3}+24-16}{8\sqrt{6}(\sqrt{3}+1)}$

$=\dfrac{8(3+\sqrt{3})}{8\sqrt{6}(\sqrt{3}+1)}=\dfrac{3+\sqrt{3}}{\sqrt{2}(3+\sqrt{3})}$

$=\dfrac{1}{\sqrt{2}}=\dfrac{\sqrt{2}}{2}$

$\therefore B=45°$

$\therefore C=180°-(A+B)=180°-(60°+45°)=75°$

**다른 풀이**

㉠을 구한 다음 $\dfrac{a}{\sin A}=\dfrac{b}{\sin B}$를 이용하면

$\dfrac{2\sqrt{6}}{\sin 60°}=\dfrac{4}{\sin B}$, $\sin B=\dfrac{4}{2\sqrt{6}}\times\dfrac{\sqrt{3}}{2}=\dfrac{\sqrt{2}}{2}$

$\therefore B=45°$ 또는 $B=135°$

삼각형의 세 내각의 크기의 합이 $180°$이므로

$B=135°$는 불가능하다.

$\therefore B=45°$, $C=75°$

(2) $\cos A=\dfrac{b^2+c^2-a^2}{2bc}$

$=\dfrac{(\sqrt{6})^2+(\sqrt{3}+1)^2-2^2}{2\times\sqrt{6}\times(\sqrt{3}+1)}=\dfrac{6+4+2\sqrt{3}-4}{2\sqrt{6}(\sqrt{3}+1)}$

$=\dfrac{2(3+\sqrt{3})}{2\sqrt{6}(\sqrt{3}+1)}=\dfrac{2(3+\sqrt{3})}{2\sqrt{2}(3+\sqrt{3})}=\dfrac{1}{\sqrt{2}}=\dfrac{\sqrt{2}}{2}$

$\therefore A=45°$  $\cdots$ ㉠

$\cos B=\dfrac{c^2+a^2-b^2}{2ca}$

$=\dfrac{(\sqrt{3}+1)^2+2^2-(\sqrt{6})^2}{2\times(\sqrt{3}+1)\times 2}=\dfrac{4+2\sqrt{3}+4-6}{4(\sqrt{3}+1)}$

$=\dfrac{2(\sqrt{3}+1)}{4(\sqrt{3}+1)}=\dfrac{1}{2}$

$\therefore B = 60°$

$\therefore C = 180° - (A+B) = 180° - (45° + 60°) = 75°$

**다른 풀이**

㉠을 구한 다음 $\dfrac{a}{\sin A} = \dfrac{b}{\sin B}$ 를 이용하면

$\dfrac{2}{\sin 45°} = \dfrac{\sqrt{6}}{\sin B}$, $\sin B = \dfrac{\sqrt{6}}{2} \times \dfrac{\sqrt{2}}{2} = \dfrac{\sqrt{3}}{2}$

$\therefore B = 60°$ 또는 $B = 120°$

$c > b$ 이므로 $C > B$

$\therefore B = 60°$

$\therefore C = 180° - (A+B) = 180° - (45° + 60°) = 75°$

**답** (1) $B = 45°$, $C = 75°$, $a = 2\sqrt{6}$
(2) $A = 45°$, $B = 60°$, $C = 75°$

**참고** (2) $\cos C = \dfrac{2^2 + (\sqrt{6})^2 - (\sqrt{3}+1)^2}{2 \times 2 \times \sqrt{6}} = \dfrac{\sqrt{6} - \sqrt{2}}{4}$

이므로 $C$의 값을 바로 구하기 쉽지 않다.
이런 경우 $\cos A$, $\cos B$를 먼저 계산하면 된다.

**2-1**

$a^2 = b^2 + c^2 - 2bc \cos A$

$= 6^2 + (3\sqrt{2} - \sqrt{6})^2 - 2 \times 6 \times (3\sqrt{2} - \sqrt{6}) \times \cos 45°$

$= 36 + (24 - 12\sqrt{3}) - 12(3\sqrt{2} - \sqrt{6}) \times \dfrac{\sqrt{2}}{2}$

$= 24$

$\therefore a = 2\sqrt{6}$ ⋯ ㉠

$\cos B = \dfrac{(3\sqrt{2} - \sqrt{6})^2 + (2\sqrt{6})^2 - 6^2}{2 \times (3\sqrt{2} - \sqrt{6}) \times 2\sqrt{6}}$

$= \dfrac{24 - 12\sqrt{3} + 24 - 36}{4\sqrt{6}(3\sqrt{2} - \sqrt{6})}$

$= \dfrac{-12(\sqrt{3} - 1)}{24(\sqrt{3} - 1)} = -\dfrac{1}{2}$

$\therefore B = 120°$

$\therefore C = 180° - (A+B) = 180° - (45° + 120°)$

$= 15°$

**다른 풀이**

㉠을 구한 다음 $\dfrac{a}{\sin A} = \dfrac{b}{\sin B}$ 를 이용하면

$\dfrac{2\sqrt{6}}{\sin 45°} = \dfrac{6}{\sin B}$, $\sin B = \dfrac{6}{2\sqrt{6}} \times \dfrac{\sqrt{2}}{2} = \dfrac{\sqrt{3}}{2}$

$\therefore B = 60°$ 또는 $B = 120°$

$b > c$ 이므로 $B > C$

$\therefore B = 120°$

$\therefore C = 180° - (A+B) = 180° - (45° + 120°) = 15°$

**답** $B = 120°$, $C = 15°$, $a = 2\sqrt{6}$

**2-2**

$a^2 = b^2 + c^2 - 2bc \cos A$이므로

$(\sqrt{7})^2 = b^2 + (\sqrt{3})^2 - 2 \times b \times \sqrt{3} \times \cos 30°$

$7 = b^2 + 3 - 3b$, $b^2 - 3b - 4 = 0$

$(b+1)(b-4) = 0$

$b > 0$ 이므로 $b = 4$

**답** 4

**2-3**

가장 긴 변의 대각이 가장 크므로 $A$가 가장 크다.

$\therefore \cos A = \dfrac{8^2 + 7^2 - 13^2}{2 \times 8 \times 7} = \dfrac{64 + 49 - 169}{112} = -\dfrac{1}{2}$

$\therefore A = 120°$

**답** $120°$

**대표 03**

외접원의 반지름의 길이를 $R$라 하면

(1) $\sin A = \dfrac{a}{2R}$, $\sin B = \dfrac{b}{2R}$, $\sin C = \dfrac{c}{2R}$이므로

$\sin A : \sin B : \sin C = \dfrac{a}{2R} : \dfrac{b}{2R} : \dfrac{c}{2R}$

$= a : b : c$

$= 3 : 4 : 6$

(2) $A + B + C = 180°$이고 $A : B : C = 3 : 4 : 5$이므로

$A = 180° \times \dfrac{3}{3+4+5} = 45°$, $B = 180° \times \dfrac{4}{12} = 60°$

$C = 180° \times \dfrac{5}{12} = 75°$

$a = 2R\sin A$, $b = 2R\sin B$, $c = 2R\sin C$이므로

$a : b : c = 2R\sin A : 2R\sin B : 2R\sin C$

$= \sin 45° : \sin 60° : \sin 75°$

$= \dfrac{\sqrt{2}}{2} : \dfrac{\sqrt{3}}{2} : \dfrac{\sqrt{6} + \sqrt{2}}{4}$

$= \sqrt{2} : \sqrt{3} : \dfrac{\sqrt{6} + \sqrt{2}}{2}$

**답** (1) $3 : 4 : 6$ (2) $\sqrt{2} : \sqrt{3} : \dfrac{\sqrt{6} + \sqrt{2}}{2}$

**3-1**

외접원의 반지름의 길이를 $R$라 하면

$a = 2R\sin A$, $b = 2R\sin B$, $c = 2R\sin C$ ⋯ ㉠

(1) 삼각형 ABC는 $C=90°$인 직각삼각형이므로

$a^2+b^2=c^2$

㉠을 위 등식에 대입하면

$(2R\sin A)^2+(2R\sin B)^2=(2R\sin C)^2$

$\therefore \sin^2 A+\sin^2 B=\sin^2 C$

(2) $a:b:c=2R\sin A:2R\sin B:2R\sin C$ ($\because$ ㉠)

$=\sin A:\sin B:\sin C=6:4:5$

$\therefore a^2:b^2:c^2=6^2:4^2:5^2=36:16:25$

🔑 (1) $\sin^2 A+\sin^2 B=\sin^2 C$ (2) $36:16:25$

**3-2**

$3\sin A=4\sin B=6\sin C$에서

각 변을 12로 나누면 $\dfrac{\sin A}{4}=\dfrac{\sin B}{3}=\dfrac{\sin C}{2}$

이 식을 $k(k>0)$로 놓으면

$\sin A=4k$, $\sin B=3k$, $\sin C=2k$

(1) 외접원의 반지름의 길이를 $R$라 하면

$a:b:c=2R\sin A:2R\sin B:2R\sin C$

$=\sin A:\sin B:\sin C$

$=4k:3k:2k=4:3:2$

(2) $\cos C=\dfrac{a^2+b^2-c^2}{2ab}=\dfrac{(4k)^2+(3k)^2-(2k)^2}{2\times 4k\times 3k}=\dfrac{7}{8}$

🔑 (1) $4:3:2$ (2) $\dfrac{7}{8}$

**대표 04**

(1) $a\cos A=b\cos B$에서

$a\times\dfrac{b^2+c^2-a^2}{2bc}=b\times\dfrac{c^2+a^2-b^2}{2ca}$

양변에 $2abc$를 곱하고 정리하면

$a^2(b^2+c^2-a^2)=b^2(c^2+a^2-b^2)$

$a^2c^2-a^4=b^2c^2-b^4$

$(a^2-b^2)c^2-(a^4-b^4)=0$

$(a^2-b^2)(c^2-a^2-b^2)=0$

$a>0$, $b>0$이므로 $a=b$ 또는 $c^2=a^2+b^2$

따라서 $a=b$인 이등변삼각형 또는 $C=90°$인 직각삼각형이다.

(2) $A+B+C=\pi$이므로

$\cos\dfrac{A+B-C}{2}=\cos\dfrac{\pi-2C}{2}=\cos\left(\dfrac{\pi}{2}-C\right)$

$=\sin C$

곧, 주어진 식은

$2\sin A\cos B=\sin C$

외접원의 반지름의 길이를 $R$라 하면

$\sin A=\dfrac{a}{2R}$, $\sin C=\dfrac{c}{2R}$이므로

$\dfrac{2a}{2R}\cos B=\dfrac{c}{2R}$    $\therefore 2a\cos B=c$

$\cos B=\dfrac{c^2+a^2-b^2}{2ca}$이므로

$2a\times\dfrac{c^2+a^2-b^2}{2ca}=c$

$c^2+a^2-b^2=c^2$    $\therefore a^2=b^2$

$a>0$, $b>0$이므로 $a=b$인 이등변삼각형이다.

🔑 (1) $a=b$인 이등변삼각형 또는 $C=90°$인 직각삼각형
(2) $a=b$인 이등변삼각형

**4-1**

(1) 외접원의 반지름의 길이를 $R$라 하면

$\sin A=\dfrac{a}{2R}$, $\sin B=\dfrac{b}{2R}$, $\sin C=\dfrac{c}{2R}$

$a\sin A=b\sin B+c\sin C$에 대입하면

$a\times\dfrac{a}{2R}=b\times\dfrac{b}{2R}+c\times\dfrac{c}{2R}$    $\therefore a^2=b^2+c^2$

따라서 $A=90°$인 직각삼각형이다.

(2) $A+B+C=\pi$이므로 $A+C=\pi-B$

$\sin(A+C)=\sin(\pi-B)=\sin B$

$\sin^2 A+\sin^2 B=2\sin A\sin(A+C)$에 대입하면

$\sin^2 A-2\sin A\sin B+\sin^2 B=0$

$(\sin A-\sin B)^2=0$    $\therefore \sin A=\sin B$

외접원의 반지름의 길이를 $R$라 하면

$\sin A=\dfrac{a}{2R}$, $\sin B=\dfrac{b}{2R}$, $\sin C=\dfrac{c}{2R}$

곧, $\dfrac{a}{2R}=\dfrac{b}{2R}$이므로 $a=b$

따라서 $a=b$인 이등변삼각형이다.

🔑 (1) $A=90°$인 직각삼각형 (2) $a=b$인 이등변삼각형

**4-2**

주어진 이차방정식이 중근을 가지므로 판별식을 $D$라 하면

$\dfrac{D}{4}=\cos^2 B+(\sin C+\cos A)(\sin C-\cos A)$

$=\cos^2 B+\sin^2 C-\cos^2 A=0$

$\cos^2 B=1-\sin^2 B$, $\cos^2 A=1-\sin^2 A$이므로

$(1-\sin^2 B)+\sin^2 C-(1-\sin^2 A)=0$

$$\therefore \sin^2 A + \sin^2 C = \sin^2 B$$

외접원의 반지름의 길이를 $R$라 하면

$\sin A = \dfrac{a}{2R}$, $\sin B = \dfrac{b}{2R}$, $\sin C = \dfrac{c}{2R}$이므로

$$\left(\dfrac{a}{2R}\right)^2 + \left(\dfrac{c}{2R}\right)^2 = \left(\dfrac{b}{2R}\right)^2 \qquad \therefore a^2 + c^2 = b^2$$

따라서 $B = 90°$인 직각삼각형이다.

**답** $B = 90°$인 직각삼각형

### 대표 **05**

그림과 같이 열기구의 위치를
점 P, $\overline{PA} = x$ (km)라 하자.
직각삼각형 PBA에서

$$\tan 45° = \dfrac{x}{\overline{AB}}$$

$$\therefore \overline{AB} = x \text{ (km)}$$

직각삼각형 PAC에서

$$\tan 30° = \dfrac{x}{\overline{AC}} \qquad \therefore \overline{AC} = \sqrt{3}x \text{ (km)}$$

$\angle ABC = 60°$이므로 삼각형 ABC에서 코사인법칙을
이용하면

$$\overline{AC}^2 = \overline{AB}^2 + \overline{BC}^2 - 2 \times \overline{AB} \times \overline{BC} \times \cos B$$

$$(\sqrt{3}x)^2 = x^2 + 1^2 - 2 \times x \times 1 \times \cos 60°$$

$$2x^2 + x - 1 = 0, \ (x+1)(2x-1) = 0$$

$x > 0$이므로 $x = \dfrac{1}{2}$ (km)

따라서 A 지점에서 열기구까지의 높이는 $500\,\text{m}$이다.

**답** $500\,\text{m}$

### 5-1

그림과 같이 $\overline{CH} = x$ (m)라 하자.
직각삼각형 CAH에서

$$\tan 45° = \dfrac{x}{\overline{AH}}$$

$$\therefore \overline{AH} = x \text{ (m)}$$

직각삼각형 CHB에서

$$\tan 60° = \dfrac{x}{\overline{BH}} \qquad \therefore \overline{BH} = \dfrac{x}{\sqrt{3}} \text{ (m)}$$

$\angle AHB = 90°$이므로 삼각형 ABH에서

$$\overline{AH}^2 + \overline{BH}^2 = \overline{AB}^2$$

$$x^2 + \left(\dfrac{x}{\sqrt{3}}\right)^2 = 500^2, \ \dfrac{4}{3}x^2 = 500^2$$

$$\dfrac{2}{\sqrt{3}}x = 500 \qquad \therefore x = 250\sqrt{3} \text{ (m)}$$

따라서 산의 높이는 $250\sqrt{3}\,\text{m}$이다.

**답** $250\sqrt{3}\,\text{m}$

### 대표 **06**

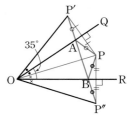

그림과 같이 점 P와 반직
선 OQ, OR에 대칭인 점
을 각각 P′, P″이라 하자.
선분 P′P″이 반직선 OQ,
OR와 만나는 점을 각각
A, B라 하면
$\overline{PA} + \overline{AB} + \overline{PB}$가 최솟값
$l$이고 $l = \overline{P'P''}$이다.

$\angle P'OQ = \angle POQ$, $\angle P''OR = \angle POR$이고
$\angle QOR = 35°$이므로

$$\angle P'OP'' = 2\angle QOR = 70°$$

또 $\overline{OP'} = \overline{OP''} = \overline{OP} = 30$ (km)이므로 삼각형 P′OP″
에서 코사인법칙을 이용하면

$$\overline{P'P''}^2 = \overline{OP'}^2 + \overline{OP''}^2 - 2 \times \overline{OP'} \times \overline{OP''} \times \cos \angle P'OP''$$

$$l^2 = 30^2 + 30^2 - 2 \times 30 \times 30 \times \cos 70°$$

이때 $\cos 70° = \cos(90° - 20°) = \sin 20° = 0.34$이므로

$$l^2 = 900 + 900 - 2 \times 900 \times 0.34 = 1188$$

**답** 1188

### 6-1

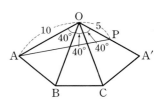

그림과 같이 정삼각
뿔 O−ABC의 옆면
의 전개도를 그리면
구하는 최단 거리는
선분 AP의 길이이다.

$\overline{OA} = 10$, $\overline{OP} = \dfrac{1}{2}\overline{OA} = 5$이고,

$\angle AOB = \angle BOC = \angle COA = 40°$에서

$\angle AOP = 120°$이므로 삼각형 OAP에서 코사인법칙을
이용하면

$$\overline{AP}^2 = \overline{OA}^2 + \overline{OP}^2 - 2 \times \overline{OA} \times \overline{OP} \times \cos(\angle AOP)$$

$$\overline{AP}^2 = 10^2 + 5^2 - 2 \times 10 \times 5 \times \cos 120°$$

$$= 100 + 25 - 100 \times \left(-\dfrac{1}{2}\right) = 175$$

$$\therefore \overline{AP} = 5\sqrt{7}$$

따라서 최단 거리는 $5\sqrt{7}$이다.

**답** $5\sqrt{7}$

**5**

(1) $\dfrac{1}{2} \times 4 \times 5 \times \sin 60° = \dfrac{1}{2} \times 4 \times 5 \times \dfrac{\sqrt{3}}{2} = 5\sqrt{3}$

(2) $\dfrac{1}{2} \times 4 \times 5 \times \sin 120° = \dfrac{1}{2} \times 4 \times 5 \times \dfrac{\sqrt{3}}{2} = 5\sqrt{3}$

**답** (1) $5\sqrt{3}$    (2) $5\sqrt{3}$

**6**

$3 \times 4 \times \sin 60° = 3 \times 4 \times \dfrac{\sqrt{3}}{2} = 6\sqrt{3}$

**답** $6\sqrt{3}$

**7**

$\dfrac{1}{2} \times 3 \times 4 \times \sin \dfrac{\pi}{4} = \dfrac{1}{2} \times 3 \times 4 \times \dfrac{\sqrt{2}}{2} = 3\sqrt{2}$

**답** $3\sqrt{2}$

**대표 07**

(1) $A = 180° - (60° + 75°) = 45°$이므로 사인법칙에 의해

$\dfrac{10}{\sin 45°} = \dfrac{b}{\sin 60°}$

$\therefore b = \dfrac{10}{\frac{\sqrt{2}}{2}} \times \dfrac{\sqrt{3}}{2} = 5\sqrt{6}$

$\therefore S = \dfrac{1}{2}ab \sin C$

$= \dfrac{1}{2} \times 10 \times 5\sqrt{6} \times \sin 75°$

$= \dfrac{1}{2} \times 10 \times 5\sqrt{6} \times \dfrac{\sqrt{6}+\sqrt{2}}{4} = \dfrac{75+25\sqrt{3}}{2}$

**다른 풀이**

$\dfrac{10}{\sin 45°} = \dfrac{c}{\sin 75°}$에서

$c = \dfrac{10}{\frac{\sqrt{2}}{2}} \times \dfrac{\sqrt{6}+\sqrt{2}}{4} = 5\sqrt{3}+5$

$\therefore S = \dfrac{1}{2}ca \sin B$

$= \dfrac{1}{2} \times (5\sqrt{3}+5) \times 10 \times \sin 60° = \dfrac{75+25\sqrt{3}}{2}$

(2) $A+B+C = \pi$이고 $\sin(B+C) = \dfrac{1}{3}$이므로

$\sin(B+C) = \sin(\pi - A) = \sin A = \dfrac{1}{3}$

$\therefore S = \dfrac{1}{2}bc \sin A$

$= \dfrac{1}{2} \times 4 \times 3 \times \dfrac{1}{3} = 2$

(3) $\cos A = \dfrac{6^2+4^2-8^2}{2\times 6 \times 4} = \dfrac{36+16-64}{48} = -\dfrac{1}{4}$이므로

$\sin^2 A = 1 - \cos^2 A = 1 - \left(-\dfrac{1}{4}\right)^2 = \dfrac{15}{16}$

$\sin A > 0$이므로 $\sin A = \dfrac{\sqrt{15}}{4}$

$\therefore S = \dfrac{1}{2}bc \sin A$

$= \dfrac{1}{2} \times 6 \times 4 \times \dfrac{\sqrt{15}}{4}$

$= 3\sqrt{15}$

**답** (1) $\dfrac{75+25\sqrt{3}}{2}$    (2) $2$    (3) $3\sqrt{15}$

**7-1**

(1) $b^2 = c^2 + a^2 - 2ca \cos B$에서

$(4\sqrt{3})^2 = c^2 + 4^2 - 2 \times c \times 4 \times \dfrac{1}{2}$

$c^2 - 4c - 32 = 0,\ (c+4)(c-8) = 0$

$c > 0$이므로 $c = 8$

$\therefore S = \dfrac{1}{2}ca \sin B$

$= \dfrac{1}{2} \times 8 \times 4 \times \sin 60°$

$= 8\sqrt{3}$

(2) $\cos C = \dfrac{4^2+5^2-6^2}{2\times 4 \times 5} = \dfrac{16+25-36}{40} = \dfrac{1}{8}$이므로

$\sin^2 C = 1 - \cos^2 C = 1 - \left(\dfrac{1}{8}\right)^2 = \dfrac{63}{64}$

$\sin C > 0$이므로 $\sin C = \dfrac{3\sqrt{7}}{8}$

$\therefore S = \dfrac{1}{2}ab \sin C$

$= \dfrac{1}{2} \times 4 \times 5 \times \dfrac{3\sqrt{7}}{8} = \dfrac{15\sqrt{7}}{4}$

**답** (1) $8\sqrt{3}$    (2) $\dfrac{15\sqrt{7}}{4}$

**7-2**

(1) 삼각형 ABC에서 코사인법칙을 이용하면
$$\overline{AC}^2 = 7^2 + 4^2 - 2 \times 7 \times 4 \times \cos 60°$$
$$= 49 + 16 - 28 = 37$$
$$\therefore \overline{AC} = \sqrt{37}$$

(2) 원에 내접하는 사각형에서 대각의 크기의 합은 180°이므로 $D = 120°$
삼각형 ACD에서 $\overline{AD} = x$라 하고 코사인법칙을 이용하면

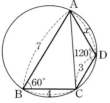

$$(\sqrt{37})^2 = x^2 + 3^2 - 2 \times x \times 3 \times \cos 120°$$
$$37 = x^2 + 9 - 6x \times \left(-\frac{1}{2}\right)$$
$$x^2 + 3x - 28 = 0, \ (x+7)(x-4) = 0$$
$x > 0$이므로 $x = 4$

(3) $\triangle ACD = \frac{1}{2} \times \overline{AD} \times \overline{DC} \times \sin D$
$$= \frac{1}{2} \times 4 \times 3 \times \sin 120°$$
$$= \frac{1}{2} \times 4 \times 3 \times \frac{\sqrt{3}}{2} = 3\sqrt{3}$$

**답** (1) $\sqrt{37}$  (2) 4  (3) $3\sqrt{3}$

**대표 08**

(1) $C = 180° - (30° + 120°) = 30°$
외접원의 반지름의 길이를 $R$라 하면
$$b = 2R \sin B = 2 \times 4 \times \sin 120° = 4\sqrt{3}$$
$$c = 2R \sin C = 2 \times 4 \times \sin 30° = 4$$
$$\therefore \triangle ABC = \frac{1}{2} bc \sin A$$
$$= \frac{1}{2} \times 4\sqrt{3} \times 4 \times \sin 30° = 4\sqrt{3}$$

(2) 외접원의 중심을 O라 하면

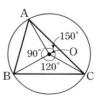

$$\angle AOB = 360° \times \frac{3}{12} = 90°$$
$$\angle BOC = 360° \times \frac{4}{12} = 120°$$
$$\angle COA = 360° \times \frac{5}{12} = 150°$$
$$\therefore \triangle ABC = \triangle AOB + \triangle BOC + \triangle COA$$
$$= \frac{1}{2} \times 4 \times 4 \times \sin 90°$$

$$+ \frac{1}{2} \times 4 \times 4 \times \sin 120°$$
$$+ \frac{1}{2} \times 4 \times 4 \times \sin 150°$$
$$= 8 + 4\sqrt{3} + 4 = 12 + 4\sqrt{3}$$

**답** (1) $4\sqrt{3}$  (2) $12 + 4\sqrt{3}$

**8-1**

(1) $\angle ACB = \angle ADB = 60°$이므로 삼각형 ABC에서 사인법칙을 이용하면
$$\frac{\overline{AC}}{\sin 45°} = \frac{2\sqrt{3}}{\sin 60°} \qquad \therefore \overline{AC} = \frac{2\sqrt{3}}{\frac{\sqrt{3}}{2}} \times \frac{\sqrt{2}}{2} = 2\sqrt{2}$$

(2) $\angle CAB = 180° - (60° + 45°) = 75°$
이므로 삼각형 ABC의 넓이를 $S$라 하면
$$S = \frac{1}{2} \times 2\sqrt{3} \times 2\sqrt{2} \times \sin 75°$$
$$= \frac{1}{2} \times 2\sqrt{3} \times 2\sqrt{2} \times \frac{\sqrt{6} + \sqrt{2}}{4} = 3 + \sqrt{3}$$

**답** (1) $2\sqrt{2}$  (2) $3 + \sqrt{3}$

**참고** (1) 한 원에서 길이가 같은 호에 대한 원주각의 크기는 같으므로 $\angle ACB = \angle ADB$

**8-2**

삼각형 ABC의 외접원의 반지름의 길이를 $R$, 넓이를 $S$라 하면
$$S = \frac{1}{2} ab \sin C$$
사인법칙에 의해 $\sin C = \frac{c}{2R}$이므로
$$S = \frac{abc}{4R}$$
이때 $S = 3$, $R = 2$이므로 삼각형 ABC의 세 변의 길이의 곱은
$$abc = S \times 4R = 3 \times 4 \times 2 = 24$$

**답** 24

**대표 09**

(1) 사각형 ABCD는 등변사다리꼴이므로 두 대각선의 길이가 서로 같다.
따라서 사각형 ABCD의 넓이는
$$\frac{1}{2} \times 6 \times 6 \times \sin 60° = 9\sqrt{3}$$

(2) $\triangle ABC$

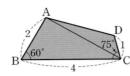

$= \dfrac{1}{2} \times 2 \times 4 \times \sin 60°$

$= 2\sqrt{3}$

삼각형 $ABC$에서 코사

인법칙을 이용하면

$\overline{AC}^2 = 2^2 + 4^2 - 2 \times 2 \times 4 \times \cos 60°$

$= 4 + 16 - 8 = 12$

곧, $\overline{AC} = 2\sqrt{3}$이므로 삼각형 $ABC$는 $\angle BAC = 90°$

인 직각삼각형이다.

이때 $\angle BCA = 30°$, $\angle ACD = 45°$이므로

$\triangle ACD = \dfrac{1}{2} \times 2\sqrt{3} \times 1 \times \sin 45° = \dfrac{\sqrt{6}}{2}$

$\therefore \square ABCD = \triangle ABC + \triangle ACD = 2\sqrt{3} + \dfrac{\sqrt{6}}{2}$

답 (1) $9\sqrt{3}$　(2) $2\sqrt{3} + \dfrac{\sqrt{6}}{2}$

**9-1**

평행사변형에서 이웃한 두 내각의 크기의 합은 $180°$이므로

$\angle B = 180° - \angle A = 60°$

따라서 평행사변형

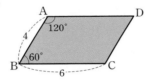

$ABCD$의 넓이는

$4 \times 6 \times \sin 60° = 12\sqrt{3}$

답 $12\sqrt{3}$

**9-2**

등변사다리꼴의 두 대각선의 길이는 서로 같으므로 두

대각선이 이루는 예각의 크기를 $\theta$라 하면

$\dfrac{1}{2} \times 8 \times 8 \times \sin \theta = 16\sqrt{2}$, $\sin \theta = \dfrac{\sqrt{2}}{2}$

$0° < \theta < 90°$이므로 $\theta = 45°$

답 $45°$

**9-3**

그림에서

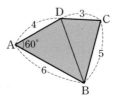

$\triangle ABD = \dfrac{1}{2} \times 6 \times 4 \times \sin 60°$

$= 6\sqrt{3}$

삼각형 $ABD$에서 코사인법칙을

이용하면

---

$\overline{BD}^2 = 6^2 + 4^2 - 2 \times 6 \times 4 \times \cos 60°$

$= 36 + 16 - 24 = 28$

따라서 삼각형 $BCD$에서

$\cos C = \dfrac{5^2 + 3^2 - \overline{BD}^2}{2 \times 5 \times 3} = \dfrac{25 + 9 - 28}{30} = \dfrac{1}{5}$

$\sin^2 C = 1 - \cos^2 C = 1 - \left(\dfrac{1}{5}\right)^2 = \dfrac{24}{25}$

$\sin C > 0$이므로 $\sin C = \dfrac{2\sqrt{6}}{5}$

$\therefore \triangle BCD = \dfrac{1}{2} \times 5 \times 3 \times \sin C = 3\sqrt{6}$

$\therefore \square ABCD = \triangle ABD + \triangle BCD = 6\sqrt{3} + 3\sqrt{6}$

답 $6\sqrt{3} + 3\sqrt{6}$

연습과 실전 **8 삼각함수의 활용**　151쪽~154쪽

01 ①　　02 ③

03 $a = \sqrt{3}$, $b = \sqrt{2}$, $c = \dfrac{\sqrt{6} + \sqrt{2}}{2}$

04 ④　　05 $\dfrac{3}{5}$　　06 (1) $\sqrt{19}$　(2) $\dfrac{11}{20}$

07 ①　　08 $120°$　09 $\dfrac{21\sqrt{2}}{2}$　10 $\dfrac{12}{13}$　11 ②

12 $\dfrac{2}{3}$　　13 ③　　14 ⑤　　15 $10\sqrt{21}$ m

16 $30°$　17 $3\sqrt{2}$　18 $\dfrac{15}{8}$　19 $\dfrac{81\sqrt{6}}{5}$

20 (1) $\sqrt{19}$　(2) $\dfrac{15\sqrt{3}}{2}$　(3) $\dfrac{\sqrt{3}}{2}$

**01**

사인법칙에 의해

$\dfrac{2\sqrt{2}}{\sin 30°} = \dfrac{4}{\sin B}$, $\sin B = \dfrac{\sqrt{2}}{2}$

$\therefore B = 45°$ 또는 $B = 135°$

(i) $B = 45°$일 때, $C = 180° - (30° + 45°) = 105°$

(ii) $B = 135°$일 때, $C = 180° - (30° + 135°) = 15°$

(i), (ii)에서 예각 $C$의 크기는 $15°$이다.

답 ①

**02**

외접원의 반지름의 길이가 8이므로 사인법칙에 의해

$\dfrac{a}{\sin A} = \dfrac{b}{\sin B} = \dfrac{c}{\sin C} = 2 \times 8$

곧, $\sin A = \dfrac{a}{16}$, $\sin B = \dfrac{b}{16}$, $\sin C = \dfrac{c}{16}$ 이므로

$\sin A + \sin B + \sin C = \dfrac{a}{16} + \dfrac{b}{16} + \dfrac{c}{16} = \dfrac{a+b+c}{16}$

$a+b+c=24$ 이므로

$\sin A + \sin B + \sin C = \dfrac{24}{16} = \dfrac{3}{2}$

🖪 ③

**03**

$C = 180° - (A+B)$
$\quad = 180° - (60° + 45°) = 75°$

외접원의 반지름의 길이가 1이므로 사인법칙에 의해

$\dfrac{a}{\sin 60°} = 2 \times 1 \qquad \therefore a = 2\sin 60° = \sqrt{3}$

$\dfrac{b}{\sin 45°} = 2 \times 1 \qquad \therefore b = 2\sin 45° = \sqrt{2}$

$\dfrac{c}{\sin 75°} = 2 \times 1$

$\therefore c = 2\sin 75° = 2 \times \dfrac{\sqrt{6}+\sqrt{2}}{4} = \dfrac{\sqrt{6}+\sqrt{2}}{2}$

🖪 $a=\sqrt{3}$, $b=\sqrt{2}$, $c=\dfrac{\sqrt{6}+\sqrt{2}}{2}$

**04**

$A$, $B$, $C$가 삼각형의 세 내각의 크기이므로
$A+B+C=\pi$, 곧

$\sin(A+B) = \sin(\pi-C) = \sin C$
$\sin(B+C) = \sin(\pi-A) = \sin A$
$\sin(C+A) = \sin(\pi-B) = \sin B$

삼각형 ABC의 외접원의 반지름의 길이를 $R$라 하면

$\sin A = \dfrac{a}{2R}$, $\sin B = \dfrac{b}{2R}$, $\sin C = \dfrac{c}{2R}$ 이므로

$\sin(A+B) : \sin(B+C) : \sin(C+A)$
$= \sin C : \sin A : \sin B$

$= \dfrac{c}{2R} : \dfrac{a}{2R} : \dfrac{b}{2R}$

$= c : a : b$

🖪 ④

**05**

$\overline{BE} = \overline{FD} = 1$ 이므로 $\overline{AE} = \overline{AF} = \sqrt{3^2 + 1^2} = \sqrt{10}$

또 $\overline{EC} = \overline{CF} = 2$ 이므로 $\overline{EF} = \sqrt{2^2 + 2^2} = 2\sqrt{2}$

삼각형 AEF에서 코사인법칙을 이용하면

$\cos\theta = \dfrac{(\sqrt{10})^2 + (\sqrt{10})^2 - (2\sqrt{2})^2}{2 \times \sqrt{10} \times \sqrt{10}}$

$\qquad = \dfrac{10+10-8}{20} = \dfrac{3}{5}$

🖪 $\dfrac{3}{5}$

**06**

(1) 삼각형 ACD에서 코사인법칙을 이용하면
$\overline{AC}^2 = 2^2 + 3^2 - 2 \times 2 \times 3 \times \cos 120°$
$\qquad = 4 + 9 - 12 \times \left(-\dfrac{1}{2}\right) = 19$

$\therefore \overline{AC} = \sqrt{19}$

(2) 삼각형 ABC에서 코사인법칙을 이용하면

$\cos\theta = \dfrac{4^2 + 5^2 - \overline{AC}^2}{2 \times 4 \times 5} = \dfrac{16 + 25 - 19}{40} = \dfrac{11}{20}$

🖪 (1) $\sqrt{19}$ (2) $\dfrac{11}{20}$

**07**

그림과 같이 처음 삼각형에서 늘어나는 변의 길이를 $x$, 줄어드는 변의 길이를 $y$, 두 변의 끼인각의 크기를 $\theta$라 하자.

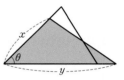

또 처음 삼각형의 넓이를 $S$, 새로운 삼각형의 넓이를 $S'$이라 하면

$S = \dfrac{1}{2}xy\sin\theta$

$S' = \dfrac{1}{2} \times \dfrac{11}{10}x \times \dfrac{9}{10}y \times \sin\theta$

$\quad = \dfrac{99}{100} \times \dfrac{1}{2}xy\sin\theta = \dfrac{99}{100}S$

따라서 삼각형의 넓이는 1 % 줄어든다.

🖪 ①

**08**

평행사변형 ABCD의 넓이가 $15\sqrt{3}$ 이므로

$5 \times 6 \times \sin B = 15\sqrt{3}$, $\sin B = \dfrac{\sqrt{3}}{2}$

$A + B = 180°$ 이고, $90° < A < 180°$ 이므로
$0° < B < 90°$

$\therefore B = 60°$, $A = 120°$

🖪 $120°$

**09**

$a+b=13$, $a^2+b^2=85$이고,

$(a+b)^2=a^2+b^2+2ab$이므로

$13^2=85+2ab$ $\quad\therefore ab=42$

따라서 사각형 ABCD의 넓이는

$\dfrac{1}{2}ab\sin 45°=\dfrac{1}{2}\times 42\times\dfrac{\sqrt{2}}{2}=\dfrac{21\sqrt{2}}{2}$

目 $\dfrac{21\sqrt{2}}{2}$

**10** 전략 선분 BD를 긋고, $\angle BDC=90°$임을 이용한다.

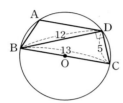

$\angle BDC=90°$, $\overline{BC}=13$, $\overline{CD}=5$이므로

$\overline{BD}=\sqrt{13^2-5^2}=12$

또 삼각형 ABD의 외접원의 반지름의 길이가 $\overline{BO}=\dfrac{13}{2}$

이므로 사인법칙에 의해

$\dfrac{12}{\sin A}=2\times\dfrac{13}{2}$

$\therefore \sin A=\dfrac{12}{13}$

目 $\dfrac{12}{13}$

**11** 전략 사인법칙을 이용하여 $b$를 $\sin B$로 나타낸다.

사인법칙에 의해

$\dfrac{3}{\sin 60°}=\dfrac{b}{\sin B}$, $2\sqrt{3}=\dfrac{b}{\sin B}$ $\quad\therefore b=2\sqrt{3}\sin B$

$0<\sin B\le 1$이므로 $0<b\le 2\sqrt{3}$

따라서 $\sin B=1$, 곧 $B=90°$일 때 $b$의 최댓값은 $2\sqrt{3}$

이다.

目 ②

**12** 전략 변의 길이를 구하고 코사인법칙을 이용한다.

피타고라스 정리에 의해

$\overline{DE}=\sqrt{\overline{AD}^2+\overline{AE}^2}=\sqrt{2^2+2^2}=2\sqrt{2}$

$\overline{EG}=\sqrt{\overline{EF}^2+\overline{FG}^2}=\sqrt{(2\sqrt{2})^2+2^2}=2\sqrt{3}$

$\overline{DG}=\sqrt{\overline{CD}^2+\overline{CG}^2}=\sqrt{(2\sqrt{2})^2+2^2}=2\sqrt{3}$

따라서 삼각형 DEG에서 코사인법칙을 이용하면

$\cos\theta=\dfrac{(2\sqrt{3})^2+(2\sqrt{3})^2-(2\sqrt{2})^2}{2\times 2\sqrt{3}\times 2\sqrt{3}}$

$\qquad =\dfrac{16}{24}=\dfrac{2}{3}$

目 $\dfrac{2}{3}$

**13** 전략 $\overline{BC}=4$를 이용할 수 있는 코사인법칙을 생각한다.

그림과 같이
$\overline{AB}=\overline{AC}$인 이등변삼
각형 ABC에서
$A=120°$이므로
$C=30°$

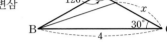

변 AC 위의 점 P에 대하여 $\overline{CP}=x$라 하고 삼각형 BCP

에서 코사인법칙을 이용하면

$\overline{BP}^2=x^2+4^2-2\times x\times 4\times\cos 30°$

$\qquad =x^2-4\sqrt{3}x+16$

$\therefore \overline{BP}^2+\overline{CP}^2=(x^2-4\sqrt{3}x+16)+x^2$

$\qquad\qquad\qquad =2x^2-4\sqrt{3}x+16$

$\qquad\qquad\qquad =2(x-\sqrt{3})^2+10$

따라서 $\overline{BP}^2+\overline{CP}^2$의 최솟값은 $x=\sqrt{3}$일 때 10이다.

目 ③

**14** 전략 수선을 이용한 삼각형의 넓이와 사인법칙으로 사인
비를 구한다.

세 꼭짓점 A, B, C에서 각 대변에 내린 수선의 길이의

비가 $3:4:5$이므로 수선의 길이를 각각 $3h$, $4h$, $5h$

$(h>0)$로 놓을 수 있다.

삼각형 ABC의 넓이를 $S$라 하면

$S=\dfrac{1}{2}\times 3h\times a=\dfrac{1}{2}\times 4h\times b=\dfrac{1}{2}\times 5h\times c$

$\therefore a=\dfrac{2S}{3h}$, $b=\dfrac{2S}{4h}$, $c=\dfrac{2S}{5h}$

삼각형 ABC의 외접원의 반지름의 길이를 $R$라 하면

$\sin A=\dfrac{a}{2R}$, $\sin B=\dfrac{b}{2R}$, $\sin C=\dfrac{c}{2R}$이므로

$\sin A:\sin B:\sin C=a:b:c=\dfrac{2S}{3h}:\dfrac{2S}{4h}:\dfrac{2S}{5h}$

$\qquad\qquad\qquad\qquad\qquad =20:15:12$

目 ⑤

**15** **전략** 삼각형 BDC에서 변의 길이와 각의 크기를 구한 다음 코사인법칙을 이용한다.

직각삼각형 ABC에서 $\cos 30° = \dfrac{\overline{AB}}{\overline{BC}}$

$\therefore \overline{BC} = \dfrac{\overline{AB}}{\cos 30°} = 60 \times \dfrac{2}{\sqrt{3}} = 40\sqrt{3}\,(m)$

삼각형 ABD에서 $D = 90°$이므로 $\cos 60° = \dfrac{\overline{BD}}{\overline{AB}}$

$\therefore \overline{BD} = \overline{AB}\cos 60° = 60 \times \dfrac{1}{2} = 30\,(m)$

삼각형 BDC에서 $\angle CBD = 30°$이므로 코사인법칙을 이용하면

$\overline{CD}^2 = (40\sqrt{3})^2 + 30^2 - 2 \times 40\sqrt{3} \times 30 \times \cos 30°$
$\qquad = 4800 + 900 - 3600 = 2100$

$\therefore \overline{CD} = 10\sqrt{21}\,(m)$

따라서 두 지점 C, D 사이의 거리는 $10\sqrt{21}$ m이다.

**답** $10\sqrt{21}$ m

**16** **전략** (거리)=(속력)×(시간)과 사인법칙을 이용한다.

해양 경찰서가 있는 부두를 A, 불법 어선의 30분 전 위치를 B, 현재 위치를 C라 하고, P 지점에서 따라 잡는다고 하자.

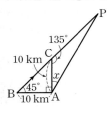

30분 동안 불법 어선은 B 지점에서 C 지점까지 움직였고, 직각삼각형 ABC에서

$\overline{BC} = \sqrt{\overline{AB}^2 + \overline{AC}^2} = \sqrt{10^2 + 10^2} = 10\sqrt{2}\,(km)$

이므로 불법 어선의 속력은

$\dfrac{10\sqrt{2}}{\dfrac{1}{2}} = 20\sqrt{2}\,(km/h)$

해양 경비정이 북쪽에서 동쪽으로 $x\,(0° < x < 90°)$의 항로를 잡을 때, $t$시간 후에 불법 어선을 따라 잡는다고 하면

$\overline{CP} = 20\sqrt{2}t$, $\overline{AP} = 40t$, $\angle PCA = 135°$

사인법칙에 의해

$\dfrac{20\sqrt{2}t}{\sin x} = \dfrac{40t}{\sin 135°}$

$\sin x = \dfrac{20\sqrt{2}}{40}\sin 135° = \dfrac{\sqrt{2}}{2}\sin 45° = \dfrac{1}{2}$

$\therefore x = 30° (\because 0° < x < 90°)$

**답** 30°

**17** **전략** $\overline{AP} = x$, $\overline{AQ} = y$로 놓고 코사인법칙, 산술평균과 기하평균의 관계를 이용한다.

그림과 같이 $\overline{AP} = x$, $\overline{AQ} = y$라 하면 삼각형 APQ의 넓이가 삼각형 ABC의 넓이의 $\dfrac{1}{4}$이므로

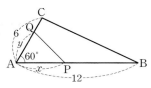

$\dfrac{1}{2}xy\sin 60° = \dfrac{1}{4} \times \left(\dfrac{1}{2} \times 12 \times 6 \times \sin 60°\right)$

$\therefore xy = 18$

삼각형 APQ에서 코사인법칙을 이용하면

$\overline{PQ}^2 = x^2 + y^2 - 2xy\cos 60° = x^2 + y^2 - xy$

이때 $x^2 > 0$, $y^2 > 0$이므로 산술평균과 기하평균의 관계에서

$x^2 + y^2 \geq 2\sqrt{x^2 y^2} = 2xy$ (단, 등호는 $x = y$일 때 성립)

$\therefore \overline{PQ}^2 \geq 2xy - xy = xy = 18$

따라서 선분 PQ의 길이의 최솟값은 $\sqrt{18} = 3\sqrt{2}$

**답** $3\sqrt{2}$

**18** **전략** $\overline{AD} = x$로 놓고 삼각형의 넓이를 이용한다.

그림에서 삼각형 ABC의 넓이는 삼각형 ABD와 ACD의 넓이의 합이다. 따라서 $\overline{AD} = x$라 하면

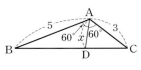

$\dfrac{1}{2} \times 5 \times 3 \times \sin 120° = \dfrac{1}{2} \times 5x\sin 60° + \dfrac{1}{2} \times 3x\sin 60°$

$\sin 120° = \sin 60° = \dfrac{\sqrt{3}}{2}$이므로

$\dfrac{15\sqrt{3}}{4} = \dfrac{5\sqrt{3}}{4}x + \dfrac{3\sqrt{3}}{4}x$, $15 = 5x + 3x$

$\therefore x = \dfrac{15}{8}$

**답** $\dfrac{15}{8}$

**19** **전략** 삼각형 PCD에서 $\angle CPD$의 코사인값부터 구한다.

삼각형 PCD에서 $\angle CPD = \theta$라 하고 코사인법칙을 이용하면

$\cos\theta = \dfrac{5^2 + 6^2 - 7^2}{2 \times 5 \times 6} = \dfrac{25 + 36 - 49}{60} = \dfrac{1}{5}$

이므로 $\sin^2\theta = 1 - \cos^2\theta = 1 - \left(\dfrac{1}{5}\right)^2 = \dfrac{24}{25}$

$\sin\theta > 0$이므로 $\sin\theta = \dfrac{2\sqrt{6}}{5}$

따라서 사각형 ABCD의 넓이는

$\dfrac{1}{2} \times (4+5) \times (3+6) \times \sin\theta = \dfrac{1}{2} \times 9 \times 9 \times \dfrac{2\sqrt{6}}{5}$

$\qquad = \dfrac{81\sqrt{6}}{5}$

🔲 $\dfrac{81\sqrt{6}}{5}$

**20** 전략 평행사변형의 이웃한 두 내각의 크기의 합이 $180°$임을 이용한다.

(1) 삼각형 ABC에서 코사인 법칙을 이용하면

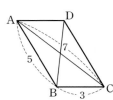

$\cos B = \dfrac{5^2 + 3^2 - 7^2}{2 \times 5 \times 3}$

$\qquad = \dfrac{25+9-49}{30} = -\dfrac{1}{2}$

$\therefore B = 120°$

평행사변형의 이웃한 두 내각의 크기의 합은 $180°$이므로

$\angle BAD = 60°$

삼각형 ABD에서 코사인법칙을 이용하면

$\overline{BD}^2 = 5^2 + 3^2 - 2 \times 5 \times 3 \times \cos 60°$

$\qquad = 25 + 9 - 15 = 19$

$\therefore \overline{BD} = \sqrt{19}$

(2) 평행사변형 ABCD의 넓이를 $S$라 하면

$S = 2\triangle ABC$

$\quad = 2 \times \dfrac{1}{2} \times 5 \times 3 \times \sin 120° = \dfrac{15\sqrt{3}}{2}$

(3) 삼각형 ABC에서 내접원의 반지름의 길이를 $r$, 내접원의 중심을 O라 하자. 그림에서

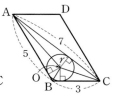

$\triangle ABC = \triangle OAB + \triangle OBC$

$\qquad\qquad + \triangle OCA$

이므로

$\dfrac{1}{2}S = \dfrac{1}{2} \times 5r + \dfrac{1}{2} \times 3r + \dfrac{1}{2} \times 7r$

$\dfrac{15\sqrt{3}}{4} = \dfrac{15r}{2} \qquad \therefore r = \dfrac{\sqrt{3}}{2}$

🔲 (1) $\sqrt{19}$ (2) $\dfrac{15\sqrt{3}}{2}$ (3) $\dfrac{\sqrt{3}}{2}$

---

# 9 등차수열

개념 Check 156쪽 ~ 158쪽

**1**

(1) $a_n = n^2 - 1$에서

$a_5 = 5^2 - 1 = 24$, $a_{10} = 10^2 - 1 = 99$

(2) $a_n = \dfrac{2}{n+2}$에서

$a_5 = \dfrac{2}{5+2} = \dfrac{2}{7}$, $a_{10} = \dfrac{2}{10+2} = \dfrac{1}{6}$

🔲 (1) $a_5 = 24$, $a_{10} = 99$ (2) $a_5 = \dfrac{2}{7}$, $a_{10} = \dfrac{1}{6}$

**2**

첫째항이 $a$, 공차가 $d$일 때 등차수열의 일반항 $a_n = a + (n-1)d$를 이용한다.

(1) $a_n = -3 + (n-1) \times 3 = 3n - 6$

(2) $a_n = 1 + (n-1) \times \left(-\dfrac{1}{2}\right) = -\dfrac{1}{2}n + \dfrac{3}{2}$

🔲 (1) $a_n = 3n - 6$ (2) $a_n = -\dfrac{1}{2}n + \dfrac{3}{2}$

**3**

(1) 첫째항 $2$부터 $-2$를 차례로 더한 수열이므로 공차 $d = -2$

$\therefore a_n = 2 + (n-1) \times (-2) = -2n + 4$

(2) 첫째항 $1$부터 $\sqrt{2}$를 차례로 더한 수열이므로 공차 $d = \sqrt{2}$

$\therefore a_n = 1 + (n-1) \times \sqrt{2} = \sqrt{2}n + 1 - \sqrt{2}$

🔲 (1) $d = -2$, $a_n = -2n + 4$

(2) $d = \sqrt{2}$, $a_n = \sqrt{2}n + 1 - \sqrt{2}$

**4**

세 수 $a$, $b$, $c$가 이 순서로 등차수열이면 $b = \dfrac{a+c}{2}$

(1) $a = \dfrac{-5+5}{2} = 0$

(2) $2a = \dfrac{a+4}{2}$이므로 $4a = a + 4$ $\therefore a = \dfrac{4}{3}$

🔲 (1) $0$ (2) $\dfrac{4}{3}$

## 대표 01

(1) 공차를 $d$라 하자.

$a_3 = 2a_1$이므로 $a_1 + 2d = 2a_1$

$\therefore a_1 = 2d$ ··· ㉠

$a_4 + a_8 = 7$이므로

$(a_1 + 3d) + (a_1 + 7d) = 7$, $2a_1 + 10d = 7$

이 식에 ㉠을 대입하면 $4d + 10d = 7$

$\therefore d = \dfrac{1}{2}$, $a_1 = 2d = 1$

$\therefore a_{50} = 1 + (50-1) \times \dfrac{1}{2} = \dfrac{51}{2}$

(2) 첫째항을 $a$, 공차를 $d$라 하자.

$a_2 = 200$이므로 $a + d = 200$ ··· ㉠

$a_{12} = 140$이므로 $a + 11d = 140$ ··· ㉡

㉠, ㉡을 연립하여 풀면 $a = 206$, $d = -6$

$a_n < 0$에서 $206 + (n-1) \times (-6) < 0$

$n - 1 > \dfrac{206}{6}$, $n - 1 > 34.3 \times \times \times$

$\therefore n > 35.3 \times \times \times$

따라서 처음으로 음수가 되는 항은 제36항이다.

📋 (1) $\dfrac{51}{2}$ (2) 제36항

## 1-1

(1) 첫째항을 $a$, 공차를 $d$라 하자.

$a_3 = -12$이므로 $a + 2d = -12$ ··· ㉠

$a_{11} = 0$이므로 $a + 10d = 0$ ··· ㉡

㉠, ㉡을 연립하여 풀면 $a = -15$, $d = \dfrac{3}{2}$

$\therefore a_{15} = -15 + (15-1) \times \dfrac{3}{2} = 6$

(2) 첫째항을 $a$, 공차를 $d$라 하자.

$a_2 + a_8 = 28$이므로 $(a+d) + (a+7d) = 28$

$\therefore 2a + 8d = 28$ ··· ㉠

$a_5 + a_6 = 29$이므로 $(a+4d) + (a+5d) = 29$

$\therefore 2a + 9d = 29$ ··· ㉡

㉠, ㉡을 연립하여 풀면 $a = 10$, $d = 1$

$\therefore a_n = 10 + (n-1) \times 1 = n + 9$

$n + 9 = 39$이므로 $n = 30$

따라서 39는 제30항이다.

📋 (1) 공차: $\dfrac{3}{2}$, $a_{15} = 6$ (2) 제30항

## 1-2

첫째항을 $a$라 하자.

$a_{n+1} - a_n = 5$이므로 공차는 5

$a_4 = -98$이므로 $a + (4-1) \times 5 = -98$

$\therefore a = -113$

$\therefore a_n = -113 + (n-1) \times 5 = 5n - 118$

$a_n > 100$에서 $5n - 118 > 100$, $n > \dfrac{218}{5}$

$\therefore n > 43.6$

따라서 처음으로 100보다 커지는 항은 제44항이다.

📋 제44항

## 1-3

$a_n = -1 + (n-1) \times 3 = 3n - 4$

$\therefore a_{2n+1} = 3(2n+1) - 4 = 6n - 1$

$\qquad = 5 + (n-1) \times 6$

따라서 수열 $\{a_{2n+1}\}$의 공차는 6이다.

또 제20항은 $6n - 1$에 $n = 20$을 대입하면

$6 \times 20 - 1 = 119$

📋 공차 : 6, 제20항 : 119

## 대표 02

(1) $x$, 10, $y$가 이 순서로 등차수열이므로

$2 \times 10 = x + y$ $\therefore x + y = 20$ ··· ㉠

$y$, $2x$, 15가 이 순서로 등차수열이므로

$2 \times 2x = y + 15$ $\therefore 4x - y = 15$ ··· ㉡

㉠, ㉡을 연립하여 풀면 $x = 7$, $y = 13$

(2) 세 수가 등차수열을 이루므로 세 수를

$a-d$, $a$, $a+d$로 놓자.

$a(a-d)(a+d) = 15$, $a(a^2 - d^2) = 15$ ··· ㉠

$(a-d)^2 + (a+d)^2 = 26$, $a^2 + d^2 = 13$ ··· ㉡

㉡에서 $d^2 = 13 - a^2$을 ㉠에 대입하면

$a(2a^2 - 13) = 15$, $2a^3 - 13a - 15 = 0$

$(a-3)(2a^2 + 6a + 5) = 0$

그런데 $a$는 실수이므로 $a = 3$, $d = \pm 2$

따라서 세 수는 1, 3, 5이다.

📋 (1) $x = 7$, $y = 13$ (2) 1, 3, 5

## 2-1

$-6$, $a$, $b$가 이 순서로 등차수열이므로

$2a = -6 + b$ ··· ㉠

$b$, $a^2$, 6이 이 순서로 등차수열이므로

$2a^2 = b+6$     ··· ⓛ

㉠에서 $b=2a+6$을 ⓛ에 대입하면

$2a^2 = 2a+6+6$, $a^2-a-6=0$, $(a+2)(a-3)=0$

$\therefore a=-2$ 또는 $a=3$

㉠에 대입하면 $a=-2$, $b=2$ 또는 $a=3$, $b=12$

답 $a=-2$, $b=2$ 또는 $a=3$, $b=12$

## 2-2

(1) 세 수를 $a-d$, $a$, $a+d$로 놓자.

세 수의 합이 9이므로

$3a=9$    $\therefore a=3$

세 수의 곱이 $-21$이므로

$a(a-d)(a+d)=-21$, $a(a^2-d^2)=-21$

이 식에 $a=3$을 대입하면

$3(9-d^2)=-21$, $d^2=16$    $\therefore d=\pm4$

따라서 세 수는 $-1$, 3, 7이다.

(2) 네 수를 $a-3d$, $a-d$, $a+d$, $a+3d$로 놓자.

처음 두 수의 합이 $-3$이므로

$2a-4d=-3$     ··· ㉠

가운데 두 수의 곱이 0이므로

$(a-d)(a+d)=0$

(i) $a=d$일 때, ㉠에서 $2a-4a=-3$

    $\therefore a=\dfrac{3}{2}$, $d=\dfrac{3}{2}$

    따라서 네 수는 $-3$, 0, 3, 6이다.

(ii) $a=-d$일 때, ㉠에서 $2a+4a=-3$

    $\therefore a=-\dfrac{1}{2}$, $d=\dfrac{1}{2}$

    따라서 네 수는 $-2$, $-1$, 0, 1이다.

(i), (ii)에서 네 수는 $-3$, 0, 3, 6 또는 $-2$, $-1$, 0, 1 이다.

답 (1) $-1$, 3, 7    (2) $-3$, 0, 3, 6 또는 $-2$, $-1$, 0, 1

### 날선 03

(1) 수열 $\left\{\dfrac{1}{a_n}\right\}$이 등차수열이므로 첫째항을 $a$, 공차를 $d$ 라 하면

$\dfrac{1}{a_n} = a+(n-1)d$

$a_2=1$, $a_6=3$이므로 $\dfrac{1}{a_2}=1$, $\dfrac{1}{a_6}=\dfrac{1}{3}$이다. 곧,

$\dfrac{1}{a_2}=a+d=1$     ··· ㉠

$\dfrac{1}{a_6}=a+5d=\dfrac{1}{3}$     ··· ⓛ

㉠, ⓛ을 연립하여 풀면

$a=\dfrac{7}{6}$, $d=-\dfrac{1}{6}$

$\dfrac{1}{a_{20}}=a+19d=\dfrac{7}{6}+19\times\left(-\dfrac{1}{6}\right)=-2$이므로

$a_{20}=-\dfrac{1}{2}$

(2) $\dfrac{1}{a_n}=b_n$이라 하면 $b_{n+2}+b_n=2b_{n+1}$이므로

수열 $\{b_n\}$은 등차수열이다.

이 수열의 공차를 $d$라 하면

$b_n=b_1+(n-1)d$

$a_1=1$, $a_2=\dfrac{2}{3}$이므로 $b_1=1$, $b_2=\dfrac{3}{2}$이다. 곧,

$b_2=b_1+d$에서 $\dfrac{3}{2}=1+d$    $\therefore d=\dfrac{1}{2}$

따라서 $b_n=1+(n-1)\times\dfrac{1}{2}=\dfrac{n+1}{2}$이므로

$a_n=\dfrac{2}{n+1}$

답 (1) $-\dfrac{1}{2}$    (2) $a_n=\dfrac{2}{n+1}$

참고 수열 $\{a_n\}$이 조화수열이면 연속하는 세 항 $a_n$, $a_{n+1}$, $a_{n+2}$ 사이에 다음 관계가 성립한다.

➡ $\dfrac{1}{a_{n+2}}+\dfrac{1}{a_n}=\dfrac{2}{a_{n+1}}$

### 3-1

수열 $\left\{\dfrac{1}{a_n}\right\}$이 등차수열이므로 첫째항을 $a$, 공차를 $d$라

하면 $\dfrac{1}{a_n}=a+(n-1)d$

$\dfrac{1}{a_2}=\dfrac{1}{2}$, $\dfrac{1}{a_5}=\dfrac{1}{5}$이므로

$\dfrac{1}{a_2}=a+d=\dfrac{1}{2}$     ··· ㉠

$\dfrac{1}{a_5}=a+4d=\dfrac{1}{5}$     ··· ⓛ

㉠, ⓛ을 연립하여 풀면 $a=\dfrac{3}{5}$, $d=-\dfrac{1}{10}$

따라서 수열 $\left\{\dfrac{1}{a_n}\right\}$의 제$n$항은

$\dfrac{1}{a_n}=\dfrac{3}{5}+(n-1)\times\left(-\dfrac{1}{10}\right)=\dfrac{7-n}{10}$

$$\therefore a_n = \frac{10}{7-n}$$

$$\boxed{답} \ a_n = \frac{10}{7-n}$$

**3-2**

$x$, 6, $y$가 이 순서로 등차수열이므로

$$12 = x + y \qquad \cdots \ ㉠$$

$x$, $\dfrac{9}{2}$, $y$가 이 순서로 조화수열이므로

$\dfrac{1}{x}$, $\dfrac{2}{9}$, $\dfrac{1}{y}$은 이 순서로 등차수열이다.

$$2 \times \frac{2}{9} = \frac{1}{x} + \frac{1}{y} \qquad \therefore \frac{4}{9} = \frac{x+y}{xy} \qquad \cdots \ ㉡$$

㉠을 ㉡에 대입하면 $\dfrac{4}{9} = \dfrac{12}{xy}$ $\qquad \therefore xy = 27 \qquad \cdots \ ㉢$

㉠, ㉢에서 $x$, $y$가 $t$에 대한 이차방정식의 두 근이라 하면

$t^2 - 12t + 27 = 0$, $(t-3)(t-9) = 0$

$\therefore x = 3, \ y = 9 \ (\because x < y)$

$$\boxed{답} \ x = 3, \ y = 9$$

**개념 Check**     162쪽~163쪽

**5**

$a_1 = 3 \times 1 - 1 = 2$, $a_n = 3n - 1$이므로

$$S_n = \frac{n(2+3n-1)}{2} = \frac{n(3n+1)}{2}$$

$$\boxed{답} \ S_n = \frac{n(3n+1)}{2}$$

**6**

$S_n = \dfrac{n\{2a+(n-1)d\}}{2}$를 이용한다.

(1) $S_{10} = \dfrac{10 \times \{2 \times 2 + (10-1) \times 5\}}{2} = 245$

(2) $S_n = \dfrac{n\{2 \times (-4) + (n-1) \times (-2)\}}{2}$

$\qquad = \dfrac{n(-2n-6)}{2}$

$\qquad = -n(n+3)$

$$\boxed{답} \ (1) \ 245 \quad (2) \ S_n = -n(n+3)$$

**7**

(1) $a_n = S_n - S_{n-1}$

$\qquad = (n^2 + n + 10) - \{(n-1)^2 + (n-1) + 10\}$

$\qquad = 2n \ (n \geq 2)$

$\qquad \therefore a_{10} = 2 \times 10 = 20$

(2) $n \geq 2$일 때,

$\qquad a_n = S_n - S_{n-1}$

$\qquad = (n^2 - 3) - \{(n-1)^2 - 3\}$

$\qquad = 2n - 1$

또 $a_1 = S_1 = 1^2 - 3 = -2$

$\therefore \begin{cases} a_n = 2n - 1 \ (n \geq 2) \\ a_1 = -2 \end{cases}$

$$\boxed{답} \ (1) \ 20 \quad (2) \begin{cases} a_n = 2n-1 \ (n \geq 2) \\ a_1 = -2 \end{cases}$$

**대표Q**     164쪽~168쪽

**대표 04**

(1) 공차를 $d$라 하면

$$S_4 = \frac{4 \times \{2 \times (-18) + (4-1)d\}}{2} = 6d - 72$$

$$S_9 = \frac{9 \times \{2 \times (-18) + (9-1)d\}}{2} = 36d - 162$$

$S_4 = S_9$이므로 $6d - 72 = 36d - 162$ $\qquad \therefore d = 3$

$\therefore a_n = -18 + (n-1) \times 3$

$\qquad = 3n - 21$

(2) $S_{20} = \dfrac{20 \times \{2 \times (-18) + (20-1) \times 3\}}{2} = 210$

**다른 풀이**

$a_n = 3n - 21$이므로

$a_{20} = 3 \times 20 - 21 = 39$

$\therefore S_{20} = \dfrac{20 \times \{(-18) + 39\}}{2} = 210$

(3) 첫째항이 $-18$, 공차가 3이므로 음수인 항만 더할 때
합이 최소이다.

$a_n < 0$에서 $3n - 21 < 0$ $\qquad \therefore n < 7$

따라서 $S_n$의 최솟값은

$$S_6 = \frac{6 \times \{2 \times (-18) + (6-1) \times 3\}}{2} = -63$$

**다른 풀이**

$$S_n=\frac{n\{(-18)+3n-21\}}{2}=\frac{3}{2}n^2-\frac{39}{2}n$$

$$=\frac{3}{2}\left(n-\frac{13}{2}\right)^2-\frac{507}{8}$$

그런데 $n$은 자연수이므로 $S_n$의 최솟값은

$$S_7(=S_6)=\frac{3}{2}\times7^2-\frac{39}{2}\times7=-63$$

답 (1) $a_n=3n-21$  (2) $210$  (3) $-63$

**4-1**

첫째항을 $a$라 하면

$$S_8=\frac{8\times\{2a+(8-1)\times(-2)\}}{2}=8a-56$$

$$S_{11}=\frac{11\times\{2a+(11-1)\times(-2)\}}{2}=11a-110$$

$S_8=S_{11}$이므로 $8a-56=11a-110$  $\therefore a=18$

$$\therefore S_{20}=\frac{20\times\{2\times18+(20-1)\times(-2)\}}{2}=-20$$

답 $-20$

**4-2**

$a_1=-2+20=18$이므로

$$S_n=\frac{n\{18+(-2n+20)\}}{2}=-n^2+19n$$

$$=-\left(n-\frac{19}{2}\right)^2+\left(\frac{19}{2}\right)^2$$

그런데 $n$은 자연수이므로 $S_n$의 최댓값은

$$S_{10}(=S_9)=-10^2+19\times10=90$$

답 $90$

**대표 Q5**

(1) 수열 $\{a_n\}$은 첫째항이 45, 공차가 $-5$인 등차수열이다.

$-5n+50<0$에서 $n>10$

따라서 $n=11,\ 12,\ 13,\ \cdots$일 때, $a_n<0$이므로

$|a_1|+|a_2|+|a_3|+\cdots+|a_{20}|$

$=a_1+a_2+a_3+\cdots+a_{10}-(a_{11}+a_{12}+\cdots+a_{20})$

$=S_{10}-(S_{20}-S_{10})=2S_{10}-S_{20}$

$$=2\times\frac{10\times\{2\times45+(10-1)\times(-5)\}}{2}$$

$$-\frac{20\times\{2\times45+(20-1)\times(-5)\}}{2}$$

$=450+50=500$

(2) 첫째항을 $a$, 공차를 $d$라 하면

$S_{10}=35$이므로 $\dfrac{10(2a+9d)}{2}=35$

$\therefore 2a+9d=7$  $\cdots$ ㉠

제11항부터 제20항까지 합은 $S_{20}-S_{10}$이므로

$S_{20}-S_{10}=-265$에서

$$\frac{20\times(2a+19d)}{2}-35=-265$$

$\therefore 2a+19d=-23$  $\cdots$ ㉡

㉠, ㉡을 연립하여 풀면

$a=17,\ d=-3$

$$\therefore S_{30}=\frac{30\times\{2\times17+29\times(-3)\}}{2}=-795$$

**다른 풀이**

공차를 $d$라 하면

$a_{11}+a_{12}+\cdots+a_{20}$

$=(a_1+10d)+(a_2+10d)+\cdots+(a_{10}+10d)$

$=S_{10}+100d$

$35+100d=-265$  $\therefore d=-3$

첫째항을 $a$라 하면

$$S_{10}=\frac{10\times\{2a+9\times(-3)\}}{2}=35$$

$\therefore a=17$

답 (1) $500$  (2) $-795$

**5-1**

$a_n=100+(n-1)\times(-10)$

$=-10n+110$

$-10n+110<0$에서 $n>11$

따라서 $n=12,\ 13,\ 14,\ \cdots$일 때, $a_n<0$이다.

$a_{12}=-10\times12+110=-10$

$a_{30}=-10\times30+110=-190$

$\therefore |a_1|+|a_2|+|a_3|+\cdots+|a_{30}|$

$=(a_1+\cdots+a_{11})-(a_{12}+\cdots+a_{30})$

$$=\frac{11\times(100+0)}{2}-\frac{19\times(-10-190)}{2}$$

$=550+1900$

$=2450$

답 $2450$

**5-2**

제6항부터 제10항까지 합은 $S_{10}-S_5$이므로

$S_{10}-S_5=11S_5$ ∴ $S_{10}=12S_5$

$a_1=-6$이므로 공차를 $d$라 하면

$$\frac{10\times\{2\times(-6)+9d\}}{2}=12\times\frac{5\times\{2\times(-6)+4d\}}{2}$$

$-60+45d=-360+120d$ ∴ $d=4$

$$∴ S_{20}=\frac{20\times\{2\times(-6)+19\times4\}}{2}=640$$

🅐 640

**대표 06**

(1) 두 수 12와 107 사이에 $n$개의 수를 써넣으면 첫째항이 12, 제$(n+2)$항이 107이고, 등차수열의 합이 1190이므로

$$\frac{(n+2)(12+107)}{2}=1190 \quad ∴ n=18$$

(2) 두 수 $x$와 $y$ 사이에 19개의 수를 써넣으면 첫째항이 $x$, 공차가 $\frac{1}{2}$인 등차수열이고, 제21항이 $y$이므로

$$y=x+(21-1)\times\frac{1}{2}=x+10 \quad \cdots ㉠$$

$x$부터 $y$까지 합이 420이므로

$$\frac{21(x+y)}{2}=420 \quad ∴ x+y=40 \quad \cdots ㉡$$

㉠, ㉡을 연립하여 풀면 $x=15$, $y=25$

🅐 (1) 18 (2) $x=15$, $y=25$

**6-1**

13과 57 사이에 11개의 수를 써넣으면 첫째항이 13, 공차가 $d$인 등차수열이고, 제13항이 57이므로

$13+(13-1)d=57$,

$12d=44$ ∴ $d=\frac{11}{3}$

따라서 모든 항의 합은

$$\frac{13\times(13+57)}{2}=455$$

🅐 공차: $\frac{11}{3}$, 합: 455

**6-2**

5와 105 사이에 $n$개의 수를 써넣으면 첫째항이 5, 공차가 $d$인 등차수열이고, 수열의 합이 880이므로

$$\frac{(n+2)(5+105)}{2}=880 \quad ∴ n=14$$

따라서 제16항이 105이므로

$5+15\times d=105$, $15d=100$ ∴ $d=\frac{20}{3}$

$$∴ 3(a_1+a_2+a_3+a_4+a_5)$$
$$=3\{(5+d)+(5+2d)+(5+3d)+(5+4d)$$
$$+(5+5d)\}$$
$$=3(25+15d)$$
$$=3\left(25+15\times\frac{20}{3}\right)$$
$$=375$$

🅐 375

**대표 07**

(1) 첫째항이 2, 공차가 3이므로

$a_n=2+(n-1)\times3=3n-1$

197을 제$n$항이라 하면

$3n-1=197$ ∴ $n=66$

따라서 2부터 197까지 합은

$$\frac{66\times(2+197)}{2}=6567$$

(2) 수열 $\{a_n\}$과 $\{b_n\}$의 공차는 각각 3과 2이다. 두 수열의 공통인 항은 5, 11, 17, $\cdots$이고 이 수열을 $\{c_n\}$이라 하면 첫째항이 5, 공차가 3과 2의 최소공배수 6인 등차수열이므로

$c_n=5+(n-1)\times6=6n-1$

$c_n\leq197$에서

$6n-1\leq197$ ∴ $n\leq33$

따라서 두 수열의 공통인 항의 합은

$$\frac{33\times\{2\times5+(33-1)\times6\}}{2}=3333$$

🅐 (1) 6567 (2) 3333

**7-1**

200 이하의 자연수 중 5로 나누었을 때 나머지가 3인 수는 3, 8, 13, 18, 23, $\cdots$, 198

첫째항이 3, 공차가 5, 끝 항이 198, 항수가 40인 등차
수열이므로 합은

$$\frac{40 \times (3+198)}{2} = 4020$$

답 4020

## 7-2

$a_n = 1+(n-1) \times 3 = 3n-2$

$b_n = 4+(n-1) \times 4 = 4n$

두 수열의 공통인 항은 4, 16, 28, …이고

이 수열을 $\{c_n\}$이라 하면 첫째항이 4, 공차가 3과 4의 최
소공배수 12인 등차수열이므로

$c_n = 4+(n-1) \times 12 = 12n-8$

$c_n \leq 100$에서 $12n-8 \leq 100$  $\therefore n \leq 9$

따라서 두 수열의 공통인 항의 합은

$$\frac{9 \times \{2 \times 4+(9-1) \times 12\}}{2} = 468$$

답 468

## 대표 08

(1) $n \geq 2$일 때,

$\quad a_n = S_n - S_{n-1}$

$\quad\quad = (pn^2+2n+k) - \{p(n-1)^2+2(n-1)+k\}$

$\quad\quad = 2pn-p+2$

또 $a_1 = S_1 = p+2+k$

$a_{10} - a_9 = 5$이므로

$(20p-p+2) - (18p-p+2) = 5$  $\therefore p = \dfrac{5}{2}$

(2) $n \geq 2$일 때,

$\quad a_n = S_n - S_{n-1}$

$\quad\quad = (3n^2-n+c) - \{3(n-1)^2-(n-1)+c\}$

$\quad\quad = 6n-4$  … ㉠

또 $a_1 = S_1 = 3-1+c = c+2$

㉠에 $n=1$을 대입하면 $a_1 = 2$이고, 수열 $\{a_n\}$이 등차
수열이므로

$c+2 = 2$  $\therefore c = 0$

이때 $a_{n+1} - a_n = 6(n+1)-4-(6n-4) = 6$이므로
공차는 6이다.

답 (1) $\dfrac{5}{2}$  (2) $c=0$, 공차 : 6

## 8-1

수열 $\{a_n\}$, $\{b_n\}$의 제1항부터 제$n$항까지 합을 각각 $S_n$,
$T_n$이라 하면

$S_n = 2n^2+4n$, $T_n = n^2-kn+1$

따라서

$a_8 = S_8 - S_7 = (2 \times 8^2+4 \times 8) - (2 \times 7^2+4 \times 7)$

$\quad = 2 \times (8+7) \times (8-7) + 4 \times (8-7) = 34$

$b_8 = T_8 - T_7 = (8^2-8k+1) - (7^2-7k+1)$

$\quad = -k+15$

$a_8 = b_8$이므로 $34 = -k+15$  $\therefore k = -19$

답 $-19$

## 8-2

$n \geq 2$일 때,

$a_n = S_n - S_{n-1}$

$\quad = (pn^2+qn+r) - \{p(n-1)^2+q(n-1)+r\}$

$\quad = 2pn-p+q$  … ㉠

또 $a_1 = S_1 = p+q+r$

㉠에 $n=1$을 대입하면 $a_1 = p+q$이고, 수열 $\{a_n\}$이 등
차수열이므로

$p+q+r = p+q$  $\therefore r = 0$

공차가 4이므로 ㉠에서

$a_2 - a_1 = (4p-p+q) - (2p-p+q) = 2p = 4$

$\therefore p = 2$

이때 $S_n = 2n^2+qn$이고 $S_4 = 28$이므로

$32+4q = 28$  $\therefore q = -1$

$\therefore p-2q+r = 4$

### 다른 풀이

공차가 4이고 $S_4 = 28$이므로

$$\frac{4 \times \{2a_1+(4-1) \times 4\}}{2} = 28$$

$\therefore a_1 = 1$

$\therefore S_n = \dfrac{n\{2 \times 1+(n-1) \times 4\}}{2} = 2n^2-n$

$S_n = pn^2+qn+r$와 비교하면

$p=2$, $q=-1$, $r=0$

$\therefore p-2q+r = 4$

답 4

## 연습과 실전 9 등차수열

169쪽 ~ 172쪽

| | | | | |
|---|---|---|---|---|
| 01 ④ | 02 35 | 03 ④ | 04 $\dfrac{3}{2}$ | 05 ③ |
| 06 43 | 07 ⑤ | 08 615 | 09 ⑤ | 10 ② |
| 11 ⑤ | 12 ⑤ | 13 15 | 14 3, 7, 11, 15 | |
| 15 ① | 16 4 | 17 $n=4$, 합 : 270 | | 18 ② |
| 19 6750 | 20 13 | | | |

**01**

첫째항부터 일정한 수를 차례로 더한 수열을 찾는다.

④는 첫째항 1에 차례로 $-\dfrac{3}{2}$을 더한 수열이다.

📖 ④

**02**

등차수열 $\{a_n\}$의 첫째항을 $a$, 공차를 $d$라 하면

$a_5=a+4d=5$ ⋯ ㉠

$a_{15}=a+14d=25$ ⋯ ㉡

㉠, ㉡을 연립하여 풀면 $a=-3$, $d=2$

$\therefore a_{20}=a+19d=-3+19\times2=35$

📖 35

**03**

첫째항이 $-2$, 공차가 5이므로 일반항 $a_n$은

$a_n=-2+(n-1)\times5=5n-7$

$5n-7>200$에서 $n>\dfrac{207}{5}=41.4$

따라서 제42항부터 처음으로 200보다 큰 항이 나온다.

📖 ④

**04**

첫째항이 $a_1$이고 공차를 $d$라 하자.

$a_1$, $a_1+a_2$, $a_2+a_3$이 이 순서로 등차수열을 이루므로

$(a_1+a_2)-a_1=(a_2+a_3)-(a_1+a_2)$

$\therefore a_2=a_3-a_1$

곧, $a_1+d=(a_1+2d)-a_1$ $\therefore a_1=d$

$\therefore \dfrac{a_3}{a_2}=\dfrac{a_1+2d}{a_1+d}=\dfrac{3d}{2d}=\dfrac{3}{2}$

📖 $\dfrac{3}{2}$

**05**

공차는 $-\dfrac{1}{6}-\left(-\dfrac{1}{3}\right)=\dfrac{1}{6}$이므로

$a+\dfrac{1}{6}=-\dfrac{1}{3}$ $\therefore a=-\dfrac{1}{2}$

$-\dfrac{1}{6}+\dfrac{1}{6}=b$ $\therefore b=0$

$\therefore b-a=0-\left(-\dfrac{1}{2}\right)=\dfrac{1}{2}$

📖 ③

**06**

등차수열 $\{a_n\}$의 첫째항을 $a$, 공차를 $d$라 하자.

$a_2=a+d=7$ ⋯ ㉠

$S_7-S_5=(a_1+a_2+\cdots+a_7)-(a_1+a_2+\cdots+a_5)$

$\qquad=a_6+a_7=(a+5d)+(a+6d)$

$\qquad=2a+11d=50$ ⋯ ㉡

㉠, ㉡을 연립하여 풀면 $a=3$, $d=4$

$\therefore a_{11}=a+10d=43$

📖 43

**07**

제1항부터 제$n$항까지 합이 182이므로

$\dfrac{n(-3+17)}{2}=182$ $\therefore n=26$

따라서 17은 제26항이므로 공차를 $d$라 하면

$17=-3+25d$ $\therefore d=\dfrac{4}{5}$

📖 ⑤

**08**

첫째항을 $a$, 공차를 $d$라 하고, 제1항부터 제$n$항까지 합을 $S_n$이라 하면

$S_5=\dfrac{5(2a+4d)}{2}=55$ $\therefore a+2d=11$ ⋯ ㉠

$S_{10}=\dfrac{10(2a+9d)}{2}=260$ $\therefore 2a+9d=52$ ⋯ ㉡

㉠, ㉡을 연립하여 풀면 $a=-1$, $d=6$

$\therefore S_{15}=\dfrac{15\times\{2\times(-1)+14\times6\}}{2}=615$

📖 615

**09**

100 이하의 자연수 중 5로 나누었을 때 나머지가 2인 수를 나열하면

2, 7, 12, 17, $\cdots$, 97

따라서 첫째항이 2이고 공차가 5인 등차수열이다.

또 $97=2+19\times5$이므로 97은 제20항이다.

따라서 합은

$$\frac{20\times(2+97)}{2}=990$$

답 ⑤

**10**

$n\geq2$일 때,

$$\begin{aligned}a_n&=S_n-S_{n-1}\\&=(2n^2+n+1)-\{2(n-1)^2+(n-1)+1\}\\&=4n-1\end{aligned}$$

또 $a_1=S_1=2\times1^2+1+1=4$

따라서 수열 $\{a_n\}$은 첫째항 $a_1=4$이고 제2항부터

$a_n=4n-1$이므로

$a_1+a_9=4+35=39$

답 ②

**11** 전략 수열 $\{a_n\}$이 등차수열일 때, $a_n=a_1+(n-1)d$임을 이용한다.

등차수열 $\{a_n\}$의 공차를 $d$라 하면

$a_n=a_1+(n-1)d$

① $2a_n=2a_1+(n-1)\times2d$이므로 첫째항이 $2a_1$, 공차가 $2d$인 등차수열이다.

② $a_n-3=(a_1-3)+(n-1)d$이므로 첫째항이 $a_1-3$, 공차가 $d$인 등차수열이다.

③ $a_{n+2}+a_n=a_1+(n+1)d+a_1+(n-1)d$
$\qquad\qquad\;\;=2a_1+2n\times d$
$\qquad\qquad\;\;=(2a_1+2d)+(n-1)\times2d$

이므로 첫째항이 $2a_1+2d$이고 공차가 $2d$인 등차수열이다.

④ $a_{2n-1}=a_1+(2n-2)d=a_1+(n-1)\times2d$이므로 첫째항이 $a_1$, 공차가 $2d$인 등차수열이다.

⑤ 수열 $\{a_n\}$에서 $a_n=n$이면 수열 $\{a_n^2\}$은 $1^2, 2^2, 3^2, \cdots$이므로 등차수열이 아니다.

따라서 등차수열이 아닌 것은 ⑤이다.

답 ⑤

**12** 전략 $a_n=a_1+(n-1)d$임을 이용하여 수열의 항을 나타낸 후 공차를 구한다.

등차수열 $\{a_n\}$의 공차가 $d$이므로

$a_1+a_2=2a_1+d,\ a_3+a_4=2a_1+5d,$

$a_5+a_6=2a_1+9d,\ \cdots$

이므로 첫 번째 수열의 공차는 $d_1=4d$이다.

$a_1+a_2+a_3=3a_1+3d,\ a_4+a_5+a_6=3a_1+12d,$

$a_7+a_8+a_9=3a_1+21d,\ \cdots$

이므로 두 번째 수열의 공차는 $d_2=9d$이다.

$\therefore\ d_1:d_2=4d:9d=4:9$

답 ⑤

**13** 전략 등차수열임을 이용해 식을 구한다.

1, $x$, $y$가 이 순서로 등차수열이므로

$2x=1+y$ $\qquad\therefore\ y=2x-1$ $\qquad\cdots$ ㉠

$x$, $y$, $z$가 이 순서로 등차수열이므로

$2y=x+z$

이 식에 ㉠을 대입하면

$2(2x-1)=x+z,\ 3x-z=2$ $\qquad\cdots$ ㉡

또 $6x+z=5y$에 ㉠을 대입하면

$6x+z=5(2x-1),\ 4x-z=5$ $\qquad\cdots$ ㉢

㉡, ㉢을 연립하여 풀면 $x=3$, $z=7$

$x=3$을 ㉠에 대입하면

$y=2\times3-1=5$

$\therefore\ x+y+z=3+5+7=15$

답 15

**14** 전략 네 수가 등차수열을 이루므로 네 수를 $a-3d$, $a-d$, $a+d$, $a+3d$로 놓고 푼다.

네 수를 $a-3d$, $a-d$, $a+d$, $a+3d$라 하자.

네 수의 합이 36이므로

$(a-3d)+(a-d)+(a+d)+(a+3d)=36$

$4a=36$ $\qquad\therefore\ a=9$

곧, 네 수는 $9-3d$, $9-d$, $9+d$, $9+3d$이고

가운데 두 수의 곱은 처음 수와 마지막 수의 곱보다 32가 크므로

$(9-d)(9+d)=(9-3d)(9+3d)+32$

$9^2-d^2=9^2-9d^2+32,\ d^2=4$ $\qquad\therefore\ d=\pm2$

따라서 구하는 네 수는 3, 7, 11, 15이다.

답 3, 7, 11, 15

**15** (전략) $\left\{\dfrac{1}{a_n}\right\}$을 새로운 수열로 놓는다.

$b_n = \dfrac{1}{a_n}$이라 하면 $b_1 = \dfrac{1}{a_1} = 2$이고, $b_{n+1} = b_n + 3$이므로

수열 $\{b_n\}$은 첫째항이 2이고 공차가 3인 등차수열이다.

$\therefore b_n = 2 + (n-1) \times 3 = 3n - 1$

$\therefore a_7 = \dfrac{1}{b_7} = \dfrac{1}{20}$

**답** ①

**16** (전략) $S_n$이 최대일 때는 첫째항부터 마지막 양수인 항까지의 합이다.

등차수열 $\{a_n\}$의 첫째항을 $a$, 공차를 $d$라 하면

$S_6 = \dfrac{6 \times (2a + 5d)}{2} = 18$

$\therefore 2a + 5d = 6$ ⋯ ㉠

제7항부터 제13항까지 합은 $S_{13} - S_6$이므로

$S_{13} - S_6 = \dfrac{13 \times (2a + 12d)}{2} - 18 = -161$

$\therefore a + 6d = -11$ ⋯ ㉡

㉠, ㉡을 연립하여 풀면 $a = 13$, $d = -4$

등차수열 $\{a_n\}$의 합이 최대이려면 처음으로 음이 되는 항을 찾으면 된다.

$a_n = 13 + (n-1) \times (-4) = -4n + 17$

$a_n < 0$에서 $-4n + 17 < 0$ $\quad \therefore n > \dfrac{17}{4} = 4.25$

따라서 $S_n$이 최대일 때는 $S_4$이므로 $n = 4$

**답** 4

**17** (전략) 공차를 $d$라 하고 22, 32를 $d$와 $n$으로 나타낸다.

공차를 $d$라 하자.

22는 첫째항이 4인 등차수열의 제$(2n+2)$항이므로

$22 = 4 + (2n+1)d$ $\quad \therefore 2nd + d = 18$ ⋯ ㉠

32는 첫째항이 22인 등차수열의 제$(n+2)$항이므로

$32 = 22 + (n+1)d$ $\quad \therefore nd + d = 10$ ⋯ ㉡

㉡ $\times 2 - $㉠을 하면 $d = 2$

㉡에 대입하면 $2n + 2 = 10$ $\quad \therefore n = 4$

또 항의 개수는 $3n + 3 = 15$이므로 모든 항의 합은

$\dfrac{15 \times (4 + 32)}{2} = 270$

**답** $n = 4$, 합: 270

**참고** 32는 첫째항이 4인 등차수열의 제$(3n+3)$항이므로

$32 = 4 + (3n+2)d$ ⋯ ㉢

이때 ㉠과 ㉢을 연립하여 풀어도 된다.

**18** (전략) 먼저 등차수열 $\dfrac{2}{3}$, $a_1$, $a_2$, $\cdots$, $a_{19}$, $\dfrac{10}{3}$의 공차를 구한다.

이 수열의 공차를 $d$라 하면 첫째항이 $\dfrac{2}{3}$이고, 제21항이

$\dfrac{10}{3}$이므로

$\dfrac{2}{3} + 20d = \dfrac{10}{3}$ $\quad \therefore d = \dfrac{2}{15}$

수열 $a_1$, $a_3$, $a_5$, $\cdots$, $a_{19}$는 첫째항 $a_1 = \dfrac{2}{3} + \dfrac{2}{15} = \dfrac{4}{5}$이고,

공차는 $2 \times \dfrac{2}{15} = \dfrac{4}{15}$, 항은 10개인 등차수열이므로

$a_1 + a_3 + a_5 + \cdots + a_{19}$

$= \dfrac{10 \times \left(2 \times \dfrac{4}{5} + 9 \times \dfrac{4}{15}\right)}{2}$

$= 20$

**답** ②

**19** (전략) 3의 배수는 3으로 나누어떨어지는 수이다.

100보다 크고 200보다 작은 자연수 중 3의 배수는

102, 105, 108, $\cdots$, 198 ⋯ ㉠

첫째항이 102, 공차가 3인 등차수열이고, 끝 항이 198, 항수가 33이므로 모든 항의 합은

$\dfrac{33 \times (102 + 198)}{2} = 4950$

또 5의 배수는

105, 110, 115, $\cdots$, 195 ⋯ ㉡

첫째항이 105, 공차가 5인 등차수열이고, 끝 항이 195, 항수가 19이므로 모든 항의 합은

$\dfrac{19 \times (105 + 195)}{2} = 2850$

또한 3의 배수이면서 5의 배수인 수는 3과 5의 최소공배수인 15의 배수이다.

100보다 크고 200보다 작은 15의 배수는

105, 120, 135, $\cdots$, 195

첫째항이 105, 공차가 15인 등차수열이고, 끝 항이 195, 항수가 7이므로 모든 항의 합은

$$\frac{7 \times (105 + 195)}{2} = 1050$$

따라서 합은

$$4950 + 2850 - 1050 = 6750$$

**目** 6750

**20** **전략** 공차를 $d$라 놓고, 조건을 식으로 세워 본다.

수열 $\{a_n\}$의 공차를 $d$라 하면

㈎에서

$$a_1 + a_2 + a_3 + a_4$$
$$= a_1 + (a_1 + d) + (a_1 + 2d) + (a_1 + 3d)$$
$$= 4a_1 + 6d$$

이므로

$$4a_1 + 6d = 26 \qquad \therefore 2a_1 + 3d = 13 \qquad \cdots \text{㉠}$$

㈏에서

$$a_{n-3} + a_{n-2} + a_{n-1} + a_n$$
$$= a_1 + (n-4)d + a_1 + (n-3)d + a_1 + (n-2)d$$
$$\quad + a_1 + (n-1)d$$
$$= 4a_1 + (4n - 10)d$$

이므로

$$4a_1 + (4n-10)d = 134$$
$$\therefore 2a_1 + (2n-5)d = 67 \qquad \cdots \text{㉡}$$

㈐에서

$$a_1 + a_2 + a_3 + \cdots + a_n = \frac{n \times \{2a_1 + (n-1)d\}}{2}$$

이므로

$$\frac{n \times \{2a_1 + (n-1)d\}}{2} = 260 \qquad \cdots \text{㉢}$$

㉡ㅡ㉠을 하면

$$(2n-8)d = 54 \qquad \therefore (n-4)d = 27 \qquad \cdots \text{㉣}$$

㈎, ㈏에서 $n$은 5 이상이고 공차는 1보다 큰 양수이므로 $d$는 27의 양의 약수이다.

$$\therefore d = 3 \text{ 또는 } d = 9 \text{ 또는 } d = 27$$

( i ) $d = 3$인 경우 ㉠에서 $a_1 = 2$, ㉣에서 $n = 13$이므로 ㉢에 대입하면 성립한다.

(ii) $d = 9$인 경우 ㉠에서 $a_1 = -7$, ㉣에서 $n = 7$이므로 ㉢에 대입하면 성립하지 않는다.

(iii) $d = 27$인 경우도 마찬가지로 성립하지 않는다.

따라서 조건을 만족시키는 $n$의 값은 13이다.

**目** 13

 등비수열

**개념 Check** 175쪽

**1**

첫째항이 $a$, 공비가 $r$일 때 등비수열의 일반항 $a_n = ar^{n-1}$을 이용한다.

(1) $a_n = -4 \times 2^{n-1} = -2^2 \times 2^{n-1} = -2^{n+1}$

(2) $a_n = 3 \times \left(-\frac{1}{2}\right)^{n-1}$

**目** (1) $a_n = -2^{n+1}$  (2) $a_n = 3 \times \left(-\frac{1}{2}\right)^{n-1}$

**2**

(1) 첫째항 8에 차례로 $\frac{1}{2}$을 곱하여 만든 등비수열이므로

공비 $r = \frac{1}{2}$

$$\therefore a_n = 8 \times \left(\frac{1}{2}\right)^{n-1} = 2^3 \times \left(\frac{1}{2}\right)^{n-1} = \left(\frac{1}{2}\right)^{n-4}$$

(2) 첫째항 2에 차례로 $-3$을 곱하여 만든 등비수열이므로

공비 $r = -3$

$$\therefore a_n = 2 \times (-3)^{n-1}$$

**目** (1) $r = \frac{1}{2}$, $a_n = \left(\frac{1}{2}\right)^{n-4}$

(2) $r = -3$, $a_n = 2 \times (-3)^{n-1}$

**3**

세 수 $a$, $b$, $c$가 이 순서로 등비수열이면 $b^2 = ac$

(1) $a^2 = 2 \times 8$   $\therefore a = \pm 4$

(2) $a^2 = 4 \times 2a$, $a(a-8) = 0$

그런데 $a \neq 0$이므로 $a = 8$

**目** (1) $\pm 4$   (2) 8

**대표Q** 176쪽~178쪽

**대표 Q1**

(1) 첫째항은 $a_1 = 3 \times 4^{1-2} = \frac{3}{4}$

또 $a_2 = 3 \times 4^{2-2} = 3$이므로 공비는

$$r = \frac{a_2}{a_1} = 3 \div \frac{3}{4} = 4$$

(2) 첫째항을 $a$, 공비를 $r$라 하자.

$a_2=8$이므로 $ar=8$ $\cdots$ ㉠

$a_5=1$이므로 $ar^4=1$ $\cdots$ ㉡

㉡÷㉠을 하면 $r^3=\dfrac{1}{8}$ $\therefore r=\dfrac{1}{2}$ ($\because r$는 실수)

㉠에 대입하면 $a\times\dfrac{1}{2}=8$ $\therefore a=16$

곧, $a_n=16\times\left(\dfrac{1}{2}\right)^{n-1}=2^4\times\left(\dfrac{1}{2}\right)^{n-1}=\left(\dfrac{1}{2}\right)^{n-5}$

또 $a_{10}=\left(\dfrac{1}{2}\right)^{10-5}=\dfrac{1}{32}$

(3) 첫째항을 $a$, 공비를 $r\,(r>0)$라 하자.

$a_3=2a_1$이므로

$ar^2=2a$ $\cdots$ ㉠

$a_5+a_7=12$이므로

$ar^4+ar^6=12$ $\cdots$ ㉡

㉠에서 $a\ne0$이므로 $r^2=2$ $\therefore r=\sqrt{2}$ ($\because r>0$)

㉡에 대입하면 $4a+8a=12$ $\therefore a=1$

$\therefore a_n=(\sqrt{2})^{n-1}$

$a_n=64$이면 $(\sqrt{2})^{n-1}=64$

$2^{\frac{n-1}{2}}=2^6$, $\dfrac{n-1}{2}=6$ $\therefore n=13$

따라서 64는 제13항이다.

⬛ (1) 첫째항 : $\dfrac{3}{4}$, 공비 : 4 (2) $a_{10}=\dfrac{1}{32}$, $a_n=\left(\dfrac{1}{2}\right)^{n-5}$

(3) 제13항

**1-1**

첫째항은 $a_1=4\times3^{3-1}=36$

또 $a_2=4\times3^{3-2}=12$이므로 공비는

$r=\dfrac{a_2}{a_1}=\dfrac{12}{36}=\dfrac{1}{3}$

⬛ 첫째항 : 36, 공비 : $\dfrac{1}{3}$

**1-2**

(1) 첫째항을 $a$, 공비를 $r$라 하자.

$a_4=2$이므로 $ar^3=2$ $\cdots$ ㉠

$a_9=27a_6$이므로 $ar^8=27ar^5$ $\cdots$ ㉡

㉡에서 $a\ne0$, $r\ne0$이므로

$r^3=27$ $\therefore r=3$ ($\because r$는 실수)

㉠에 대입하면 $a\times3^3=2$ $\therefore a=\dfrac{2}{3^3}$

$\therefore a_n=\dfrac{2}{3^3}\times3^{n-1}=2\times3^{n-4}$

$a_n=162$이면 $2\times3^{n-4}=162$

$3^{n-4}=81=3^4$ $\therefore n=8$

따라서 162는 제8항이다.

(2) 첫째항을 $a$, 공비를 $r$라 하자.

$a_1-a_3=3$이므로 $a-ar^2=3$

$\therefore a(1-r^2)=3$ $\cdots$ ㉠

$a_3-a_5=75$이므로 $ar^2-ar^4=75$

$\therefore ar^2(1-r^2)=75$ $\cdots$ ㉡

㉡÷㉠을 하면 $r^2=25$ $\therefore r=\pm5$

㉠에 대입하면 $a(1-25)=3$ $\therefore a=-\dfrac{1}{8}$

$\therefore a_n=-\dfrac{1}{8}\times5^{n-1}$ 또는 $a_n=-\dfrac{1}{8}\times(-5)^{n-1}$

⬛ (1) 제8항 (2) $a_1=-\dfrac{1}{8}$, $a_n=-\dfrac{1}{8}\times5^{n-1}$

또는 $a_n=-\dfrac{1}{8}\times(-5)^{n-1}$

**1-3**

첫째항을 $a$, 공비를 $r$라 하자.

$a_1+a_2+a_3=10$이므로 $a+ar+ar^2=10$

$\therefore a(1+r+r^2)=10$ $\cdots$ ㉠

$a_4+a_5+a_6=30$이므로 $ar^3+ar^4+ar^5=30$

$\therefore ar^3(1+r+r^2)=30$ $\cdots$ ㉡

㉡÷㉠을 하면 $r^3=3$

$\therefore \dfrac{a_{11}+a_{14}}{a_5+a_8}=\dfrac{ar^{10}+ar^{13}}{ar^4+ar^7}=\dfrac{ar^{10}(1+r^3)}{ar^4(1+r^3)}$

$=r^6=(r^3)^2=9$

⬛ 9

**대표 02**

(1) 12, $x$, $y$가 이 순서로 등차수열이므로

$2x=12+y$ $\cdots$ ㉠

$x$, $y$, 2가 이 순서로 등비수열이므로

$y^2=2x$ $\cdots$ ㉡

㉠, ㉡에서 $y^2=12+y$

$y^2-y-12=0$, $(y+3)(y-4)=0$

$\therefore y=-3$ 또는 $y=4$

㉠에 대입하면

$x=\dfrac{9}{2}$, $y=-3$ 또는 $x=8$, $y=4$

(2) 첫째항이 2인 등비수열이므로 공비를 $r$라 하면 써넣은 세 수는 $2r$, $2r^2$, $2r^3$이다.

세 수의 곱이 216이므로

$8r^6 = 216$, $r^6 = 27 = 3^3$ $\qquad \therefore r^2 = 3$

써넣은 세 수가 양수이므로 $r > 0$ $\qquad \therefore r = \sqrt{3}$

따라서 써넣은 세 수의 합은

$2\sqrt{3} + 2 \times (\sqrt{3})^2 + 2 \times (\sqrt{3})^3 = 2\sqrt{3} + 6 + 6\sqrt{3}$
$\qquad\qquad\qquad\qquad\qquad = 6 + 8\sqrt{3}$

또 $a$는 첫째항이 2, 공비가 $\sqrt{3}$인 등비수열의 제5항이므로

$a = 2 \times (\sqrt{3})^4 = 18$

**답** (1) $x = \dfrac{9}{2}$, $y = -3$ 또는 $x = 8$, $y = 4$

(2) 합 : $6 + 8\sqrt{3}$, $a = 18$

**2-1**

$x$, $y$, $3x$가 이 순서로 등차수열이므로

$2y = x + 3x$ $\qquad \therefore y = 2x$ $\qquad \cdots \bigcirc$

$y$, $3x$, $9$가 이 순서로 등비수열이므로

$(3x)^2 = 9y$ $\qquad \therefore x^2 = y$ $\qquad \cdots \bigcirc\!\!\bigcirc$

$\bigcirc$, $\bigcirc\!\!\bigcirc$에서 $x^2 = 2x$, $x(x-2) = 0$

이때 $x$, $y$가 양수이므로 $x = 2$, $y = 4$

**답** $x = 2$, $y = 4$

**2-2**

(1) 첫째항이 16인 등비수열의 제5항이 81이므로 공비를 $r$라 하면

$16r^4 = 81$, $r^4 = \left(\dfrac{3}{2}\right)^4$

써넣은 세 수가 양수이므로 $r > 0$ $\qquad \therefore r = \dfrac{3}{2}$

써넣은 세 수는 $16 \times \dfrac{3}{2}$, $16 \times \left(\dfrac{3}{2}\right)^2$, $16 \times \left(\dfrac{3}{2}\right)^3$이므로

24, 36, 54

(2) 세 수를 $a$, $ar$, $ar^2$으로 놓자.

합이 3이므로 $a + ar + ar^2 = 3$ $\qquad \cdots \bigcirc$

곱이 $-8$이므로 $a \times ar \times ar^2 = -8$, $(ar)^3 = (-2)^3$

$ar$는 실수이므로 $ar = -2$ $\qquad \cdots \bigcirc\!\!\bigcirc$

$\bigcirc\!\!\bigcirc$에서 $a = -\dfrac{2}{r}$를 $\bigcirc$에 대입하면 $-\dfrac{2}{r} - 2 - 2r = 3$

$2r^2 + 5r + 2 = 0$, $(r+2)(2r+1) = 0$

$\therefore r = -2$ 또는 $r = -\dfrac{1}{2}$

(i) $r = -2$일 때, $a = 1$이므로 세 수는 1, $-2$, 4

(ii) $r = -\dfrac{1}{2}$일 때, $a = 4$이므로 세 수는 4, $-2$, 1

(i), (ii)에서 세 수는 1, $-2$, 4

**답** (1) 24, 36, 54 (2) 1, $-2$, 4

**대표 03**

$a_n = 2 \times 3^{n-1}$이므로

(1) $a_n^2 = (2 \times 3^{n-1})^2$
$\qquad = 2^2 \times (3^2)^{n-1} = 4 \times 9^{n-1}$

$a_1^2 = 4 \times 9^{1-1} = 4$, $a_2^2 = 4 \times 9^{2-1} = 36$

$\therefore \dfrac{a_2^2}{a_1^2} = \dfrac{36}{4} = 9$

따라서 첫째항은 4, 공비는 9이다.

(2) $\dfrac{1}{a_n} = \dfrac{1}{2 \times 3^{n-1}} = \dfrac{1}{2} \times \left(\dfrac{1}{3}\right)^{n-1}$

$\dfrac{1}{a_1} = \dfrac{1}{2} \times \left(\dfrac{1}{3}\right)^{1-1} = \dfrac{1}{2}$, $\dfrac{1}{a_2} = \dfrac{1}{2} \times \left(\dfrac{1}{3}\right)^{2-1} = \dfrac{1}{6}$

$\therefore \dfrac{1}{a_2} \div \dfrac{1}{a_1} = \dfrac{1}{6} \div \dfrac{1}{2} = \dfrac{1}{3}$

따라서 첫째항은 $\dfrac{1}{2}$, 공비는 $\dfrac{1}{3}$이다.

(3) $\log a_n = \log (2 \times 3^{n-1}) = \log 2 + (n-1)\log 3$

이므로 수열 $\{\log a_n\}$은 등차수열이다.

따라서 첫째항은 $\log 2$, 공차가 $\log 3$인 등차수열이다.

**답** (1) 첫째항 : 4, 공비 : 9 (2) 첫째항 : $\dfrac{1}{2}$, 공비 : $\dfrac{1}{3}$

(3) 첫째항이 $\log 2$, 공차가 $\log 3$인 등차수열

**참고** (1) $a_n^2 = \underset{\underset{\text{첫째항}}{\uparrow}}{4} \times 9^{n-1}$ (2) $\dfrac{1}{a_n} = \underset{\underset{\text{첫째항}}{\uparrow}}{\dfrac{1}{2}} \times \left(\underset{\underset{\text{공비}}{\uparrow}}{\dfrac{1}{3}}\right)^{n-1}$

(3) 모든 자연수 $n$에 대하여 $\dfrac{a_{n+1}}{a_n} = r$이므로

$\log \dfrac{a_{n+1}}{a_n} = \log r$

$\therefore \log a_{n+1} - \log a_n = \log r$

따라서 수열 $\{\log a_n\}$은 공차가 $\log r$인 등차수열이다.

**3-1**

$a_n = 3 \times (-2)^{n-1}$이므로

(1) $a_{2n+1} = 3 \times (-2)^{2n+1-1} = 3 \times 4^n$

$a_3 = 3 \times 4 = 12$, $a_5 = 3 \times 4^2 = 48$

$\therefore \dfrac{a_5}{a_3} = \dfrac{48}{12} = 4$

따라서 첫째항은 12, 공비는 4이다.

(2) $a_n a_{n+1} = 3 \times (-2)^{n-1} \times 3 \times (-2)^{n+1-1}$
$= 9 \times (-2)^{2n-1}$

$a_1 a_2 = 9 \times (-2)^{2 \cdot 1 - 1} = -18$,

$a_2 a_3 = 9 \times (-2)^{2 \times 2 - 1} = -72$

$\therefore \dfrac{a_2 a_3}{a_1 a_2} = \dfrac{-72}{-18} = 4$

따라서 첫째항은 $-18$, 공비는 4이다.

📖 (1) **첫째항 : 12, 공비 : 4** (2) **첫째항 : $-18$, 공비 : 4**

## 3-2

$a_{n+1} - a_n = d$이므로

$2^{a_{n+1} - a_n} = 2^d \qquad \therefore \dfrac{2^{a_{n+1}}}{2^{a_n}} = 2^d$

따라서 수열 $\{2^{a_n}\}$은 첫째항이 $2^a$이고 공비가 $2^d$인 등비수열이다.

📖 **첫째항이 $2^a$, 공비가 $2^d$인 등비수열**

### 개념 Check
179쪽~180쪽

## 4

$r > 1$이므로 $S_n = \dfrac{a(r^n - 1)}{r - 1}$을 이용한다.

(1) $S_n = \dfrac{2 \times (3^n - 1)}{3 - 1} = 3^n - 1$

(2) $a_1 = 3 \times 2^{1-1} = 3$, $r = 2$이므로

$S_n = \dfrac{3 \times (2^n - 1)}{2 - 1} = 3 \times 2^n - 3$

📖 (1) $S_n = 3^n - 1$ (2) $S_n = 3 \times 2^n - 3$

## 5

$r < 1$이므로 $S_n = \dfrac{a(1 - r^n)}{1 - r}$을 이용한다.

(1) $S_n = \dfrac{6 \times \{1 - (-2)^n\}}{1 - (-2)} = 2 - 2 \times (-2)^n = 2 + (-2)^{n+1}$

(2) $a_1 = 2 \times \left(\dfrac{1}{3}\right)^{1-1} = 2$, $r = \dfrac{1}{3}$이므로

$S_n = \dfrac{2 \times \left\{1 - \left(\dfrac{1}{3}\right)^n\right\}}{1 - \dfrac{1}{3}}$

$= 2 \times \left\{1 - \left(\dfrac{1}{3}\right)^n\right\} \times \dfrac{3}{2} = 3 - \left(\dfrac{1}{3}\right)^{n-1}$

📖 (1) $S_n = 2 + (-2)^{n+1}$ (2) $S_n = 3 - \left(\dfrac{1}{3}\right)^{n-1}$

## 6

원금을 $a$원, 연이율을 $r$라 하면

(1) $a(1 + 10r) = 100 \times (1 + 10 \times 0.06)$
$= 100 \times 1.6 = 160$(만 원)

(2) $a(1 + r)^{10} = 100 \times (1 + 0.05)^{10}$
$= 100 \times 1.63 = 163$(만 원)

📖 (1) 160만 원 (2) 163만 원

### 대표 Q
181쪽~185쪽

### 대표 04

제1항부터 제$n$항까지 합을 $S_n$이라 하자.

(1) 첫째항이 $-3$, 공비가 2이므로

$S_{20} = \dfrac{-3 \times (2^{20} - 1)}{2 - 1} = -3 \times (2^{20} - 1)$

(2) 첫째항을 $a$, 공비를 $r$라 하면

$a_1 - a_2 + a_3 - a_4 + \cdots + a_{19} - a_{20}$
$= a - ar + ar^2 - ar^3 + \cdots + ar^{18} - ar^{19}$

따라서 첫째항이 $a$, 공비가 $-r$인 등비수열의 합이다.

$a = -3$, $-r = -2$이므로

$S_{20} = \dfrac{-3 \times \{1 - (-2)^{20}\}}{1 - (-2)} = 2^{20} - 1$

(3) 첫째항을 $a$, 공비를 $r$라 하면

$\dfrac{1}{a_1} + \dfrac{1}{a_2} + \dfrac{1}{a_3} + \cdots + \dfrac{1}{a_n}$

$= \dfrac{1}{a} + \dfrac{1}{ar} + \dfrac{1}{ar^2} + \cdots + \dfrac{1}{ar^{n-1}}$

따라서 첫째항이 $\dfrac{1}{a}$, 공비가 $\dfrac{1}{r}$인 등비수열의 합이다.

$\dfrac{1}{a} = -\dfrac{1}{3}$, $\dfrac{1}{r} = \dfrac{1}{2}$이므로

$S_n = \dfrac{-\dfrac{1}{3} \times \left\{1 - \left(\dfrac{1}{2}\right)^n\right\}}{1 - \dfrac{1}{2}} = \dfrac{1}{3} \times \left(\dfrac{1}{2}\right)^{n-1} - \dfrac{2}{3}$

📖 (1) $-3 \times (2^{20} - 1)$ (2) $2^{20} - 1$
(3) $\dfrac{1}{3} \times \left(\dfrac{1}{2}\right)^{n-1} - \dfrac{2}{3}$

## 4-1

제1항부터 제$n$항까지 합을 $S_n$이라 하자.

(1) 첫째항이 3, 공비가 $3^2 = 9$이므로

$S_{10} = \dfrac{3 \times (9^{10} - 1)}{9 - 1} = \dfrac{3}{8} \times (9^{10} - 1)$

(2) 첫째항이 $\sqrt{2}+1$, 공비가 $\sqrt{2}$이므로

$$S_{10}=\frac{(\sqrt{2}+1)\{(\sqrt{2})^{10}-1\}}{\sqrt{2}-1}$$

$$=\frac{(\sqrt{2}+1)^2(2^5-1)}{(\sqrt{2}-1)(\sqrt{2}+1)}=31\times(3+2\sqrt{2})$$

**답** (1) $\dfrac{3}{8}\times(9^{10}-1)$  (2) $31\times(3+2\sqrt{2})$

### 4-2

첫째항을 $a$, 공비를 $r$라 하고 제1항부터 제$n$항까지 합을 $S_n$이라 하자.

(1) $ar=3$ ⋯ ㉠,　　$ar^4=\dfrac{3}{8}$ ⋯ ㉡

㉡÷㉠을 하면 $r^3=\dfrac{1}{8}$　　∴ $r=\dfrac{1}{2}$

㉠에 대입하면 $\dfrac{1}{2}a=3$　　∴ $a=6$

$$\therefore S_{20}=\frac{6\times\left\{1-\left(\dfrac{1}{2}\right)^{20}\right\}}{1-\dfrac{1}{2}}=12\times\left(1-\frac{1}{2^{20}}\right)$$

$$=12-\frac{3}{2^{18}}$$

(2) $a_2+a_4+a_6+a_8+\cdots+a_{18}+a_{20}$

$\quad=ar+ar^3+ar^5+ar^7+\cdots+ar^{17}+ar^{19}$

따라서 첫째항이 $ar$, 공비가 $r^2$인 등비수열의 합이고

$ar=3$, $r^2=\dfrac{1}{4}$이므로

$$S_{10}=\frac{3\times\left\{1-\left(\dfrac{1}{4}\right)^{10}\right\}}{1-\dfrac{1}{4}}=4\times\left(1-\frac{1}{4^{10}}\right)=4-\frac{1}{4^9}$$

**답** (1) $12-\dfrac{3}{2^{18}}$　(2) $4-\dfrac{1}{4^9}$

### 대표 05

첫째항을 $a$, 공비를 $r$라 하고 제1항부터 제$n$항까지 합을 $S_n$이라 하자.

$S_{10}=10$이므로 $\dfrac{a(r^{10}-1)}{r-1}=10$ ⋯ ㉠

$S_{20}=10+30=40$이므로

$\dfrac{a(r^{20}-1)}{r-1}=40$, $\dfrac{a(r^{10}-1)(r^{10}+1)}{r-1}=40$ ⋯ ㉡

㉡÷㉠을 하면 $r^{10}+1=4$　　∴ $r^{10}=3$

$$S_{30}=\frac{a(r^{30}-1)}{r-1}=\frac{a(r^{10}-1)(r^{20}+r^{10}+1)}{r-1}$$

$$=S_{10}(r^{20}+r^{10}+1)$$

$$=10\times(3^2+3+1)=130$$

**답** 130

### 5-1

첫째항을 $a$, 공비를 $r$라 하고 제1항부터 제$n$항까지 합을 $S_n$이라 하자.

$S_n=5$이므로 $\dfrac{a(r^n-1)}{r-1}=5$ ⋯ ㉠

$S_{2n}=15$이므로

$\dfrac{a(r^{2n}-1)}{r-1}=15$, $\dfrac{a(r^n-1)(r^n+1)}{r-1}=15$ ⋯ ㉡

㉡÷㉠을 하면 $r^n+1=3$　　∴ $r^n=2$

$$S_{4n}=\frac{a(r^{4n}-1)}{r-1}=\frac{a(r^{2n}-1)(r^{2n}+1)}{r-1}$$

$$=S_{2n}(r^{2n}+1)$$

$$=15\times(2^2+1)=75$$

**답** 75

### 5-2

첫째항을 $a$, 공비를 $r$라 하고 제1항부터 제$n$항까지 합을 $S_n$이라 하자.

$a_1+a_3+a_5+\cdots+a_{17}+a_{19}=2^{20}-1$이므로

$a+ar^2+ar^4+\cdots+ar^{16}+ar^{18}=2^{20}-1$

$a(1+r^2+r^4+\cdots+r^{16}+r^{18})=2^{20}-1$ ⋯ ㉠

$a_2+a_4+a_6+\cdots+a_{18}+a_{20}=2^{21}-2$이므로

$ar+ar^3+ar^5+\cdots+ar^{17}+ar^{19}=2^{21}-2$

$ar(1+r^2+r^4+\cdots+r^{16}+r^{18})=2^{21}-2$ ⋯ ㉡

㉡÷㉠을 하면 $r=\dfrac{2^{21}-2}{2^{20}-1}=\dfrac{2\times(2^{20}-1)}{2^{20}-1}=2$

$S_{20}=(2^{20}-1)+(2^{21}-2)=2^{20}\times(1+2)-3$

$\quad=3\times(2^{20}-1)$

$3\times(2^{20}-1)=\dfrac{a(2^{20}-1)}{2-1}$　　∴ $a=3$

$\therefore S_{10}=\dfrac{3\times(2^{10}-1)}{2-1}=3\times(2^{10}-1)=3\times2^{10}-3$

**답** $3\times2^{10}-3$

### 대표 06

(1) $n\geq2$일 때,

$\quad a_n=S_n-S_{n-1}=(2^{n+1}+1)-(2^n+1)$

$\qquad=(2-1)\times2^n=2^n$

또 $a_1=S_1=2^{1+1}+1=5$

$\therefore a_1=5$, $a_n=2^n$ $(n\geq2)$

(2) $n \geq 2$일 때,

$$a_n = S_n - S_{n-1} = (5^n - k) - (5^{n-1} - k)$$
$$= 5 \times 5^{n-1} - 5^{n-1} = 5^{n-1} \times (5-1)$$
$$= 4 \times 5^{n-1} \quad \cdots \text{㉠}$$

또 $a_1 = S_1 = 5 - k$

㉠에 $n=1$을 대입하면 $a_1 = 4$이고, 수열 $\{a_n\}$은 공비가 5인 등비수열이므로

$$5 - k = 4 \quad \therefore k = 1$$

**답** (1) $a_1 = 5$, $a_n = 2^n$ $(n \geq 2)$ (2) $k=1$, 공비 : 5

**참고** (1) 수열 $\{a_n\}$은 제2항부터 공비가 2인 등비수열이다.

**6-1**

$n \geq 2$일 때,

$$a_n = S_n - S_{n-1} = (3A^n + B) - (3A^{n-1} + B)$$
$$= 3A \times A^{n-1} - 3A^{n-1}$$
$$= (3A - 3)A^{n-1} \quad \cdots \text{㉠}$$

또 $a_1 = S_1 = 3A + B$

㉠에 $n=1$을 대입하면 $a_1 = 3A - 3$이고, 수열 $\{a_n\}$이 등비수열이므로

$$3A + B = 3A - 3 \quad \therefore B = -3$$

또 수열 $\{a_n\}$의 공비가 3이므로

$$\frac{a_{n+1}}{a_n} = \frac{(3A-3)A^n}{(3A-3)A^{n-1}} = 3 \quad \therefore A = 3$$

**답** $A = 3$, $B = -3$

**6-2**

$n \geq 2$일 때,

$$a_n = S_n - S_{n-1} = 2^{n-1} + 5 - (2^{n-2} + 5)$$
$$= 2^{n-1} - 2^{n-2}$$
$$= 2^{n-2} \times (2-1) = 2^{n-2}$$

이므로 $a_5 = 2^{5-2} = 2^3 = 8$

또 $a_1 = S_1 = 6$

**다른 풀이**

$$a_5 = S_5 - S_4$$
$$= (2^4 + 5) - (2^3 + 5) = 8$$

**답** $a_1 = 6$, $a_5 = 8$

**대표 07**

( i ) 1회 시행에서 남은 정삼각형은 3개이고,
2회 시행에서는 1회 시행에서 남은 각 정삼각형에 대하여 정삼각형이 3개씩 생긴다.

따라서 남은 정삼각형의 개수는 첫째항이 3, 공비가 3인 등비수열이다.

곧, 10회 시행 후 남은 정삼각형의 개수는

$$3 \times 3^9 = 3^{10}$$

(ii) $n$회 시행 후 남은 정삼각형의 넓이의 합을 $R_n$이라 하면

$$R_2 = \frac{3}{4}R_1, \ R_3 = \frac{3}{4}R_2, \ \cdots$$

이므로 수열 $\{R_n\}$은 공비가 $\frac{3}{4}$인 등비수열이다.

처음 정삼각형의 한 변의 길이가 4이므로 넓이는

$$\frac{\sqrt{3}}{4} \times 4^2 = 4\sqrt{3}$$

$$\therefore R_1 = 4\sqrt{3} \times \frac{3}{4} = 3\sqrt{3}$$

따라서 10회 시행 후 남은 정삼각형의 넓이의 합은

$$R_{10} = 3\sqrt{3} \times \left(\frac{3}{4}\right)^{10-1} = 3\sqrt{3} \times \left(\frac{3}{4}\right)^9$$

**답** 정삼각형의 개수 : $3^{10}$, 넓이의 합 : $3\sqrt{3} \times \left(\frac{3}{4}\right)^9$

**참고** 한 변의 길이가 $a$인 정삼각형의 넓이는 $\frac{\sqrt{3}}{4}a^2$

**7-1**

(1) 원 $C$의 넓이는 $\pi \times 2^2 = 4\pi$

$n$회 시행에서 그린 원의 넓이의 합을 $R_n$이라 하자.

1회 시행에서 반지름의 길이가 1인 원을 2개 그리므로

$$R_1 = 2 \times \pi \times 1^2 = 2\pi$$

2회 시행에서 반지름의 길이가 $\frac{1}{2}$인 원을 4개 그리므로

$$R_2 = 4 \times \pi \times \left(\frac{1}{2}\right)^2 = \pi$$

따라서 수열 $\{R_n\}$은 공비가 $\frac{1}{2}$인 등비수열이므로

$$R_{10} = 2\pi \times \left(\frac{1}{2}\right)^{10-1} = \left(\frac{1}{2}\right)^8 \pi = \frac{\pi}{2^8}$$

(2) 1회 시행에서 2개, 2회 시행에서 $(2 \times 2)$개, $\cdots$의 원을 그리므로 각 시행에서 그린 원의 개수는 첫째항이 2, 공비가 2인 등비수열이다.

따라서 10회 시행까지 그린 원의 개수의 합은

$$\frac{2(2^{10}-1)}{2-1} = 2^{11} - 2$$

**답** (1) $\frac{\pi}{2^8}$ (2) $2^{11} - 2$

**대표 08**

(1) 1년 초에 적립한 100만 원의 원리합계는
$100 \times (1+0.05)^{10}$(만 원)

2년 초에 적립한 100만 원의 원리합계는
$100 \times (1+0.05)^{9}$(만 원)

$\vdots$

10년 초에 적립한 100만 원의 원리합계는
$100 \times (1+0.05)$(만 원)

따라서

첫째항이 $100 \times (1+0.05)=105$(만 원),

공비가 $1+0.05=1.05$인 등비수열의 제1항부터 제10항까지 합이므로

$$\frac{105 \times (1.05^{10}-1)}{1.05-1}=\frac{105 \times (1.63-1)}{0.05}$$
$$=1323(\text{만 원})$$

따라서 10년 후 연말에 받을 수 있는 금액은 1323만 원이다.

(2) 매년 초에 적립해야 하는 금액을 $a$원이라 하면

10년 말까지 적립한 금액의 원리합계는
$a(1+0.05)+a(1+0.05)^{2}+\cdots+a(1+0.05)^{10}$
이므로

첫째항이 $a(1+0.05)=1.05a$,

공비가 $1+0.05=1.05$인 등비수열의 제1항부터 제10항까지 합이다.

따라서 원리합계가 1000만 원이 되려면

$$\frac{1.05a(1.05^{10}-1)}{1.05-1}=10^{7}$$

$$\therefore a=\frac{10^{7} \times 0.05}{1.05 \times (1.63-1)}=\frac{500000}{0.6615}$$
$$=755857.\times\times\times$$

따라서 반올림하여 백의 자리까지 나타내면
755900원이다.

🅐 (1) 1323만 원　(2) 755900원

**8-1**

1년 초에 적립한 100만 원의 원리합계는
$100 \times (1+0.04)^{20}$(만 원)

2년 초에 적립한 100만 원의 원리합계는
$100 \times (1+0.04)^{19}$(만 원)

$\vdots$

20년 초에 적립한 100만 원의 원리합계는
$100 \times (1+0.04)$(만 원)

따라서

첫째항이 $100 \times (1+0.04)=104$(만 원),

공비가 $1+0.04=1.04$인 등비수열의 제1항부터 제20항까지 합이므로

$$\frac{104 \times (1.04^{20}-1)}{1.04-1}=\frac{104 \times (2.2-1)}{0.04}=3120(\text{만 원})$$

따라서 20년 후 연말에 받을 수 있는 금액은 3120만 원이다.

🅐 3120만 원

**연습과 실전 10 등비수열**　186쪽~190쪽

| | | | | |
|---|---|---|---|---|
| 01 ② | 02 $\frac{3}{16}$ | 03 ① | 04 6 | 05 ⑤ |
| 06 $8^{n-1}$ | 07 64 | 08 ③ | | |
| 09 (1) $\frac{4}{3} \times (4^{20}-1)$　(2) $(2-\sqrt{2})(1-2^{10})$ | | | | |
| 10 ⑤ | 11 ③ | 12 $\frac{1023}{128}$ | 13 ④ | 14 5 |
| 15 ② | 16 ③ | 17 63 | 18 120 | 19 27 |
| 20 ① | 21 16단계 | | 22 $1-\left(\frac{1}{2}\right)^{10}$ | |
| 23 96 | 24 ③ | | | |

**01**

일정한 수가 곱해지지 않은 수열을 찾는다.

첫째항에 차례로 ①은 $-1$, ③은 $\frac{1}{2}$, ④는 0.1, ⑤ $\sqrt{2}-1$이 곱해진 수열이다.

그러나 ②는 일정한 수가 곱해진 꼴이 아니다.

따라서 등비수열이 아닌 것은 ②이다.

🅐 ②

**02**

등비수열 $\{a_n\}$의 공비를 $r$라 하면

$$\frac{3r^{2}}{3r}-\frac{3r^{5}}{3r^{3}}=\frac{1}{4},\ r-r^{2}=\frac{1}{4}$$

$$\left(r-\frac{1}{2}\right)^{2}=0 \quad \therefore r=\frac{1}{2}$$

$$\therefore a_{5}=3 \times \left(\frac{1}{2}\right)^{4}=\frac{3}{16}$$

🅐 $\frac{3}{16}$

**03**

공비를 $r$라 하자.

$a_3 = 4a_1$에서 $a_1 r^2 = 4a_1$

그런데 $a_1 \neq 0$이므로 $r^2 = 4$     $\cdots$ ㉠

$a_7 = a_6^2$에서 $a_1 r^6 = (a_1 r^5)^2$, $1 = a_1 r^4$

㉠을 대입하면 $1 = a_1 \times 4^2$    $\therefore a_1 = \dfrac{1}{16}$

🔲 ①

**04**

$a$가 등비중항이므로

$a^2 = 4(a+3)$, $a^2 - 4a - 12 = 0$

$(a+2)(a-6) = 0$    $\therefore a = -2$ 또는 $a = 6$

그런데 $a$가 양수이므로 $a = 6$

🔲 6

**05**

공비를 $r$라 하면 써넣은 세 실수는 $4r$, $4r^2$, $4r^3$이므로

세 실수의 곱은

$4r \times 4r^2 \times 4r^3 = 4^3 r^6$     $\cdots$ ㉠

또 등비수열 4, $4r$, $4r^2$, $4r^3$, $\dfrac{1}{4}$에서 $\dfrac{1}{4}$은 제5항이므로

$\dfrac{1}{4} = 4r^4$, $r^4 = \dfrac{1}{16}$    $\therefore r^2 = \dfrac{1}{4}$ ($\because r^2 > 0$)

㉠에 대입하면 $4^3 \times \left(\dfrac{1}{4}\right)^3 = 1$

🔲 ⑤

(참고) $r = -\dfrac{1}{2}$일 때 4와 $\dfrac{1}{4}$ 사이의 세 실수는 $-2$, 1, $-\dfrac{1}{2}$이

고, $r = \dfrac{1}{2}$일 때 4와 $\dfrac{1}{4}$ 사이의 세 실수는 2, 1, $\dfrac{1}{2}$이다.

**이를 이용하여 세 실수의 곱을 구할 수도 있다.**

**06**

등비수열 $\{a_n\}$의 공비가 2이므로 $a_n = a_1 \times 2^{n-1}$

수열 $\{a_{3n+1}\}$의 첫째항이 1이므로 $a_{3 \times 1 + 1} = a_4 = 1$

$a_1 \times 2^3 = 1$    $\therefore a_1 = 2^{-3}$

곧, $a_n = 2^{-3} \times 2^{n-1} = 2^{n-4}$이므로

수열 $\{a_{3n+1}\}$의 제$n$항은

$a_{3n+1} = 2^{(3n+1)-4} = 2^{3n-3} = 2^{3(n-1)} = 8^{n-1}$

🔲 $8^{n-1}$

**07**

첫째항이 1, 공비가 2인 등비수열 $\{a_n\}$은 $a_n = 2^{n-1}$이므

로 $b_n = a_{n+1}^2 - a_n^2$에서

$b_n = (2^n)^2 - (2^{n-1})^2$

$\quad = (2^n - 2^{n-1})(2^n + 2^{n-1})$

$\quad = 2^{n-1} \times (2-1) \times 2^{n-1} \times (2+1)$

$\quad = 3 \times 2^{2n-2}$

$\quad = 3 \times 4^{n-1}$

$\therefore \dfrac{b_6}{b_3} = \dfrac{3 \times 4^5}{3 \times 4^2} = 4^3 = 64$

🔲 64

**08**

첫째항이 8, 공비가 $\dfrac{1}{2}$이므로 수열의 제$n$항을 $a_n$이라

하면

$a_n = 8 \times \left(\dfrac{1}{2}\right)^{n-1} < \dfrac{1}{1000}$

$\dfrac{1}{2^{n-1}} < \dfrac{1}{8000}$, $2^{n-1} > 8000$

$2^{12} = 4096$, $2^{13} = 8192$이므로

$n - 1 \geq 13$    $\therefore n \geq 14$

따라서 $n = 14$일 때 처음으로 $\dfrac{1}{1000}$보다 작아진다.

🔲 ③

**09**

제1항부터 제$n$항까지 합을 $S_n$이라 하자.

(1) 첫째항이 $2^2 = 4$, 공비가 $2^2 = 4$이므로

$\qquad S_{20} = \dfrac{4 \times (4^{20} - 1)}{4 - 1}$

$\qquad\qquad = \dfrac{4}{3} \times (4^{20} - 1)$

(2) 첫째항이 $\sqrt{2}$, 공비가 $-\sqrt{2}$이므로

$\qquad S_{20} = \dfrac{\sqrt{2} \times \{1 - (-\sqrt{2})^{20}\}}{1 + \sqrt{2}}$

$\qquad\qquad = \dfrac{\sqrt{2} \times (\sqrt{2} - 1) \times (1 - 2^{10})}{(\sqrt{2} + 1)(\sqrt{2} - 1)}$

$\qquad\qquad = (2 - \sqrt{2})(1 - 2^{10})$

🔲 (1) $\dfrac{4}{3} \times (4^{20} - 1)$    (2) $(2 - \sqrt{2})(1 - 2^{10})$

**10**

첫째항이 1, 공비가 3인 등비수열이므로 $a_n=3^{n-1}$

$\dfrac{1}{a_1}+\dfrac{2}{a_2}+\dfrac{2^2}{a_3}+\cdots+\dfrac{2^{n-1}}{a_n}$

$=\dfrac{1}{1}+\dfrac{2}{3}+\dfrac{2^2}{3^2}+\cdots+\dfrac{2^{n-1}}{3^{n-1}}$

$=1+\dfrac{2}{3}+\left(\dfrac{2}{3}\right)^2+\cdots+\left(\dfrac{2}{3}\right)^{n-1}$

$=\dfrac{1\times\left\{1-\left(\dfrac{2}{3}\right)^n\right\}}{1-\dfrac{2}{3}}=3\left\{1-\left(\dfrac{2}{3}\right)^n\right\}$

답 ⑤

**11**

수열 $\{a_n\}$의 첫째항은

$a_1=S_1=18\times6-k=108-k$

$n\geq2$일 때,

$a_n=S_n-S_{n-1}$
$=(18\times6^{2n-1}-k)-(18\times6^{2n-3}-k)$
$=18\times6^{2n-3}\times(6^2-1)$
$=630\times6^{2n-3}$

$n=1$을 대입하면

$a_1=630\times6^{-1}=105$

따라서 $108-k=105$이므로 $k=3$

답 ③

**12**

$T_n$은 일정한 비율로 작아지므로 $T_n$의 넓이는 등비수열이다.

$T_1$의 넓이는 $2^2=4$

$T_2$의 한 변의 길이는 $\sqrt{2}$이므로 넓이는 $(\sqrt{2})^2=2$

$\vdots$

따라서 공비는 $\dfrac{2}{4}=\dfrac{1}{2}$이므로 $T_1$부터 $T_{10}$까지 넓이의 합은

$\dfrac{4\times\left\{1-\left(\dfrac{1}{2}\right)^{10}\right\}}{1-\dfrac{1}{2}}=8\times\left\{1-\left(\dfrac{1}{2}\right)^{10}\right\}$

$\qquad=8\times\dfrac{1023}{1024}=\dfrac{1023}{128}$

답 $\dfrac{1023}{128}$

**13** 전략 등비수열이 아닌 경우 반례를 생각한다.

첫째항 $a$, 공비를 $r$라 하고 $a_n=ar^{n-1}(r\neq0)$이라 하자.

① $2a_n=2ar^{n-1}$이므로 수열 $\{2a_n\}$은 첫째항이 $2a$이고 공비가 $r$인 등비수열이다.

② $a_n{}^2=a^2(r^{n-1})^2=a^2(r^2)^{n-1}$이므로 수열 $\{a_n{}^2\}$은 첫째항이 $a^2$이고 공비가 $r^2$인 등비수열이다.

③ $a_{n+1}+a_n=ar^n+ar^{n-1}=a(r+1)r^{n-1}$이므로 수열 $\{a_{n+1}+a_n\}$은 첫째항이 $a(r+1)$이고 공비가 $r$인 등비수열이다.

④ [반례] $a_n=2^n$이면 수열 $\left\{\dfrac{n}{a_n}\right\}$은 $\dfrac{1}{2},\dfrac{2}{2^2},\dfrac{3}{2^3},\cdots$이므로 등비수열이 아니다.

⑤ $a_{n+1}a_n=ar^nar^{n-1}=a^2r^{2n-1}=a^2r(r^2)^{n-1}$이므로 $\{a_{n+1}a_n\}$은 첫째항이 $a^2r$이고 공비가 $r^2$인 등비수열이다.

따라서 등비수열이 아닌 것은 ④이다.

답 ④

**14** 전략 $T_n$이 최대가 되려면 $a_n>1$이어야 한다.

첫째항이 500, 공비가 $\dfrac{1}{4}$이므로 $a_n=500\times\left(\dfrac{1}{4}\right)^{n-1}$

따라서 $T_n=a_1\times a_2\times a_3\times\cdots\times a_n$이 증가하려면 $a_n>1$이어야 한다.

$a_n=500\times\left(\dfrac{1}{4}\right)^{n-1}>1$

$\left(\dfrac{1}{4}\right)^{n-1}>\dfrac{1}{500},\ 4^{n-1}<500$

$4^4=256,\ 4^5=1024$이므로

$n-1<5\qquad\therefore n<6$

따라서 $n=5$일 때 $T_n$의 값이 최대이다.

답 5

**15** 전략 등차중항과 등비중항을 이용한다.

$a,\ 7,\ 11,\ b$가 이 순서로 등차수열을 이루므로 공차는 $11-7=4$이고, $a+4=7$이므로 $a=3$

$11+4=b\qquad\therefore b=15$

한편, $a,\ x,\ y,\ b$는 이 순서로 등비수열을 이루므로 공비를 $r$라 하면

$x=ar,\ y=ar^2,\ b=ar^3$

따라서 $xy=a^2r^3=ab$임을 알 수 있다.

$\therefore xy=ab=3\times15=45$

답 ②

**16** (전략) 등비수열을 이루는 네 수를 $\alpha$, $\alpha r$, $\alpha r^2$, $\alpha r^3$으로 놓는다.

네 수 $\alpha$, $\gamma$, $\beta$, $\delta$의 공비를 $r$라 하면

$\gamma = \alpha r$, $\beta = \alpha r^2$, $\delta = \alpha r^3$

이차방정식 $2x^2 - ax + 4 = 0$의 근과 계수의 관계에서

$\alpha + \beta = \dfrac{a}{2}$ $\qquad \therefore \alpha + \alpha r^2 = \dfrac{a}{2}$ $\qquad \cdots \bigcirc$

$\alpha\beta = 2$, $\alpha \times \alpha r^2 = \alpha^2 r^2 = 2$ $\qquad \cdots \bigcirc\!\!\!\bigcirc$

또 이차방정식 $x^2 + bx + 8 = 0$의 근과 계수의 관계에서

$\gamma + \delta = -b$ $\qquad \therefore \alpha r + \alpha r^3 = -b$ $\qquad \cdots \bigcirc\!\!\!\bigcirc\!\!\!\bigcirc$

$\gamma\delta = 8$, $\alpha r \times \alpha r^3 = \alpha^2 r^4 = 8$ $\qquad \cdots \textcircled{\tiny ㄹ}$

$\textcircled{\tiny ㄹ} \div \bigcirc\!\!\!\bigcirc$을 하면 $r^2 = 4$

$\therefore \alpha^2 = \dfrac{1}{2}$ ($\because \bigcirc\!\!\!\bigcirc$)

$\bigcirc$에서

$a^2 = 4\alpha^2 (1 + r^2)^2 = 4 \times \dfrac{1}{2} \times (1 + 4)^2 = 50$

$\bigcirc\!\!\!\bigcirc\!\!\!\bigcirc$에서

$b^2 = \alpha^2 r^2 (1 + r^2)^2 = \dfrac{1}{2} \times 4 \times (1 + 4)^2 = 50$

$\therefore a^2 + b^2 = 50 + 50 = 100$

답 ③

**17** (전략) 공비를 $r$라 하고 등비수열의 일반항부터 구한다.

등비수열 $\{a_n\}$의 공비를 $r$라 하면 $a_n = 7r^{n-1}$

$S_6 - S_2 = a_3 + a_4 + a_5 + a_6 = 7r^2(1 + r + r^2 + r^3)$

$S_9 - S_5 = a_6 + a_7 + a_8 + a_9 = 7r^5(1 + r + r^2 + r^3)$

$\therefore \dfrac{S_9 - S_5}{S_6 - S_2} = \dfrac{7r^5(1 + r + r^2 + r^3)}{7r^2(1 + r + r^2 + r^3)}$

$\qquad\qquad = r^3 = 3$

따라서 $a_7 = 7r^6 = 7 \times 3^2 = 63$

답 63

**18** (전략) 등비수열 $\{a_n\}$의 공비를 $r$라 하면 수열 $\left\{\dfrac{1}{a_n}\right\}$의 공비는 $\dfrac{1}{r}$이다.

3, $a_1$, $a_2$, $\cdots$, $a_{10}$, 40이 등비수열이므로 공비를 $r$라 하면

$40 = 3r^{11}$ $\qquad \cdots \bigcirc$

또 $\dfrac{1}{3}$, $\dfrac{1}{a_1}$, $\dfrac{1}{a_2}$, $\cdots$, $\dfrac{1}{a_{10}}$, $\dfrac{1}{40}$ 은 공비가 $\dfrac{1}{r}$인 등비수열이다.

따라서

$3 + a_1 + a_2 + \cdots + a_{10} + 40 = \dfrac{3(r^{12} - 1)}{r - 1}$,

$\dfrac{1}{3} + \dfrac{1}{a_1} + \dfrac{1}{a_2} + \cdots + \dfrac{1}{a_{10}} + \dfrac{1}{40} = \dfrac{\dfrac{1}{3}\left\{1 - \left(\dfrac{1}{r}\right)^{12}\right\}}{1 - \dfrac{1}{r}}$

$\qquad\qquad\qquad\qquad\qquad\qquad = \dfrac{r^{12} - 1}{3(r-1)r^{11}}$

이므로

$\dfrac{3(r^{12} - 1)}{r - 1} = \dfrac{k(r^{12} - 1)}{3(r - 1)r^{11}}$

$\therefore k = 3^2 r^{11} = 3 \times 40 = 120$ ($\because \bigcirc$)

답 120

**19** (전략) $S_5$, $S_{15}$, $S_{10}$을 첫째항 $a$와 공비 $r$로 나타낸다.

공비를 $r(r > 0)$라 하자.

$S_5 = 9$이므로 $\dfrac{a(r^5 - 1)}{r - 1} = 9$ $\qquad \cdots \bigcirc$

$S_{15} = 63$이므로 $\dfrac{a(r^{15} - 1)}{r - 1} = 63$ $\qquad \cdots \bigcirc\!\!\!\bigcirc$

$r^{15} - 1 = (r^5 - 1)(r^{10} + r^5 + 1)$이므로

$\bigcirc\!\!\!\bigcirc \div \bigcirc$을 하면

$r^{10} + r^5 + 1 = 7$, $r^{10} + r^5 - 6 = 0$, $(r^5 + 3)(r^5 - 2) = 0$

그런데 $r > 0$이므로 $r^5 = 2$

$\therefore S_{10} = \dfrac{a(r^{10} - 1)}{r - 1} = \dfrac{a(r^5 - 1)(r^5 + 1)}{r - 1}$

$\qquad\quad = S_5(r^5 + 1)$

$\qquad\quad = 9 \times (2 + 1) = 27$

답 27

**20** (전략) $p^a q^b$($p$, $q$는 서로 다른 소수)의 약수의 합은

$\qquad (1 + p + p^2 + \cdots + p^a)(1 + q + q^2 + \cdots + q^b)$이다.

$6^{12} = (2 \times 3)^{12} = 2^{12} \times 3^{12}$이므로 약수의 합은

$(1 + 2 + 2^2 + \cdots + 2^{12})(1 + 3 + 3^2 + \cdots + 3^{12})$

$= \dfrac{1 \times (2^{13} - 1)}{2 - 1} \times \dfrac{1 \times (3^{13} - 1)}{3 - 1}$

$= \dfrac{1}{2} \times (2^{13} - 1) \times (3^{13} - 1)$

$= \dfrac{1}{2} \times (2 \times 2^{12} - 1) \times (3 \times 3^{12} - 1)$

$= \dfrac{1}{2}(2A - 1)(3B - 1)$

답 ①

**21** (전략) 삼등분하여 가운데 $\dfrac{1}{3}$을 버리는 시행이므로 남는

선분은 전 단계의 $\dfrac{2}{3}$이다.

1단계에서 남은 선분의 길이의 합은

$\dfrac{2}{3}a$

2단계에서 남은 선분의 길이의 합은

$\dfrac{2}{3}a \times \dfrac{2}{3} = \left(\dfrac{2}{3}\right)^2 a$

3단계에서 남은 선분의 길이의 합은

$\left(\dfrac{2}{3}\right)^2 a \times \dfrac{2}{3} = \left(\dfrac{2}{3}\right)^3 a$

$\vdots$

$n$단계에서 남은 선분의 길이의 합은

$\left(\dfrac{2}{3}\right)^n a$

따라서 16단계부터 길이의 합이 $\left(\dfrac{2}{3}\right)^{16} a$ 이하가 된다.

(답) 16단계

**22** (전략) 각 단계에서 새로 색칠한 정사각형의 개수와 정사각형 1개의 넓이부터 구한다.

10단계까지 각 단계에서 새로 색칠한 정사각형의 개수는

$2,\ 4,\ 8,\ \cdots,\ 2^{10}$

또 새로 색칠한 정사각형 1개의 넓이는

$\left(\dfrac{1}{2}\right)^2,\ \left(\dfrac{1}{4}\right)^2,\ \left(\dfrac{1}{8}\right)^2,\ \cdots,\ \left(\dfrac{1}{2^{10}}\right)^2$

따라서 색칠한 모든 정사각형의 넓이의 합은

$2\times\left(\dfrac{1}{2}\right)^2 + 4\times\left(\dfrac{1}{4}\right)^2 + 8\times\left(\dfrac{1}{8}\right)^2 + \cdots + 2^{10}\times\left(\dfrac{1}{2^{10}}\right)^2$

$=\dfrac{1}{2} + \dfrac{1}{4} + \dfrac{1}{8} + \cdots + \dfrac{1}{2^{10}}$

$=\dfrac{\dfrac{1}{2}\times\left\{1-\left(\dfrac{1}{2}\right)^{10}\right\}}{1-\dfrac{1}{2}}$

$=1-\left(\dfrac{1}{2}\right)^{10}$

**다른 풀이**

$n$단계에서 색칠하지 않은 정사각형은 대각선(왼쪽 아래에서 오른쪽 위로 가는) 위에 있는 한 변의 길이가 $\left(\dfrac{1}{2}\right)^n$인 $2^n$개의 작은 정사각형이다.

따라서 $1-\left\{\left(\dfrac{1}{2}\right)^n\right\}^2\times 2^n = 1-\left(\dfrac{1}{2}\right)^n$이므로

색칠한 모든 정사각형의 넓이의 합은

$1-\left(\dfrac{1}{2}\right)^{10}$

(답) $1-\left(\dfrac{1}{2}\right)^{10}$

**23** (전략) 이웃하는 세 정사각형에서 선분의 길이 관계를 생각한다.

그림과 같이 세 정사각형의 한 변의 길이를 각각 $x$, $y$, $z$라 하면 색칠한 두 삼각형은 서로 닮음이므로

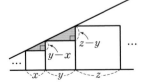

$x : y = (y-x) : (z-y)$

$y(y-x) = x(z-y)$    $\therefore\ y^2 = xz$

따라서 $x$, $y$, $z$는 이 순서로 등비수열을 이룬다.

곧, $n$번째 정사각형의 한 변의 길이를 $a_n$이라 하면 수열 $\{a_n\}$은 등비수열이다.

첫 번째 정사각형의 넓이가 3이므로

$a_1{}^2 = 3$

7번째 정사각형의 넓이가 24이므로

$a_7{}^2 = 24$

수열 $\{a_n\}$의 공비를 $r$라 하면

$(a_1 r^6)^2 = 24,\ a_1{}^2 r^{12} = 24$

$a_1{}^2 = 3$이므로 $3r^{12} = 24,\ r^{12} = 2^3$

$\therefore\ r^4 = 2$

따라서 11번째 정사각형의 넓이는

$a_{11}{}^2 = (a_1 r^{10})^2 = a_1{}^2 r^{20} = a_1{}^2 \times (r^4)^5$

$\quad = 3 \times 2^5 = 96$

(답) 96

**24** (전략) 매년 예금하는 금액이 증가한다는 것에 주의하여 10년 동안 예금한 금액의 원리합계를 구한다.

2019년 초부터 2029년 초까지 10년 동안 상승한 집의 가격은

$5\times 10^8 \times (1+0.04)^{10} = 5\times 10^8 \times 1.04^{10}$ (원)

매년 초에 $a$원을 예금하는 금액의 원리합계는

$a\times 1.04^{10} + (a\times 1.04)\times 1.04^9 + (a\times 1.04^2)\times 1.04^8$

$\quad + \cdots + (a\times 1.04^9)\times 1.04$

$= 10\times a \times 1.04^{10}$ (원)

이므로

$5\times 10^8 \times 1.04^{10} = 10\times a \times 1.04^{10}$

$\therefore\ a = 5\times 10^7$

(답) ③

## 수열의 합

**1**

$a_k$의 $k$에 1, 2, 3, $\cdots$, $n$을 차례로 대입한 다음 모두 더한다.

(1) $\displaystyle\sum_{k=1}^{n} 3k = 3\times1+3\times2+3\times3+\cdots+3n$

$\qquad\qquad = 3+6+9+\cdots+3n$

(2) $\displaystyle\sum_{k=4}^{10} (k-1)^2$

$\qquad = (4-1)^2+(5-1)^2+(6-1)^2+\cdots+(10-1)^2$

$\qquad = 3^2+4^2+5^2+\cdots+9^2$

🖉 (1) $3+6+9+\cdots+3n$    (2) $3^2+4^2+5^2+\cdots+9^2$

**2**

$a_k$부터 구한다.

(1) $a_n=2n$, 곧 $a_k=2k$이고 $k=1$부터 $k=n$까지 합이

므로 $\displaystyle\sum_{k=1}^{n} 2k$

(2) $a_n=(2n-1)^2$, 곧 $a_k=(2k-1)^2$이고 $k=1$부터

$k=n$까지 합이므로 $\displaystyle\sum_{k=1}^{n} (2k-1)^2$

(3) $a_n=3^{n+1}$, 곧 $a_k=3^{k+1}$이고 $k=1$부터 $k=19$까지 합

이므로 $\displaystyle\sum_{k=1}^{19} 3^{k+1}$

또는 $a_k=3^k$이고 $k=2$부터 20까지 합이므로 $\displaystyle\sum_{k=2}^{20} 3^k$

🖉 (1) $\displaystyle\sum_{k=1}^{n} 2k$    (2) $\displaystyle\sum_{k=1}^{n} (2k-1)^2$    (3) $\displaystyle\sum_{k=1}^{19} 3^{k+1}$ 또는 $\displaystyle\sum_{k=2}^{20} 3^k$

**3**

(1) $\displaystyle\sum_{k=1}^{20} (a_k+b_k) = \sum_{k=1}^{20} a_k + \sum_{k=1}^{20} b_k = 10+(-5) = 5$

(2) $\displaystyle\sum_{k=1}^{20} 5a_k = 5\sum_{k=1}^{20} a_k = 5\times10 = 50$

(3) $\displaystyle\sum_{k=1}^{20} 3b_k = 3\sum_{k=1}^{20} b_k = 3\times(-5) = -15$

(4) $\displaystyle\sum_{k=1}^{20} (a_k-2b_k) = \sum_{k=1}^{20} a_k - \sum_{k=1}^{20} 2b_k = \sum_{k=1}^{20} a_k - 2\sum_{k=1}^{20} b_k$

$\qquad\qquad = 10-2\times(-5) = 20$

🖉 (1) 5    (2) 50    (3) $-15$    (4) 20

**4**

$\displaystyle\sum_{k=1}^{10} 5 = 5\times10 = 50$

🖉 50

**5**

(1) $\displaystyle\sum_{k=1}^{n} 2k = 2\sum_{k=1}^{n} k = 2\times\frac{n(n+1)}{2} = n(n+1)$

(2) $\displaystyle\sum_{k=1}^{n} 3k^2 = 3\sum_{k=1}^{n} k^2 = 3\times\frac{n(n+1)(2n+1)}{6}$

$\qquad\qquad = \frac{n(n+1)(2n+1)}{2}$

(3) $\displaystyle\sum_{k=1}^{5} 4k^3 = 4\sum_{k=1}^{5} k^3 = 4\times\left\{\frac{5\times(5+1)}{2}\right\}^2 = 900$

🖉 (1) $n(n+1)$    (2) $\dfrac{n(n+1)(2n+1)}{2}$    (3) 900

**대표 01**

(1) $\displaystyle\sum_{k=1}^{n} a_{2k-1} + \sum_{k=1}^{n} a_{2k} = (a_1+a_3+a_5+\cdots+a_{2n-1})$

$\qquad\qquad\qquad\qquad\qquad + (a_2+a_4+a_6+\cdots+a_{2n})$

$\qquad\qquad\qquad\qquad = \displaystyle\sum_{k=1}^{2n} a_k$

$\therefore \displaystyle\sum_{k=1}^{2n} a_k = 2n^2$

이 식에 $n=5$를 대입하면 $\displaystyle\sum_{k=1}^{10} a_k = 2\times5^2 = 50$

(2) $\displaystyle\sum_{k=0}^{9} f(k+1) = f(1)+f(2)+f(3)+\cdots+f(10)$

$\displaystyle\sum_{k=1}^{10} f(k-1) = f(0)+f(1)+f(2)+\cdots+f(9)$

$\therefore \displaystyle\sum_{k=0}^{9} f(k+1) - \sum_{k=1}^{10} f(k-1) = f(10)-f(0) = 5$

(3) $\displaystyle\sum_{k=1}^{10} (a_k-2)^2 = \sum_{k=1}^{10} (a_k^2-4a_k+4)$

$\qquad\qquad\qquad = \displaystyle\sum_{k=1}^{10} a_k^2 - 4\sum_{k=1}^{10} a_k + \sum_{k=1}^{10} 4$

$\qquad\qquad\qquad = 50-4\times5+40 = 70$

🖉 (1) 50    (2) 5    (3) 70

**1-1**

$$\sum_{k=1}^{n} a_{2k-1} + \sum_{k=1}^{n} a_{2k}$$

$$= (a_1 + a_3 + a_5 + \cdots + a_{2n-1}) + (a_2 + a_4 + a_6 + \cdots + a_{2n})$$

$$= \sum_{k=1}^{2n} a_k$$

$$\therefore \sum_{k=1}^{2n} a_k = 20$$

答 20

**1-2**

$$\sum_{k=1}^{10} k^5 = 1^5 + 2^5 + 3^5 + \cdots + 10^5$$

$$\sum_{k=1}^{9} (k+1)^5 = 2^5 + 3^5 + 4^5 + \cdots + 10^5$$

이므로 $\sum_{k=1}^{10} k^5 - \sum_{k=1}^{9} (k+1)^5 = 1^5 = 1$

答 1

**1-3**

$a_k{}^2 + b_k{}^2 = (a_k + b_k)^2 - 2a_k b_k$이므로

$$\sum_{k=1}^{n} (a_k{}^2 + b_k{}^2) = \sum_{k=1}^{n} (a_k + b_k)^2 - 2\sum_{k=1}^{n} a_k b_k$$

$$= 100 - 2 \times 20 = 60$$

答 60

**대표 02**

(1) $a_k = (k+2)^2$이므로

$$\sum_{k=1}^{n} a_k = \sum_{k=1}^{n} (k+2)^2 = \sum_{k=1}^{n} (k^2 + 4k + 4)$$

$$= \sum_{k=1}^{n} k^2 + 4\sum_{k=1}^{n} k + \sum_{k=1}^{n} 4$$

$$= \frac{n(n+1)(2n+1)}{6} + 4 \times \frac{n(n+1)}{2} + 4n$$

$$= \frac{n}{6} \{(n+1)(2n+1) + 12(n+1) + 24\}$$

$$= \frac{n(2n^2 + 15n + 37)}{6}$$

**다른 풀이**

$$\sum_{k=1}^{n} (k+2)^2 = 3^2 + 4^2 + 5^2 + \cdots + (n+2)^2$$

$$= \sum_{k=3}^{n+2} k^2 = \sum_{k=1}^{n+2} k^2 - (1^2 + 2^2)$$

$$= \frac{(n+2)(n+3)(2n+5)}{6} - 5$$

$$= \frac{n(2n^2 + 15n + 37)}{6}$$

(2) $a_k = k(3k-1) = 3k^2 - k$이므로

$$\sum_{k=1}^{n} a_k = \sum_{k=1}^{n} (3k^2 - k) = 3\sum_{k=1}^{n} k^2 - \sum_{k=1}^{n} k$$

$$= 3 \times \frac{n(n+1)(2n+1)}{6} - \frac{n(n+1)}{2}$$

$$= \frac{n(n+1)}{2} (2n+1-1) = n^2(n+1)$$

(3) $a_k = 1 + 2 + 3 + \cdots + k$

$$= \frac{k(k+1)}{2} = \frac{k^2}{2} + \frac{k}{2}$$이므로

$$\sum_{k=1}^{n} a_k = \sum_{k=1}^{n} \left( \frac{k^2}{2} + \frac{k}{2} \right) = \frac{1}{2}\sum_{k=1}^{n} k^2 + \frac{1}{2}\sum_{k=1}^{n} k$$

$$= \frac{1}{2} \times \frac{n(n+1)(2n+1)}{6} + \frac{1}{2} \times \frac{n(n+1)}{2}$$

$$= \frac{n(n+1)}{4} \times \frac{2n+4}{3}$$

$$= \frac{n(n+1)(n+2)}{6}$$

答 (1) $\dfrac{n(2n^2 + 15n + 37)}{6}$　(2) $n^2(n+1)$

(3) $\dfrac{n(n+1)(n+2)}{6}$

**2-1**

(1) $\sum_{k=1}^{n} (k-1)^3$

$$= \sum_{k=1}^{n} (k^3 - 3k^2 + 3k - 1)$$

$$= \sum_{k=1}^{n} k^3 - 3\sum_{k=1}^{n} k^2 + 3\sum_{k=1}^{n} k - \sum_{k=1}^{n} 1$$

$$= \left\{ \frac{n(n+1)}{2} \right\}^2 - 3 \times \frac{n(n+1)(2n+1)}{6}$$

$$+ 3 \times \frac{n(n+1)}{2} - n$$

$$= \frac{n}{4} \{n(n+1)^2 - 2(n+1)(2n+1) + 6(n+1) - 4\}$$

$$= \frac{n}{4} (n^3 - 2n^2 + n) = \frac{n^2(n-1)^2}{4}$$

**다른 풀이**

$$\sum_{k=1}^{n} (k-1)^3 = 0^3 + 1^3 + 2^3 + \cdots + (n-1)^3$$

$$= \sum_{k=1}^{n-1} k^3 = \frac{n^2(n-1)^2}{4}$$

(2) $a_k=(2k-1)^2=4k^2-4k+1$이므로

$$\sum_{k=1}^{n}a_k=\sum_{k=1}^{n}(4k^2-4k+1)=4\sum_{k=1}^{n}k^2-4\sum_{k=1}^{n}k+\sum_{k=1}^{n}1$$

$$=4\times\frac{n(n+1)(2n+1)}{6}-4\times\frac{n(n+1)}{2}+n$$

$$=\frac{n}{3}\{2(n+1)(2n+1)-6(n+1)+3\}$$

$$=\frac{n}{3}(4n^2-1)=\frac{n(2n+1)(2n-1)}{3}$$

(3) $a_k=1+3+5+\cdots+(2k-1)=\sum_{i=1}^{k}(2i-1)$

$$=2\sum_{i=1}^{k}i-\sum_{i=1}^{k}1=2\times\frac{k(k+1)}{2}-k=k^2$$

따라서

$$\sum_{k=1}^{n}a_k=\sum_{k=1}^{n}k^2=\frac{n(n+1)(2n+1)}{6}$$

답 (1) $\dfrac{n^2(n-1)^2}{4}$  (2) $\dfrac{n(2n+1)(2n-1)}{3}$

(3) $\dfrac{n(n+1)(2n+1)}{6}$

**대표 03**

(1) $\displaystyle\sum_{k=1}^{n}3^{2k-1}=3+3^3+3^5+\cdots+3^{2n-1}$

이므로 첫째항이 3, 공비가 $3^2$인 등비수열의 제1항부터 제$n$항까지 합이다.

$$\therefore \sum_{k=1}^{n}3^{2k-1}=\frac{3\times\{(3^2)^n-1\}}{3^2-1}=\frac{3}{8}\times(3^{2n}-1)$$

(2) $a_k=1+2+2^2+\cdots+2^{k-1}=\dfrac{1\times(2^k-1)}{2-1}=2^k-1$

이므로

$$\sum_{k=1}^{n}(2^k-1)=\sum_{k=1}^{n}2^k-\sum_{k=1}^{n}1=\frac{2\times(2^n-1)}{2-1}-n$$

$$=2^{n+1}-n-2$$

(3) $a_k=\underbrace{999\cdots9}_{k개}=9+90+900+\cdots+9\times10^{k-1}$

$$=9+9\times10+9\times10^2+\cdots+9\times10^{k-1}$$

$$=\frac{9\times(10^k-1)}{10-1}=10^k-1$$

이므로

$$\sum_{k=1}^{n}(10^k-1)=\frac{10\times(10^n-1)}{10-1}-n$$

$$=\frac{10^{n+1}}{9}-n-\frac{10}{9}$$

**다른 풀이**

$a_1=9=10-1$

$a_2=99=10^2-1$

$a_3=999=10^3-1$

$\vdots$

$a_k=\underbrace{999\cdots9}_{k개}=10^k-1$

이므로

$$\sum_{k=1}^{n}(10^k-1)=\frac{10\times(10^n-1)}{10-1}-n$$

$$=\frac{10^{n+1}}{9}-n-\frac{10}{9}$$

답 (1) $\dfrac{3}{8}\times(3^{2n}-1)$  (2) $2^{n+1}-n-2$

(3) $\dfrac{10^{n+1}}{9}-n-\dfrac{10}{9}$

**3-1**

(1) $\displaystyle\sum_{k=1}^{n}3^{1-k}=\sum_{k=1}^{n}\left(\frac{1}{3}\right)^{k-1}=\frac{1-\left(\frac{1}{3}\right)^n}{1-\frac{1}{3}}$

$$=\frac{3}{2}\times\left\{1-\left(\frac{1}{3}\right)^n\right\}$$

(2) $a_k=3+3^2+3^3+\cdots+3^k$

$$=\frac{3\times(3^k-1)}{3-1}=\frac{3}{2}\times(3^k-1)$$

이므로

$$\sum_{k=1}^{n}a_k=\frac{3}{2}\left(\sum_{k=1}^{n}3^k-\sum_{k=1}^{n}1\right)=\frac{3}{2}\times\left\{\frac{3\times(3^n-1)}{3-1}-n\right\}$$

$$=\frac{9}{4}\times(3^n-1)-\frac{3}{2}n$$

답 (1) $\dfrac{3}{2}\times\left\{1-\left(\dfrac{1}{3}\right)^n\right\}$  (2) $\dfrac{9}{4}\times(3^n-1)-\dfrac{3}{2}n$

**3-2**

$a_k=\underbrace{101010\cdots101}_{1이\ k개}=1+10^2+10^4+\cdots+10^{2(k-1)}$

$$=\frac{1\times\{(10^2)^k-1\}}{10^2-1}=\frac{100^k-1}{99}$$

이므로

$$\sum_{k=1}^{n}\frac{100^k-1}{99}=\frac{1}{99}\times\left\{\frac{100\times(100^n-1)}{100-1}-n\right\}$$

$$=\frac{100^{n+1}}{99^2}-\frac{n}{99}-\frac{100}{99^2}$$

답 $\dfrac{100^{n+1}}{99^2}-\dfrac{n}{99}-\dfrac{100}{99^2}$

**대표 04**

(1) $\displaystyle\sum_{k=1}^{50}\frac{k}{k+1}+\sum_{i=1}^{50}\frac{1}{i+1}=\sum_{k=1}^{50}\frac{k}{k+1}+\sum_{k=1}^{50}\frac{1}{k+1}$

$\qquad\qquad\qquad=\displaystyle\sum_{k=1}^{50}\left(\frac{k}{k+1}+\frac{1}{k+1}\right)$

$\qquad\qquad\qquad=\displaystyle\sum_{k=1}^{50}\frac{k+1}{k+1}=\sum_{k=1}^{50}1=50$

(2) $\displaystyle\sum_{n=1}^{m}(2n-1)=2\sum_{n=1}^{m}n-\sum_{n=1}^{m}1$

$\qquad\qquad\qquad=2\times\dfrac{m(m+1)}{2}-m$

$\qquad\qquad\qquad=m^2$

$\therefore \displaystyle\sum_{m=1}^{10}\left\{\sum_{n=1}^{m}(2n-1)\right\}=\sum_{m=1}^{10}m^2$

$\qquad\qquad\qquad\qquad=\dfrac{10\times11\times21}{6}=385$

(3) $\displaystyle\sum_{j=1}^{k}kj=k\sum_{j=1}^{k}j=k\times\frac{k(k+1)}{2}=\frac{k^3}{2}+\frac{k^2}{2}$

$\therefore \displaystyle\sum_{k=1}^{n}\left(\sum_{j=1}^{k}kj\right)$

$\quad=\displaystyle\sum_{k=1}^{n}\left(\frac{k^3}{2}+\frac{k^2}{2}\right)=\frac{1}{2}\sum_{k=1}^{n}k^3+\frac{1}{2}\sum_{k=1}^{n}k^2$

$\quad=\dfrac{1}{2}\times\left\{\dfrac{n(n+1)}{2}\right\}^2+\dfrac{1}{2}\times\dfrac{n(n+1)(2n+1)}{6}$

$\quad=\dfrac{n(n+1)}{24}\{3n(n+1)+2(2n+1)\}$

$\quad=\dfrac{n(n+1)(n+2)(3n+1)}{24}$

(4) $\displaystyle\sum_{l=1}^{k}(k+l)=\sum_{l=1}^{k}k+\sum_{l=1}^{k}l=k\times k+\frac{k(k+1)}{2}$

$\qquad\qquad\qquad=\dfrac{3k^2}{2}+\dfrac{k}{2}$

$\therefore \displaystyle\sum_{k=1}^{n}\left\{\sum_{l=1}^{k}(k+l)\right\}$

$\quad=\displaystyle\sum_{k=1}^{n}\left(\frac{3k^2}{2}+\frac{k}{2}\right)=\frac{3}{2}\sum_{k=1}^{n}k^2+\frac{1}{2}\sum_{k=1}^{n}k$

$\quad=\dfrac{3}{2}\times\dfrac{n(n+1)(2n+1)}{6}+\dfrac{1}{2}\times\dfrac{n(n+1)}{2}$

$\quad=\dfrac{n(n+1)}{4}\times(2n+1+1)$

$\quad=\dfrac{n(n+1)^2}{2}$

目 (1) 50  (2) 385

$\quad$ (3) $\dfrac{n(n+1)(n+2)(3n+1)}{24}$  (4) $\dfrac{n(n+1)^2}{2}$

**4-1**

(1) $\displaystyle\sum_{l=1}^{10}\frac{1}{l}=1+\sum_{k=2}^{10}\frac{1}{k}$이므로

$\quad\displaystyle\sum_{k=2}^{10}\frac{k+1}{k}-\sum_{l=1}^{10}\frac{1}{l}=\sum_{k=2}^{10}\frac{k+1}{k}-\left(1+\sum_{k=2}^{10}\frac{1}{k}\right)$

$\qquad\qquad=\displaystyle\sum_{k=2}^{10}\left(\frac{k+1}{k}-\frac{1}{k}\right)-1=\sum_{k=2}^{10}1-1$

$\qquad\qquad=1\times9-1=8$

(2) $\displaystyle\sum_{k=1}^{5}\left\{\sum_{j=1}^{k}\left(\sum_{i=1}^{j}2\right)\right\}=\sum_{k=1}^{5}\left(\sum_{j=1}^{k}2j\right)$

$\qquad\qquad=\displaystyle\sum_{k=1}^{5}\left\{2\times\frac{k(k+1)}{2}\right\}$

$\qquad\qquad=\displaystyle\sum_{k=1}^{5}(k^2+k)=\sum_{k=1}^{5}k^2+\sum_{k=1}^{5}k$

$\qquad\qquad=\dfrac{5\times6\times11}{6}+\dfrac{5\times6}{2}$

$\qquad\qquad=55+15=70$

目 (1) 8  (2) 70

**4-2**

(1) $\displaystyle\sum_{k=1}^{n}k(n-k)=\sum_{k=1}^{n}(kn-k^2)=n\sum_{k=1}^{n}k-\sum_{k=1}^{n}k^2$

$\qquad\qquad=n\times\dfrac{n(n+1)}{2}-\dfrac{n(n+1)(2n+1)}{6}$

$\qquad\qquad=\dfrac{n(n+1)\{3n-(2n+1)\}}{6}$

$\qquad\qquad=\dfrac{n(n+1)(n-1)}{6}$

(2) $\displaystyle\sum_{k=1}^{5}\left(\sum_{l=1}^{10}k^2l\right)=\sum_{k=1}^{5}\left(k^2\sum_{l=1}^{10}l\right)$

$\qquad\qquad=\displaystyle\sum_{k=1}^{5}\left(k^2\times\frac{10\times11}{2}\right)$

$\qquad\qquad=55\displaystyle\sum_{k=1}^{5}k^2=55\times\frac{5\times6\times11}{6}=3025$

目 (1) $\dfrac{n(n+1)(n-1)}{6}$  (2) 3025

**날선 05**

(1) $S_n=\displaystyle\sum_{k=1}^{n}ka_k=n(n+1)(n+2)$라 하면

$\quad n\geq2$일 때,

$\quad na_n=S_n-S_{n-1}$

$\qquad\quad=n(n+1)(n+2)-n(n-1)(n+1)$

$\qquad\quad=3n(n+1)$

$\therefore a_n=3(n+1)$ $\qquad$ … ㉠

㉠에 $n=1$을 대입하면 $a_1=S_1=6$이 성립하므로

$a_n=3(n+1)$ $(n\geq1)$

$\therefore \sum\limits_{k=1}^{n} a_k=\sum\limits_{k=1}^{n} 3(k+1)=3\sum\limits_{k=1}^{n} k+\sum\limits_{k=1}^{n} 3$

$\qquad\qquad =3\times\dfrac{n(n+1)}{2}+3n$

$\qquad\qquad =\dfrac{3n(n+3)}{2}$

(2) $S_n=\sum\limits_{k=1}^{n} a_k$라 하면

$a_n=3+S_{n-1}$ $(n\geq2)$ $\qquad\qquad\cdots$ ㉠

㉠에서 $n$에 $n+1$을 대입하면 $a_{n+1}=3+S_n$ $\quad\cdots$ ㉡

㉡－㉠을 하면 $a_{n+1}-a_n=S_n-S_{n-1}$

$n\geq2$일 때, $S_n-S_{n-1}=a_n$이므로

$a_{n+1}-a_n=a_n$ $\qquad \therefore a_{n+1}=2a_n$

$a_1=3$이므로 수열 $\{a_n\}$은 첫째항이 3, 공비가 2인 등

비수열이므로 $a_n=3\times2^{n-1}$

$\therefore a_{10}=3\times2^9=1536$

$\qquad\qquad$ 답 (1) $\dfrac{3n(n+3)}{2}$ $\quad$ (2) 1536

**5-1**

$S_n=\sum\limits_{k=1}^{n} a_k=\dfrac{n(n+3)}{2}$이라 하면

$a_n=S_n-S_{n-1}$

$\quad =\dfrac{n(n+3)}{2}-\dfrac{(n-1)(n+2)}{2}$

$\quad =n+1$ $(n\geq2)$ $\qquad\cdots$ ㉠

㉠에 $n=1$을 대입하면 $a_1=S_1=2$가 성립하므로

$a_n=n+1$ $(n\geq1)$

$\therefore a_{2n-1}=2n-1+1=2n$

$\therefore \sum\limits_{k=1}^{n} ka_{2k-1}=\sum\limits_{k=1}^{n} (k\times2k)=2\sum\limits_{k=1}^{n} k^2$

$\qquad\qquad\qquad =\dfrac{n(n+1)(2n+1)}{3}$

$\qquad\qquad$ 답 $\dfrac{n(n+1)(2n+1)}{3}$

**5-2**

$S_{n-1}=\sum\limits_{k=1}^{n-1} a_k$ $(n\geq2)$라 하면

$a_n=\dfrac{1}{2}S_{n-1}$ $\qquad \therefore S_{n-1}=2a_n$ $\qquad\cdots$ ㉠

㉠에서 $n$에 $n+1$을 대입하면 $S_n=2a_{n+1}$ $\quad\cdots$ ㉡

㉡－㉠을 하면 $S_n-S_{n-1}=2a_{n+1}-2a_n$

$n\geq2$일 때, $S_n-S_{n-1}=a_n$이므로

$a_n=2a_{n+1}-2a_n$ $\qquad \therefore a_{n+1}=\dfrac{3}{2}a_n$

$a_1=\dfrac{1}{9}$이므로 수열 $\{a_n\}$은 첫째항이 $\dfrac{1}{9}$, 공비가 $\dfrac{3}{2}$인 등

비수열이므로 $a_n=\dfrac{1}{9}\times\left(\dfrac{3}{2}\right)^{n-1}$

$\therefore a_9=\dfrac{1}{9}\times\left(\dfrac{3}{2}\right)^8=\dfrac{729}{256}$

$\qquad\qquad$ 답 $\dfrac{729}{256}$

**대표 06**

(1) $a_k=\dfrac{1}{1+2+3+\cdots+k}=\dfrac{1}{\dfrac{k(k+1)}{2}}=\dfrac{2}{k(k+1)}$

$\qquad =2\left(\dfrac{1}{k}-\dfrac{1}{k+1}\right)$

이므로

$\sum\limits_{k=1}^{n} a_k=2\sum\limits_{k=1}^{n}\left(\dfrac{1}{k}-\dfrac{1}{k+1}\right)$

$\qquad =2\times\left\{\left(1-\dfrac{1}{2}\right)+\left(\dfrac{1}{2}-\dfrac{1}{3}\right)+\left(\dfrac{1}{3}-\dfrac{1}{4}\right)\right.$

$\qquad\qquad \left.+\cdots+\left(\dfrac{1}{n-1}-\dfrac{1}{n}\right)+\left(\dfrac{1}{n}-\dfrac{1}{n+1}\right)\right\}$

$\qquad =2\times\left(1-\dfrac{1}{n+1}\right)=\dfrac{2n}{n+1}$

(2) $a_k=\dfrac{2}{k^2-1}=\dfrac{2}{(k-1)(k+1)}$

$\qquad =\dfrac{1}{k-1}-\dfrac{1}{k+1}$

이므로

$\sum\limits_{k=2}^{n} a_k=\sum\limits_{k=2}^{n}\left(\dfrac{1}{k-1}-\dfrac{1}{k+1}\right)$

$\qquad =\left(1-\dfrac{1}{3}\right)+\left(\dfrac{1}{2}-\dfrac{1}{4}\right)+\left(\dfrac{1}{3}-\dfrac{1}{5}\right)$

$\qquad\qquad +\cdots+\left(\dfrac{1}{n-2}-\dfrac{1}{n}\right)+\left(\dfrac{1}{n-1}-\dfrac{1}{n+1}\right)$

$\qquad =1+\dfrac{1}{2}-\dfrac{1}{n}-\dfrac{1}{n+1}$

$\qquad =\dfrac{(3n+2)(n-1)}{2n(n+1)}$

$\qquad\qquad$ 답 (1) $\dfrac{2n}{n+1}$ $\quad$ (2) $\dfrac{(3n+2)(n-1)}{2n(n+1)}$

## 6-1

(1) $a_k = \dfrac{1}{k(k+2)} = \dfrac{1}{2}\left(\dfrac{1}{k} - \dfrac{1}{k+2}\right)$이므로

$$\sum_{k=1}^{n} a_k = \dfrac{1}{2}\sum_{k=1}^{n}\left(\dfrac{1}{k} - \dfrac{1}{k+2}\right)$$

$$= \dfrac{1}{2}\times\left\{\left(1-\dfrac{1}{3}\right)+\left(\dfrac{1}{2}-\dfrac{1}{4}\right)+\left(\dfrac{1}{3}-\dfrac{1}{5}\right)\right.$$

$$\left. + \cdots +\left(\dfrac{1}{n-1}-\dfrac{1}{n+1}\right)+\left(\dfrac{1}{n}-\dfrac{1}{n+2}\right)\right\}$$

$$= \dfrac{1}{2}\times\left(1+\dfrac{1}{2}-\dfrac{1}{n+1}-\dfrac{1}{n+2}\right)$$

$$= \dfrac{n(3n+5)}{4(n+1)(n+2)}$$

(2) $a_k = \dfrac{1}{2+4+6+\cdots+2k} = \dfrac{1}{\dfrac{k(2+2k)}{2}}$

$$= \dfrac{1}{k(k+1)}$$

이므로

$$\sum_{k=1}^{n} a_k = \sum_{k=1}^{n}\dfrac{1}{k(k+1)} = \sum_{k=1}^{n}\left(\dfrac{1}{k}-\dfrac{1}{k+1}\right)$$

$$= \left(1-\dfrac{1}{2}\right)+\left(\dfrac{1}{2}-\dfrac{1}{3}\right)+\left(\dfrac{1}{3}-\dfrac{1}{4}\right)$$

$$+ \cdots +\left(\dfrac{1}{n-1}-\dfrac{1}{n}\right)+\left(\dfrac{1}{n}-\dfrac{1}{n+1}\right)$$

$$= 1-\dfrac{1}{n+1}$$

$$= \dfrac{n}{n+1}$$

目 (1) $\dfrac{n(3n+5)}{4(n+1)(n+2)}$  (2) $\dfrac{n}{n+1}$

## 대표 07

(1) $a_k = \dfrac{1}{\sqrt{k+2}+\sqrt{k}}$

$$= \dfrac{\sqrt{k+2}-\sqrt{k}}{(\sqrt{k+2}+\sqrt{k})(\sqrt{k+2}-\sqrt{k})}$$

$$= \dfrac{1}{2}(\sqrt{k+2}-\sqrt{k})$$

이므로

$$\sum_{k=1}^{n}\dfrac{1}{\sqrt{k+2}+\sqrt{k}}$$

$$= \dfrac{1}{2}\sum_{k=1}^{n}(\sqrt{k+2}-\sqrt{k})$$

$$= \dfrac{1}{2}\times\{(\sqrt{3}-\sqrt{1})+(\sqrt{4}-\sqrt{2})+(\sqrt{5}-\sqrt{3})+(\sqrt{6}-\sqrt{4})$$

$$+ \cdots +(\sqrt{n+1}-\sqrt{n-1})+(\sqrt{n+2}-\sqrt{n})\}$$

$$= \dfrac{1}{2}\times(\sqrt{n+1}+\sqrt{n+2}-1-\sqrt{2})$$

(2) $a_k = \log\left(1+\dfrac{1}{k}\right) = \log\dfrac{k+1}{k}$이므로

$$\sum_{k=1}^{99}\log\dfrac{k+1}{k}$$

$$= \log 2+\log\dfrac{3}{2}+\log\dfrac{4}{3}+\cdots+\log\dfrac{99}{98}+\log\dfrac{100}{99}$$

$$= \log\left(2\times\dfrac{3}{2}\times\dfrac{4}{3}\times\cdots\times\dfrac{99}{98}\times\dfrac{100}{99}\right)$$

$$= \log 100 = 2$$

目 (1) $\dfrac{1}{2}(\sqrt{n+1}+\sqrt{n+2}-1-\sqrt{2})$  (2) 2

## 7-1

$$a_k = \dfrac{1}{\sqrt{k+1}+\sqrt{k}}$$

$$= \dfrac{\sqrt{k+1}-\sqrt{k}}{(\sqrt{k+1}+\sqrt{k})(\sqrt{k+1}-\sqrt{k})}$$

$$= \sqrt{k+1}-\sqrt{k}$$

이므로

$$\sum_{k=1}^{n} a_k = \sum_{k=1}^{n}(\sqrt{k+1}-\sqrt{k})$$

$$= (\sqrt{2}-\sqrt{1})+(\sqrt{3}-\sqrt{2})+(\sqrt{4}-\sqrt{3})$$

$$+ \cdots +(\sqrt{n}-\sqrt{n-1})+(\sqrt{n+1}-\sqrt{n})$$

$$= \sqrt{n+1}-1$$

目 $\sqrt{n+1}-1$

## 7-2

$$a_k = \log\dfrac{2k+1}{2k-1}$$이므로

$$\sum_{k=1}^{n} a_k = \log 3+\log\dfrac{5}{3}+\log\dfrac{7}{5}+\cdots+\log\dfrac{2n+1}{2n-1}$$

$$= \log\left(3\times\dfrac{5}{3}\times\dfrac{7}{5}\times\cdots\times\dfrac{2n+1}{2n-1}\right)$$

$$= \log(2n+1)$$

目 $\log(2n+1)$

## 대표 08

(1) $a_k=2k+\left(\dfrac{1}{2}\right)^k$ 이므로

$$\sum_{k=1}^{n}a_k=\sum_{k=1}^{n}\left\{2k+\left(\dfrac{1}{2}\right)^k\right\}=2\sum_{k=1}^{n}k+\sum_{k=1}^{n}\left(\dfrac{1}{2}\right)^k$$

$$=2\times\dfrac{n(n+1)}{2}+\dfrac{\dfrac{1}{2}\left\{1-\left(\dfrac{1}{2}\right)^n\right\}}{1-\dfrac{1}{2}}$$

$$=n^2+n+1-\left(\dfrac{1}{2}\right)^n$$

(2) 수열의 합을 $S_n$이라 하면

$$S_n=1\times3+3\times3^2+5\times3^3+\cdots+(2n-1)\times3^n$$
$$3S_n=\qquad1\times3^2+3\times3^3+\cdots+(2n-3)\times3^n$$
$$\qquad\qquad\qquad+(2n-1)\times3^{n+1}$$

변끼리 빼면

$$-2S_n=1\times3+2\times3^2+2\times3^3+\cdots+2\times3^n$$
$$\qquad\qquad-(2n-1)\times3^{n+1}$$

$$=3+2\times\dfrac{3^2\times(3^{n-1}-1)}{3-1}-(2n-1)\times3^{n+1}$$

$$=3+3^{n+1}-3^2-(2n-1)\times3^{n+1}$$

$$=-2(n-1)\times3^{n+1}-6$$

$$\therefore S_n=(n-1)\times3^{n+1}+3$$

$$\boxed{\text{답}}\ (1)\ n^2+n+1-\left(\dfrac{1}{2}\right)^n\quad(2)\ (n-1)\times3^{n+1}+3$$

## 8-1

(1) $1,\ 3,\ 5,\ 7,\ \cdots$은 첫째항이 $1$, 공차가 $2$인 등차수열이므로 제1항부터 제$n$항까지 합은

$$\dfrac{n\{2\times1+(n-1)\times2\}}{2}=n^2\qquad\cdots\ ㉠$$

$\dfrac{1}{10},\ -\dfrac{1}{10^2},\ \dfrac{1}{10^3},\ -\dfrac{1}{10^4},\ \cdots$은

첫째항이 $\dfrac{1}{10}$, 공비가 $-\dfrac{1}{10}$인 등비수열이므로

제1항부터 제$n$항까지 합은

$$\dfrac{\dfrac{1}{10}\times\left\{1-\left(-\dfrac{1}{10}\right)^n\right\}}{1-\left(-\dfrac{1}{10}\right)}=\dfrac{1}{11}\times\left\{1-\left(-\dfrac{1}{10}\right)^n\right\}\ \cdots\ ㉡$$

따라서 수열의 합은 ㉠+㉡과 같으므로

$$n^2+\dfrac{1}{11}\times\left\{1-\left(-\dfrac{1}{10}\right)^n\right\}$$

(2) 수열의 합을 $S_n$이라 하면

$$S_n=1\times2+2\times2^2+3\times2^3+\cdots+n\times2^n$$
$$2S_n=\qquad1\times2^2+2\times2^3+\cdots+(n-1)\times2^n$$
$$\qquad\qquad\qquad+n\times2^{n+1}$$

변끼리 빼면

$$-S_n=2+2^2+2^3+\cdots+2^n-n\times2^{n+1}$$

$$=\dfrac{2\times(2^n-1)}{2-1}-n\times2^{n+1}$$

$$=-(n-1)\times2^{n+1}-2$$

$$\therefore S_n=(n-1)\times2^{n+1}+2$$

$$\boxed{\text{답}}\ (1)\ n^2+\dfrac{1}{11}\times\left\{1-\left(-\dfrac{1}{10}\right)^n\right\}$$
$$(2)\ (n-1)\times2^{n+1}+2$$

## 대표 09

(1) $(n-1)$행까지 나열한 자연수의 개수는

$$\sum_{k=1}^{n-1}(2k-1)=2\sum_{k=1}^{n-1}k-\sum_{k=1}^{n-1}1$$

$$=2\times\dfrac{n(n-1)}{2}-(n-1)$$

$$=n^2-2n+1=(n-1)^2$$

곧, $(n-1)$행의 마지막 수는 $(n-1)^2$이다.

따라서 $n$행의 첫 번째 수는 $(n-1)^2+1$

(2) 8행의 첫 번째 수는 $(8-1)^2+1=50$

8행에 적힌 수의 개수는 $2\times8-1=15$(개)

곧, 8행은 $50,\ 50+1,\ 50+2,\ \cdots,\ 50+14$

따라서 8행에 적힌 수의 합은 첫째항이 $50$, 끝항이 $50+14=64$이고, 항이 $15$개인 등차수열의 합이므로

$$\dfrac{15\times(50+64)}{2}=855$$

### 다른 풀이

$$\sum_{k=1}^{15}(50+k-1)=50\times15+\dfrac{15\times(15+1)}{2}-1\times15$$
$$=855$$

(3) $200$이 $n$행의 수라 하면

$$\sum_{k=1}^{n-1}(2k-1)<200\le\sum_{k=1}^{n}(2k-1)$$

$$(n-1)^2<200\le n^2$$

$14^2=196,\ 15^2=225$이므로 $n=15$

따라서 $200$은 $15$행의 수이고 $15$행의 첫 번째 수는
$(15-1)^2+1=197$

따라서 $200$은 $15$행의 4번째 수이다.

$$\boxed{\text{답}}\ (1)\ (n-1)^2+1\quad(2)\ 855\quad(3)\ 15\text{행의 4번째 수}$$

**9-1**

(1) $(n-1)$행까지 나열한 수의 개수는

$\sum\limits_{k=1}^{n-1} k = \dfrac{n(n-1)}{2}$ 이므로 $n$행의 첫 번째 수는

$\left\{\dfrac{n(n-1)}{2}+1\right\}$ 번째 홀수이다.

$\therefore 2 \times \left\{\dfrac{n(n-1)}{2}+1\right\}-1 = n^2-n+1$

(2) 10행의 첫 번째 수는 $10^2-10+1=91$

10행에 적힌 수는 10개이므로 10행은

91, $91+2$, $91+2\times2$, $\cdots$, $91+2\times9$

따라서 합은 $\dfrac{10\times(91+109)}{2}=1000$

(3) $121=2\times61-1$이므로 121은 61번째 홀수이다.

따라서 121이 $n$행의 수라 하면

$\sum\limits_{k=1}^{n-1}k<61\leq\sum\limits_{k=1}^{n}k$

$\dfrac{n(n-1)}{2}<61\leq\dfrac{n(n+1)}{2}$

$\dfrac{10\times11}{2}=55$, $\dfrac{11\times12}{2}=66$이므로 $n=11$

따라서 121은 11행의 수이고, 11행의 첫 번째 수는

$11^2-11+1=111$

따라서 121은 11행의 6번째 수이다.

目 **(1)** $n^2-n+1$ **(2)** 1000 **(3)** 11행의 6번째 수

**대표 Q10**

$\left(\dfrac{1}{1}\right)$, $\left(\dfrac{1}{2}, \dfrac{2}{1}\right)$, $\left(\dfrac{1}{3}, \dfrac{2}{2}, \dfrac{3}{1}\right)$, $\left(\dfrac{1}{4}, \dfrac{2}{3}, \dfrac{3}{2}, \dfrac{4}{1}\right)$, $\cdots$

와 같이 분모와 분자의 합이 같은 항끼리 묶는다.

(1) $\dfrac{5}{7}$는 $5+7-1=11$(군)에 속한다.

10군까지 항의 개수는

$\sum\limits_{k=1}^{10}k=\dfrac{10\times(10+1)}{2}=55$

$\dfrac{5}{7}$는 11군의 5번째 수이므로 $55+5=60$,

곧 제60항이다.

(2) 제100항이 $n$군에 속한다고 하면

$\sum\limits_{k=1}^{n-1}k<100\leq\sum\limits_{k=1}^{n}k$

$\dfrac{n(n-1)}{2}<100\leq\dfrac{n(n+1)}{2}$

$\dfrac{13\times14}{2}=91$, $\dfrac{14\times15}{2}=105$이므로 $n=14$

따라서 제100항은 14군에 속하고, 13군까지 항의 개수가 91이므로 제100항은 14군의 9번째 항이다.

그런데 14군의 첫 번째 항은 $\dfrac{1}{14}$이므로 9번째 항은

$\dfrac{9}{6}\left(=\dfrac{3}{2}\right)$이다.

(3) 제100항은 14군에 속하고, 14군의 분모와 분자의 합이 15이므로 제100항까지의 수 중에서 3인 수는

$\dfrac{3}{1}$, $\dfrac{6}{2}$, $\dfrac{9}{3}$이고 3개이다.

目 **(1)** 제60항 **(2)** $\dfrac{9}{6}\left(=\dfrac{3}{2}\right)$ **(3)** 3

**10-1**

$\left(\dfrac{1}{2}\right)$, $\left(\dfrac{1}{3}, \dfrac{2}{3}\right)$, $\left(\dfrac{1}{4}, \dfrac{2}{4}, \dfrac{3}{4}\right)$, $\left(\dfrac{1}{5}, \dfrac{2}{5}, \dfrac{3}{5}, \dfrac{4}{5}\right)$, $\cdots$

와 같이 분모가 같은 항끼리 묶는다.

(1) $\dfrac{8}{11}$은 분모가 11이므로 10군에 속한다.

9군까지 항의 개수는

$\sum\limits_{k=1}^{9}k=\dfrac{9\times(9+1)}{2}=45$

$\dfrac{8}{11}$은 10군의 8번째 수이므로 $45+8=53$,

곧 제53항이다.

(2) 제200항이 $n$군에 속한다고 하면

$\sum\limits_{k=1}^{n-1}k<200\leq\sum\limits_{k=1}^{n}k$

$\dfrac{n(n-1)}{2}<200\leq\dfrac{n(n+1)}{2}$

$\dfrac{19\times20}{2}=190$, $\dfrac{20\times21}{2}=210$이므로 $n=20$

따라서 제200항은 20군에 속하고, 19군까지 항의 개수가 190이므로 제200항은 20군의 10번째 항이다.

그런데 20군의 첫 번째 항은 $\dfrac{1}{21}$이므로 10번째 항은

$\dfrac{10}{21}$이다.

目 **(1)** 제53항 **(2)** $\dfrac{10}{21}$

**11 수열의 합**  206쪽~210쪽

01 ⑤   02 $-1$   03 60   04 98

05 (1) $\dfrac{n(4n^2+5n-1)}{2}$

　　(2) $\dfrac{n(n-1)(n+1)(n+2)}{4}$

06 (1) $\dfrac{n(n+3)}{4}$  (2) $\dfrac{n(n+1)(n+2)(3n+1)}{24}$

07 $\dfrac{91}{2}$   08 (1) $125\times(5^n-1)$  (2) $3\times 2^{20}-6$

09 5   10 25   11 15   12 2   13 ②

14 14   15 5   16 22   17 15

18 (1) $\dfrac{18}{37}$  (2) $\dfrac{40}{7}$

19 (1) $\dfrac{(2n+1)(7n+1)}{6n}$  (2) $\dfrac{n(n+1)(n+2)}{6}$

20 $-5050$   21 447   22 ④   23 ③

24 제86항   25 (1) 14  (2) 945

26 (1) 109  (2) 14행 32열

**01**

① $\displaystyle\sum_{i=n+1}^{2n} a_i = a_{n+1}+a_{n+2}+\cdots+a_{2n}$

② $\displaystyle\sum_{k=1}^{n} a_{n+k} = a_{n+1}+a_{n+2}+\cdots+a_{n+n}$

　　　　　　$= a_{n+1}+a_{n+2}+\cdots+a_{2n}$

③ $\displaystyle\sum_{k=1}^{2n} a_k - \sum_{k=1}^{n} a_k$

　$= (a_1+a_2+a_3+\cdots+a_{2n})$

　　$-(a_1+a_2+a_3+\cdots+a_n)$

　$= a_{n+1}+a_{n+2}+\cdots+a_{2n}$

④ $\displaystyle\sum_{k=n}^{2n} a_k - a_n = (a_n+a_{n+1}+a_{n+2}+\cdots+a_{2n})-a_n$

　　　　　　　$= a_{n+1}+a_{n+2}+\cdots+a_{2n}$

⑤ $\displaystyle\sum_{k=1}^{n} a_{2k} = a_2+a_4+a_6+\cdots+a_{2n}$

따라서 $a_{n+1}+a_{n+2}+\cdots+a_{2n}$이 아닌 것은 ⑤이다.

답 ⑤

**02**

공차를 $d$라 하면 $a_n=1+(n-1)d$이므로

$a_{2k-1}=1+(2k-1-1)d=1+2(k-1)d$

$\therefore \displaystyle\sum_{k=1}^{10} a_{2k-1} = \sum_{k=1}^{10} \{1+2(k-1)d\}$

　　　　　　　$= \displaystyle\sum_{k=1}^{10} \{2dk+(1-2d)\}$

　　　　　　　$= 2d\displaystyle\sum_{k=1}^{10} k+10(1-2d)$

　　　　　　　$= 2d\times\dfrac{10\times 11}{2}+10(1-2d)$

　　　　　　　$= 90d+10$

곧, $90d+10=-80$이므로 $d=-1$

따라서 공차는 $-1$이다.

답 $-1$

**03**

$\displaystyle\sum_{k=1}^{10}(a_k+2b_k)=\sum_{k=1}^{10}(a_k+b_k)+\sum_{k=1}^{10} b_k$이므로

$\displaystyle\sum_{k=1}^{10} b_k = \sum_{k=1}^{10}(a_k+2b_k)-\sum_{k=1}^{10}(a_k+b_k)$

　　　$= 160-\displaystyle\sum_{k=1}^{10} 10$

　　　$= 160-10\times 10=60$

답 60

**04**

$\displaystyle\sum_{k=0}^{19} \{f(k+1)-f(k)\}$

$= \{f(1)-f(0)\}+\{f(2)-f(1)\}+\{f(3)-f(2)\}$

　$+\cdots+\{f(20)-f(19)\}$

$= f(20)-f(0)$

곧, $f(20)-f(0)=101$, $f(0)=-3$이므로

$f(20)=101-3=98$

답 98

**05**

(1) $\displaystyle\sum_{k=1}^{n}(2k-1)(3k+1)$

　$= \displaystyle\sum_{k=1}^{n}(6k^2-k-1)=6\sum_{k=1}^{n} k^2-\sum_{k=1}^{n} k-\sum_{k=1}^{n} 1$

　$= 6\times\dfrac{n(n+1)(2n+1)}{6}-\dfrac{n(n+1)}{2}-n$

　$= \dfrac{n}{2}\{2(n+1)(2n+1)-(n+1)-2\}$

　$= \dfrac{n(4n^2+5n-1)}{2}$

(2) $\sum\limits_{k=1}^{n} k(k-1)(k+1)$

$= \sum\limits_{k=1}^{n} (k^3 - k) = \sum\limits_{k=1}^{n} k^3 - \sum\limits_{k=1}^{n} k$

$= \left\{ \dfrac{n(n+1)}{2} \right\}^2 - \dfrac{n(n+1)}{2}$

$= \dfrac{n(n+1)}{4} \{ n(n+1) - 2 \}$

$= \dfrac{n(n+1)}{4} (n^2 + n - 2)$

$= \dfrac{n(n-1)(n+1)(n+2)}{4}$

$\quad$ 🖺 (1) $\dfrac{n(4n^2 + 5n - 1)}{2}$

$\quad$ (2) $\dfrac{n(n-1)(n+1)(n+2)}{4}$

**06**

(1) $a_k = \dfrac{1 + 2 + 3 + \cdots + k}{k} = \dfrac{k(k+1)}{2} \times \dfrac{1}{k} = \dfrac{k+1}{2}$

이므로

$\sum\limits_{k=1}^{n} a_k = \sum\limits_{k=1}^{n} \dfrac{k+1}{2} = \dfrac{1}{2} \left( \sum\limits_{k=1}^{n} k + \sum\limits_{k=1}^{n} 1 \right)$

$\qquad = \dfrac{1}{2} \times \left\{ \dfrac{n(n+1)}{2} + n \right\} = \dfrac{n(n+3)}{4}$

(2) $a_k = k + 2k + 3k + \cdots + k^2$

$\quad = k(1 + 2 + 3 + \cdots + k)$

$\quad = \dfrac{k^2(k+1)}{2}$

이므로

$\sum\limits_{k=1}^{n} a_k = \sum\limits_{k=1}^{n} \dfrac{k^2(k+1)}{2} = \dfrac{1}{2} \sum\limits_{k=1}^{n} (k^3 + k^2)$

$\qquad = \dfrac{1}{2} \left[ \left\{ \dfrac{n(n+1)}{2} \right\}^2 + \dfrac{n(n+1)(2n+1)}{6} \right]$

$\qquad = \dfrac{n(n+1)}{24} \{ 3n(n+1) + 2(2n+1) \}$

$\qquad = \dfrac{n(n+1)}{24} (3n^2 + 7n + 2)$

$\qquad = \dfrac{n(n+1)(n+2)(3n+1)}{24}$

$\quad$ 🖺 (1) $\dfrac{n(n+3)}{4}$ $\quad$ (2) $\dfrac{n(n+1)(n+2)(3n+1)}{24}$

**07**

$\sum\limits_{k=1}^{10} \dfrac{k^2}{k+1} - \sum\limits_{k=2}^{10} \dfrac{1}{k+1}$

$= \sum\limits_{k=1}^{10} \dfrac{k^2}{k+1} - \left( \sum\limits_{k=1}^{10} \dfrac{1}{k+1} - \dfrac{1}{1+1} \right)$

$= \sum\limits_{k=1}^{10} \dfrac{k^2 - 1}{k+1} + \dfrac{1}{2} = \sum\limits_{k=1}^{10} (k-1) + \dfrac{1}{2}$

$= \dfrac{10 \times (10+1)}{2} - 10 + \dfrac{1}{2} = \dfrac{91}{2}$

$\quad$ 🖺 $\dfrac{91}{2}$

**08**

(1) $\sum\limits_{k=1}^{10} (2k-1) \times 5^i = 5^i \sum\limits_{k=1}^{10} (2k-1) = 5^i \left( 2 \sum\limits_{k=1}^{10} k - \sum\limits_{k=1}^{10} 1 \right)$

$\qquad = 5^i \times \left( 2 \times \dfrac{10 \times 11}{2} - 10 \right) = 100 \times 5^i$

$\therefore \sum\limits_{i=1}^{n} \left\{ \sum\limits_{k=1}^{10} (2k-1) \times 5^i \right\} = \sum\limits_{i=1}^{n} 100 \times 5^i = 100 \sum\limits_{i=1}^{n} 5^i$

$\qquad = 100 \times \dfrac{5 \times (5^n - 1)}{5 - 1}$

$\qquad = 125 \times (5^n - 1)$

(2) $\sum\limits_{k=1}^{40} 3 \times 2^k - \sum\limits_{k=20}^{40} 3 \times 2^k$

$= \sum\limits_{k=1}^{40} 3 \times 2^k - \left( \sum\limits_{k=1}^{40} 3 \times 2^k - \sum\limits_{k=1}^{19} 3 \times 2^k \right)$

$= \sum\limits_{k=1}^{40} 3 \times 2^k - \sum\limits_{k=1}^{40} 3 \times 2^k + \sum\limits_{k=1}^{19} 3 \times 2^k$

$= \sum\limits_{k=1}^{19} 3 \times 2^k = \dfrac{6 \times (2^{19} - 1)}{2 - 1}$

$= 6 \times 2^{19} - 6 = 3 \times 2^{20} - 6$

$\quad$ 🖺 (1) $125 \times (5^n - 1)$ $\quad$ (2) $3 \times 2^{20} - 6$

**09**

$\sum\limits_{k=1}^{n} \left( \sum\limits_{l=1}^{k} l \right) = \sum\limits_{k=1}^{n} \dfrac{k(k+1)}{2}$

$\qquad = \sum\limits_{k=1}^{n} \dfrac{1}{2}(k^2 + k) = \dfrac{1}{2} \sum\limits_{k=1}^{n} k^2 + \dfrac{1}{2} \sum\limits_{k=1}^{n} k$

$\qquad = \dfrac{1}{2} \times \dfrac{n(n+1)(2n+1)}{6} + \dfrac{1}{2} \times \dfrac{n(n+1)}{2}$

$\qquad = \dfrac{n(n+1)(2n+1+3)}{12}$

$\qquad = \dfrac{n(n+1)(n+2)}{6} = 35$

에서 $n(n+1)(n+2) = 5 \times 6 \times 7$ 이므로 $n = 5$

$\quad$ 🖺 5

**10**

$\sum\limits_{k=1}^{50} a_k = a_1 + a_2 + a_3 + \cdots + a_{50} = 50$이므로

$\sum\limits_{k=1}^{50} k(a_k - a_{k+1}) = (a_1 - a_2) + 2(a_2 - a_3) + 3(a_3 - a_4)$
$\qquad\qquad\qquad\qquad\qquad + \cdots + 50(a_{50} - a_{51})$
$\qquad = a_1 + a_2 + a_3 + \cdots + a_{50} - 50a_{51}$
$\qquad = 50 - 50 \times \dfrac{1}{2} = 25$

**답 25**

**11**

$\sum\limits_{k=1}^{n} \dfrac{4}{k(k+1)} = \sum\limits_{k=1}^{n} 4\left(\dfrac{1}{k} - \dfrac{1}{k+1}\right)$
$\qquad = 4\left\{\left(1 - \dfrac{1}{2}\right) + \left(\dfrac{1}{2} - \dfrac{1}{3}\right) + \left(\dfrac{1}{3} - \dfrac{1}{4}\right)\right.$
$\qquad\qquad \left. + \cdots + \left(\dfrac{1}{n} - \dfrac{1}{n+1}\right)\right\}$

에서 $4\left(1 - \dfrac{1}{n+1}\right) = \dfrac{15}{4}$이므로

$1 - \dfrac{1}{n+1} = \dfrac{15}{16}, \ \dfrac{1}{n+1} = \dfrac{1}{16}$

$\therefore n = 15$

**답 15**

**12**

$a_n = 4 + (n-1) \times 1 = n + 3$이고

$\dfrac{1}{\sqrt{a_{k+1}} + \sqrt{a_k}} = \dfrac{\sqrt{a_{k+1}} - \sqrt{a_k}}{(\sqrt{a_{k+1}} + \sqrt{a_k})(\sqrt{a_{k+1}} - \sqrt{a_k})}$
$\qquad = \dfrac{\sqrt{a_{k+1}} - \sqrt{a_k}}{a_{k+1} - a_k}$
$\qquad = \dfrac{\sqrt{k+4} - \sqrt{k+3}}{k+4 - (k+3)}$
$\qquad = \sqrt{k+4} - \sqrt{k+3}$

이므로

$\sum\limits_{k=1}^{12} \dfrac{1}{\sqrt{a_{k+1}} + \sqrt{a_k}} = \sum\limits_{k=1}^{12} (\sqrt{k+4} - \sqrt{k+3})$
$\qquad = (\sqrt{5} - \sqrt{4}) + (\sqrt{6} - \sqrt{5}) + (\sqrt{7} - \sqrt{6})$
$\qquad\qquad + \cdots + (\sqrt{15} - \sqrt{14}) + (\sqrt{16} - \sqrt{15})$
$\qquad = -\sqrt{4} + \sqrt{16}$
$\qquad = -2 + 4 = 2$

**답 2**

**13** **전략** $\sum\limits_{k=1}^{n} (k-a)^2$을 $a$에 대한 식으로 정리한다.

$\sum\limits_{k=1}^{n} (k-a)^2$
$= \sum\limits_{k=1}^{n} (k^2 - 2ak + a^2) = \sum\limits_{k=1}^{n} k^2 - 2a \sum\limits_{k=1}^{n} k + a^2 n$
$= \dfrac{n(n+1)(2n+1)}{6} - 2a \times \dfrac{n(n+1)}{2} + a^2 n$
$= na^2 - n(n+1)a + \dfrac{n(n+1)(2n+1)}{6}$

$a$에 대한 이차식이므로 $a = \dfrac{n(n+1)}{2n} = \dfrac{n+1}{2}$에서 최소이다.

**답 ②**

**14** **전략** $\sum\limits_{k=1}^{10} a_k$의 값을 먼저 구한다.

$(a_k + 1)^2 = a_k^2 + 2a_k + 1, \ a_k(a_k + 1) = a_k^2 + a_k$이므로

$\sum\limits_{k=1}^{10} (a_k + 1)^2 - \sum\limits_{k=1}^{10} a_k(a_k + 1) = \sum\limits_{k=1}^{10} (a_k + 1)$

$28 - 16 = \sum\limits_{k=1}^{10} a_k + 10$

$\therefore \sum\limits_{k=1}^{10} a_k = 2$

$\sum\limits_{k=1}^{10} a_k(a_k + 1) = \sum\limits_{k=1}^{10} (a_k^2 + a_k) = \sum\limits_{k=1}^{10} a_k^2 + \sum\limits_{k=1}^{10} a_k$이므로

$16 = \sum\limits_{k=1}^{10} a_k^2 + 2 \qquad \therefore \sum\limits_{k=1}^{10} a_k^2 = 14$

**답 14**

**15** **전략** 값이 $-1$인 항과 $1$인 항의 개수를 구한다.

$a_1$부터 $a_{20}$까지 항 중에서 값이 $-1$인 항의 개수를 $x$, $1$인 항의 개수를 $y$라 하자.

$\sum\limits_{k=1}^{20} a_k = 1$에서 $-x + y = 1 \qquad \cdots \ \text{㉠}$

$\sum\limits_{k=1}^{20} a_k^2 = 11$에서 $x + y = 11 \qquad \cdots \ \text{㉡}$

㉠, ㉡을 연립하여 풀면 $x = 5, \ y = 6$

따라서 $a_k = -1$인 $k$의 개수는 5이다.

**답 5**

**16** **전략** $a_2+a_4+\cdots+a_{2n}$을 구하고, $a_{2k}=b_k$로 놓고 $b_n$의 일반항을 구한다.

$\sum\limits_{k=1}^{n}a_{2k-1}=a_1+a_3+a_5+\cdots+a_{2n-1}=2n^2$,

$\sum\limits_{k=1}^{2n}a_k=a_1+a_2+a_3+\cdots+a_{2n}=4n^2+4n$이므로

$a_2+a_4+a_6+\cdots+a_{2n}=4n^2+4n-2n^2$
$\qquad\qquad\qquad\qquad\quad=2n^2+4n$

$a_{2k}=b_k\ (k=1,\ 2,\ 3,\ \cdots,\ n)$라 하면

$a_2+a_4+a_6+\cdots+a_{2n}=b_1+b_2+b_3+\cdots+b_n$

$S_n$을 $b_1$부터 $b_n$까지 합이라 하면 $S_n=2n^2+4n$

$b_n=S_n-S_{n-1}$
$\quad=2n^2+4n-\{2(n-1)^2+4(n-1)\}$
$\quad=4n+2$

$\therefore a_{10}=b_5=4\times5+2=22$

**답** 22

**17** **전략** $a_kb_k=c_k$로 놓고, 일반항 $c_n$부터 구한다.

$a_kb_k=c_k,\ \sum\limits_{k=1}^{n}c_k=S_n$이라 하자.

$\sum\limits_{k=1}^{n}a_kb_k=\sum\limits_{k=1}^{n}c_k=S_n=4n^3+3n^2-n$

이므로

$c_n=S_n-S_{n-1}$
$\quad=4n^3+3n^2-n-\{4(n-1)^3+3(n-1)^2-(n-1)\}$
$\quad=12n^2-6n$

$\therefore a_nb_n=12n^2-6n$

첫째항이 2, 공차가 4인 등차수열 $\{a_n\}$의 일반항은

$a_n=4n-2$이므로

$b_n=\dfrac{12n^2-6n}{4n-2}=3n$

$\therefore b_5=15$

**답** 15

**18** **전략** 일반항이 분수 꼴이고 분모가 두 일차식인 수열의 합은 일반항을 부분분수로 고친다.

(1) $a_k=\dfrac{1}{(2k)^2-1}$

에서

$\dfrac{1}{(2k)^2-1}=\dfrac{1}{(2k-1)(2k+1)}$
$\qquad\qquad\quad=\dfrac{1}{2}\left(\dfrac{1}{2k-1}-\dfrac{1}{2k+1}\right)$

이므로

$\sum\limits_{k=1}^{18}a_k=\sum\limits_{k=1}^{18}\dfrac{1}{(2k)^2-1}$

$\qquad=\sum\limits_{k=1}^{18}\dfrac{1}{2}\left(\dfrac{1}{2k-1}-\dfrac{1}{2k+1}\right)$

$\qquad=\dfrac{1}{2}\times\left\{\left(1-\dfrac{1}{3}\right)+\left(\dfrac{1}{3}-\dfrac{1}{5}\right)+\left(\dfrac{1}{5}-\dfrac{1}{7}\right)\right.$

$\qquad\qquad\left.+\cdots+\left(\dfrac{1}{35}-\dfrac{1}{37}\right)\right\}$

$\qquad=\dfrac{1}{2}\times\left(1-\dfrac{1}{37}\right)=\dfrac{18}{37}$

(2) $1^2+2^2+3^2+\cdots+k^2=\dfrac{k(k+1)(2k+1)}{6}$이므로

$\dfrac{3}{1^2}+\dfrac{5}{1^2+2^2}+\dfrac{7}{1^2+2^2+3^2}$

$\qquad+\cdots+\dfrac{41}{1^2+2^2+\cdots+20^2}$

$=\sum\limits_{k=1}^{20}\dfrac{2k+1}{\dfrac{k(k+1)(2k+1)}{6}}$

$=\sum\limits_{k=1}^{20}\dfrac{6}{k(k+1)}=6\sum\limits_{k=1}^{20}\left(\dfrac{1}{k}-\dfrac{1}{k+1}\right)$

$=6\times\left\{\left(1-\dfrac{1}{2}\right)+\left(\dfrac{1}{2}-\dfrac{1}{3}\right)+\left(\dfrac{1}{3}-\dfrac{1}{4}\right)\right.$

$\qquad\left.+\cdots+\left(\dfrac{1}{20}-\dfrac{1}{21}\right)\right\}$

$=6\times\left(1-\dfrac{1}{21}\right)=\dfrac{40}{7}$

**답** (1) $\dfrac{18}{37}$ (2) $\dfrac{40}{7}$

**19** **전략** 수열의 일반항부터 구한다.

(1) $a_k=\left(\dfrac{n+k}{n}\right)^2=\left(1+\dfrac{k}{n}\right)^2=1+\dfrac{2k}{n}+\dfrac{k^2}{n^2}$이므로

$\sum\limits_{k=1}^{n}a_k=\sum\limits_{k=1}^{n}\left(\dfrac{n+k}{n}\right)^2$

$\qquad=\sum\limits_{k=1}^{n}1+\dfrac{2}{n}\sum\limits_{k=1}^{n}k+\dfrac{1}{n^2}\sum\limits_{k=1}^{n}k^2$

$\qquad=n+\dfrac{2}{n}\times\dfrac{n(n+1)}{2}$

$\qquad\quad+\dfrac{1}{n^2}\times\dfrac{n(n+1)(2n+1)}{6}$

$\qquad=n+(n+1)+\dfrac{(n+1)(2n+1)}{6n}$

$$= \frac{(2n+1)\{6n+(n+1)\}}{6n}$$

$$= \frac{(2n+1)(7n+1)}{6n}$$

(2) $a_k = k\{n-(k-1)\} = -k^2 + (n+1)k$이므로

$$\sum_{k=1}^{n} a_k = \sum_{k=1}^{n} \{-k^2 + (n+1)k\}$$

$$= -\sum_{k=1}^{n} k^2 + (n+1)\sum_{k=1}^{n} k$$

$$= -\frac{n(n+1)(2n+1)}{6}$$

$$\quad + (n+1) \times \frac{n(n+1)}{2}$$

$$= \frac{n(n+1)}{6}\{-(2n+1)+3(n+1)\}$$

$$= \frac{n(n+1)(n+2)}{6}$$

🔺 (1) $\dfrac{(2n+1)(7n+1)}{6n}$  (2) $\dfrac{n(n+1)(n+2)}{6}$

---

**20** **전략** $k$에 1, 2, 3, $\cdots$, 100을 대입하고 나열하면 규칙을 찾는다.

$$\sum_{k=1}^{100} (-1)^{k+1} k^2 = 1^2 - 2^2 + 3^2 - 4^2 + \cdots + 99^2 - 100^2$$

$$= (1-2)(1+2)+(3-4)(3+4)$$

$$\quad + \cdots + (99-100)(99+100)$$

$$= -(1+2+3+\cdots+100)$$

$$= -\frac{100(1+100)}{2} = -5050$$

🔺 $-5050$

---

**21** **전략** 분자를 분모로 나누어 소수점 아래 반복되는 숫자를 찾는다.

$\dfrac{22}{7} = 3.142857142857\cdots$이므로

소수점 아래 첫째 자리부터 1, 4, 2, 8, 5, 7이 반복된다.

$100 = 6 \times 16 + 4$이므로

$$\sum_{k=1}^{100} a_k = 16 \times (1+4+2+8+5+7)+1+4+2+8$$

$$= 447$$

🔺 447

---

**22** **전략** $a_n$을 구한 다음 $\dfrac{9}{a_n a_{n+1}}$에 대입한다.

$a_n = \dfrac{1}{2} \times \{(n+1)-(n-1)\} \times \dfrac{3}{n} = \dfrac{3}{n}$이므로

$$\sum_{n=1}^{10} \frac{9}{a_n a_{n+1}} = \sum_{n=1}^{10} \frac{9}{\dfrac{3}{n} \times \dfrac{3}{n+1}}$$

$$= \sum_{n=1}^{10} n(n+1) = \sum_{n=1}^{10} (n^2+n)$$

$$= \frac{10 \times 11 \times 21}{6} + \frac{10 \times 11}{2}$$

$$= 440$$

🔺 ④

---

**23** **전략** $\overline{HF} = \overline{EG}$임을 알아낸 후 적당한 보조선을 긋는다.

점 H에서 $\overline{BC}$에 내린 수선의 발을 I, 점 G에서 $\overline{AB}$에 내린 수선의 발을 J라 하면

$\triangle HFI \equiv \triangle GEJ$

이므로

$\overline{HF} = \overline{GE} = \sqrt{4n^2+1}$

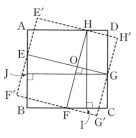

그림과 같이 $\overline{EG}$와 평행하고 길이가 같은 두 선분 E'H', F'G'와 $\overline{HF}$와 평행하고 길이가 같은 두 선분 E'F', H'G'을 그리면 사각형 E'F'G'H'은 한 변의 길이가 $\sqrt{4n^2+1}$인 정사각형이다.

그리고 사각형 EFGH의 넓이는 정사각형 E'F'G'H'의 넓이의 $\dfrac{1}{2}$이다.

$$S_n = \frac{1}{2} \times (\sqrt{4n^2+1})^2 = 2n^2 + \frac{1}{2}$$

$$\therefore \sum_{n=1}^{10} S_n = \sum_{n=1}^{10} \left(2n^2 + \frac{1}{2}\right)$$

$$= 2 \times \frac{10 \times 11 \times 21}{6} + \frac{1}{2} \times 10$$

$$= 775$$

**다른 풀이**

사각형 EFGH의 넓이를 다음과 같이 구할 수도 있다.

$$S_n = \frac{1}{2} \times \overline{HF} \times \overline{EG} \times \sin 90°$$
$$= \frac{1}{2} \times (\sqrt{4n^2+1})^2 \times 1$$
$$= 2n^2 + \frac{1}{2}$$

답 ③

**24** **전략** 군수열을 생각하고 각 군의 규칙을 찾는다.

순서쌍의 두 수의 합이 같은 항끼리 군으로 묶으면

1군 ➡ (1, 0), (0, 1)

2군 ➡ (2, 0), (1, 1), (0, 2)

3군 ➡ (3, 0), (2, 1), (1, 2), (0, 3)

⋮

이때 $n$군은 순서쌍의 두 수의 합이 $n$이고, 항의 개수는 $n+1$이다.

따라서 (4, 8)은 12군에 속하고, 12군의 첫 번째 항이 (12, 0)이므로 (4, 8)은 12군의 9번째 항이다.

11군까지 항의 개수는

$$2+3+\cdots+12 = \frac{11 \times (2+12)}{2} = 77 \text{이고,}$$

77+9=86이므로 (4, 8)은 제86항이다.

답 제86항

**25** **전략** 같은 수끼리 군으로 묶는다.

(1) 같은 수끼리 묶으면

(1), (2, 2), (3, 3, 3), (4, 4, 4, 4), (5, 5, 5, 5, 5), ⋯

각 군의 항의 개수가 1, 2, 3, ⋯이므로 $n$군까지 항의 개수는

$$1+2+3+\cdots+n = \frac{n(n+1)}{2}$$

$n=13$이면 $\frac{13 \times 14}{2} = 91$,

$n=14$이면 $\frac{14 \times 15}{2} = 105$이므로

제100항은 14군에 속한다. 따라서 제100항은 14이다.

(2) 제100항은 14군의 9번째 항이므로

$$1 \times 1 + 2 \times 2 + 3 \times 3 + \cdots + 13 \times 13 + 14 \times 9$$
$$= 1^2 + 2^2 + 3^2 + \cdots + 13^2 + 14 \times 9$$
$$= \frac{13 \times 14 \times 27}{6} + 126$$
$$= 945$$

답 (1) 14  (2) 945

**26** **전략** 1행의 수들이 각각 첫 번째 수인 군을 생각한다.

(1)

| | 1열 | 2열 | 3열 | 4열 | 5열 | ⋯ |
|---|---|---|---|---|---|---|
| 1행 | 1 | 2 | 4 | 7 | 11 | ⋯ |
| 2행 | 3 | 5 | 8 | 12 | | |
| 3행 | 6 | 9 | 13 | | | |
| 4행 | 10 | 14 | | | | |
| 5행 | 15 | | | | | |
| ⋮ | ⋮ | | | | | |

위의 표의 화살표 방향으로 수들을 묶어 군수열로 나타내면

(1), (2, 3), (4, 5, 6), (7, 8, 9, 10), (11, 12, 13, 14, 15), ⋯

$n$군에 속하는 수는 1행 $n$열, 2행 $(n-1)$열, ⋯, $n$행 1열에 있는 수이므로 행과 열의 수의 합이 $n+1$이다. 따라서 4행 12열에 있는 수는 15군에 속하고 15군의 4번째 수이다.

14군까지 항의 개수는 $\frac{14 \times 15}{2} = 105$

따라서 15군의 첫 번째 수는 106이므로 4번째 수는 109이다.

(2) 1004가 $n$군에 속한다고 하면

$$\frac{n(n-1)}{2} < 1004 \leq \frac{n(n+1)}{2}$$

$$\frac{45 \times 44}{2} = 990, \frac{45 \times 46}{2} = 1035 \text{이므로}$$

$$n=45$$

곧, 1004는 45군에 속한다.

또 44군까지 항의 개수의 합은 990이므로 45군의 첫 번째 수는 991이고, 1004=991+13이므로 1004는 45군의 14번째 수이다.

따라서 1004는 14행 32열에 있다.

답 (1) 109  (2) 14행 32열

## 12 수학적 귀납법

**개념 Check**     212쪽~213쪽

**1**

$a_{n+1}=2a_n-1$의 $n$에 1, 2, 3을 차례로 대입하면
$a_2=2a_1-1=2\times2-1=3$
$a_3=2a_2-1=2\times3-1=5$
$\therefore a_4=2a_3-1=2\times5-1=9$

**답** 9

**2**

$a_{n+2}=a_{n+1}-a_n$의 $n$에 1, 2, 3을 차례로 대입하면
$a_3=a_2-a_1=4-1=3$
$a_4=a_3-a_2=3-4=-1$
$\therefore a_5=a_4-a_3=(-1)-3=-4$

**답** $-4$

**3**

(1) 첫째항이 10, 공차가 $-2$인 등차수열이므로
$\quad a_n=10+(n-1)\times(-2)=-2n+12$

(2) 첫째항이 $-3$, 공비가 $\dfrac{1}{3}$인 등비수열이므로

$\quad a_n=-3\times\left(\dfrac{1}{3}\right)^{n-1}=-\left(\dfrac{1}{3}\right)^{n-2}$

(3) 첫째항이 $-3$, 공차가 $a_2-a_1=3$인 등차수열이므로
$\quad a_n=-3+(n-1)\times3=3n-6$

(4) 첫째항이 1, 공비가 $a_2\div a_1=4$인 등비수열이므로
$\quad a_n=1\times4^{n-1}=4^{n-1}$

**답** (1) $a_n=-2n+12$    (2) $a_n=-\left(\dfrac{1}{3}\right)^{n-2}$

          (3) $a_n=3n-6$      (4) $a_n=4^{n-1}$

**대표Q**     214쪽~216쪽

**대표 Q1**

(1) $a_{n+2}=a_{n+1}-a_n$이고 $a_1=1$, $a_2=3$이므로
$\quad a_3=3-1=2,\ a_4=2-3=-1,$
$\quad a_5=-1-2=-3,\ a_6=-3-(-1)=-2,$
$\quad a_7=-2-(-3)=1,\ a_8=1-(-2)=3,\ \cdots$

---

따라서 1, 3, 2, $-1$, $-3$, $-2$가 반복된다.
$100=6\times16+4$이므로 $a_{100}=a_4=-1$

(2) (i) $a_1=1$, $a_5=a_1+1=2$, $a_9=a_5+1=3$,
$\qquad a_{13}=a_9+1=4,\ \cdots,\ a_{45}=12,\ a_{49}=13$

   (ii) $a_2=2$, $a_6=a_2+1=3$, $a_{10}=a_6+1=4$, $a_{14}=5$,
$\qquad \cdots,\ a_{46}=13,\ a_{50}=14$

   (iii) $a_3=3$, $a_7=a_3+1=4$, $a_{11}=a_7+1=5$, $a_{15}=6$,
$\qquad \cdots,\ a_{47}=14$

   (iv) $a_4=4$, $a_8=a_4+1=5$, $a_{12}=a_8+1=6$, $a_{16}=7$,
$\qquad \cdots,\ a_{48}=15$

$\therefore \displaystyle\sum_{n=1}^{50}a_n=(a_1+a_5+a_9+\cdots+a_{49})$
$\qquad\qquad +(a_2+a_6+a_{10}+\cdots+a_{50})$
$\qquad\qquad +(a_3+a_7+a_{11}+\cdots+a_{47})$
$\qquad\qquad +(a_4+a_8+a_{12}+\cdots+a_{48})$
$\qquad\quad =\dfrac{13\times(1+13)}{2}+\dfrac{13\times(2+14)}{2}$
$\qquad\qquad +\dfrac{12\times(3+14)}{2}+\dfrac{12\times(4+15)}{2}$
$\qquad\quad =411$

**다른 풀이**

$a_1+a_2+a_3+a_4=10$
$a_5+a_6+a_7+a_8$
$=(a_1+1)+(a_2+1)+(a_3+1)+(a_4+1)$
$=10+4=14$
$a_9+a_{10}+a_{11}+a_{12}$
$=(a_5+1)+(a_6+1)+(a_7+1)+(a_8+1)$
$=14+4=18$
$\vdots$
$a_{45}+a_{46}+a_{47}+a_{48}=10+4\times11=54$
$a_{49}+a_{50}=13+14=27$
$\therefore \displaystyle\sum_{n=1}^{50}a_n=10+14+18+\cdots+54+27$
$\qquad\quad =\dfrac{12\times(10+54)}{2}+27$
$\qquad\quad =411$

**답** (1) $-1$    (2) 411

**1-1**

$a_1=2$, $a_2=3$, $a_{n+2}=a_{n+1}-2a_n+5$
$a_3=3-2\times2+5=4$
$a_4=4-2\times3+5=3$
$a_5=3-2\times4+5=0$

$a_6 = 0 - 2 \times 3 + 5 = -1$

답 $-1$

## 1-2

$a_1 = 1$, $a_5 = 2a_1 = 2$, $a_9 = 4$, $a_{13} = 8$, $a_{17} = 16$

$a_2 = 3$, $a_6 = 2a_2 = 6$, $a_{10} = 12$, $a_{14} = 24$, $a_{18} = 48$

$a_3 = 5$, $a_7 = 2a_3 = 10$, $a_{11} = 20$, $a_{15} = 40$, $a_{19} = 80$

$a_4 = 7$, $a_8 = 2a_4 = 14$, $a_{12} = 28$, $a_{16} = 56$, $a_{20} = 112$

$$\therefore \sum_{n=1}^{20} a_n = \frac{2^5-1}{2-1} + 3 \times \frac{2^5-1}{2-1} + 5 \times \frac{2^5-1}{2-1}$$
$$+ 7 \times \frac{2^5-1}{2-1}$$
$$= (1+3+5+7) \times 31 = 496$$

답 496

## 대표 02

(1) $a_{n+1} = a_n + n$의 $n$에 1, 2, 3, $\cdots$, $n-1$을 차례로 대입하여 변끼리 더하면

$a_2 = a_1 + 1$

$a_3 = a_2 + 2$

$a_4 = a_3 + 3$

$\vdots$

$a_{n-1} = a_{n-2} + (n-2)$

$a_n = a_{n-1} + (n-1)$

따라서 $a_n = a_1 + 1 + 2 + 3 + \cdots + (n-1)$

$a_1 = 1$이므로

$$a_n = 1 + \frac{n(n-1)}{2} = \frac{n^2}{2} - \frac{n}{2} + 1$$

(2) $a_{n+1} = 2^n a_n$의 $n$에 1, 2, 3, $\cdots$, $n-1$을 차례로 대입하여 변끼리 더하면

$a_2 = 2^1 a_1$

$a_3 = 2^2 a_2$

$a_4 = 2^3 a_3$

$\vdots$

$a_{n-1} = 2^{n-2} a_{n-2}$

$a_n = 2^{n-1} a_{n-1}$

따라서 $a_n = a_1 \times 2^1 \times 2^2 \times 2^3 \times \cdots \times 2^{n-1}$

$a_1 = 1$이므로

$$a_n = 2^{1+2+3+\cdots+(n-1)} = 2^{\frac{n(n-1)}{2}}$$

답 (1) $a_n = \dfrac{n^2}{2} - \dfrac{n}{2} + 1$  (2) $a_n = 2^{\frac{n(n-1)}{2}}$

## 2-1

(1) $a_{n+1} = a_n + n^2$의 $n$에 1, 2, 3, $\cdots$, 9를 차례로 대입하여 변끼리 더하면

$a_2 = a_1 + 1^2$

$a_3 = a_2 + 2^2$

$a_4 = a_3 + 3^2$

$\vdots$

$a_9 = a_8 + 8^2$

$a_{10} = a_9 + 9^2$

따라서 $a_{10} = a_1 + 1^2 + 2^2 + 3^2 + \cdots + 8^2 + 9^2$

$a_1 = 3$이므로 $a_{10} = 3 + \dfrac{9 \times 10 \times 19}{6} = 288$

(2) $a_{n+1} = na_n$의 $n$에 1, 2, 3, $\cdots$, 9를 차례로 대입하여 변끼리 곱하면

$a_2 = a_1$

$a_3 = 2a_2$

$a_4 = 3a_3$

$\vdots$

$a_9 = 8a_8$

$a_{10} = 9a_9$

따라서 $a_{10} = a_1 \times 2 \times 3 \times \cdots \times 8 \times 9$

$a_1 = 1$이므로 $a_{10} = 9!$

답 (1) 288  (2) 9!

## 대표 03

(1) 영역의 개수가 최대이려면 그림과 같이 이미 그어진 직선 $n$개와 원 안에서 모두 만나게 $(n+1)$번째 직선을 그으면 된다.

이때 더 생기는 영역은 $(n+1)$개이다.

$a_1 = 2$    $a_2 = a_1 + 2$    $a_3 = a_2 + 3$

$\cdots$

$a_4 = a_3 + 4$

$$\therefore a_{n+1} = a_n + n + 1$$

(2) $a_{n+1}=a_n+n+1$의 $n$에 $1$, $2$, $3$, $\cdots$, $n-2$, $n-1$을
차례로 대입하여 변끼리 더하면

$a_2=a_1+2$

$a_3=a_2+3$

$a_4=a_3+4$

$\vdots$

$a_{n-1}=a_{n-2}+(n-1)$

$a_n=a_{n-1}+n$

따라서 $a_n=a_1+2+3+4+\cdots+(n-1)+n$

$a_1=2$이므로

$$a_n=1+\sum_{k=1}^{n}k=1+\frac{n(n+1)}{2}=\frac{n^2}{2}+\frac{n}{2}+1$$

🔵 (1) $a_{n+1}=a_n+n+1$ (2) $a_n=\dfrac{n^2}{2}+\dfrac{n}{2}+1$

## 3-1

영역의 개수가 최소이려면 그림과 같이 이미 그어진 직선 $n$개와 원 안에서 만나지 않게 $(n+1)$번째 직선을 그으면 된다. 이때 더 생기는 영역은 1개이다.

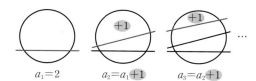

$a_1=2$  $a_2=a_1+1$  $a_3=a_2+1$

$\therefore a_{n+1}=a_n+1$

🔵 $a_{n+1}=a_n+1$

## 3-2

그림에서

$a_{n+1}=a_n+2n+1$

이 식의 $n$에 $1$, $2$, $3$, $\cdots$,
$n-1$을 차례로 대입하여 변끼리 더하면

$a_2=a_1+3$

$a_3=a_2+5$

$a_4=a_3+7$

$\vdots$

$a_{n-1}=a_{n-2}+(2n-3)$

$a_n=a_{n-1}+(2n-1)$

따라서 $a_n=a_1+3+5+\cdots+(2n-1)$

$a_1=1$이므로

$$a_n=\sum_{k=1}^{n}(2k-1)=2\sum_{k=1}^{n}k-\sum_{k=1}^{n}1=2\times\frac{n(n+1)}{2}-n=n^2$$

🔵 $a_{n+1}=a_n+2n+1$, $a_n=n^2$

**개념 Check**　　　　　　　　　218쪽

**4**

(ⅰ) $n=1$일 때, (좌변)$=\boxed{1}$, (우변)$=1^2=\boxed{1}$

따라서 $n=1$일 때, 등식이 성립한다.

(ⅱ) $n=k$일 때, 등식이 성립한다고 가정하면

$1+3+5+\cdots+(2k-1)=k^2$

양변에 $\boxed{2k+1}$을 더하면

$1+3+5+\cdots+(2k-1)+(\boxed{2k+1})$

$=k^2+(\boxed{2k+1})$

(우변)$=k^2+2k+1=(k+1)^2$이므로

$1+3+5+\cdots+(2k-1)+(\boxed{2k+1})$

$=\boxed{(k+1)^2}$

따라서 $n=k+1$일 때에도 등식이 성립한다.

(ⅰ), (ⅱ)에서 모든 자연수 $n$에 대하여 등식이 성립한다.

🔵 (개) : $1$, (내) : $2k+1$, (대) : $(k+1)^2$

**대표Q**　　　　　　　　　219쪽 ~ 221쪽

**대표 04**

(ⅰ) $n=1$일 때,

(좌변)$=1^3=1$, (우변)$=1^2=1$

따라서 $n=1$일 때, 등식이 성립한다.

(ⅱ) $n=k$일 때, 등식이 성립한다고 가정하면

$1^3+2^3+3^3+\cdots+k^3=(1+2+3+\cdots+k)^2$

양변에 $(k+1)^3$을 더하면

$(우변)=(1+2+3+\cdots+k)^2+(k+1)^3$

$=\left\{\dfrac{k(k+1)}{2}\right\}^2+(k+1)^3$

$=\dfrac{(k+1)^2}{4}\times\{k^2+4(k+1)\}$

$=\dfrac{(k+1)^2}{4}\times(k+2)^2=\left\{\dfrac{(k+1)(k+2)}{2}\right\}^2$

$=\{1+2+3+\cdots+k+(k+1)\}^2$

따라서

$1^3+2^3+3^3+\cdots+(k+1)^3$

$=\{1+2+3+\cdots+(k+1)\}^2$

이므로 $n=k+1$일 때에도 등식이 성립한다.

( i ), (ii)에서 모든 자연수 $n$에 대하여 등식이 성립한다.

풀이 참조

## 4-1

( i ) $n=1$일 때,

(좌변)$=1-\dfrac{1}{2}=\boxed{\dfrac{1}{2}}$, (우변)$=\dfrac{1}{1+1}=\boxed{\dfrac{1}{2}}$

따라서 $n=1$일 때, 등식이 성립한다.

(ii) $n=k$일 때, 등식이 성립한다고 가정하면

$1-\dfrac{1}{2}+\dfrac{1}{3}-\dfrac{1}{4}+\cdots+\dfrac{1}{2k-1}-\dfrac{1}{2k}$

$=\dfrac{1}{k+1}+\dfrac{1}{k+2}+\cdots+\dfrac{1}{2k}$

양변에 $\boxed{\dfrac{1}{2k+1}-\dfrac{1}{2k+2}}$을 더하면

$1-\dfrac{1}{2}+\dfrac{1}{3}-\dfrac{1}{4}+\cdots+\dfrac{1}{2k-1}-\dfrac{1}{2k}$

$+\boxed{\dfrac{1}{2k+1}-\dfrac{1}{2k+2}}$

$=\dfrac{1}{k+1}+\dfrac{1}{k+2}+\cdots+\dfrac{1}{2k}+\boxed{\dfrac{1}{2k+1}-\dfrac{1}{2k+2}}$

(우변)$=\dfrac{1}{k+2}+\dfrac{1}{k+3}+\cdots+\dfrac{1}{2k+1}$

$+\dfrac{1}{k+1}-\dfrac{1}{2k+2}$

$=\dfrac{1}{k+2}+\dfrac{1}{k+3}+\cdots+\dfrac{1}{2k+1}+\boxed{\dfrac{1}{2k+2}}$

따라서 $n=k+1$일 때에도 등식이 성립한다.

( i ), (ii)에서 모든 자연수 $n$에 대하여 등식이 성립한다.

(개): $\dfrac{1}{2}$, (나): $\dfrac{1}{2k+1}-\dfrac{1}{2k+2}$, (다): $\dfrac{1}{2k+2}$

## 대표 05

( i ) $n=2$일 때,

(좌변)$=1+\dfrac{1}{2}=\dfrac{3}{2}$, (우변)$=\dfrac{2\times2}{2+1}=\dfrac{4}{3}$

따라서 $\dfrac{3}{2}>\dfrac{4}{3}$이므로 $n=2$일 때, 부등식이 성립한다.

---

(ii) $n=k$ $(k\geq2)$일 때, 부등식이 성립한다고 가정하면

$1+\dfrac{1}{2}+\dfrac{1}{3}+\cdots+\dfrac{1}{k}>\dfrac{2k}{k+1}$

양변에 $\dfrac{1}{k+1}$을 더하면

$1+\dfrac{1}{2}+\dfrac{1}{3}+\cdots+\dfrac{1}{k}+\dfrac{1}{k+1}>\dfrac{2k}{k+1}+\dfrac{1}{k+1}$

(우변)$=\dfrac{2k}{k+1}+\dfrac{1}{k+1}=\dfrac{2k+1}{k+1}$이고

$\dfrac{2k+1}{k+1}-\dfrac{2(k+1)}{k+2}$

$=\dfrac{(2k+1)(k+2)-(2k+2)(k+1)}{(k+1)(k+2)}$

$=\dfrac{k}{(k+1)(k+2)}>0$

이므로 $\dfrac{2k+1}{k+1}>\dfrac{2(k+1)}{k+2}$

$\therefore 1+\dfrac{1}{2}+\dfrac{1}{3}+\cdots+\dfrac{1}{k+1}>\dfrac{2(k+1)}{k+2}$

따라서 $n=k+1$일 때에도 부등식이 성립한다.

( i ), (ii)에서 $n\geq2$인 모든 자연수 $n$에 대하여 부등식이 성립한다.

풀이 참조

## 5-1

( i ) $n=\boxed{2}$일 때,

(좌변)$=(1+x)^2=1+2x+x^2$,

(우변)$=1+2x$

$x>0$이므로 (좌변)$>$(우변)

따라서 $n=\boxed{2}$일 때, 부등식이 성립한다.

(ii) $n=k$ $(k\geq2)$일 때, 부등식이 성립한다고 가정하면

$(1+x)^k>1+kx$

양변에 $(1+x)$를 곱하면 $\boxed{1+x}>0$이므로

$(1+x)^{k+1}>(1+kx)(\boxed{1+x})$

(우변)$=(1+kx)(\boxed{1+x})=1+(k+1)x+\boxed{kx^2}$이고,

$\boxed{kx^2}>0$이므로

$1+(k+1)x+kx^2>1+(k+1)x$

$\therefore (1+x)^{k+1}>1+(k+1)x$

따라서 $n=k+1$일 때에도 부등식이 성립한다.

(ⅰ), (ⅱ)에서 $n \geq 2$인 모든 자연수 $n$에 대하여 부등식이
성립한다.

🔁 (개) : 2, (내) : $1+x$, (대) : $kx^2$

### 대표 06

(ⅰ) $n=1$일 때,

$a_1 = 2^1 + \dfrac{1}{1} = 3$이므로 성립한다.

(ⅱ) $n=k$일 때, $a_k = 2^k + \dfrac{1}{k}$이 성립한다고 가정하면

조건에서

$ka_{k+1} - 2k \times \left(2^k + \dfrac{1}{k}\right) + \dfrac{k+2}{k+1} = 0$

$ka_{k+1} = k \times 2^{k+1} + \dfrac{k}{k+1}$

$a_{k+1} = 2^{k+1} + \dfrac{1}{k+1}$

따라서 $n=k+1$일 때에도 부등식이 성립한다.

(ⅰ), (ⅱ)에서 모든 자연수 $n$에 대하여 부등식이 성립한다.

🔁 풀이 참조

### 6-1

(ⅰ) $n=1$일 때,

$a_4 = 2a_3 + a_2 = 2(2a_2 + a_1) + a_2 = 5a_2 + 2a_1 = \boxed{12}$

이므로 성립한다.

(ⅱ) $n=k$일 때, $a_{4k}$가 12의 배수라 가정하면

$a_{4(k+1)} = 2a_{4k+3} + a_{4k+2}$

$\qquad\quad = 2(2a_{4k+2} + a_{4k+1}) + a_{4k+2}$

$\qquad\quad = \boxed{5}a_{4k+2} + 2a_{4k+1}$

$\qquad\quad = 5(2a_{4k+1} + a_{4k}) + 2a_{4k+1}$

$\qquad\quad = \boxed{12}a_{4k+1} + \boxed{5}a_{4k}$

따라서 $a_{4(k+1)}$은 12의 배수이다.

(ⅰ), (ⅱ)에서 모든 자연수 $n$에 대하여 $a_{4n}$은 12의 배수이다.
따라서 (개) : 12, (내) : 5, (대) : 12, (래) : 5이다.

🔁 (개) : 12, (내) : 5, (대) : 12, (래) : 5

### 12 수학적 귀납법

**01** $\dfrac{13}{8}$　　**02** 4　　**03** ⑤　　**04** 9

**05** $a_n = \dfrac{2^{n-1}}{n}$　　**06** 61　　**07** ⑤

**08** ④　　**09** 8　　**10** $\dfrac{1}{2}$　　**11** $a_n = \dfrac{n+1}{2n}$

**12** 풀이 참조

**13** (개) : $k+1$, (내) : $\dfrac{(k+1)(k+2)}{2}$,

　　(대) : $\dfrac{(k+1)(k+2)(k+3)}{6}$

**14** $a_{n+1} - a_n = 3n+1$ (또는 $a_{n+1} = a_n + 3n+1$),

　　$a_n = \dfrac{n(3n-1)}{2}$

**15** (개) : $\dfrac{1}{(k+1)^2}$, (내) : $2 - \dfrac{1}{k+1}$, (대) : $k+1$

### 01

$a_{n+1} = \dfrac{1}{a_n} + 1$의 $n$에 $n=1,\ 2,\ 3,\ 4,\ 5$를 차례로 대입하면

$a_2 = \dfrac{1}{a_1} + 1 = 1 + 1 = 2$

$a_3 = \dfrac{1}{a_2} + 1 = \dfrac{1}{2} + 1 = \dfrac{3}{2}$

$a_4 = \dfrac{1}{a_3} + 1 = \dfrac{2}{3} + 1 = \dfrac{5}{3}$

$a_5 = \dfrac{1}{a_4} + 1 = \dfrac{3}{5} + 1 = \dfrac{8}{5}$

$\therefore a_6 = \dfrac{1}{a_5} + 1 = \dfrac{5}{8} + 1 = \dfrac{13}{8}$

🔁 $\dfrac{13}{8}$

### 02

$a_{n+1} = a_n + 2n$의 $n$에 $n=1,\ 2,\ 3,\ 4$를 차례로 대입하면

$a_2 = a_1 + 2$

$a_3 = a_2 + 4 = a_1 + 6$

$a_4 = a_3 + 6 = a_1 + 12$

$a_5 = a_4 + 8 = a_1 + 20$

이때 $a_5 = 24$이므로

$a_1 + 20 = 24 \qquad \therefore a_1 = 4$

🔁 4

## 03

$a_{n+2}=2a_{n+1}-a_n$이므로 $a_3=2a_2-a_1$

$a_1=-2$, $a_3=8-a_2$를 대입하면

$8-a_2=2a_2+2$   ∴ $a_2=2$

$a_3=8-2=6$, $a_4=2a_3-a_2=2\times6-2=10$

이므로 수열 $\{a_n\}$은 첫째항이 $-2$, 공차가 4인 등차수열이다.

∴ $a_n=-2+(n-1)\times4=4n-6$

∴ $\displaystyle\sum_{k=1}^{30}a_k=\sum_{k=1}^{30}(4k-6)=4\times\frac{30\times31}{2}-6\times30=1680$

**답** ⑤

## 04

$a_1=4$, $a_2=12$이므로

$a_2{}^2=a_1a_3$에서 $a_3=36$

$a_3{}^2=a_2a_4$에서 $a_4=108$

⋮

따라서 수열 $\{a_n\}$은 첫째항이 4이고 공비가 3인 등비수열이므로 $a_n=4\times3^{n-1}$

∴ $\dfrac{a_{100}}{a_{98}}=\dfrac{4\times3^{99}}{4\times3^{97}}=3^2=9$

**다른 풀이**

$a_{n+1}{}^2=a_na_{n+2}$이므로 $\{a_n\}$은 등비수열이다.

공비를 $r$라 하면 $r=\dfrac{a_2}{a_1}=\dfrac{12}{4}=3$

∴ $\dfrac{a_{100}}{a_{98}}=r^2=3^2=9$

**답** 9

## 05

$a_{n+1}=\dfrac{2n}{n+1}a_n$의 $n$에 $n=1$, 2, 3, $\cdots$, $n-1$을 차례로 대입하여 변끼리 곱하면

$\bcancel{a_2}=\dfrac{2\times1}{2}a_1$

$\bcancel{a_3}=\dfrac{2\times2}{3}\bcancel{a_2}$

$\bcancel{a_4}=\dfrac{2\times3}{4}\bcancel{a_3}$

⋮

$\bcancel{a_{n-1}}=\dfrac{2(n-2)}{n-1}\bcancel{a_{n-2}}$

$a_n=\dfrac{2(n-1)}{n}\bcancel{a_{n-1}}$

따라서 $a_n=\dfrac{2^{n-1}}{n}a_1$

$a_1=1$이므로 $a_n=\dfrac{2^{n-1}}{n}$

**답** $a_n=\dfrac{2^{n-1}}{n}$

## 06

1회 자르면 $a_1=4$

2회 자르면 $a_2=7$

3회 자르면 $a_3=10$

⋮

따라서 수열 $\{a_n\}$은 첫째항이 4, 공차가 3인 등차수열이므로

$a_n=4+(n-1)\times3=3n+1$

∴ $a_{20}=3\times20+1=61$

**답** 61

**참고** 밧줄을 1회 자를 때마다 밧줄 조각이 3개 더 생긴다.

## 07

(i) $p(2)$가 참이고, $p(n)$이 참이면 $p(2n)$도 참이므로
  $p(2^2)$, $p(2^3)$, $p(2^4)$, $\cdots$이 참이다.

(ii) $p(n)$이 참이면 $p(3n)$도 참이므로
  $p(2\times3)$, $p(2^2\times3)$, $p(2^3\times3)$, $\cdots$이 참이고,
  $p(2\times3^2)$, $p(2^2\times3^2)$, $p(2^3\times3^2)$, $\cdots$이 참이다.
  곧, $p(2^k\times3^l)$ ($k$, $l$은 자연수)은 모두 참이다.

$10=2\times5$, $14=2\times7$, $22=2\times11$, $24=2^3\times3$이므로 반드시 참인 명제는 $p(24)$이다.

**답** ⑤

## 08 **전략** $\{a_n\}$의 정의에 따라 $a_2$, $a_3$, $a_4$, $\cdots$의 값을 차례로 구한다.

$a_2=2221$, $a_3=2220$

$a_4=222$, $a_5=221$, $a_6=220$

$a_7=22$, $a_8=21$, $a_9=20$

$a_{10}=2$, $a_{11}=1$, $a_{12}=a_{13}=\cdots=0$

따라서 $a_k=1$일 때, $k=11$

**답** ④

**09** **전략** $\{a_n\}$의 정의에 따라 $a_2$, $a_3$의 값을 차례로 구한다.

$a_1=6>0$이므로 $a_2=2-a_1=-4$

$a_2=-4<0$이므로 $a_3=a_2+p=-4+p$

(i) $a_3=-4+p\geq 0$ $(p\geq 4)$인 경우

$\quad a_4=2-a_3=6-p=0$

$\quad \therefore\ p=6$

(ii) $a_3=-4+p<0$ $(p<4)$인 경우

$\quad a_4=a_3+p=-4+2p=0$

$\quad \therefore\ p=2$

(i), (ii)에서 모든 실수 $p$값의 합은 $6+2=8$

답 8

**10** **전략** $n=1,\ 2,\ 3,\ \cdots,\ n-1$을 대입하고 변끼리 더한다.

$a_{n+1}=a_n+\dfrac{1}{n(n+1)}=a_n+\dfrac{1}{n}-\dfrac{1}{n+1}$이므로 $n$에

$1,\ 2,\ 3,\ \cdots,\ n-1$을 차례로 대입하여 변끼리 더하면

$a_2=a_1+1-\dfrac{1}{2}$

$a_3=a_2+\dfrac{1}{2}-\dfrac{1}{3}$

$a_4=a_3+\dfrac{1}{3}-\dfrac{1}{4}$

$\quad\vdots$

$a_{n-1}=a_{n-2}+\dfrac{1}{n-2}-\dfrac{1}{n-1}$

$a_n=a_{n-1}+\dfrac{1}{n-1}-\dfrac{1}{n}$

따라서 $a_n=a_1+1-\dfrac{1}{n}$

$a_{10}=\dfrac{7}{5}$이므로

$\dfrac{7}{5}=a_1+1-\dfrac{1}{10}$

$\therefore\ a_1=\dfrac{1}{2}$

답 $\dfrac{1}{2}$

**11** **전략** $n=2,\ 3,\ \cdots,\ n-1$을 대입하고 변끼리 곱한다.

$a_n=\left(1-\dfrac{1}{n^2}\right)a_{n-1}=\dfrac{n^2-1}{n^2}a_{n-1}$

$\quad =\dfrac{(n-1)(n+1)}{n^2}a_{n-1}$

이므로 $n$에 $2,\ 3,\ \cdots,\ n-1$을 차례로 대입하여 변끼리 곱하면

$a_2=\dfrac{1\times 3}{2^2}a_1$

$a_3=\dfrac{2\times 4}{3^2}a_2$

$a_4=\dfrac{3\times 5}{4^2}a_3$

$\quad\vdots$

$a_{n-1}=\dfrac{(n-2)\times n}{(n-1)^2}a_{n-2}$

$a_n=\dfrac{(n-1)\times(n+1)}{n^2}a_{n-1}$

따라서

$a_n=\dfrac{1\times2\times3\times\cdots\times(n-1)\times3\times4\times5\times\cdots\times(n+1)}{2^2\times3^2\times4^2\times\cdots\times(n-1)^2\times n^2}a_1$

$a_1=1$이므로

$a_n=\dfrac{n+1}{2\times n}=\dfrac{n+1}{2n}$

답 $a_n=\dfrac{n+1}{2n}$

**12** **전략** $n=k,\ k+1$일 때 식이 어떤 꼴인지 생각한다.

(i) $n=1$일 때,

$\quad$ (좌변)$=\dfrac{1}{2}$, (우변)$=2-\dfrac{3}{2}=\dfrac{1}{2}$

$\quad$ 따라서 $n=1$일 때, 등식이 성립한다.

(ii) $n=k$일 때, 등식이 성립한다고 가정하면

$\quad \dfrac{1}{2}+\dfrac{2}{2^2}+\dfrac{3}{2^3}+\cdots+\dfrac{k}{2^k}=2-\dfrac{k+2}{2^k}$

$\quad$ 양변에 $\dfrac{k+1}{2^{k+1}}$을 더하면

$\quad$ (우변)$=2-\dfrac{k+2}{2^k}+\dfrac{k+1}{2^{k+1}}=2-\dfrac{k+3}{2^{k+1}}$

$\quad$ 이므로

$\quad \dfrac{1}{2}+\dfrac{2}{2^2}+\dfrac{3}{2^3}+\cdots+\dfrac{k+1}{2^{k+1}}=2-\dfrac{k+3}{2^{k+1}}$

$\quad$ 따라서 $n=k+1$일 때에도 등식이 성립한다.

(i), (ii)에서 모든 자연수 $n$에 대하여 등식이 성립한다.

답 풀이 참조

**13** **전략** $n=k,\ k+1$일 때 식이 어떤 꼴인지 생각한다.

(i) $n=1$일 때, (좌변)$=1$, (우변)$=1$이므로 등식은 성립한다.

(ii) $n=k$일 때, 등식이 성립한다고 가정하면

$$1 \times k + 2 \times (k-1) + 3 \times (k-2) + \cdots + k \times 1$$
$$= \frac{k(k+1)(k+2)}{6}$$

이다. $n=k+1$일 때, 성립함을 보이자.

$$1 \times (k+1) + 2 \times k + 3 \times (k-1) + \cdots + (k+1) \times 1$$
$$= 1 \times k + 2 \times (k-1) + 3 \times (k-2) + \cdots + k \times 1$$
$$\quad + (1 + 2 + 3 + \cdots + k) + \boxed{k+1}$$
$$= \frac{k(k+1)(k+2)}{6} + \boxed{\frac{(k+1)(k+2)}{2}}$$
$$= \boxed{\frac{(k+1)(k+2)(k+3)}{6}}$$

따라서 $n=k+1$일 때에도 등식이 성립한다.

( i ), (ii)에서 모든 자연수 $n$에 대하여 등식이 성립한다.

> 冨 (가): $k+1$, (나): $\dfrac{(k+1)(k+2)}{2}$,
>
> (다): $\dfrac{(k+1)(k+2)(k+3)}{6}$

**14** **전략** 오각수의 규칙을 찾아본다.

그림에서 규칙성을 찾아보면 $n$번째 오각수에 추가된 점의 개수는 $3 \times n$에서 겹치는 점의 개수 2를 뺀 것이다.

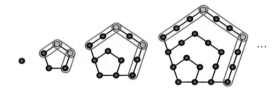

$a_1 = 1$
$a_2 = a_1 + 4 = a_1 + 3 \times 2 - 2$
$a_3 = a_2 + 7 = a_2 + 3 \times 3 - 2$
$a_4 = a_3 + 10 = a_3 + 3 \times 4 - 2$
⋮

이므로 $a_{n+1} = a_n + 3(n+1) - 2 = a_n + 3n + 1$

$\therefore a_{n+1} - a_n = 3n + 1$

$n$에 1, 2, 3, $\cdots$, $n-1$을 차례로 대입하여 변끼리 더하면

$a_2 - a_1 = 3 \times 1 + 1$
$a_3 - a_2 = 3 \times 2 + 1$
$a_4 - a_3 = 3 \times 3 + 1$
⋮
$a_{n-1} - a_{n-2} = 3 \times (n-2) + 1$
$a_n - a_{n-1} = 3 \times (n-1) + 1$

따라서

$$a_n - a_1 = 3 \times \{1 + 2 + 3 + \cdots + (n-1)\} + 1 \times (n-1)$$

$a_1 = 1$이므로

$$a_n - 1 = 3 \times \frac{n(n-1)}{2} + n - 1$$

$$\therefore a_n = \frac{n(3n-1)}{2}$$

> 冨 $a_{n+1} - a_n = 3n + 1$ (또는 $a_{n+1} = a_n + 3n + 1$),
>
> $a_n = \dfrac{n(3n-1)}{2}$

**15** **전략** $n=k$, $k+1$일 때 식이 어떤 꼴인지 생각한다.

( i ) $n=2$일 때,

$$(\text{좌변}) = 1 + \frac{1}{2^2} = \frac{5}{4}, \quad (\text{우변}) = 2 - \frac{1}{2} = \frac{3}{2}$$

이므로 부등식이 성립한다.

(ii) $n=k$ $(k \geq 2)$일 때, 부등식이 성립한다고 가정하면

$$\frac{1}{1^2} + \frac{1}{2^2} + \cdots + \frac{1}{k^2} < 2 - \frac{1}{k}$$

이 부등식의 양변에 $\boxed{\dfrac{1}{(k+1)^2}}$을 더하면

$$\frac{1}{1^2} + \frac{1}{2^2} + \cdots + \frac{1}{k^2} + \boxed{\frac{1}{(k+1)^2}}$$
$$< 2 - \frac{1}{k} + \boxed{\frac{1}{(k+1)^2}} \qquad \cdots \text{㉠}$$

이때 부등식 ㉠의 우변에서

$$\left\{ 2 - \frac{1}{k} + \frac{1}{(k+1)^2} \right\} - \left( \boxed{2 - \frac{1}{k+1}} \right)$$
$$= -\frac{1}{k(k+1)^2} < 0 \qquad \cdots \text{㉡}$$

㉠과 ㉡에서

$$\frac{1}{1^2} + \frac{1}{2^2} + \cdots + \frac{1}{k^2} + \frac{1}{(k+1)^2}$$
$$< 2 - \frac{1}{k} + \frac{1}{(k+1)^2} < 2 - \frac{1}{k+1}$$

따라서 $n = \boxed{k+1}$일 때에도 부등식이 성립한다.

( i ), (ii)에서 $n \geq 2$인 모든 자연수 $n$에 대하여 부등식이 성립한다.

> 冨 (가): $\dfrac{1}{(k+1)^2}$, (나): $2 - \dfrac{1}{k+1}$, (다): $k+1$

정답 및 풀이